# HABET

**N n** [én 엔] *N n*
nest

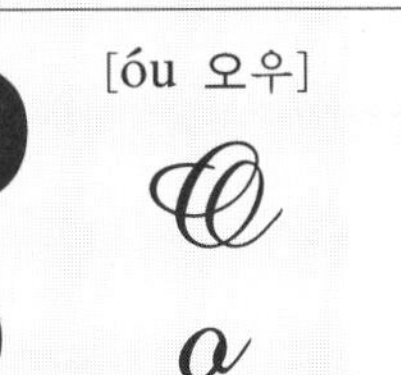

**O o** [óu 오우] *O o*

owl

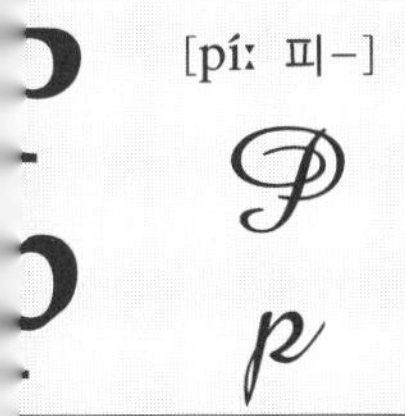

**P p** [pí: 피-] *P p*

pizza

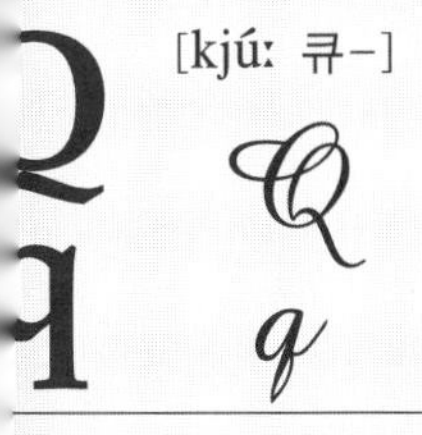

**Q q** [kjú: 큐-] *Q q*

queen

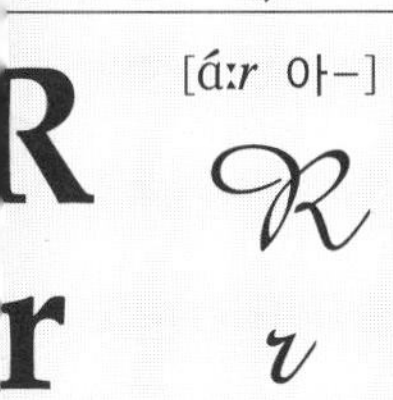

**R r** [á:r 아-] *R r*

rose

**S s** [és 에스] *S s*

slippers

**T t** [tí: 티-] *T t*

tulip

**U u** [jú

umbrella

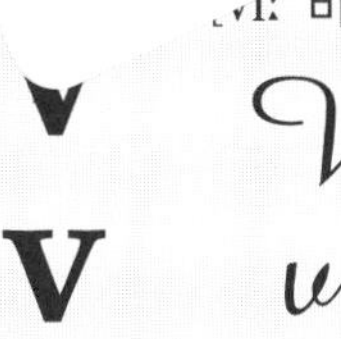

**V v** [ví: 비-] *V v*

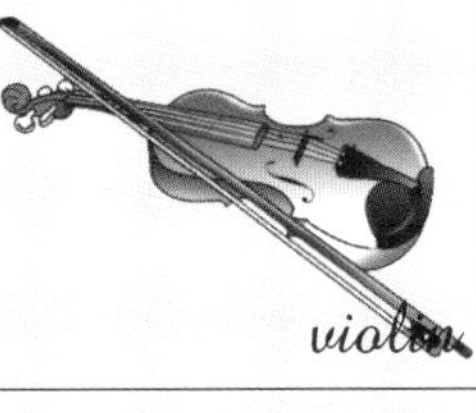

violin

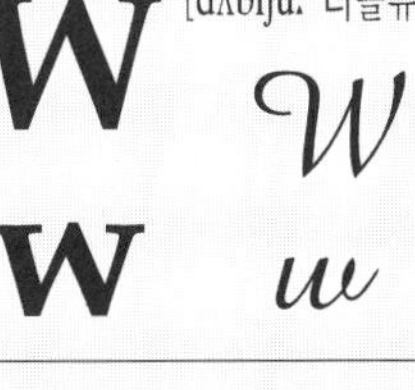

**W w** [dʌ́blju: 더블류-] *W w*

whale

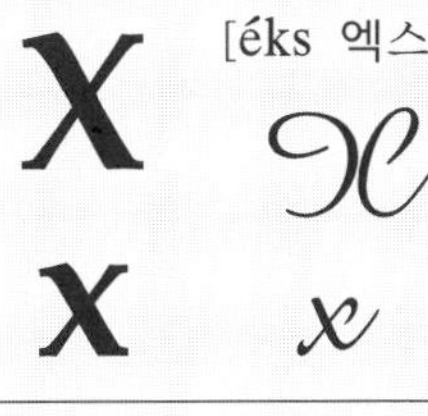

**X x** [éks 엑스] *X x*

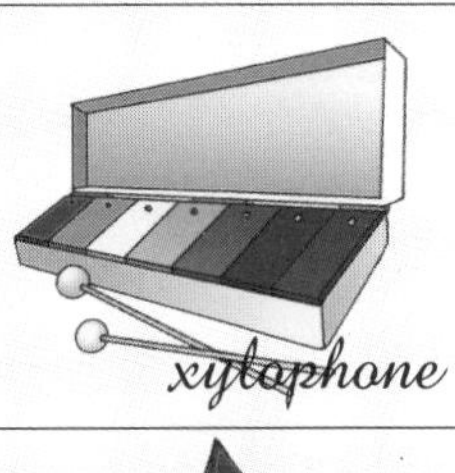

xylophone

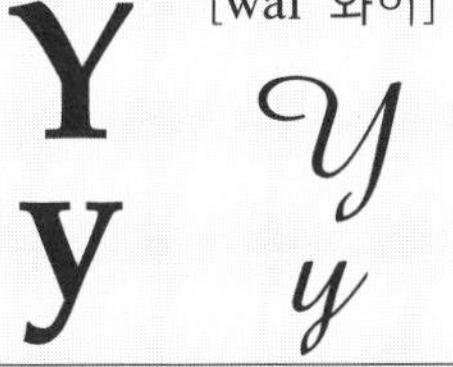

**Y y** [wái 와이] *Y y*

yacht

**Z z** [zí: 지-] *Z z*

zebra

# 엣센스 영어 입문 사전

## ESSENCE
## ENGLISH-KOREAN DICTIONARY FOR BEGINNERS

사전전문
민중서림

# 머 리 말

영어를 가장 쉽고 재미있게 공부하는 방법은 무엇일까요?

이에 대한 해답을 찾기 위해 저희 민중서림 사서 편집 팀은 오랫동안 연구를 거듭해 왔습니다. 현재의 영어는 약 1500년이라는 오랜 역사 속에서 나름의 독특한 문화와 풍습이 어울려 탄생된 것입니다. 그래서 영어 공부는 단순히 낱말이나 문장을 외우는 것만으로는 부족하며 그 뒤에 숨어 있는 배경까지도 파악해야만 하는 것입니다. 이에 맞추어 〈엣센스 영어 입문 사전〉은 초보자가 영어에 대한 지속적인 흥미를 가지고 영어의 탄탄한 기초 과정을 습득할 수 있도록 간행되었습니다.

무엇보다도 영어 실력을 기르려면 단어를 얼마만큼 알고 있는지, 즉 어휘력이 크게 좌우합니다. 이 사전에는 초등학생과 중학생의 언어 영역을 커버하고도 남을 정도의 5,000단어를 수록했습니다. 그 중 빨간색으로 인쇄된 750개의 필수 단어 외에 970어의 주요 단어에 *를 달아 중요도를 표시했습니다. 이 두 가지를 합하면 1,720어인데, 이것만 잘 익혀도 중학 과정까지의 필수 단어는 전부 정복한 셈일 뿐만 아니라, 그 이후의 영어 학습에도 확실한 기초적 토대를 마련하게 될 것입니다.

이 사전의 표제어와 그에 따른 예문을 선정함에 있어 미국 · 영국의 초등 교과서에서 표준 예문을 엄선했으며, 그 밖에도 미국 · 영국의 대표적 어린이 영어 사전의 내용을 충분히 반영했습니다. 되도록 현지의 원어민 영어를 활용함으로써 보다 자연스럽고 살아 있는 생생한 영어를 보여주려는 목적에서였습니다. 특히 이 사전의 가장 큰 자랑거리는 영어 단어와 그 예문을 제대로 기억시키기 위해 무려 2,500개에 달하는 삽화와 사진을 사용한 점입니다. 단순히 읽는 사전의 틀을 깨고 예문 및 표제어와 관련된 삽화와 사진을 풍부히 배열함으로써 영어의 이해에 결정적인 도움을 주도록 했습니다.

또 한 가지 주목해야 할 것은 영어를 완벽하게 이해하기 위해서는 문장의 구성 원리인 문법을 소홀히 해서는 안 된다는 점입니다. 지난날 문법 위주의 우리 영어 교육이 많은 폐단을 불러일으킨 것은 사실이지만 최소한의 기초 문법까지 배척해야 할 이유는 없는 것입니다. 이 사전에서는 영어의 이해에 반드시 필요한 〈어법란〉과, 비슷한 단어끼리의 미묘한 뜻의 차이, 또 우리와 전혀 다른 문화 생활에서 생성된 어휘들에 대해 〈참고란〉 등의 박스를 신설하여 친절히 설명함으로써 초보자의 이해를 도왔습니다.

아무쪼록 이 땅의 초등학생과 중학생이 〈엣센스 영어 입문 사전〉을 친근한 벗으로 삼아, 미래의 우리나라를 짊어지고 국제 무대에서 활약할 기틀을 마련하는 데 밑거름이 되어 줄 것을 간절히 바랍니다. 끝으로 이 사전이 간행되기까지 많은 어려움을 무릅쓰고 최선을 다해 애써 주신 편집 팀원 여러분, 짧은 기간에 예쁜 그림을 완성시켜 준 삽화가 오현진 씨에게 다시 한번 깊은 감사를 드립니다.

민중서림 편집국 영어 사서부

# 이 사전의 사용법

## ■ 표 제 어

1. 이 사전에 수록된 단어는 총 5,000어이며, 굵은 볼드체를 사용하고 알파벳순으로 배열하였다. 그 밖에 표제어 다음에는 반드시 필기체를 달아 주었다.
2. 필수 권장 단어 750어에는 ⁑를 달고 눈에 잘 띄도록 표제어를 빨간색으로 인쇄하였다. 그 다음으로 중요한 970어에는 *를 달아 표시하였다. 이 두 가지를 합하면 1,720어인데 이것만 잘 익혀도 중학 과정까지의 필수 단어를 완전히 공략한 셈이 된다.

   《보기》 **⁑ball** [bɔ́:l 볼-] 명 공, 공 모양의 것
   ***deer** [díər 디어] 명 〖동물〗 사슴
3. 철자는 같아도 어원과 뜻이 다른 단어는 별도의 표제어로 다루고 그 오른쪽 어깨에 작은 숫자를 달아 구분하였다.

   《보기》 **bat¹** [bǽt 배트] 명 (야구의) 배트
   **bat²** [bǽt 배트] 명 〖동물〗 박쥐
4. 두 단어로 이루어진 복합어로서 흔히 쓰이는 말은 표제어로 다루어 주었다. 단, 복합어에는 복수형은 보이지 않았다.

   《보기》 **liv•ing room** [líviŋ rù:m 리빙룸-] 명 거실
5. 철자는 미국식 철자를 주로 따랐으며, 미국과 영국의 철자가 다를 경우에는 **cen•ter**, 《영》 **cen•tre**처럼 미국식 철자 다음에 영국식 철자를 기술하거나, **colo(u)r**처럼 영국식 철자를 괄호 속에 넣어 표시하였다.
6. 2음절 이상의 단어는 전부 중점(•)으로 끊어 구분하였다. 이 음절은 발음 및 악센트와 밀접한 관계가 있으므로, 평소에 눈여겨보면서 기억해 두어야 한다. 본문의 행 끝에서 불가피하게 꺾이는 단어 역시 음절별로 하이픈(-)을 넣어 표시하였다.

   《보기》 **pro•gress** [prάgres 프라그레스]

## ■ 발 음

1. 발음은 미국식 위주로 하였다. 또 발음 기호는 국제 음성 기호로 표기하고, 발음 기호를 미처 익히지 못한 초등학생을 위하여 우리말 음을 달아 주었다. 단, 주의해야 할 것은 한글음에 지나치게 의존하다가 원어의 발음을 망칠 수 있으므로 학교 선생님이나 시청각 교재의 발음을 철저히 따르도록 해야 한다.
2. 악센트는 음절의 모음 위에 (´)로 제1악센트, (`)로 제2악센트를 표시하였다.

단, 편의상 단음절에도 악센트를 달아 주었고, 우리말 발음 표기에도 강하게 발음되는 부분을 고딕체로 표시하였다.

《보기》 a) 단음절어 **act** [ǽkt 액트] 명

b) 2음절 이상 **ba•by** [béibi 베이비] 명

c) 두 단어로 이루어진 복합어

**back•ground** [bǽkgràund 백그라운드] 명

3. 한 단어에 강약 두 가지 발음이 날 경우에는 《 》 속에 강음과 약음을 별도로 표시하였다.

《보기》 **can**[1] [《약》 kən 컨; 《강》 kǽn 캔] 조

4. 같은 단어일지라도 품사에 따라 발음이 달라지는 경우 각 품사 뒤에 달라진 발음을 보여 주었다.

《보기》 **re•cord** [rikɔ́ːrd 리코-드] 타 (…을) 기록하다; 녹음하다

—— 명 [rékərd 레커드] ❶ 기록

5. 미국식에서는 발음이 되지만, 영국식에서는 발음이 안 되는 [*r*], [*j*] 따위는 이탤릭체로 표기하였다. 또 발음을 안 해도 되는 음은 ( ) 속에 넣어 표시하였다.

《보기》 **hear** [híə*r* 히어] 타자 듣다, 들리다

**every•where** [évri(h)weə*r* 에브리웨어] 부 어디든지

6. 영어 음에서 길게 소리 나는 장음(ː) 부호는 우리말 음에서는 (–)로 표기하였다.

《보기》 **dog** [dɔ(ː)g 도(–)그] 명 개

## ▣ 품 사

1. 명사 · 형용사 · 동사 따위의 품사는 약호를 사용하여 명형동으로 표시하였다 (⇨약어 · 기호표).

2. 한 표제어에 둘 이상의 품사가 있는 경우에는 다음과 같이 처리하였다.

《보기》 **clear** [klíə*r* 클리어] 형 ❶ 맑게 갠

—— 부 분명하게

—— 자 (날씨가) 개다

3. 동사에서 자동사 · 타동사의 뜻이 다를 때는 타자란을 별도로 설정하여 풀이해 주고, 뜻이 같을 때는 일괄해서 처리하였다.

《보기》 **dash** [dǽʃ 대시] 동

—— 타 (…을) 던지다

—— 자 돌진하다

**de•cide** [disáid 디사이드] 타자 결정하다

## ■ 어형 변화

1. 명사의 복수형

명 뒤에 별도로 난을 설정하여 복수형을 보여 주었으며, 만약 물질 명사나 추상 명사처럼 셀 수 없는 명사는 《a〔an〕과 복수형 안 씀》이라고 명시하였다.

《보기》 **ci•ty** [síti 시티] 명 (복수 **cities** [sítiz 시티즈]) 시(市)
**cheese** [tʃíːz 치-즈] 명 《a와 복수형 안 씀》 치즈
**po•lice** [pəlíːs 펄리-스] 명 《the를 붙여; 복수 취급》 경찰

2. 형용사 · 부사의 비교 변화

형 또는 부 뒤에 비교급과 최상급을 보이고, 한 단어에 형용사 · 부사가 함께 있을 경우에는 일괄하여 처리하였다.

《보기》 **cool** [kúːl 쿨-] 형 (비교급 **cooler** [kúːlə*r* 쿨-러], 최상급 **coolest** [kúːlist 쿨-리스트]) 시원한
**fa•mous** [féiməs 페이머스] 형 (비교급 **more famous**, 최상급 **most famous**) 유명한

3. 동사의 활용형

자타의 뒤쪽 ( ) 속에 3단현, 과거, 과분, 현분의 약호를 붙여 고딕체로 표시하였다.

《보기》 **eat** [íːt 이-트] 타자 (3단현 **eats** [íːts 이-츠], 과거 **ate** [éit 에이트], 과분 **eaten** [íːtn 이-튼], 현분 **eating** [íːtiŋ 이-팅]) 먹다

## ■ 뜻풀이와 설명

1. 뜻풀이는 보다 빈번하게 쓰이는 것부터 차례로 기술하고, 비슷한 풀이는 콤마(,)로, 뜻이 조금 다른 것은 세미콜론(;)으로 구분하였다. 또 뜻이 많이 다른 것은 ❶ ❷ ❸의 번호를 써서 구분하였다.
2. 중요도 표시로서 (⁑)(*)이 달린 표제어의 풀이 중에서 대표적인 단어의 뜻은 기억하기 쉽게 고딕체를 사용하였다.

《보기》 **⁑car** [káː*r* 카-] 명 차, 승용차

3. 비슷한말은 ㉠, 반대말은 ㉡, 관련어는 ㉢의 약물을 사용하여 풀이 끝에 달아 주었다.

《보기》 **case²** [kéis 케이스] 명 상자, 케이스 (동 box)
**care•less** [kɛ́ərlis 캐얼리스] 형 부주의한 (반 careful 주의깊은)
**em•per•or** [émpərə*r* 엠퍼러] 명 황제, 제왕 (관 empress 여황제, 황후)

4. 해당 표제어의 이해에 도움을 주기 위해 별도의 박스난을 설정하여 문법 설명이

나 비슷한 말끼리의 차이는 어법 란에, 미국 · 영국의 풍물이나 단어의 생성 · 유래 등은 참고 란에 해설 형식으로 다루었다.

어법 eat와 have
**eat**는 「먹다」의 일반적인 말. **have**는 「먹다」, 「마시다」를 나타내는 완곡한 표현으로, 타인에 대해서는 정중하게 have를 쓴다: What do you usually *have* for lunch? 점심으로 보통 무엇을 드십니까?

참고 dinner는 하루의 주된 식사를 뜻하며, 점심이나 저녁에 두루 쓰인다. 미국의 일반 가정에서는 6시경이 dinner 시간이다. 다만, 일요일이나 명절날에는 오후 1시경에 dinner를 먹으며, 밤에는 간단한 supper(저녁)로 대신하는 수도 있다.

## ■ 용례와 숙어

1. 용　례

a) 예문은 미국 · 영국의 초등 교과서 및 원어민의 어린이용 사전에 나오는 가장 표준적이고 이해하기 쉬운 문장들만 취사선택하였다. 또한 작문이나 회화에 실제로 응용할 수 있는 예문을 풍부히 수록하였다.

b) 예문의 선별은 실제 활용도를 높이기 위해 완전한 문장(full sentence)을 보여 주는 것을 원칙으로 하되, 명사의 경우만은 짧은 단문으로 대체하거나 예문을 생략하기도 하였다.

《보기》 **card** 항에서 …… an invitation *card* 초대장

c) 속담을 예문으로 사용한 경우는 풀이 앞에 《속담》이라고 밝혀 두었다.

《보기》 **early** 항에서 …… The *early* bird catches the worm.
《속담》 일찍 일어나는 새가 벌레를 잡는다.

2. 숙　어

a) 꼭 알아 두어야 할 숙어는 각 품사의 끝에 알파벳 순서에 따라 이탤릭 볼드체로 처리하고, 예문 중의 숙어 해당 어구는 이탤릭체로 표시하였다.

《보기》 **convince** 항에서
***be convinced of*** …을 확신하다
I *am convinced of* his success.
나는 그의 성공을 확신한다.

b) 숙어의 뜻이 두 가지 이상 있는 경우는 ⓐ ⓑ …로 처리하였다.

《보기》 **all** 항에서
***all right*** ⓐ 잘, 무사히 ⓑ 《대답으로서》 좋아요

## ■ 괄호의 사용법

a) [ ] : 발음 기호용

《보기》 **cake** [kéik 케이크]

b) 《 》 : 문법 및 용법 설명

《보기》 **a•fraid** [əfréid 어프레이드] 형 《명사 앞에서 안 씀》

c) ( ) : 풀이의 보충; 생략해도 되는 어구

《보기》 **a•go** [əgóu 어고우] 전 (지금부터) …전

***not only ... but*** (***also***) **~** …뿐만 아니라 ~도

d) ⟪ ⟫ : 풀이에 대한 추가 설명; 연어로서 쓰이는 전치사 · 부사 · 부정어 따위

《보기》 **a•cre** [éikə*r* 에이커] 명 에이커⟪면적의 단위; 약 4,047m²⟫

**ab•sent** [ǽbsnt 앱슨트] 형 결석한 ⟪from⟫

e) 〔 〕 : 다른 말과 대체해도 되는 용어

《보기》 front〔back〕 door 앞〔뒷〕문

◀ 약어 · 기호표 ▶

| | | |
|---|---|---|
| 명 …… 명 사 | 접 …… 접속사 | 관 …… 관련어 |
| 대 …… 대명사 | 감 …… 감탄사 | ⟪미⟫ …… 미국식 |
| 형 …… 형용사 | 3단현 …… 3인칭 · 단수 · 현재 | ⟪영⟫ …… 영국식 |
| 부 …… 부 사 | | ⇨ …… 찾아보기 |
| 동 …… 동 사 | 과거 …… 과거형 | = …… 의미 · 어구가 같음 |
| 자 …… 자동사 | 과분 …… 과거분사 | |
| 타 …… 타동사 | 현분 …… 현재분사 | ✎ …… 간단한 문법 · 용법 설명 |
| 조 …… 조동사 | 동 …… 동의어 | |
| 전 …… 전치사 | 반 …… 반의어 | ☺ …… 발음 해설 |

# 발음 기호 일람표

| 모음 | | | 자음 | | |
|---|---|---|---|---|---|
| 기호 | | 보기 | 기호 | | 보기 |
| | | **단 모 음** | p | ㅍ | **pencil** [pénsl 펜슬] |
| iː | 이– | **bee** [bíː 비–] | b | ㅂ | **bell** [bél 벨] |
| i | 이 | **dinner** [dínər 디너] | t | ㅌ | **talk** [tɔ́ːk 토–크] |
| e | 에 | **ten** [tén 텐] | d | ㄷ | **day** [déi 데이] |
| æ | 애 | **apple** [ǽpl 애플] | k | ㅋ | **sky** [skái 스카이] |
| ɑ | 아 | **box** [bɑ́ks 박스] | g | ㄱ | **game** [géim 게임] |
| ɑː | 아– | **father** [fɑ́ːðər 파–더] | s | ㅅ | **sister** [sístər 시스터] |
| ɔ | 오 | **body** [bɑ́di 바디, | z | ㅈ | **theirs** [ðέərz 데어즈] |
| | | 《영》 bɔ́di 보디] | f | ㅍ | **fast** [fǽst 패스트] |
| ɔː | 오– | **tall** [tɔːl 톨–] | v | ㅂ | **vase** [véis 베이스] |
| u | 우 | **book** [búk 북] | θ | ㅅ | **thank** [θǽŋk 생크] |
| uː | 우– | **fool** [fúːl 풀–] | ð | ㄷ | **that** [ðǽt 댓] |
| ʌ | 어 | **bus** [bʌ́s 버스] | l | ㄹ | **little** [lítl 리틀] |
| ə | 어 | **ago** [əgóu 어고우] | r | ㄹ | **right** [rait 라이트] |
| əː | 어– | **first** [fə́ːrst 퍼–스트] | m | ㅁ | **man** [mǽn 맨] |
| | | **중 모 음** | n | ㄴ | **nice** [náis 나이스] |
| ei | 에이 | **take** [téik 테이크] | ŋ | ㅇ | **sing** [síŋ 싱] |
| ai | 아이 | **ice** [áis 아이스] | h | ㅎ | **hope** [hóup 호우프] |
| au | 아우 | **down** [dáun 다운] | j | 이 | **yellow** [jélou 옐로우] |
| ɔi | 오이 | **boy** [bɔ́i 보이] | w | 우 | **win** [wín 윈] |
| ou | 오우 | **go** [góu 고우] | ʃ | 시 | **shoe** [ʃúː 슈–] |
| εə | 에어 | **pair** [pέər 페어] | ʒ | 지 | **pleasure** [pléʒər 플레저] |
| iə | 이어 | **hear** [híər 히어] | ts | 츠 | **hats** [hǽts 해츠] |
| uə | 우어 | **poor** [púər 푸어] | dz | 즈 | **hands** [hǽndz 핸즈] |
| ɔə | 오어 | **four** [fɔ́ə 포어] | tʃ | 치 | **chair** [tʃέər 체어] |
| | | | dʒ | 지 | **jump** [dʒʌ́mp 점프] |

**A, a**[1] *𝒜, a*
[éi 에이]
명 (복수 A's, a's [éiz 에이즈])
에이 《알파벳의 첫 번째 글자》

****a**[2] *a*
[《약》 ə 어; 《강》 éi 에이]
관 ❶ 하나의, 한 명의, 한 마리의
This is *a* pen. 이것은 펜이다.
He is *a* doctor. 그는 의사이다.
Jill has *a* cat.
질은 고양이 한 마리를 가지고 있다.
✎ 약한 의미의 one의 뜻으로 쓰일 때는 보통 우리말로 번역하지 않음.
❷ 하나의 (동 one)
I drank *a* glass of milk.
나는 우유 한 잔을 마셨다.
❸ 《종류 전체를 나타내어》 …라는 것
*A* dog is a clever animal.
개란 영리한 동물이다.

❹ …마다, …에
We have three meals *a* day.
우리는 하루에 세 번 식사를 한다.
❺ 《고유 명사 앞에 붙여》 …라고 하는 사람; …같은 사람
*A* Mr. White 화이트 씨라는 사람
He is *a* Lincoln.
그는 링컨 같은 큰 정치가이다.
❻ …의 작품, …의 제품
*a* Miró 미로 작품

**어법 a와 an의 용법**
(1) 하나, 둘로 셀 수 있는 명사가 단수일 때 그 앞에 붙인다.
(2) 발음이 자음으로 시작되는 말 앞에서는 a를 쓰고, 모음으로 시작되는 말 앞에서는 an을 쓴다: *a* boy 한 소년 / *an* egg 한 개의 달걀
(3) a와 an은 「하나, 한 사람」이란 뜻을 나타내므로, my, Mary's, this, that 따위와 함께 쓰이지 않는다. 예컨대 a my book, this a book이라고 하지 않고 my book, this book이라고 한다.

A B C D E F G H I J K L M N O P Q R S T U V W X Y Z

**a•bil•i•ty** *ability*
[əbíləti 어빌러티]
명 (복수 **abilities** [əbílətiz 어빌러티즈]) ❶ 능력, 할 수 있음
He has the *ability* to do the job. 그는 그 일을 할 능력이 있다.
❷《보통 복수형으로》 재능
He is a man of *abilities*.
그는 재능 있는 사람이다.

**⁑a•ble** *able*
[éibl 에이블]
형 ❶《**be able to** do로》 …할 수 있는 (동 can …할 수 있는)
She *is able to* play the piano.
그녀는 피아노를 칠 수 있다.

**어법** be able to의 사용법
조동사 can에는 과거형 could밖에 없으므로 미래형은 will(또는 shall) be able to …, 완료형은 have(또는 has) been able to …를 쓴다: She *will be able to* come next year. 그녀는 내년에 올 수 있겠지요 / I *have* not *been able to* come here for a week. 나는 일주일 동안 이곳에 올 수 없었다.

❷ (비교급 **abler** [éiblər 에이블러], 최상급 **ablest** [éiblist 에이블리스트]) 유능한, 능력 있는
She is an *able* teacher.
그녀는 유능한 선생님이다.

**a•board** *aboard*
[əbɔ́ːrd 어보-드]
부 (비행기 · 배 · 기차에) 타서, 올라
Welcome *aboard*!
승선〔탑승〕해 주셔서 감사합니다.
—전 …에 타고
go *aboard* a ship 배에 타다

**⁑a•bout** *about*
[əbáut 어바우트]
전 [əbàut 어바우트]
❶ (…의) 주위에〔를〕, 여기저기에〔로〕
I walked *about* the street. 나는 거리 여기저기를 걸어 돌아다녔다.

❷ (…에) 관하여, 대하여
What do you think *about* it?
그것에 대해서 어떻게 생각하느냐?
❸ 신변에, 휴대하여
Have you any money *about* you? 돈 좀 가지고 있니?
—부 ❶ 주위에; 여기저기로
There was no one *about*.
주위에는 아무도 없었다.
❷ 대략, 약; …경
*about* two hours 대략 2시간
숙어 ***be about to** do* (=***be going to** do*) 막 …하려고 하다
The bus *was about to* start.
버스는 막 출발하려 하고 있었다.

**⁑a•bove** *above*
[əbʌ́v 어버브]
전 [əbʌ̀v 어버브]
❶ (…의) 위에〔로, 를〕 (반 below (…의) 아래에)
The sun rose *above* the horizon. 태양이 지평선 위로 떠올랐다.

❷ …이상으로, …보다 낫게
Health is *above* wealth.
건강은 부유함보다 낫다.
숙어 ***above all*** 특히, 무엇보다도
— 부 위에, 위로, 위쪽에〔으로〕
His bedroom is just *above*.
그의 침실은 바로 위에 있다.

***a•broad** *abroad*
[əbrɔ́ːd 어브로-드]
부 ❶ 외국에 (반 home 본국에)
He is living *abroad*.
그는 외국에 살고 있다.

❷ 널리
The news spread *abroad*.
그 소식은 널리 퍼졌다.

**ab•sence** *absence*
[ǽbsns 앱슨스]
명 (복수 **absences** [ǽbsnsiz 앱슨시즈]) 부재, 결석, 결근
Peter came in your *absence*.
네가 없는 동안에 피터가 찾아왔다.

**⁑ab•sent** *absent*
[ǽbsnt 앱슨트]
형 결석한, (…이) 없는 ((from)) (반 present 출석한)
Two boys are *absent from* school today.
오늘 두 아이가 결석하였다.

**ab•so•lute** *absolute*
[ǽbsəlùːt 앱설루-트]
형 절대적인; 완전한
*absolute* freedom 완전한 자유

**ab•so•lute•ly** *absolutely*
[ǽbsəlùːtli 앱설루-틀리]
부 ❶ 전적으로, 무조건
I agree with you *absolutely*.
난 네 말에 전적으로 동의한다.
❷ [æ̀bsəlúːtli 앱설루-틀리] 《대답을 강조하여》 아무렴, 그렇고 말고
"Are you sure?" "*Absolutely*!"
「확실해?」「그렇고 말고!」

**ab•sorb** *absorb*
[əbsɔ́ːrb 업소-브]
타 (3단현 **absorbs** [əbsɔ́ːrbz 업소-브즈], 과거 · 과분 **absorbed** [əbsɔ́ːrbd 업소-브드], 현분 **absorbing** [əbsɔ́ːrbiŋ 업소-빙])
(물 따위를) 빨아들이다, 흡수하다
This cloth *absorbs* water well.
이 천은 물을 잘 흡수한다.

**ab•surd** *absurd*
[əbsə́ːrd 업서-드]
형 이치에 안 맞는, 어리석은 (동 silly)
The story was *absurd*.
그 이야기는 터무니없었다.

**a•buse** *abuse*
[əbjúːz 어뷰-즈]
타 (3단현 **abuses** [əbjúːziz 어뷰-지즈], 과거 · 과분 **abused** [əbjúːzd 어뷰-즈드], 현분 **abusing** [əbjúːziŋ 어뷰-징])
❶ (재능 · 지위 등을) 남용〔악용〕하다
❷ (신뢰 등을) 저버리다
He *abused* our trust.
그는 우리의 믿음을 저버렸다.
—[əbjúːs 어뷰-스] 명 악용; 남용
an *abuse* of power 권력의 남용

**ac•a•dem•ic** *academic*
[æ̀kədémik 애커데믹]
형 대학의, 학원의; 학문적인
an *academic* gown 학사복

**a•cad•e•my** *academy*
[əkǽdəmi 어캐더미]
명 (복수 **academies** [əkǽdəmiz 어캐더미즈]) (전문) 학교, 학원; 학회
a military〔naval〕 *academy*
육군〔해군〕 사관학교

**ac•cent** *accent*
[ǽksent 액센트]
명 (복수 **accents** [ǽksents 액센츠]) 악센트, 강세; 악센트 부호 (( ´ ))

**참고 악센트에 관하여**
영어에서 악센트는 강세(음의 강약)에 따라 붙이며, 악센트가 있는 음절의 모음 위에 ´를 붙여서 그 말의 악센트 위치를 나타낸다.

**ac•cept** *accept*
[æksépt 액셉트]
타 (3단현 **accepts** [æksépts 액셉츠], 과거 · 과분 **accepted** [ækséptid 액셉티드], 현분 **accepting** [ækséptiŋ 액셉팅])
받다, 받아들이다; 응하다
*accept* a gift 선물을 받다
She *accepted* our invitation.
그녀는 우리의 초대에 응했다.

**ac•cept•a•ble** *acceptable*
[ækséptəbl 액셉터블]
형 받아들일 수 있는; 마음에 드는

**ac•cess** *access*
[ǽkses 액세스]
명 《an과 복수형 안 씀》 접근, 출입
The house is difficult of *access*. 그 집은 접근하기가 어렵다.

**ac•ci•dent** *accident*
[ǽksədənt 액서던트]
명 (복수 **accidents** [ǽksədənts 액서던츠]) 사고, 뜻밖의 사건
He was hurt in a car *accident*.
그는 자동차 사고로 부상당했다.

숙어 ***by accident*** 우연히, 뜻밖에
We met him *by accident*.
우리는 우연히 그를 만났다.

**ac•ci•den•tal** *accidental*
[æ̀ksədéntl 액서덴틀]
형 우연한, 뜻밖의

**ac•com•pa•ny** *accompany*
[əkʌ́mp(ə)ni 어컴퍼니]
타 (3단현 **accompanies** [əkʌ́mp(ə)niz 어컴퍼니즈], 과거 · 과분 **accompanied** [əkʌ́mp(ə)nid 어컴퍼니드], 현분 **accompanying** [əkʌ́mp(ə)niiŋ 어컴퍼니잉])
(…을) 동반하다, (…와) 함께 가다
We *accompanied* him to the market. 우리는 그와 함께 시장에 갔다.

**ac•com•plish** *accomplish*
[əkɑ́mpliʃ 어캄플리시]
타 (3단현 **accomplishes** [əkɑ́mpliʃiz 어캄플리시즈], 과거 · 과분 **accomplished** [əkɑ́mpliʃt 어캄플리시트], 현분 **accomplishing** [əkɑ́mpliʃiŋ 어캄플리싱])
❶ 이루다, 성취하다, 달성하다
He *accomplished* nothing.
그는 아무것도 이루지 못했다.
❷ (일 따위를) 끝내다, 마치다

***ac•cord•ing** *according*
[əkɔ́ːrdiŋ 어코-딩]
부 ❶ (…에) 의하면 《to》
*According to* the paper, there was a big fire in town.
신문에 의하면 시가지에 큰 불이 났다고 한다.

a b c d e f g h i j k l m n o p q r s t u v w x y z

A
B
C
D
E
F
G
H
I
J
K
L
M
N
O
P
Q
R
S
T
U
V
W
X
Y
Z

❷ (…에) 따라서, …대로 ((to))
Take medicine *according to* the directions.
지시에 따라 약을 복용하시오.
✎ according to 뒤에는 명사가 옴.

***ac•count** *account*
[əkáunt 어카운트]
명 (복수 **accounts** [əkáunts 어카운츠]) ❶ 계산(서); 예금 계좌
My brother has a bank *account*. 형은 은행 예금 계좌가 있다.
❷ 설명, 이야기; 보고
He gave me an *account* of his trip.
그는 나에게 여행담을 이야기했다.

숙어 ***on account of*** …의 이유로, …때문에 (동 because of)
— 자 (3단현 **accounts** [əkáunts 어카운츠], 과거 · 과분 **accounted** [əkáuntid 어카운티드], 현분 **accounting** [əkáuntiŋ 어카운팅])
《**account for**로》 설명하다
I will *account for* the incident.
내가 그 사건에 대해 설명해 주겠다.

**ac•cu•rate** *accurate*
[ǽkjurət 애큐럿]
형 정확한 (동 correct), 정밀한
Her work is *accurate*.
그녀가 하는 일은 정확하다.

**ac•cuse** *accuse*
[əkjúːz 어큐-즈]
타 (3단현 **accuses** [əkjúːziz 어큐-지즈], 과거 · 과분 **accused** [əkjúːzd 어큐-즈드], 현분 **accusing** [əkjúːziŋ 어큐-징])
비난하다, 나무라다; 고소하다
He *accused* me for my mistake. 그는 내 잘못을 나무랐다.

**ac•cus•tom** *accustom*
[əkʌ́stəm 어커스텀]
타 (3단현 **accustoms** [əkʌ́stəmz 어커스텀즈], 과거 · 과분 **accustomed** [əkʌ́stəmd 어커스텀드], 현분 **accustoming** [əkʌ́stəmiŋ 어커스터밍])
❶ 《**accustom oneself to**로》 익숙하게 하다, 길들이다
You must *accustom yourself to* the new job.
너는 새 일에 익숙해야 한다.
❷ 《**be accustomed to**로》 (…에) 익숙해지다, 길들여지다
I *am accustomed to* hard work.
나는 힘든 일에 익숙해져 있다.

**ache** *ache*
[éik 에이크]
자 (3단현 **aches** [éiks 에이크스], 과거 · 과분 **ached** [éikt 에이크트], 현분 **aching** [éikiŋ 에이킹])
아프다, (이 · 머리 등이) 쑤시다

My head *aches*. 머리가 아프다.
—명 아픔, 쑤심
I have an *ache* in my stomach. 나는 배가 아프다.

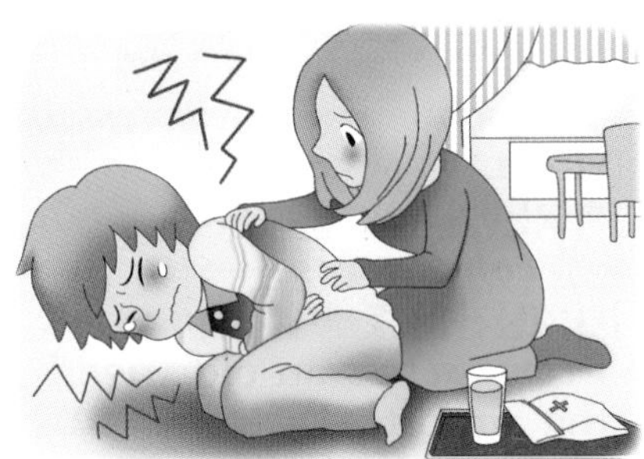

✎ 흔히 합성어로서 head*ache*(두통), stomach*ache*(복통), tooth*ache*(치통) 따위로 쓰이는 경우가 많음.

## a•chieve *achieve*

[ətʃíːv 어치-브]
타 (3단현 **achieves** [ətʃíːvz 어치-브즈], 과거 · 과분 **achieved** [ətʃíːvd 어치-브드], 현분 **achieving** [ətʃíːviŋ 어치-빙])
(목적을) 달성하다, 이루다, 성취하다
He eventually *achieved* his goals. 그는 마침내 목표를 달성했다.

## a•chieve•ment *achievement*

[ətʃíːvmənt 어치-브먼트]
명 (복수 **achievements** [ətʃíːvmənts 어치-브먼츠])
❶ 《an과 복수형 안 씀》 성취, 달성
❷ 업적; (학업) 성적, 학력

## ac•id *acid*

[ǽsid 애시드]
명 《an과 복수형 안 씀》 산(酸); 신 것
—형 신, 신맛의; 산성의
Lemons are *acid*. 레몬은 시다.

## a•corn *acorn*

[éikɔːrn 에이콘-]
명 (복수 **acorns** [éikɔːrnz 에이콘-즈])
도토리
Squirrels collect *acorns* for food. 다람쥐들은 식량으로 도토리를 모은다.

## ac•quaint *acquaint*

[əkwéint 어퀘인트]
타 (3단현 **acquaints** [əkwéints 어퀘인츠], 과거 · 과분 **acquainted** [əkwéintid 어퀘인티드], 현분 **acquainting** [əkwéintiŋ 어퀘인팅])
(…에게) 알리다, 알게 하다
Let me *acquaint* you with the rules. 규칙을 알려 드리겠습니다.
숙어 ***be acquainted with*** …을 알고 있다; …와 아는 사이다

## ac•quaint•ance *acquaintance*

[əkwéintəns 어퀘인턴스]
명 (복수 **acquaintances** [əkwéintənsiz 어퀘인턴시즈])
아는 사이, 알고 있음; 지인(知人)
We have no *acquaintance* with her. 우리는 그녀와 친분이 없다.

## ac•quire *acquire*

[əkwáiər 어콰이어]
타 (3단현 **acquires** [əkwáiərz 어

콰이어즈], 과거 · 과분 **acquired** [əkwáiərd 어콰이어드], 현분 **acquiring** [əkwái(ə)riŋ 어콰이(어)링])

❶ 입수하다, 얻다 (⊜ get)

She *acquired* a personal computer with the money. 그녀는 그 돈으로 퍼스널컴퓨터를 구입했다.

❷ (지식 · 기술 따위를) 습득하다

It is difficult to *acquire* a foreign language.
외국어를 습득하기란 어려운 일이다.

## a•cre *acre*

[éikər 에이커]

명 (복수 **acres** [éikərz 에이커즈]) 에이커 (《면적의 단위; 약 4,047m²》)

## **a•cross *across*

[əkrɔ́ːs 어크로-스]

전 [əkrɔ́ːs 어크로-스]

❶ (…을) 가로질러, 건너서 (반 along …을 따라)

Amy ran *across* the street.
에이미는 거리를 뛰어서 건너갔다.

They built a bridge *across* the river. 그들은 강을 가로질러 다리를 놓았다.

❷ (…의) 저쪽〔편〕에, 맞은편에

The school is just *across* the street.
학교는 거리의 바로 맞은편에 있다.

숙어 ***come across*** …와 우연히 만나다; (물건을) 뜻밖에 찾아내다

I *came across* an old friend at the airport. 나는 공항에서 우연히 옛 친구를 만났다.

> **어법** across와 through
>
> **across**는 「(한쪽 끝에서 다른 쪽 끝까지) 횡단하다」의 뜻, **through**는 「(밖에서 들어와서 내부를) 통과하다」의 뜻.
>
> The cat went *across* the room.
> 고양이가 방을 가로질러 갔다.
>
> The cat went *through* the house. 고양이가 밖에서 들어와서 집 안을 지나 빠져나갔다.

## *act *act*

[ǽkt 액트]

명 (복수 **acts** [ǽkts 액츠])

❶ 행위, 행실 (⊜ deed)

an *act* of kindness 친절한 행위

It is a childish *act*.
그것은 어린애 같은 짓이다.

❷ (연극 · 오페라 따위의) 막

*Act* II, Scene iii 제2막 제3장
✎ Act two, Scene three로 읽음.

— 자 타 (3단현 **acts** [ǽkts 액츠], 과거 · 과분 **acted** [ǽktid 액티드], 현분 **acting** [ǽktiŋ 액팅])

❶ 행동하다, 처신하다 (⊜ do)

You must *act* more wisely.

너는 더 현명하게 행동해야 한다.
❷ (역을) 맡아하다 (동 play)
She *acted* (the part of) Juliet.
그녀는 줄리엣 역을 맡아했다.

**ac•tion** *action*
[ǽkʃən 액션]
명 《an과 복수형 안 씀》
❶ 행동, 활동; 동작

❷ (기계의) 작동; 작용

**ac•tive** *active*
[ǽktiv 액티브]
형 (비교급 **more active**, 최상급 **most active**)
❶ 활동적[중]인, 활발한; 적극적인 (반 passive 소극적인)
an *active* volcano 활화산
❷ 〖문법〗 능동태의 (반 passive 수동태의)
the *active* voice 능동태

**ac•tiv•i•ty** *activity*
[æktívəti 액티버티]
명 (복수 **activities** [æktívətiz 액티버티즈]) ❶ 작용, 기능
mental *activity* 정신의 작용
❷ 《복수형으로》 (구체적인) 활동, 활약
school *activities* 교내 활동

**ac•tor** *actor*
[ǽktər 액터]
명 (복수 **actors** [ǽktərz 액터즈]) (남자) 배우
a movie *actor* 영화 배우

**ac•tress** *actress*
[ǽktris 액트리스]
명 (복수 **actresses** [ǽktrisiz 액트리시즈]) 여배우 (관 actor 남자 배우)

**ac•tu•al** *actual*
[ǽktʃuəl 액추얼]
형 (비교급 **more actual**, 최상급 **most actual**)
실제의, 현실의 (동 real)
The *actual* condition was worse. 실제의 상황은 더 나빴다.

**ac•tu•al•ly** *actually*
[ǽktʃuəli 액추얼리]

A B C D E F G H I J K L M N O P Q R S T U V W X Y Z

부 ❶ 실제로, 사실은
❷ (의외이지만) 정말로 (동 really)

**ad** *ad*
[ǽd 애드]
명 (복수 **ads** [ǽdz 애즈])
광고 《advertisement의 축약형》
Mr. Smith put an *ad* in the newspaper.
스미스 씨는 신문에 광고를 냈다.

**A.D.** *A.D.*
[éidíː 에이디-]
서기(西紀), 기원후 (반 B.C. 기원전)
《라틴어 *Anno Domini*의 약어》
from 63 B.C. to *A.D.* 14
기원전 63년에서 서기 14년까지

***add** *add*
[ǽd 애드]
타 자 (3단현 **adds** [ǽdz 애즈], 과거 · 과분 **added** [ǽdid 애디드], 현분 **adding** [ǽdiŋ 애딩])
❶ 더하다, 보태다
If you *add* five to three, you get eight. 5에 3을 더하면 8이다.

*Add* salt to the soup.
수프에 소금을 더 치시오.
❷ 덧붙여 말하다
"Don't hurry." he *added*.
「서두르지 마」 하고 그는 덧붙였다.
숙어 ***add to*** 보태다, 더해 주다
***add up to ...*** 합계 …이 되다

**ad•di•tion** *addition*
[ədíʃən 어디션]
명 (복수 **additions** [ədíʃənz 어디션즈]) ❶ 덧셈
"Two plus two is four." is a simple *addition*.
2+2=4는 간단한 덧셈이다.
❷ 추가, 덧붙이기
the *addition* of color 색의 첨가
숙어 ***in addition*** (***to***) (…에) 더하여, 그 위에

***ad•dress** *address*
[ədrés 어드레스]
명 (복수 **addresses** [ədrésiz 어드레시즈]) ❶ (편지 따위의) 주소(성명)
Write your name and *address*.
당신의 주소 성명을 쓰시오.
❷ 연설, 인사말
He gave a welcoming *address*.
그는 환영사를 했다.
— 타 (3단현 **addresses** [ədrésiz 어드레시즈], 과거 · 과분 **addressed** [ədrést 어드레스트], 현분 **addressing** [ədrésiŋ 어드레싱])
❶ 주소 성명을 쓰다, (…에) 부치다
He *addressed* the letter to her.
그는 그녀에게 편지를 썼다.

❷ 말을 걸다 (동 speak to); 연설하다
A stranger *addressed* me on

the street. 낯선 사람이 길에서 나에게 말을 걸었다.

**ad•e•quate** *adequate*
[ǽdikwit 애디퀴트]
형 (비교급 **more adequate**, 최상급 **most adequate**)
적절한; 충분한 (동 enough)
His salary is *adequate* for the support of his family. 그의 봉급은 자기 가족을 부양하기에 충분하다.

**ad•jec•tive** *adjective*
[ǽdʒiktiv 애직티브]
명 (복수 **adjectives** [ǽdʒiktivz 애직티브즈]) 〖문법〗 형용사

참고 명사를 수식하며, 그 명사의 성질, 상태 따위를 나타내는 말을 형용사라고 한다.
(1) 한정적 용법: 명사 앞에서 그 명사를 꾸며 주는 것
a *kind* girl 친절한 소녀
(2) 서술적 용법: 연결 동사(be, seem 등)의 뒤에서 주어를 설명해 주는 것
The girl is *kind*.
그 소녀는 친절하다.

**ad•just** *adjust*
[ədʒʌ́st 어저스트]
타 (3단현 **adjusts** [ədʒʌ́sts 어저스츠], 과거 · 과분 **adjusted** [ədʒʌ́stid 어저스티드], 현분 **adjusting** [ədʒʌ́stiŋ 어저스팅])
(…을) 맞추다, 조정〔조절〕하다
He *adjusted* a television picture. 그는 텔레비전 화면을 조정했다.

**ad•min•is•tra•tion** *administration*
[ædmìnəstréiʃən 애드미너스트레이션]
명 (복수 **administrations** [ædmìnəstréiʃənz 애드미너스트레이션즈])
경영, 관리; 행정, 정부

**ad•mi•ral** *admiral*
[ǽdmərəl 애드머럴]
명 (복수 **admirals** [ǽdmərəlz 애드머럴즈]) 해군 대장, 제독

**ad•mi•ra•tion** *admiration*
[æ̀dməréiʃən 애드머레이션]
명 감탄; 칭찬, 찬미

***ad•mire** *admire*
[ədmáiər 어드마이어]
타 (3단현 **admires** [ədmáiərz 어드마이어즈], 과거 · 과분 **admired** [ədmáiərd 어드마이어드], 현분 **admiring** [ədmái(ə)riŋ 어드마이(어)링])
(…을) 칭찬하다; (…에) 감탄〔탄복〕하다

a b c d e f g h i j k l m n o p q r s t u v w x y z

They *admired* the lovely scenery. 그들은 그 아름다운 경치에 감탄했다.

**ad•mis•sion** *admission*
[ədmíʃən 어드미션]
명 ❶ 입장, 입장료
*Admission* free 입장 무료 ((게시문))
an *admission* fee 입장료
❷ 입회, 입학

**ad•mit** *admit*
[ədmít 어드밋]
타 (3단현 **admits** [ədmíts 어드미츠], 과거 · 과분 **admitted** [ədmítid 어드미티드], 현분 **admitting** [ədmítiŋ 어드미팅])
❶ (…에게) 입학〔입회, 입장〕을 허락하다
He was *admitted* to the school.
그는 그 학교 입학을 허가받았다
❷ 인정하다, 시인하다
I *admit* my mistake.
나는 내 잘못을 인정한다.

*__a•dopt__ *adopt*
[ədάpt 어답트]
타 (3단현 **adopts** [ədάpts 어답츠], 과거 · 과분 **adopted** [ədάptid 어답티드], 현분 **adopting** [ədάptiŋ 어답팅])
❶ 채택〔채용〕하다 (㊐ accept)
He *adopted* my proposal.
그는 나의 제안을 채택했다.
❷ 양자〔양녀〕로 삼다
We *adopted* him as our son.
우리는 그를 양자로 삼았다.

**a•dult** *adult*
[ədʌ́lt 어덜트]
명 (복수 **adults** [ədʌ́lts 어덜츠])
성인, 어른 (㊐ grown-up)
This film is for *adults* only.
이 영화는 성인용이다.

*__ad•vance__ *advance*
[ədvǽns 어드밴스]
동 (3단현 **advances** [ədvǽnsiz 어드밴시즈], 과거 · 과분 **advanced** [ədvǽnst 어드밴스트], 현분 **advancing** [ədvǽnsiŋ 어드밴싱])
—타 (…을) 나아가게 하다
Please *advance* the table a little. 탁자를 조금만 앞으로 내 주세요.
—자 ❶ 나아가다

The parade slowly *advanced* toward the park. 행렬은 공원 쪽으로 서서히 나아갔다.

❷ 진보하다, 향상하다

I have *advanced* in English.
나는 영어 실력이 향상되었다.

— 명 (복수 **advances** [ədvǽnsiz 어드밴시즈])
전진, 진군; 진보 (동 progress)

Science has made great *advances* recently.
과학은 최근에 크게 진보하였다.

숙어 ***in advance*** 미리, 사전에

He paid his rent *in advance*.
그는 집세를 미리 지불했다.

## ad•van•tage *advantage*

[ədvǽntidʒ 어드밴티지]
명 (복수 **advantages** [ədvǽntidʒiz 어드밴티지즈]) 유리, 이점, 장점

Living in a big city has many *advantages*. 대도시에서의 생활은 많은 이점이 있다.

숙어 ***take advantage of*** …을 이용하다

## ad•ven•ture *adventure*

[ədvéntʃər 어드벤처]
명 (복수 **adventures** [ədvéntʃərz 어드벤처즈]) 모험; 희귀한 경험

They had many *adventures* in Africa. 그들은 아프리카에서 많은 모험을 했다.

## ad•verb *adverb*

[ǽdvəːrb 애드버-브]
명 (복수 **adverbs** [ǽdvəːrbz 애드버-브즈]) 〖문법〗 부사

참고 부사는 동사, 형용사, 또는 다른 부사를 수식하는 말이다.

He walked *slowly*.
그는 천천히 걸었다.
I am *quite* tired.
나는 몹시 지쳤다.
You speak French *pretty well*.
너는 프랑스어를 꽤 잘한다.

## ad•ver•tise *advertise*

[ǽdvərtàiz 애드버타이즈]
타 (3단현 **advertises** [ǽdvərtàiziz 애드버타이지즈], 과거 · 과분 **advertised** [ǽdvərtàizd 애드버타이즈드], 현분 **advertising** [ǽdvərtàiziŋ 애드버타이징])
광고하다, 선전하다

They *advertised* new magazines on TV. 그들은 새 잡지를 텔레비전으로 광고했다.

## ad•ver•tise•ment

*advertisement*
[æ̀dvərtáizmənt 애드버타이즈먼트]

명 (복수 **advertisements** [æ̀dvər-táizmənts 애드버타이즈먼츠])
광고, 선전

***ad•vice** *advice*
[ədváis 어드바이스]
명 《an과 복수형 안 씀》 **충고**, 조언
Follow your doctor's *advice*. 의사 선생님의 조언을 따르시오.
Let me give you a piece of *advice*. 충고 한마디 해줄게요.

***ad•vise** *advise*
[ədváiz 어드바이즈]
타 (3단현 **advises** [ədváiziz 어드바이지즈], 과거 · 과분 **advised** [ədváizd 어드바이즈드], 현분 **advising** [ədváiziŋ 어드바이징])
충고하다, 조언하다
I *advised* him to go to the hospital. 나는 그에게 병원에 가보라고 충고했다.

**aer•o•plane** *aeroplane*
[έ(ə)rəplèin 에(어)러플레인]
명 (복수 **aeroplanes** [έ(ə)rəplèinz 에(어)러플레인즈])
《영》 비행기 (《미》 airplane)

**Ae•sop** *Aesop*
[íːsap 이-삽]
명 이솝 《기원전 6세기경 그리스의 우화 작가》
*Aesop*'s Fables 이솝 이야기

**af•fair** *affair*
[əfέər 어페어]
명 (복수 **affairs** [əfέərz 어페어즈])
❶ (뜻밖의) 일, 사건
❷ 《복수형으로》 업무, 사무
Mr. Smith is always busy with public *affair*.
스미스 씨는 공무로 항상 바쁘다.

**af•fect** *affect*
[əfékt 어펙트]
타 (3단현 **affects** [əfékts 어펙츠], 과거 · 과분 **affected** [əféktid 어펙티드], 현분 **affecting** [əféktiŋ 어펙팅])
❶ (…에) 영향을 미치다, 작용하다
The weather *affects* the growth of crops. 날씨는 농작물의 성장에 영향을 미친다.
❷ (…을) 감동시키다
We were *affected* by the movie.
우리는 그 영화에 감동받았다.

**af•ford** *afford*
[əfɔ́ːrd 어포-드]
타 (3단현 **affords** [əfɔ́ːrdz 어포-즈], 과거 · 과분 **afforded** [əfɔ́ːrdid 어포-디드], 현분 **affording** [əfɔ́ːrdiŋ 어포-딩])
❶ 《**can**과 함께》 여유〔여가〕가 있다

《보통 부정문 · 의문문에 쓰임》
*Can* we *afford* (to buy) a new car?
우리는 새 차를 살 여유가 있습니까?
❷ (…을) 주다, 공급하다 (동 give)
Reading *affords* real pleasure.
독서는 진정한 즐거움을 준다.

****a•fraid** *afraid*
[əfréid 어프레이드]
형 《명사 앞에서 안 씀》
❶ 《**be afraid of**; **be afraid to do**로》 (…을) 두려워하여, 무서워하여
He is *afraid of* rats.
그는 쥐를 무서워한다.

He is *afraid to* tell his father the truth. 그는 아버지가 두려워서 사실대로 말하지 못한다.
❷ 《**I'm afraid** (**that**)으로》 …이 아닐까 생각하다, …일지도 모르다
✎ that은 생략되는 경우가 많음.
I'*m afraid* it's going to rain.
비가 오지 않을까.
I'*m afraid* he cannot come.
그는 오지 못할지도 모른다.
✎ I am afraid는 불안 · 염려의 느낌을 나타냄. 반대로 희망적인 느낌은 I hope로 표현함.

***Af•ri•ca** *Africa*
[ǽfrikə 애프리커]
명 아프리카 《6대륙 중의 하나》

****af•ter** *after*
[ǽftər 애프터]
전 [æ̀ftər 애프터]
❶ 《장소 · 시간 · 순서가》 …의 뒤에, 다음에 (반 before …의 앞에)
Come along *after* me.
내 뒤를 따라 오시오.
We played tennis *after* school.
우리는 방과 후에 테니스를 했다.
❷ …을 뒤쫓아, …을 추구하여
He ran *after* the thief.
그는 도둑을 뒤쫓았다.

They are *after* happiness.
그들은 행복을 추구한다.
❸ …에 따라서, …을 본받아
He was named John *after* his grandfather. 그는 할아버지 이름을 본따서 존이라고 이름지어졌다.
숙어 ***after all*** 결국
He failed *after all*.
결국 그는 실패하였다.

***After you, please.*** 먼저 하십시오.
***day after day*** 매일, 날마다
***look after ...*** …을 보살피다〔돌보다〕
I'll *look after* that child.
내가 저 아이를 돌보겠소.
***one after another*** 뒤를 이어, 잇달아, 차례로
All his plans have succeeded *one after another*.
그의 모든 계획은 잇달아 성공했다.
—접 [ǽftər 애프터] …한 후에
We played *after* we did our homework.
우리는 숙제를 한 후에 놀았다.
—부 뒤〔후〕에(서) (동 behind)
He came back three days *after*. 그는 3일 후에 돌아왔다.
***soon after*** 그 후 즉시, 곧바로
*Soon after*, it began to rain.
곧바로 비가 오기 시작했다.

**⁑af•ter•noon** *afternoon*
[ǽftərnúːn 애프터눈-]
명 (복수 **afternoons** [ǽftərnúːnz 애프터눈-즈]) 오후, 하오(下午) (관 morning 아침, evening 저녁)
We have two classes in the *afternoon*.
우리들은 오후에 수업이 2시간 있다.
We played tennis yesterday *afternoon*.
우리는 어제 오후에 테니스를 했다.

숙어 ***Good afternoon!*** 안녕하십니까, 안녕히 가십시오《오후 인사》

***af•ter•ward(s)** *afterward(s)*
[ǽftərwərd(z) 애프터워드〔즈〕]
부 그후, 뒤에, 나중에 (동 later)
*Afterward* he changed his mind. 나중에 그는 마음을 바꾸었다.

**⁑a•gain** *again*
[əgén 어겐]
부 ❶ 다시, 또, 한번 더 (동 once more)
Try it *again*. 다시 해보십시오.
Please say it *again*.
한번 더 말해 주세요.

❷ [əgèn 어겐] 원래대로, 본래의 장소에
He will soon be well *again*.
그는 곧 건강을 회복할 것이다.
숙어 ***again and again*** 몇 번이고
I read the letter *again and again*. 몇 번이고 그 편지를 읽었다.
***once again*** 한번 더, 다시 한번
I want to see him *once again*.
나는 한번 더 그를 만나고 싶다.
***over and over again*** 몇 번이고 되풀이하여〔반복하여〕

***a•gainst** *against*
[əgénst 어겐스트]
전 ❶ …에 맞서서, …에 반대하여 (반 for …에 찬성하여)
They are *against* our plan.

그들은 우리의 계획에 반대한다.

❷ …에 거슬러, …에 부딪쳐

Waves are beating *against* the shore.

파도가 해변에 부딪치고 있다.

❸ …에 기대어, 의지하여

They leaned *against* the wall.

그들은 벽에 기댔다.

❹ …에 대비하여

## **age** *age*

[éidʒ 에이지]

명 (복수 **ages** [éidʒiz 에이지즈])

❶ 나이, 연령

"What is your *age*?" "I am ten years of *age*."

「당신은 몇 살입니까?」「나는 열 살입니다.」

We are of the same *age*.

우리는 같은 나이이다.

❷ 시대

the space *age* 우주 시대

숙어 ***for ages*** 오랫동안

I haven't seen you *for ages*.

오랫동안 만나뵙지 못했습니다.

***in all ages*** 어느 시대에나, 예나 지금이나

## **a·gen·cy** *agency*

[éidʒənsi 에이전시]

명 (복수 **agencies** [éidʒənsiz 에이전시즈]) 대리점; (정부 · 단체의) 기관

a travel *agency* 여행 대리점

a news *agency* (보도) 통신사

## **a·gent** *agent*

[éidʒənt 에이전트]

명 (복수 **agents** [éidʒənts 에이전츠]) 대리인, 중개인; 정보원

a secret *agent* 비밀 탐정

## **a·go** *ago*

[əgóu 어고우]

부 (지금부터) …전에, …이전에

A baby was born a week *ago*.

아기는 일주일 전에 태어났다.

**어법 ago와 before의 사용법**

**ago**의 앞에는 반드시 기간을 나타내는 말이 오며, 「지금으로부터 …전에」라는 과거를 나타낸다. 동사는 과거형을 씀: He died ten days *ago*. 그는 10일 전에 죽었다. **before**는 「과거의 어느 때로부터 …전에」라고 할 때나 「(막연히) 이전에」라고 할 때 쓰며, 동사는 과거형뿐만 아니라 완료형도 씀: I have never seen you *before*. 나는 전에 당신을 만난 적이 없습니다.

숙어 ***long*** [***a long time***] ***ago*** 오래 전에, 옛날에

He went to Europe *long ago*.

그는 오래 전에 유럽에 갔다.

*long, long ago* 옛날 옛적에

**⁑a·gree** *agree*
[əgríː 어그리-]
자 (3단현 **agrees** [əgríːz 어그리-즈], 과거 · 과분 **agreed** [əgríːd 어그리-드], 현분 **agreeing** [əgríːiŋ 어그리-잉])
❶ 동의하다, 일치하다; 찬성하다
Jim will *agree* to my proposal.
짐은 내 제안에 찬성할 것이다.
I *agree* with you.
나는 당신과 같은 의견입니다.
✎ 보통 agree to는 「일 · 의견」에, agree with는 「사람」에 씀.
❷ (음식물 따위가 몸에) 맞다
Raw fish does not *agree* with me. 날생선은 내 몸에 맞지 않는다.

**a·gree·ment** *agreement*
[əgríːmənt 어그리-먼트]
명 (복수 **agreements** [əgríːmənts 어그리-먼츠]) 동의, 일치; 협정
We are all in *agreement*.
우리는 모두 동의한다.

**ag·ri·cul·ture**
*agriculture*
[ǽgrikʌ̀ltʃər 애그리컬처]
명 농업

They all became experts in *agriculture*.
그들은 모두 농업 전문가가 되었다.

***a·head** *ahead*
[əhéd 어헤드]
부 ❶ (위치가) 앞쪽에, 전방에; (방향이) 앞으로; (시간적으로) 전에
Go straight *ahead* along this street. 이 길을 따라서 곧장 앞으로 가시오《길 안내의 말》.

The plane arrived *ahead* of time. 비행기는 정시 전에 도착했다.
❷《**be ahead of**로》(능력 따위가) (…보다) 앞서〔나아〕
He *is ahead of* us in English.
그는 영어에서 우리보다 앞서 있다.
숙어 ***Go ahead.*** (이야기를) 어서 계속하세요; (음식물을) 자 드시지요.

**aid** *aid*
[éid 에이드]
타 (3단현 **aids** [éidz 에이즈], 과거 · 과분 **aided** [éidid 에이디드], 현분 **aiding** [éidiŋ 에이딩])
돕다, 거들다 (동 help)
They *aided* the flood victims.
그들은 수재민을 도왔다.
—명 (복수 **aids** [éidz 에이즈])
❶《an과 복수형 안 씀》원조, 조력
Jim came to my *aid*.
짐은 나를 돕기 위해 왔다.
❷ 보조 기구, 도구

***aim** *aim*
[éim 에임]
타 자 (3단현 **aims** [éimz 에임즈], 과거 · 과분 **aimed** [éimd 에임드], 현분 **aiming** [éimiŋ 에이밍])
❶ (총 따위를) 겨누다, 조준하다 《at》
He *aimed at* the bird with a gun. 그는 총으로 새를 겨냥했다.

❷ 《**aim to** do로》 …할 작정이다
He *aimed to* surprise his friends.
그는 친구들을 놀라게 할 작정이었다.
— 명 (복수 **aims** [éimz 에임즈])
겨냥; 목적, 목표 (동 purpose)

**⁑air** *air*
[ɛ́ər 에어]
명 (복수 **airs** [ɛ́ərz 에어즈])
❶ 《an과 복수형 안 씀》 공기
We need fresh *air*.
우리에게는 신선한 공기가 필요하다.
❷ 《the를 붙여》 하늘, 공중 (동 sky)

Birds are flying in *the air*.
새들이 공중을 날고 있다.
❸ 태도, 모습
He answered with a sad *air*.
그는 슬픈 모습으로 대답했다.
숙어 ***by air*** 비행기로
***on the air*** 방송 중에, 방송되어
What's *on the air* now?
지금 무슨 방송을 하고 있지?

**air•line** *airline*
[ɛ́ərlàin 에어라인]
명 (복수 **airlines** [ɛ́ərlàinz 에어라인즈]) ❶ 정기 항공로
❷ 《종종 복수형으로》 항공 회사

**air•mail** *airmail*
[ɛ́ərmèil 에어메일]
명 《an과 복수형 안 씀》 항공 우편(물)
Send this by *airmail*.
이것을 항공편으로 부치시오.

***air•plane** *airplane*
[ɛ́ərplèin 에어플레인]
명 (복수 **airplanes** [ɛ́ərplèinz 에어플레인즈])
《미》 비행기(《영》 aeroplane)

I took an *airplane* at Chicago.
나는 시카고에서 비행기를 탔다.
✎ 구어에서는 plane이라고 말함.
숙어 ***by airplane*** 비행기로

***air•port** *airport*
[έərpɔ̀ːrt 에어포-트]
명 (복수 **airports** [έərpɔ̀ːrts 에어포-츠]) 공항, 비행장
an international *airport*
국제 공항

**a•larm** *alarm*
[əlάːrm 얼람-]
명 (복수 **alarms** [əlάːrmz 얼람-즈])
❶ 경보, 경보기; 자명종
a fire *alarm* 화재 경보기
❷ 《an과 복수형 안 씀》 놀람, 공포
He cried out in *alarm*.
그는 놀라서 고함쳤다.

**a•larm clock** *alarm clock*
[əlάːrm klὰk 얼람-클락]
명 자명종 《alarm이라고도 함》
I set the *alarm clock* for seven.
나는 자명종을 7시로 맞췄다.

***al•bum** *album*
[ǽlbəm 앨범]
명 (복수 **albums** [ǽlbəmz 앨범즈]) 앨범, 사진첩
a stamp *album* 우표첩
a photo *album* 사진첩

**al•co•hol** *alcohol*
[ǽlkəhɔ̀ːl 앨커홀-]
명 알코올; 알코올 음료, 술
Beer, wine, whisky, etc. contain *alcohol*. 맥주, 포도주, 위스키 따위에는 알코올이 들어 있다.

**a•like** *alike*
[əláik 얼라이크]
형 서로 같은, 비슷한
Twins usually look *alike*.
쌍둥이는 대체로 비슷해 보인다.

—부 똑같이, 동등하게
She loved her children *alike*.
그녀는 자식들을 똑같이 사랑했다.

***a•live** *alive*
[əláiv 얼라이브]
형 ❶ 살아 있는 (동 living)
The worm is still *alive*.
그 벌레는 아직 살아 있다.
❷ 활기찬, 생생한
The streets were *alive* with people. 거리는 사람들로 활기찼다.

## Airport 공항

control tower
관제탑
airplane
비행기
stewardess
스튜어디스
pilot
조종사
airbus
공항버스
steps
계단
passenger
승객
suitcase
여행 가방

**all** *all*
[ɔ́ːl 올–]
형 ❶ 전부의, 모든
*All* the students are here.
학생들은 모두 여기에 있다.
*All* these books are mine.
이 책들은 전부 내 것이다.
*All* my friends came to the feast.
내 친구들은 모두 축제에 왔다.

**어법 all의 위치**
all이 the나 this, 대명사의 소유격 따위와 함께 쓰일 때에는 이런 말들의 앞에 온다. 위의 예문에서 *all the* students, *all these* books, *all my* friends의 어순에 주의.

❷《**not**과 함께 쓰여》 전부가 …은 아니다
*Not all* men are wise.
모든 사람이 현명한 것은 아니다.
✎ 이런 용법을 「부분 부정」이라고 함. all, every, both 등과 함께 not을 쓰면 「전부가 …은 아니다」, 「둘 다 …은 아니다」의 뜻이 됨.
숙어 ***all day (long)*** 하루 종일
It rained *all day long* yesterday. 어제는 온종일 비가 왔다.
***all the time*** 그동안 죽; 언제나
*All the time* I was there.
그동안 죽 나는 거기 있었다.

—대 ❶《단수 취급》 전부, 모두
*All* is well.
모든 일이 잘 되어 간다.
❷《복수 취급》 모든 사람들, 전원
*All* are present.
전원이 참석해 있다.
숙어 ***above all*** 특히, 그 중에서도
*Above all*, I like watermelon.
나는 특히 수박을 좋아한다.

***after all*** 결국
Peter didn't come *after all*.
피터는 결국 오지 않았다.
***at all*** 《부정문에서》 조금도, 전혀; 《의문문에서》 도대체
I am *not at all* tired.
나는 전혀 피곤하지 않다.
***in all*** 전부, 모두 해서
We are eleven *in all*.
우리는 모두 11명이다.
***Not at all.*** 천만에요.
"Thank you very much." "*Not at all.*"
「대단히 감사합니다」 「천만에요」
✎ "Thank you."라고 하면 영국에서는 "Not at all."이라고 하는 반면, 미국에서는 "You are welcome."이라고 대답함.
—부 전혀, 온통
It was *all* covered with dust.
그것은 온통 먼지로 뒤덮여 있었다.
숙어 ***all at once*** 별안간, 갑자기
*All at once* they began to

laugh. 그들은 별안간 웃기 시작했다.

***all right*** ⓐ 잘, 무사히

You can do it *all right*.

너는 그것을 잘 할 수 있다.

ⓑ《대답으로서》 좋아요, 알았습니다.

"I am sorry." "That's *all right*."

「미안해요.」「괜찮습니다.」

***all together*** 다 함께

***al•low** *allow*

[əláu 얼라우]

타 (3단현 **allows** [əláuz 얼라우즈], 과거 · 과분 **allowed** [əláud 얼라우드], 현분 **allowing** [əláuiŋ 얼라우잉])

❶ (…을) 허락하다, 허가하다; (…에게) …하게 하다

Smoking is not *allowed* here.

여기서는 금연입니다.

*Allow* me to introduce Mr. Brown.

브라운 씨를 소개하겠습니다.

❷ 지급하다, 주다

I *allow* him five dollars a week.

나는 일주일에 그에게 5달러씩 준다.

****al•most** *almost*

[ɔ́ːlmoust 올-모우스트]

부 거의, 대부분 (동 nearly)

It is *almost* twelve o'clock.

그럭저럭 12시가 다 되어 간다.

***a•lone** *alone*

[əlóun 얼로운]

형《명사 앞에서 안 씀》

혼자서, 홀로; 다만 …만

Please leave me *alone*.

나를 혼자 내버려 두세요.

She *alone* can do this work.

그녀만이 이 일을 할 수 있다.

—부 혼자서

She went to Italy *alone*.

그녀는 혼자서 이탈리아에 갔다.

****a•long** *along*

[əlɔ́ːŋ 얼롱-]

전 [əlɔ̀ːŋ 얼롱-]

…을 따라서, …을 좇아

They walked *along* the road.

그들은 길을 따라 걸었다.

—부 ❶ 따라서; (쉬지 않고) 줄곧

We drove *along* by the river.

우리는 강을 끼고 드라이브했다.

❷ 함께 (동 together); 데리고

A B C D E F G H I J K L M N O P Q R S T U V W X Y Z

He took his brother *along*.
그는 동생을 데리고 갔다.
숙어 ***along with*** …와 함께
***get along*** 지내다; 출세하다
How are you *getting along*?
어떻게 지내십니까?

**a•loud** *aloud*
[əláud 얼라우드]
부 큰 소리로 (동 loudly); 소리 내어
He read the letter *aloud*.
그는 편지를 소리내어 읽었다.

**al•pha•bet** *alphabet*
[ǽlfəbèt 앨퍼벳]
명 (복수 **alphabets** [ǽlfəbèts 앨퍼베츠]) 알파벳 ((A에서 Z까지 26자))

**Alps** *Alps*
[ǽlps 앨프스]
명 ((the를 붙여)) 알프스 산맥

⁑**al•read•y** *already*
[ɔːlrédi 올-레디]
부 이미, 벌써 (반 yet 아직)
I have *already* done my homework. 나는 이미 숙제를 끝마쳤다.
Have you *already* finished your lunch?
너 벌써 점심 식사를 했다구?
✎ already를 의문문에 쓰면 「의외 · 놀라움」의 뜻을 나타냄.

⁑**al•so** *also*
[ɔ́ːlsou 올-소우]
부 (…도) 또한, 역시 (동 too)
If you go, I will *also* go.
네가 간다면, 나도 가겠다.
✎ 부정문에서는 not ... either를 씀: He doesn't come today. She does*n't* come, *either*. 그는 오늘 오지 않는다. 그녀도 오지 않는다.
숙어 ***not only ... but also ~*** …뿐만 아니라 ~도 또한
She is *not only* a doctor, *but also* an artist. 그녀는 의사일 뿐만 아니라 화가이다.

**al•ter** *alter*
[ɔ́ːltər 올-터]
동 (3단현 **alters** [ɔ́ːltərz 올-터즈], 과거 · 과분 **altered** [ɔ́ːltərd 올-터드], 현분 **altering** [ɔ́ːltəriŋ 올-터링])

—타 (…을) 바꾸다, 변경하다
You must *alter* your way of life. 너는 생활 방식을 바꿔야 한다.
—자 바뀌다, 변하다.

***al•though** *although*
[ɔːlðóu 올-도우]
전 …이기는 하지만, 비록 …이라도 (동 though)
*Although* he is young, he is very wise.
그는 비록 어리지만, 매우 총명하다.

**al•to•geth•er** *altogether*
[ɔ̀ːltəgéðər 올-터게더]
부 ❶ 완전히, 전적으로; 아주
You have ruined the machine *altogether*.
너는 그 기계를 아주 망가뜨렸구나.
❷ 전부, 다 합쳐서 (동 in all)
How much *altogether*?
다 합쳐서 얼마입니까?

****al•ways** *always*
[ɔ́ːlweiz 올-웨이즈]
부 늘, 항상, 언제나
He is *always* busy.
그는 늘 바쁘다.
You should *always* work hard.
너는 항상 열심히 일해야 한다.
He *always* comes late.
그는 언제나 늦게 온다.

✎ 위의 예문처럼 always는 be동사나 조동사의 뒤, 일반동사의 앞에 옴.
숙어 ***not always*** 《부분 부정》 반드시〔항상〕 …하지는 않다
He is *not always* at home on Sundays. 그는 일요일에는 언제나 집에 있는 것은 아니다.

****am** *am*
[《약》 (ə)m 엄; 《강》 ǽm 앰]
자 (과거 **was** [《약》 wəz 워즈; 《강》 wάz 와즈], 과분 **been** [《약》 bin 빈; 《강》 bín 빈], 현분 **being** [bíːiŋ 비-잉])
《be의 1인칭 · 단수 · 현재》
❶ 《성질 · 상태》 …이다
I *am* a student of this school.
나는 이 학교의 학생이다.
I *am* twelve years old.
나는 12살이다.
❷ 《존재》 …에 있다
I *am* in the dining room.
나는 식당에 있다.
—조 ❶ 《**am**+**~ing**로 진행형을 만들어》 …하고 있다, …하고 있는 중이다
I *am* mak*ing* a model plane.
나는 모형 비행기를 만들고 있다.

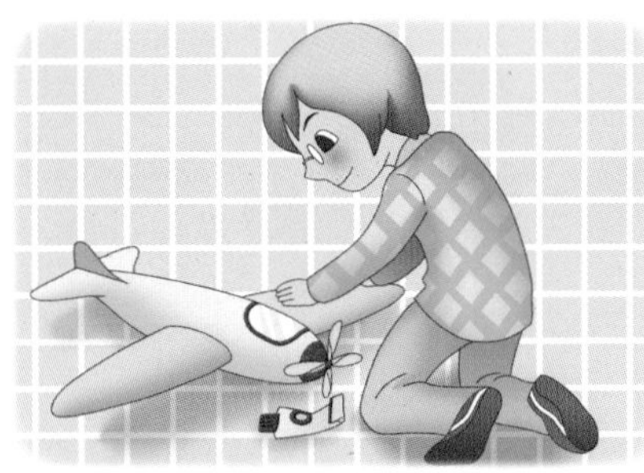

❷ 《**am**+타동사의 과거분사로 수동태를 만들어》 …되다, …받다
I *am loved* by my parents.
나는 부모의 사랑을 받는다.

A
B
C
D
E
F
G
H
I
J
K
L
M
N
O
P
Q
R
S
T
U
V
W
X
Y
Z

***a.m., A.M.** *a.m., A.M.*
[éiém 에이엠]
오전 (㉯ p.m., P.M. 오후) 《라틴어 *a*nte *m*eridiem의 약어》
the 9:13 *a.m.* train
오전 9시 13분 열차

**am•a•teur** *amateur*
[ǽmətə̀(:)r, ǽmətʃ(ù)ər 애머터(-), 애머처[추어]]
명 (복수 **amateurs** [ǽmətə̀(:)rz, ǽmətʃ(ù)ərz 애머터(-)즈, 애머처즈[추어즈]]) 아마추어, 미숙한 사람 (㉯ professional 전문가)
He is an *amateur* at music.
그는 아마추어 음악가이다.

**a•maze** *amaze*
[əméiz 어메이즈]
타 (3단현 **amazes** əméiziz 어메이지즈], 과거 · 과분 **amazed** [əméizd 어메이즈드], 현분 **amazing** əméiziŋ 어메이징])
깜짝 놀라게 하다
I was *amazed* to hear the news.
나는 그 소식을 듣고 깜짝 놀랐다.

**am•bi•tion** *ambition*
[æmbíʃən 앰비션]
명 (복수 **ambitions** [æmbíʃənz 앰비션즈]) 대망, 야심, 포부
My *ambition* is to be a great judge. 나의 야심은 훌륭한 법관이 되는 것이다.

**am•bi•tious** *ambitious*
[æmbíʃəs 앰비셔스]
형 대망을 품은, 야심적인
Boys, be *ambitious*!
소년들이여, 대망을 품어라!

**am•bu•lance** *ambulance*
[ǽmbjuləns 앰뷸런스]
명 (복수 **ambulances** [ǽmbjulənsiz 앰뷸런시즈]) 구급차, 앰뷸런스
He was taken to the hospital in an *ambulance*.
그는 구급차로 병원에 옮겨졌다.

****A•mer•i•ca** *America*
[əmérikə 어메리커]
명 미국, 아메리카 (대륙)
He lives in *America*.

그는 미국에 산다.
✎ 미국은 the United States (of America) 또는 the U.S.라고 함.

참고 아메리카 대륙은 이탈리아의 항해가 아메리고 베스푸치(Amerigo Vespucci; 1451–1512)가 발견하였으며, North America(북아메리카), South America(남아메리카), Central America(중앙아메리카)로 구성됨.

**A•mer•i•can** *American*
[əmérikən 어메리컨]
형 미국[아메리카](사람)의
*American* football 미식 축구
the *American* national flag 미국 국기, 성조기

— 명 (복수 **Americans** [əmérikənz 어메리컨즈])
미국[아메리카] 사람
I met an *American* in the park.
나는 공원에서 미국인을 만났다.

**a•mong** *among*
[əmʌ́ŋ 어멍]
전 (셋 이상의) 중에(서), 사이에 (관 between …의 사이에)
There is a pond *among* the trees. 나무들 사이에 연못이 있다.
Divide these *among* the three boys. 이것들을 아이들 셋이서 나누어 가져라.

✎ 보통 among은 셋 이상의 사이에 쓰이고, between은 둘 사이에 쓰임.

*__a•mount__ *amount*
[əmáunt 어마운트]
자 (3단현 **amounts** [əmáunts 어마운츠], 과거 · 과분 **amounted** [əmáuntid 어마운티드], 현분 **amounting** [əmáuntiŋ 어마운팅])
총계 …이 되다 《to》
The hotel bill *amounts to* 250 dollars.
호텔의 계산은 총계 250달러가 된다.
— 명 (복수 **amounts** [əmáunts 어마운츠])
《the를 붙여》 총계, 총액; 양, 금액
*The amount* of the bill was

A B C D E F G H I J K L M N O P Q R S T U V W X Y Z

eight dollars.
청구서의 총액은 8달러였다.

**a•muse** *amuse*
[əmjúːz 어뮤-즈]
타 (3단현 **amuses** [əmjúːziz 어뮤-지즈], 과거 · 과분 **amused** [əmjúːzd 어뮤-즈드], 현분 **amusing** [əmjúːziŋ 어뮤-징])
즐겁게 하다, 재미나게 하다
He *amused* his guests with magic tricks. 그는 마술로 손님들을 즐겁게 했다.

**a•muse•ment** *amusement*
[əmjúːzmənt 어뮤-즈먼트]
명 (복수 **amusements** [əmjúːzmənts 어뮤-즈먼츠]) 즐거움; 오락
an *amusement* park 놀이 공원

**a•mus•ing** *amusing*
[əmjúːziŋ 어뮤-징]
형 재미있는, 우스운
an *amusing* story 재미있는 이야기

****an** *an*
[《약》 ən 언; 《강》 ǽn 앤]
관 《부정관사》 하나의, 한명의; 어떤
Tom is *an* honest boy.
톰은 정직한 소년이다.
*An* elephant has a long trunk.
코끼리는 긴 코를 가지고 있다.

✎ an은 발음이 모음으로 시작되는 명사 앞에 붙임.

**a•nal•y•sis** *analysis*
[ənǽləsis 어낼러시스]
명 (복수 **analyses** [ənǽləsìːz 어낼러시-즈]) 분석, 분해

**an•a•lyze,** 《영》 **an•a•lyse**
*analyze, analyse*
[ǽnəlàiz 애널라이즈]
타 (3단현 **analyzes**, 《영》 **analyses** [ǽnəlàiziz 애널라이지즈], 과거 · 과분 **analyzed**, 《영》 **analysed** [ǽnəlàizd 애널라이즈드], 현분 **analyzing**, 《영》 **analysing** [ǽnəlàiziŋ 애널라이징])
분석하다; 분해하다
We should *analyze* our present situation. 우리는 현재의 상황을 분석해야 한다.

**an•ces•tor** *ancestor*
[ǽnsestər 앤세스터]
명 (복수 **ancestors** [ǽnsestərz 앤세스터즈]) 조상, 선조(先祖)
our *ancestors'* wisdom
우리 조상의 지혜

**an•cient** *ancient*
[éinʃənt 에인션트]
형 옛날의, 고대의

*ancient* civilization 고대 문명
They saw an *ancient* temple.
그들은 옛날 사원을 보았다.

## **and   *and*

[《약》 ən(d) 언(드); 《강》 ǽnd 앤드]
접 ❶ …와 …, 그리고
You *and* I must go there.
너와 내가 거기에 가야 한다.
Two *and* four make six.
2 더하기 4는 6이 된다.
She bought pens *and* pencils.
그녀는 펜과 연필을 샀다.
❷ [ǽnd 앤드] 《명령문 뒤에 쓰여》 그러면 (관 or 그렇지 않으면)
Take a taxi, *and* you can catch the train. 택시를 타세요, 그러면 열차를 탈 수 있습니다.

❸ 《go, come 따위의 뒤에 쓰여》 …하기 위하여, …하러
Go *and* tell your teacher.
가서 선생님께 이야기하세요.
❹ 《and로 연결된 두 개의 명사가 하나의 물건을 가리키는 경우》
bread *and* butter [brédnbʌ́tər 브레든버터] 버터 바른 빵
❺ 《같은 말을 and로 연결해 반복·강조를 나타내어》 **점점**, 더욱더
He *ran and ran* along the road.
그는 길을 따라 달리고 달렸다.
숙어 ***and so*** 그러므로, 그래서
She was sick, *and so* she could not come.
그녀는 아파서 올 수 없었다.
***and so on*** 〔***forth***〕 …따위, …등
I like baseball, soccer, tennis, *and so on*. 나는 야구, 축구, 테니스 따위를 좋아한다.
***and yet*** 그럼에도 불구하고

## *an•gel   *angel*

[éindʒəl 에인절]
명 (복수 **angels** [éindʒəlz 에인절즈]) 천사; 천사 같은 사람
She is like an *angel*.
그녀는 천사 같다.

## an•ger   *anger*

[ǽŋgər 앵거]
명 《an과 복수형 안 씀》 화, 노여움 (관 angry 성난)
He went away in *anger*.

그는 화가 나서 가버렸다.

**an•gle** *angle*
[ǽŋgl 앵글]
명 (복수 **angles** [ǽŋglz 앵글즈])
〖수학〗 각도, 각; 관점, 견해
a right *angle* 직각

**an•gri•ly** *angrily*
[ǽŋgrili 앵그릴리]
부 화가 나서, 노하여

⁑**an•gry** *angry*
[ǽŋgri 앵그리]
형 (비교급 **angrier** [ǽŋgriər 앵그리어], 최상급 **angriest** [ǽŋgriist 앵그리이스트])
성난, 화를 낸
She is *angry* with me.
그녀는 나에게 화가 나 있다.

He is *angry* at[about] a little thing. 그는 사소한 일에 화나 있다.
✎ 사람에 대해서 화가 난 경우는 「be angry with+사람」, 사물에 대해서 화가 난 경우는 「be angry at (또는 about)+사물」

⁑**an•i•mal** *animal*
[ǽnəməl 애너멀]
명 (복수 **animals** [ǽnəməlz 애너멀즈]) 동물, 짐승 (관 plant 식물)
There are a lot of wild *animals* in the zoo.
동물원에는 많은 야생동물들이 있다.

Do you keep a domestic *animal*? 당신은 가축을 기릅니까?

**an•kle** *ankle*
[ǽŋkl 앵클]
명 (복수 **ankles** [ǽŋklz 앵클즈])
발목

⁑**an•nounce** *announce*
[ənáuns 어나운스]
타 (3단현 **announces** [ənáunsiz 어나운시즈], 과거 · 과분 **announced** [ənáunst 어나운스트], 현분 **announcing** [ənáunsiŋ 어나운싱])
발표하다, 알리다
The result will be *announced* soon. 곧 결과가 발표될 것이다.

**an•nounc•er** *announcer*
[ənáunsər 어나운서]

명 (복수 **announcers** [ənáunsərz 어나운서즈])
(라디오나 텔레비전의) 아나운서

**an•noy** *annoy*
[ənɔ́i 어노이]
타 (3단현 **annoys** [ənɔ́iz 어노이즈], 과거 · 과분 **annoyed** [ənɔ́id 어노이드], 현분 **annoying** [ənɔ́iiŋ 어노이잉])
속태우다, 괴롭히다
The boy *annoyed* his father.
그 소년은 아버지 속을 태웠다.

**an•nu•al** *annual*
[ǽnjuəl 애뉴얼]
형 해마다의, 매년의; 1년(간)의

***an•oth•er** *another*
[ənʌ́ðər 어너더]
형 ❶ 또 하나의, 또 한 사람의
May I have *another* cup of tea? 차 한 잔을 더 마셔도 되지요?
I have *another* son.
나에게는 또 한 명의 아들이 있다.
❷ 다른, 별개의
Please sing *another* song.
다른 노래를 불러 주세요.
—대 다른 것; 또 하나의 것〔사람〕
I don't like this bag. Show me *another*. 이 가방은 마음에 안 들어요. 다른 것을 보여 주세요.

숙어 ***one after another*** 한 사람 한 사람, 차례차례로
They went out *one after another*. 그들은 차례차례 밖으로 나갔다.
***one another*** 서로
The three boys helped *one another*. 세 소년들은 서로 도왔다.
✎ one another는 세 사람 이상의 사이에서, each other는 두 사람 사이에서 「서로」의 뜻.

***an•swer** *answer*
[ǽnsər 앤서]
동 (3단현 **answers** [ǽnsərz 앤서즈], 과거 · 과분 **answered** [ǽnsərd 앤서드], 현분 **answering** [ǽnsəriŋ 앤서링])
—타 ❶ 대답하다, 답변하다 (동 reply, 반 ask 묻다)
Can you *answer* this question? 당신은 이 질문에 답변할 수 있습니까?

❷ (초인종 · 전화벨에) 응하다
She *answered* the bell. 그녀는 초인종 소리에 (맞이하러) 나갔다.
—자 대답하다
He did not *answer*.
그는 대답하지 않았다.
—명 (복수 **answers** [ǽnsərz 앤서즈]) 답, 답변; 회답 (반 question 물음)
He got no *answer* from her.
그는 그녀에게서 아무런 답변도 듣지

## Animals 동물

rhinoceros
코뿔소
bear
곰
snake
뱀
zebra
얼룩말
deer
사슴
giraffe
기린
penguin
펭귄
peacock
공작

## Animals 동물

camel
낙타
gorilla
고릴라
elephant
코끼리
hippopotamus
하마
kangaroo
캥거루
monkey
원숭이
tiger
호랑이
ostrich
타조
lion
사자
zoo-keeper
사육사
crocodile
악어

못했다.

***ant** *ant*
[ǽnt 앤트]
명 (복수 **ants** [ǽnts 앤츠])
〖곤충〗 개미
*Ants* are insects.
개미는 곤충이다.

**Ant•arc•tic** *Antarctic*
[æ̀ntɑ́ːrktik 앤트악-티크]
형 남극의 (반 arctic 북극의)
the *Antarctic* Ocean 남극해
the *Antarctic* Continent
남극 대륙

**Ant•arc•ti•ca** *Antarctica*
[æntɑ́ːrktikə 앤트악-티커]
명 남극 대륙

**an•ten•na** *antenna*
[ænténə 앤테너]
명 (복수 ❶에서는 **antennas** [ænténəz 앤테너즈], ❷에서는 **antennae** [ænténiː 앤테니-])
❶ (라디오 · TV의) 안테나
put an *antenna* on the roof
지붕 위에 안테나를 세우다.
❷ 〖동물〗 촉각
Most insects have a pair of *antennae*. 대부분의 곤충은 한 쌍의 촉각을 가지고 있다.

**anx•i•e•ty** *anxiety*
[æŋzáiəti 앵자이어티]
명 걱정, 근심, 불안; 열망

**anx•ious** *anxious*
[ǽŋ(k)ʃəs 앵(크)셔스]
형 ❶ 근심하는, 걱정되는
I am *anxious* about his health.
나는 그의 건강이 걱정된다.

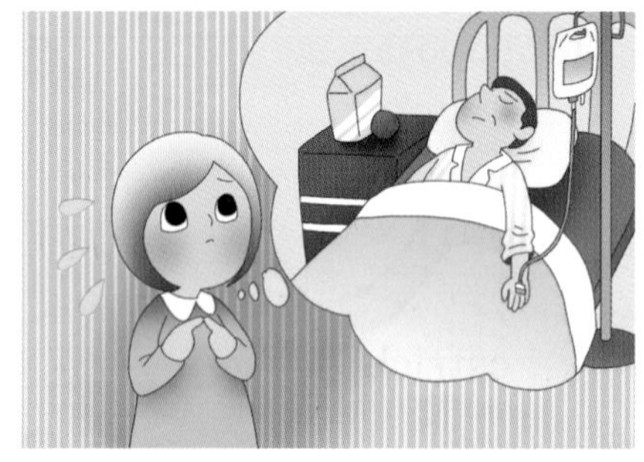

❷ 열망하는 《for, to do》
He was *anxious for* a car.
그는 자동차를 갖고 싶어했다.
He is *anxious to* see her.
그는 그녀를 만나고 싶어한다.

****an•y** *any*
[《약》 əni 어니; 《강》 éni 에니]
형 ❶ 《의문문 · 조건문에서》 얼마간의, 무언가의, 누군가의
Does Jane have *any* uncles?
제인에게는 아저씨가 있습니까?

If you need *any* help, tell me.
도움이 필요하다면, 나에게 말해요.
❷ 《부정문에서》 아무것도 (…아니다), 아무도 (없다), 조금도 (…아니다)
I do*n't* want *any* money.
나는 조금도 돈을 원하지 않는다.
❸ 《긍정문에서》 어떤 …라도, 어느 …라도
*Any* child can do it.
어떤 아이라도 그것을 할 수 있다.
숙어 ***at any rate*** 아무튼, 어쨌건
*At any rate* we'll have to go there. 아무튼 우리는 거기에 가지 않으면 안 된다.
***at any time*** 어느 때든지, 언제든지
You may come *at any time*.
언제든지 와도 좋아요.
— 대 [éni 에니] ❶ 《의문문 · 조건문에서》 얼마간, 무언가, 누군가
Do you know *any* of these boys? 당신은 이 소년들 중의 누군가를 알고 있습니까?
❷ 《부정문에서》 어느 것도, 아무도
I do*n't* want *any* of them.
나는 그것들 중의 어느 것도 원하지 않는다.
❸ 《긍정문에서》 어느 것이라도, 누구라도
Take *any* (that) you like. 어느 것이라도 네가 좋아하는 것을 가져라.

숙어 ***if any*** 만약 있으면
Correct mistakes, *if any*.
틀린 데가 있으면 바로잡으시오.

— 부 《의문문 · 부정문에서 비교급과 함께》 조금은, 조금이라도
Is she *any better* today?
그녀는 오늘 기분이 좀 나아졌나요?
숙어 ***not ... any longer*** 더 이상 …가 아니다
He can*not* work *any longer*.
그는 더 이상 일할 수가 없다.
***not ... any more*** 더 이상 …하지 않다
I will *not* see him *any more*. 나는 더 이상 그를 만나지 않을 것이다.

---

## ⁑an•y•bod•y *anybody*

[énibὰdi 에니바디]
대 ❶ 《의문문 · 조건문에서》 누군가
Is *anybody* here?
여기 누구 없어요?

If *anybody* comes, show him in. 누군가 오면, 안으로 데려오세요.
❷ 《부정문에서》 아무도
I do*n't* want to see *anybody*.
나는 아무도 만나고 싶지 않다.
❸ 《긍정문에서》 누구라도
*Anybody* can do that.
누구라도 그것을 할 수 있다.

---

## ⁑an•y•one *anyone*

[éniwʌ̀n 에니원]
대 ❶ 《의문문 · 조건문에서》 누군가
Can *anyone* read this French?
누군가 이 프랑스어를 읽을 수 있습

니까?

❷ 《부정문에서》 아무도, 아무에게도
You must not give it to *any-one*.
이것을 아무에게도 주어서는 안 된다.

❸ 《긍정문에서》 누구라도
*Anyone* can answer it.
누구라도 그것에 대답할 수 있다.

**⁑an•y•thing** *anything*
[éniθìŋ 에니싱]
대 ❶ 《의문문 · 조건문에서》 무언가
Is there *anything* wrong with your car? 당신 차에 뭔가 고장난 데라도 있습니까?

✎ anything(something이나 nothing도 마찬가지)에 형용사가 첨부될 때는 그 형용사는 anything 뒤에 옴: anything *sweet*(무언가 단 것), anything *new*(무언가 새로운 것)

❷ 《부정문에서》 아무것도
The girl did*n't* say *anything*.
그 소녀는 아무것도 말하지 않았다.

❸ 《긍정문에서》 무엇이든지
You may take *anything* you want. 마음에 드는 것이라면 무엇이든지 가져도 됩니다.

**an•y•time** *anytime*
[énitàim 에니타임]
부 언제든지, 언제나 (동 at any time)

**an•y•way** *anyway*
[éniwèi 에니웨이]
부 아무튼, 어쨌든 (동 anyhow)
*Anyway* let's start.
아무튼 출발하자.

***an•y•where** *anywhere*
[éni(h)wɛ̀ər 에니훼어, 에니웨어]
부 ❶ 《의문문 · 조건문에서》 어딘가에
Did you go *anywhere* last summer? 당신은 지난 여름 어딘가에 갔습니까?

❷ 《부정문에서》 아무데도
I did*n't* go *anywhere*.
나는 아무데도 가지 않았습니다.

❸ 《긍정문에서》 어디든지
You can go *anywhere*.
당신은 어디든지 갈 수 있습니다.

**a•part** *apart*
[əpɑ́ːrt 어파-트]
부 떨어져서, 따로
He was standing *apart* from his classmates. 그는 급우들로부터 떨어져서 서 있었다.
숙어 ***apart from*** …은 별문제로 하고

***a•part•ment** *apartment*
[əpɑ́ːrtmənt 어파-트먼트]
명 (복수 **apartments** [əpɑ́ːrtmənts 어파-트먼츠]) (공동주택 내 1가구분의) 방, 아파트의 방

He lives in a three-room *apartment.*
그는 방 3개짜리 아파트에서 산다.

**a•pol•o•gize** *apologize*
[əpɑ́lədʒàiz 어팔러자이즈]
자 (3단현 **apologizes** [əpɑ́lədʒàiziz 어팔러자이지즈], 과거 · 과분 **apologized** [əpɑ́lədʒàizd 어팔러자이즈드], 현분 **apologizing** [əpɑ́lədʒàiziŋ 어팔러자이징])
사과하다, 사죄하다; 변명하다
He *apologized* for breaking the vase.
그는 꽃병을 깬 것에 대해 사과했다.

**a•pos•tro•phe**
*apostrophe*
[əpɑ́strəfi 어파스트러피]
명 (복수 **apostrophes** [əpɑ́strəfiz 어파스트러피즈]) 아포스트로피 (( ' ))
✎ I'm(=I am), don't(=do not) 같은 생략 부호나 Tom's, boy's 같은 소유격 부호를 가리킴.

**ap•par•ent** *apparent*
[əpǽrənt 어패런트]
형 (비교급 **more apparent**, 최상급 **most apparent**)
뚜렷한, 명백한 (동 clear)
It's *apparent* that you're not interested.
네가 관심이 없는 것이 분명하다.

**ap•par•ent•ly** *apparently*
[əpǽrəntli 어패런틀리]
부 ❶ 보기에는, 외견상으로는
❷ 명백히, 명료하게

***ap•peal** *appeal*
[əpíːl 어필-]
자 (3단현 **appeals** [əpíːlz 어필-즈], 과거 · 과분 **appealed** [əpíːld 어필-드], 현분 **appealing** [əpíːliŋ 어필-링]
❶ (도움 등을) 간청하다; (여론 따위에) 호소하다
He *appealed* to us for help.
그는 우리에게 도움을 간청했다.
❷ 마음에 들다, 흥미를 끌다 ((to))
This picture *appeals to* me.
이 그림이 내 마음에 든다.

— 명 (복수 **appeals** [əpíːlz 어필-즈]) 간청, 호소; 매력

***ap•pear** *appear*
[əpíər 어피어]
자 (3단현 **appears** [əpíərz 어피어즈], 과거 · 과분 **appeared** [əpíərd 어피어드], 현분 **appearing** [əpí(ə)riŋ 어피(어)링])
❶ 나타나다 (반 disappear 사라지다), 나오다
An old man *appeared* on the stage. 한 노인이 무대에 나타났다.

❷ …처럼 보이다, 여겨지다 (㊐ seem, look)
She *appears* (to be) young for her age.
그녀는 나이에 비해 젊어 보인다.

**ap•pear•ance** *appearance*
[əpí(ə)rəns 어피(어)런스]
명 (복수 **appearances** [əpí(ə)rənsiz 어피어런시즈])
나타남, 출현; 겉모습, 외관
숙어 ***in appearance*** 겉보기에는

**ap•pe•tite** *appetite*
[ǽpətàit 애퍼타이트]
명 (복수 **appetites** [ǽpətàits 애퍼타이츠]) 식욕
I have a good *appetite* today.
나는 오늘 식욕이 좋다.

**ap•plaud** *applaud*
[əplɔ́:d 어플로드]
타자 (3단현 **applauds** [əplɔ́:dz 어플로-즈], 과거 · 과분 **applauded** [əplɔ́:did 어플로-디드], 현분 **applauding** [əplɔ́:diŋ 어플로-딩])
박수갈채하다, 칭찬하다
The singer was loudly *applauded*. 그 가수는 박수갈채를 받았다.

****ap•ple** *apple*
[ǽpl 애플]
명 (복수 **apples** [ǽplz 애플즈])
사과

Kate gave me an *apple*. 케이트가 나에게 사과 한 개를 주었다.

**ap•pli•ca•tion** *application*
[æ̀pləkéiʃən 애플러케이션]
명 (복수 **applications** [æ̀pləkéiʃənz 애플러케이션즈])
신청, 지원; 적용, 응용

**ap•ply** *apply*
[əplái 어플라이]
동 (3단현 **applies** [əpláiz 어플라이즈], 과거 · 과분 **applied** [əpláid 어플라이드], 현분 **applying** [əpláiiŋ 어플라이잉])
— 타 ❶ (기름을) 치다; 바르다 ⦅to⦆
He *applied* oil *to* the machine.
그는 기계에 기름을 쳤다.
❷ 응용[적용]하다 ⦅to⦆
They *applied* atomic power *to* the submarine.
그들은 원자력을 잠수함에 응용했다.
— 자 ❶ 적합하다, 들어맞다
❷ 신청하다, 지원하다
*Apply* to the address below.
아래의 주소로 신청하시오.

**ap•point** *appoint*
[əpɔ́int 어포인트]
타 (3단현 **appoints** [əpɔ́ints 어포

인츠], 과거 · 과분 **appointed** [əpɔ́intid 어포인티드], 현분 **appointing** [əpɔ́intiŋ 어포인팅])

❶ (시간 · 장소를) 정하다

We *appointed* the place for the meeting.
우리는 회합 장소를 정했다.

❷ 지명하다, 임명하다

He *was appointed* captain of the team.
그는 팀의 주장으로 임명되었다.

## ap•point•ment

*appointment*

[əpɔ́intmənt 어포인트먼트]

명 (복수 **appointments** [əpɔ́intmənts 어포인트먼츠])

❶ (모임 · 만남 등의) 약속 (동 promise)

I have an *appointment* with the doctor today. 나는 오늘 의사의 진찰을 받을 예정이다.

❷ 지정; 임명

He got an *appointment* to the post. 그는 그 직위에 임명되었다.

## ap•pre•ci•ate *appreciate*

[əpríːʃièit 어프리-시에이트]

타 (3단현 **appreciates** [əpríːʃièits 어프리-시에이츠], 과거 · 과분 **appreciated** [əpríːʃièitid 어프리-시에이티드], 현분 **appreciating** [əpríːʃièitiŋ 어프리-시에이팅])

❶ (차이 따위를) 인식하다; (예술 따위를) 음미하다, 감상하다

I *appreciate* classical music.
나는 클래식 음악을 감상한다.

❷ 고맙게 생각하다, 감사하다

I greatly *appreciate* your help.
당신의 도움을 대단히 고맙게 생각합니다.

## ap•proach *approach*

[əpróutʃ 어프로우치]

타자 (3단현 **approaches** [əpróutʃiz 어프로우치즈], 과거 · 과분 **approached** [əpróutʃt 어프로우치트], 현분 **approaching** [əpróutʃiŋ 어프로우칭])

다가가다, 접근하다; 다가오다

Christmas is *approaching*.
크리스마스가 다가온다.

—명 (복수 **approaches** [əpróutʃiz 어프로우치즈])

❶ 《an과 복수형 안 씀》 접근, 다가옴

❷ 접근하는 길

## ap•pro•pri•ate

*appropriate*

[əpróupriit 어프로우프리이트]

형 적합한, 적절한, 적당한

## ap•prov•al *approval*

[əprúːvəl 어프루-벌]

명 《an과 복수형 안 씀》 찬성, 인정, 승낙

***ap•prove** *approve*
[əprúːv 어프루-브]
타자 (3단현 **approves** [əprúːvz 어프루-브즈], 과거 · 과분 **approved** [əprúːvd 어프루-브드], 현분 **approving** [əprúːviŋ 어프루-빙])
❶ 《**approve** one**self**로》 …임을 보여 주다, 증명하다
He *approved himself* a good doctor. 그는 스스로 훌륭한 의사임을 보여 주었다.
❷ 찬성하다; 인정〔시인〕하다 《of》
Father *approved of* my marriage. 아버지는 내 결혼에 찬성하셨다.

**ap•prox•i•mate** *approximate*
[əprάksəmit 어프락서미트]
형 대략의, 어림의
*approximate* cost 대략의 비용

****A•pril** *April*
[éiprəl 에이프럴]
명 4월 (약 Apr.)
Today is *April* fifth.
오늘은 4월 5일이다.

**A•pril fool** *April fool*
[éiprəl fuːl 에이프럴풀-]
명 4월 바보 《만우절날 속는 사람》
*April Fools'*〔*Fool's*〕 Day 만우절

**a•pron** *apron*
[éiprən 에이프런]
명 (복수 **aprons** [éiprənz 에이프런즈]) 에이프런, 앞치마, 턱받이

Put on your *apron* and help me.
앞치마를 두르고 나를 도와다오.

**apt** *apt*
[ǽpt 앱트]
형 (비교급 **apter** [ǽptər 앱터], 최상급 **aptest** [ǽptist 앱티스트])
❶ 적당한, 적절한
❷ 《**be apt to** (do)로》 …하기 쉬운
He *is apt to* be late.
그는 지각을 잘 한다.

**Ar•bor Day** *Arbor Day*
[άːrbər dèi 아-버데이]
명 식목일
We plant trees on *Arbor Day*.
우리는 식목일에 나무를 심는다.

**ar•cade** *arcade*
[ɑːrkéid 아-케이드]
명 (복수 **arcades** [ɑːrkéidz 아-케이즈]) 아케이드 《양쪽에 상점들이 늘어서 있고 지붕이 덮여 있는 기다란 통로》

**arch** *arch*
[ɑ́ːrtʃ 아-치]
명 (복수 **arches** [ɑ́ːrtʃiz 아-치즈]) 홍예(문), 아치(문)
a memorial *arch* 기념문

**ar•chi•tec•ture** *architecture*
[ɑ́ːrkətèktʃər 아-커텍처]
명 《an과 복수형 안 씀》 건축, 건축물

Gothic *architecture* 고딕식 건축물

****are** *are*
[《약》 ər 어; 《강》 ɑ́ːr 아-]
자 (과거 **were** [《약》 wər 워; 《강》 wə́ːr 워-], 과분 **been** [《약》 bin 빈; 《강》 bín 빈], 현분 **being** [bíːiŋ 비-잉])
《be의 1인칭 복수, 2인칭 단수 · 복수, 3인칭 복수의 현재형》
❶ 《성질 · 상태》 …이다
We *are* students.
우리는 학생이다.

You *are* honest.
당신(들)은 정직하다.
❷ 《존재》 (…에) 있다
There *are* three books on the desk. 책상 위에 세 권의 책이 있다.
—조 ❶ 《**are**+**~ing**로 진행형을 만들어》 …하고 있다
We *are standing* on the platform. 우리는 플랫폼에 서 있다.
❷ 《**are**+과거분사로 수동태를 만들어》 …되다, …받다
We *are invited* to the party.
우리는 그 파티에 초대받았다.

**ar•e•a** *area*
[ɛ́(ə)riə 에(어)리어]
명 (복수 **areas** [ɛ́(ə)riəz 에(어)리어즈]) 지대, 지역; 면적

**aren't** *aren't*
[ɑ́ːrnt 안-트]
are not의 축약형
"*Aren't* you and Tom in the same class?" "No, we *aren't*."

a b c d e f g h i j k l m n o p q r s t u v w x y z

「너와 톰은 같은 반이 아니지?」「예, 같은 반이 아닙니다.」

**ar•gue** *argue*
[ɑ́ːrgjuː 아-규-]
타자 (3단현 **argues** [ɑ́ːrgjuːz 아-규-즈], 과거 · 과분 **argued** [ɑ́ːrgjuːd 아-규-드], 현분 **arguing** [ɑ́ːrgjuːiŋ 아-규-잉])
논하다, 논쟁하다; 주장하다
I *argued* with him about it.
나는 그것에 관해서 그와 논쟁했다.

**a•rise** *arise*
[əráiz 어라이즈]
자 (3단현 **arises** [əráiziz 어라이지즈], 과거 **arose** [əróuz 어로우즈], 과분 **arisen** [ərízn 어리즌], 현분 **arising** [əráiziŋ 어라이징])
(일 따위가) 일어나다, 발생하다
Accidents often *arise* from carelessness.
사고는 흔히 부주의에서 일어난다.

**⁎arm** *arm*
[ɑ́ːrm 암-]
명 (복수 **arms** [ɑ́ːrmz 암-즈])
❶ 팔
Lucy has a cat in her *arms*.
루시는 팔에 고양이를 안고 있다.
❷ 《복수형으로》 무기
take *arms* 무기를 들다, 싸움을 시작하다
숙어 ***arm in arm*** 서로 팔을 끼고
They took a walk *arm in arm*.
그들은 팔짱을 끼고 산책했다.

**arm•chair** *armchair*
[ɑ́ːrmtʃɛ̀ər 암-체어]
명 (복수 **armchairs** [ɑ́ːrmtʃɛ̀ərz 암-체어즈]) 안락의자
Grandpa is sitting in the *armchair*. 할아버지께서는 안락의자에 앉아 계신다.

**⁎ar•my** *army*
[ɑ́ːrmi 아-미]
명 (복수 **armies** [ɑ́ːrmiz 아-미즈])
❶ 육군, 군대 (관 navy 해군, air force 공군)

He served in the *army*.
그는 육군에 복무했다.
❷ 무리, 떼
an *army* of ants 개미 떼

**⁑a•round** *around*
[əráund 어라운드]
부 둘레에, 주변에; 사방에, 여기저기에
People gathered *around*.
사람들이 주위에 모여들었다.
숙어 ***all around*** 사방에, 도처에
It was quiet *all around*.
사방이 조용했다.
—전 [əràund 어라운드]
❶ …의 주위에, 둘레에
They sat *around* the fire.
그들은 불 주위에 둘러앉았다.

❷ …의 근처〔부근〕에
He lives *around* this park.
그는 이 공원 근처에 산다.
❸ …의 여기저기에〔를〕
He traveled *around* the world.
그는 세계 이곳저곳을 여행했다.
❹ (시간이) …경 (㊜ about)
It was *around* nine o'clock.
9시경이었다.

***ar•range** *arrange*
[əréindʒ 어레인지]
타자 (3단현 **arranges** [əréindʒiz 어레인지즈], 과거 · 과분 **arranged** [əréindʒd 어레인지드], 현분 **arranging** [əréindʒiŋ 어레인징])
❶ 배열하다, 정리하다
He *arranged* the books on the shelves.
그는 책장의 책들을 정리했다.
She is good at *arranging* flowers. 그녀는 꽃꽂이를 잘한다.
❷ (약속 따위를 미리) 정하다; 마련하다, 준비하다 ⟪for⟫
I have *arranged* to meet him tomorrow.
나는 내일 그와 만나기로 했다.
They *arranged for* the party.
그들은 파티를 준비했다.

**ar•rest** *arrest*
[ərést 어레스트]
타 (3단현 **arrests** [ərésts 어레스츠], 과거 · 과분 **arrested** [əréstid 어레스티드], 현분 **arresting** [əréstiŋ 어레스팅])
체포하다, 억류하다
He was *arrested* for drunk driving.
그는 음주 운전으로 체포되었다.
—명 (복수 **arrests** [ərésts 어레스츠]) 구속, 체포

***ar•rive** *arrive*
[əráiv 어라이브]
자 (3단현 **arrives** [əráivz 어라이브즈], 과거 · 과분 **arrived** [əráivd 어라이브드], 현분 **arriving** [əráiviŋ 어라이빙])
(…에) 도착하다, 다다르다 ⟪at, in⟫ (㊜ reach, ㊥ depart, start 출발하다)
I *arrived at* my office ten min-

a b c d e f g h i j k l m n o p q r s t u v w x y z

utes late.
나는 사무소에 10분 늦게 도착했다.
We *arrived in* New York last night.
우리는 어젯밤에 뉴욕에 도착했다.

어법 arrive at과 arrive in

**arrive at**은 어떤 지점(역 · 공항 · 직장 따위)이나 마을 따위 「비교적 좁은 장소」에, **arrive in**은 대도시나 나라 따위 「비교적 넓은 지역」에 사용한다.

## ar•row *arrow*

[ǽrou 애로우]
명 (복수 **arrows** [ǽrouz 애로우즈])
❶ 화살 (㉮ bow 활)
He shoot an *arrow*.
그는 화살을 쏘았다.
❷ 화살표 《⇨, →》

## *art *art*

[ɑ́:rt 아–트]
명 (복수 **arts** [ɑ́:rts 아–츠])
❶ 미술, 예술
the fine *arts*
미술(회화 · 조각 따위) 《항상 복수형》

❷ 기술, 기교, 기능
the *art* of building 건축술
숙어 ***an art gallery*** 화랑

## ar•ti•cle *article*

[ɑ́:rtikl 아–티클]
명 (복수 **articles** [ɑ́:rtiklz 아–티클즈]) ❶ 물품, 품목
*articles* of food 식료품

❷ (신문 · 잡지의) 기사
a leading *article* (신문의) 사설
❸ 〖문법〗 관사
the definite *article* 정관사 《the》
the indefinite *article* 부정관사 《a, an》

**ar•ti•fi•cial** *artificial*
[ɑ́ːrtəfíʃəl 아-터피셜]
형 인공의, 인조의; 부자연스러운
*artificial* flowers 조화(造花)
His smile was *artificial*.
그의 미소는 부자연스러웠다.

**art•ist** *artist*
[ɑ́ːrtist 아-티스트]
명 (복수 **artists** [ɑ́ːrtists 아-티스츠]) 예술가, 화가
He is a famous American *artist*. 그는 유명한 미국인 화가이다.

***as** *as*
[《약》 əz 어즈; 《강》 ǽz 애즈]
접 ❶ 《**as ... as ~**로》 ~와 같이 …, ~만큼 … 《앞의 as는 부사》
I'm *as* tall *as* you (are).
나는 너와 키가 같다.

You run *as* fast *as* he (does).
너는 그와 같은 정도로 빨리 달린다.
❷ …와 같이, …대로
Do *as* you like.
네가 하고 싶은 대로 해라.
❸ …하고 있을 때 (동 when), …하면서 (동 while)
Tom came in *as* I was reading. 내가 책을 읽고 있을 때 톰이 들어왔다.
She sings *as* she works.
그녀는 일하면서 노래부른다.

❹ …이므로 (동 because), …때문에
*As* it rained, I stayed home.
비가 왔으므로, 나는 집에 있었다.
❺ 《비교급과 함께》 …함에 따라, …할수록
You will grow wiser *as* you grow older. 너도 나이를 먹음에 따라 현명해질 것이다.
—전 ❶ …으로서
*As* a scientist, he was great.
과학자로서 그는 위대했다.
❷ …시절에, …무렵에는
*As* a boy, he wanted to be a pilot. 소년 시절에 그는 비행사가 되고 싶었다.
—부 《as ... as ~로 앞의 as가 부사》 ~와 같이 …, ~와 같은 정도로
He is *as* tall *as* I.
그는 나만큼 키가 크다.
—대 《관계 대명사》 《**such ... as ~**, **the same ... as ~**로》 ~와 같은 ….
I want *such* a dictionary *as* you have. 네가 갖고 있는 것과 같은 사전을 갖고 싶다.
This is *the same* pen *as* I lost.
이것은 내가 잃어버린 것과 똑같은 펜이다.
숙어 ***as ... as** one **can*** (=***as ... as possible***) 될 수 있는 한
He studies *as* hard *as he* can.
그는 될 수 있는 한 열심히 공부한다.
***as far as*** ⓐ …의 한에서는

A B C D E F G H I J K L M N O P Q R S T U V W X Y Z

*As far as* I know, he is very bright.
내가 아는 한 그는 매우 영리하다.
ⓑ 《거리》 …까지(는)
I walked *as far as* the station.
나는 역까지 걸어갔다.
***as for*** …은 어떤가 하면, …에 대해서 말하면
*As for* me, I like mathematics.
나로서는 수학을 좋아한다.
***as if*** (=***as though***) 마치 …인 듯이, 마치 …처럼
He talks *as if* he were a teacher.
그는 마치 선생님인 것처럼 말한다.
***as it were*** 말하자면, 이른바 (=so to speak)
***as soon as*** …하자마자, …하자 곧
*As soon as* he reached the hotel, he had a shower. 그는 호텔에 도착하자마자 샤워를 했다.
***as usual*** 평소와 같이, 여느 때처럼
Dick got up early *as usual*.
딕은 평소와 같이 일찍 일어났다.
***... as well as ~*** ~뿐만 아니라 …도
He speaks French *as well as* English. 그는 영어뿐 아니라 프랑스어도 잘 말한다.

**ash** *ash*
[ǽʃ 애시]
명 (복수 **ashes** [ǽʃiz 애시즈])
《보통 복수형으로》 재
an *ash* tray (담배) 재떨이
The house was burned to *ashes*. 그 집은 불타서 재가 되었다.

***a·shamed** *ashamed*
[əʃéimd 어셰임드]
형 《명사 앞에서 안 씀》 《**be ashamed of**로》 (…을) 부끄러워하여
He *was ashamed of* his carelessness.
그는 자신의 부주의를 부끄러워했다.

**a·shore** *ashore*
[əʃɔ́ːr 어쇼-]
부 해변에, 육지에
All the sailors went *ashore*.
선원들은 모두 상륙했다.

****A·sia** *Asia*
[éiʒə 에이저]
명 아시아 (관 the East 동양)
Korea is in the Northeast *Asia*. 한국은 동북아시아에 있다.

**A·sian** *Asian*
[éiʒən 에이전]
명 (복수 **Asians** [éiʒənz 에이전즈])
아시아인
—형 아시아의

**a·side** *aside*
[əsáid 어사이드]
부 곁에, 옆으로, 떨어져서
Move the table *aside*.
그 탁자를 옆으로 옮기시오.
숙어 ***lay aside*** 치우다; 그만두다; 옆에 두다; 저축하다
He *laid aside* his work.
그는 일을 그만두었다.
***aside from*** …은 제쳐놓고, …외에

**⁑ask** *ask*
[ǽsk 애스크]
타자 (3단현 **asks** [ǽsks 애스크스], 과거 · 과분 **asked** [ǽskt 애스크트], 현분 **asking** [ǽskiŋ 애스킹])
❶ 물어보다, 질문하다 (반 answer 대답하다)
May I *ask* you a question?
질문해도 좋습니까?
He *asked* me the way to the station. 그는 나에게 역으로 가는 길을 물었다.

❷ 청하다, 부탁하다 《for, to do》
He *asked for* a glass of water.
그는 물 한 잔을 청했다.
*Ask* him *to* come.
그에게 와달라고 부탁해라.
❸ 초대하다 (동 invite)
They *asked* me to dinner.
그들은 나를 만찬에 초대했다.
숙어 ***ask after*** 안부를 묻다, (병)문안하다
I *asked after* my sick uncle yesterday.
나는 어제 아저씨를 병문안 갔다.

***a•sleep** *asleep*
[əslíːp 어슬리–프]
형 《명사 앞에서 안 씀》
잠든 (동 sleeping)
The cat is *asleep* on the chair.
고양이는 의자 위에 잠들어 있다.
숙어 ***half asleep*** 조는, 졸리는
I was *half asleep* in class.
나는 수업 중에 졸았다.
***fall asleep*** 잠들다
She *fell asleep* at once.
그녀는 금방 잠들었다.

— 부 잠들어 (반 awake 깨어)

**as•pect** *aspect*
[ǽspekt 애스펙트]
명 (복수 **aspects** [ǽspekts 애스펙츠]) 외관, 양상, 모양
The room was changed in *aspect*. 그 방은 모양이 바뀌었다.

**as•pi•rin** *aspirin*
[ǽspərin 애스퍼린]
명 아스피린 《해열 · 진통제》

**ass** *ass*
[ǽs 애스]
명 (복수 **asses** [ǽsiz 애시즈])
❶ 〖동물〗 당나귀 (동 donkey)
❷ 바보, 고집쟁이

**as•sem•ble** *assemble*
[əsémbl 어셈블]
타자 (3단현 **assembles** [əsémblz 어셈블즈], 과거 · 과분 **assembled** [əsémbld 어셈블드], 현분 **assembling** [əsémbliŋ 어셈블링])
❶ 모으다; 모이다

a b c d e f g h i j k l m n o p q r s t u v w x y z

A B C D E F G H I J K L M N O P Q R S T U V W X Y Z

The boys *assembled* in the hall.
아이들은 강당에 모였다.
❷ (기계 부품을) 조립하다

**as•sem•bly** *assembly*
[əsémbli 어셈블리]
명 (복수 **assemblies** [əsémbliz 어셈블리즈]) 집회, (학교) 조회; 집합

**as•sist** *assist*
[əsíst 어시스트]
타 (3단현 **assists** [əsísts 어시스츠], 과거 · 과분 **assisted** [əsístid 어시스티드], 현분 **assisting** [əsístiŋ 어시스팅])
돕다 (동 help), 거들다
I *assisted* him with his homework. 나는 그의 숙제를 도와주었다.

**as•sist•ance** *assistance*
[əsístəns 어시스턴스]
명 《an과 복수형 안 씀》 원조, 도움

**as•so•ci•ate** *associate*
[əsóuʃièit 어소우시에이트]
동 (3단현 **associates** [əsóuʃièits 어소우시에이츠], 과거 · 과분 **associated** [əsóuʃièitid 어소우시에이티드], 현분 **associating** [əsóuʃièitiŋ 어소우시에이팅])
— 타 연상하다, 관련짓다
We often *associate* summer with camping. 우리는 흔히 여름 하면 캠핑을 연상한다.
— 자 교제하다, 사귀다 《with》
Never *associate with* bad companions.
절대로 나쁜 친구와 사귀지 마라.

**as•so•ci•a•tion**
*association*
[əsòusiéiʃən 어소우시에이션]
명 (복수 **associations** [əsòusiéiʃənz 어소우시에이션즈])
회, 협회; 교제, 제휴

**as•sume** *assume*
[əsúːm 어숨–]
타 (3단현 **assumes** [əsúːmz 어숨–즈], 과거 · 과분 **assumed** [əsúːmd 어숨–드], 현분 **assuming** [əsúːmiŋ 어수–밍])
❶ (…라고) 생각하다, 가정하다
Let's *assume* that this is true.
이것이 사실이라고 가정해 보자.
❷ (…인) 체하다
He *assumed* an air of ignorance. 그는 모르는 체했다.

**as•sure** *assure*
[əʃúər 어슈어]
타 (3단현 **assures** [əʃúərz 어슈어즈], 과거 · 과분 **assured** [əʃúərd 어슈어드], 현분 **assuring** [əʃú(ə)riŋ 어슈(어)링])
보증하다 《of》; 확신하다
I *assure* you *of* his honesty.
그가 정직하다는 것을 보증합니다.

**as•ton•ish** *astonish*
[əstániʃ 어스타니시]
타 (3단현 **astonishes** [əstániʃiz 어스타니시즈], 과거 · 과분 **astonished** [əstániʃt 어스타니시트], 현분

**astonishing** [əstɑ́niʃiŋ 어스타니싱]
놀라게 하다
His sudden death *astonished* everybody. 그의 갑작스러운 죽음이 모두를 놀라게 했다.
숙어 ***be astonished at* 〔*by*〕** …에 깜짝 놀라다
We *were astonished at* 〔*by*〕 the news. 우리는 그 소식에 경악했다.

## as•tro•naut *astronaut*

[ǽstrənɔ̀ːt 애스트러노-트]
명 (복수 **astronauts** [ǽstrənɔ̀ːts 애스트러노-츠]) 우주 비행사

## *at *at*

[((약)) ət 엇; ((강)) ǽt 앳]
전 ❶ ((장소 · 위치)) …에서, …에
I met him *at* the station.
나는 그를 역에서 만났다.
There is someone *at* the door.
문간에 누군가가 있다.

**어법 장소의 at과 in**

**at**은 어떤 지점 따위「비교적 좁은 장소」에, **in**은 나라 · 대도시 따위「비교적 넓은 장소」에 쓰인다: He will arrive *at* Incheon International Airport this morning. 그는 오늘 아침 인천 국제 공항에 도착할 예정이다 / He will arrive *in* Korea this morning. 그는 오늘 아침 한국에 도착할 예정이다.

❷ ((때 · 연령)) …에
My father died *at* seventy.
나의 아버지는 70세에 돌아가셨다.
We have tea *at* three.
우리는 3시에 차를 마신다.

**어법 때의 at, in, on**

**at**은 시각 따위의 시점에, **in**은 길이가 있는 기간에 쓴다. 또 **on**은 특정한 날이나 특정한 날의 아침 · 저녁에 쓴다: *at* 7, 7시에 / *at* noon 정오에 / *in* the morning 아침에 / *in* May, 5월에 / *in* spring 봄에 / *on* Sunday morning 일요일 아침에.

❸ ((방향 · 목표)) …을 향하여, …을 겨냥하여

He threw a stone *at* the snake.
그는 뱀을 향해 돌을 던졌다.
❹ …중인, …에 종사하여
The children are *at* play.
아이들은 놀고 있는 중이다.
Jane is *at* work in the hospital.
제인은 병원에서 근무한다.

❺ 《감정의 원인》 …을 보고, …을 듣고
He got angry *at* the sight.
그는 그 광경을 보고 화를 냈다.
We were surprised *at* the news. 우리는 그 소식을 듣고 놀랐다.
❻ 《수량 · 값 · 비율》 …으로, …에
*at* full speed 전속력으로
I bought it *at* 500 dollars.
나는 500달러에 그것을 샀다.
숙어 ***at first*** 처음에는
I found English difficult *at first*. 나는 처음에 영어가 어렵다는 것을 알았다.
***at last*** 마침내
*At last* we found it.
마침내 우리는 그것을 발견했다.
***at once*** 즉시; 동시에
Start *at once*. 즉시 출발하시오.

***ate** *ate*
[éit 에이트]
타자 eat(먹다)의 과거
They *ate* lunch at noon.
그들은 정오에 점심을 먹었다.

**Ath•ens** *Athens*
[ǽθənz 애선즈]
명 아테네 《고대 그리스 문명의 중심지; 그리스의 수도》

**ath•lete** *athlete*
[ǽθliːt 애슬리-트]
명 (복수 **athletes** [ǽθliːts 애슬리-츠]) 운동선수, 경기자
A Korean *athlete* won the race.
한 한국 선수가 그 경주에서 우승했다.

**ath•let•ic** *athletic*
[æθlétik 애슬레틱]
형 운동의, 경기의
an *athletic* meeting 운동회
*athletic* sports 운동 경기

**ath•let•ics** *athletics*
[æθlétiks 애슬레틱스]
명 《총칭으로》 운동 경기

***At·lan·tic** *Atlantic*
[ətlǽntik 어틀랜틱]
명 《the를 붙여》 대서양
—형 대서양의 (관 Pacific 태평양의)
the *Atlantic* Ocean 대서양

**atlas** *atlas*
[ǽtləs 애틀러스]
명 (복수 **atlases** [ǽtləsiz 애틀러시즈])
지도책 《여러 장의 지도가 실림》
✎ map는 한 장으로 된 지도.

**at·mos·phere** *atmosphere*
[ǽtməsfìər 앳머스피어]
명 (복수 **atmospheres** [ǽtməsfìərz 앳머스피어즈])
❶ (지구를 둘러싸고 있는) 대기; 공기
a refreshing mountain *atmosphere* 상쾌한 산의 공기

❷ 분위기, 환경

**at·om** *atom*
[ǽtəm 애텀]
명 (복수 **atoms** [ǽtəmz 애텀즈])
〖물리 · 화학〗 원자

**a·tom·ic** *atomic*
[ətάmik 어타믹]
형 원자의
an *atomic* bomb 원자탄

**at·tach** *attach*
[ətǽtʃ 어태치]
타 (3단현 **attaches** [ətǽtʃiz 어태치즈], 과거 · 과분 **attached** [ətǽtʃt 어태치트], 현분 **attaching** [ətǽtʃiŋ 어태칭])
❶ (…에) 붙이다, 부착하다 《to》
He *attached* a stamp *to* the envelope.
그는 봉투에 우표를 붙였다.
❷ 《**be attached to**로》 …에 애착〔애정〕을 품다

***at·tack** *attack*
[ətǽk 어택]
타 (3단현 **attacks** [ətǽks 어택스], 과거 · 과분 **attacked** [ətǽkt 어택트], 현분 **attacking** [ətǽkiŋ 어태킹])
❶ 공격하다 (반 defend 방어하다)
The dog *attacked* the cat.
개가 고양이에게 덤벼들었다.

A B C D E F G H I J K L M N O P Q R S T U V W X Y Z

❷ (병이 몸을) 침범하다
He was *attacked* by a sudden flu. 그는 급성 인플루엔자에 걸렸다.
—명 (복수 **attacks** [ətǽks 어택스]) 공격; 발병, 발작

**at•tempt** *attempt*
[ətém(p)t 어템(프)트]
타 (3단현 **attempts** [ətém(p)ts 어템(프)츠], 과거 · 과분 **attempted** [ətém(p)tid 어템(프)티드], 현분 **attempting** [ətém(p)tiŋ 어템(프)팅]) 시도하다, 꾀하다 (동 try)
He *attempted* to climb Mt. Everest. 그는 에베레스트 산을 등반하려고 시도했다.
—명 (복수 **attempts** [ətém(p)ts 어템(프)츠]) 시도, 계획
He made an *attempt* to escape. 그는 도망치려고 시도했다.

***at•tend** *attend*
[əténd 어텐드]
동 (3단현 **attends** [əténdz 어텐즈], 과거 · 과분 **attended** [əténdid 어텐디드], 현분 **attending** [əténdiŋ 어텐딩])
—타 ❶ 출석하다, 참석하다
He *attended* the meeting.
그는 모임에 참석했다.
❷ 보살피다, 시중들다
The nurse *attends* a patient.
간호사는 환자를 돌본다.

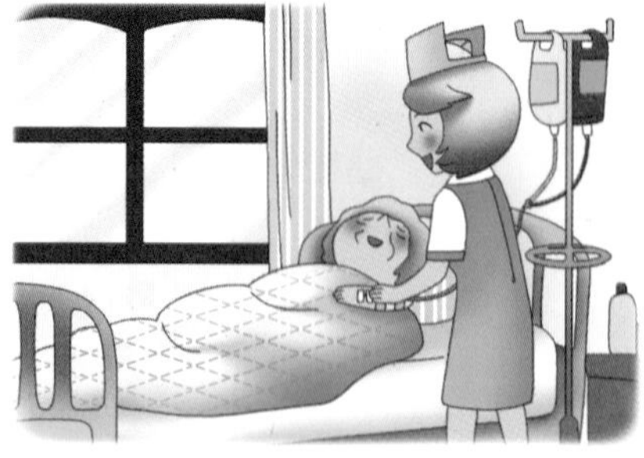

—자 ❶ 출석하다, 참석하다
He *attended* at the conference.
그는 회의에 참석했다.
❷ 《**attend to**로》 …에 주의하다
*Attend to* your teacher.
선생님 말씀에 주의를 기울여라.

**at•ten•tion** *attention*
[ətén∫ən 어텐션]
명 《an과 복수형 안 씀》 주의, 주목; 배려; 보살핌
*Attention*, please! 주목하세요!

**at•ti•tude** *attitude*
[ǽtit(j)ùːd 애티튜-드]
명 (복수 **attitudes** [ǽtit(j)ùːdz 애티튜-즈]) 태도; 자세
He showed a friendly *attitude*. 그는 친절한 자세를 보였다.

**at•tract** *attract*
[ətrǽkt 어트랙트]
타 (3단현 **attracts** [ətrǽkts 어트랙츠], 과거 · 과분 **attracted** [ətrǽktid 어트랙티드], 현분 **attracting** [ətrǽktiŋ 어트랙팅])
❶ (주의 · 흥미 따위를) 끌다
The game *attracted* many people's attention. 그 경기는 많은 사람들의 흥미를 끌었다.

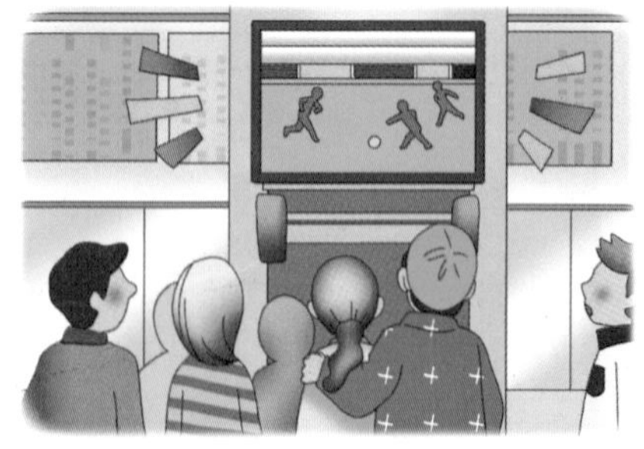

❷ (사람의 마음을) 매혹하다
He was *attracted* by her beau-

ty. 그는 그녀의 아름다움에 매혹됐다.

**at•trac•tion** *attraction*
[ətrǽkʃən 어트랙션]
명 《an과 복수형 안 씀》
매력; 끌어당김
Music has great *attraction* for me. 음악은 내게 대단한 매력이 있다.

**at•trac•tive** *attractive*
[ətrǽktiv 어트랙티브]
형 매력 있는, 마음을 끄는
She is an *attractive* woman.
그녀는 매력 있는 여자이다.

**au•di•ence** *audience*
[ɔ́ːdiəns 오-디언스]
명 (복수 **audiences** [ɔ́ːdiənsiz 오-디언시즈])
《집합적; 단수 취급》 청중, 관객; (라디오 · TV의) 시청자
She played the piano before a large *audience*. 그녀는 많은 청중 앞에서 피아노를 쳤다.

⁑**Au•gust** *August*
[ɔ́ːgəst 오-거스트]
명 8월 《약 Aug.》
*Aug*. 7 (=7 Aug.), 8월7일 《August (the) seventh라고 읽음》
We have hot days in *August*.
8월은 덥다.

⁑**aunt** *aunt*
[ǽnt 앤트]
명 (복수 **aunts** [ǽnts 앤츠])
아주머니 (관 uncle 아저씨)
This lady is my *aunt*.
이 부인은 나의 아주머니시다.

***Aus•tra•lia** *Australia*
[ɔːstréiljə 오-스트레일리어]
명 오스트레일리아 《남반구의 대륙으로 영국의 연방 가맹국》

**au•thor** *author*
[ɔ́ːθər 오-서]
명 (복수 **authors** [ɔ́ːθərz 오-서즈])
저자, 작가 (반 reader 독자)
He is the *author* of this book.
그는 이 책의 저자이다.

**au•thor•i•ty** *authority*
[əθɔ́:rəti 어소-러티]
명 (복수 **authorities** [əθɔ́:rətiz 어소-러티즈]) 권위, 권위자; 당국
the school *authorities* 학교 당국

**au•to•mat•ic** *automatic*
[ɔ̀:təmǽtik 오-터매틱]
형 자동식의
This door is *automatic*.
이 문은 자동식이다.

*__au•to•mo•bile__ *automobile*
[ɔ́:təmoubì:l 오-터모우빌-]
명 (복수 **automobiles** [ɔ́:təmoubì:lz 오-터모우빌-즈]) 자동차 《일상어로는 car, 《영》 motorcar》

⁑**au•tumn** *autumn*
[ɔ́:təm 오-텀]
명 (복수 **autumns** [ɔ́:təmz 오-텀즈]) 가을 《미국에서는 보통 fall이라고 함》
*Autumn* is the season after summer.
가을은 여름 뒤에 오는 계절이다.

**a•vail•a•ble** *available*
[əvéiləbl 어베일러블]
형 이용할 수 있는; 입수할 수 있는
This swimming pool is *available* for the members only.
이 수영장은 회원만 이용할 수 있다.
The book is not *available* now.
그 책은 이제 입수할 수 없다.

**av•e•nue** *avenue*
[ǽvən(j)ù: 애버뉴-]
명 (복수 **avenues** [ǽvən(j)ù:z 애버뉴-즈]) 가로수 길, 《미》 큰 거리 《약 Ave.》
Fifth *Avenue*(=*Ave*.) 5번가
✎ 미국에서는 Avenue는 남북으로 난 대로, 이것과 교차하여 동서로 뻗은 길은 Street

**av•er•age** *average*
[ǽvəridʒ 애버리지]
명 (복수 **averages** [ǽvəridʒiz 애버리지즈]) 평균, 표준, 보통
above the *average* 평균 이상

Tom's school work is below *average*.
톰의 학업 성적은 평균 이하이다.

**a•void** *avoid*
[əvɔ́id 어보이드]
타 (3단현 **avoids** [əvɔ́idz 어보이즈], 과거 · 과분 **avoided** [əvɔ́idid 어보이디드], 현분 **avoiding** [əvɔ́idiŋ 어보이딩])
피하다; …하기를 꺼리다
Try to *avoid* danger.
위험을 피하도록 해라.

They *avoided* seeing me.
그들은 나를 만나는 것을 꺼려했다.

***a•wake** *awake*
[əwéik 어웨이크]
타자 (3단현 **awakes** [əwéiks 어웨이크스], 과거 **awoke** [əwóuk 어워크] 또는 **awaked** [əwéikt 어웨이크트], 과분 **awaked** [əwéikt 어웨이크트] 또는 **awoken** [əwóukən 어워컨] 또는 **awoke** [əwóuk 어워크], 현분 **awaking** [əwéikiŋ 어웨이킹])
❶ 깨어나다, 눈을 뜨다
The baby will *awake* if you make a noise.
시끄럽게 하면 아기가 깰 거야.
The noise *awoke* me from my sleep.
그 소리에 나는 잠에서 깨어났다.

❷ 깨닫다, 자각하다
They *awoke* to their responsibilities.
그들은 자기들의 책임을 깨달았다.
—형 《명사 앞에서 안 씀》 깨어, 자지 않고 (반 asleep 잠들어)
She is usually *awake* early.
그녀는 항상 일찍 잠에서 깬다.

**a•wak•en** *awaken*
[əwéikən 어웨이컨]
타자 awake(깨어나다)의 과거분사

**a•ward** *award*
[əwɔ́ːrd 어워-드]
명 (복수 **awards** [əwɔ́ːrdz 어워-즈])
상, 상품
He won the highest *award*.
그는 최고상을 탔다.

⁑**a•ware** *aware*
[əwɛ́ər 어웨어]

형 《명사 앞에서 안 씀》《**be aware of**로》 (…을) 알고 있는, 알아채고 있는
He *was* not *aware of* his errors.
그는 자기 잘못을 알아차리지 못했다.

**a•way** *away*
[əwéi 어웨이]
부 ❶ 《위치를 나타내어》 떨어져서, 멀리 (동 off, far)
The hotel is three miles *away*.
그 호텔은 3마일 떨어져 있다.
❷ 《동사와 함께》 …사라져, 떠나가서
Go *away*. 저리 가라.
The sound died *away*.
그 소리는 사라져 갔다.
❸ 부재하여, 집에 없어
Mother is *away*.
어머니는 지금 안 계십니다.
숙어 ***keep away*** 가까이 하지 않다
*Keep away* from bad company. 나쁜 친구를 가까이하지 마라.

***right away*** 당장, 즉시
Come *right away*. 즉시 오세요.

**awe** *awe*
[ɔ́: 오-]
명 두려움, 경외(敬畏)

**aw•ful** *awful*
[ɔ́:fəl 오-펄]
형 ❶ 무서운, 끔찍한
an *awful* sight 무서운 광경

❷ 심한, 굉장한; 지독한
What *awful* weather!
정말 지독한 날씨로군!

**awk•ward** *awkward*
[ɔ́:kwərd 오-크워드]
형 (비교급 **awkwarder** [ɔ́:kwərdər 오-크워더], 최상급 **awkwardest** [ɔ́:kwərdist 오-크워디스트])
❶ 거북한, 곤란한, 난처한
❷ 보기 흉한, 어색한, 서투른
His English is *awkward*.
그의 영어는 서투르다.

**ax,** 《영》 **axe** *ax, axe*
[ǽks 액스]
명 (복수 **axes** [ǽksiz 액시즈]) 도끼, 손도끼
An *ax* is used to chop wood.
도끼는 나무를 쪼개는 데 사용된다.

# B b

**B, b** *B, b*
[bíː 비-]
명 (복수 **B's**, **b's** [bíːz 비-즈])
비 《알파벳의 두 번째 글자》

**babe** *babe*
[béib 베이브]
명 (복수 **babes** [béibz 베이브즈])
갓난아기, 젖먹이 (동 baby)
a *babe* in arms 갓난아기; 풋내기

*__ba•by__ *baby*
[béibi 베이비]
명 (복수 **babies** [béibiz 베이비즈])
갓난아기
a *baby* boy 남자 아기
a *baby* girl 여자 아기
The *baby* is crying.
아기가 울고 있다.

**ba•by-sit•ter** *baby-sitter*
[béibisìtər 베이비시터]
명 (복수 **baby-sitters** [béibisìtərz 베이비시터즈]) 아기를 돌보는 사람

**back** *back*
[bǽk 백]
명 (복수 **backs** [bǽks 백스])
❶ 등
He turned his *back* to me.
그는 나에게 등을 돌렸다.
❷ 《보통 the를 붙여》 뒤, 배후
숙어 ***at the back of*** …의 뒤에
There are some trees *at the back* of our house.
우리 집 뒤에는 나무가 몇 그루 있다.
— 부 뒤에, 뒤로; 뒤돌아 (동 behind)
He looked *back*.
그는 뒤돌아보았다.

Go *back* to your seat.
네 자리로 돌아가라.
— 형 《명사 앞에서만 씀》 뒤의, 뒤쪽의 (반 front 정면의).
She sat on the *back* seat of the car.
그녀는 차의 뒷좌석에 앉았다.

A **B** C D E F G H I J K L M N O P Q R S T U V W X Y Z

— 자타 (3단현 **backs** [bǽks 백스], 과거 · 과분 **backed** [bǽkt 백트], 현분 **backing** [bǽkiŋ 배킹])
후퇴하다, 후진하다; 후원하다
He *backed* the car into the garage.
그는 차를 후진시켜 차고에 넣었다.

## back•ground *background*
[bǽkgràund 백그라운드]
명 (복수 **backgrounds** [bǽkgràundz 백그라운즈])
(풍경 등의) 배경; (사건의) 배후; 경력

## back•ward(s) *backward(s)*
[bǽkwərd(z) 백워드(즈)]
부 뒤쪽으로; 후방에; 거꾸로 (반 forwards 앞으로)
He walked *backward*.
그는 뒷걸음질쳤다.
— 형 뒤쪽으로의; 뒤떨어진 (반 forwards 앞쪽의)

## back•yard *backyard*
[bǽkjɑ́ːrd 백야-드]
명 뒤뜰, 뒷마당 (반 frontyard 앞뜰)
Mary is in the *backyard*.
메리는 뒤뜰에 있다.

## ba•con *bacon*
[béikən 베이컨]
명 (복수 **bacons** [béikənz 베이컨즈]) 베이컨 《돼지고기를 소금에 절여 연기에 그을려 만든 것》

## **bad *bad*
[bǽd 배드]
형 (비교급 **worse** [wə́ːrs 워-스], 최상급 **worst** [wə́ːrst 워-스트])
❶ 나쁜 (반 good 좋은)
It is *bad* to tell a lie.
거짓말하는 것은 나쁘다.
❷ (병 등이) 심한, (날씨가) 나쁜
She had a *bad* cold.
그녀는 심한 감기에 걸렸다.

The weather was *bad* this morning. 오늘 아침 날씨가 나빴다.
❸ 해로운, 위험한; (음식이) 상한
Smoking is *bad* for the health.
흡연은 건강에 해롭다.
❹ (솜씨가) 서투른, 익숙하지 못한 《at》
She is *bad at* cooking.
그녀는 요리를 잘 못한다.
숙어 ***go bad*** 썩다, 나빠지다
This meat *went bad*.
이 고기는 썩었다.
***not (so) bad*** 그다지 나쁘지 않은

**어법** That's too bad. 「그것 참 안됐다.」
아프거나 무슨 나쁜 일이 생겼을 경우에 동정의 뜻을 나타낼 때 쓴다.
A: I have a cold.
B: That's too bad.
「나 감기가 들었어.」
「그것 참 안됐구나.」

## bade *bade*
[bǽd 배드, 《영》 béid 베이드]
타자 bid(명령하다)의 과거

## badge *badge*
[bǽdʒ 배지]

명 (복수 **badges** [bǽdʒiz 배지즈]) 기장, 휘장, 배지

## bad•ly *badly*
[bǽdli 배들리]
부 (비교급 **worse** [wə́ːrs 워-스], 최상급 **worst** [wə́ːrst 워-스트])
❶ 나쁘게, 서툴게 (반 well 잘)
She paints *badly*.
그녀는 그림을 잘 못 그린다.
❷ 심하게, 몹시

## bad•min•ton *badminton*
[bǽdmintn 배드민튼]
명 〖스포츠〗 배드민턴

## *⁎bag *bag*
[bǽg 배그]
명 (복수 **bags** [bǽgz 배그즈]) 가방, 자루

a paper *bag* 종이 봉지
He has a traveling *bag* in his hand.
그는 여행 가방을 손에 들고 있다.

## *bag•gage *baggage*
[bǽgidʒ 배기지]
명 《a와 복수형 안 씀》 《미》 수화물 (《영》 luggage)
I'll take your *baggage* to the hotel. 호텔까지 당신의 짐을 갖다 드리겠습니다.

✎ baggage는 짐을 뜻하는 말로서 트렁크(trunk), 슈트케이스(suitcase), 가방(bag) 따위의 수화물 전체를 말함.

## *bake *bake*
[béik 베이크]
타 (3단현 **bakes** [béiks 베이크스], 과거 · 과분 **baked** [béikt 베이크트], 현분 **baking** [béikiŋ 베이킹]) (빵 등을) 굽다

a b c d e f g h i j k l m n o p q r s t u v w x y z

She is *baking* cookies.
그녀는 과자를 굽고 있다.

**bak•er** *baker*
[béikər 베이커]
명 (복수 **bakers** [béikərz 베이커즈]) 빵 굽는 사람; 빵장수

**bak•er•y** *bakery*
[béik(ə)ri 베이커리]
명 (복수 **bakeries** [béik(ə)riz 베이커리즈])
빵집, 제과점 (동 baker's shop)

***bal•ance** *balance*
[bǽləns 밸런스]
명 (복수 **balances** [bǽlənsiz 밸런시즈]) ❶ 균형; 평균
He lost his *balance* and fell down. 그는 균형을 잃고 넘어졌다.
❷ 저울 (동 scale), 천칭

— 타 (3단현 **balances** [bǽlənsiz 밸런시즈], 과거 · 과분 **balanced** [bǽlənst 밸런스트], 현분 **balancing** [bǽlənsiŋ 밸런싱])
균형을 잡다; 저울에 달다

**bal•co•ny** *balcony*
[bǽlkəni 밸커니]
명 (복수 **balconies** [bǽlkəniz 밸커니즈])
발코니; (극장 따위의) 2층 특별석

**bald** *bald*
[bɔ́ːld 볼-드]
형 (비교급 **balder** [bɔ́ːldər 볼-더], 최상급 **baldest** [bɔ́ːldist 볼-디스트])
대머리의; 잎이 없는
He is going *bald*.
그는 머리가 벗겨지고 있다.

⁑**ball** *ball*
[bɔ́ːl 볼-]
명 (복수 **balls** [bɔ́ːlz 볼-즈])
❶ 공, 공 모양의 것
He can throw a *ball* fast.
그는 공을 빠르게 던질 수 있다.

❷ 《a와 복수형 안 씀》 구기, 공놀이; 야구
a *ball* game 구기, 야구
a *ball* player 야구 선수
They like to play *ball*.
그들은 공놀이를 좋아한다.

**bal•let** *ballet*
[bǽlei 밸레이]
☺ t는 발음하지 않음. e는 [ei]로 발음함.
명 발레, 무용극; 발레단
a *ballet* dancer 발레 무용가

**bal•loon** *balloon*
[bəlúːn 벌룬-]
☺ 뒤 음절에 악센트가 있음.
명 (복수 **balloons** [bəlúːnz 벌룬-즈]) 기구, 풍선
His *balloon* went high up in the sky.
그의 기구가 하늘 높이 날아갔다.

**ballpoint pen**
*ballpoint pen*
[bɔ́ːlpɔint pèn 볼-포인트펜]
명 볼펜

**bam•boo** *bamboo*
[bæmbúː 뱀부-]
☺ 뒤 음절에 악센트가 있음.
명 (복수 **bamboos** [bæmbúːz 뱀부-즈]) 대, 대나무
*bamboo* shoots 죽순

*__ban__ *ban*
[bǽn 밴]
타 (3단현 **bans** [bǽnz 밴즈], 과거 · 과분 **banned** [bǽnd 밴드], 현분 **banning** [bǽniŋ 배닝])
금지하다 (동 forbid)
He was *banned* from driving for a year
그는 1년간 운전이 금지되어 있다.
— 명 금지(령)

*__ba•nan•a__ *banana*
[bənǽnə 버내너]
명 (복수 **bananas** [bənǽnəz 버내너즈]) 바나나
a bunch of *bananas*
바나나 한 송이

*__band__ *band*
[bǽnd 밴드]
명 (복수 **bands** [bǽndz 밴즈])
❶ 띠, 끈
A rubber *band* broke.
고무줄이 끊어졌다.
❷ 악단, 밴드
a brass *band* 취주 악단
a rock *band* 록 밴드

❸ (사람의) 한 떼, 무리

**bang** *bang*
[bǽŋ 뱅]
명 (복수 **bangs** [bǽŋz 뱅즈])
탕, 쿵 ((총 소리 · 문 닫는 소리 따위))
—자타 (3단현 **bangs** [bǽŋz 뱅즈], 과거 · 과분 **banged** [bǽŋd 뱅드], 현분 **banging** [bǽŋiŋ 뱅잉])
(…을) 탕탕 치다, 쾅 닫다; 쾅 닫히다
Don't *bang* the door.
문을 쾅 닫지 마라.

**ban•jo** *banjo*
[bǽndʒou 밴조우]
명 (복수 **banjos** [bǽndʒouz 밴조우즈]) 밴조 ((5현의 현악기))

****bank¹** *bank*
[bǽŋk 뱅크]
명 (복수 **banks** [bǽŋks 뱅크스])
❶ 은행
He put some money in the *bank*.
그는 은행에 약간의 돈을 예금했다.

❷ 저장소, …은행
a blood *bank* 혈액 은행

**bank²** *bank*
[bǽŋk 뱅크]
명 둑, 제방
They walked along the *bank*.
그들은 둑을 따라 산책했다.

***bar** *bar*
[bɑ́ːr 바-]
명 (복수 **bars** [bɑ́ːrz 바-즈])
❶ 봉, 막대기
a chocolate *bar* 초콜릿 바
a *bar* of soap 비누 한 개
❷ 빗장, 창살; 장애물, 방해물
❸ 술집, 바
Let's go to the *bar* after work.
퇴근 후에 술 한잔 합시다.

—타 (3단현 **bars** [bɑ́ːrz 바-즈], 과거 · 과분 **barred** [bɑ́ːrd 바-드], 현분 **barring** [bɑ́ːriŋ 바-링])
막다, 금지시키다

***bar•ber** *barber*
[bɑ́ːrbər 바-버]
명 (복수 **barbers** [bɑ́ːrbərz 바-버즈]) 이발사
His uncle is a *barber*.
그의 삼촌은 이발사다.

**bar•ber•shop** *barbershop*
[bɑ́ːrbərʃɑ̀p 바-버샵]
명 《미》 이발소(《영》 barber's (shop))
I had my hair cut at a *barbershop*.
나는 이발소에서 머리를 깎았다.

**bare** *bare*
[bέər 베어]
형 (비교급 **barer** [bέ(ə)rər 베(어)러], 최상급 **barest** [bέ(ə)rist 베(어)리스트])
❶ 발가벗은 (동 naked)
Don't walk around with *bare* feet. 맨발로 돌아다니지 마라.

❷ 꾸미지 않은, 속이 빈

**bar•gain** *bargain*
[bɑ́ːrgən 바-건]
명 (복수 **bargains** [bɑ́ːrgənz 바-건즈]) ❶ 계약; 거래, 매매
make a *bargain* 거래하다
❷ 싼 물건, 특매품
a *bargain* sale 대염가 판매

***bark** *bark*
[bɑ́ːrk 바-크]
자 (3단현 **barks** [bɑ́ːrks 바-크스], 과거 · 과분 **barked** [bɑ́ːrkt 바-크트], 현분 **barking** [bɑ́ːrkiŋ 바-킹]) (개가) 짖다
숙어 ***bark at*** …에게 짖어대다
The dog *barked at* strangers.
개는 낯선 사람들에게 짖어댔다.

— 명 (복수 **barks** [bɑ́ːrks 바-크스]) 개 짖는 소리

**bar•ley** *barley*
[bɑ́ːrli 발-리]
명 《a와 복수형 안 씀》 보리

**barn** *barn*
[bɑ́ːrn 반-]
명 (복수 **barns** [bɑ́ːrnz 반-즈]) (농가의) 헛간, 광; 《미》 외양간

**bar•ri•er** *barrier*
[bǽriər 배리어]
명 (복수 **barriers** [bǽriərz 배리어즈]) 방벽; 방해, 장애물
the language *barrier* 언어의 장벽

***base** *base*
[béis 베이스]
명 (복수 **bases** [béisiz 베이시즈])
❶ 토대, 기초; 밑, 기슭
the *base* of a mountain 산기슭
❷ 기지, 근거지
❸ 〖야구〗 베이스, 루
He stopped on the second *base*. 그는 2루에서 멈췄다.
— 타 (3단현 **bases** [béisiz 베이시즈], 과거 · 과분 **based** [béist 베이스트], 현분 **basing** [béisiŋ 베이싱])

A B C D E F G H I J K L M N O P Q R S T U V W X Y Z

(…에) 기초를 두다, 근거하다
His story is *based* on facts.
그의 이야기는 사실에 근거한다.

**⁑base•ball** *baseball*
[béisbɔ̀ːl 베이스볼-]
명 (복수 **baseballs** [béisbɔ̀ːlz 베이스볼-즈]) 〖스포츠〗 야구; 야구공

a *baseball* park 야구장
Let's go to see the *baseball* game. 야구 경기를 보러 가자.

**base•ment** *basement*
[béismənt 베이스먼트]
명 (복수 **basements** [béismənts 베이스먼츠])
(건물의) 지하실, 지하층 《식량 등을 저장해 두는 지하실은 cellar라고 함》

**ba•sic** *basic*
[béisik 베이식]
형 기초의, 기본의
a *basic* charge 기본 요금
*basic* principles 기본 원리

**ba•sin** *basin*
[béisn 베이슨]
명 (복수 **basins** [béisnz 베이슨즈])
❶ 세면기, 대야
❷ 분지; (강의) 유역
the Thames *basin* 템스 강 유역

**ba•sis** *basis*
[béisis 베이시스]
명 (복수 **bases** [béisiːz 베이시-즈])
기초, 토대, 근거, 기준
숙어 ***on the basis of*** …을 기준으로〔기초로〕 하여, …을 근거로 하여

***bas•ket** *basket*
[bǽskit 배스킷]
명 (복수 **baskets** [bǽskits 배스키츠])
바구니, 광주리
a *basket* of apples 사과 한 바구니

***bas•ket•ball** *basketball*
[bǽskitbɔ̀ːl 배스킷볼-]
명 〖스포츠〗 바스켓볼, 농구(공)
The two teams played *basketball*. 그 두 팀은 농구를 하였다.

***bat¹** *bat*
[bǽt 뱃]
명 (복수 **bats** [bǽts 배츠])
(야구 따위의) 배트
He began to swing his *bat*.
그는 배트를 휘두르기 시작했다.
— 타 자 (3단현 **bats** [bǽts 배츠], 과거 · 과분 **batted** [bǽtid 배티드], 현분 **batting** [bǽtiŋ 배팅])
(배트로) 치다

I can *bat* a ball very well.
나는 공을 아주 잘 칠 수 있다.

**bat²** *bat*
[bǽt 뱃]
명 (복수 **bats** [bǽts 배츠])
〖동물〗 박쥐

***bath** *bath*
[bǽθ 배스]
명 (복수 **baths** [bǽðz 배드즈])
❶ 목욕
I like to take a *bath*.
나는 목욕하기를 좋아한다.

❷ 목욕탕, 욕실; 욕조 (㊍ bathtub)
a public *bath* 공중 목욕탕

**bathe** *bathe*
[béið 베이드]
자타 (3단현 **bathes** [béiðz 베이드즈], 과거 · 과분 **bathed** [béiðd 베이드드], 현분 **bathing** [béiðiŋ 베이딩])
목욕시키다; 목욕하다; 물에 들어가다, 헤엄치다 (㊍ swim)
He *bathes* in a hot tub.
그는 뜨거운 탕에서 목욕한다.

**⁑bath•room** *bathroom*
[bǽθrù:m 배스룸-]
명 (복수 **bathrooms** [bǽθrù:mz 배스룸-즈]) 목욕탕, 욕실
I washed my face in the *bath-room*. 나는 욕실에서 세수했다.

**어법** Where is the bathroom?
「화장실이 어디 있습니까?」
남의 집에 갔을 때 화장실을 묻는 말이다. May I use your bath-room?이라고도 한다. 공공장소의 화장실은 men's room(신사용), ladies' room(숙녀용)이라고 하며, toilet이라는 말은 잘 쓰지 않는다.

**bath•tub** *bathtub*
[bǽθtʌ̀b 배스터브]
명 (복수 **bathtubs** [bǽθtʌ̀bz 배스터브즈]) 목욕통, 욕조

**bat•ter** *batter*
[bǽtər 배터]
명 (복수 **batters** [bǽtərz 배터즈])
〖야구〗 타자, 배터

**bat•ter•y** *battery*
[bǽt(ə)ri 배터리]
명 (복수 **batteries** [bǽt(ə)riz 배터리즈]) ❶ 전지, 배터리
The *battery* is dead.
전지가 다됐다.

A
B
C
D
E
F
G
H
I
J
K
L
M
N
O
P
Q
R
S
T
U
V
W
X
Y
Z

# Bathroom 욕실

❷ 〖야구〗 배터리 《투수와 포수》
❸ 한 벌의 기구〔장치〕

## bat•tle *battle*

[bǽtl 배틀]
명 (복수 **battles** [bǽtlz 배틀즈])
싸움, 전투
win a *battle* 싸움에 이기다
He was killed in *battle*.
그는 전사했다.

## bat•tle•field *battlefield*

[bǽtlfìːld 배틀필-드]
명 싸움터, 전장

## bay *bay*

[béi 베이]
명 (복수 **bays** [béiz 베이즈])
만(灣), 하구(河口)

## B.C. *B.C.*

[bíːsíː 비-시-]
기원전 《*B*efore *C*hrist의 약어》 (반 A.D. 서력기원)

## **be *be*

[《약》 bi 비; 《강》 bíː 비-]
자 (현재 (I) **am**, (we, you, they) **are**, (he, she, it) **is**, 과거 (I, he, she, it) **was**, (we, you, they) **were**, 과분 **been**, 현분 **being**)
❶ …이다, …이 되다

We *are* good friends.
우리는 사이좋은 친구들이다.
It will *be* rainy tomorrow.
내일은 비가 올 것이다.
You must *be* careful.
너는 조심해야 한다.
✎ 조동사(will, must, may 등) 다음에는 원형이 오므로 be를 씀.
❷ (…이) 있다, 존재하다
She will *be* back by seven o'clock.
그녀는 7시까지는 돌아올 것이다.
There *is* a book on the desk.
책상 위에 책 한 권이 있다.
❸ 《명령문에 쓰여》
Don't *be* late. 늦지 마라.
❹ 《부정사 to be로 쓰여》
I want to *be* a doctor.
나는 의사가 되고 싶다.

be 동사의 변화

| 주어 | 현재형 | 과거형 | 과거분사 |
|---|---|---|---|
| I | **am** | **was** | have been |
| You<br>We<br>They | **are** | **were** | have been |
| He<br>She<br>It | **is** | **was** | has been |

— 조 ❶ 《**be+~ing**의 진행형으로》 …하고 있다

I *am* work*ing* now.
나는 지금 일하고 있다.
What *are* you do*ing*?
너는 무엇을 하고 있니?

❷ 《**be**+과거분사의 수동태로》 …이 되다, …을 당하다
The child *is loved* by all.
그 아이는 모두에게 사랑받는다.
They *were trained* by Mr. Smith. 그들은 스미스 씨에게 훈련을 받았다.

❸ 《**be+to** 부정사로》 《예정》 …할 예정이다, 《의무》 …해야 한다, 《가능》 …할 수 있다, 《운명》 …할 운명이다
We *are* to meet at 6.
우리는 6시에 만날 예정이다. 《예정》
What *am* I to do?
내가 무엇을 해야만 합니까? 《의무》
Nobody *was* to be seen.
아무도 보이지 않았다. 《가능》

숙어 ***be able to** do* …할 수 있다
***be about to** do* 막 …하려고 하다
***be afraid of*** …을 두려워하다
***be going to** do* …할 것이다, …할 작정이다
***have been to*** …에 간 적이 있다; …에 갔다 왔다

## beach *beach*

[bíːtʃ 비-치]
명 (복수 **beaches** [bíːtʃiz 비-치즈]) 해변, 바닷가; 해수욕장

They played on the *beach*.
그들은 해변가에서 놀았다.

## beak *beak*

[bíːk 비-크]
명 (복수 **beaks** [bíːks 비-크스]) (새의) 부리
The bird has a yellow *beak*.
그 새의 부리는 노랗다.

## bean *bean*

[bíːn 빈-]
명 (복수 **beans** [bíːnz 빈-즈]) 콩, 강낭콩(관 pea 완두콩)

## bear[1] *bear*

[bέər 베어]
명 (복수 **bears** [bέərz 베어즈]) 〖동물〗 곰

I saw a *bear* at the zoo.
나는 동물원에서 곰을 보았다.

*__bear²__ *bear*
[bέər 베어]
타 (3단현 **bears** [bέərz 베어즈], 과거 **bore** [bɔ́ːr 보-], 과분 **borne** 또는 **born** [bɔ́ːrn 본-], 현분 **bearing** [bέ(ə)riŋ 베(어)링])
❶ (아이를) 낳다, (열매를) 맺다
She has *borne* two children.
그녀는 아이를 둘 낳았다.
❷ (고통 따위를) 참다, 견디다, 지탱하다
I cannot *bear* the loud noises.
나는 저 시끄러운 소리를 참을 수가 없다.

❸ 나르다, 운반하다
숙어 ***be born*** 태어나다
I *was born* in Seoul in 1994.
나는 1994년에 서울에서 태어났다.

**beard** *beard*
[bíərd 비어드]
명 (복수 **beards** [bíərdz 비어즈]) 턱수염

He wears *beard*.
그는 턱수염을 기르고 있다.

**beast** *beast*
[bíːst 비-스트]
명 (복수 **beasts** [bíːsts 비-스츠]) 야수, 짐승 (동 animal)

*__beat__ *beat*
[bíːt 비-트]
동 (3단현 **beats** [bíːts 비-츠], 과거 **beat** [bíːt 비-트], 과분 **beaten** [bíːtn 비-튼] 또는 **beat** [bíːt 비-트], 현분 **beating** [bíːtiŋ 비-팅])
—타 ❶ (계속해서) 치다, 때리다 (동 strike, knock), 두들기다
The man is *beating* a drum.
그 남자는 북을 치고 있다.

❷ (상대방을) 패배시키다, 이기다
Our team *beat* them.
우리 팀은 그들에게 이겼다.
—자 ❶ 두드리다, (비바람이) 치다
He *beat* on[at] the door.
그는 문을 두드렸다.
❷ (심장이) 고동치다; (북 등이) 둥둥 울리다
—명 (복수 **beats** [bíːts 비-츠]) 두들김; (북 따위를) 치는 소리; (심장의) 고동 소리

*__beat·en__ *beaten*
[bíːtn 비-튼]

A **B** C D E F G H I J K L M N O P Q R S T U V W X Y Z

타 beat(치다)의 과거분사

**beau•ti•ful** *beautiful*
[bjú:təfəl 뷰-터펄]
형 (비교급 **more beautiful**, 최상급 **most beautiful**)
❶ 아름다운, 예쁜 (반 ugly 추한, 관 pretty 귀여운)
I met a *beautiful* woman.
나는 아름다운 부인을 만났다.

❷ 멋진, 훌륭한
What a *beautiful* day!
참 좋은 날씨군요!

**beau•ti•ful•ly** *beautifully*
[bjú:təfəli 뷰-터펄리]
부 아름답게, 훌륭하게

**beau•ty** *beauty*
[bjú:ti 뷰-티]
명 (복수 **beauties** [bjú:tiz 뷰-티즈])
❶ 《a와 복수형 안 씀》 아름다움, 미

We were charmed with the *beauty* of the palace. 우리는 그 궁전의 아름다움에 매혹되었다.
❷ 미인; 아름다운 것
She is a real *beauty*.
그녀는 참으로 미인이다.

**be•came** *became*
[bikéim 비케임]
자 become(…이 되다)의 과거

**be•cause** *because*
[bikɔ́:z 비코-즈]
접 왜냐하면, …때문에
"Why are you so happy?"
"*Because* I passed the examination."
「어째서 그렇게 기쁘냐?」
「시험에 합격했으니까.」

I cannot work today *because* I am very sick. 나는 몹시 아파서 오늘은 공부할 수 없다.
숙어 ***because of*** …때문에, 까닭에
✎ 뒤에 명사나 대명사가 옴.
He couldn't come *because of* the rain.
그는 비 때문에 올 수 없었다.

어법 이유를 나타내는 because, since, for
**because**가 가장 논리적이고 직접적인 이유를 나타낸다. **since**는 정면으로 이유를 나타내기보다는 부수적으로 말할 때 쓴다. 또, **for**는 「왜냐하면, …하니까」라고 추가적인 설명이나 판단의 근거를 나타내며, 반드시 그 앞에 쉼표(,)를 찍는다.

**⁑be•come** *become*
[bikʌ́m 비컴]
동 (3단현 **becomes** [bikʌ́mz 비컴즈], 과거 **became** [bikéim 비케임], 과분 **become** [bikʌ́m 비컴], 현분 **becoming** [bikʌ́miŋ 비커밍])
— 자 …이 되다, …으로 되다 (동 come to be) ((뒤에 형용사나 명사가 옴)).
He *became* a famous singer.
그는 유명한 가수가 되었다.

The days *become* longer and longer in spring.
봄에는 낮이 점점 길어진다.
She *became* very happy because of her success.
그녀는 성공해서 매우 기뻤다.
English has *become* a world language. 영어는 세계어가 되었다.
— 타 (…에) 어울리다 (동 suit), 알맞다
The coat *becomes* you very well.
그 코트는 너에게 잘 어울린다.

**⁑bed** *bed*
[béd 베드]
명 (복수 **beds** [bédz 베즈])
❶ 침대, 잠자리
A baby is sleeping in the *bed*.
아기가 침대에서 자고 있다.
❷ 화단; 강바닥
a flower *bed* 화단
숙어 ***be ill in bed*** 앓아 누워 있다
He *is ill in bed*.
그는 병으로 누워 있다.
***go to bed*** 잠자리에 들다, 자다
Jane *went to bed* early yesterday.
제인은 어제 일찍 잠자리에 들었다.
***make the*〔*a*〕 *bed*** 침대를 정돈하다

***bed•room** *bedroom*
[bédrùːm 베드룸-]
명 (복수 **bedrooms** [bédrùːmz 베드룸-즈]) 침실, 방

**bed•side** *bedside*
[bédsaid 베드사이드]
명 (복수 **bedsides** [bédsaidz 베드사이즈]) 침대 옆; (침대의) 머리맡

**bed•time** *bedtime*
[bédtàim 베드타임]
명 취침 시간
It's past *bedtime*.
잠잘 시간이 지났다.

***bee** *bee*
[bíː 비-]

A B C D E F G H I J K L M N O P Q R S T U V W X Y Z

# Bedroom 침실

light
전등

curtain
커튼

closet
벽장

tissue
화장지

lamp
램프

alarm clock
자명종

pillow
베개

hairbrush
헤어브러시

pajamas
잠옷

blanket
담요

rug
깔개

bed
침대

comb
빗

slipper
슬리퍼

명 (복수 **bees** [bí:z 비-즈]) 벌, 꿀벌

the queen〔worker〕*bee* 여왕벌〔일벌〕

숙어 ***as busy as a bee*** 매우 바쁜
He is *as busy as a bee* today.
그는 오늘 매우 바쁘다.

## beef *beef*

[bí:f 비-프]
명 《a와 복수형 안 씀》 쇠고기
I like *beef* better than pork.
나는 돼지고기보다 쇠고기가 좋다.

참고 「돼지고기」는 **pork**. 「닭고기」는 **chicken**, 「양고기」는 **mutton**[mʌ́tn]이라고 하며, 물고기를 제외한 식용 고기를 **meat**라고 한다.

## bee•hive *beehive*

[bí:hàiv 비-하이브]
명 (복수 **beehives** [bí:hàivz 비-하이브즈]) 벌집, 벌통

## *been *been*

[《약》 bin 빈; 《강》 bín 빈]
자 be의 과거 분사
❶ 《**have been**, **has been**의 현재 완료형으로》
《계속》 …까지 줄곧, 《완료》 …해 버렸다, 《경험》 …한 적이 있다
Mary *has been* sick for week.
메리는 1주일 동안 앓고 있다 《계속》.
I *have* never *been* to Paris.
나는 파리에 한 번도 간 적이 없다 《경험》.
He *has* just *been* to the bookstore.
그는 막 서점에 다녀왔다 《완료》.

✎ has gone to ...로 하면 「…에 가 버렸다(그래서 지금 없다)」의 뜻이 됨.
❷ 《**had been**의 과거 완료형으로》
…까지 줄곧 …했었다〔있었다〕
He *had been* a teacher until then. 그는 그때까지 줄곧 교사로 있었다.
—조 ❶ 《**have been+~ing**의 현재 완료 진행형으로》
…까지 줄곧 …하고 있다
It *has been raining* for three days. 사흘 동안이나 줄곧 비가 내리고 있다.
❷ 《**have been**+과거분사의 현재 완료 수동태로》
The book *has been read* for two hundred years.
그 책은 200년간 읽혀져 오고 있다.

## beer *beer*

[bíər 비어]
명 《a와 복수형 안 씀》 맥주
Give me a glass of *beer*.
맥주 한 잔 주십시오.

**⁑be•fore** *before*
[bifɔ́ːr 비포-]
[전] ❶《장소》 …의 앞에 (반 behind …의 뒤에)
He talked *before* people.
그는 사람들 앞에서 이야기했다.
❷《시간》 …의 전에
Please come *before* nine o'clock. 9시 전에 오십시오.
❸《순서》 …보다 먼저
Your turn comes *before* mine.
네 차례가 나보다 먼저 온다.

[숙어] ***before long*** 오래지 않아
She will come *before long*.
그녀는 머지않아 돌아올 것이다.
***long before*** 오래 전에
He has left here *long before*.
그는 오래 전에 여기를 떠났다.
***the day before yesterday*** 그저께
I met him *the day before yesterday*. 나는 그저께 그를 만났다.
—[부] 전에, 앞에 (반 after 뒤에)
I have seen him *before*.
나는 전에 그를 만난 적이 있다.
I can walk a lot faster than *before*. 나는 전보다 훨씬 더 빨리 걸을 수 있다.

**어법** before와 ago

**before**는 「과거의 어느 때부터 …전」이라는 때에 쓰고, **ago**는 「지금부터 …전」이라는 때에 쓴다.
I had received the letter three days *before*. (그때부터) 3일 전에 나는 그 편지를 받았다.
I received the letter three days *ago*. (지금부터) 3일 전에 나는 그 편지를 받았다.

—[접] …하기 전에, …하기 앞서 (반 after …한 뒤에)
You'd better go home *before* it gets dark. 어두워지기 전에 집에 가는 것이 좋겠다.
Make a note *before* you forget. 잊기 전에 메모해 두어라.

***beg** *beg*
[bég 베그]
[동] (3단현 **begs** [bégz 베그즈], 과거·과분 **begged** [bégd 베그드], 현분 **begging** [bégiŋ 베깅])
—[자] 구걸하다;《**beg for**로》 …을 간청하다
The poor man *begged for* food.
그 가난한 남자는 먹을 것을 달라고 했다.
—[타] ❶ (돈·은혜 따위를) 빌다, 구하다 (동 ask)
He *begged* money from me.

그는 나에게 돈을 달라고 했다.

❷《**beg...to** do로》…에게 ~해 주기를 간청하다

The boy *begged* her *to* forgive him. 그 소년은 그녀에게 용서해 달라고 빌었다.

숙어 ***I beg your pardon.***
ⓐ《말끝을 올려서》다시 한 번 말씀해 주십시오.
ⓑ《말끝을 내려서》실례했습니다.

***be•gan** *began*
[bigǽn 비갠]
타자 begin(시작하다)의 과거

**beg•gar** *beggar*
[bégər 베거]
명 (복수 **beggars** [bégərz 베거즈]) 거지, 가난뱅이

****be•gin** *begin*
[bigín 비긴]
동 (3단현 **begins** [bigínz 비긴즈], 과거 **began** [bigǽn 비갠], 과분 **begun** [bigʌ́n 비건], 현분 **beginning** [bigíniŋ 비기닝])
—타 시작하다 (동 start, 반 finish 끝마치다);《**begin to** do 또는 **begin**+**~ing**형으로》…하기 시작하다

They *began* a new life there.
그들은 거기서 새 생활을 시작했다.
It's *beginning to* snow.
눈이 오기 시작한다.
They *began* laugh*ing*〔*to* laugh〕.
그들은 웃기 시작했다.

—자 시작되다
School *begins* at 9.
수업은 9시에 시작된다.

숙어 ***begin with*** …부터 시작하다
He *began with* a joke.
그는 농담부터 하고 시작했다.

**be•gin•ner** *beginner*
[bigínər 비기너]
명 (복수 **beginners** [bigínərz 비기너즈]) 초보자, 초심자

***be•gin•ning** *beginning*
[bigíniŋ 비기닝]
명 (복수 **beginnings** [bigíniŋz 비기닝즈]) 처음, 시초, 시작 (반 end 끝)

숙어 ***from beginning to end*** 처음부터 끝까지
I read the book *from beginning to end*. 나는 그 책을 처음부터 끝까지 읽었다.

***be•gun** *begun*
[bigʌ́n 비건]
타자 begin(시작하다)의 과거분사

**be•half** *behalf*
[bihǽf 비해프]
☺ l은 발음하지 않음.

a b c d e f g h i j k l m n o p q r s t u v w x y z

명 이익; 원조

숙어 ***in behalf of*** …을 위해

I spoke *in behalf of* him.
나는 그를 옹호하여 변론했다.

***on behalf of*** …을 대신하여, …의 대표로서

He signed the paper *on behalf of* his son. 그는 아들을 대신하여 서류에 서명했다.

## be•have *behave*

[bihéiv 비헤이브]

자타 (3단현 **behaves** [bihéivz 비헤이브즈], 과거 · 과분 **behaved** [bihéivd 비헤이브드], 현분 **behaving** [bihéiviŋ 비헤이빙])

행동하다, 처신하다 (동 act)

John *behaved* well in public.
존은 사람들 앞에서 예의 바르게 행동했다.

## be•hav•io(u)r *behavio(u)r*

[bihéivjər 비헤이벼]

명 《a와 복수형 안 씀》 행동, 태도

## **be•hind *behind*

[bəháind 버하인드]

전 ❶ 《장소》 …의 뒤에 (반 in front of …의 앞에)

The boy hid *behind* the door.
그 소년은 문 뒤에 숨었다.

❷ 《시간》 …보다 늦어, 뒤떨어져

His work is a week *behind* schedule. 그의 일은 계획보다 일 주일이나 뒤져 있다.

숙어 ***behind the times*** 구식의

He is *behind the times*.
그는 구식이다.

—부 뒤에, 뒤떨어져; 늦게

She left me *behind*.
그녀는 나를 두고 가버렸다.

숙어 ***leave behind*** …을 두고 오다

## be•ing *being*

[bíːiŋ 비-잉]

자 be(…이다, …있다)의 현재분사

❶ 《**be**동사+**being**+과거분사로 피동의 진행형으로》

The building *is being built*.
그 건물은 건축 중이다.

❷ 《분사 구문으로》

*Being* tired, I went to bed earlier. 나는 피곤했기 때문에 더 일찍 잠자리에 들었다.

—명 (복수 **beings** [bíːiŋz 비-잉즈])
❶ 《a와 복수형 안 씀》 존재, 있음
absolute *being* 절대적 존재
❷ 인간, 생물
a human *being* 인간

## be•lief *belief*
[bəlíːf 벌리-프]
명 (복수 **beliefs** [bəlíːfs 벌리-프스]) 믿음, 신앙; 신용, 신뢰

## ⁑be•lieve *believe*
[bəlíːv 벌리-브]
동 (3단현 **believes** [bəlíːvz 벌리-브즈], 과거 · 과분 **believed** [bəlíːvd 벌리-브드], 현분 **believing** [bəlíːviŋ 벌리-빙])
—타 (…을) 믿다, 《**believe that...**로》 …라고 믿다〔생각하다〕
I *believe* what he says.
나는 그가 하는 말을 믿는다.
They *believe* him to be honest(=*that* he is honest).
그들은 그가 정직하다고 생각한다.
—자 믿다, 생각하다
Seeing is *believing*.
《속담》 보는 것은 믿는 것이다
숙어 ***believe in*** …을 신뢰하다; …의 존재를 믿다
Do you *believe in* ghost?
너는 유령의 존재를 믿느냐?

## *bell *bell*
[bél 벨]
명 (복수 **bells** [bélz 벨즈])
방울, 종, 벨
a *bell* button 초인종 단추
a *bell* tower 종탑
The *bell* is ringing.
종이 울리고 있다.

## *be•long *belong*
[bəlɔ́ːŋ 벌롱-]
자 (3단현 **belongs** [bəlɔ́ːŋz 벌롱-즈], 과거 · 과분 **belonged** [bəlɔ́ːŋd 벌롱-드], 현분 **belonging** [bəlɔ́ːŋiŋ 벌롱-잉])
《**belong to**로》 …에 속하다, …의 일원이다; …의 것이다
This bag *belongs to* her.
이 가방은 그녀의 것이다.
They *belong to* the soccer club.
그들은 축구부의 회원이다.

****be•low** *below*
[bəlóu 벌로우]
전 …의 밑에, 아래에 (반 above …의 위에)
The subway runs *below* the ground. 지하철은 땅 밑으로 달린다.
The temperature is three degrees *below* zero.
기온은 영하 3도이다.
✎ 보통 under는 「바로 밑에」의 뜻이고, below는 「아래쪽에」의 뜻임.
—부 밑으로, 아래로 (반 above 위로)
See *below*. 아래를 보아라.

숙어 ***down below*** 아래쪽에
*Down below*, we can see the bridge. 아래쪽에 다리가 보인다.

**belt** *belt*
[bélt 벨트]
명 (복수 **belts** [bélts 벨츠])
띠, 벨트
a green *belt*
(도시 주변의) 녹지대
Fasten your seat *belt*, please.
안전벨트를 매십시오.

****bench** *bench*
[béntʃ 벤치]
명 (복수 **benches** [béntʃiz 벤치즈])
벤치, 긴 의자 《chair는 보통 의자》;
〖스포츠〗 선수석
They are sitting on a *bench*.
그들은 벤치에 앉아 있다.

**bend** *bend*
[bénd 벤드]
동 (3단현 **bends** [béndz 벤즈], 과거 · 과분 **bent** [bént 벤트], 현분 **bending** [béndiŋ 벤딩])
—자 구부러지다, 휘다; (몸을) 구부리다
He *bent* down and picked up a stone. 그는 몸을 구부리고 돌 하나를 집어 들었다.

—타 구부리다, 굽히다
I *bent* the wire.
나는 철사를 구부렸다.

**be•neath** *beneath*
[bini:θ 비니-스]
전 …의 밑에, …아래에
✎ 구어에서는 보통 under나 below를 씀.

We sat *beneath* the tree.
우리는 나무 아래에 앉았다.

—부 바로 밑에
The valley lay *beneath*.
계곡이 바로 아래에 있었다.

**ben•e•fit** *benefit*
[bénəfit 베너핏]
명 (복수 **benefits** [bénəfits 베너피츠]) 이익 (동 profit); 은혜, 자선
I didn't get much *benefit* from the book. 나는 그 책에서 얻은 것이 별로 없었다.
숙어 ***for the benefit of*** …을 위하여
—자타 …에게 이익이 되다; 이익을 얻다

**bent** *bent*
[bént 벤트]
자타 bend(구부러지다, 구부리다)의 과거 · 과거분사
—형 굽은, 구부러진 (동 curved)
He is *bent* with age.
그는 나이가 들어 허리가 굽었다.

**Ber•lin** *Berlin*
[bə́ːrlín 벌-린]
명 베를린 《독일의 수도》

**ber•ry** *berry*
[béri 베리]
명 (복수 **berries** [bériz 베리즈]) 딸기(strawberry) 따위의 열매

**be•side** *beside*
[bisáid 비사이드]
전 …의 옆에, …의 곁에 (동 by)
She sat *beside* me.
그녀는 내 곁에 앉았다.

We walked along *beside* the river. 우리는 강가를 따라 거닐었다.
숙어 ***beside oneself with*** 정신을 잃고, 열중하여

**be•sides** *besides*
[bisáidz 비사이즈]
전 [bisáidz 비사이즈]
❶ …외에도
We study French *besides* English. 우리는 영어 외에 프랑스어도

배운다.
❷ 《부정문 · 의문문에서》 …외에는, …을 제외하고
I have no friends *besides* you.
나는 너 외에는 친구가 없다.
— 부 그 밖에, 게다가, 더욱
It is cold; *besides*, it is raining.
날씨가 추운데다가 비도 오고 있다.

***best** *best*
[bést 베스트]
명 《the를 붙여》 최선, 전력
They always want *the best*.
그들은 항상 최선을 원한다.
숙어 ***do one's best*** 최선을 다하다
I will *do my best* for them.
그들을 위해 나는 최선을 다하겠다.
***at one's best*** 전성기에, 한창으로
The cherry blossoms are *at their best*. 벚꽃이 만발해 있다.
***make the best of*** …을 최대한 잘 이용하다
*Make the best of* your school library.
학교 도서관을 최대한 잘 이용해라.
— 형 《good, well(좋은)의 최상급》 가장 좋은 (반 worst 가장 나쁜)
He is the *best* player in our team. 그가 우리 팀에서 가장 뛰어난 선수이다.
I feel *best* in the morning.
나는 아침에 기분이 제일 좋다.

**어법 best의 용법**
(1) 보통 best 앞에는 the를 붙인다. 그러나 명사, 대명사의 소유격이 붙으면 the를 붙이지 않는다.
(2) 맨 끝의 예문에서와 같이 best 뒤에 명사가 없을 때에도 the를 붙이지 않는다.

— 부 《well(잘)의 최상급》 가장 잘, 제일
I like summer *best*.
나는 여름을 제일 좋아한다.

**best sell•er** *best seller*
[bést sélər 베스트셀러]
명 베스트셀러 《일정 기간에 제일 많이 팔린 책 · 음반 따위》

**best-known** *best-known*
[bést-nóun 베스트-노운]
형 《well-known의 최상급》 가장 잘 알려진

**bet** *bet*
[bét 벳]
명 (복수 **bets** [béts 베츠]
내기, 내기에 거는 돈[물건]
make a *bet* 내기를 걸다
— 타 (3단현 **bets** [béts 베츠], 과거 · 과분 **bet** [bét 벳] 또는 **betted** [bétid 베티드], 현분 **betting** [bétiŋ 베팅])
내기하다, (돈 따위를) 걸다
He *bet* $10 on that horse.
그는 그 말에 10달러를 걸었다.
숙어 ***I bet (you) ...*** 틀림없이, 확실히

**be•tray** *betray*
[bitréi 비트레이]
자타 (3단현 **betrays** [bitréiz 비트레이즈], 과거 · 과분 **betrayed**

[bitréid 비트레이드], 현분 **betraying** [bitréiiŋ 비트레이이잉])
배반하다, 속이다; (신뢰 따위를) 저버리다

He *betrayed* his country.
그는 조국을 배신했다.

## *bet•ter *better*

[bétər 베터]
형 《good, well(좋은)의 비교급》
❶ 더 좋은, 보다 나은 (반 worse 더 나쁜)

This is *better* than that.
이것이 저것보다 낫다.

❷ (병 · 기분이) 좋아진

He is much *better* today.
그는 오늘 기분이 훨씬 좋아졌다.

—부 《well(잘)의 비교급》 더 잘, 보다 낫게

I like summer *better* than spring. 나는 봄보다 여름이 더 좋다.
Who skates *better*, Jim or Tom? 짐과 톰은 누가 더 스케이트를 잘 타느냐?

숙어 ***get better*** 좋아지다
***had better*** (*do*) …하는 편이 더 좋다

You *had better* go home.
너는 집에 가는 것이 좋겠다.

✎ 부정형은 had better not으로 「…하지 않는 편이 좋다」란 뜻이 됨. not의 위치에 주의: We *had better not* go. 우리는 가지 않는 편이 좋다.

## ⁂be•tween *between*

[bitwíːn 비트윈-]
전 ❶ 《장소 · 위치 · 시간 등에서》 (둘)의 사이에

There is a big river *between* the two cities.
두 도시 사이에 큰 강이 있다.

✎ 보통 둘 사이에는 between을 쓰고, 셋 이상의 것 사이에는 among을 씀.

❷ 《**between ... and ~**로》 …와 ~의 사이에

I sat *between* John and Mary.
나는 존과 메리 사이에 앉았다.

Let's start *between* nine and ten. 9시와 10시 사이에 출발합시다.

## be•yond *beyond*

[bijánd 비얀드]
전 ❶ 《장소》 …의 저쪽〔편〕에, …을 넘어서

A B C D E F G H I J K L M N O P Q R S T U V W X Y Z

My house is *beyond* this bridge.
내 집은 이 다리 건너편에 있다.
❷ 《정도 · 범위》 …이상의, …이 미치지 못하는
This question is *beyond* me.
이 문제는 내게 너무 어렵다.

**Bi•ble** *Bible*
[báibl 바이블]
명 《the를 붙여》 (기독교의) 성서

**⁑bi•cy•cle** *bicycle*
[báisikl 바이시클]
명 (복수 **bicycles** [báisiklz 바이시클즈]) 자전거 (동 bike, cycle)

Can you ride (on) a *bicycle*?
너는 자전거를 탈 줄 아니?
He came here by *bicycle*.
그는 자전거로 여기에 왔다.
✎ 이 경우, 교통수단을 나타내므로 a나 the를 붙이지 않음.

**bid** *bid*
[bíd 비드]
타자 (3단현 **bids** [bídz 비즈], 과거 **bade** [bǽd 배드, 《영》 béid 베이드] 또는 **bid** [bíd 비드], 과분 **bidden** [bídn 비든] 또는 **bid**, 현분 **bidding** [bídiŋ 비딩])
명령하다, 알리다; …에게 말하다
✎ bid는 예스러운 말이며 보통은 order나 tell을 씀.
Do as I *bid* you.
내가 명령하는 대로 해라.
*Bid* them (to) go.
그들을 가라고 해라.

**bidden** *bidden*
[bídn 비든]
타자 bid(명령하다)의 과거분사

**⁑big** *big*
[bíg 비그]
형 (비교급 **bigger** [bígər 비거], 최상급 **biggest** [bígist 비기스트])
❶ 큰 (반 small, little 작은)
We live in a *big* city.
우리는 큰 도시에 살고 있다.
He is a *big* boy.
그는 (몸집이) 큰 소년이다.

❷ 중요한, 훌륭한
*big* news 중대한 뉴스
He is a *big* man.
그는 중요한 사람이다.

어법 big, large, great

물건의 크기에 관해서 **big**와 **large**가 대체로 같은 뜻으로 쓰이지만, **big**이 더 일반적이며 구어적인 말이다. **great**는 모양의 크기보다 정도나 질적인 점에서 「큰, 위대한」이란 뜻으로 쓰인다. 또, big에는 「중요한」이란 뜻도 있어, a big man은

「큰 사람」이란 뜻 외에 「위대한 사람, 중요한 인물(=great man)」이라는 뜻으로도 쓰인다.

## Big Ben *Big Ben*

[bíg bén 빅벤]

명 빅 벤 《영국 국회 의사당의 탑 위에 있는 큰 시계》

## Big Dipper *Big Dipper*

[bíg dípər 빅디퍼]

명 《the를 붙여》 북두칠성 《큰곰자리의 7개의 별》

## bike *bike*

[báik 바이크]

명 (복수 **bikes** [báiks 바이크스])

《구어》 자전거 (동 bicycle, cycle)

We're going for a *bike* ride.
우리는 자전거 타러 가는 길이다.

## bill[1] *bill*

[bíl 빌]

명 (복수 **bills** [bílz 빌즈])

❶ 계산서, 청구서; 벽보, 광고지

Give me the *bill*, please.
계산서를 주십시오.

❷ 《미》 지폐

He paid a fifty-dollar *bill*.
그는 50달러짜리 지폐를 지불했다.

## bill[2] *bill*

[bíl 빌]

명 (복수 **bills** [bílz 빌즈])

(새의) 부리, 주둥이

## bil•lion *billion*

[bíljən 빌리언]

명 (복수 **billion(s)** [bíljən(z) 빌리언(즈)])

《미》 10억《million (백만)의 천 배》

ten *billion* dollars 100억 달러

## bind *bind*

[báind 바인드]

타 (3단현 **binds** [báindz 바인즈], 과거 · 과분 **bound** [báund 바운드], 현분 **binding** [báindiŋ 바인딩])

❶ 묶다, 매다 (동 tie)

*Bind* the box with a rope.
그 상자를 끈으로 묶으시오.

❷ (붕대 따위로) 동이다, 감다

Let me *bind* your wound with

bandages.
내가 네 상처를 붕대로 감아 주마.

**bi•og•ra•phy** *biography*
[baiάgrəfi 바이아그러피]
명 (복수 **biographies** [baiάgrəfiz 바이아그러피즈]) 전기(傳記)

**bi•ol•o•gy** *biology*
[baiάlədʒi 바이알러지]
명 《a와 복수형 안 씀》 생물학

⁑**bird** *bird*
[bə́:rd 버-드]
명 (복수 **birds** [bə́:rdz 버-즈]) 새

The *birds* are flying in the sky.
새가 하늘을 날고 있다.

**birth** *birth*
[bə́:rθ 버-스]
명 ❶ (복수 **births** [bə́:rθs 버-스]) 출생, 탄생 (반 death 죽음)
the date of my *birth*
나의 생년월일
❷ 집안, 가문, 출신
He is of good *birth*.
그는 좋은 집안 출신이다.

⁑**birth•day** *birthday*
[bə́:rθdèi 버-스데이]
명 (복수 **birthdays** [bə́:rθdèiz 버-스데이즈]) 생일
Happy *birthday* to you!
생일을 축하합니다!

Today is Fred's *birthday*.
오늘은 프레드의 생일이다.

*__bis•cuit__ *biscuit*
[bískit 비스킷]
명 (복수 **biscuits** [bískits 비스키츠]) 비스킷 (《미》 cracker), 《미》 (소다로 부풀린) 과자 빵

# Birds 새

owl
올빼미
sea gull
갈매기
wren
굴뚝새
canary
카나리아
parrot
앵무새
crow
까마귀
swallow
제비
sparrow
참새
woodpecker
딱따구리
hawk
매
lark
종달새
pheasant
꿩
ostrich
타조
peacock
공작
turkey
칠면조

A
**B**
C
D
E
F
G
H
I
J
K
L
M
N
O
P
Q
R
S
T
U
V
W
X
Y
Z

***bit¹** *bit*
[bít 빗]
명 (복수 **bits** [bíts 비츠])
❶ 조금; 소량, 한 조각
The cup broke into *bits*.
컵이 산산조각으로 깨졌다.
❷ [bìt 빗] 《**a bit**으로 부사적으로 쓰여》 조금, 약간; 잠깐, 잠시
I was *a bit* surprised.
나는 조금 놀랐다.
숙어 ***a bit of*** 조금의; 한 조각의
Give me *a bit of* bread.
빵 한 조각을 주시오.
***bit by bit*** 조금씩; 점차
***not a bit*** 조금도 …하지 않다
You haven*'t* changed *a bit*.
너는 조금도 변하지 않았다.

***bit²** *bit*
[bít 빗]
타자 bite(물다)의 과거 · 과거분사

***bite** *bite*
[báit 바이트]
동 (3단현 **bites** [báits 바이츠], 과거 **bit** [bít 빗], 과분 **bit** [bít 빗] 또는 **bitten** [bítn 비튼], 현분 **biting** [báitiŋ 바이팅])
—타 물다, 물어뜯다; (모기가) 쏘다

A dog *bit* me in the left leg.
개가 내 왼쪽 다리를 물었다.
I was *bitten* by mosquitoes.
나는 모기한테 물렸다.
—자 (…에 달려들어) 물다 《at》
The fish *bit at* the hook.
물고기가 낚시를 물었다.

***bit·ten** *bitten*
[bítn 비튼]
타자 bite(물다)의 과거분사

**bit·ter** *bitter*
[bítər 비터]
형 (비교급 **bitterer** [bítərər 비터러], 최상급 **bitterest** [bítərist 비터리스트])
❶ 쓴 (반 sweet 달콤한)
This medicine tastes *bitter*.
이 약은 쓰다.
❷ (고통 따위가) 지독한, 쓰라린
That was a *bitter* experience.
그것은 쓰라린 경험이었다.

**⁑black** *black*
[blǽk 블랙]
명 (복수 **blacks** [blǽks 블랙스])
❶ 《a와 복수형 안 씀》 검정; 흑색, 검은 옷
She was dressed in *black*.
그녀는 검은 옷을 입고 있었다.
❷ 《종종 Black으로》 흑인

—형 (비교급 **blacker** [blǽkər 블래커], 최상급 **blackest** [blǽkist 블래키스트])
❶ 검은 (반 white 흰); 흑인의
Her hair is *black*.
그녀의 머리카락은 검다.
❷ 어두운, 캄캄한 (동 dark)
It was very *black* inside.
안은 매우 어두웠다.
❸ (커피가) 블랙의

**‡black•board** *blackboard*
[blǽkbɔ̀ːrd 블랙보-드]
명 (복수 **blackboards** [blǽkbɔ̀ːrdz 블랙보-즈]) 칠판, 흑판

She wrote her name on the *blackboard*.
그녀는 칠판에 자기 이름을 썼다.

**black•out** *blackout*
[blǽkàut 블래카웃]
명 (복수 **blackouts** [blǽkàuts 블래카우츠]) 정전; 등화 관제

**black•smith** *blacksmith*
[blǽksmìθ 블랙스미스]
명 (복수 **blacksmiths** [blǽksmìθs 블랙스미스스]) 대장장이

***blame** *blame*
[bléim 블레임]
타 (3단현 **blames** [bléimz 블레임즈], 과거 · 과분 **blamed** [bléimd 블레임드], 현분 **blaming** [bléimiŋ 블레이밍])
나무라다, 비난하다; …의 탓으로 돌리다
I *blamed* him for his dishonesty. 나는 그의 부정직함을 나무랐다.
Don't *blame* it on me.
그것을 내 탓으로 돌리지 마라.
숙어 ***be to blame*** 책임져야 하다
You *are to blame* for the accident. 그 사고는 당신 책임이다.

—명 책망, 비난; 책임, 죄

***blank** *blank*
[blǽŋk 블랭크]
명 공백, 여백
Fill in〔up〕 the *blanks*.
빈 곳을 채우시오.
—형 백지의, 빈, 공백의
a *blank* tape 공 테이프

**blan•ket** *blanket*
[blǽŋkit 블랭킷]
명 (복수 **blankets** [blǽŋkits 블랭키츠]) 모포, 담요

**blaze** *blaze*
[bléiz 블레이즈]
명 《보통 단수형으로》 불꽃, 화염; 섬광
숙어 ***in a blaze*** 불이 확 타올라, 불바다가 되어
The house was *in a blaze*.

A B C D E F G H I J K L M N O P Q R S T U V W X Y Z

그 집은 불바다가 되었다.
—자 (3단현 **blazes** [bléiziz 블레이지즈], 과거 · 과분 **blazed** [bléizd 블레이즈드], 현분 **blazing** [bléiziŋ 블레이징])
불타오르다; 빛나다, 번쩍이다

## bless *bless*
[blés 블레스]
타 (3단현 **blesses** [blésiz 블레시즈], 과거 · 과분 **blessed** [blést 블레스트] 또는 **blest** [blést 블레스트], 현분 **blessing** [blésiŋ 블레싱])
(신이) 은총을 베풀다, 축복하다
God *bless* you!
당신에게 하나님의 은총이 있기를!
God *bless* me! *Bless* me!
이런!; 원 세상에! ((놀라거나 기쁠 때의 표현))

## bless•ing *blessing*
[blésiŋ 블레싱]
명 축복; 은혜 (반 curse 저주)

## *blew *blew*
[blú: 블루-]
자타 blow(불다)의 과거

## *blind *blind*
[bláind 블라인드]
명 (복수 **blinds** [bláindz 블라인즈])
(창의) 발, 블라인드

She is lowering the *blind*.
그녀가 블라인드를 치고 있다.
—형 (비교급 **blinder** [bláindər 블라인더], 최상급 **blindest** [bláindist 블라인디스트])
눈먼, 장님의; 맹목적인
He is *blind* in the left eye.
그는 왼쪽 눈이 멀었다.

## block *block*
[blák 블락]
명 (복수 **blocks** [bláks 블락스])
❶ (시가의) 한 구획, 블록
My house is two *blocks* away.
나의 집은 두 블록 떨어져 있다.
❷ (나무 · 돌 따위의) 토막, 덩이
—타 (3단현 **blocks** [bláks 블락스], 과거 · 과분 **blocked** [blákt 블락트], 현분 **blocking** [blákiŋ 블라킹])
(길 등을) 막다; 방해하다

## blond(e) *blond(e)*
[blánd 블란드]
명 금발, 금발인 사람
—형 금발의, 블론드의
✎ blond는 남성형, blonde는 여성형
Miss Smith is *blonde*.
스미스 양은 금발이다.

***blood** *blood*
[blʌ́d 블러드]
명 피, 혈액
My *blood* type is O.
내 혈액형은 O형이다.

***bloom** *bloom*
[blúːm 블룸-]
명 ❶ (관상용) 꽃 (관 blossom, flower 꽃)
The lily has a white *bloom*.
백합은 흰 꽃이 핀다.
❷ 꽃이 핌; 한창 때
The flowers are in full *bloom* in the garden. 뜰의 꽃이 만발했다.

—자 (3단현 **blooms** [blúːmz 블룸-즈], 과거 · 과분 **bloomed** [blúːmd 블룸-드], 현분 **blooming** [blúːmiŋ 블루-밍])
꽃이 피다
Many plants *bloom* in spring.
많은 식물이 봄에 꽃이 핀다.

***blos•som** *blossom*
[blɑ́səm 블라섬]
명 (복수 **blossoms** [blɑ́səmz 블라섬즈]) (주로 과일나무의) 꽃
The plum trees are in *blossom*. 오얏 꽃이 피어 있다.

어법 blossom, flower, bloom
**blossom**은 과일나무에 피는 꽃
**flower**는 화초 따위의 일반적인 꽃
**bloom**은 관상용의 꽃을 가리킨다.

**blouse** *blouse*
[bláus 블라우스]
명 (복수 **blouses** [bláusiz 블라우시즈]) 블라우스
She wears a white *blouse*.
그녀는 흰 블라우스를 입고 있다.

***blow¹** *blow*
[blóu 블로우]
동 (3단현 **blows** [blóuz 블로우즈], 과거 **blew** [blúː 블루-], 과분 **blown** [blóun 블로운], 현분 **blowing** [blóuiŋ 블로우잉])
—자 (바람이) 불다
The wind *blew* all day.
바람이 온종일 불었다.

—타 ❶ (나팔 따위를) 불다, 울리다
He *blew* the trumpet loudly.
그는 트럼펫을 크게 불었다.
❷ (코를) 풀다
He *blew* his nose with his handkerchief.
그는 손수건으로 코를 풀었다.
숙어 ***blow off*** 불어 날리다
***blow out*** 불어서 끄다
She *blew out* the candle.
그녀는 촛불을 껐다.

a **b** c d e f g h i j k l m n o p q r s t u v w x y z

A B C D E F G H I J K L M N O P Q R S T U V W X Y Z

—명 (복수 **blows** [blóuz 블로우즈]) 한 번 불기; 타격

## blow[2] *blow*

[blóu 블로우]

명 (복수 **blows** [blóuz 블로우즈]) 타격, 강타; 충격

He received a *blow* on the head. 그는 머리에 강타를 당했다.

## *blown *blown*

[blóun 블로운]

자타 blow(불다)의 과거분사

## **blue *blue*

[blú: 블루-]

명 푸른빛, 파랑; 《the를 붙여》 하늘, 바다

The girl is dressed in *blue*.
그 소녀는 푸른 옷을 입고 있다.

—형 (비교급 **bluer** [blú:ər 블루-어], 최상급 **bluest** [blú:ist 블루-이스트])

❶ 푸른

She has *blue* eyes.
그녀의 눈은 푸르다.
He looked at the *blue* sky.
그는 푸른 하늘을 바라보았다.

❷ 우울한, 울적한

He felt *blue* because he failed in the business. 그는 사업에서 실패했기 때문에 우울했다.

✎ 교통 신호의 파랑은 green

## blue•bird *bluebird*

[blú:bə̀:rd 블루-버-드]

명 (복수 **bluebirds** [blú:bə̀:rdz 블루-버-즈]) 파랑새, 블루버드 《북아메리카산의 파란 날개를 가진 작은 새》

## blue jeans *blue jeans*

[blú: dʒi:nz 블루-진-즈]

명 청바지

## blunt *blunt*

[blʌ́nt 블런트]

형 무딘, 둔한 (반 sharp 날카로운)

a *blunt* knife 무딘 칼

## *board *board*

[bɔ́:rd 보-드]

명 (복수 **boards** [bɔ́:rdz 보-즈])

❶ 널빤지, 판자, 게시판

a bulletin *board* 《미》 게시판
a diving *board* 다이빙대

❷ (배의) 갑판

❸ 위원회, 이사회

숙어 ***on board*** (배 · 비행기 · 기차에) 타고, 승선하여

She is *on board* the train.
그녀는 그 기차를 타고 있다.

**boast** *boast*
[bóust 보우스트]
타자 (3단현 **boasts** [bóusts 보우스츠], 과거 · 과분 **boasted** [bóustid 보우스티드], 현분 **boasting** [bóustiŋ 보우스팅])
뽐내다, 자랑하다, 자랑으로 삼다 《of》
He *boasted* that he could swim well. 그는 수영을 잘할 수 있다고 뽐냈다.
She *boasted of* her success.
그녀는 자기의 성공을 자랑했다.
— 명 (복수 **boasts** [bóusts 보우스츠]) 자랑(거리); 허풍
The gymnasium is the *boasts* of our school. 그 체육관은 우리 학교의 자랑거리이다.

**boast•ful** *boastful*
[bóustfəl 보우스트펄]
명 자랑하는, 거만한, 허풍 떠는
Don't be *boastful*. 뽐내지 마라.

****boat** *boat*
[bóut 보우트]
명 (복수 **boats** [bóuts 보우츠])
❶ 보트, 작은 배
We rowed a small *boat* on the lake. 우리는 호수에서 작은 보트를 저었다.

❷ 배, 기선 (동 ship)
He went to Hawaii by *boat*.
그는 배로 하와이에 갔다.

어법 boat와 ship
**boat**는 보통 돛단배, 작은 기선 따위를 말하며, **ship**은 대형 선박이나 군함을 말한다. 그러나 구어에서는 **boat**가 **ship**의 의미로도 쓰인다.

**boat•man** *boatman*
[bóutmən 보우트먼]
명 (복수 **boatmen** [bóutmən 보우트먼]) 보트 젓는 사람, 뱃사공, 선원

****bod•y** *body*
[bádi 바디]
명 (복수 **bodies** [bádiz 바디즈])
❶ 몸, 육체, 신체 (반 mind 마음)
the human *body* 인체
My brother has a strong *body*.
나의 형은 몸이 튼튼하다.

❷ 본체, 중심부, 주요부
the *body* of a ship 선체
❸ 단체, 집단, 무리
They walked in a *body*.
그들은 한 무리가 되어 걸었다.

***boil** *boil*
[bɔ́il 보일]
동 (3단현 **boils** [bɔ́ilz 보일즈], 과거 · 과분 **boiled** [bɔ́ild 보일드], 현분 **boiling** [bɔ́iliŋ 보일링])

# Body 신체

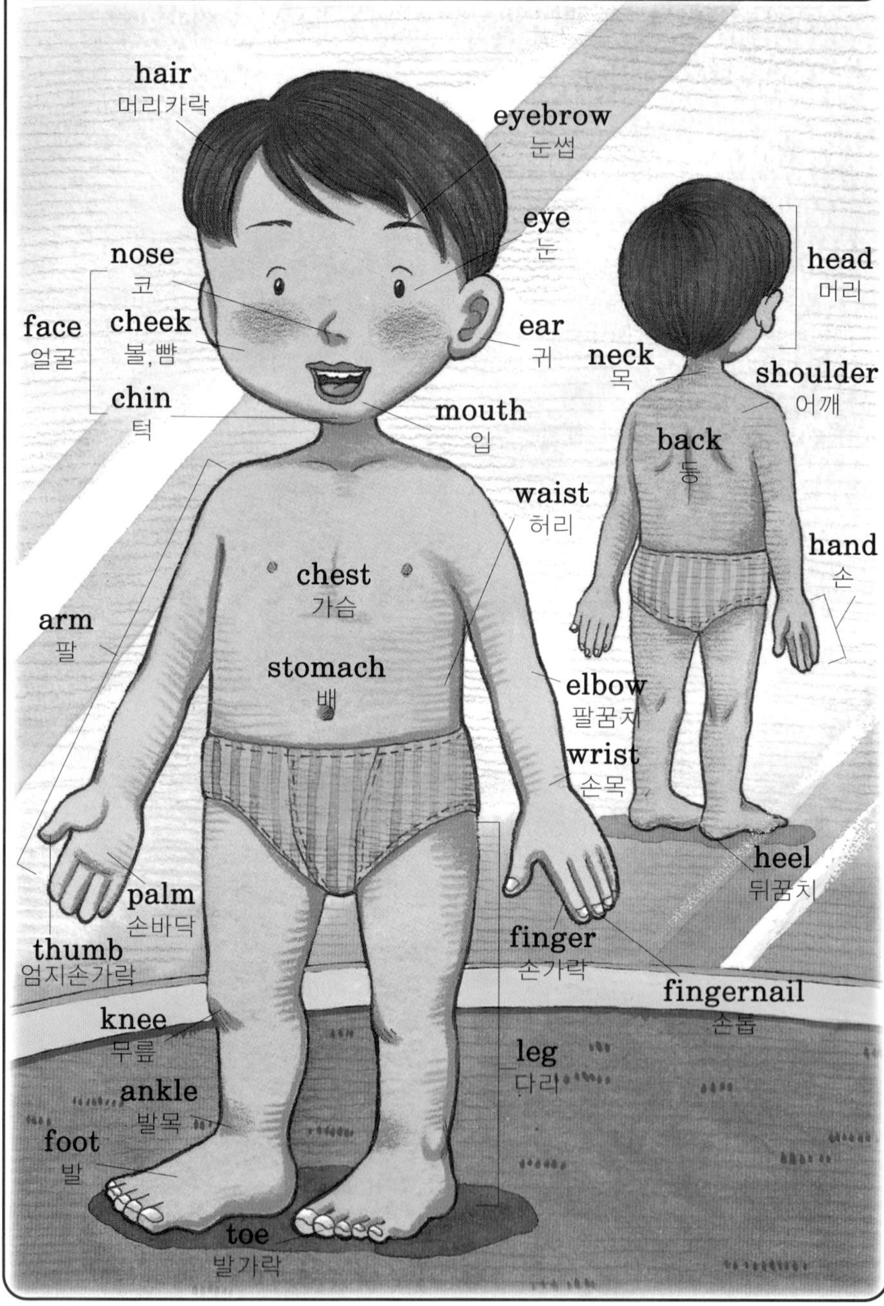

hair
머리카락
eyebrow
눈썹
eye
눈
nose
코
face
얼굴
cheek
볼, 뺨
chin
턱
ear
귀
mouth
입
head
머리
neck
목
shoulder
어깨
back
등
waist
허리
chest
가슴
stomach
배
arm
팔
hand
손
elbow
팔꿈치
wrist
손목
heel
뒤꿈치
palm
손바닥
thumb
엄지손가락
finger
손가락
fingernail
손톱
knee
무릎
leg
다리
ankle
발목
foot
발
toe
발가락

—㉮ 끓다, 끓어오르다
The soup is *boiling*.
국이 끓고 있다.

The potatoes are *boiling*.
감자가 삶아지고 있다.
—㉯ 끓이다, 삶다, 데치다
She *boiled* the egg soft.
그녀는 달걀을 반숙으로 삶았다.

**bold** *bold*
[bóuld 보울드]
형 (비교급 **bolder** [bóuldər 보울더], 최상급 **boldest** [bóuldist 보울디스트])
대담한, 용감한; 뻔뻔스러운
He looks *bold*.
그는 대담한 것 같다.
They are *bold* soldiers.
그들은 용감한 군인들이다.

**bomb** *bomb*
[bám 밤]
☺ b는 발음하지 않음.
명 (복수 **bombs** [bámz 밤즈]) 폭탄
an atomic *bomb* 원자 폭탄
—타자 (3단현 **bombs** [bámz 밤즈], 과거 · 과분 **bombed** [bámd 밤드], 현분 **bombing** [bámiŋ 바밍])
폭격하다, 폭탄을 투하하다

**bond** *bond*
[bánd 반드]
명 (복수 **bonds** [bándz 반즈])
❶ 묶는 것, 유대, 결속; 《복수형으로》 속박, 구속
He is in *bonds*.
그는 감금되어 있다.
❷ 증서; 채권
a public *bond* 공채

***bone** *bone*
[bóun 보운]
명 (복수 **bones** [bóunz 보운즈])
뼈; 《복수형으로》 골격, 신체

Dogs like *bones* very much.
개는 뼈다귀를 무척 좋아한다.

****book** *book*
[búk 북]
명 (복수 **books** [búks 북스])
❶ 책, 서적
a picture *book* 그림책

I borrowed two *books* from the library.

a b c d e f g h i j k l m n o p q r s t u v w x y z

나는 도서관에서 책 두 권을 빌렸다.
❷ 장부; (책의) 권, 편
an account *book* 장부
*Book* Three 제3권
—타 (3단현 **books** [búks 북스], 과거 · 과분 **booked** [búkt 북트], 현분 **booking** [búkiŋ 부킹])
(좌석을) 예약하다 (《미》 reserve)
I have *booked* seats for the theater.
나는 극장의 좌석을 예약했다.

**book•case** *bookcase*
[búkkeis 북케이스]
명 (복수 **bookcases** [búkkèisiz 북케이시즈]) 책장

**book•shelf** *bookshelf*
[búkʃèlf 북셸프]
☺ 복수가 되면 [f]가 [v]로 바뀜.
명 (복수 **bookshelves** [búkʃèlvz 북셸브즈]) 책꽂이, 서가
I put the books on the *bookshelf*. 나는 책들을 책꽂이에 꽂았다.

**book•shop** *bookshop*
[búkʃɑ̀:p 북샵-]
명 (복수 **bookshops** [búkʃɑ̀:ps 북샵-스]) 《영》 책방, 서점

**book•store** *bookstore*
[búkstɔ̀:r 북스토-]
명 (복수 **bookstores** [búkstɔ̀:rz 북스토-즈]) 《미》 책방, 서점
I bought this book at that *bookstore*.
나는 이 책을 저 서점에서 샀다.

**boom** *boom*
[bú:m 붐-]
자타 (3단현 **booms** [bú:mz 붐-즈], 과거 · 과분 **boomed** [bú:md 붐-드], 현분 **booming** [bú:miŋ 부-밍])
❶ 우르릉〔쾅, 쿵〕 하고 울리다
❷ 갑자기 경기가 좋아지다
—명 ❶ 우르릉〔쾅, 쿵〕 하고 울리는 소리; 벌의 윙윙거리는 소리
❷ 붐, 갑자기 경기가 좋아짐
There was a *boom* in the leisure industry. 여가 산업의 붐이 있었다.

***boot** *boot*
[bú:t 부-트]
명 (복수 **boots** [bú:ts 부-츠])
《보통 복수형으로》 《영》 목이 긴 구두, 《미》 장화
a pair of *boots* 부츠 한 켤레
They are wearing *boots*.
그들은 장화를 신고 있다.

**booth** *booth*
[bú:θ 부-스]
☺ 복수일 때 th는 [ð]로 발음함.

명 (복수 **booths** [búːðz 부–드즈])
(공중) 전화 박스; 매점
a telephone *booth* 전화 박스

Where is a ticket *booth*?
매표소가 어디 있지요?

**bor•der** *border*
[bɔ́ːrdər 보–더]
자 타 (3단현 **borders** [bɔ́ːrdərz 보–더즈], 과거 · 과분 **bordered** [bɔ́ːrdərd 보–더드], 현분 **bordering** [bɔ́ːrdəriŋ 보–더링])
(…에) 접하다; (…에) 테를 두르다
My land *borders* on yours.
내 토지는 당신의 토지와 접해 있다.
— 명 (복수 **borders** [bɔ́ːrdərz 보–더즈])
❶ 가장자리, 변두리, 가
❷ 국경, 경계
the *border* between two countries 두 나라 사이의 국경

**bore** *bore*
[bɔ́ːr 보–])
타 (3단현 **bores** [bɔ́ːrz 보–즈], 과거 · 과분 **bored** [bɔ́ːrd 보–드], 현분 **boring** [bɔ́ːriŋ 보–링])
❶ (터널 · 구멍 따위를) 뚫다
He *bored* a hole in〔into〕 a board. 그는 판자에 구멍을 뚫었다.
❷ 지루〔따분〕하게 하다
The film *bored* us.
그 영화는 우리를 지루하게 했다.

**bor•ing** *boring*
[bɔ́ːriŋ 보–링]
형 지루한, 따분한
You're *boring*. 너 참 따분하구나.

***born** *born*
[bɔ́ːrn 본–]
타 bear(낳다)의 과거분사
《**be born**으로》 태어나다
The baby *was born* in May.
그 아기는 5월에 태어났다.

— 형 타고난, 태어날 때부터의
She is a *born* poet.
그녀는 타고난 시인이다.

**borne** *borne*
[bɔ́ːrn 본–]
타 bear(나르다, 견디다)의 과거분사

***bor•row** *borrow*
[bɑ́rou 바로우]
타 (3단현 **borrows** [bɑ́rouz 바로우즈], 과거 · 과분 **borrowed** [bɑ́roud 바로우드], 현분 **borrowing** [bɑ́rouiŋ 바로우잉])
빌리다 (반 lend 빌려 주다)
May I *borrow* your pen?
당신 펜을 빌릴 수 있습니까?
I *borrowed* some money from him. 나는 그에게서 돈을 좀 빌렸다.

어법 borrow, rent, use
책 · 돈처럼 이동 가능한 것을 빌리는 것은 **borrow**, 집 · 자동차 같은 것을 돈을 내고 빌리는 것은 **rent**, 전화 · 변소와 같이 이동할 수 없는 것을 빌리는 것은 **use**.

**bos•om** *bosom*
[búzəm 부점]
첫음절의 o는 [u]로 발음함.
명 가슴 (동 breast), 품
She held her child to her *bosom*. 그녀는 자신의 아이를 가슴에 안았다.

**boss** *boss*
[bɔ́ːs 보-스]
명 (복수 **bosses** [bɔ́ːsiz 보-시즈])
❶ 두목, 수령 (동 chief)
❷ 상사, 사장; (정계의) 실력자
I get on well with my *boss*.
나는 상사와 잘 지낸다.

**⁑both** *both*
[bóuθ 보우스]
형 양쪽의 (반 either 한쪽의), 둘 다의
*Both* houses are big and tall.
두 집 다 크고 높다.
*Both* my parents are doctors.
부모님 두 분 다 의사이시다.

—대 ❶ 양쪽, 쌍방, 둘 다
*Both* of them are good students. 그들은 둘 다 모범생들이다.
They were *both* absent.
그들은 둘 다 결석했다.
❷ 《부정문에서》 양쪽 다 …은 아니다
✎ both의 부정은 부분 부정이 되어 「양쪽 다 …은 아니고 한 쪽만 …이다」의 뜻임.
I don't know *both* of them.
나는 그들을 둘 다 아는 것은 아니다 《한 사람만 안다》
—부 [bòuθ 보우스] 《***both ... and ~***로》 둘 다, 양쪽 다, …도 ~도
He can play *both* the violin *and* the piano. 그는 바이올린과 피아노 둘 다 연주할 수 있다.

**both•er** *bother*
[bɑ́ðər 바더]
동 (3단현 **bothers** [bɑ́ðərz 바더즈], 과거 · 과분 **bothered** [bɑ́ðərd 바더드], 현분 **bothering** [bɑ́ðəriŋ 바더링])
—타 괴롭히다, 귀찮게 굴다
Don't *bother* me, please.
제발 귀찮게 하지 말아요.
—자 괴로워하다, 근심하다
Don't *bother* about my dinner.
내 저녁 식사는 신경쓰지 마세요.

***bot•tle** *bottle*
[bɑ́tl 바틀]
명 (복수 **bottles** [bɑ́tlz 바틀즈])
병; 한 병의 양
I drink a *bottle* of milk every morning. 나는 매일 아침 우유를 한 병씩 마신다.

***bot•tom** *bottom*
[bɑ́təm 바텀]
명 (복수 **bottoms** [bɑ́təmz 바텀즈]) ❶ 밑바닥, 기슭 (반 top 꼭대기)
An old boat was found on the *bottom* of the lake. 낡은 배가 호수의 바닥에서 발견되었다.

I arrived at the *bottom* of the mountain. 나는 산기슭에 도착했다.
❷ 마음속, 속
I thanked her from the *bottom* of my heart. 나는 마음속으로부터 그녀에게 감사했다.
숙어 ***at bottom*** 마음속은, 근본은
He is an honest man *at bottom*. 그는 근본은 정직한 사람이다.

**bough** *bough*
[báu 바우]
☺ bow(절하다)와 발음이 같음.
명 (복수 **boughs** [báuz 바우즈])
(나무의) 큰 가지 (동 branch)

***bought** *bought*
[bɔ́ːt 보-트]
타 buy(사다)의 과거 · 과거분사

**bound[1]** *bound*
[báund 바운드]
자 (3단현 **bounds** [báundz 바운즈], 과거 · 과분 **bounded** [báundid 바운디드], 현분 **bounding** [báundiŋ 바운딩])
❶ 뛰어오르다 (동 jump), 껑충껑충 뛰어가다
Her dog *bounded* to meet her. 그녀의 개가 뛰어서 그녀를 반겼다.

❷ (공 따위가) 튀다; 되튀다
The ball *bounded* back to me. 공은 내게로 되튀어 왔다.
—명 튐, 튀어 오름, 도약
at a *bound* 한 번 튀어서, 단번에

**bound[2]** *bound*
[báund 바운드]
명 (복수 **bounds** [báundz 바운즈])

《복수형으로》 경계; 한도, 범위
  It passes the *bounds* of common sense. 그것은 상식의 범위를 벗어난 것이다.
—타 (3단현 **bounds** [báundz 바운즈], 과거 · 과분 **bounded** [báundid 바운디드], 현분 **bounding** [báundiŋ 바운딩])
경계짓다
  Korea is *bounded* on the north by China. 한국은 북으로 중국과 경계를 짓고 있다.

---

## bound³ *bound*
[báund 바운드]
타 bind(묶다)의 과거 · 과거분사

---

## *bow¹ *bow*
[báu 바우]
동 (3단현 **bows** [báuz 바우즈], 과거 · 과분 **bowed** [báud 바우드], 현분 **bowing** [báuiŋ 바우잉])
절하다, 인사하다
  He *bowed* politely to his teacher. 그는 선생님께 공손히 절했다.

  They *bowed* to each other. 그들은 서로 인사했다.
—명 (복수 **bows** [báuz 바우즈])
인사, 절
  She made me a *bow*. 그녀는 나에게 절을 했다.

---

## bow² *bow*
[bóu 보우]
명 (복수 **bows** [bóuz 보우즈])
활 (관 arrow 화살); (악기의) 활
  He shot arrows with a *bow*. 그는 활로 화살을 쏘았다.

---

## bowl *bowl*
[bóul 보울]
명 (복수 **bowls** [bóulz 보울즈])
사발, 대접, 공기
  a *bowl* of rice 밥 한 공기

---

## bowl•ing *bowling*
[bóuliŋ 보울링]
명 〖스포츠〗《a와 복수형 안 씀》 볼링 《실내 경기의 일종》

---

## bow•wow *bowwow*
[báuwáu 바우와우]
감 멍멍 《개 짖는 소리》

---

**⁑box**[1] *box*
[bάks 박스]
명 (복수 **boxes** [bάksiz 박시즈]) 상자, 궤; 한 상자의 분량
*a box of* apples 사과 한 상자
This *box* is made of board.
이 상자는 판지로 만들어졌다.

**box**[2] *box*
[bάks 박스]
명 (복수 **boxes** [bάksiz 박시즈]) (주먹으로) 때리기, 일격
She gave him a *box* on the ear(s). 그녀는 그의 따귀를 때렸다.
—타자 (3단현 **boxes** [bάksiz 박시즈], 과거·과분 **boxed** [bαkst 박스트], 현분 **boxing** [bάksiŋ 박싱]) (주먹으로) 때리다, 권투하다

**box•ing** *boxing*
[bάksiŋ 박싱]
명 〚스포츠〛 권투, 복싱

She is a *boxing* player.
그녀는 권투 선수이다.

**⁑boy** *boy*
[bɔ́i 보이]
명 (복수 **boys** [bɔ́iz 보이즈])
❶ 소년 (반 girl 소녀)
They are American *boys*.
그들은 미국 소년이다.

❷ 아들 (동 son)
She has only one *boy*.
그녀에게는 외아들뿐이다.

**boy•friend** *boyfriend*
[bɔ́ifrènd 보이프렌드]
명 (복수 **boyfriends** [bɔ́ifrèndz 보이프렌즈]) 남자 친구, 보이프렌드 (반 girlfriend 여자 친구)
She introduced her *boyfriend* to me. 그녀는 내게 그녀의 남자 친구를 소개했다.

A B C D E F G H I J K L M N O P Q R S T U V W X Y Z

**boy•hood** *boyhood*
[bɔ́ihud 보이후드]
명 (복수 **boyhoods** [bɔ́ihudz 보이후즈])
소년 시절, 소년기

**boy•ish** *boyish*
[bɔ́iiʃ 보이이시]
형 소년다운, 어린애 같은
*boyish* laughter 소년다운 웃음

**Boy Scouts** *Boy Scouts*
[bɔ́i skàuts 보이스카우츠]
명 《the를 붙여》 소년단, 보이 스카우트 《영국에서는 1908년에, 미국에서는 1910년에 창설됨》

**brace•let** *bracelet*
[bréislit 브레이슬릿]
명 (복수 **bracelets** [bréislits 브레이슬리츠]) 팔찌

**brain** *brain*
[bréin 브레인]
명 (복수 **brains** [bréinz 브레인즈])
❶ 뇌, 뇌수
❷ 《보통 복수형으로》 두뇌, 지능 (동 intelligence)
She has good〔no〕*brains.*
그녀는 머리가 좋다〔나쁘다〕.

**brake** *brake*
[bréik 브레이크]
명 (복수 **brakes** [bréiks 브레이크스]) 브레이크, 제동 장치
He stepped on the *brake.*
그는 브레이크를 밟았다.

***branch** *branch*
[brǽntʃ 브랜치]
명 (복수 **branches** [brǽntʃiz 브랜치즈]) ❶ 나뭇가지
Don't break the *branches.*
나뭇가지를 꺾지 마라.

✎ 큰 가지는 bough, 작은 가지는 twig, branch는 크든 작든 나무의 「가지」를 말함.
❷ 지점; (강의) 지류
a *branch* office 지점
The river divides into two *branches.*
그 강은 두 개의 지류로 나뉜다.

**brand** *brand*
[brǽnd 브랜드]
명 (복수 **brands** [brǽndz 브랜즈])
상표, 브랜드
a *brand* name 상표명

**brass** *brass*
[brǽs 브래스]
명 놋쇠, 놋쇠 제품; 《the를 붙여》 금관 악기
The trumpet is made of *brass.*
트럼펫은 놋쇠로 만든다.
—형 놋쇠의, 놋쇠로 만든

***brave** *brave*
[bréiv 브레이브]
형 (비교급 **braver** [bréivər 브레이버], 최상급 **bravest** [bréivist 브레이비스트])
용감한, 씩씩한
He was a *brave* soldier.

그는 용감한 군인이었다.

**brave•ly** *bravely*
[bréivli 브레이블리]
부 용감하게

**bra•vo** *bravo*
[brɑ́:vou 브라-보우]
감 잘 한다!, 좋아!, 브라보
—명 (복수 **bravo(e)s** [brɑ́:vouz 브라-보우즈]) 「브라보」라는 외침

**bread** *bread*
[bréd 브레드]
명 《a와 복수형 안 씀》 빵
Give me a slice of *bread*.
빵 한 조각을 주세요.

숙어 ***bread and butter*** 버터 바른 빵
and를 가볍게 발음하여 [brédnbʌ́tər]로 됨.
We have *bread and butter* and milk for breakfast. 우리는 조반으로 버터 바른 빵과 우유를 먹는다.

**break** *break*
[bréik 브레이크]
동 (3단현 **breaks** [bréiks 브레이크스], 과거 **broke** [bróuk 브로우크], 과분 **broken** [bróukən 브로우컨], 현분 **breaking** [bréikiŋ 브레이킹])
—타 ❶ 깨뜨리다, 부수다, 자르다
Who *broke* this vase?
누가 이 꽃병을 깨뜨렸느냐?

He *broke* his leg.
그는 다리가 부러졌다.
❷ (규칙 따위를) 어기다, 위반하다
He never *breaks* a promise.
그는 결코 약속을 어기지 않는다.
❸ (기록 따위를) 깨다
She *broke* the world's record.
그녀는 세계 기록을 깼다.
—자 ❶ 깨지다, 부서지다
Glass *breaks* easily.
유리는 쉽게 깨진다.
❷ 날이 새다
Day is *breaking*.
날이 밝아오고 있다.
숙어 ***break down*** (기계 · 차 따위가) 고장나다
His car *broke down*.
그의 차가 고장났다.
***break into*** …에 침입하다
Thieves *broke into* the shop last night.
어젯밤 도둑이 그 가게에 침입했다.
***break out*** (전쟁 따위가) 일어나다
The Korean War *broke out* in 1950.
1950년에 한국 전쟁이 일어났다.
—명 (복수 **breaks** [bréiks 브레이크스]) 깨짐, 파괴; 휴식 시간
Let's take a *break*. 좀 쉬자.

A B C D E F G H I J K L M N O P Q R S T U V W X Y Z

**⁑break•fast** *breakfast*
[brékfəst 브렉퍼스트]
명 (복수 **breakfasts** [brékfəsts 브렉퍼스츠])
아침 식사 (관 lunch 점심 식사, supper 저녁 식사, dinner 만찬)
숙어 ***have*〔*take, eat*〕*breakfast***
아침 식사를 하다
I *have breakfast* at seven.
나는 7시에 아침 식사를 한다.

참고 **breakfast**는 보통 달걀, 베이컨(또는 햄), 토스트에 버터, 잼, 커피 정도이다. 가정에 따라서는 처음에 주스를 마시고, 디저트로 과일을 먹기도 한다.

**breast** *breast*
[brést 브레스트]
명 (복수 **breasts** [brésts 브레스츠])
가슴, (여성의) 유방 (동 chest); 마음

**breath** *breath*
[bréθ 브레스]
명 (복수 **breaths** [bréθs 브레스스])
호흡, 숨
Take〔Draw〕a deep *breath*.
심호흡을 하여라.

**breathe** *breathe*
[brí:ð 브리-드]
동 (3단현 **breathes** [brí:ðz 브리-드즈], 과거 · 과분 **breathed** [brí:ðd 브리-드드], 현분 **breathing** [brí:ðiŋ 브리-딩])
숨쉬다, 호흡하다 (관 breath 호흡)
He *breathed* hard.
그는 숨을 헐떡였다.
I went out to *breathe* fresh air. 나는 신선한 공기를 마시러 밖에 나갔다.

**breath•less** *breathless*
[bréθlis 브레슬리스]
형 숨찬; 숨 막히는
He was *breathless* after a long jogging. 그는 오랜 시간의 조깅으로 숨이 찼다.

**bred** *bred*
[bréd 브레드]
타자 breed(낳다, 키우다)의 과거 · 과거분사

**breed** *breed*
[brí:d 브리-드]
타자 (3단현 **breeds** [brí:dz 브리-즈], 과거 · 과분 **bred** [bréd 브레드], 현분 **breeding** [brí:diŋ 브리-딩])
(새끼를) 낳다; 기르다, 양육하다
Healthy cows *breed* good calves. 건강한 암소가 좋은 송아지를 낳는다.

— 명 (복수 **breeds** [brí:dz 브리-즈]) 품종, 종류

**breeze** *breeze*
[brí:z 브리-즈]
명 미풍, 산들바람
a gentle *breeze* 산들바람

**brick** *brick*
[brík 브릭]
명 (복수 **bricks** [bríks 브릭스])
벽돌
She lives in a house of *brick*.
그녀는 벽돌집에서 산다.

**bride** *bride*
[bráid 브라이드]
명 (복수 **brides** [bráidz 브라이즈])
신부, 새색시 (반 bridegroom 신랑)

***bridge** *bridge*
[brídʒ 브리지]
명 (복수 **bridges** [brídʒz 브리지즈]) 다리, 교량

They built a *bridge* across the river. 그들은 강에 다리를 놓았다.
He crossed the *bridge* quickly. 그는 재빨리 다리를 건넜다.

**brief** *brief*
[brí:f 브리-프]
형 (비교급 **briefer** [brí:fər 브리-퍼], 최상급 **briefest** [brí:fist 브리-피스트])
짧은; 간결한 (동 short)
His speech was *brief*.
그의 연설은 간결했다.
I wrote him a *brief* letter.
나는 그녀에게 짧은 편지를 썼다.
숙어 ***in*〔*to*〕 *brief*** 요컨대, 간단히 말해서 (동 in short)

**brief•case** *briefcase*
[brí:fkèis 브리-프케이스]
명 (복수 **briefcases** [brí:fkèisiz 브리-프케이시즈])
서류 가방

**brief•ly** *briefly*
[brí:fli 브리-플리]
부 짧게, 간결히

***bright** *bright*
[bráit 브라이트]

형 (비교급 **brighter** [bráitər 브라이터], 최상급 **brightest** [bráitist 브라이티스트])
❶ 밝은, 빛나는 (반 dark 어두운)
The moon is *bright* tonight.
오늘 밤은 달이 밝다.

❷ (빛깔이) 선명한, 산뜻한
Her car is a *bright* red. 그녀의 자동차는 선명한 붉은 색이다.
❸ 영리한, 현명한; 훌륭한
She is very *bright* and learns quickly.
그녀는 총명해서 빨리 알아듣는다.
—부 밝게, 빛나게
The sun shines *bright*.
태양이 밝게 빛나고 있다.

## bright•ly *brightly*
[bráitli 브라이틀리]
부 밝게, 빛나게

## bril•liant *brilliant*
[bríljənt 브릴리언트]
형 (비교급 **more brilliant**, 최상급 **most brilliant**)
❶ 빛나는, 반짝거리는
Look at these *brilliant* jewels.
이 반짝거리는 보석을 보아라.
❷ 훌륭한 (동 splendid)
She has done *brilliant* work.
그녀는 훌륭한 일을 해냈다.

## **bring *bring*
[bríŋ 브링]
타 (3단현 **brings** [bríŋz 브링즈], 과거 · 과분 **brought** [brɔ́:t 브로–트], 현분 **bringing** [bríŋiŋ 브링잉]) 가져오다, 데려오다 (관 take 데려〔가져〕가다)
Please *bring* me a glass of water. 물 한 잔 가져다 주세요.

She *brought* her friend with her. 그녀는 자기 친구를 데려왔다.
숙어 ***bring about*** (어떤 결과를) 가져오다, 야기하다
The storm *brought about* a lot of damage.
폭풍은 많은 피해를 가져왔다.
***bring back*** 가지고 들어오다, 되돌려 주다
*Bring* the book *back* tomorrow. 내일 책을 돌려줘.
***bring up*** 기르다, 교육하다
He was *brought up* in the countryside.
그는 시골에서 자랐다.

어법 **bring**과 **take**를 혼동하지 말 것. 「카메라를 가지고 오너라.」는 Bring your camera. 「우산을 가지고 가라.」는 Take your umbrella.

**brink** *brink*
[bríŋk 브링크]
명 ❶ (벼랑의) 가장자리
❷ 《the를 붙여》 막다른 고비

**Brit•ain** *Britain*
[brítn 브리튼]
명 대브리튼 섬, 영국《Great Britain 으로도 씀》

참고 대브리튼(Great Britain)은 잉글랜드(England), 스코틀랜드(Scotland), 웨일스(Wales)의 총칭이다. 북아일랜드는 포함되지 않는다. 이것까지 포함된 경우에는 the United Kingdom(연합 왕국: U.K.로 약함)이라 한다.

***Brit•ish** *British*
[brítiʃ 브리티시]
명 《the를 붙여》 영국 국민 (전체)
*The British* love their Queen.
영국 국민은 여왕을 사랑한다.

—형 영국(인)의
My teacher is *British*.
나의 선생님은 영국인이다.

**Brit•ish Empire** *British Empire*
[brítiʃ émpaiər 브리티시엠파이어]
명 《the를 붙여》 대영 제국《영국 본국 및 그 식민지와 자치령을 포함한 영국 제국을 지칭하던 명칭》

**Brit•ish Mu•se•um** *British Museum*
[brítiʃ mjuːzí(ː)əm 브리티시뮤–지(–)엄]
명 《the를 붙여》 대영 박물관《런던에 있는 국립 박물관》
*The British Museum* is the largest museum in the world.
대영 박물관은 세계에서 가장 큰 박물관이다.

**broad** *broad*
[brɔ́ːd 브로–드]
형 (비교급 **broader** [brɔ́ːdər 브로–더], 최상급 **broadest** [brɔ́ːdist 브로–디스트])
❶ 폭이 넓은 (동 wide, 반 narrow 좁은); (지식 따위가) 넓은
My father has *broad* shoulders. 나의 아버지는 어깨가 넓다.
❷ 폭이 …인
The river is 50 meters *broad*.
그 강은 폭이 50미터이다.

***broad•cast** *broadcast*
[brɔ́ːdkæ̀st 브로–드캐스트]
타자 (3단현 **broadcasts** [brɔ́ːdkæ̀sts 브로–드캐스츠], 과거 · 과분 **broadcast** [brɔ́ːdkæ̀st 브로–드캐스트] 또

는 **broadcasted** [brɔ́ːdkæ̀stid 브로-드캐스티드], 현분 **broadcasting** [brɔ́ːdkæ̀stiŋ 브로-드캐스팅])
(텔레비전 · 라디오에서) 방송하다
The President's speech was *broadcast* on television. 텔레비전에서 대통령의 연설이 방송되었다.
—명 방송; 방송 프로그램
I heard the news *broadcast* at 9 p.m. 나는 오후 9시에 뉴스 방송을 들었다.

## *broke *broke*
[bróuk 브로우크]
타자 break(부수다)의 과거

## *bro•ken *broken*
[bróukən 브로우컨]
타자 break(부수다)의 과거분사
—형 부서진, 깨진; 고장 난
a *broken* cup 깨진 컵
a *broken* chair 부서진 의자

## bronze *bronze*
[brɑ́nz 브란즈]
명 《a와 복수형 안 씀》 청동, 구리
—형 청동으로 만든
a *bronze* medal 동메달

## *brook *brook*
[brúk 브룩]
명 (복수 **brooks** [brúks 브룩스])
작은 시내, 개천 (동 small stream, 관 river 강)
A *brook* runs in front of my house. 나의 집 앞에 시내가 흐른다.

참고 **river**는 「큰 강」, **stream**은 「작은 시내」, **brook**는 「실개천」을 나타낸다.

## broom *broom*
[brúːm 브룸-]
명 (복수 **brooms** [brúːmz 브룸(-)즈]) (청소용의) 비
Sweep your room with a *broom*. 비로 네 방을 쓸어라.

## ⁑broth•er *brother*
[brʌ́ðər 브러더]
명 (복수 **brothers** [brʌ́ðərz 브러더즈])
(남자) 형제 (관 sister 자매), 동생, 형

I have one *brother*.
나는 남동생이 하나 있다.
What' s your *brother's* name?
너의 형님〔동생〕의 이름은 무엇이냐?

참고 영미에서는 손위, 손아래를 구별하지 않고 단순히 brother, sister라고 한다. 꼭 구별할 필요가 있을 때에는 다음과 같이 한다.
형 older〔elder〕 brother 또는 big brother / 누님 older〔elder〕 sister나 big sister / 남동생 younger brother 또는 little brother / 누이동생 younger sister 또는 little sister.

***brought** *brought*
[brɔ́:t 브로–트]
타 bring의 과거 · 과거분사

**brow** *brow*
[bráu 브라우]
명 (복수 **brows** [bráuz 브라우즈])
❶ 이마 (동 forehead)
❷ 《복수형으로》 눈썹 (동 eyebrow)

**⁑brown** *brown*
[bráun 브라운]
명 《a와 복수형 안 씀》 갈색, 다갈색
She was dressed in *brown*.
그녀는 갈색 옷을 입고 있었다.
—형 (비교급 **browner** [bráunər 브라우너], 최상급 **brownest** [bráunist 브라우니스트])
갈색의, 다갈색의
My mother has *brown* hair.
내 어머니의 머리카락은 갈색이다.

***brush** *brush*
[brʌ́ʃ 브러시]
타 (3단현 **brushes** [brʌ́ʃiz 브러시즈], 과거 · 과분 **brushed** [brʌ́ʃt 브러시트], 현분 **brushing** [brʌ́ʃiŋ 브러싱])
솔질하다, 솔로 닦다
*Brush* your shoes.
너의 신발을 닦아라.
I *brush* my teeth before I go to bed. 나는 자기 전에 이를 닦는다.

숙어 ***brush up*** 털어내다; 복습하다
—명 (복수 **brushes** [brʌ́ʃiz 브러시즈]) 솔, 붓, 브러시
I cleaned my suit with a *brush*.
나는 솔로 양복을 손질했다.

**bru•tal** *brutal*
[brú:tl 브루–틀]
형 짐승의, 야만적인, 잔인한

**bub•ble** *bubble*
[bʌ́bl 버블]
명 (복수 **bubbles** [bʌ́blz 버블즈])
거품

soap *bubbles* 비눗방울

**buck•et** *bucket*
[bʌ́kit 버킷]
명 (복수 **buckets** [bʌ́kits 버키츠])
버킷, 물통, 양동이

We need three *buckets* of water. 우리는 물 3통이 필요하다.

**Buck•ing•ham Pal•ace**
*Buckingham Palace*
[bʌ́kiŋəm pǽləs 버킹엄팰러스]
명 버킹엄 궁전《런던에 있는 왕궁으로 장엄한 르네상스식의 건물》

**bud** *bud*
[bʌ́d 버드]
명 (복수 **buds** [bʌ́dz 버즈])
싹, 꽃봉오리
The flowers are still in *bud*.
꽃들이 아직 봉오리를 맺은 상태다.

**Bud•dhism** *Buddhism*
[búːdizm 부-디즘]
명 《a와 복수형 안 씀》 불교

**Bud•dhist** *Buddhist*
[búːdist 부-디스트]
명 (복수 **Buddhists** [búːdists 부-디스츠]) 불교도, 불교 신자
She is an earnest *Buddhist*.
그녀는 독실한 불교 신자이다.

**bud•get** *budget*
[bʌ́dʒit 버짓]
명 (복수 **budgets** [bʌ́dʒits 버지츠]) 예산, 예산안; 경비
They opened the *budget*.
그들은 예산안을 제출했다.

**bug** *bug*
[bʌ́g 버그]
명 (복수 **bugs** [bʌ́gz 버그즈])
곤충; 《특히》 딱정벌레; 《영》 빈대

There was a *bug* in his soup.
그의 수프에 벌레가 있었다.

## bu•gle *bugle*
[bjúːgl 뷰-글]
명 (복수 **bugles** [bjúːglz 뷰-글즈])
(군대의) 나팔
A *bugle* was sounded.
나팔소리가 울려 퍼졌다.

## **build *build*
[bíld 빌드]
타 (3단현 **builds** [bíldz 빌즈], 과거 · 과분 **built** [bílt 빌트], 현분 **building** [bíldiŋ 빌딩])
세우다, 짓다, 건축하다
They are *building* a new house.
그들을 새 집을 짓고 있다.

His house is *built* of wood.
그의 집은 목조이다.
Birds *build* nests for their young. 새들은 새끼들을 위해 둥지를 짓는다.

## **build•ing *building*
[bíldiŋ 빌딩]
명 (복수 **buildings** [bíldiŋz 빌딩즈]) 건물, 빌딩; 건축
a public *building* 공공 건물
a three-story *building* 3층 건물
What a tall *building* this is!
이 건물은 참 높기도 하구나!

## *built *built*
[bílt 빌트]
타 build(세우다)의 과거 · 과거분사

## bulb *bulb*
[bʌ́lb 벌브]
명 (복수 **bulbs** [bʌ́lbz 벌브즈])
전구(電球); (마늘 따위의) 구근(球根)
an electric *bulb* 전구

## bull *bull*
[búl 불]
명 (복수 **bulls** [búlz 불즈])
황소 (관 ox 수소)

## bul•le•tin *bulletin*
[búlit(i)n 불리틴]
명 (복수 **bulletins** [búlit(i)nz 불리틴즈]) 게시; 공보; 회보; 뉴스 속보
*bulletin* board 게시판

a b c d e f g h i j k l m n o p q r s t u v w x y z

A B C D E F G H I J K L M N O P Q R S T U V W X Y Z

**bunch** *bunch*
[bʌ́ntʃ 번치]
명 (복수 **bunches** [bʌ́ntʃiz 번치즈]) (포도 따위의) 송이, 다발; 꾸러미; (가축 따위의) 떼, 집단
a *bunch* of grapes 포도송이
a *bunch* of lambs 한 떼의 양들

***bur·den** *burden*
[bə́ːrdn 버-든]
명 (복수 **burdens** [bə́ːrdnz 버-든즈]) 짐, 무거운 짐; 부담 (동 load)
He walked with a heavy *burden* on his back.
그는 등에 무거운 짐을 지고 걸었다.

**bur·glar** *burglar*
[bə́ːrglər 버-글러]
명 (복수 **burglars** [bə́ːrglərz 버-글러즈]) 강도 (관 thief 도둑, robber 노상강도)

***burn** *burn*
[bə́ːrn 번-]
동 (3단현 **burns** [bə́ːrnz 번-즈], 과거 · 과분 **burned** [bə́ːrnd 번-드] 또는 **burnt** [bə́ːrnt 번-트], 현분 **burning** [bə́ːrniŋ 버-닝])
— 자 불타다, 타다; 그을다
Dry wood *burns* well.
마른 나무는 잘 탄다.
Her skin *burns* easily.
그녀의 피부는 (햇볕에) 잘 그을린다.
— 타 불태우다, 태우다
He *burned* all her letters.
그는 그녀의 편지를 모두 태웠다.
The house was *burned* to the ground. 그 집은 모두 타 버렸다.
— 명 (복수 **burns** [bə́ːrnz 번-즈]) 화상, 불에 덴 상처
Mother got a small *burn* on her arm.
어머니는 팔에 작은 화상을 입었다.

***burnt** *burnt*
[bə́ːrnt 번-트]
타 자 burn(불타다, 불태우다)의 과거 · 과거분사
— 형 탄; 불에 덴
a *burnt* child 불에 덴 아이

**burst** *burst*
[bəːrst 버-스트]
동 (3단현 **bursts** [bə́ːrsts 버-스츠], 과거 · 과분 **burst** [bə́ːrst 버-스트], 현분 **bursting** [bə́ːrstiŋ 버-스팅])
❶ 파열하다, 폭발하다; 터지다
The bomb *burst*.
폭탄이 폭발하였다.
❷ 갑자기 …하다
He *burst* open the door.
그는 문을 홱 열었다.
She *burst* into tears.
그녀는 갑자기 울음을 터뜨렸다.

❸ 충만하다, 가득해지다
She is *bursting* with happiness. 그녀는 행복으로 충만해 있다.
숙어 ***burst out ~ing*** 갑자기 …하기 시작하다

**bur•y** *bury*
[béri 베리]
타 (3단현 **buries** [bériz 베리즈], 과거 · 과분 **buried** [bérid 베리드], 현분 **burying** [bériiŋ 베리잉])
파묻다, 매장하다; (얼굴을) 가리다
Dogs often *bury* bones in the ground.
개는 종종 뼈다귀를 땅에 묻는다.
His father is *buried* here.
그의 아버지는 이곳에 묻혀 계신다.

**⁑bus** *bus*
[bʌ́s 버스]
명 (복수 **buses, busses** [bʌ́siz 버시즈]) 버스, 합승 자동차

I go to school by *bus*.
나는 버스로 통학합니다.
✎ by bus처럼 「기차로」는 by train, 「비행기로」는 by airplane으로 씀.
They got on〔off〕 the *bus*.
그들은 버스를 탔다〔내렸다〕.
She is waiting for a *bus*.
그녀는 버스를 기다리고 있다.

**bush** *bush*
[búʃ 부시]
☺ u는 [ʌ]가 아니라 [u]로 발음함.
명 (복수 **bushes** [búʃiz 부시즈])
수풀; 덤불; 관목
A rabbit hid in the *bushes*.
토끼가 덤불 속으로 숨었다.

**⁑busi•ness** *business*
[bíznəs 비즈너스]
명 (복수 **businesses** [bíznəsiz 비즈너시즈]) 《a와 복수형 안 씀》
❶ 일, 직업
What is your father's *business*? 아버지의 직업은 무엇입니까?
❷ 사업, 상업, 영업
He is a man of *business*.
그는 실업가다.
❸ 용무, 볼 일
What is your *business* here?
무슨 용무로 여기에 오셨습니까?

Mind your own *business*.
남의 일에 간섭 마라.

숙어 ***on business*** 볼 일로, 사업차
He went to London *on business*. 그는 사업차 런던에 갔다.

**busi•ness•man**
*businessman*
[bíznəsmæ̀n 비즈너스맨]
명 (복수 **businessmen** [bíznəsmèn 비즈너스멘]) 실업가, 사업가, 상인
He became a *businessman*.
그는 사업가가 되었다.

**⁑bus•y** *busy*
[bízi 비지]
형 (비교급 **busier** [bíziər 비지어]), 최상급 **busiest** [bíziist 비지이스트])
❶ 바쁜, 분주한 (반 free 한가한)
We were *busy* all day long.
우리들은 하루 종일 바빴다.
Mary is *busy* with her homework.
메리는 숙제를 하느라고 바쁘다.

I am *busy* making cookies now.
나는 지금 쿠키를 만드느라 바쁘다.
❷ (전화가) 통화 중인, 사용 중인
The line is *busy*.
전화가 통화 중이다.

**⁑but** *but*
[《약》 bət 벗; 《강》 bʌ́t 벗]
접 ❶ 그러나, 하지만, 그래도
You are rich, *but* I am not.
당신은 부자지만 나는 그렇지 않다.
❷ 《**not ... but ~**으로》 …이 아니라 ~인
He is *not* a teacher *but* a doctor. 그는 교사가 아니라 의사이다.
숙어 ***not only ... but (also) ~*** … 뿐만 아니라 ~도 또한
She is *not only* a novelist *but* (*also*) a poet. 그녀는 소설가일 뿐만 아니라 시인이기도 하다.
—부 다만, 겨우 …만 (동 only)
He is *but* a child.
그는 아이에 불과하다.
I spoke *but* in joke.
나는 그저 농담으로 말했을 뿐이다.
—전 …을 제외하고 (동 except)
We go to school every day *but* Sunday. 우리들은 일요일을 제외하고 매일 학교에 간다.
숙어 ***but for*** …이 없었다면〔없으면〕
*But for* your help, I could not succeed. 당신의 도움이 없으면 나는 성공할 수 없을 것이다.
***cannot but*** …하지 않을 수 없다
I *cannot but* believe him.
나는 그를 믿지 않을 수 없다.

**butch•er** *butcher*
[bútʃər 부처]
u는 [ʌ]가 아니라 [u]로 발음함.
명 (복수 **butchers** [bútʃərz 부처즈]) 푸주한, 정육점 주인

Bob's father is a *butcher*.
보브의 아버지는 정육점 주인이다.

**but•ter** *butter*
[bʌ́tər 버터]
명 《a와 복수형 안 씀》 버터
We eat *butter* on bread.
우리는 버터를 빵에 발라서 먹는다.
숙어 ***bread and butter*** [brédn-bʌ́tər] 버터 바른 빵

***but•ter•fly** *butterfly*
[bʌ́tərflài 버터플라이]
명 (복수 **butterflies** [bʌ́tərflàiz 버터플라이즈]) 『곤충』 나비

We used to catch *butterflies*.
우리는 나비를 잡곤 했다.

***but•ton** *button*
[bʌ́tn 버튼]
명 (복수 **buttons** [bʌ́tnz 버튼즈]) (의복의) 단추; (초인종의) 누름단추
A *button* fell off his coat.
그의 외투에서 단추가 떨어졌다.
Press〔Push〕the *button*, please.
버튼을 누르십시오.
— 타자 (3단현 **buttons** [bʌ́tnz 버튼즈], 과거 · 과분 **buttoned** [bʌ́tnd 버튼드], 현분 **buttoning** [bʌ́tniŋ 버트닝])
단추를 채우다
He *buttoned* his coat.
그는 외투의 단추를 채웠다.

⁑**buy** *buy*
[bái 바이]
타 (3단현 **buys** [báiz 바이즈], 과거 · 과분 **bought** [bɔ́ːt 보-트], 현분 **buying** [báiiŋ 바이잉])
사다 (반 sell 팔다)
I want to *buy* a watch for her.
나는 그녀에게 시계를 사 주고 싶다.
She *bought* the blouse for twenty dollars. 그녀는 그 블라우스를 20달러에 샀다.
Mother *buys* food at the supermarket. 어머니는 슈퍼마켓에서 식품을 사신다.

**buyer** *buyer*
[báiər 바이어]
명 사는 사람, 구매자 (반 seller 판매자), 바이어

**buzz** *buzz*
[bʌ́z 버즈]
명 (복수 **buzzes** [bʌ́ziz 버지즈]) (벌 따위의) 윙윙거리는 소리; 소란스러운 소리
a loud *buzz* 크게 윙윙 울리는 소리

⁑**by** *by*
[bái 바이]
전 ❶ 《장소 · 위치》 …의 곁에〔에서〕

(동 near, beside)
Come and sit *by* me.
이리 와서 내 곁에 앉아라.

❷ 《수단 · 방법》 …에 의하여, …으로
He went to Daegu *by* train.
그는 기차 편으로 대구에 갔다.
❸ 《기한》 …까지는 (관 till …까지)
Be here *by* seven o'clock.
7시까지는 여기로 오너라.
❹ 《**by the**로》 …로, …씩, …단위로
They sell gasoline *by the* liter.
휘발유는 리터 단위로 판다.
❺ 《정도 · 차이》 …만큼, …정도
She is taller than I (am) *by* three centimeters. 그녀는 나보다 3센티미터 더 키가 크다.
❻ 《경로》 …을 지나서, …을 통해서
He has returned *by* land〔sea〕.
그는 육로〔해로〕로 돌아왔다.
❼ 《기준》 …에 따라서, …에 의해
What time is it *by* your watch?
당신 시계로는 지금 몇 시죠?
❽ 《수동태의 문장에 쓰여》 …에 의하여
America was discovered *by* Columbus. 아메리카는 콜럼버스에 의해서 발견되었다.
숙어 ***by day*** 낮에
***by night*** 밤에
He works *by night*.
그는 밤에 일한다.
***by oneself*** 혼자서, 혼자 힘으로
She lives *by herself*.
그녀는 혼자서 살고 있다.
***by the way*** 도중에(서), 그런데
*By the way*, what time is it?
그런데, 몇 시지?
***by way of*** …을 경유해서
He went to Canada *by way of* Alaska. 그는 알래스카를 경유해서 캐나다로 갔다.
***little by little*** 조금씩, 서서히
Learn *little by little* every day.
매일 조금씩 배워라.
***one by one*** 하나씩, 한 사람씩
—부 [bái 바이] ❶ 옆에, 곁에
He is standing *by*.
그는 곁에 서 있다.
❷ 지나가 버려서
Ten years have gone *by*.
10년이 지났다.
숙어 ***by and by*** 이윽고, 잠시 후
I will see you *by and by*.
곧 만나 뵙겠습니다.

## bye *bye*

[bái 바이]
감 안녕! (동 good-by(e) )
*Bye* now! 그럼 안녕!

## bye-bye *bye-bye*

[báibái 바이바이]
감 잘 가!, 안녕! (동 good-by(e))

*Bye-bye*, see you tomorrow.
안녕, 내일 보자.

**C, c** *C, c*
[síː 시-]
명 (복수 **C's**, **c's** [síːz 시-즈])
시 ((알파벳의 세 번째 글자))

**cab**
[kǽb 캐브]
명 (복수 **cabs** [kǽbz 캐브즈])
((미)) 택시 (동 taxi)
We took a *cab* to the station.
우리는 역까지 택시를 탔다.

**cab•bage** *cabbage*
[kǽbidʒ 캐비지]
명 (복수 **cabbages** [kǽbidʒiz 캐비지즈]) 〚식물〛 양배추
two heads of *cabbage*
양배추 2통

***cab•in** *cabin*
[kǽbin 캐빈]
명 (복수 **cabins** [kǽbinz 캐빈즈])
❶ 오두막집 (동 hut)
He lives in a log *cabin* in the woods. 그는 숲 속의 통나무 오두막집에서 산다.

❷ (배 · 비행기의) 선실, 객실
There are about 300 *cabins* in this ship.
이 배에는 약 300개의 선실이 있다.

**cab•i•net** *cabinet*
[kǽb(ə)nit 캐버닛]
명 (복수 **cabinets** [kǽb(ə)nits 캐버니츠]) ❶ 캐비닛, 장식장
❷ ((흔히 **Cabinet**으로)) 내각
a *Cabinet* meeting 각료 회의

**ca•ble** *cable*
[kéibl 케이블]
명 (복수 **cables** [kéiblz 케이블즈])
(전보 · 전기 등의) 선; 해저 전신; 밧줄
by *cable* 해저 전신으로
We rode in a *cable* car.
우리는 케이블 카를 탔다.

**ca•fé, ca•fe** *café, cafe*
[kæféi 캐페이]
😊 프랑스어에서 유래한 말로 끝의 e는 [ei]로 발음함.
명 (복수 **cafés** [kæféiz 캐페이즈]) 카페, 찻집; (간단한 식사를 파는) 식당

*__cage__ *cage*
[kéidʒ 케이지]
명 (복수 **cages** [kéidʒiz 케이지즈]) 새장, (가축의) 우리
The parrot escaped from its *cage*. 앵무새는 새장에서 달아났다.

⁑**cake** *cake*
[kéik 케이크]
명 (복수 **cakes** [kéiks 케이크스])
❶ 과자, 케이크

Please give me a piece of *cake*. 나에게 케이크 한 조각 주세요.
✎ 케이크를 셀 때 a piece of cake, two pieces of cake라고 함.
❷ (단단한 모양의) 덩어리
a *cake* of soap 비누 한 개

**cal•cu•late** *calculate*
[kǽlkjulèit 캘큘레이트]
타자 (3단현 **calculates** [kǽlkjulèits 캘큘레이츠], 과거 · 과분 **calculated** [kǽlkjulèitid 캘큘레이티드], 현분 **calculating** [kǽlkjulèitiŋ 캘큘레이팅])
(…을) 계산하다, 산정하다
He *calculated* the cost of heating. 그는 난방비를 계산했다.

*__cal•en•dar__ *calendar*
[kǽləndər 캘런더]
명 (복수 **calendars** [kǽləndərz 캘런더즈]) 달력, 캘린더

a desk *calendar* 탁상용 캘린더
a *calendar* for the new year 새해의 달력

**calf** *calf*
[kǽf 캐프]
😊 l은 발음하지 않음.
명 (복수 **calves** [kǽvz 캐브즈]) (보통 한 살 미만의) 송아지 (가축)

⁑**call** *call*
[kɔ́ːl 콜-]
동 (3단현 **calls** [kɔ́ːlz 콜-즈], 과거 · 과분 **called** [kɔ́ːld 콜-드], 현분

**calling** [kɔ́:liŋ 콜-링])

— 타 ❶ (…을) 부르다; 불러들이다 《back》

*Call* me a taxi.
택시를 불러 주세요.
I *called* him *back*.
나는 그를 불러들였다.

❷ 《목적어와 보어를 수반하여》 …을 …라고 부르다

We *call* him John.
우리는 그를 존이라고 부른다.

❸ (…에게) 전화하다 《up》

I will *call* you (*up*) tomorrow.
내일 너에게 전화하겠다.

— 자 ❶ (큰 소리로) 부르다, 외치다

She *called* from downstairs.
그녀가 아래층에서 불렀다.
I *called* to him for help.
나는 그에게 도와달라고 외쳤다.

❷ (사람을) 방문하다 《on》; (장소 · 집에) 들르다 《at》

They *called on* Mr. Jones.
그들은 존스 씨를 방문했다.
I *called at* his farm.
나는 그의 농장을 방문했다.

✎ 사람을 방문할 때는 call on, 장소를 방문할 때는 call at

❸ 전화를 걸다

Who's *calling*, please?
(전화에서) 누구십니까?

숙어 ***call for*** …을 요구하다; …을 맞이하러 가다

They *called for* help.
그들은 도움을 요청했다.

***call off*** …을 중지하다, (약속 등을) 취소하다

The game was *called off*.
시합은 중지되었다.

***call the roll*** (출석의) 점호를 하다

Now I will *call the roll*.
출석부를 부르겠습니다.

***what is called*** (= ***what we*** 〔***you, they***〕 ***call***) 소위, 이른바

— 명 (복수 **calls** [kɔ́:lz 콜-즈])

❶ 부르는 소리, 외침

I heard a *call* for help. 나는 도와 달라고 외치는 소리를 들었다.

❷ 전화 걸기, 통화

I'll give you a *call* later.
나중에 전화드리겠습니다.

❸ (짧은) 방문

The teacher made a *call* at a student's house.
선생님은 학생의 집을 방문했다.

---

## calm *calm*

[kɑ́:m 캄-]

형 (비교급 **calmer** [kɑ́:mər 카-머], 최상급 **calmest** [kɑ́:mist 카-미스트])

❶ 평온한, 고요한; 잔잔한

The lake became *calm* after the storm.
폭풍이 지나가자 호수는 잔잔해졌다.

❷ (태도 · 음성 따위가) 차분한
a *calm* voice 차분한 목소리
동 (3단현 **calms** [kά:mz 캄-즈], 과거 · 과분 **calmed** [kά:md 캄-드], 현분 **calming** [kά:miŋ 카-밍])
— 타 진정시키다, 달래다
She *calmed* her baby by giving it some milk. 그녀는 우유를 주어 아기를 달래었다.
— 자 조용해지다, 차분해지다 ((down))
The children *calmed down* when he came in.
그가 들어오자 아이들은 조용해졌다.
— 명 평온; 고요, 적막

***came** *came*
[kéim 케임]
명 come의 과거

***cam•el** *camel*
[kǽməl 캐멀]
명 (복수 **camels** [kǽməlz 캐멀즈])
〖동물〗 낙타

***cam•er•a** *camera*
[kǽm(ə)rə 캐머러]
명 (복수 **cameras** [kǽm(ə)rəz 캐머러즈]) 사진기, 카메라

He took pictures with his *camera*.
그는 자기 카메라로 사진을 찍었다.

**cam•er•a•man** *cameraman*
[kǽmərəmæ̀n 캐머러맨]
명 (복수 **cameramen** [kǽmərəmèn 캐머러멘]) 사진사; (영화의) 촬영 기사

***camp** *camp*
[kǽmp 캠프]
명 (복수 **camps** [kǽmps 캠프스])
야영(지), 캠프(장)
I had a good time at *camp*. 나는 야영하면서 즐거운 시간을 보냈다.
— 자 (3단현 **camps** [kǽmps 캠프스], 과거 · 과분 **camped** [kǽmpt 캠프트], 현분 **camping** [kǽmpiŋ 캠핑])
야영하다, 캠프를 치다
We *camped* out for three days.
우리는 3일간 야영했다.

**cam•paign** *campaign*
[kæmpéin 캠페인]
g는 발음하지 않음.
명 (복수 **campaigns** [kæmpéinz 캠페인즈]) (조직적) 운동; 캠페인
an election *campaign* 선거 운동
We took part in a Red Cross *campaign*.
우리는 적십자 운동에 참가했다.

**camp•fire** *campfire*
[kǽmpfàiər 캠프파이어]
명 (야영의) 모닥불, 캠프파이어

They sat around the *campfire*.
그들은 모닥불 주위에 둘러앉았다.

**cam•pus** *campus*
[kǽmpəs 캠퍼스]
명 (복수 **campuses** [kǽmpəsiz 캠퍼시즈]) (대학 등의) 교정, 캠퍼스; 구내

*campus* life 대학 생활
The dormitory is on *campus*.
기숙사는 대학 구내에 있다.

***can[1]** *can*
[《약》 kən 컨; 《강》 kǽn 캔]
조 (과거 **could** [《약》 kəd 커드; 《강》 kúd 쿠드])
❶ 《능력》 …할 수 있다
"*Can* you speak English?" "Yes, I *can*." 「영어를 할 수 있습니까?」 「예, 할 수 있습니다.」
"*Can* you play the violin?" "No, I *can't*." 「바이올린을 켤 줄 아니?」 「아니, 할 수 없어.」

❷ 《허가》 …해도 좋다, 괜찮다
You *can* go home now.
너는 이제 집에 가도 좋다.
✎ 허가나 가벼운 명령으로 쓸 때 can 대신 may를 써도 좋음.
❸ 《추측》 《의문문에서》 (과연) …일까; 《부정문에서》 …일〔할〕 리가 없다
*Can* it be true?
그것이 과연 사실일까?
It *cannot* be true.
그것은 사실일 리가 없다.
❹ 《**Can you ...?**로 의뢰를 나타내어》 …해 주시겠습니까?(=Will you ...?)
*Can you* carry this bag for me?
이 가방을 들어다 주시겠습니까?
숙어 ***as... as one can*** 될 수 있는 한 …
Start *as* early *as you can*.
될 수 있는 한 빨리 출발하시오.
***cannot but...*** (=*cannot help ~ing*) …하지 않을 수 없다
I *could not but* laugh.(=I *couldn't help* laugh*ing*.)
나는 웃지 않을 수 없었다.

**can[2]** *can*
[kǽn 캔]
명 (복수 **cans** [kǽnz 캔즈]) (통조림용의) 깡통 (《영》 tin), 양철통

A B **C** D E F G H I J K L M N O P Q R S T U V W X Y Z

**Can•a•da** *Canada*
[kǽnədə 캐너더]
명 캐나다 《북아메리카 주에 있는 영국 연방 독립국; 수도는 오타와(Ottawa)》

**Ca•na•di•an** *Canadian*
[kənéidiən 커네이디언]
명 (복수 **Canadians** [kənéidiənz 커네이디언즈]) 캐나다 사람
—형 캐나다 (사람)의

**ca•nal** *canal*
[kənǽl 커낼]
명 (복수 **canals** [kənǽlz 커낼즈]) 운하; 용수로
the Suez *Canal* 수에즈 운하

**can•cel** *cancel*
[kǽns(ə)l 캔설]
타 (3단현 **cancels** [kǽns(ə)lz 캔설즈], 과거 · 과분 **cancel(l)ed** [kǽns(ə)ld 캔설드], 현분 **cancel(l)ing** [kǽns(ə)liŋ 캔설링])
취소하다, 무효로 하다; 중지하다
I *canceled* my trip to Thailand. 나는 태국 여행을 취소했다.

**can•cer** *cancer*
[kǽnsər 캔서]
명 《a와 복수형 안 씀》 암
get *cancer* 암에 걸리다

**can•di•date** *candidate*
[kǽndədèit 캔더데이트]
명 (복수 **candidates** [kǽndədèits 캔더데이츠]) 후보자, 지원자 《for》
He is one of the *candidates for* President of the United States. 그는 미국 대통령 후보의 한 사람이다.

***can•dle** *candle*
[kǽndl 캔들]
명 (복수 **candles** [kǽndlz 캔들즈]) 양초
She lighted the *candles*. 그녀는 양초들에 불을 붙였다.

She blew out the *candles*. 그녀는 촛불들을 불어서 껐다.

***can•dy** *candy*
[kǽndi 캔디]
명 (복수 **candies** [kǽndiz 캔디즈]) 사탕, 캔디 (《영》 sweets)

You eat too much *candy*.
넌 캔디를 너무 많이 먹는다.

**cane** *cane*
[kéin 케인]
명 (복수 **canes** [kéinz 케인즈])
지팡이, 단장

**canoe** *canoe*
[kənúː 커누-]
명 (복수 **canoes** [kənúːz 커누-즈])
카누, 통나무배

***can't** *can't*
[kǽnt 캔트]
조 (과거 **couldn't** [kúdnt 쿠든트])
cannot의 축약형
I *can't* walk any farther.
나는 더 이상 못 걷겠다.
*Can't* you come this evening?
오늘 저녁 올 수 없니?

**can•vas** *canvas*
[kǽnvəs 캔버스]
명 (복수 **canvases** [kǽnvəsiz 캔버시즈]) 캔버스, 화포

An oil painting is usually painted on a piece of *canvas*.
유화는 보통 캔버스에 그려진다.

***cap** *cap*
[kǽp 캡]
명 (복수 **caps** [kǽps 캡스])
❶ (테 없는) 모자
Take off your *cap*. 모자를 벗어라.
Put on your *cap*. 모자를 써라.

참고 cap과 hat
**cap**은 야구 모자처럼 앞에만 챙이 달린 모자이거나 수영모처럼 테가 없는 모자를 말한다. **hat**은 테가 있는 모자. 단, 장신구로서의 여성용 모자는 테가 없어도 hat이라고 한다.

❷ (병의) 마개; (만년필 따위의) 뚜껑
I lost the *cap* of my fountain pen. 나는 만년필 뚜껑을 잃어버렸다.

**ca•pa•ble** *capable*
[kéipəbl 케이퍼블]
형 ❶ 유능한, 수완 있는
He is a very *capable* manager.
그는 매우 유능한 지배인이다.
❷ 《**be capable of**로》 …할 능력이 있는, …할 수 있는
He *is capable of* teaching French. 그는 프랑스어를 가르칠 수 있는 능력이 있다.

**ca•pac•i•ty** *capacity*
[kəpǽsəti 커패서티]
명 (복수 **capacities** [kəpǽsətiz 커패서티즈])
❶ 용량, 수용 능력

The theater has a seating *capacity* of 500.
그 극장은 500명분의 좌석이 있다.
❷ 능력, 자격
She has the *capacity* to become a star.
그녀는 스타가 될 자격이 있다.

**⁑cap·i·tal** *capital*
[kǽpətl 캐퍼틀]
명 (복수 **capitals** [kǽpətlz 캐퍼틀즈]) ❶ (한 나라의) 수도
Paris is the *capital* of France.
파리는 프랑스의 수도이다.

❷ 대문자 (동 capital letter; 반 small letter 소문자)
Write your name in *capitals*.
이름을 대문자로 쓰세요.
❸ 자본(금)
The company has a *capital* of $300,000.
그 회사의 자본금은 30만 달러이다.
—형 ❶ 중요한, 으뜸가는 (동 chief)
a *capital* city 주요 도시, 수도
❷ 대문자의

**Cap·i·tol** *Capitol*
[kǽpətl 캐퍼틀]
명 《the를 붙여》 《미》 국회 의사당 《미국 국회 의사당은 수도 Washington D.C.의 Capitol Hill에 있기 때문에 the Capitol이라고 불리운다》

***cap·tain** *captain*
[kǽptən 캡턴]
명 (복수 **captains** [kǽptənz 캡턴즈]) ❶ (배의) 선장; (비행기의) 기장
My uncle is (the) *captain* of the ship. 삼촌은 선장이시다.
❷ (팀의) 주장, 우두머리, 장 (동 chief)
Who's the *captain* of the football team?
누가 축구팀의 주장이냐?

❸ 육군 대위; 해군 대령

**cap·ture** *capture*
[kǽptʃər 캡처]
타 (3단현 **captures** [kǽptʃərz 캡처즈], 과거 · 과분 **captured** [kǽptʃərd 캡처드], 현분 **capturing** [kǽptʃəriŋ 캡처링])
포획하다, 체포하다 (동 catch)
The police *captured* the thief.
경관이 그 도둑을 체포했다.

—명 (복수 **captures** [kǽptʃərz 캡처즈]) 생포, 포획(물)
the *capture* of a whale
고래의 생포

## ⁑car *car*

[kɑ́ːr 카-]
명 (복수 **cars** [kɑ́ːrz 카-즈])
❶ 차, 승용차 (동 《미》 automobile, 《영》 motorcar)

She got into a *car*.
그녀는 차에 탔다.
✎ get on a car라고 하지 않음.
Get out of the *car* at Jamsil.
잠실에서 차를 내리세요.
✎ get off a car라고 하지 않음.
❷ (철도의) 차량, 객차(《영》 carriage)
a dining *car* 식당차
a sleeping *car* 침대차

## *card *card*

[kɑ́ːrd 카-드]
명 (복수 **cards** [kɑ́ːrdz 카-즈])
❶ 카드; 명함; 초대장
a Christmas *card* 크리스마스카드
a calling *card* 《미》 명함 (《영》 visiting *card*)
a postal *card* 우편엽서
a credit *card* 신용 카드
an invitation *card* 초대장
❷ 트럼프(패); 《복수형으로》 카드놀이
Let's play *cards*.
카드놀이 하자.

## *care *care*

[kέər 케어]
명 (복수 **cares** [kέərz 케어즈])
❶ 《보통 복수형으로》 걱정, 근심
He is free from all *cares*.
그에게는 아무런 걱정거리도 없다.
❷ 《a와 복수형 안 씀》 주의, 조심
Handle with *care*. 취급 주의
Take *care* not to drop the glass. 유리잔을 떨어뜨리지 않도록 조심해라.
❸ 《a와 복수형 안 씀》 보호; 보살핌; 돌봄
Mother is always busy with the *care* of the children. 어머니는 아이들을 돌보느라 늘 바쁘다.
숙어 ***take care*** 조심하다
***take care of*** …을 돌보다, …에 마음을 쓰다

a b c d e f g h i j k l m n o p q r s t u v w x y z

*Take* good *care of* my dog.
내 개를 잘 돌봐다오.
Please *take care of* yourself.
몸조심하세요.

—[자] (3단현 **cares** [kέərz 케어즈], 과거 · 과분 **cared** [kέərd 케어드], 현분 **caring** [kέəriŋ 케어링])

❶ 《부정문 · 의문문에서》 걱정하다, 관심을 갖다 《about》
She *does not care* very much *about* money. 그녀는 돈 따위에는 그다지 관심이 없다.

❷ …하고 싶어하다, 기꺼이 …하다
Would you *care* to try a game? 게임을 한번 해보고 싶니?

[숙어] ***care for***

ⓐ …을 보살피다, 돌보다
He *cared for* his mother when she was sick. 그는 어머니가 병들었을 때 보살펴 드렸다.

ⓑ 《부정문 · 의문문에서》 …을 좋아하다, 바라다
I *don't care* much *for* cheese.
나는 치즈를 별로 좋아하지 않는다.

**ca•reer** *career*
[kəríər 커리어]
[명] (복수 **careers** [kəríərz 커리어즈])

❶ 직업
a *career* woman 직업을 가진 여성

❷ (직업상의) 경력; 생애
She spent most of her *career* as a teacher.
그녀는 평생을 교사로 보냈다.

⁑**care•ful** *careful*
[kέərfəl 케어펄]
[형] (비교급 **more careful**, 최상급 **most careful**)
주의 깊은, 신중한 (㉥ careless 부주의한)
Be *careful*! 조심해라!

Be *careful* not to make any noise when you eat soup.
수프를 먹을 때 소리를 내지 않도록 주의해라.

***care•ful•ly** *carefully*
[kέərfəli 케어펄리]
[부] 조심스럽게, 주의해서
Listen to me *carefully*.
내 말을 주의해서 들어라.

***care•less** *careless*
[kέərləs 케어러스]
[형] ❶ 부주의한 (㉥ careful 신중한)
We often make *careless* mistakes. 우리는 종종 부주의한 실수를 저지른다.

❷ 무관심한, 개의치 않는
He is *careless* about his appearances.
그는 외모에 무관심하다.

**care•less•ly** *carelessly*
[kέərlisli 케어리슬리]
부 부주의하게, 아무렇게나

*__car•na•tion__ *carnation*
[kɑːrnéiʃən 카-네이션]
명 (복수 **carnations** [kɑːrnéiʃənz 카-네이션즈]) 〖식물〗 카네이션

**car•ni•val** *carnival*
[kɑ́ːrnivəl 카-니벌]
명 (가톨릭 교회에서 사순절 전의) 사육제, 카니발; 축제
We enjoyed the *carnival*.
우리는 그 축제를 즐겼다.

**car•ol** *carol*
[kǽrəl 캐럴]
명 (복수 **carols** [kǽrəlz 캐럴즈]) 기쁨의 노래, 찬송가

*__car•pen•ter__ *carpenter*
[kɑ́ːrpəntər 카-펀터]
명 (복수 **carpenters** [kɑ́ːrpəntərz 카-펀터즈]) 목수, 목공
He is a very good *carpenter*.
그는 매우 솜씨 좋은 목수다.

**car•pet** *carpet*
[kɑ́ːrpit 카-핏]
명 (복수 **carpets** [kɑ́ːrpits 카-피츠]) 융단, 양탄자

**car•riage** *carriage*
[kǽridʒ 캐리지]
명 (복수 **carriages** [kǽridʒiz 캐리지즈]) ❶ 4륜 마차; 유모차

He pushed the baby *carriage* around the park. 그는 공원에서 유모차를 밀고 다녔다.
❷ (철도의) 객차 (동 car)
a first-class *carriage* 일등 객차

**car•rot** *carrot*
[kǽrət 캐럿]
명 (복수 **carrots** [kǽrəts 캐러츠]) 〖식물〗 당근

⁑**car•ry** *carry*
[kǽri 캐리]
타 (3단현 **carries** [kǽriz 캐리즈], 과거 · 과분 **carried** [kǽrid 캐리드],

현분 **carrying** [kǽriiŋ 캐리잉])
❶ 나르다, 운반하다
Please *carry* these boxes for me. 이 상자들을 날라 주세요.

❷ 가지고 다니다, 휴대하다
My grandfather always *carries* a cane with him. 할아버지는 항상 지팡이를 갖고 다니신다.
❸ 전하다
He *carried* the happy news to me. 그는 기쁜 소식을 내게 전했다.
숙어 ***carry on*** (…을) 계속하다
They *carried on* their work. 그들은 일을 계속했다.
***carry out*** 실행하다, 이룩하다
It is difficult to *carry out* this plan. 이 계획을 실행하기란 어렵다.

## cart *cart*
[kɑ́ːrt 카-트]
명 (복수 **carts** [kɑ́ːrts 카-츠])
(두 바퀴) 짐마차; 손수레, 카트

The farmers carried the corn in a *cart*. 농부들은 옥수수를 마차로 실어 날랐다.

## car•ton *carton*
[kɑ́ːrtn 카-튼]
명 (복수 **cartons** [kɑ́ːrtnz 카-튼즈])
판지[종이] 상자
a *carton* of eggs 달걀 한 상자

## car•toon *cartoon*
[kɑːrtúːn 카-툰-]
명 (복수 **cartoons** [kɑːrtúːnz 카-툰-즈]) 시사 풍자 만화; 연재 만화; 만화 영화

## carve *carve*
[kɑ́ːrv 카-브]
타 (3단현 **carves** [kɑ́ːrvz 카-브즈], 과거 · 과분 **carved** [kɑ́ːrvd 카-브드], 현분 **carving** [kɑ́ːrviŋ 카-빙])
새기다, 조각하다, 새겨 넣다

He *carved* the statue from wood. 그는 나무로 목상을 조각했다.

**⁑case¹** *case*
[kéis 케이스]
명 (복수 **cases** [kéisiz 케이시즈])
❶ 경우; 사정
He is wrong in this *case*.
이 경우에는 그가 잘못한 것이다.
❷ 실례, 사례; 문제
This is not a common *case*.
이것은 흔한 예가 아니다.
❸ 사건; 소송
There were six *cases* of fire yesterday. 어제는 여섯 차례의 화재 사건이 있었다.
숙어 ***in any case*** 아무튼, 어쨌든
*In any case* I must go there.
아무튼 나는 거기에 가지 않으면 안 된다.
***in case*** ⓐ 만약 …한 경우에는
*In case* you cannot go, I will go alone. 만일 당신이 갈 수 없으면 나 혼자서 가겠다.
ⓑ …의 경우에 대비하여
***in case of*** …의 경우에는, …이라면
*In case of* fire, ring the bell.
화재시에는 벨을 울려라.

***case²** *case*
[kéis 케이스]
명 (복수 **cases** [kéisiz 케이시즈])
상자, 케이스 (동 box)
a jewel *case* 보석함
a pencil *case* 필통

**cash** *cash*
[kǽʃ 캐시]
명 (복수 **cashes** [kǽʃiz 캐시즈])
현금, 돈 (동 money)
How much *cash* do you have with you?
현금을 얼마나 갖고 계십니까?
— 타 (3단현 **cashes** [kǽʃiz 캐시즈], 과거 · 과분 **cashed** [kǽʃt 캐시트], 현분 **cashing** [kǽʃiŋ 캐싱])
(수표 등을) 현금으로 바꾸다; 현금을 지불하다
Can you *cash* this check?
이 수표를 현금으로 바꾸어 줄 수 있습니까?

**cas•sette** *cassette*
[kəsét 커셋]
명 (복수 **cassettes** [kəséts 커세츠])
(녹음용 테이프나 녹화용 필름 따위의) 카세트; 필름통

**cast** *cast*
[kǽst 캐스트]
타 (3단현 **casts** [kǽsts 캐스츠], 과거 · 과분 **cast** [kǽst 캐스트], 현분 **casting** [kǽstiŋ 캐스팅])
❶ 던지다 (동 throw)

*cast* a vote 투표하다
He *cast* a fishing line into the sea. 그는 바다에다 낚싯줄을 던졌다.
❷ 배역을 정하다
—명 (복수 **casts** [kǽsts 캐스츠])
던지기; (극 · 영화의) 배역, 캐스트

**cas•tle** *castle*
[kǽsl 캐슬]
t는 발음하지 않음.
명 (복수 **castles** [kǽslz 캐슬즈])
성, 성곽

There is an old *castle* near the river. 강변에 옛 성이 있다.

**cas•u•al** *casual*
[kǽʒuəl 캐주얼]
형 (비교급 **more casual**, 최상급 **most casual**)
❶ 우연한, 뜻밖의
We had a *casual* visitor this morning. 우리는 오늘 아침 뜻밖의 방문객을 맞았다.
❷ (옷차림이) 평상복의
in *casual* wear 평상복 차림으로

**⁑cat** *cat*
[kǽt 캣]
명 (복수 **cats** [kǽts 캐츠])
〖동물〗 고양이 (관 he-*cat* 수고양이, she-*cat* 암고양이, kitten 새끼고양이)

My sister has three *cats*. 나의 누나는 고양이를 3마리 기른다.

**cat•a•log(ue)** *catalog(ue)*
[kǽt(ə)lɔ̀ːg 캐틀〔털〕로-그]
명 (복수 **catalog(ue)s** [kǽt(ə)lɔ̀ːgz 캐틀〔털〕로-그즈]) 목록, 카탈로그, 표
a *catalog* of new books
신간 도서 목록

**⁑catch** *catch*
[kǽtʃ 캐치]
타 (3단현 **catches** [kǽtʃiz 캐치즈], 과거 · 과분 **caught** [kɔ́ːt 코-트], 현분 **catching** [kǽtʃiŋ] 캐칭])
❶ 잡다, 붙들다

The dog caught a ball.
개가 축구공을 잡았다.
Mary *caught* me by the hand.
메리가 내 손을 잡았다.
❷ (탈것의) 시간에 맞게 대다
I got up early in order to

*catch* the train. 나는 기차 시간에 대려고 일찍 일어났다.
❸ (병에) 걸리다; (불이) 옮겨 붙다
I *caught* a cold last week.
나는 지난주에 감기에 걸렸다.
The hut *caught* on fire.
그 오두막집에 불이 옮겨 붙었다.
❹ (못 · 문 등에) 걸리다, 끼다
A nail *caught* my dress.
내 옷이 못에 걸렸다.
숙어 ***be caught in*** (비 등을) 만나다
***catch at*** …을 붙잡으려고 하다
***catch up with*** 뒤쫓아가다, 따라잡다
I will *catch up with* you soon.
당신을 곧 뒤쫓아 가겠습니다.

## catch•er *catcher*
[kǽtʃər 캐처]
명 (복수 **catchers** [kǽtʃərz 캐처즈]) 〖야구〗 포수(捕手), 캐처 (반 pitcher 투수)

## Cath•o•lic *Catholic*
[kǽθəlik 캐설릭]
형 천주교의, 구교의
—명 천주교도, 구교도
a Roman *Catholic* 로마 가톨릭 교도

## cat•tle *cattle*
[kǽtl 캐틀]
명 《단수 · 복수 동형》
《집합적》 가축; 소

He has twenty head of *cattle* on his farm.
그는 농장에 20두의 소를 키운다.
✎ heads라고 하지 않는 점에 주의

## *caught *caught*
[kɔ́ːt 코-트]
타 catch(잡다)의 과거 · 과거분사

## *cause *cause*
[kɔ́ːz 코-즈]
명 (복수 **causes** [kɔ́ːziz 코-지즈]) 원인, 이유
Carelessness is a *cause* of an accident. 부주의가 사고 원인이다.
—타 (3단현 **causes** [kɔ́ːziz 코-지즈], 과거 · 과분 **caused** [kɔ́ːzd 코-즈드], 현분 **causing** [kɔ́ːziŋ 코-징])
❶ (…의) 원인이 되다, (…을) 일으키다
The snow *caused* the accident.
눈이 사고를 일어나게 했다.

❷ …에게 …하게 하다
They *caused* him to leave the place.
그들은 그를 그곳에서 떠나게 했다.

## cave *cave*
[kéiv 케이브]
명 (복수 **caves** [kéivz 케이브즈]) 굴, 동굴
Bats often live in *caves*.
박쥐들은 흔히 동굴 속에서 산다.

**cease** *cease*
[síːs 시-스]
타 자 (3단현 **ceases** [síːsiz 시-시즈], 과거·과분 **ceased** [síːst 시-스트], 현분 **ceasing** [síːsiŋ 시-싱])
그만두다, 중단하다, 중지하다 (동 stop)
*Cease* fire!(=Stop shooting!)
사격 중지!
The rain has *ceased*.
비가 그쳤다.

*__ceil•ing__ *ceiling*
[síːliŋ 실-링]
명 (복수 **ceilings** [síːliŋz 실-링즈])
천장 (반 floor 바닥)
This room has a high *ceiling*.
이 방은 천장이 높다.

*__cel•e•brate__ *celebrate*
[séləbrèit 셀러브레이트]
타 (3단현 **celebrates** [séləbrèits 셀러브레이츠], 과거·과분 **celebrated** [séləbrèitid 셀러브레이티드], 현분 **celebrating** [séləbrèitiŋ 셀러브레이팅])
❶ 축하하다, 기리다
We *celebrated* his birthday.
우리는 그의 생일을 축하했다.

❷ (의식 따위를) 올리다, 거행하다
They *celebrated* the marriage.
그들은 결혼식을 올렸다.
✎ celebrate는 주로 축제나 행사를 축하할 때 쓰이고, 입학·졸업·취직 등에는 주로 congratulate가 쓰임.

**cel•e•bra•tion** *celebration*
[sèləbréiʃən 셀러브레이션]
명 (복수 **celebrations** [sèləbréiʃənz 셀러브레이션즈])
축하, 축하회
John is having a birthday *celebration* today.
존은 오늘 생일 축하회를 연다.

**cell** *cell*
[sél 셀]
명 (복수 **cells** [sélz 셀즈])
❶ (감옥 따위의) 독방
❷ 〚전기〛 전지; 〚생물〛 세포
a dry *cell* 건전지
❸ (벌집의) 구멍

**cel•lar** *cellar*
[sélər 셀러]
명 (복수 **cellars** [sélərz 셀러즈])
지하실, 지하 저장실
We keep food in the *cellar*.
우리는 음식물을 지하실에 저장한다.

**cel•lo** *cello*
[tʃélou 첼로우]
c는 [tʃ]로 발음함.
명 (복수 **cellos** [tʃélouz 첼로우즈])
〖악기〗 첼로

**cell phone** *cell phone*
[sél fóun 셀포운]
명 (셀 방식의) 휴대폰, 휴대 전화
cell phone은 cellular phone의 축약형. handphone(핸드폰)은 한국식 말이므로 잘못된 것임.

**ce•ment** *cement*
[simént 시멘트]
둘째 음절에 악센트가 있음.
명 시멘트; 접착제
a bag of cement 시멘트 한 포대

**cem•e•ter•y** *cemetery*
[sémətèri 세머테리]
명 (복수 **cemeteries** [sémətèriz 세머테리즈])
(공동) 묘지 (관 graveyard 묘지)

***cent** *cent*
[sént 센트]
명 (복수 **cents** [sénts 센츠])
❶ (화폐 단위로서의) 센트
센트는 미국·캐나다 등지에서 쓰이는 화폐 단위로서 1 dollar의 100분의 1. ₵ 또는 c.로 생략함.
❷ (단위로서의) 100
30 per *cent*, 30퍼센트

‡**cen•ter,** 《영》 **-tre** *center, -tre*
[séntər 센터]
명 (복수 **centers** [séntərz 센터즈])
❶ 중심, 중앙 (동 middle)

the *center* of a circle
원의 중심
Our school is in the *center* of the city.
우리 학교는 시의 중앙에 있다.
❷ 중심지, 중심 시설
a shopping *center* 상점가
a health *center* 보건소

**cen•ti•me•ter,** 《영》 **-me•tre** *centimeter, -metre*
[séntəmìːtər 센터미-터]
명 (복수 **centimeters** [séntəmìːtərz 센터미-터즈])
(길이의 단위로서) 센티미터 《100분의 1미터; 약 cm》

A B **C** D E F G H I J K L M N O P Q R S T U V W X Y Z

***cen•tral** *central*
[séntrəl 센트럴]
형 중심의, 중앙의, 중심부의 (반 local 지방의)
the *Central* Post Office
중앙 우체국
The park is in the *central* part of the city.
공원은 시의 중심부에 있다.

***cen•tu•ry** *century*
[séntʃəri 센처리]
명 (복수 **centuries** [séntʃəriz 센처리즈]) 100년, 1세기
We all live in the twenty-first *century*.
우리는 모두 21세기에 살고 있다.

**ce•re•al** *cereal*
[sí:riəl 시-리얼]
명 (복수 **cereals** [sí:riəlz 시-리얼즈]) 《보통 복수형으로》 곡물, 곡류
Corn, wheat, and rice are *cereals*. 옥수수, 밀, 쌀은 곡물이다.

**cer•e•mo•ny** *ceremony*
[sérəmòuni 세러모우니]
명 (복수 **ceremonies** [sérəmòuniz 세러모우니즈]) 식, 의식, 예식
an admission *ceremony* 입학식
a wedding *ceremony* 결혼식

**⁑cer•tain** *certain*
[sə́:rtn 서-튼]
형 ❶ 《be동사 뒤에 쓰여》 확실한, 확신하는, 틀림없는 (동 sure)
I am *certain* of her victory.
나는 그녀의 승리를 확신한다.

I'm not *certain* where she lives. 그녀가 어디에 사는지 확실하지 않다.
❷ 《명사 앞에 쓰여》 어떤, 일정한 (동 one, some)
I visited a *certain* gentleman.
나는 어떤 신사 분을 방문했다.
He worked hard for a *certain* period of time.
그는 일정 기간 열심히 일했다.
❸ 반드시 …하는, 꼭 …하는
Our team is *certain* to win.
우리 팀이 반드시 이긴다.
❹ 확실한, 분명한
*certain* evidence 확실한 증거

**⁑cer•tain•ly** *certainly*
[sə́:rtnli 서-튼리]
형 ❶ 확실히, 반드시, 꼭 (동 surely)
He will *certainly* come.
그는 꼭 올 것이다.
❷ 《대답으로서》 물론, 그렇고말고; 《부탁에 대해》 좋고 말고
"Will he succeed?" "*Certainly*."
「그는 성공할까요?」「그렇고 말고요.」

"May I ask a favor of you?" "*Certainly.*"
「부탁 하나 드려도 될까요?」「좋고 말고요.」

**cer•tif•i•cate** *certificate*
[sərtífikit 서티피킷]
명 (복수 **certificates** [sərtífikits 서티피키츠]) 증명서; 면허증, 자격증
a birth *certificate* 출생 증명서
a medical *certificate* 건강 증명서

**cf.** *cf.*
[síːéf 시-에프]
비교[참조]하라 《*confer*의 줄인 말》
*cf.* p.55, 55페이지 참조

***chain** *chain*
[tʃéin 체인]
명 (복수 **chains** [tʃéinz 체인즈])
❶ 쇠사슬; 속박
His dog was on the *chain*.
그의 개는 쇠사슬에 묶여 있었다.

❷ 연쇄, 연속; 일련(의 것)
a *chain* of mountains 산맥
a *chain* of events 일련의 사건

⁑**chair** *chair*
[tʃέər 체어]
명 (복수 **chairs** [tʃέərz 체어즈])
의자 (㉾ bench 긴 의자, stool 걸상)
John sat on a *chair*.
존은 의자에 앉아 있었다.

Take a *chair*, please.
자, 앉으십시오.

***chair•man** *chairman*
[tʃέərmən 체어먼]
명 (복수 **chairmen** [tʃέərmən 체어먼]) 의장, 사회자
He was elected *chairman*.
그는 의장으로 선출되었다.
✎ 회의에서 남성은 Mr. Chairman, 여성은 Madam Chairman이라고 부름.

⁑**chalk** *chalk*
[tʃɔ́ːk 초-크]
☺ l은 발음하지 않음.
명 (복수 **chalks** [tʃɔ́ːks 초-크스]) 《a와 복수형 안 씀》 분필

Please bring me a piece of *chalk*. 분필 한 자루 갖다 다오.
He wrote his name on the

blackboard with *chalk*. 그는 칠판에다 분필로 자기 이름을 썼다.

**chal•lenge** *challenge*
[tʃǽlindʒ 챌린지]
명 (복수 **challenges** [tʃǽlindʒiz 챌린지즈]) 도전; (시합의) 신청
He accepted his friend's *challenge* to swim across the river.
그는 강을 헤엄쳐 건너자는 친구의 도전을 받아들였다.
— 타 (3단현 **challenges** [tʃǽlindʒiz 챌린지즈], 과거 · 과분 **challenged** [tʃǽlindʒd 챌린지드], 현분 **challenging** [tʃǽlindʒiŋ 챌린징])
도전하다; (시합 따위를) 신청하다
They *challenged* us to a baseball game this Saturday.
그들은 이번 토요일에 우리에게 야구 시합을 신청했다.

**cham•pion** *champion*
[tʃǽmpiən 챔피언]
명 (복수 **champions** [tʃǽmpiənz 챔피언즈]) 선수권 보유자, 우승자
The world *champion* is very young.
그 세계 챔피언은 매우 젊다.

**cham•pi•on•ship** *championship*
[tʃǽmpiənʃip 챔피언십]
명 (복수 **championships** [tʃǽmpiənʃips 챔피언십스]) 선수권

**⁑chance** *chance*
[tʃǽns 챈스]
명 (복수 **chances** [tʃǽnsiz 챈시즈])
❶ 기회, 호기
I had a *chance* to visit Boston.
나는 보스턴을 방문할 기회가 있었다.
Give her a *chance* to explain.
그녀에게 설명할 기회를 주세요.
❷ 가망; 《복수형으로》 가능성, 승산
Is there any *chance* that our team will win?
우리 팀이 이길 가망이 있습니까?
❸ 《a와 복수형 안 씀》 운, 운명; 우연
숙어 ***by chance*** 우연히
I met him *by chance* in the museum. 나는 박물관에서 우연히 그를 만났다.

— 자 (3단현 **chances** [tʃǽnsiz 챈시즈], 과거 · 과분 **chanced** [tʃǽnst 챈스트], 현분 **chancing** [tʃǽnsiŋ 챈싱])
우연히 일어나다, 때마침 …하다
She *chanced* to be in the park when I was there.
그녀가 우연히 공원에 있을 때 나도 마침 거기에 있었다.

**⁑change** *change*
[tʃéindʒ 체인지]

동 (3단현 **changes** [tʃéindʒiz 체인지즈], 과거 · 과분 **changed** [tʃéindʒd 체인지드], 현분 **changing** [tʃéindʒiŋ 체인징])

—타 ❶ 바꾸다, 고치다; 변화시키다
He *changed* his jobs.
그는 일자리를 바꾸었다.
The witch *changed* the prince into a frog.
마녀는 왕자를 개구리로 바꾸었다.

❷ (탈것을) 갈아타다
We *changed* trains for Seoul at Daejeon. 우리는 대전에서 서울로 가는 기차를 갈아탔다.
❸ 환전하다, (…을) 잔돈으로 바꾸다
Can you *change* this bill for me? 이 지폐를 잔돈으로 바꿔 주시겠습니까?

—자 ❶ 변하다, 바뀌다
The wind *changed* suddenly from south to north. 바람은 갑자기 남풍에서 북풍으로 바뀌었다.
❷ (기차 · 버스 등을) 갈아타다
All *change* here!
여기서 모두 갈아타 주십시오!

—명 (복수 **changes** [tʃéindʒiz 체인지즈])
❶ 변화, 변경
There was a sudden *change* in the weather.
날씨가 갑자기 바뀌었다.
❷ 거스름돈, 잔돈
Keep the *change*.
거스름돈은 가지세요.

숙어 ***for a change*** 여느 때와 달리, 기분 전환으로

## chan•nel *channel*

[tʃǽnl 채늘]
명 (복수 **channels** [tʃǽnlz 채늘즈])
❶ 수로; 해협
The English *Channel* 영국 해협
❷ 〖통신〗 (라디오 · TV 등의) 채널

## chap•ter *chapter*

[tʃǽptər 챕터]
명 (복수 **chapters** [tʃǽptərz 챕터즈]) (책 따위의) 장
Please read *chapter* 2.
제2장을 읽으시오.

## *char•ac•ter *character*

[kǽrəktər 캐럭터]
명 (복수 **characters** [kǽrəktərz 캐럭터즈]) ❶ 특징, 특성; 인격, 성격
the national *character* 국민성
He has a good *character*.
그는 성격이 좋다.
❷ 문자 (동 letter); 기호, 부호
I can't read *Arabic characters*.
나는 아랍 글자를 읽지 못한다.

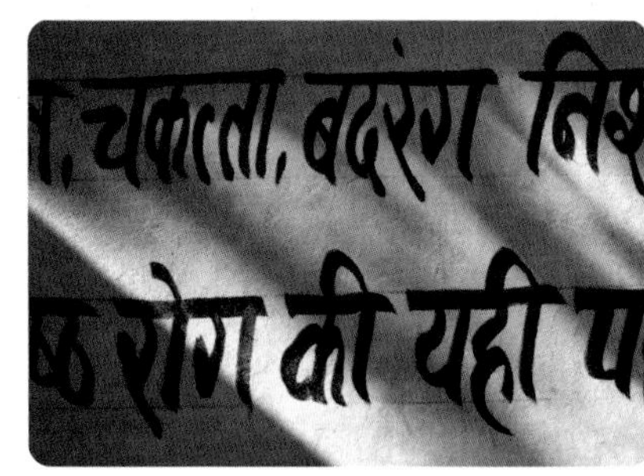


❸ 등장인물, 배역
Jane is one of the *characters* in this story. 제인은 이 소설에 나

A B C D E F G H I J K L M N O P Q R S T U V W X Y Z

오는 등장인물 중의 한 사람이다.

**char•ac•ter•is•tic** *characteristic*
[kæ̀rəktərístik 캐럭터리스틱]
명 (복수 **characteristics** [kæ̀rək-tərístiks 캐럭터리스틱스]) 특징, 특성
—형 특유의, 독특한
Lilies have their own *characteristic* smell. 백합은 그 자체의 독특한 향기를 갖고 있다.

**char•coal** *charcoal*
[tʃɑ́ːrkòul 차-코울]
명 《a와 복수형 안 씀》 숯, 목탄
*Charcoal* can be used as a fuel. 숯은 연료로 쓰인다.

***charge** *charge*
[tʃɑ́ːrdʒ 차-지]
명 (복수 **charges** [tʃɑ́ːrdʒiz 차-지즈]) ❶ 《a와 복수형 안 씀》 책임, 의무 (동 duty); 보살핌
Mr. Smith is in *charge* of our class. 스미스 선생님이 우리 학급의 담임을 맡고 계신다.

❷ 비난, 죄
He was arrested on a *charge* of murder.
그는 살인죄로 체포되었다.
❸ 요금, 대금; 비용
How much is the *charge* for parking? 주차료는 얼마입니까?

어법 charge, fee, rate
**charge**는 숙박료, 서비스료, 수리 대금 같은 일반적인 요금, **fee**는 등록금, 입장료 같은 특수한 요금, **rate**는 수도세, 전기세 따위의 사용료.

—타 (3단현 **charges** [tʃɑ́ːrdʒiz 차-지즈], 과거 · 과분 **charged** [tʃɑ́ːrdʒd 차-지드], 현분 **charging** [tʃɑ́ːrdʒiŋ 차-징])
❶ (의무 · 책임을) 지우다 《with》
I have been *charged with* an important task.
중요한 일이 나에게 맡겨졌다.
❷ 비난하다; 고발하다 《with》
They *charged* him *with* driving without a license. 그들은 그를 무면허 운전으로 고발하였다.
❸ (대금 · 요금을) 청구하다
They *charged* me fifty dollars.
그들은 나에게 50달러를 청구했다.

**char•i•ty** *charity*
[tʃǽrəti 채러티]
명 (복수 **charities** [tʃǽrətiz 채러티즈]) 자선, 자선 사업
We are having a *charity* show tomorrow.
우리는 내일 자선 쇼를 연다.

**charm** *charm*
[tʃɑ́ːrm 참-]
명 (복수 **charms** [tʃɑ́ːrmz 참-즈]) 매력, 마력
a man of great *charm*
대단히 매력적인 남자
—타 (3단현 **charms** [tʃɑ́ːrmz 참-즈], 과거 · 과분 **charmed** [tʃɑ́ːrmd 참-드], 현분 **charming** [tʃɑ́ːrmiŋ 차-밍])

매혹하다, (남의) 마음을 끌다
She *charmed* us with her beautiful voice. 그녀는 아름다운 목소리로 우리를 매혹시켰다.

**charm•ing** *charming*
[tʃɑ́ːrmiŋ 차-밍]
형 매력적인 (동 attractive); 예쁜, 아름다운; 재미있는
I met a *charming* woman.
나는 매력적인 여자를 만났다.

**chase** *chase*
[tʃéis 체이스]
자 (3단현 **chases** [tʃéisiz 체이시즈], 과거 · 과분 **chased** [tʃéist 체이스트], 현분 **chasing** [tʃéisiŋ 체이싱]) 뒤쫓다, 추적하다
The dog *chased* the rabbit.
개가 토끼를 뒤쫓았다.

—명 (복수 **chases** [tʃéisiz 체이시즈]) 추적, 추격
There was a long *chase* before the criminal was caught. 범인이 붙잡히기까지 오랜 추적이 있었다.

**chat** *chat*
[tʃǽt 챗]
자 (3단현 **chats** [tʃǽts 채츠], 과거 · 과분 **chatted** [tʃǽtid 채티드], 현분 **chatting** [tʃǽtiŋ 채팅]) 잡담하다, 마음놓고 이야기하다
They were *chatting* about the picnic. 그들은 피크닉에 대해 이야기하고 있었다.

**⁑cheap** *cheap*
[tʃíːp 치-프]
형 (비교급 **cheaper** [tʃíːpər 치-퍼], 최상급 **cheapest** [tʃíːpist 치-피스트])
❶ 값싼, 저렴한 (반 expensive, dear 비싼)
Vegetables are very *cheap* in the summer.
여름철에는 야채가 매우 싸다.
❷ 쓸모없는, 싸구려의
Her shoes looked *cheap*.
그녀의 구두는 싸구려처럼 보였다.
—부 싸게, 염가로
Buy *cheap* and sell dear.
싸게 사서 비싸게 팔아라.

**⁑check** *check*
[tʃék 첵]
타 (3단현 **checks** [tʃéks 첵스], 과거 · 과분 **checked** [tʃékt 첵트], 현분 **checking** [tʃékiŋ 체킹])
❶ 점검하다, 검사하다; 확인하다
He *checked* all the figures in the list. 그는 목록에 실린 숫자를 모두 조사했다.
❷ 저지하다, 억제하다
They *checked* the advance of

the enemy.
그들은 적의 전진을 저지했다.

숙어 ***check in*** (호텔에서) 숙박 절차를 밟다, (공항에서) 탑승 수속을 하다
I *checked in* at the reception desk. 나는 (호텔) 접수대에서 숙박부에 기입했다.

***check out*** 계산하고 (호텔을) 나오다

— 명 (복수 **checks** [tʃéks 첵스])
❶ 조사, 점검
a safety *check* 안전 점검
❷ 수표 (《영》 cheque); 계산서
He cashed a *check*.
그는 수표를 현금으로 바꾸었다.

## cheek *cheek*

[tʃíːk 치-크]
명 (복수 **cheeks** [tʃíːks 치-크스]) 뺨, 볼
She has round *cheeks*.
그녀의 볼은 포동포동 하다.

## *cheer *cheer*

[tʃíər 치어]
타자 (3단현 **cheers** [tʃíərz 치어즈], 과거 · 과분 **cheered** [tʃíərd 치어드], 현분 **cheering** [tʃíəriŋ 치어링])
(…의) 힘을 북돋우다, 기운나다; (…에게) 갈채하다, 환호하다
*Cheer* up! 힘내라! 《응원의 말》
They *cheered* loudly as she appeared on the stage.
그녀가 무대에 등장하자 그들은 크게 환호성을 질렀다.

— 명 (복수 **cheers** [tʃíərz 치어즈]) 환호, 갈채; 만세
Three *cheers* for our team!
우리 팀을 위해 만세 3창!

## *cheer•ful *cheerful*

[tʃíərfəl 치어펄]
형 즐거운, 쾌활한, 명랑한
When people are *cheerful*, they smile a lot.
사람들이 즐거울 때는 많이 웃는다.

## cheer•lead•er *cheerleader*

[tʃíərlìːdər 치어리-더]
명 (복수 **cheerleaders** [tʃíərlìːdərz 치어리-더즈]) (여자) 응원단원, 응원단장

## *cheese *cheese*

[tʃíːz 치-즈]

명 《a와 복수형 안 씀》 치즈
Say *cheese*! 치즈하세요! 웃어요! 《사진을 찍을 때 하는 말》
Please give me a piece of *cheese*. 치즈 한 조각 주세요.

**chem·i·cal** *chemical*
[kémikəl 케미컬]
명 (복수 **chemicals** [kémikəlz 케미컬즈]) 화학 제품, 화학 약품
—형 화학의, 화학용의; 화학 약품의
*chemical* products 화학 제품
*chemical* reaction 화학 반응

**chem·is·try** *chemistry*
[kémistri 케미스트리]
명 《a와 복수형 안 씀》 화학

**cher·ry** *cherry*
[tʃéri 체리]
명 (복수 **cherries** [tʃériz 체리즈]) 『식물』 버찌, 벚나무

A *cherry* is a small, round, and red fruit. 버찌는 작고 둥글며 빨간 열매이다.

**chess** *chess*
[tʃés 체스]
명 서양 장기, 체스
Let's play *chess*.
체스를 두자.

**chest** *chest*
[tʃést 체스트]
명 (복수 **chests** [tʃésts 체스츠])
❶ (덮개가 있는) 궤, 상자
a tool *chest* 연장 상자
❷ 가슴, 흉부 (동 breast)
I have a pain in the *chest*.
나는 가슴이 아프다.

**chest·nut** *chestnut*
[tʃésnʌ̀t 체스넛]
t는 발음하지 않음.
명 (복수 **chestnuts** [tʃésnʌ̀ts 체스너츠]) 『식물』 밤나무, 밤

roast *chestnuts* 군밤

**chew** *chew*
[tʃúː 추-]
동 (3단현 **chews** [tʃúːz 추-즈], 과거·과분 **chewed** [tʃúːd 추-드], 현분 **chewing** [tʃúːiŋ 추-잉])
(음식물을) 씹다, 깨물다
You must *chew* your food well. 음식을 잘 씹어야 한다.

**chick·en** *chicken*
[tʃíkin 치킨]
명 (복수 **chickens** [tʃíkinz 치킨즈]) ❶ 닭; 병아리
The farmer raises a lot of *chickens*. 그 농부는 많은 닭을 친다.
❷ 《a와 복수형 안 씀》 닭고기

a b c d e f g h i j k l m n o p q r s t u v w x y z

I like fried *chicken*.
나는 닭고기 튀김을 좋아한다.

**chief** *chief*
[tʃiːf 치-프]
명 (복수 **chiefs** [tʃíːfs 치-프스])
우두머리, (단체의) 장(長), (종족의) 추장
the *chief* of police 경찰서장
an Indian *chief* 인디언 추장
—형 ❶ 주요한, 주된
Those are the *chief* rivers of Korea.
그것들이 한국의 주요한 강들이다.
❷ 우두머리의, 최고위의
the *chief* justice 재판장

**⁑child** *child*
[tʃáild 차일드]
명 (복수 **children** [tʃíldrən 칠드런])
❶ 아이, 어린이

A *child* is crying on the street.
한 아이가 길에서 울고 있다.

❷ (부모에 대하여) 자식
He has two *children*.
그에게는 두 자식이 있다.

**child•hood** *childhood*
[tʃáildhùd 차일드후드]
명 어릴 적; 유년 시절 (관 boyhood 소년 시절, girlhood 소녀 시절)
I spent my *childhood* in the country.
나는 어린 시절을 시골에서 보냈다.

**child•ish** *childish*
[tʃáildiʃ 차일디시]
형 어린아이의; 어린애 같은, 유치한
That's a *childish* answer.
그건 유치한 대답이다.

***chil•dren** *children*
[tʃíldrən 칠드런]
명 child(어린아이)의 복수

***chim•ney** *chimney*
[tʃímni 침니]
명 (복수 **chimneys** [tʃímniz 침니즈]) 굴뚝
Santa Claus comes down from the *chimney*.
산타클로스는 굴뚝을 타고 내려온다.

**chim•pan•zee**
*chimpanzee*

[tʃìmpænzíː 침팬지-]
명 〖동물〗 침팬지

**chin** *chin*
[tʃín 친]
명 (복수 **chins** [tʃínz 친즈]) 턱
You have a pointed *chin.*
너는 턱이 뾰족하구나.

**⁑Chi•na** *China*
[tʃáinə 차이너]
명 중국 《수도는 Beijing(베이징)》
the People's Republic of *China* 중화 인민 공화국 (중국 본토)
*China* Town 차이나타운

***Chi•nese** *Chinese*
[tʃàiníːz 차이니-즈]
명 《단수 · 복수 동형》
중국인; 《보통 관사 없이》 중국어
The *Chinese* are proud of their long history. 중국인들은 그들의 오랜 역사를 자랑스럽게 여긴다.
—형 중국의; 중국인[어]의
*Chinese* characters 한자, 한문

**choc•o•late** *chocolate*
[tʃɑ́k(ə)lət 차컬럿]
명 (복수 **chocolates** [tʃɑ́k(ə)ləts 차컬러츠]) 초콜릿; 초콜릿 과자
a box of *chocolates*
초콜릿 과자 한 통

**choice** *choice*
[tʃɔ́is 초이스]
명 (복수 **choices** [tʃɔ́isiz 초이시즈])
❶ 선택(권), 고르기
Be careful in your *choice* of books. 책을 고르는 데 신중해라.
❷ 뽑힌 사람[물건]; 최상등품
the *choice* of roses 최상등품 장미

**choir** *choir*
[kwáiər 콰이어]
ch는 [k]로 발음함.
명 (복수 **choirs** [kwáiərz 콰이어즈]) (교회의) 성가대; 합창단

**⁑choose** *choose*
[tʃúːz 추-즈]
타 자 (3단현 **chooses** [tʃúːziz 추-지즈], 과거 **chose** [tʃóuz 초우즈], 과분 **chosen** [tʃóuzn 초우즌], 현분 **choosing** [tʃúːziŋ 추-징])

❶ 고르다, 선택하다; 뽑다
She *chose* a blue dress.
그녀는 파란색 옷을 골랐다.

They *chose* Tom to be chairman. 그들은 톰을 의장으로 뽑았다.
❷ 《to 부정사를 수반하여》 (…하는 편을) 택하다, 결정하다 (㊐ decide)
We *chose to* go on a picnic.
우리는 피크닉을 가기로 했다.

**chop** *chop*
[tʃáp 찹]
타 (3단현 **chops** [tʃáps 찹스], 과거·과분 **chopped** [tʃápt 찹트], 현분 **chopping** [tʃápiŋ 차핑])
(쳐서) 자르다; 잘게 썰다, 다지다
— 명 (두껍게 자른) 고깃점

**chop·stick** *chopstick*
[tʃápstìk 찹스틱]
명 (복수 **chopsticks** [tʃápstìks 찹스틱스]) 《보통 복수형으로》 젓가락

East Asian people use *chopsticks*. 동아시아 사람들은 젓가락을 사용한다.

***cho·rus** *chorus*
[kɔ́ːrəs 코-러스]
명 (복수 **choruses** [kɔ́ːrəsiz 코-러시즈]) 합창, 합창단, 코러스
They sang in *chorus*.
그들은 합창으로 노래했다.

***chose** *chose*
[tʃóuz 초우즈]
타 choose(고르다)의 과거

***cho·sen** *chosen*
[tʃóuzn 초우즌]
타 choose(고르다)의 과거분사

***Christ** *Christ*
[kráist 크라이스트]
명 ❶ 그리스도
Jesus *Christ* 예수 그리스도
❷ 《the를 붙여》 구세주

**Chris·tian** *Christian*
[krístʃən 크리스천]
명 (복수 **Christians** [krístʃənz 크리스천즈]) 기독교인, 기독교 신자
— 형 그리스도의, 기독교의
a *Christian* name (기독교) 세례명

***Christ·mas** *Christmas*
[krísməs 크리스머스]
☺ t는 발음하지 않음.
명 크리스마스, 성탄절
*Christmas* Day 성탄절
a *Christmas* card 크리스마스 카드
a *Christmas* tree 크리스마스 트리
*Christmas* Eve 크리스마스 이브
Merry *Christmas*!
크리스마스를 축하합니다!

**⁑church** *church*
[tʃə́ːrtʃ 처-치]
명 (복수 **churches** [tʃə́ːrtʃiz 처-치즈]) 교회; 《관사 없이》 예배

I go to *church* every Sunday.
나는 일요일마다 예배드리러 간다.

**cig•a•ret(te)** *cigaret(te)*
[sìgərét 시거렛]
명 (복수 **cigaret(te)s** [sìgeréts 시거레츠]) 궐련, 담배
a pack of *cigarettes* 담배 한 갑

**cin•e•ma** *cinema*
[sínəmə 시너머]
명 (복수 **cinemas** [sínəməz 시너머즈]) 《the를 붙여》 《영》 영화, 영화관 (동 《미》 movie 영화, movie theater 영화관)
We went to the *cinema* last night. 우리는 어젯밤 영화관에 갔다.

**⁑cir•cle** *circle*
[sə́ːrkl 서-클]
명 (복수 **circles** [sə́ːrklz 서-클즈])
❶ 원, 고리
The children held hands and danced in a *circle*. 아이들은 손을 잡고 원을 그리며 춤추었다.

❷ 동아리, 서클; …계
a reading *circle* 독서회
— 타 자 (3단현 **circles** [sə́ːrklz 서-클즈], 과거 · 과분 **circled** [sə́ːrkld 서-클드], 현분 **circling** [sə́ːrkliŋ 서-클링])
원을 그리다; 선회하다; 에워싸다, 동그라미를 치다
*Circle* the correct answer.

옳은 답에 동그라미를 치시오.

**cir•cum•stance**
*circumstance*
[sə́:rkəmstæ̀ns 서-컴스탠스]
명 (복수 **circumstances** [sə́:rkəm-stæ̀nsiz 서-컴스탠시즈])
《보통 복수형으로》 사정, 환경, 처지

**cir•cus** *circus*
[sə́:rkəs 서-커스]
명 (복수 **circuses** [sə́:rkəsiz 서-커시즈]) 서커스, 곡예; 곡마단

*__cit•i•zen__ *citizen*
[sítəzn 시터즌]
명 (복수 **citizens** [sítəznz 시터즌즈]) 시민, 주민; 국민
 the *citizens* of Boston 보스턴 시민
 He is an American *citizen*.
 그는 미국 국민이다.

⁑**cit•y** *city*
[síti 시티]
명 (복수 **cities** [sítiz 시티즈])
시, 도시, 도회지

 a *city* hall 시청
 He lives in a big *city*.
 그는 대도시에서 산다.

참고 city와 town
**city**는 대도시, **town**은 소도시를 가리키지만, 한국의 「시」「읍」 같이 인구수에 의한 구분은 없다. 미국에서는 주정부의 인가를 받아 city가 되지만 각 주마다 기준이 달라 인구 5,000명 이하의 city도 많다.

**civ•il** *civil*
[sívəl 시벌]
형 시민의, 공민의; 민간의
 *civil* rights 공민권
 a *civil* airplane 민간 항공기
숙어 ***a civil servant*** 공무원

**civ•i•li•za•tion,** 《영》 **-sa•tion** *civilization, -sation*
[sìvəlizéiʃən 시벌리제이션]
명 (복수 **civilizations** [sìvəlizéiʃənz 시벌리제이션즈])
《a와 복수형 안 씀》 문명(사회), 문화
 machine *civilization* 기계 문명

✎ civilization은 주로 「물질 문명」을, culture는 「정신 문화」를 가리킴.

**civ•i•lize,** 《영》 **-lise**
*civilize, -lise*
[sívəlàiz 시벌라이즈]
타 (3단현 **civilizes** [sívəlàiziz 시벌라이지즈], 과거 · 과분 **civilized** [sívəlàizd 시벌라이즈드], 현분 **civilizing** [sívəlàiziŋ 시벌라이징])
문명화하다, 교화〔개화〕하다

He tried to *civilize* the Indian tribe. 그는 그 인디언 부족을 개화하려고 애썼다.

**claim** *claim*
[kléim 클레임]
타 (3단현 **claims** [kléimz 클레임즈], 과거 · 과분 **claimed** [kléimd 클레임드], 현분 **claiming** [kléimiŋ 클레이밍])
❶ (권리로서) 요구〔청구〕하다
He *claimed* traveling expenses. 그는 여행비를 청구했다.
❷ (사실로서) 주장하다
Tom *claimed* his victory.
톰은 자기가 이겼다고 주장했다.
—명 (복수 **claims** [kléimz 클레임즈]) 요구, 청구; 주장, 권리

**clap** *clap*
[klǽp 클랩]
타자 (3단현 **claps** [klǽps 클랩스], 과거 · 과분 **clapped** [klǽpt 클랩트], 현분 **clapping** [klǽpiŋ 클래핑])
(손뼉을) 치다; 박수치다; 탁 치다
They *clapped* their hands.
그들은 박수를 쳤다.

He *clapped* me on the back.
그는 내 등을 탁 쳤다.
—명 (복수 **claps** [klǽps 클랩스]) 박수, 탁 치는 소리

⁑**class** *class*
[klǽs 클래스]
명 (복수 **classes** [klǽsiz 클래시즈])
❶ 학급, 반, 클래스
She is in the third year *class*.
그녀는 3학년이다.

❷ 수업 (동 lesson)
We have a *class* in English today. 오늘은 영어 수업이 있다.
❸ (탈것 · 호텔 · 식당 따위의) 등급
She traveled by first *class*.
그녀는 1등석으로 여행했다.
❹ (사회적) 계급, 계층
the lower〔middle, upper〕 *class* 하류〔중류, 상류〕 계층

*__class•mate__ *classmate*
[klǽsmèit 클래스메이트]
명 (복수 **classmates** [klǽsmèits 클래스메이츠]) 동급생, 급우

My *classmates* study very hard. 나의 급우들은 아주 열심히

공부한다.

**‡class•room** *classroom*
[klǽsrùːm 클래스룸-]
명 (복수 **classrooms** [klǽsrùːmz 클래스룸-즈]) 교실
Our *classroom* is on the second floor. 우리 교실은 2층에 있다.

**clause** *clause*
[klɔ́ːz 클로-즈]
명 (복수 **clauses** [klɔ́ːziz 클로-지즈]) 〚문법〛 절(節)

**claw** *claw*
[klɔ́ː 클로-]
명 (복수 **claws** [klɔ́ːz 클로-즈]) (새 · 짐승의) 갈고리 발톱; (게 · 새우 · 전갈 따위의) 집게발

**clay** *clay*
[kléi 클레이]
명 《a와 복수형 안 씀》 진흙, 점토
Dishes are made from *clay*.
접시는 점토로 만들어진다.

**‡clean** *clean*
[klíːn 클린-]
형 (비교급 **cleaner** [klíːnər 클리-너], 최상급 **cleanest** [klíːnist 클리-니스트])
깨끗한, 청결한 (동 dirty 더러운)

She keeps her car *clean*.
그녀는 자기 차를 깨끗이 하고 있다.
—부 깨끗하게; 완전히
I *clean* forgot about the letter.
나는 그 편지를 완전히 잊고 있었다.
—타 (3단현 **cleans** [klíːnz 클린-즈], 과거 · 과분 **cleaned** [klíːnd 클린-드], 현분 **cleaning** [klíːniŋ 클리-닝])
깨끗이 닦다, 청소하다 (동 clear)
*Clean* your teeth before you go to bed. 자기 전에 이를 닦아라.
숙어 ***clean up*** 깨끗이 청소하다
*Clean up* the pieces of broken bottle.
깨진 유리병 조각을 깨끗이 치워라.

**clean•er** *cleaner*
[klíːnər 클리-너]
명 (복수 **cleaners** [klíːnərz 클리-너즈]) 청소부; 청소기; 세제

**‡clear** *clear*
[klíər 클리어]
형부 (비교급 **clearer** [klí(ə)rer 클리(어)러], 최상급 **clearest** [klí(ə)rist 클리(어)리스트])
—형 ❶ 맑게 갠, 맑은 (동 fine)

The Alps are seen against the *clear* sky. 맑게 갠 하늘을 배경으로 알프스가 보였다.
We swam in the *clear* stream.

## Classroom 교실

우리는 맑은 개울에서 헤엄쳤다.
❷ 분명한, 뚜렷한
The meaning of this sentence is very *clear*.
이 문장의 뜻은 아주 분명하다.
— 부 분명하게; 전적으로
Speak loud and *clear*.
큰 소리로 분명히 말해 주시오.
동 (3단현 **clears** [klíərz 클리어즈], 과거·과분 **cleared** [klíərd 클리어드], 현분 **clearing** [klí(ə)riŋ 클리(어)링])
— 자 (날씨가) 개다, 맑아지다
It will *clear* up soon.
날씨는 곧 갤 것이다.
— 타 치우다, 정리하다
Please *clear* the dishes from the table.
식탁에서 접시들을 치워 주세요.

**clear•ly** *clearly*
[klíərli 클리얼리]
부 분명히, 뚜렷이, 똑똑히
Please speak more *clearly*.
좀 더 분명하게 말해 주세요.

**clerk** *clerk*
[klə́ːrk 클러-크]
명 (복수 **clerks** [klə́ːrks 클러-크스]) 직원, 사무원; 점원

a bank *clerk* 은행원
Miss White is a *clerk* in a department store.
화이트 양은 백화점 점원이다.

***clev•er** *clever*
[klévər 클레버]
형 (비교급 **cleverer** [klévərər 클레버러], 최상급 **cleverest** [klévərist 클레버리스트])
❶ 영리한, 머리 좋은 (반 stupid 둔한)
The child is *clever*.
그 아이는 영리하다.
❷ 솜씨 있는 (동 skillful)
She is *clever* at sewing.
그녀는 바느질 솜씨가 있다.

**cli•ent** *client*
[kláiənt 클라이언트]
명 (복수 **clients** [kláiənts 클라이언츠]) 소송 의뢰인, 고객
He is an important *client*.
그는 중요한 고객이다.

**cliff** *cliff*
[klíf 클리프]
명 (복수 **cliffs** [klífs 클리프스]) 절벽, 낭떠러지, 벼랑

**cli•mate** *climate*
[kláimət 클라이멋]
명 (복수 **climates** [kláiməts 클라이머츠])
기후, 날씨 (관 weather 일기)

Korea has a mild *climate*.
한국은 기후가 온화하다.

***climb** *climb*
[kláim 클라임]
b는 발음하지 않음.
타자 (3단현 **climbs** [kláimz 클라임즈], 과거 · 과분 **climbed** [kláimd 클라임드], 현분 **climbing** [kláimiŋ 클라이밍])
오르다, 기어오르다, 등반하다
I like to *climb* mountains.
나는 산에 오르기를 좋아한다.

They *climbed* Mt. Everest last year. 그들은 작년에 에베레스트 산을 등반했다.
The child *climbed* up a tree.
그 아이는 나무에 기어올랐다.

**climb•er** *climber*
[kláimər 클라이머]
b는 발음하지 않음.
명 (복수 **climbers** [kláimərz 클라이머즈]) 등산가, 등반가

**cling** *cling*
[klíŋ 클링]
자 (3단현 **clings** [klíŋz 클링즈], 과거 · 과분 **clung** [klʌ́ŋ 클렁], 현분 **clinging** [klíŋiŋ 클링잉])
꼭 매달리다, 찰싹 달라붙다
Her wet clothes *clung to* her body. 젖은 옷이 그녀의 몸에 찰싹 달라붙었다.

**⁑clock** *clock*
[klák 클락]
명 (복수 **clocks** [kláks 클락스])
괘종시계, 탁상시계 (관 watch 손목시계)
an alarm *clock* 자명종 시계

This *clock* is fast〔slow〕.
이 시계는 빨리〔늦게〕 간다.
The *clock* has just struck ten.
괘종시계가 방금 10시를 쳤다.

**⁑close[1]** *close*
[klóuz 클로우즈]
타자 (3단현 **closes** [klóuziz 클로우지즈], 과거 · 과분 **closed** [klóuzd 클로우즈드], 현분 **closing** [klóuziŋ 클로우징])
❶ (문 따위를) 닫다, (눈을) 감다; 닫히다 (반 open 열다)

Please *close* the windows.
창문을 닫아 주세요.
She *closed* her eyes and fell asleep soon.
그녀는 눈을 감고 금방 잠이 들었다.
❷ 끝내다, 마치다; 끝나다
The store *closes* at six.
그 가게는 6시에 (영업이) 끝난다.
*Closed* today. 금일 휴업《게시문》
—명 끝, 종결 (동 end)
The meeting came to a *close*.
모임은 끝났다.

## ⁑close² *close*
[klóus 클로우스]
s는 [z]가 아니라 [s]로 발음
형부 (비교급 **closer** [klóusər 클로우서], 최상급 **closest** [klóusist 클로우시스트])
—형 ❶ 근접한, 가까운 (동 near)
His house is very *close* to the station. 그의 집은 정거장 바로 가까이에 있다.
❷ 친밀한, 친근한 (동 intimate)
Dick is a *close* friend of mine.
딕은 나의 친한 친구이다.
❸ 면밀한, 정확한 (동 accurate)
He doesn't pay *close* attention. 그는 면밀한 주의를 기울이지 않는다.
숙어 ***close at hand*** 바로 가까이에, 임박하여
The examination is *close at hand*. 시험이 임박해 있다.
***close by*** 바로 곁에
—부 접근하여, 가까운 곳에
The dog followed *close* behind him. 개는 그의 뒤를 바짝 따라왔다.

## close•ly *closely*
[klóusli 클로우슬리]
부 ❶ 밀접하게, 꽉; 가까이
❷ 주의하여, 면밀히
Look *closely*. 주의해서 보아라.

## clos•et *closet*
[klázit 클라짓]
명 (복수 **closets** [klázits 클라지츠])
벽장, 찬장; 작은 방
There is a *closet* beneath the stairs. 계단 밑에 벽장이 있다.

## *cloth *cloth*
[klɔ́:θ 클로-스]
명 (복수 **cloths** [klɔ́:θs 클로-스스])
th는 [θ]로 발음함.
❶《a와 복수형 안 씀》천, 옷감, 직물

Mrs. Brown bought some *cloth*.
브라운 부인은 옷감을 좀 샀다.
❷《**a cloth**로》(정해진 용도의) 천 조각, 행주, 걸레
Wipe the floor with *a cloth*.
걸레로 마루를 닦아라.

## clothe *clothe*
[klóuð 클로우드]
타 (3단현 **clothes** [klóuðz 클로우드즈], 과거 · 과분 **clothed** [klóuðd 클로우드드], 현분 **clothing** [klóuðiŋ 클로우딩])
(…에게) 옷을 입히다 (동 dress)
She was *clothed* in silk.
그녀는 비단옷을 입고 있었다.

**⁑clothes** *clothes*
[klóuðz 클로우(드)즈]
th는 [ð]로 발음한다.
명 《복수형으로》 옷, 의복
He put on〔took off〕 his *clothes*.
그는 옷을 입었다〔벗었다〕.
She has a lot of *clothes*.
그녀는 옷이 많다.

**cloth•ing** *clothing*
[klóuðiŋ 클로우딩]
명 《집합적》 옷, 의류, 의복
men's *clothing* 남성 의류
waterproof *clothing* 방수복

**⁑cloud** *cloud*
[kláud 클라우드]
명 (복수 **clouds** [kláudz 클라우즈])

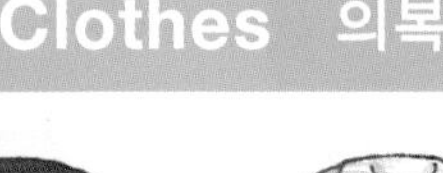

## Clothes 의복

blouse
블라우스

skirt
스커트

dress 드레스

jacket
재킷

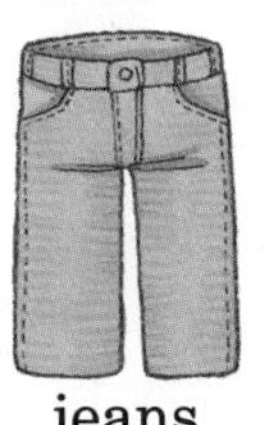
jeans
진(바지)

scarf
스카프

socks
짧은 양말

mittens
벙어리장갑

raincoat
비옷

sweater
스웨터

shirt
셔츠

suit
정장 한 벌

vest 조끼

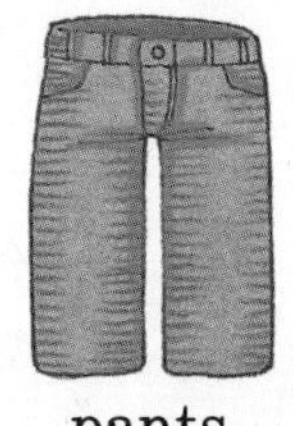
pants
바지

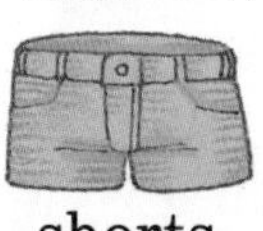
shorts
짧은 바지

T-shirt
T셔츠

overalls
멜빵바지

❶ 구름
There are white *clouds* in the sky. 하늘에는 흰 구름이 끼어 있다.

❷ 구름 모양의 것, 뭉게뭉게 피어오르는 연기[먼지]
*Clouds* of smoke rose above the burning building. 자욱한 연기가 불타는 건물에서 피어올랐다.
—자타 (3단현 **clouds** [kláudz 클라우즈], 과거 · 과분 **clouded** [kláuded 클라우디드], 현분 **clouding** [kláudiŋ 클라우딩])
구름으로 덮이다, 흐리다; 흐리게 하다
The sky is beginning to *cloud*. 하늘이 흐려지기 시작한다.

## *cloud•y *cloudy*
[kláudi 클라우디]
형 (비교급 **cloudier** [kláudiər 클라우디어], 최상급 **cloudiest** [kláudiist 클라우디이스트])
구름이 낀, 흐린 (반 fine 맑은, 갠)

It is *cloudy* today.
오늘은 날씨가 흐리다.

## clo•ver *clover*
[klóuvər 클로우버]
명 (복수 **clovers** [klóuvərz 클로우버즈]) 『식물』 클로버, 토끼풀

## clown *clown*
[kláun 클라운]
명 (복수 **clowns** [kláunz 클라운즈]) (서커스 등의) 어릿광대, 익살꾼

The *clowns* were very funny.
어릿광대들은 매우 우스꽝스러웠다.

## *club *club*
[klʌ́b 클러브]
명 (복수 **clubs** [klʌ́bz 클러브즈])
❶ 클럽, 동호회, 부(部)

He's a member of the tennis *club*. 그는 테니스 클럽 회원이다.
❷ 곤봉, (골프 · 하키 따위의) 타구봉
❸ (카드놀이의) 클럽(의 패)

**clue** *clue*
[klúː 클루-]
명 (복수 **clues** [klúːz 클루-즈])
실마리, 단서

**coach** *coach*
[kóutʃ 코우치]
명 (복수 **coaches** [kóutʃiz 코우치즈])
❶ 《영》 (열차의) 객차; 《미》 버스
The train has ten *coaches*.
그 기차에는 객차가 10량 있다.
❷ (운동 경기의) 코치; 가정교사
He is a basketball *coach*.
그는 농구 코치다.

―타 (3단현 **coaches** [kóutʃiz 코우치즈], 과거 · 과분 **coached** [kóutʃt 코우치트], 현분 **coaching** [kóutʃiŋ 코우칭])
지도하다, 코치하다
He *coaches* the baseball team.
그는 그 야구 팀을 지도한다.

***coal** *coal*
[kóul 코울]
명 (복수 **coals** [kóulz 코울즈])
석탄; 목탄

***coast** *coast*
[kóust 코우스트]
명 (복수 **coasts** [kóusts 코우스츠])
해안, 연안 (㊍ seashore)

Our town lies on the *coast*.
우리 마을은 해안에 있다.

****coat** *coat*
[kóut 코우트]
명 (복수 **coats** [kóuts 코우츠])
상의, 코트, 외투
She is wearing a long *coat*.
그녀는 긴 코트를 입고 있다.

He put on〔took off〕 his *coat*.
그는 코트를 입었다[벗었다].
―타 (3단현 **coats** [kóuts 코우츠], 과거 · 과분 **coated** [kóutid 코우티드], 현분 **coating** [kóutiŋ 코우팅])
(페인트 따위를) 칠하다; (표면을) 덮다
He *coated* the wall with paint.
그는 벽에 페인트를 칠했다.

a b c d e f g h i j k l m n o p q r s t u v w x y z

***cock** *cock*
[kάk 칵]
명 (복수 **cocks** [kάks 칵스])
❶ 〖동물〗 수탉 (동 rooster, 관 chicken 병아리, hen 암탉); 새의 수컷
❷ (가스 · 수도의) 꼭지, 마개

**code** *code*
[kóud 코우드]
명 (복수 **codes** [kóudz 코우즈])
신호, 암호; 법전; 관례
the Morse *code* 모스식 전신 부호

**⁑cof•fee** *coffee*
[kɔ́:fi 코-피]
명 (복수 **coffees** [kɔ́:fiz 코-피즈])
커피

Will you have a cup of *coffee*?
커피 한 잔 드시겠습니까?
Two *coffees*, please.
커피 두 잔 주세요.
✎ coffee는 식당에서 주문할 때 a coffee, two coffees라고 해도 됨.

**coil** *coil*
[kɔ́il 코일]
명 (복수 **coils** [kɔ́ilz 코일즈])
고리, 사리; 〖전기〗 코일

**coin** *coin*
[kɔ́in 코인]
명 (복수 **coins** [kɔ́inz 코인즈])
주화, 동전

a copper *coin* 동전
I collect *coins*.
나는 동전을 수집한다.

**⁑cold** *cold*
[kóuld 코울드]
형 (비교급 **colder** [kóuldər 코울더], 최상급 **coldest** [kóuldist 코울디스트])
❶ 추운, 차가운 (반 hot 더운, 뜨거운, 관 cool 서늘한)
It is very *cold* this morning.
오늘 아침은 몹시 춥다.

❷ 냉정한, 쌀쌀맞은
She looked at him with *cold* eyes. 그녀는 쌀쌀맞은 눈초리로 그를 보았다.
—명 (복수 **colds** [kóuldz 코울즈])

❶ 추위, 냉기 (반 heat 더위)
❷ 감기
Mary was absent with a *cold*.
메리는 감기로 결석했다.
숙어 ***catch* 〔*take*〕 (*a*) *cold*** 감기에 걸리다
She often *catches cold*.
그녀는 감기에 자주 걸린다.

**col•lar** *collar*
[kɑ́lər 칼러]
명 (복수 **collars** [kɑ́lərz 칼러즈]) 옷깃, 칼라
This *collar* is choking me.
이 칼라는 목이 죄어 답답하다.

***col•lect** *collect*
[kəlékt 컬렉트]
동 (3단현 **collects** [kəlékts 컬렉츠], 과거 · 과분 **collected** [kəléktid 컬렉티드], 현분 **collecting** [kəléktiŋ 컬렉팅])
—타 ❶ 모으다, 수집하다 (동 gather)
He *collected* many old coins.
그는 옛 동전을 많이 수집했다.

❷ (세금 등을) 거두다, 징수하다
—자 모이다
A crowd *collected* to watch the parade.
군중은 그 행진을 보려고 모였다.

***col•lec•tion** *collection*
[kəlékʃən 컬렉션]
명 (복수 **collections** [kəlékʃənz 컬렉션즈]) 수집, 채집; 모은 것
He has a rich *collection* of paintings.
그는 많은 그림 수집품을 갖고 있다.

**col•lec•tor** *collector*
[kəléktər 컬렉터]
명 (복수 **collectors** [kəléktərz 컬렉터즈]) 수집가, 채집가

***col•lege** *college*
[kɑ́lidʒ 칼리지]
명 (복수 **colleges** [kɑ́lidʒiz 칼리지즈]) (일반적으로) 대학; 단과 대학 (관 university 종합 대학)
They go to *college*.
그들은 대학에 다닌다.

He graduated from *college*.
그는 대학을 졸업했다.

**co•lon** *colon*
[kóulən 코울런]
명 (복수 **colons** [kóulənz 코울런즈]) (구두점 중의) 콜론(:)
✎「즉, 다시 말하면」의 뜻으로 쓰임.

**col•o•ny** *colony*
[kɑ́ləni 칼러니]
명 (복수 **colonies** [kɑ́ləniz 칼러니

즈]) 식민지; 거류민; 거류지
Once India was a British *colony*. 한때 인도는 영국 식민지였다.

**col•o(u)r** *colo(u)r*
[kʌ́lər 컬러]
명 (복수 **colo(u)rs** [kʌ́lərz 컬러즈])
❶ 빛깔, 색깔, 색

seven *colors* in the rainbow
무지개의 일곱 가지 색깔
❷《복수형으로》 그림 물감 (동 paint)
He painted in water *colors*.
그는 수채화를 그렸다.
❸ 안색, 혈색; (인종의) 피부색
a man of *color* 유색인, (특히) 흑인
He has a good *color*.
그는 혈색이 좋다.
❹《a와 복수형 안 씀》 개성, 특색
— 타자 (3단현 **colo(u)rs** [kʌ́lərz 컬러즈], 과거 · 과분 **colo(u)red** [kʌ́lərd 컬러드], 현분 **colo(u)ring** [kʌ́ləriŋ 컬러링])
색칠하다; 물들다
The fence was *colored* white.
울타리는 흰색으로 칠해졌다.
The leaves have begun to *color*. 나뭇잎들이 물들기 시작했다.

**참고 여러 가지 색**

| | | | |
|---|---|---|---|
| black | 검정 | white | 흰색 |
| brown | 갈색 | gray | 회색 |
| red | 빨간색 | green | 녹색 |
| pink | 분홍색 | blue | 청색 |
| yellow | 노란색 | purple | 자주색 |
| orange | 오렌지색 | violet | 보라색 |
| scarlet | 주홍색 | | |

**col•o(u)red** *colo(u)red*
[kʌ́lərd 컬러드]
형 색깔이 있는, 물든, 채색된
a *colored* paper 색종이
a *colored* pencil 색연필

**col•o(u)r•ful** *colo(u)rful*
[kʌ́lərfəl 컬러펄]
형 화려한, 다채로운
a *colorful* dress 화려한 옷
*colorful* events 다채로운 행사

**col•umn** *column*
[kɑ́ləm 칼럼]
n은 발음하지 않음.
명 (복수 **columns** [kɑ́ləmz 칼럼즈])
❶ (신문 · 잡지의) 난(欄), 단(段)
the sports *column* 스포츠 난
❷ (그리스 · 로마시대의) 원기둥; 기둥
a *column* of water 물기둥

**comb** *comb*
[kóum 코움]
b는 발음하지 않음.

명 (복수 **combs** [kóumz 코움즈])
(머리) 빗; (닭의) 볏
Do you have a *comb*?
빗 갖고 있니?
— 타 (3단현 **combs** [kóumz 코움즈], 과거 · 과분 **combed** [kóumd 코움드], 현분 **combing** [kóumiŋ 코우밍])
(머리를) 빗다
Jane *combs* her hair every morning.
제인은 매일 아침 머리를 빗는다.

**com•bat** *combat*
[kámbæt 캄뱃]
명 결투, 격투; 전투 (동 battle)
He got wounded in *combat*.
그는 전투 중에 부상을 입었다.

**com•bi•na•tion**
*combination*
[kɑ̀mbənéiʃən 캄버네이션]
명 (복수 **combinations** [kɑ̀mbənéiʃənz 캄버네이션즈])
결합, 배합; 연합
Green is a *combination* of yellow and blue. 초록색은 노란색과 파란색이 배합된 것이다.

**com•bine** *combine*
[kəmbáin 컴바인]
타자 (3단현 **combines** [kəmbáinz 컴바인즈], 과거 · 과분 **combined** [kəmbáind 컴바인드], 현분 **combining** [kəmbáiniŋ 컴바이닝])
결합시키다, 혼합시키다; 합쳐지다
We *combined* our efforts.
우리는 힘을 합쳐 노력했다.

**⁑come** *come*
[kʌ́m 컴]
자 (3단현 **comes** [kʌ́mz 컴즈], 과거 **came** [kéim 케임], 과분 **come** [kʌ́m 컴], 현분 **coming** [kʌ́miŋ 커밍])
❶ (이야기하는 사람 쪽으로) 오다; (상대방이 있는 쪽으로) 가다
"*Come* here, Jim." "Yes, I'm *coming*."
「짐, 이리와.」「예, 지금 갑니다.」

**어법** come과 go
대체로 우리는 **come**을 「오다」, **go**를 「가다」로 구분해서 쓰지만, 대화의 상대가 있는 쪽으로 가는 경우에는 go가 아니라 come을 쓴다:
May I *come* to your house?
댁으로 찾아가도 될까요?

❷ (계절 · 때가) 돌아오다; (어떤 지점에) 도착하다
Spring has *come*. 봄이 왔다.
The last train *comes* at eleven.
마지막 열차는 11시에 도착한다.

❸ 《to 부정사와 함께》 …하게 되다
In time you'll *come to* like it.
때가 되면 당신은 그것을 좋아하게 될 것입니다.
❹ (생각 따위가) 떠오르다; (감정 따위가) 나타나다
A thought *came* into my head.
한 가지 생각이 내 머리에 떠올랐다.

숙어 ***come about*** (사건이) 일어나다, 발생하다 (동 happen)
How did the accident *come about*? 어떻게 해서 그 사건이 일어났습니까?
***come across*** …와 우연히 만나다, …을 문득 찾아내다
I *came across* him on the bus yesterday.
어제 우연히 버스에서 그를 만났다.
***come along*** 동행하다; 다가오다
*Come along* with me.
나와 함께 갑시다.
***come around*** 돌아오다; 찾아오다
Christmas has *come around* again. 크리스마스가 다시 돌아왔다.
***come back*** 돌아오다, 되돌아오다
He *came back* in the evening.
그는 저녁 때 돌아왔다.
***come from*** …의 출신이다
He *comes from* Brazil.
그는 브라질 출신이다.
***come in*** 들어오다, 입장하다
Please *come in*. 어서 들어오세요.
***come into*** …에 들어가다
Alice *came into* my room.
앨리스가 내 방에 들어왔다.
***come of*** …에서 생기다〔태어나다〕
She *comes of* a good family.
그녀는 좋은 가문 태생이다.
***Come on.*** 자자; 제발
*Come on*, hurry up!
자, 서둘러라
***come out*** 돋아나오다, 나타나다
The moon has not *come out* yet. 달이 아직 뜨지 않았다.
***come over*** 멀리서 오다
***come true*** (꿈 등이) 실현되다
His dream has *come true*.
그의 꿈이 실현되었다.
***come up*** (해 · 달이) 떠오르다 (동 rise); 올라오다; 찾아오다, 다가오다
The sun *came up* on the horizon. 태양이 지평선에 떠올랐다.

## com•e•dy *comedy*
[kάmədi 카머디]
명 (복수 **comedies** [kάmədiz 카머디즈]) 희극 (반 tragedy 비극)
We saw a *comedy* last Sunday.
우리는 지난 일요일 희극을 구경했다.

## com•fort *comfort*
[kʌ́mfərt 컴퍼트]
명 ❶ 위로, 위안
Your letter gave me great

*comfort*. 당신의 편지가 나에게 큰 위안을 주었습니다.
❷ 안락; 안일
They lived in *comfort*.
그들은 안락하게 살았다.

***com•fort•a•ble** *comfortable*
[kʌ́mfərtəbl 컴퍼터블]
형 기분 좋은, 편안한; 안락한
This sofa is very *comfortable*.
이 소파는 매우 편안하다.

**com•fort•a•bly** *comfortably*
[kʌ́mfərtəbli 컴퍼터블리]
부 안락하게, 편안하게

**com•ic** *comic*
[kάmik 카믹]
명 《복수형으로》 만화
—형 희극의; 익살맞은, 우스꽝스런
He is a *comic* actor.
그는 희극 배우이다.

**com•ing** *coming*
[kʌ́miŋ 커밍]
형 다가오는; 다음의, 이번의
We will go to the sea during the *coming* summer. 이번 여름에 우리는 바다로 갈 것이다.

**com•ma** *comma*
[kάmə 카머]
명 (복수 **commas** [kάməz 카머즈]) (구두점 중의) 콤마 《,》

***com•mand** *command*
[kəmǽnd 커맨드]
타 (3단현 **commands** [kəmǽndz 커맨즈], 과거 · 과분 **commanded** [kəmǽndid 커맨디드], 현분 **commanding** [kəmǽndiŋ 커맨딩])
❶ 명령하다; 지휘하다
The general *commanded* his men to march forward.
장군은 그의 부하들에게 전진하라고 명령했다.

❷ (경치를) 조망하다, 내려다보다
That house *commands* a fine view of the sea. 저 집에서는 멋진 바다 경치가 보인다.
—명 (복수 **commands** [kəmǽndz 커맨즈]) 명령, 지휘

**com•ment** *comment*
[kάment 카멘트]
명 (복수 **comments** [kάments 카멘츠])
논평, 해설, 비평
He made this *comment* on the accident. 그 사건에 대하여 그는 이런 논평을 했다.
—자 (3단현 **comments** [kάments 카멘츠], 과거 · 과분 **commented** [kάmentid 카멘티드]), 현분 **com-**

menting [kάmentiŋ 카멘팅])
비평하다, 해설하다 《on》
Everyone *commented on* her.
모두가 그녀에 대해 비평했다.

**com•merce** *commerce*
[kάmə:rs 카머-스]
명 《a와 복수형 안 씀》 상업, 무역
This port is famous for foreign *commerce*.
이 항구는 외국 무역으로 유명하다.

**com•mer•cial** *commercial*
[kəmə́:rʃəl 커머-셜]
명 (복수 **commercials** [kəmə́:rʃəlz 커머-셜즈]) 광고 방송
This program is full of *commercials*. 이 프로그램은 광고 방송이 너무 많다.

—형 상업의, 무역상의
*commercial* correspondence
상업 통신문

**com•mit** *commit*
[kəmít 커밋]
타 (3단현 **commits** [kəmíts 커미츠], 과거 · 과분 **committed** [kəmítid 커미티드], 현분 **committing** [kəmítiŋ 커미팅])
(죄를) 저지르다, 범하다
He *committed* a crime.
그는 범죄를 저질렀다.

**com•mit•tee** *committee*
[kəmíti 커미티]
명 (복수 **committees** [kəmítiz 커미티즈]) 위원, 위원회
The *committee* meets at four.
위원회는 4시에 열린다.

***com•mon** *common*
[kάmən 카먼]
형 (비교급 **more common** 또는 **commoner** [kάmənər 카머너], 최상급 **most common** 또는 **commonest** [kάmənist 카머니스트])
❶ 보통의, 흔한, 평범한
Earthquakes are *common* in Japan.
지진은 일본에서는 흔한 일이다.
❷ 공통의, 공동의, 공유의
The telephone is *common* to the two houses.
그 전화는 두 집에 공동으로 쓰인다.

**com•mu•ni•cate**
*communicate*
[kəmjú:nəkèit 커뮤-너케이트]
자 (3단현 **communicates** [kəmjú:nəkèits 커뮤-너케이츠], 과거 · 과분 **communicated** [kəmjú:nəkèitid 커뮤-너케이티드], 현분 **communicating** [kəmjú:nəkèitiŋ 커뮤-너케이팅])

A B C D E F G H I J K L M N O P Q R S T U V W X Y Z

전하다, 알리다 《to》; 연락하다 《with》
They *communicate with* each other by telephone.
그들은 서로 전화로 연락한다.

**com•mu•ni•ca•tion** *communication*
[kəmjù:nəkéiʃən 커뮤-너케이션]
명 (복수 **communications** [kəmjù:nəkéiʃənz 커뮤-너케이션즈])
❶ 전달, 통신; 연락
Get into *communication* with him. 그와 연락을 취하시오.
❷ 교통 기관
a means of *communication*
교통[통신] 기관

**com•mu•nism** *communism*
[kámjunìzəm 카뮤니점]
명 공산주의

**com•mu•ni•ty** *community*
[kəmjú:nəti 커뮤-너티]
명 (복수 **communities** [kəmjú:nətiz 커뮤-너티즈])
공동(생활)체, 지역 사회
the welfare of the *community*
사회 복지

**com•pan•ion** *companion*
[kəmpǽnjən 컴패니언]
명 (복수 **companions** [kəmpǽnjənz 컴패니언즈])
❶ 동료, 친구 (동 friend)
Her dog is her only *companion*. 그녀의 개가 그녀의 유일한 친구이다.

❷ 길동무, 동행자
a traveling *companion*
여행의 길동무

***com•pa•ny** *company*
[kʌ́mp(ə)ni 컴퍼니]
명 (복수 **companies** [kʌ́mp(ə)niz 컴퍼니즈])
❶ 동료, 친구, 벗
He keeps good *companies*.
그는 좋은 친구들과 사귀고 있다.

❷ 회사, 상사, 상회
His mother works in an insurance *company*.
그의 어머니는 보험 회사에서 일한다.
❸ 《a와 복수형 안 씀》 접촉, 교제
You should avoid bad com-

A B C D E F G H I J K L M N O P Q R S T U V W X Y Z

pany. 나쁜 친구와 교제하는 건 피해야 한다.

**com•par•a•tive** *comparative*
[kəmpǽrətiv 컴패러티브]
형 비교에 의한; 비교상의
—명 〖문법〗 《the를 붙여》 비교급

***com•pare** *compare*
[kəmpέər 컴페어]
타자 (3단현 **compares** [kəmpέərz 컴페어즈], 과거 · 과분 **compared** [kəmpέərd 컴페어드], 현분 **comparing** [kəmpέ(ə)riŋ 컴페(어)링])
❶ (…와) 비교하다, 견주다
*Compare* your car with his.
너의 차와 그의 차를 비교해 보아라.
❷ (…에) 비기다, 비유하다 《to》
Man's life is often *compared to* a candle. 인간의 생명은 흔히 촛불에 비유된다.

**com•par•i•son** *comparison*
[kəmpǽrəsn 컴패러슨]
명 (복수 **comparisons** [kəmpǽrəsnz 컴패러슨즈])
비교, 대조

**com•pass** *compass*
[kʌ́mpəs 컴퍼스]
명 (복수 **compasses** [kʌ́mpəsiz 컴퍼시즈]) ❶ 나침반
They used a *compass* to go out of the woods. 그들은 숲을 빠져나가기 위해 나침반을 사용했다.

❷ 《복수형으로》 (제도용) 컴퍼스

**com•pete** *compete*
[kəmpíːt 컴피-트]
자 (3단현 **competes** [kəmpíːts 컴피-츠], 과거 · 과분 **competed** [kəmpíːtid 컴피-티드], 현분 **competing** [kəmpíːtiŋ 컴피-팅])
경쟁하다, 겨루다; (경기에) 참가하다
Five teams *competed* for the prize.
그 상을 타려고 다섯 팀이 겨루었다.

**com•pe•ti•tion** *competition*
[kɑ̀mpətíʃən 캄퍼티션]
명 (복수 **competitions** [kɑ̀mpətíʃənz 캄퍼티션즈])
경쟁, 경기, 시합 (동 contest, match)

a hockey *competition* 하키 경기
an international piano *competition* 국제 피아노 경연대회

**com•plain** *complain*
[kəmpléin 컴플레인]
자 (3단현 **complains** [kəmpléinz 컴플레인즈], 과거 · 과분 **complained** [kəmpléind 컴플레인드], 현분 **complaining** [kəmpléiniŋ 컴플레이닝])
불평하다, 투덜대다 ((about)); (고통 따위를) 호소하다 ((of))
He never *complains about* the food. 그는 절대 음식에 대해서 불평하지 않는다.

He *complained of* headache.
그는 두통을 호소했다.

**com•plaint** *complaint*
[kəmpléint 컴플레인트]
명 (복수 **complaints** [kəmpléints 컴플레인츠]) 불평, 푸념

**com•ple•ment** *complement*
[kámplimənt 캄플리먼트]
명 (복수 **complements** [kámpləmənts 캄플러먼츠])
〖문법〗 보어(補語)

*__com•plete__ *complete*
[kəmplí:t 컴플리-트]
형 ❶ 완전한; 전적인 (동 perfect)
He has the *complete* works of Shakespeare.
그는 셰익스피어 전집을 갖고 있다.
It was a *complete* failure.
그것은 전적인 실패였다.
❷ 완성한; 끝마친 (동 finished)
My work is now *complete*.
내 작업은 지금 완료되었다.

—타 (3단현 **completes** [kəmplí:ts 컴플리-츠], 과거 · 과분 **completed** [kəmplí:tid 컴플리-티드], 현분 **completing** [kəmplí:tiŋ 컴플리-팅])
완성하다; 완료하다 (동 finish)
She *completed* her homework.
그녀는 숙제를 끝마쳤다.

**com•plete•ly** *completely*
[kəmplí:tli 컴플리-틀리]
부 (비교급 **more completely**, 최상급 **most completely**)
완전히, 전적으로
The building was *completely* destroyed by fire. 그 건물은 화재로 완전히 파괴되었다.

**com•plex** *complex*
[kəmpléks 컴플렉스]
형 (비교급 **more complex**, 최상급 **most complex**)
복잡한 (반 simple 단순한)
A car is a very *complex* machine. 자동차는 매우 복잡한 기계이다.

A B C D E F G H I J K L M N O P Q R S T U V W X Y Z

— 명 [kάmpleks 캄플렉스] (복수 **complexes** [kάmpleksiz 캄플렉시즈]) 복합체, 집합체; 『심리』 콤플렉스
a housing *complex* 주택 단지

**com•pli•cat•ed** *complicated*
[kάmpləkèitid 캄플러케이티드]
형 복잡한, 뒤얽힌

**com•pose** *compose*
[kəmpóuz 컴포우즈]
타 (3단현 **composes** [kəmpóuziz 컴포우지즈], 과거 · 과분 **composed** [kəmpóuzd 컴포우즈드], 현분 **composing** [kəmpóuziŋ 컴포우징])
❶ 조립하다, 구성하다
The committee was *composed* of ten members. 위원회는 10명의 회원으로 구성되었다.
❷ (소설이나 시를) 짓다, 작곡하다
Ann *composes* a piece of music every month.
앤은 매월 음악 한 곡을 작곡한다.

**com•pos•er** *composer*
[kəmpóuzər 컴포우저]
명 (복수 **composers** [kəmpóuzərz 컴포우저즈]) 작곡가

***com•po•si•tion** *composition*
[kὰmpəzíʃən 캄퍼지션]
명 (복수 **compositions** [kὰmpəzíʃənz 캄퍼지션즈])
❶ 작문, 작곡
He learns English *composition*. 그는 영작문을 배운다.
❷ 구성, 구조, 성분

**com•pre•hen•sion**
*comprehension*
[kὰmprihénʃən 캄프리헨션]
명 이해, 이해력

**com•pul•so•ry** *compulsory*
[kəmpʌ́lsəri 컴펄서리]
형 의무적인, 강제적인 (반 voluntary 자발적인)
Education is *compulsory* for children.
교육은 아이들에게는 의무적이다.

***com•put•er** *computer*
[kəmpjú:tər 컴퓨-터]
명 (복수 **computers** [kəmpjú:tərz 컴퓨-터즈]) 컴퓨터, 전자계산기

**con•ceive** *conceive*
[kənsí:v 컨시-브]
타 (3단현 **conceives** [kənsí:vz 컨시-브즈], 과거 · 과분 **conceived** [kənsí:vd 컨시-브드], 현분 **conceiving** [kənsí:viŋ 컨시-빙])
(계획 따위를) 생각해내다, (감정 따위를) 마음에 품다

Who *conceived* the plot?
누가 그 음모를 꾸민거지?

**con•cen•trate** *concentrate*
[kɑ́nsəntrèit 칸선트레이트]
타자 (3단현 **concentrates** [kɑ́nsəntrèits 칸선트레이츠], 과거 · 과분 **concentrated** [kɑ́nsəntrèitid 칸선트레이티드], 현분 **concentrating** [kɑ́nsəntrèitiŋ 칸선트레이팅])
집중〔몰두〕하다; 전념하다 《on》

I cannot *concentrate* my attention *on* my work. 나는 일에 주의력을 집중할 수 없다.

***con•cern** *concern*
[kənsə́ːrn 컨선-]
타 (3단현 **concerns** [kənsə́ːrnz 컨선-즈], 과거 · 과분 **concerned** [kənsə́ːrnd 컨선-드], 현분 **concerning** [kənsə́ːrniŋ 컨서-닝])
❶ (…에) 관계가 있다

It doesn't *concern* me.
그것은 나와 관계가 없다.

❷ 《흔히 수동태로》 관련시키다, 유의하다 《in, with, about》

He *is* not *concerned with* the crime. 그는 그 범죄에 관련이 없다.

❸ 《수동태로 또는 oneself와 함께》 걱정시키다 《about, for》

He *is concerned for* his children. 그는 자녀들 일로 걱정이다.

**—** 명 (복수 **concerns** [kənsə́ːrnz 컨선-즈]) (이해) **관계**;, 관심, 걱정

It is no *concern* of mine.
그것은 내가 상관할 일이 아니다.

***con•cert** *concert*
[kɑ́nsə(ː)rt 칸서(-)트]
명 (복수 **concerts** [kɑ́nsə(ː)rts 칸서(-)츠]) 음악회, 연주회, 콘서트

She gave *concerts* in many cities. 그녀는 많은 도시에서 음악회를 열었다.

**con•clude** *conclude*
[kənklúːd 컨클루-드]
타 (3단현 **concludes** [kənklúːdz 컨클루-즈], 과거 · 과분 **concluded** [kənklúːdid 컨클루-디드], 현분 **concluding** [kənklúːdiŋ 컨클루-딩])
❶ 결정하다, 결심하다 (동 decide)

He *concluded* that he would go. 그는 가기로 결정했다.

a b c d e f g h i j k l m n o p q r s t u v w x y z

A B C D E F G H I J K L M N O P Q R S T U V W X Y Z

❷ 결론짓다, 단정하다
We *concluded* that the report was correct. 우리는 그 보고가 정확하다고 단정했다.
❸ 끝내다, 마치다
He *concluded* his speech.
그는 연설을 마쳤다.

**con•clu•sion** *conclusion*
[kənklúːʒən 컨클루-전]
명 (복수 **conclusions** [kənklúːʒənz 컨클루-전즈])
종결, 결말, 끝 (동 end); 결론
What *conclusion* did you reach?
당신은 어떤 결론에 도달했습니까?
숙어 ***in conclusion*** 결론적으로; 요컨대

**con•crete** *concrete*
[kɑ́nkriːt 칸크리-트]
형 구체적인; 명확한
Our project is not yet *concrete*.
우리의 계획은 아직 명확하지 않다.
—명 콘크리트

**con•di•tion** *condition*
[kəndíʃən 컨디션]
명 (복수 **conditions** [kəndíʃənz 컨디션즈])
❶ 조건; 《복수형으로》 사정, 상황
Health is a *condition* of happiness.
건강은 행복의 한 가지 조건이다.
❷ (사물의) 상태, 건강 상태
I am in good〔poor〕 *condition*.
나는 몸이 좋은〔좋지 않은〕 상태이다.

***con•duct** *conduct*
[kəndʌ́kt 컨덕트]
타 (3단현 **conducts** [kəndʌ́kts 컨덕츠], 과거 · 과분 **conducted** [kəndʌ́ktid 컨덕티드], 현분 **conducting** [kəndʌ́ktiŋ 컨덕팅])
❶ 안내하다, 인도하다
The guide *conducted* us through the museum. 가이드는 우리에게 박물관 안을 안내해 주었다.

❷ (음악 따위를) 지휘하다
He *conducted* the orchestra.
그는 오케스트라를 지휘했다.
❸ 《oneself와 함께》 처신하다, 행동하다
She *conducted herself* well at the party.
그녀는 파티에서 훌륭하게 처신했다.
—명 [kɑ́ndʌkt 칸덕트] 《a와 복수형 안 씀》 행위, 행실, 품행
good〔bad〕 *conduct* 선행〔비행〕

**con•duc•tor** *conductor*
[kəndʌ́ktər 컨덕터]
명 (복수 **conductors** [kəndʌ́ktərz

컨덕터즈]) ❶ 안내자 (㊐ guide); (버스 · 열차의) 차장
❷ (오케스트라 따위의) 지휘자

**cone** *cone*
[kóun 코운]
명 (복수 **kounz** [kóunz 코운즈])
❶ 원뿔꼴, 원추형(圓錐形)
❷ (소프트 아이스크림의) 콘

**con•fer•ence** *conference*
[kɑ́nf(ə)rəns 칸퍼런스]
명 (복수 **conferences** [kɑ́nf(ə)rənsiz 칸퍼런시즈])
협의, 회의; (유명인의) 기자 회견
a press *conference* 기자 회견
They are in *conference* now.
그들은 지금 회의 중이다.

**con•fi•dence** *confidence*
[kɑ́nfədəns 칸퍼던스]
명 (복수 **confidences** [kɑ́nfədənsiz 칸퍼던시즈])
❶ 신임, 신뢰 《in》 (㊐ trust)
I have *confidence in* him.
나는 그를 신뢰한다.
❷ 자신, 확신
Don't lose *confidence*.
자신감을 잃지 마라.

**con•fi•dent** *confident*
[kɑ́nfəd(ə)nt 칸퍼던트]
형 (비교급 **more confident**, 최상급 **most confident**)
확신하는, 자신 있는 《of》
We were *confident of* victory.
우리는 승리를 확신하고 있었다.

**con•firm** *confirm*
[kənfə́:rm 컨펌-]
타 (3단현 **confirms** [kənfə́:rmz 컨펌-즈], 과거 · 과분 **confirmed** [kənfə́:rmd 컨펌-드], 현분 **confirming** [kənfə́:rmiŋ 컨퍼-밍])
(…을) 확실히 하다, 확인하다
Our suspicion was *confirmed*.
우리들의 의심은 확실해졌다.

**con•flict** *conflict*
[kɑ́nflikt 칸플릭트]
명 (복수 **conflicts** [kɑ́nflikts 칸플릭츠]) 투쟁, 싸움; (의견의) 충돌
a *conflict* of opinions 의견 충돌

**con•fuse** *confuse*
[kənfjú:z 컨퓨-즈]
타 (3단현 **confuses** [kənfjú:ziz 컨퓨-지즈], 과거 · 과분 **confused** [kənfjú:zd 컨퓨-즈드], 현분 **confusing** [kənfjú:ziŋ 컨퓨-징])
❶ 《**be confused**로》 당황하게 하다, 혼란시키다
I *was confused* by the question.
나는 그 질문을 받고 당황했다.

A B C D E F G H I J K L M N O P Q R S T U V W X Y Z

❷《**confuse ... with ~**로》…을 ~와 혼동하다
I often *confuse* him *with* his brother. 나는 자주 그를 그의 동생과 혼동한다.

## *con•grat•u•late

*congratulate*
[kəngrǽtʃulèit 컨그래출레이트]
타 (3단현 **congratulates** [kəngrǽtʃulèits 컨그래출레이츠], 과거 · 과분 **congratulated** [kəngrǽtʃulèitid 컨그래출레이티드], 현분 **congratulating** [kəngrǽtʃulèitiŋ 컨그래출레이팅])
축하하다, 축하 인사를 하다
I *congratulate* you on your success. 당신의 성공을 축하합니다.

## con•grat•u•la•tion

*congratulation*
[kəngrӕtʃuléiʃən 컨그래출레이션]
명 (복수 **congratulations** [kəngrӕtʃuléiʃənz 컨그래출레이션즈])
축하, 경하; 《복수형으로》 축하의 말
It's your birthday today? *Congratulations*!
오늘이 생일이지요? 축하합니다!

## con•gress

*congress*
[kɑ́ŋgrəs 캉그러스]
명 (복수 **congresses** [kɑ́ŋgrəsiz 캉그러시즈])
❶ (대표자들의) 회의, 대회
❷《**Congress**로》(미국의) 국회, 의회

참고 미국의 국회는 **Congress**로 상원과 하원으로 구성되어 있다. 영국의 의회는 **Parliament**, 일본 국회는 **Diet**, 한국 국회는 **the National Assembly**이다.

## con•junc•tion

*conjunction*
[kəndʒʌ́ŋ(k)ʃən 컨정(크)션]
명 (복수 **conjunctions** [kəndʒʌ́ŋ(k)ʃənz 컨정(크)션즈])
〖문법〗 접속사 (약 conj.)

참고 문장 중의 단어와 단어, 구와 구, 절과 절 따위를 연결하는 기능을 가진 말을 접속사라고 한다.
He bought a *watch* **and** a *camera*. 그는 시계와 카메라를

샀다. 《단어와 단어》
She will come here *early in the morning* **or** *late at night.* 그녀는 아침 일찍이든지 밤늦게 이곳에 올 것이다. 《구와 구》
*Tom went there,* **but** *his sister didn't.* 톰은 거기에 갔지만 그의 누이는 가지 않았다. 《절과 절》

***con•nect** *connect*
[kənékt 커넥트]
타자 (3단현 **connects** [kənékts 커넥츠], 과거 · 과분 **connected** [kənéktid 커넥티드], 현분 **connecting** [kənéktiŋ 커넥팅])
잇다, 연결하다; 관계하다
*Connect* the hose to the faucet.
호스를 수도꼭지에 연결해라.

She was *connected* with the crime.
그녀는 그 범죄와 관련되어 있었다.

**con•nec•tion** *connection*
[kənékʃən 커넥션]
명 (복수 **connections** [kənékʃənz 커넥션즈]) ❶ 접속, 연결
❷ 관계, 관련 (동 relation)
I cut the *connection* with him.
나는 그와 관계를 끊었다.

**con•quer** *conquer*
[káŋkər 캉커]
타 (3단현 **conquers** [káŋkərz 캉커즈], 과거 · 과분 **conquered** [káŋkərd 캉커드], 현분 **conquering** [káŋkəriŋ 캉커링])
정복하다; 극복하다; 이기다
*conquer* the enemy 적을 이기다
He *conquered* his bad habit of drinking. 그는 술 마시는 나쁜 버릇을 극복했다.

**con•quer•or** *conqueror*
[káŋkərər 캉커러]
명 (복수 **conquerors** [káŋkərərz 캉커러즈]) 정복자

**con•science** *conscience*
[kánʃəns 칸션스]
명 《a와 복수형 안 씀》 양심
She always acted according to her *conscience.* 그녀는 항상 양심에 따라 행동했다.

**con•scious** *conscious*
[kánʃəs 칸셔스]
형 (비교급 **more conscious**, 최상급 **most conscious**)
의식[자각]하고 있는, 알고 있는 《of》
I am *conscious of* my weakness. 나는 내 약점을 알고 있다.

***con•sent** *consent*
[kənsént 컨센트]
자 (3단현 **consents** [kənsénts 컨센츠], 과거 · 과분 **consented** [kənséntid 컨센티드], 현분 **consenting** [kənséntiŋ 컨센팅])
승낙[동의]하다 《to》 (동 agree)
Mother *consented to* my going to the United States. 어머니는 내가 미국에 가는 것을 승낙했다.
—명 승낙, 동의, 승인

**con•se•quence**
*consequence*
[kάnsikwèns 칸시퀜스]
명 (복수 **consequences** [kάnsikwènsiz 칸시퀜시즈])
❶ 결과 (동 result)
❷ 중요성 (동 importance)

***con•sid•er** *consider*
[kənsídər 컨시더]
타자 (3단현 **considers** [kənsídərz 컨시더즈], 과거 · 과분 **considered** [kənsídərd 컨시더드], 현분 **considering** [kənsídəriŋ 컨시더링])
❶ (잘) 생각하다, 고려하다
*Consider* carefully before doing anything. 무언가를 하기 전에 곰곰이 생각해 보아라.

❷ (…라고) 생각하다, 여기다
I *consider* him a very good actor. 나는 그를 매우 훌륭한 배우라고 생각한다.

**con•sid•er•a•ble**
*considerable*
[kənsídərəbl 컨시더러블]
형 ❶ 주목할 만한, 중요한 (동 important)
❷ (수량이) 상당한, 적지 않은
There came a *considerable* number of people.
상당한 수의 사람들이 왔다.

***con•sist** *consist*
[kənsíst 컨시스트]
자 (3단현 **consists** [kənsísts 컨시스츠], 과거 · 과분 **consisted** [kənsístid 컨시스티드], 현분 **consisting** [kənsístiŋ 컨시스팅])
❶ …으로 이루어지다, 구성되다 《of》
My family *consists of* four members.
우리 가족은 네 사람이다.

❷ …에 있다, …에 존재하다 《in》
Happiness *consists in* contentment. 행복이란 만족에 있다.

**con•stant** *constant*
[kάnstənt 칸스턴트]
형 (비교급 **more constant**, 최상급 **most constant**)
끊임없는, 한결같은, 변함없는

He drove at a *constant* speed.
그는 한결같은 속도로 차를 몰았다.

**con•sti•tute** *constitute*
[kánstitjùːt 칸스티튜-트]
타 (3단현 **constitutes** [kánstitjùːts 칸스티튜-츠], 과거 · 과분 **constituted** [kánstitjùːtid 칸스티튜-티드], 현분 **constituting** [kánstitjùːtiŋ 칸스티튜-팅])
구성하다, 이루다 (동 compose)
Twelve months *constitute* a year. 12개월로 1년이 된다.

**con•sti•tu•tion** *constitution*
[kànstit(j)úːʃən 칸스티투〔튜〕-션]
명 (복수 **constitutions** [kànstit(j)úːʃənz 칸스티투〔튜〕-션즈])
헌법; 구조; 체격
a written *constitution* 성문 헌법
He has a good *constitution*.
그는 좋은 체격을 갖고 있다.

***con•struct** *construct*
[kənstrʌ́kt 컨스트럭트]
타 (3단현 **constructs** [kənstrʌ́kts 컨스트럭츠], 과거 · 과분 **constructed** [kənstrʌ́ktid 컨스트럭티드], 현분 **constructing** [kənstrʌ́ktiŋ 컨스트럭팅])
건설하다, 짓다 (동 build, 반 destroy 파괴하다)

They *constructed* a factory.
그들은 공장을 지었다.

**con•struc•tion** *construction*
[kənstrʌ́kʃən 컨스트럭션]
명 (복수 **constructions** [kənstrʌ́kʃənz 컨스트럭션즈])
건조, 건설; 건축물; 구조
under *construction* 공사 중에

**con•sult** *consult*
[kənsʌ́lt 컨설트]
동 (3단현 **consults** [kənsʌ́lts 컨설츠], 과거 · 과분 **consulted** [kənsʌ́ltid 컨설티드], 현분 **consulting** [kənsʌ́ltiŋ 컨설팅])
—자 상의하다, 상담하다 《with》
He *consulted with* his lawyer.
그는 변호사와 상담했다.

—타 ❶ (전문가의) 조언을 구하다; (의사의) 진찰을 받다
You must *consult* a doctor.
너는 의사의 진찰을 받아야 한다.
❷ (사전을) 찾아보다, 조사하다
*Consult* your dictionary for these words.
이 단어들을 사전에서 찾아봐라.

**con•tact** *contact*
[kántækt 칸택트]
명 (복수 **contacts** [kántækts 칸택

츠]) 접촉 (㊐ touch); 교제, 연락
I made *contact* with her.
나는 그녀와 연락을 취했다.
—타 (3단현 **contacts** [kάntækts 칸택츠], 과거 · 과분 **contacted** [kάntæktid 칸택티드], 현분 **contacting** [kάntæktiŋ 칸택팅])
연락하다
Please *contact* me next week.
다음 주에 나에게 연락하세요.

## con•tain *contain*
[kəntéin 컨테인]
타 (3단현 **contains** [kəntéinz 컨테인즈], 과거 · 과분 **contained** [kəntéind 컨테인드], 현분 **containing** [kəntéiniŋ 컨테이닝])
담고 있다; 내포하다; 수용하다
This box *contains* eight apples.
이 상자에는 사과가 8개 들어 있다.

## con•tain•er *container*
[kəntéinər 컨테이너]
명 (복수 **containers** [kəntéinərz 컨테이너즈])
그릇, 용기; (화물 수송용) 컨테이너

## con•tem•po•rar•y *contemporary*
[kəntémpərèri 컨템퍼레리]
명 (복수 **contemporaries** [kəntémpərèriz 컨템퍼레리즈])
같은 시대[연배]의 사람
—형 현대의; 같은 시대의
a dictionary of *contemporary* English 현대 영어 사전

## con•tent[1] *content*
[kάntent 칸텐트]
명 (복수 **contents** [kάntents 칸텐츠]) ❶ 용량, 용적
❷ 내용; 《복수형으로》 목차
Before buying a book, I look at the table of *contents*.
책을 사기 전에 나는 목차를 본다.

## *con•tent[2] *content*
[kəntént 컨텐트]
형 (비교급 **more content**, 최상급 **most content**)
《명사 앞에서 안 씀》 만족한, 흡족한 (㊐ satisfied)
I am *content* to live in the country.
나는 시골에 사는 것에 만족한다.

—타 (3단현 **contents** [kənténts 컨텐츠], 과거 · 과분 **contented** [kənténtid 컨텐티드], 현분 **contenting** [kənténtiŋ 컨텐팅])
《oneself와 함께》 만족시키다 《with》
He *contents himself with* small success.
그는 작은 성공에 만족해 한다.

**con•tent•ment** *contentment*
[kənténtmənt 컨텐트먼트]
명 만족, 흡족; 안도
with a sigh of *contentment*
안도의 한숨을 내쉬며

*__con•test__ *contest*
[kántest 칸테스트]
명 (복수 **contests** [kántests 칸테스츠]) 경쟁, 경기 (동 competition)
a beauty *contest* 미인 선발 대회

The speech *contest* was held on Saturday.
웅변대회가 토요일에 개최되었다.

**con•ti•nent** *continent*
[kántənənt 칸터넌트]
명 (복수 **continents** [kántənənts 칸터넌츠]) 대륙; 《**the Continent**로》 (영국에서 보아) 유럽 대륙
The United States is on the *continent* of North America.
미국은 북아메리카 대륙에 있다.

⁑**con•tin•ue** *continue*
[kəntínju: 컨티뉴-]
동 (3단현 **continues** [kəntínju:z 컨티뉴-즈], 과거 · 과분 **continued** [kəntínju:d 컨티뉴-드], 현분 **continuing** [kəntínju:iŋ 컨티뉴-잉])
— 타 (…을) 계속하다, 속행하다
He *continued* reading the book.
그는 책을 계속 읽었다.
— 자 계속되다; 이어지다
The rain *continued* all day.
비는 온종일 내렸다.

**con•tin•u•ous** *continuous*
[kəntínjuəs 컨티뉴어스]
형 계속되는, 끊임없는
a *continuous* line of cars
계속 이어지는 차량 행렬

**con•tract** *contract*
[kəntrǽkt 컨트랙트]
☺ 품사에 따라 발음과 악센트가 다름.
자 (3단현 **contracts** [kəntrǽkts 컨트랙츠], 과거 · 과분 **contracted** [kəntrǽktid 컨트랙티드], 현분 **contracting** [kəntrǽktiŋ 컨트랙팅])
계약하다
They *contracted* to build a new dam. 그들은 새 댐을 건설하기로 계약했다.

—명 (복수 **contracts** [kάntrækts 칸트랙츠]) 계약, 계약서

**con•tra•ry** *contrary*
[kάntreri 칸트레리]
명 (복수 **contraries** [kάntreriz 칸트레리즈]) 《the를 붙여》 반대(의 것)
The *contrary* of 'hot' is 'cold'.
「뜨거운」의 반대말은 「차가운」이다.
숙어 ***on the contrary*** 그와 반대로, 그렇기는 커녕
—형 반대의 (동 opposite); 거꾸로의
I have a *contrary* opinion.
나는 반대 의견을 갖고 있다.

**con•trast** *contrast*
[kάntræst 칸트래스트]
명 (복수 **contrasts** [kάntræsts 칸트래스츠]) 대조, 대비; 현저한 차이
There is a *contrast* between A and B.
A와 B에는 현저한 차이가 있다.
—타자 (3단현 **contrasts** [kəntrǽsts 컨트래스츠], 과거 · 과분 **contrasted** [kəntrǽstid 컨트래스티드], 현분 **contrasting** [kəntrǽstiŋ 컨트래스팅])
대조하다; 현저한 차이를 보이다
His words *contrast* with his actions. 그의 말은 행동과 딴판이다.

**con•trib•ute** *contribute*
[kəntríbjuːt 컨트리뷰-트]
타자 (3단현 **contributes** [kəntríbjuːts 컨트리뷰-츠], 과거 · 과분 **contributed** [kəntríbjuːtid 컨트리뷰-티드], 현분 **contributing** [kəntríbjuːtiŋ 컨트리뷰-팅])
❶ 기여[공헌]하다
His father's fame *contributed* to his success. 아버지의 명성이 그의 성공에 기여했다.
❷ 기부하다 《to》
He *contributed* a lot of money *to* the Red Cross. 그는 적십자사에 많은 돈을 기부했다.

**con•tri•bu•tion** *contribution*
[kὰntrəbjúːʃ(ə)n 칸트러뷰-션]
명 (복수 **contributions** [kὰntrəbjúːʃənz 칸트러뷰-션즈])
기여, 공헌; 기부(금); 기고

***con•trol** *control*
[kəntróul 컨트로울]
타 (3단현 **controls** [kəntróulz 컨트로울즈], 과거 · 과분 **controlled** [kəntróuld 컨트로울드], 현분 **controlling** [kəntróuliŋ 컨트로울링])
지배[지휘 · 통제]하다; 억제하다
He couldn't *control* his horse.
그는 자기 말을 부릴 수가 없었다.

—명 관리, 통제; 억제
She has no *control* over the

children.
그녀는 아이들을 다스리지 못한다.

**con•ven•ience** *convenience*
[kənví:njəns 컨비-니언스]
명 (복수 **conveniences** [kənví:njənsiz 컨비-니언시즈])
편리, 편의; 편리한 것〔설비〕

**con•ven•ient** *convenient*
[kənví:njənt 컨비-니언트]
형 (비교급 **more convenient**, 최상급 **most convenient**)
편리한; 안성맞춤의
This dictionary is *convenient*.
이 사전은 편리하다.

**con•ven•tion** *convention*
[kənvénʃən 컨벤션]
명 (복수 **conventions** [kənvénʃənz 컨벤션즈]) ❶ 집회, 모임, 회의
❷ 관습, 관례
It is a *convention* to say so.
그렇게 말하는 것이 관례이다.

*__con•ver•sa•tion__ *conversation*
[kɑ̀nvərséiʃən 칸버세이션]
명 대화, 회화

I had an interesting *conversation* with her.
나는 그녀와 재미있는 대화를 나누었다.
Let's learn English *conversation*. 영어 회화를 배우자.

**con•vince** *convince*
[kənvíns 컨빈스]
타 (3단현 **convinces** [kənvínsiz 컨빈시즈], 과거 · 과분 **convinced** [kənvínst 컨빈스트], 현분 **convincing** [kənvínsiŋ 컨빈싱])
확신〔납득〕시키다, 설득하다
I *convinced* him of his danger.
나는 그에게 위험하다는 것을 납득시켰다.
숙어 ***be convinced of*** 확신하다
I *am convinced of* his success.
나는 그의 성공을 확신한다.

**cook** *cook*
[kúk 쿡]
타자 (3단현 **cooks** [kúks 쿡스], 과거 · 과분 **cooked** [kúkt 쿡트], 현분 **cooking** [kúkiŋ 쿠킹])
요리하다; (음식이) 요리되다
He is *cooking* dinner.
그는 저녁 요리를 하고 있다.

How are potatoes *cooked*?
감자는 어떻게 요리합니까?
—명 (복수 **cooks** [kúks 쿡스])
요리사, 쿡
She is a *cook* in a hotel.
그녀는 호텔 요리사이다.

a head *cook* 주방장

**cook•ie, cook•y** *cookie, cooky*
[kúki 쿠키]
명 (복수 **cookies** [kúkiz 쿠키즈])
쿠키 ((일종의 비스킷))

***cool** *cool*
[kúːl 쿨-]
형 (비교급 **cooler** [kúːlər 쿨-러], 최상급 **coolest** [kúːlist 쿨-리스트])
❶ 시원한, 서늘한 (반 warm 따뜻한)
It is *cool* in summer here.
이곳은 여름철에 시원하다.

❷ 싸늘한, 냉담한; 침착한
Charles seemed very *cool* towards me today.
찰스는 오늘 나한테 아주 쌀쌀맞게 대하는 것 같았다.
—타자 (3단현 **cools** [kúːlz 쿨-즈], 과거 · 과분 **cooled** [kúːld 쿨-드], 현분 **cooling** [kúːliŋ 쿨-링])
식다, 시원해지다; 식히다, 차게〔서늘하게〕 하다
Open the window to *cool* the room. 방이 시원하게 창문을 열어라.

**co•op•er•ate** *cooperate*
[kouάpərèit 코우아퍼레이트]
자 (3단현 **cooperates** [kouάpərèits 코우아퍼레이츠], 과거 · 과분 **cooperated** [kouάpərèitid 코우아퍼레이티드], 현분 **cooperating** [kouάpərèitiŋ 코우아퍼레이팅])
협력하다, 협동하다
Let's all *cooperate* to get the work done quickly. 우리 모두 협력해서 일을 빨리 끝마칩시다.

**cop•per** *copper*
[kάpər 카퍼]
명 ❶ 구리
❷ (복수 **coppers** [kάpərz 카퍼즈]) 동전 (동 copper coin)

***cop•y** *copy*
[kάpi 카피]
명 (복수 **copies** [kάpiz 카피즈])
❶ 사본, 복사
Please take a *copy* of this letter. 이 편지를 복사해 주세요.

❷ (책 · 잡지 따위) 1부, 1권
Send me three *copies* of 'Gul-

liver's Travels.' 저에게 「걸리버 여행기」 3부 보내주세요.

— 자 (3단현 **copies** [kɑ́piz 카피즈], 과거 · 과분 **copied** [kɑ́pid 카피드], 현분 **copying** [kɑ́piiŋ 카피잉]) 베끼다, 보고 쓰다; 복사하다

*Copy* this page.
이 페이지를 베껴라.

**cord** *cord*
[kɔ́:rd 코-드]
명 (복수 **cords** [kɔ́:rdz 코-즈]) 줄, 노끈; 〚전기〛 코드

**core** *core*
[kɔ́:r 코-]
명 (과일의) 속, 심; 핵심

Apples and pears have *cores*.
사과와 배는 심이 있다.

***corn** *corn*
[kɔ́:rn 콘-]
명 곡물 (《미》 grain); 《미》 옥수수

They grow *corn*.
그들은 곡물을 재배한다.

참고 **corn**은 미국 · 캐나다에서는 옥수수를 가리키고, 영국에서는 곡물, 특히 밀을 말한다. 영국에서 옥수수는 **maize** [méiz] 또는 **Indian corn**이라고 한다.

**⁂cor•ner** *corner*
[kɔ́:rnər 코-너]
명 (복수 **corners** [kɔ́:rnərz 코-너즈]) ❶ 모퉁이, 길모퉁이

There is a bank on the *corner*.
모퉁이에 은행이 있다.

❷ 모서리, 구석

The telephone is in the *corner* of the room.
전화기는 방 구석에 있다.

숙어 ***around the corner*** 모퉁이에;

a b c d e f g h i j k l m n o p q r s t u v w x y z

A B C D E F G H I J K L M N O P Q R S T U V W X Y Z

(시간적으로) 가까이
He lives just *around the corner*. 그는 바로 모퉁이를 돌아가는 곳에 산다.

**corn•flakes** *cornflakes*
[kɔ́ːrnflèiks 콘-플레이크스]
명 《복수형으로》 콘플레이크

***cor•rect** *correct*
[kərékt 커렉트]
형 (비교급 **more correct**, 최상급 **most correct**)
올바른, 정확한 (㊐ accurate, right)
All your answers were *correct*. 너의 답은 모두 맞았다.
That clock shows the *correct* time. 저 시계는 정확한 시간을 가리키고 있다.

—타 (3단현 **corrects** [kərékts 커렉츠], 과거 · 과분 **corrected** [kəréktid 커렉티드], 현분 **correcting** [kəréktiŋ 커렉팅])
고치다, 바로잡다
*Correct* mistakes, if any.
틀린 것이 있으면 바로잡으시오.

**cor•rect•ly** *correctly*
[kəréktli 커렉틀리]
부 올바르게, 틀림없이, 정확히
He can answer all questions *correctly*. 그는 모든 질문에 정확하게 답변할 수 있다.

**cor•re•spond** *correspond*
[kɔ̀ːrəspɑ́nd 코-러스판드]
자 (3단현 **corresponds** [kɔ̀ːrəspɑ́ndz 코-러스판즈], 과거 · 과분 **corresponded** [kɔ̀ːrəspɑ́ndid 코-러스판디드], 현분 **corresponding** [kɔ̀ːrəspɑ́ndiŋ 코-러스판딩])
❶ (…에) 해당하다 《to》, (…와) 일치하다 《with》
The wings of an airplane *correspond to* those of a bird.
비행기의 날개는 새의 날개에 해당한다.
❷ 편지 왕래하다, 통신하다 《with》
She *corresponds with* an American boy. 그녀는 미국 소년과 편지를 교환하고 있다.

**cor•ri•dor** *corridor*
[kɔ́ːridɔ̀ːr 코-리도-]
명 (건물의) 복도; (열차의) 통로
Room 302 is at the end of the *corridor*. 302호실은 복도 끝에 있다.

**cos•mos** *cosmos*
[kɑ́zməs 카즈머스]
명 (복수 **cosmos** [kɑ́zməs 카즈머스], 또는 **cosmoses** [kɑ́zməsiz 카즈머시즈]) 《the를 붙여》 우주, 질서; 〖식물〗 코스모스

*The cosmos* blooms in fall.
코스모스는 가을에 핀다.

**⁑cost** *cost*
[kɔ́ːst 코-스트]
타 (3단현 **costs** [kɔ́ːsts 코-스츠], 과거 · 과분 **cost** [kɔ́ːst 코-스트], 현분 **costing** [kɔ́ːstiŋ 코-스팅])
❶ (비용이) 들다, 값이 …이다
The ring *costs* ten thousand dollars.
이 반지는 값이 10,000달러이다.

❷ (시간 · 노력을) 필요로 하다
Making a dictionary *costs* time and effort. 사전을 만드는 데는 시간과 노력이 필요하다.
— 명 (복수 **costs** [kɔ́ːsts 코-스츠])
❶ 가격, 비용
The *cost* of living is increasing every year.
생활비가 매년 증가하고 있다.
❷ 희생, 손실
Don't work at the *cost* of health. 건강을 희생시키면서까지 일하지 마라.
숙어 ***at all*〔*any*〕 *cost*** 어떤 희생을 치르더라도, 무슨 일이 있어도
I will get the book *at all cost*. 무슨 일이 있더라도 그 책을 입수해야겠다.

**cos•tume** *costume*
[kɑ́st(j)uːm 카스툼[튬]-]
명 (복수 **costumes** [kɑ́st(j)uːmz 카스툼[튬]-즈])
(특정 민족 · 시대의) 복장; (극의) 의상

***cot•tage** *cottage*
[kɑ́tidʒ 카티지]
명 (복수 **cottages** [kɑ́tidʒiz 카티지즈]) 시골집; 오두막; 별장
We spent the weekend at our summer *cottage*. 우리는 여름 별장에서 주말을 보냈다.

There is a *cottage* in the forest. 숲 속에 농가 한 채가 있다.

***cot•ton** *cotton*
[kɑ́tn 카튼]
명 《a와 복수형 안 씀》 면화, 솜

My shirt is made of *cotton*.
내 셔츠는 면제품이다.

**cough** *cough*
[kɔ́:f 코-프]
명 (복수 **coughs** [kɔ́:fs 코-프스]) 기침
—자 (3단현 **coughs** [kɔ́:fs 코-프스], 과거 · 과분 **coughed** [kɔ́:ft 코-프트], 현분 **coughing** [kɔ́:fiŋ 코-핑]) 기침을 하다
She *coughed* hard.
그녀는 기침을 심하게 했다.

***could** *could*
[《약》 kəd 커드; 《강》 kúd 쿠드]
뜻을 강조하거나 문장의 끝에서는 강하게 발음함.
조 can(…할 수 있다)의 과거
❶ 《과거의 사실》 …할 수 있었다
I *could* swim across the river then. 나는 그 당시 강을 헤엄쳐 건널 수 있었다.
❷ 《가정법 과거로 쓰여》 …할 수 있을 텐데 《현재의 사실과 반대되는 가정을 나타냄》
I wish I *could* speak English fluently. 영어를 유창하게 말할 수 있으면 좋을텐데 《사실은 유창하게 말하지 못함》.

❸ 《**Could you...?**로》 …해 주시겠습니까? 《**Can you...?**보다 공손한 부탁임》
*Could you* tell me the way to the city hall? 시청으로 가는 길을 가르쳐 주시겠습니까?

**could•n't** *couldn't*
[kúdnt 쿠든트]
could not의 축약형
I *couldn't* swim last summer.
작년 여름에는 헤엄칠 줄 몰랐다.

**coun•cil** *council*
[káunsl 카운슬]
명 (복수 **councils** [káunslz 카운슬즈]) 회의, 협의회; (지방 자치체의) 의회
The city *council* has decided

A B C D E F G H I J K L M N O P Q R S T U V W X Y Z

to build a new road. 시의회는 새 도로를 건설하기로 결정했다.

**coun•se(l)•lor** *counse(l)lor*
[káunsələr 카운설러]
명 (복수 **counse(l)lors** [káunsələrz 카운설러즈]) (법률 상담 등의) 고문; 《미》 지도 교사
She asked him to see the school *counselor*. 그녀는 그에게 지도 교사를 만나 보라고 요청했다.

**⁑count** *count*
[káunt 카운트]
타자 (3단현 **counts** [káunts 카운츠], 과거 · 과분 **counted** [káuntid 카운티드], 현분 **counting** [káuntiŋ 카운팅])
❶ 세다, 계산하다
He *counted* the apples in the basket.
그는 광주리 속의 사과들을 세었다.

❷ 계산〔셈〕에 넣다, 포함시키다
There were thirty people on the bus, *counting* the driver.
버스 안에는 운전사까지 포함시켜 30명이 있었다.
❸ (…라고) 생각하다, 여기다 (동 consider)
Bill *counts* himself happy.
빌은 자신이 행복하다고 생각한다.
숙어 ***count on*** (…을) 기대하다, 의지하다
Don't *count on* others for help.
다른 사람의 도움을 기대하지 마라.
***count out*** 셈에서 빼다, 제외하다
*Count* me *out*. I don't like the game. 저는 빼 주세요. 그 놀이를 좋아하지 않으니까.
— 명 (복수 **counts** [káunts 카운츠]) 계산, 셈; 〖권투〗 (녹다운) 카운트

**count•er** *counter*
[káuntər 카운터]
명 (복수 **counters** [káuntərz 카운터즈]) (상점) 계산대, 판매대; 계산원
the *counter* in a department store 백화점의 계산대

**count•less** *countless*
[káuntlis 카운틀리스]
형 셀 수 없는, 무수한
The *countless* stars were shining brightly in the sky. 하늘에 무수한 별들이 밝게 빛나고 있었다.

**⁑coun•try** *country*
[kʌ́ntri 컨트리]
명 (복수 **countries** [kʌ́ntriz 컨트리즈]) ❶ 나라, 국토
Is this your first visit to this *country*?
이 나라에 처음 방문하십니까?
✎ country는 영토로서 본 나라로 「국

토」에 중점을 두지만, nation은 사람들의 집합체로 본 나라로 「국민」에 중점을 둔 말임.

❷ 《the를 붙여》 시골, 지방
My grandfather lives in *the country.*
나의 할아버지는 시골에서 사신다.

❸ 《one's를 붙여》 조국, 고국; 고향
England is *my* native *country.*
잉글랜드는 내가 태어난 고향이다.

**coun•try•side** *countryside*
[kʌ́ntrisàid 컨트리사이드]
명 시골, 전원
The *countryside* in Colorado is very beautiful.
콜로라도주의 시골은 매우 아름답다.

**cou•ple** *couple*
[kʌ́pl 커플]
명 (복수 **couples** [kʌ́plz 커플즈]) (짝이 된) 두 개, 한 쌍; 부부

A very nice *couple* moved in next door to us.
아주 멋진 부부가 우리 이웃집으로 이사왔다.
숙어 ***a couple of*** ⓐ 두 개[사람]의
I need *a couple of* glasses.
나는 유리잔 2개가 필요하다.
ⓑ 《미》 두세 개의

**cou•pon** *coupon*
[kú:pɑn 쿠-판]
명 (복수 **coupons** [kú:pɑnz 쿠-판즈]) 쿠폰, 경품 교환권 《점선으로 떼어서 쓸 수 있는 표》

***cour•age** *courage*
[kə́:ridʒ 커-리지]
명 《a와 복수형 안 씀》 용기
a man of *courage* 용기 있는 사람

He didn't have the *courage* to go there.
그는 거기에 갈 용기가 없었다.

**cou•ra•geous** *courageous*
[kəréidʒəs 커레이저스]
형 (비교급 **more courageous**, 최상급 **most courageous**)
용기 있는, 용감한 (동 brave)
a *courageous* action 용감한 행동

⁑**course** *course*
[kɔ́:rs 코-스]

명 (복수 **courses** [kɔ́:rsiz 코-시즈])
❶ 진로; 방향
the *course* of life 인생 행로
The typhoon took its *course* to the west.
태풍은 서쪽으로 진로를 잡았다.
❷ 진행, 경과
He got well with the *course* of time. 시간이 경과함에 따라 그는 건강이 좋아졌다.
❸ (학습) 과정, 코스
She finished her *course* at college. 그녀는 대학 과정을 마쳤다.

숙어 ***as a matter of course*** 물론, 당연한 일
***in the course of*** …의 동안에, …중에 (동 during)
The exhibition will be held *in the course of* this week.
전람회는 이번 주 중에 열릴 것이다.
***of course*** 물론 (동 certainly)
"May I come in?"
"*Of course* you may."
「들어가도 됩니까?」「물론이지요.」

## *court *court*

[kɔ́:rt 코-트]
명 (복수 **courts** [kɔ́:rts 코-츠])
❶ (건물에 둘러싸인) 안뜰; (테니스 따위의) 코트
Our school has several tennis *courts*. 우리 학교에는 몇 개의 테니스 코트가 있다.
❷ 법정, 재판소
He brought the matter into *court*.
그는 그 문제를 법정으로 가져왔다.

❸ 《종종 **Court**로》 궁정, 왕실
Cinderella went to the ball at the *Court*. 신데렐라는 궁정에서 열리는 무도회에 갔다.

## *cous•in *cousin*

[kʌ́zn 커즌]
명 (복수 **cousins** [kʌ́znz 커즌즈])
사촌, 종형제
I have two *cousins*.
나에게는 2명의 사촌이 있다.

## ⁑cov•er *cover*

[kʌ́vər 커버]
타 (3단현 **covers** [kʌ́vərz 커버즈], 과거 · 과분 **covered** [kʌ́vərd 커버드], 현분 **covering** [kʌ́vəriŋ 커버링])

A B C D E F G H I J K L M N O P Q R S T U V W X Y Z

❶ 덮다, 씌우다, 싸다
The mountain is *covered* with snow. 산은 눈으로 덮여 있다.
She *covered* her daughter with a blanket.
그녀는 딸에게 담요를 덮어 주었다.

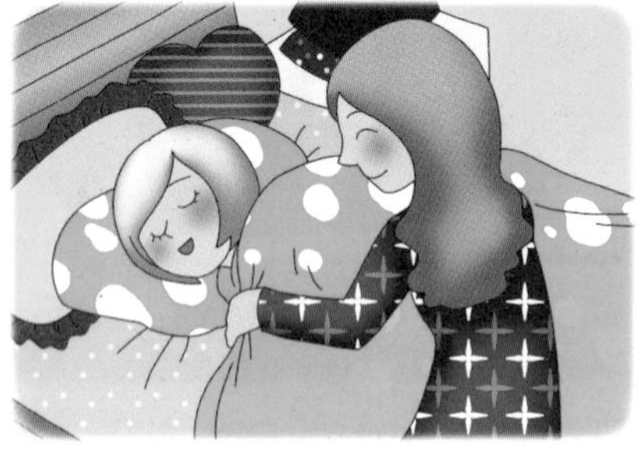

❷ 보호하다; (손실 따위를) 메우다
That money will be enough to *cover* the damage. 그 돈은 손해를 메우는 데 충분할 것이다.
❸ (범위 따위가) 걸치다, 포함하다
Her diary *covers* five years.
그녀의 일기는 5년에 걸쳐 있다.
— 명 (복수 **covers** [kʌ́vərz 커버즈])
덮개, 뚜껑; 표지; 포장지
This box has no *cover*.
이 상자는 뚜껑이 없다.

***cow** *cow*
[káu 카우]
명 (복수 **cows** [káuz 카우즈])
〖동물〗 암소 (반 ox 수소)

She is milking a *cow*.
그녀는 암소의 젖을 짜고 있다.

참고 **cow**는 엄밀히 말해서 암소이지만 종종 축우로서 암수 둘 다 가리키기도 한다. 수소는 **bull**, 노역·식용육의 거세한 수소는 **ox**, 한 살 미만의 송아지는 **calf**라고 한다.

**cow•ard** *coward*
[káuərd 카우어드]
명 (복수 **cowards** [káuərdz 카우어즈]) 겁쟁이, 비겁자
You *coward*! Are you afraid of water?
겁쟁이 같으니라구! 물이 무섭니?

**cow•boy** *cowboy*
[káubɔ̀i 카우보이]
명 (복수 **cowboys** [káubɔ̀iz 카우보이즈]) 카우보이, 목동

**crack** *crack*
[krǽk 크랙]
명 (복수 **cracks** [krǽks 크랙스])
❶ 금, 흠, 갈라진 틈
There is a *crack* in the wall.
벽에 금이 가 있다.
❷ 찰싹〔쨍그렁, 딱〕 하는 소리
The window broke with a *crack*.

창문은 쨍그렁 소리를 내며 깨졌다.

## crack•er *cracker*

[krǽkər 크래커]

명 (복수 **crackers** [krǽkərz 크래커즈]) ❶ 《미》 크래커, (바삭바삭하고 얇은) 비스킷 (《영》 biscuit)

❷ 딱총, 폭죽 (동 firecracker)

## cra•dle *cradle*

[kréidl 크레이들]

명 (복수 **cradles** [kréidlz 크레이들즈]) 요람

The young mother rocked the *cradle* gently. 그 젊은 엄마는 요람을 가볍게 흔들었다.

## crane *crane*

[kréin 크레인]

명 (복수 **cranes** [kréinz 크레인즈])

❶ 〖조류〗 두루미, 학

❷ 기중기, 크레인

## *crash *crash*

[krǽʃ 크래시]

명 (복수 **crashes** [krǽʃiz 크래시즈])

❶ 요란한 소리, 굉음

The tree fell with a *crash*.
나무가 쾅 소리를 내며 쓰러졌다.

❷ (차의) 충돌, (비행기의) 추락

She was injured in a car *crash*.
그녀는 자동차 충돌로 부상당했다.

—타자 (3단현 **crashes** [krǽʃiz 크래시즈], 과거 · 과분 **crashed** [krǽʃt 크래시트], 현분 **crashing** [krǽʃiŋ 크래싱])

(요란한 소리를 내며) 떨어지다, 깨지다; 추락〔충돌〕하다

The bus and the truck *crashed*.
버스와 트럭이 충돌했다.

## crawl *crawl*

[krɔ́ːl 크롤–]

자 (3단현 **crawls** [krɔ́ːlz 크롤–즈], 과거 · 과분 **crawled** [krɔ́ːld 크롤–드], 현분 **crawling** [krɔ́ːliŋ 크롤–링])

❶ 기다, 기어가다

The babies *crawl* before they learn to walk. 아기들은 걸음마를 배우기 전에 기어다닌다.

❷ 천천히 나아가다, 서행하다

The car *crawled* along the road. 차는 도로를 따라 서행했다.

—명 ❶ 《**a crawl**로》 기어가기, 느

릿느릿 가기
❷ 《the를 붙여》 크롤 수영법

**cray•on** *crayon*
[kréiɑn 크레이안]
명 (복수 **crayons** [kréiɑnz 크레이안즈]) 크레용(화)
*Crayons* are used for coloring.
크레용은 색칠하는 데 쓰인다.

***cra•zy** *crazy*
[kréizi 크레이지]
형 (비교급 **crazier** [kréiziə*r* 크레이지어], 최상급 **craziest** [kréiziist 크레이지이스트])
❶ 미친, 제정신이 아닌 (동 mad)
I thought he was *crazy*.
나는 그가 미쳤다고 생각했다.
❷ 열중하는, 몰두한 《about》
She is *crazy about* music.
그녀는 음악에 열중해 있다.

**cream** *cream*
[kríːm 크림-]
명 (복수 **creams** [kríːmz 크림-즈])
❶ 크림, 유지(乳脂)
He had coffee with sugar and *cream*. 그는 설탕과 크림을 친 커피를 마셨다.
❷ 크림 모양의 과자; 화장용 크림
I like ice *cream* very much.
나는 아이스크림을 매우 좋아한다.

**cre•ate** *create*
[kriéit 크리에이트]
타 (3단현 **creates** [kriéits 크리에이츠], 과거 · 과분 **created** [kriéitid 크리에이티드], 현분 **creating** [kriéitiŋ 크리에이팅])
창조하다, 만들어내다
The Bible says that God *created* the world. 성경에는 하나님이 세상을 창조하셨다고 씌어져 있다.

**cre•a•tion** *creation*
[kriéiʃən 크리에이션]
명 《a와 복수형 안 씀》 창조(물), 창작(물); 《집합적》 만물
Man is the lord of all *creation*.
인간은 만물의 영장이다.

**cre•a•tive** *creative*
[kriéitiv 크리에이티브]
형 (비교급 **more creative**, 최상급 **most creative**)
창조적인, 독창적인
She has a *creative* mind.
그녀는 독창적인 정신을 갖고 있다.

**crea•ture** *creature*
[kríːtʃə*r* 크리-처]
ea는 장음 [iː]로 발음함.
명 (복수 **creatures** [kríːtʃə*rz* 크리-처즈]) ❶ 인간; 생물, 동물

Africa is a paradise for wild *creatures*.
아프리카는 야생 동물의 천국이다.

❷ 《경멸 · 동정 · 애정을 나타내어》 녀석, 놈

Poor *creature*! 불쌍한 놈!

## cred•it *credit*

[krédit 크레딧]

명 (복수 **credits** [krédits 크레디츠])

❶ 신망, 명망; 《**a credit**로》 명예로움, 자랑거리

He is a man of the highest *credit*. 그는 아주 명망 있는 인물이다.

❷ 신용 거래, 크레디트

He bought the TV on *credit*.
그는 신용 거래로 텔레비전을 샀다.

## creek *creek*

[krí:k 크리-크]

명 (복수 **creeks** [krí:ks 크리-크스])

《미》 샛강, 시내

The children played near the *creek*. 아이들은 샛강 옆에서 놀았다.

## creep *creep*

[krí:p 크리-프]

자 (3단현 **creeps** [krí:ps 크리-프스], 과거 · 과분 **crept** [krépt 크렙트], 현분 **creeping** [krí:piŋ 크리-핑])

기다, 포복하다; 살금살금 나아가다

The cat *crept* silently toward the bird. 고양이는 살그머니 기어서 새 쪽으로 다가갔다.

## crew *crew*

[krú: 크루-]

명 (복수 **crews** [krú:z 크루-즈])

《복수 취급》 (배 · 열차 · 비행기의) 승무원, 탑승원

All the *crew* were rescued.
모든 승무원은 구조되었다.

## crick•et *cricket*

[kríkit 크리킷]

명 (복수 **crickets** [kríkits 크리키츠]) 〖곤충〗 귀뚜라미

## crime *crime*

[kráim 크라임]

명 (복수 **crimes** [kráimz 크라임즈])

(법률상) 죄, 범죄 (㊀ sin (도덕상) 죄)

It is the job of the police to

prevent *crime*. 범죄를 예방하는 것이 경찰의 임무이다.

**cri•sis** *crisis*
[kráisis 크라이시스]
명 (복수 **crises** [kráisi:z 크라이시-즈]) 위기, (성패의) 갈림길
Our company was in a *crisis* then. 그 때 우리 회사는 위기에 처해 있었다.

**crit•i•cism** *criticism*
[krítəsìzm 크리터시즘]
명 (복수 **criticisms** [krítəsìzmz 크리터시즘즈]) 비평; 비판, 논평
Thank you for your helpful *criticism*.
유익한 비평을 해주셔서 감사합니다.

**crit•i•cize** *criticize*
[krítisàiz 크리티사이즈]
타 (3단현 **criticizes** [krítisàiziz 크리티사이지즈], 과거 · 과분 **criticized** [krítisàizd 크리티사이즈드], 현분 **criticizing** [krítisàiziŋ 크리티사이징])
비평하다, 비판하다
He *criticized* my decision.
그는 내 결정을 비판했다.

**croc•o•dile** *crocodile*
[krákədàil 크라커다일]
명 (복수 **crocodiles** [krákədàilz 크라커다일즈])
〖동물〗 (아프리카산) 악어
*Crocodiles* live in the rivers of Africa.
악어는 아프리카의 강에서 산다.

***crop** *crop*
[kráp 크랍]
명 (복수 **crops** [kráps 크랍스])
❶ 농작물, 수확물
We had a big *crop* of potatoes this year.
올해는 감자가 풍작이었다.
❷ 수확

The rice *crop* was very good this year.
금년의 쌀 수확은 대단히 좋았다.

⁑**cross** *cross*
[krɔ́:s 크로-스]
타자 (3단현 **crosses** [krɔ́:siz 크로-

시즈], 과거 · 과분 **crossed** [krɔ́ːst 크로-스트], 현분 **crossing** [krɔ́ːsiŋ 크로-싱])
❶ 가로지르다, 횡단하다, 건너다
Be careful when you're *crossing* the street.
거리를 횡단할 때는 조심해라.

They *crossed* over to America.
그들은 미국으로 건너갔다.
❷ 교차하다; 교차시키다
He *crossed* his legs.
그는 다리를 엇걸고 있었다.
Jane *crossed* her heart.
제인은 가슴에다 십자를 그었다.
— 명 (복수 **crosses** [krɔ́ːsiz 크로-시즈]) 십자가; 열십자; 십자로
— 형 교차하는, 반대의, 역의
A *cross* wind began to blow.
역풍이 불기 시작했다.

## cross•ing *crossing*
[krɔ́(ː)siŋ 크로(-)싱]
명 (복수 **crossings** [krɔ́(ː)siŋz 크로(-)싱즈]) ❶ 횡단; 교차
No *crossing* 횡단 금지《게시문》
❷ 교차로, 건널목, 네거리
This railroad *crossing* is very dangerous.
이 철도 건널목은 매우 위험하다.

## cross•road *crossroad*
[krɔ́(ː)sròud 크로(-)스로우드]
명 《복수형으로》 교차로, 십자로
When you come to the next *crossroads*, turn right. 다음 십자로에 도착하면 우회전하시오.

## *crow *crow*
[króu 크로우]
명 (복수 **crows** [króuz 크로우즈])
〖조류〗 까마귀
We can't see *crows* in the city anymore. 도시에서는 더 이상 까마귀를 볼 수 없다.

## *crowd *crowd*
[kráud 크라우드]
명 (복수 **crowds** [kráudz 크라우즈]) 군중, 인파
I saw him in the *crowd*.
나는 군중 속에서 그를 보았다.
— 자 타 (3단현 **crowds** [kráudz 크라우즈], 과거 · 과분 **crowded** [kráudid 크라우디드], 현분 **crowding** [kráudiŋ 크라우딩])
떼지어 모이다, 모여들다; 꽉 차다
The train was *crowded* with tourists.
열차는 관광객들로 꽉 차 있었다.
숙어 ***crowds of*** 많은, 다수의
He was surrounded by *crowds of* pressmen. 그는 많은 신문 기자들에게 둘러싸여 있었다.

**crowd•ed** *crowded*
[kráudid 크라우디드]
형 (비교급 **more crowded**, 최상급 **most crowded**)
붐비는, 혼잡한, 만원의
I got on a *crowded* bus.
나는 만원 버스에 탔다.

*__crown__ *crown*
[kráun 크라운]
명 (복수 **crowns** [kráunz 크라운즈]) 왕관; 《the를 붙여》 왕위

He won *the crown* by killing the old king. 그는 늙은 왕을 죽이고 왕위를 손에 넣었다.
—타 (3단현 **crowns** [kráunz 크라운즈], 과거 · 과분 **crowned** [kráund 크라운드], 현분 **crowning** [kráuniŋ 크라우닝])
왕관을 씌우다, 왕위에 앉히다
Queen Elizabeth of England was *crowned* in 1952.
엘리자베스 영국 여왕은 1952년에 왕위에 올랐다.

**cru•el** *cruel*
[krúːəl 크루-얼]
형 (비교급 **cruel(l)er** [krúːələr 크루-얼러], 최상급 **cruel(l)est** [krúːəlist 크루-얼리스트])
잔혹한, 무자비한; 끔찍한
a *cruel* sight 끔찍한 광경
They were *cruel* to animals.
그들은 동물을 학대했다.

**__cry__ *cry*
[krái 크라이]
자 (3단현 **cries** [kráiz 크라이즈], 과거 · 과분 **cried** [kráid 크라이드], 현분 **crying** [kráiiŋ 크라이잉])
❶ 소리지르다, 외치다 (동 shout)
"Help me!" he *cried*.
「도와주세요!」라고 그가 외쳤다.
The man *cried* out with pain.
그 남자는 아파서 소리질렀다.
❷ (소리내어) 울다 (동 weep, 반 laugh 웃다)
The child was *crying* from hunger.
그 아이는 배가 고파서 울고 있었다.

✎ cry는 「소리내어 우는 것」, weep는 「눈물을 흘리며 우는 것」, sob는 「흐느껴 우는 것」
숙어 ***cry for*** …을 원하여 울다, …을

달라고 소리치다
The baby was *crying for* milk.
아기는 젖을 달라고 울고 있었다.
***cry out*** 큰 소리로 외치다, 소리지르다
***cry over*** …을 한탄하다
It is no use *crying over* spilt milk. 《속담》 엎질러진 우유를 한탄해 봐야 소용없다.
— 명 (복수 **cries** [kráiz 크라이즈])
고함, 외침; 울음 소리
He gave a loud *cry*.
그는 큰 소리로 고함쳤다.

## cu•cum•ber *cucumber*

[kjúːkəmbər 큐-컴버]
명 (복수 **cucumbers** [kjúːkəmbərz 큐-컴버즈]) 〖식물〗 오이
A *cucumber* is a long, thin vegetable.
오이는 길고 갸름한 야채이다.

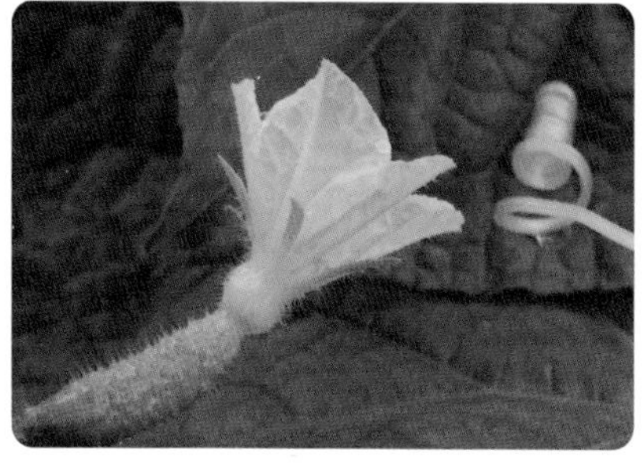

## cul•ti•vate *cultivate*

[kʌ́ltəvèit 컬터베이트]
타 (3단현 **cultivates** [kʌ́ltəvèits 컬터베이츠], 과거 · 과분 **cultivated** [kʌ́ltəvèitid 컬터베이티드], 현분 **cultivating** [kʌ́ltəvèitiŋ 컬터베이팅])
❶ (땅을) 갈다; (식물을) 재배하다
She *cultivates* roses in the garden. 그녀는 정원에 장미를 재배한다.

❷ (교양 · 재능 따위를) 기르다, 육성[연마]하다
Try to *cultivate* a sense of humor. 유머 감각을 기르도록 하세요.

## cul•tur•al *cultural*

[kʌ́ltʃ(ə)rəl 컬처럴]
형 교양의, 문화의
*cultural* differences between the two countries
두 나라의 문화적 차이점

## *cul•ture *culture*

[kʌ́ltʃər 컬처]
형 (복수 **cultures** [kʌ́ltʃərz 컬처즈]) ❶ 문화, 문명 (동 civilization)
ancient Greek *culture*
고대 그리스 문명
❷ 《복수형 안 씀》 교양
She is a woman of *culture*.
그녀는 교양 있는 여자이다.
❸ 경작, 재배, 양식
oyster *culture* 굴 양식

## cun•ning *cunning*

[kʌ́niŋ 커닝]
형 (비교급 **more cunning**, 최상급 **most cunning**)
교활한, 약삭빠른
He is as *cunning* as a fox.
그는 여우처럼 교활하다.

A B C D E F G H I J K L M N O P Q R S T U V W X Y Z

**⁑cup** *cup*
[kʌ́p 컵]
명 (복수 **cups** [kʌ́ps 컵스])
❶ 찻잔, 컵 (㊀ glass 유리잔)

Please give me a *cup* of tea.
홍차 한 잔 주세요.
I had two *cups* of coffee.
나는 커피 두 잔을 마셨다.
✎ coffee, tea는 물질명사이므로 a cup of tea, two cups of coffee 라고 함.

참고 cup과 glass
**cup**은 사기로 만든 손잡이가 달린 찻잔으로 커피 · 홍차 같은 따뜻한 음료를 마실 때 사용한다. **glass**는 유리로 만든 잔으로 맥주 같은 찬 음료를 마실 때 사용한다.

❷ 우승컵
Which team do you think will win the *cup* this year?
올해는 어떤 팀이 우승컵을 차지할 거라고 생각하십니까?

**cup·board** *cupboard*
[kʌ́bərd 커버드]
☺ p는 발음하지 않음.
명 (복수 **cupboards** [kʌ́bərdz 커버즈]) 찬장
a kitchen *cupboard* 주방용 찬장

**cure** *cure*
[kjúər 큐어]
타 (3단현 **cures** [kjúərz 큐어즈], 과거 · 과분 **cured** [kjúərd 큐어드], 현분 **curing** [kjú(ə)riŋ 큐(어)링])
(병 · 나쁜 버릇 따위를) 고치다, 낫게 하다, 치료하다
This medicine *cured* me of my cold.
이 약이 내 감기를 낫게 했다.

—명 (복수 **cures** [kjúərz 큐어즈])
치료(법)
There is still no *cure* for cancer. 암의 치료법은 아직 없다.

**cu·ri·os·i·ty** *curiosity*
[kjù(ə)riάsəti 큐(어)리아서티]
명 (복수 **curiosities** [kjù(ə)riάsətiz 큐(어)리아서티즈])
❶ 호기심
He opened the box out of *curiosity*.
그는 호기심에서 그 상자를 열었다.
❷ 진기한 것, 골동품
It is a *curiosity* in this district.
그것은 이 지역에서는 진기한 것이다.

***cu·ri·ous** *curious*
[kjú(ə)riəs 큐(어)리어스]
형 (비교급 **more curious**, 최상급 **most curious**)
❶ 호기심이 강한

A *curious* child asks many questions. 호기심이 강한 아이가 질문을 많이 한다.

❷ 《**be curious to** do로》 알고 싶어 하는

A student should always *be curious to* learn.
학생은 항상 배우고 싶어해야 한다.

❸ 기묘한, 별난, 이상한

I found a *curious* box in the room. 나는 방 안에서 이상한 상자를 발견했다.

**curl** *curl*
[kə́ːrl 컬–]
타자 (3단현 **curls** [kə́ːrlz 컬–즈], 과거 · 과분 **curled** [kə́ːrld 컬–드], 현분 **curling** [kə́ːrliŋ 컬–링])
(털을) 곱슬곱슬하게 하다 《up》; 곱슬곱슬해지다, 말리다, 감기다

Alice *curled* her hair *up*. 앨리스는 머리털을 곱슬곱슬하게 했다.

—명 (복수 **curls** [kə́ːrlz 컬–즈])
곱슬머리

**cur•rent** *current*
[kə́ːrənt 커–런트]
명 (복수 **currents** [kə́ːrənts 커–런츠]) 흐름, 해류, 기류; 추세, 경향

the *current* of public opinion
여론의 추세

—형 (비교급 **more current**, 최상급 **most current**)
현재의; 유통되고 있는, 널리 퍼진

*current* English 현대 영어
The rumor is widely *current*.
그 소문은 널리 퍼져 있다.

***cur•tain** *curtain*
[kə́ːrtn 커–튼]
명 (복수 **curtains** [kə́ːrtnz 커–튼즈]) 커튼, 휘장; (무대의) 막

Please draw the *curtain*.
커튼을 쳐 주세요.

The *curtain* rises at 6 p.m.
오후 6시에 (연극의) 막이 오른다.

***curve** *curve*
[kə́ːrv 커–브]
명 (복수 **curves** [kə́ːrvz 커–브즈])
곡선, 만곡, 굴곡; 〖야구〗 커브볼

a *curve* in the river 강의 물굽이

—타자 (3단현 **curves** [kə́ːrvz 커–브즈], 과거 · 과분 **curved** [kə́ːrvd 커–브드], 현분 **curving** [kə́ːrviŋ 커–빙])
구부리다; 구부러지다

The road *curved* to the right.
길은 오른쪽으로 구부러졌다.

**cush•ion** *cushion*
[kúʃən 쿠션]
명 (복수 **cushions** [kúʃənz 쿠션즈]) 쿠션, 방석; 충격을 완화시키는 것

***cus•tom** *custom*
[kʌ́stəm 커스텀]
명 (복수 **customs** [kʌ́stəmz 커스텀즈]) ❶ (사회의) 풍습, 관습; (개인의) 습관 (동 habit)
  Many *customs* of other countries differ from ours.
  다른 나라의 많은 풍습은 우리 나라와 다르다.
  It is his *custom* to take a walk before breakfast. 아침 식사 전에 걷는 것이 그의 습관이다.

❷ 《복수형으로》 관세; 세관

**cus•tom•er** *customer*
[kʌ́stəmər 커스터머]
명 (복수 **customers** [kʌ́stəmərz 커스터머즈]) (가게의) 고객, 단골손님
  a regular 〔chance〕 *customer*
  고정〔뜨내기〕 손님

**⁑cut** *cut*
[kʌ́t 컷]
동 (3단현 **cuts** [kʌ́ts 커츠], 과거 · 과분 **cut** [kʌ́t 컷], 현분 **cutting** [kʌ́tiŋ 커팅])
— 타 ❶ (날붙이로) 자르다; (머리카락 · 풀 따위를) 깎다
  *Cut* the watermelon with this knife. 이 칼로 수박을 잘라라.
  I had my hair *cut*.
  나는 머리를 깎았다.

❷ 베다, 상처를 내다, 다치다
  He *cut* his fingers on the broken glass.
  그는 깨진 유리에 손가락을 다쳤다.
❸ (비용을) 줄이다; (이야기 따위를) 짧게 하다
  She *cut* her living expenses to save money. 그녀는 돈을 저축하기 위해 생활비를 줄였다.
— 자 베어지다
  This knife *cuts* well.
  이 칼은 잘 든다.
숙어 ***cut down*** 베어 넘어뜨리다
  He *cut down* the tree.
  그는 나무를 베어 넘어뜨렸다.
***cut off*** 잘라내다〔버리다〕
  *Cut off* that branch.
  저 나뭇가지를 잘라내라.
***cut out*** (***of***) (…에서) 오려내다
  She *cut* the picture *out of* the magazine.

그녀는 잡지에서 사진을 오려냈다.
—명 (복수 **cuts** [kʌ́ts 커츠])
베인 상처
He had a deep *cut* on his fore-head.
그는 이마에 깊은 상처가 있었다.

## cute *cute*

[kjúːt 큐-트]
형 (비교급 **cuter** [kjúːtər 큐-터], 최상급 **cutest** [kjúːtist 큐-티스트])
영리한; 귀여운 (동 pretty)
Your little girl is so *cute*!
당신의 어린 딸은 정말 귀엽군요!

## cy•cle *cycle*

[sáikl 사이클]
명 (복수 **cycles** [sáiklz 사이클즈])
❶ 주기; 순환
The four seasons of the year make a *cycle*.
1년의 네 계절은 한 주기를 이룬다.
❷ 자전거 (동 bicycle, bike)
We like to ride our *cycles* on weekends. 우리는 주말에 자전거 타는 것을 좋아한다.

## cy•cling *cycling*

[sáikliŋ 사이클링]
명 자전거 타기, 사이클링

We went *cycling* yesterday.
우리는 어제 자전거 타러 갔다.

A B C D E F G H I J K L M N O P Q R S T U V W X Y Z

**D, d** *D, d*
[dí: 디-]
명 (복수 **D's, d's** [dí:z 디-즈])
디 ((알파벳의 네 번째 글자))

**dad** *dad*
[dǽd 대드]
명 (복수 **dads** [dǽdz 대즈])
((구어)) 아빠, 아버지 (동 papa)
*Dad* gave this to me.
아빠가 이것을 나에게 주셨다.
Good night, *dad*!
아빠, 안녕히 주무세요.

**dad•dy** *daddy*
[dǽdi 대디]
명 (복수 **daddies** [dǽdiz 대디즈])
((구어)) 아빠 (반 ((미)) mom(my), ((영)) mummy 엄마)
I'm home, *daddy*.
아빠, 다녀왔습니다.

✎ daddy는 dad보다 흔히 쓰임.

**daf•fo•dil** *daffodil*
[dǽfədìl 대퍼딜]
명 (복수 **daffodils** [dǽfədìlz 대퍼딜즈]) 【식물】 수선화

**dag•ger** *dagger*
[dǽgər 대거]
명 (복수 **daggers** [dǽgərz 대거즈])
단검

**dahl•ia** *dahlia*
[dǽljə 댈리어]
명 (복수 **dahlias** [dǽljəz 댈리어즈]) 【식물】 달리아

She grows *dahlias* in the garden. 그녀는 정원에 달리아를 기른다.

**dai•ly** *daily*
[déili 데일리]
형 매일의; 일간의
He takes (in) the *daily* newspapers.
그는 일간 신문을 구독하고 있다.

—부 매일, 날마다 (동 every day)
Traffic accidents happen *daily*. 교통사고는 매일 일어난다.

**dai•sy** *daisy*
[déizi 데이지]
명 (복수 **daisies** [déiziz 데이지즈])
〖식물〗 데이지, 들국화

**dam** *dam*
[dǽm 댐]
명 (복수 **dams** [dǽmz 댐즈])
둑, 댐

There is a big *dam* up this river. 이 강의 상류에 큰 댐이 있다.

**dam•age** *damage*
[dǽmidʒ 대미지]
명 (복수 **damages** [dǽmidʒiz 대미지즈]) 손상; 손해, 피해
The flood did much *damage* to the crops. 그 홍수는 농작물에 큰 피해를 끼쳤다.

**damp** *damp*
[dǽmp 댐프]
형 (비교급 **damper** [dǽmpər 댐퍼], 최상급 **dampest** [dǽmpist 댐피스트])
축축한, 눅눅한, 습기 있는
It is *damp* in rainy weather.
비오는 날씨는 눅눅하다.

**⁑dance** *dance*
[dǽns 댄스]
자 (3단현 **dances** [dǽnsiz 댄시즈], 과거 · 과분 **danced** [dǽnst 댄스트], 현분 **dancing** [dǽnsiŋ 댄싱])
춤추다, 무용하다; 껑충껑충 뛰다
They are *dancing* to the song.
그들은 노래에 맞추어 춤추고 있다.

—명 (복수 **dances** [dǽnsiz 댄시즈]) 춤, 댄스; 댄스 파티, 무도회
a folk *dance* 민속 무용
We gave a *dance* last Saturday.
우리는 지난 토요일에 댄스 파티를 열었다.

**danc•er** *dancer*
[dǽnsər 댄서]
명 (복수 **dancers** [dǽnsərz 댄서즈]) 춤추는 사람, 댄서, 무용가
They both are good *dancers*.
그들은 둘 다 춤을 잘 춘다.

A B C D E F G H I J K L M N O P Q R S T U V W X Y Z

***dan•ger** *danger*
[déindʒər 데인저]
명 (복수 **dangers** [déindʒərz 데인저즈]) 위험(한 상태) (반 safety 안전)
His life is in *danger*.
그의 생명이 위태롭다.
The patient was out of *danger*. 환자는 위험을 벗어났다.

***dan•ger•ous** *dangerous*
[déindʒ(ə)rəs 데인저러스]
형 (비교급 **more dangerous**, 최상급 **most dangerous**)
위험한 (반 safe 안전한)
It is *dangerous* to ride a motorcycle without a helmet. 헬멧 없이 오토바이를 타는 것은 위험하다.

**dan•ger•ous•ly**
*dangerously*
[déindʒ(ə)rəsli 데인저러슬리]
부 위험하게, 위태롭게

***dare** *dare*
[dέər 데어]
타 (3단현 **dares** [dέərz 데어즈], 과거·과분 **dared** [dέərd 데어드], 현분 **daring** [dέ(ə)riŋ 데(어)링])
❶ …할 용기가 있다, 감히 …하다
He did not *dare* to dive.
그는 감히 물에 뛰어들지 못했다.
❷ 용감하게 맞서다 (동 face)
*Dare* you fight against him?
그와 맞서 싸울 용기가 있니?
— 조 《부정문·의문문에서》 감히 …하다
I *dare* not jump off the roof.
나는 지붕에서 뛰어내릴 용기가 없다.

숙어 ***I dare say*** 아마 …이리라, 아마
*I dare say* she is right.
아마 그녀의 말이 옳겠죠.

****dark** *dark*
[dɑ́ːrk 다-크]
형 (비교급 **darker** [dɑ́ːrkər 다-커], 최상급 **darkest** [dɑ́ːrkist 다-키스트])
❶ 어두운, 어둠의 (반 light 밝은)
It was a *dark* night.
어두운 밤이었다.

❷ (눈 · 피부가) 검은 (반 fair 하얀), (색이) 짙은

I like her *dark* eyes.
나는 그녀의 검은 눈을 좋아한다.

❸ 침울한, 암담한

His face went *dark*.
그의 얼굴이 침울해졌다.

숙어 ***a dark horse*** 다크호스《경마 · 선거 등에서 뜻밖의 유력한 경쟁 상대》

***get*〔*become*〕 *dark*** 어두워지다

It is *getting dark*.
어두워지고 있다.

— 명 《a와 복수형 안 씀》 암흑, 어둠

The child is afraid of the *dark*.
그 아이는 어둠을 두려워한다.

## dark•ness *darkness*

[dá:rknəs 다-크너스]

명 ❶ 《a와 복수형 안 씀》 어둠, 땅거미

The stars are shining in the *darkness*.
별들은 어둠 속에서 빛나고 있다.

❷ 맹목, 무지; 미개

## dar•ling *darling*

[dá:rliŋ 달-링]

명 (복수 **darlings** [dá:rliŋz 달-링즈]) 사랑하는 사람, 귀여운 사람; 《호칭》 여보, 얘야

Come here, my *darling*!
얘야, 이리 온!

— 형 사랑스러운, 귀여운

참고 (**my**) **darling** (여보, 얘야)는 부부, 애인, 어버이와 자식 간에 친밀감을 나타내는 호칭으로 이름 대신에 잘 쓰인다. 이 밖에 친밀감을 나타내는 호칭으로는 **dear**[díər]나 **honey**[hʌ́ni] 따위가 있다.

## dash *dash*

[dǽʃ 대시]

동 (3단현 **dashes** [dǽʃiz 대시즈], 과거 · 과분 **dashed** [dǽʃt 대시트], 현분 **dashing** [dǽʃiŋ 대싱])

— 타 던지다, 때려 부수다; 끼얹다

He *dashed* water over my face.
그는 내 얼굴에 물을 끼얹었다.

— 자 돌진하다; 부딪히다

He *dashed* up the stairs.
그는 계단을 뛰어올라갔다.

— 명 (복수 **dashes** [dǽʃiz 대시즈]) 《**a dash**로》 돌진, 돌격; 충돌

He made a *dash* for the goal.
그는 결승점을 향해 돌진했다.

## *da•ta *data*

[déitə 데이터]

명 《복수》 자료, 기초 사실, 데이터

This *data* is correct.
이 데이터는 정확하다.

✎ 본래 datum[déitəm]의 복수형이므로 복수로 취급하는 것이 원칙이나

종종 단수로 취급됨.

**⁑date** *date*
[déit 데이트]
명 (복수 **dates** [déits 데이츠])
❶ 날짜; 연월일
Write your *date* of birth here.
여기에 너의 생년월일을 써라.
❷ 만날 약속, (이성과의) 데이트
I have a *date* with her.
나는 그녀와 만날 약속이 있다.
— 타자 (3단현 **dates** [déits 데이츠], 과거 · 과분 **dated** [déitid 데이티드], 현분 **dating** [déitiŋ 데이팅]) 날짜를 적다; (이성과) 데이트하다
The letter is *dated* March 7.
그 편지에는 날짜가 3월 7일이라고 적혀 있다.
I *dated* her on Sunday. 나는 일요일에 그녀와 데이트를 했다.

**참고 날짜의 쓰기와 읽기**
날짜를 쓰는 법은 다음과 같이 두 가지가 있다. 흔히 월, 일, 년의 순서로 쓴다. April 7, 2003 《April (the) seventh, two thousand three라고 읽음》. 또 한 가지는 일, 월, 년의 순서로 쓴다. 7(th) April, 2003 《the seventh of April, two thousand three라고 읽음》.

**⁑daugh·ter** *daughter*
[dɔ́:tər 도-터]
gh는 발음하지 않음.
명 (복수 **daughters** [dɔ́:tərz 도-터즈]) 딸 (반 son 아들)
Mrs. Smith has two *daughters*. 스미스 부인은 딸이 둘 있다.

**dawn** *dawn*
[dɔ́:n 돈-]
명 (복수 **dawns** [dɔ́:nz 돈-즈])
새벽, 동틀 녘, 여명
Jim got up at *dawn*.
짐은 새벽에 일어났다.
숙어 ***from dawn till dark*** 새벽부터 해질 때까지
He works *from dawn till dark*.
그는 새벽부터 해질 때까지 일한다.
— 자 (3단현 **dawns** [dɔ́:nz 돈-즈], 과거 · 과분 **dawned** [dɔ́:nd 돈-드], 현분 **dawning** [dɔ́:niŋ 도-닝])
날이 새다, 동이 트다

The morning was just *dawning.* 아침이 막 밝아오고 있었다.

****day** *day*
[déi 데이]
명 (복수 **days** [déiz 데이즈])
❶ 날, 하루
A *day* has twenty-four hours.
하루는 24시간이다.
What *day* (of the week) is it today? 오늘은 무슨 요일입니까?
❷ 낮 (반 night 밤)
He slept during the *day* and worked during the night.
그는 낮에 자고 밤에 일했다.

❸ 《종종 복수형으로》 시대, 시절
She talked about her young *days.* 그녀는 그녀의 젊은 시절에 대해 이야기했다.
❹ 기념일, 축제일
New Year's *Day* 설날
Children's *Day* 어린이날
숙어 ***all day*** (***long***) 온종일
Mary studied English *all day* (*long*).
메리는 온종일 영어 공부를 했다.
***day after***〔***by***〕 ***day*** 매일, 나날이
It snowed *day after day.*
눈이 날마다 내렸다.
***every day*** 매일
***every other day*** 하루 걸러
***in those days*** 당시에는
***one day*** 어느 날
***some day*** 언젠가, 머지않아
***the day after tomorrow*** 모레
***the day before yesterday*** 그저께
***the other day*** 일전에
***these days*** 요즈음
I have been very busy *these days.* 나는 요즘 매우 바빴다.
***this day week***〔***month***〕
지난 주〔달〕의 오늘, 내주〔내달〕의 오늘

**day•dream** *daydream*
[déidrìːm 데이드림-]
명 공상, 백일몽
She was in a *daydream.*
그녀는 공상에 빠져 있었다.

**day•light** *daylight*
[déilàit 데이라이트]
명 《a와 복수형 안 씀》 햇빛 (동 sunlight, sunshine); 낮, 새벽

**day•time** *daytime*
[déitàim 데이타임]
명 《a와 복수형 안 씀》 낮
We swam in the *daytime.*
우리는 낮에 수영했다.

***dead** *dead*
[déd 데드]
형 ❶ 죽은, 생명이 없는 (반 alive, living 살아 있는)

A B C D E F G H I J K L M N O P Q R S T U V W X Y Z

My father has been *dead* for two years.
아버지가 돌아가신 지 2년이 된다.

❷ (죽은 듯이) 조용한 (동 still)
There was a *dead* silence all around.
사방에 고요한 정적이 있었다.
—명 《the를 붙여; 복수 취급》
고인, 죽은 사람(들)

**dead•ly** *deadly*
[dédli 데들리]
형 치명적인; 지독한
—부 죽은 듯이; 몹시

**deaf** *deaf*
[déf 데프]
형 (비교급 **deafer** [défər 데퍼], 최상급 **deafest** [défist 데피스트])
귀머거리의, 귀먹은 (관 blind 눈먼)

He was *deaf* to all my advice.
그는 내 모든 충고를 하나도 듣지 않았다.

***deal¹*** *deal*
[dí:l 딜-]
자 (3단현 **deals** [dí:lz 딜-즈], 과거·과분 **dealt** [délt 델트], 현분 **dealing** [dí:liŋ 딜-링])
❶ 취급하다, 장사하다, 팔다 《in》
That store *deals in* men's clothing.
저 상점은 남성복을 취급한다.

❷ 처리하다 (동 manage), 다루다 《with》
This book *deals with* international problems.
이 책은 국제 문제를 다루고 있다.

**deal²** *deal*
[dí:l 딜-]
명 (복수 **deals** [dí:lz 딜-즈])
《good, great 따위와 함께》 다량, 분량
숙어 ***a good*〔*great*〕 *deal*** 《부사적》 많이; 《명사적》 (양이) 많음, 다량
She reads *a great deal.*
그녀는 책을 많이 읽는다.
***a good*〔*great*〕 *deal of*** 많은 (양의), 다량의
There was *a great deal of* snow.
엄청난 양의 눈이 왔다.
✎ of 뒤에는 셀 수 없는 명사가 옴.

**⁑dear** *dear*
[díər 디어]
형 (비교급 **dearer** [dí(ə)rər 디(어)러], 최상급 **dearest** [dí(ə)rist 디(어)리스트])
❶ 귀여운, 사랑스러운
He is my *dearest* friend.
그는 나의 가장 소중한 친구이다.
What a *dear* little kitten!
얼마나 귀여운 새끼 고양이인가!

❷ 《편지의 첫머리에》 친애하는
*Dear* son 사랑하는 아들아
❸ (값이) 비싼 (동 expensive, 반 cheap 값싼)
This camera is too *dear*.
이 카메라는 너무 비싸다.
—명 (복수 **dears** [díərz 디어즈]) 귀여운[사랑하는] 사람; 여보, 애
Please come here, my *dear*.
여보, 이리 오세요.
—부 비싸게; 값비싼 희생을 치르고
I bought it *dear*.
나는 그것을 비싸게 샀다.
—감 어머나! 저런!
*Dear* me! 어머나! (=Oh, dear!)

**dear•ly** *dearly*
[díərli 디얼리]
부 진정으로; 깊이

***death** *death*
[déθ 데스]
명 죽음, 사망 (관 die 죽다, dead 죽은, 반 birth 탄생)
Give me liberty, or give me *death*! 나에게 자유를 달라, 그렇지 않으면 죽음을 달라.
숙어 ***...to death*** (…한 결과로) 죽다
He was burnt *to death*.
그는 불에 타 죽었다.

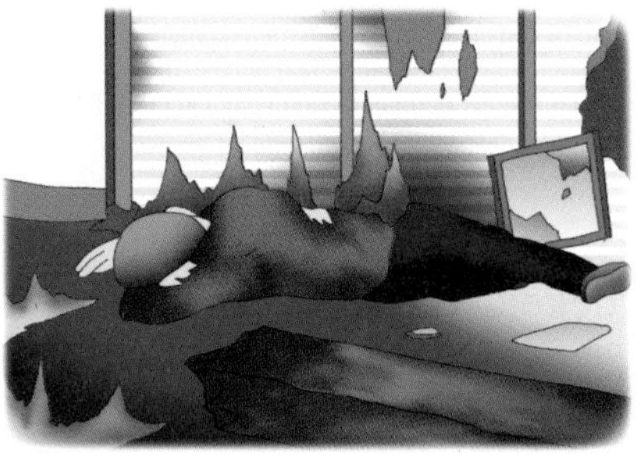

***put*** (a person) ***to death*** (…을) 죽이다, 사형에 처하다
He was *put to death*.
그는 사형에 처해졌다.
***to the death*** 죽을 때까지, 최후까지

**de•bate** *debate*
[dibéit 디베이트]
명 (복수 **debates** [dibéits 디베이츠]) 토의, 토론
They opened a *debate*.
그들은 토론을 시작했다.

—자타 (3단현 **debates** [dibéits 디베이츠], 과거 · 과분 **debated**

[dibéitid 디베이티드], 현분 **debating** [dibéitiŋ 디베이팅])
논의하다, 토론하다
We *debated* what to do.
우리는 무엇을 해야 할지 논의했다.

## debt *debt*

[dét 뎃]
명 (복수 **debts** [déts 데츠])
빚, 부채, 채무
You should pay your *debts*.
너는 빚을 갚아야 한다.

## dec•ade *decade*

[dékeid 데케이드]
명 (복수 **decades** [dékeidz 데케이즈]) 10년간
We lived here for a *decade*.
우리들은 10년간 이곳에 살았다.

## de•cay *decay*

[dikéi 디케이]
자 (3단현 **decays** [dikéiz 디케이즈], 과거 · 과분 **decayed** [dikéid 디케이드], 현분 **decaying** [dikéiiŋ 디케이잉])
썩다, 부패하다 (동 rot); 쇠퇴하다
My teeth have *decayed*.
내 이빨이 썩었다.

## de•ceive *deceive*

[disíːv 디시-브]
타 (3단현 **deceives** [disíːvz 디시-브즈], 과거 · 과분 **deceived** [disíːvd 디시-브드], 현분 **deceiving** [disíːviŋ 디시-빙])
속이다, 기만하다
Don't try to *deceive* me.
나를 속이려고 하지 마라.

## ⁑De•cem•ber *December*

[disémbər 디셈버]
명 12월 (약 Dec.)
Christmas comes in *December*. 크리스마스는 12월에 있다.

## *de•cide *decide*

[disáid 디사이드]
타자 (3단현 **decides** [disáidz 디사이즈], 과거 · 과분 **decided** [disáidid 디사이디드], 현분 **deciding** [disáidiŋ 디사이딩])
정하다, 결정하다 (동 determine), 결심하다 《to do, that》
He *decided to* become a sailor.
그는 선원이 되기로 결심했다.
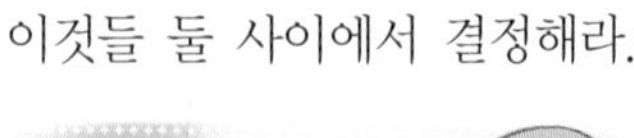
*Decide* between these two.
이것들 둘 사이에서 결정해라.

## de•ci•sion *decision*

[disíʒən 디시전]
명 (복수 **decisions** [disíʒənz 디시전즈]) 결정, 결심
I've made my last *decision*.

나는 마지막 결심을 했다.

**deck** *deck*
[dék 덱]
명 (복수 **decks** [déks 덱스])
갑판; (버스 따위의) 바닥, 덱

Waves swept the *deck*.
파도가 갑판을 휩쓸었다.

**dec•la•ra•tion** *declaration*
[dèkləréiʃən 데클러레이션]
명 (복수 **declarations** [dèkləréiʃənz 데클러레이션즈])
선언, 포고, 공표
a *declaration* of war 선전 포고
the *Declaration* of Independence 미국의 독립 선언

**de•clare** *declare*
[diklɛ́ər 디클레어]
타 (3단현 **declares** [diklɛ́ərz 디클레어즈], 과거 · 과분 **declared** [diklɛ́ərd 디클레어드], 현분 **declaring** [diklɛ́(ə)riŋ 디클레(어)링])
❶ 선언하다, 포고하다, 단언하다
Germany *declared* war upon 〔against〕 England.
독일은 영국에 선전 포고를 했다.
❷ (세관에서) 신고하다
Do you have anything to *declare*? 신고할 물건이 있습니까?

**de•cline** *decline*
[dikláin 디클라인]
통 (3단현 **declines** [dikláinz 디클라인즈], 과거 · 과분 **declined** [dikláind 디클라인드], 현분 **declining** [dikláiniŋ 디클라이닝])
—타 거절하다
Jane *declined* my offer of help.
제인은 도와주겠다는 나의 제의를 거절했다.
—자 ❶ 쇠약하다, 약해지다
His health *declined* slowly.
그의 건강은 서서히 나빠졌다.
❷ 기울다; 종말에 가까워지다

**dec•o•rate** *decorate*
[dékərèit 데커레이트]
타 (3단현 **decorates** [dékərèits 데커레이츠], 과거 · 과분 **decorated** [dékərèitid 데커레이티드], 현분 **decorating** [dékərèitiŋ 데커레이팅])
꾸미다, 장식하다
He *decorated* the wall with pictures.
그는 벽을 그림으로 장식했다.

**dec•o•ra•tion** *decoration*
[dèkəréiʃ(ə)n 데커레이션]
명 (복수 **decorations** [dèkəréiʃ(ə)nz 데커레이션즈])
장식(물); 훈장

A B C **D** E F G H I J K L M N O P Q R S T U V W X Y Z

## de•crease *decrease*
[dikríːs 디크리-스]
자 (3단현 **decreases** [dikríːsiz 디크리-시즈], 과거 · 과분 **decreased** [dikríːst 디크리-스트], 현분 **decreasing** [dikríːsiŋ 디크리-싱])
줄다, 감소하다 (반 increase 증가하다)
The members *decreased* to ten.
회원은 10명으로 줄었다.
— 명 [díːkriːs 디-크리-스] (복수 **decreases** [díːkriːsiz 디-크리-시즈]) 감소 (반 increase 증가)

## ded•i•cate *dedicate*
[dédikèit 데디케이트]
타 (3단현 **dedicates** [dédikèits 데디케이츠], 과거 · 과분 **dedicated** [dédikèitid 데디케이티드], 현분 **dedicating** [dédikèitiŋ 데디케이팅])
바치다, 헌납하다
He has *dedicated* his life to helping sick people. 그는 아픈 사람을 돕는 데 일생을 바쳤다.

## deed *deed*
[díːd 디-드]
명 (복수 **deeds** [díːdz 디-즈])
행위, 실행, 행동 (동 act, action)
a good *deed* 선행
*Deeds* are better than words.
실행은 말보다 낫다.

## **deep *deep*
[díːp 디-프]
형 부 (비교급 **deeper** [díːpər 디-퍼], 최상급 **deepest** [díːpist 디-피스트])
— 형 ❶ 깊은 (반 shallow 얕은)
The river is very *deep*.
그 강은 무척 깊다.
The pool is two meters *deep*.
그 수영장은 깊이가 2미터이다.
❷ (색이) 진한 (반 light 엷은); (소리가) 굵고 낮은
These roses are *deep* red.
이 장미는 진한 빨강이다.
❸ (학문 · 생각 따위가) 심오한; 깊은
He was *deep* in thought.
그는 깊은 생각에 빠져 있었다.

— 부 깊이, 깊숙한 곳으로
He took me *deep* into the forest. 그는 나를 숲 속 깊이 데려갔다.

## deep•ly *deeply*
[díːpli 디-플리]
부 깊이, 깊게; 철저히
I'm *deeply* grateful to you.
대단히 감사합니다.

## *deer *deer*
[díər 디어]
명 《단수 · 복수 동형》 〖동물〗 사슴
A hunter came running after the *deer*. 사냥꾼이 사슴을 뒤쫓아왔다.

**de•feat** *defeat*
[difí:t 디피-트]
타 (3단현 **defeats** [difí:ts 디피-츠], 과거 · 과분 **defeated** [difí:tid 디피-티드], 현분 **defeating** [difí:tiŋ 디피-팅])
쳐부수다, 패배시키다; 이기다
We *defeated* another school at football. 우리는 축구에서 또 다른 학교를 이겼다.
—명 (복수 **defeats** [difí:ts 디피-츠]) 패배 (반 victory 승리)

***de•fend** *defend*
[difénd 디펜드]
타 (3단현 **defends** [diféndz 디펜즈], 과거 · 과분 **defended** [diféndid 디펜디드], 현분 **defending** [diféndiŋ 디펜딩])
❶ 방어하다, 지키다 (동 protect); 보호하다 (반 attack 공격하다)

She *defended* her child from danger.
그녀는 아이를 위험에서 지켰다.
❷ 변호하다
He *defended* himself well.
그는 자기 입장을 잘 변호했다.

**de•fense,** 《영》 **de•fence**
*defense, defence*
[diféns 디펜스]
명 (복수 **defenses** [difénsiz 디펜시즈]) 방어, 수비, 방위
Offense is the best *defense*.
《속담》 공격은 최선의 방어이다.

**de•fine** *define*
[difáin 디파인]
타 (3단현 **defines** [difáinz 디파인즈], 과거 · 과분 **defined** [difáind 디파인드], 현분 **defining** [difáiniŋ 디파이닝])
정의를 내리다, 명시하다; 규정하다
This word is *defined* in the dictionary.
이 낱말은 사전에 정의되어 있다.

**def•i•nite** *definite*
[déf(ə)nit 데퍼닛]
형 명확한, 확실한; 일정한
Give me a *definite* answer.
확실한 대답을 해 달라.

**def•i•ni•tion** *definition*
[dèfəníʃən 데퍼니션]
명 (복수 **definitions** [dèfəníʃənz 데퍼니션즈]) 정의, 한정

***de•gree** *degree*
[digrí: 디그리-]
명 (복수 **degrees** [digrí:z 디그리-즈]) ❶ 정도 (동 extent); 단계
She has a high *degree* of skill

a b c d e f g h i j k l m n o p q r s t u v w x y z

in golf. 그녀는 골프에 고도의 기술을 갖고 있다.

❷ (온도 · 각도 따위의) 도
Water freezes at zero *degrees* centigrade.
물은 섭씨 0도에서 언다.
✎ zero *degrees*라고 복수형을 씀.

❸ 신분, 지위; 학위
She received a doctor's *degree* in medicine in 2009. 그녀는 2009년에 의학 박사 학위를 받았다.

❹ 〖문법〗 (형용사 · 부사의) 급
the positive〔comparative, superlative〕 *degree*
원급〔비교급, 최상급〕

숙어 ***by degrees*** 차차로, 점점
*By degrees* the color faded.
색깔이 점점 희미해졌다.
***to a degree*** 다소, 어느 정도

## de•lay *delay*

[diléi 딜레이]

동 (3단현 **delays** [diléiz 딜레이즈], 과거 · 과분 **delayed** [diléid 딜레이드], 현분 **delaying** [diléiiŋ 딜레이잉])

— 타 미루다, 연기하다, 지연시키다
The train was *delayed* by an accident. 기차는 사고로 연착되었다.
✎ 「지연되다」라는 뜻일 때는 수동태인 be delayed를 씀.

— 자 꾸물거리다, 늦다
Don't *delay* on this errand.
심부름 도중에 꾸물거리지 마라.

— 명 (복수 **delays** [diléiz 딜레이즈]) 지연, 지체, 연기
You must leave without *delay*.
너는 지체하지 말고 출발해야 한다.

## del•e•gate *delegate*

[déligèit 델리게이트, -git 델리깃]

명 (복수 **delegates** [déligèits 델리게이츠, -gits 델리기츠])
대표자, 사절

## *del•i•cate *delicate*

[délikət 델리컷]

형 ❶ 우아한, 섬세한
She has *delicate* manners.
그녀는 우아한 몸가짐을 하고 있다.

❷ 정교한, 미묘한; 예민한

❸ (몸이) 약한, (물건이) 깨지기 쉬운
He is *delicate* in health.
그는 건강이 좋지 않다.

## de•li•cious *delicious*

[dilíʃəs 딜리셔스]

형 맛있는, 향기로운
What a *delicious* dish!
얼마나 음식이 맛있는지!

## *de•light *delight*

[diláit 딜라이트]

타 (3단현 **delights** [diláits 딜라이

츠], 과거 · 과분 **delighted** [diláitid 딜라이티드], 현분 **delighting** [diláitiŋ 딜라이팅])
기쁘게 하다, 유쾌하게 하다 (㊍ please)
His gifts *delighted* the child.
그의 선물이 아이를 즐겁게 했다.

— 명 (복수 **delights** [diláits 딜라이츠]) 기쁨, 즐거움 (㊍ joy)

## de•light•ful *delightful*

[diláitfəl 딜라이트펄]
형 유쾌한, 즐거운, 매우 기쁜
We had a *delightful* time.
우리는 유쾌한 시간을 보냈다.

## de•liv•er *deliver*

[dilívər 딜리버]
타 (3단현 **delivers** [dilívərz 딜리버즈], 과거 · 과분 **delivered** [dilívərd 딜리버드], 현분 **delivering** [dilív(ə)riŋ 딜리버링])
❶ 배달하다, 전하다

The milkman *delivered* milk to the families. 우유 배달원이 여러 가정에 우유를 배달했다.
❷ (연설 · 강의 따위를) 하다, 말하다
He *delivered* a speech in English. 그는 영어로 연설을 했다.
❸ 구출하다, 해방시키다 (㊍ set free)
We *delivered* the child from danger.
우리는 아이를 위험에서 구해냈다.

## de•liv•er•y *delivery*

[dilívəri 딜리버리]
명 (복수 **deliveries** [dilívəriz 딜리버리즈])
(편지 따위의) 배달; 인도, 교부
He mailed the letter by special *delivery*.
그는 편지를 속달 우편으로 부쳤다.

## *de•mand *demand*

[dimǽnd 디맨드]
명 (복수 **demands** [dimǽndz 디맨즈]) ❶ 요구, 청구
❷ 수요 (㊉ supply 공급)
There is a great *demand* for computers.
컴퓨터에 대한 수요가 많다.
— 타 (3단현 **demands** [dimǽndz 디맨즈], 과거 · 과분 **demanded** [dimǽndid 디맨디드], 현분 **demanding** [dimǽndiŋ 디맨딩])
요구하다, 청구하다; 묻다
He *demanded* an immediate answer of me. 그는 나에게 즉각적인 답변을 요구했다.

## *de•moc•ra•cy *democracy*

[dimákrəsi 디마크러시]
명 (복수 **democracies** [dimákrəsiz 디마크러시즈])
민주주의, 민주 정치; 민주 국가

Lincoln is the father of *democracy*. 링컨은 민주주의의 아버지이다.

**dem•o•crat•ic** *democratic*
[dèməkrǽtik 데머크래틱]
형 민주주의의, 민주 정치의; 민주 국가의

**dem•on•strate** *demonstrate*
[démənstrèit 데먼스트레이트]
동 (3단현 **demonstrates** [démənstrèits 데먼스트레이츠], 과거 · 과분 **demonstrated** [démənstrèitid 데먼스트레이티드], 현분 **demonstrating** [démənstrèitiŋ 데먼스트레이팅])
—타 ❶ 증명하다
He *demonstrated* that the world is round. 그는 지구가 둥글다는 것을 증명했다.
❷ (실물을 보여서) 선전하다, 설명하다
—자 시위하다, 데모하다
They *demonstrated* against the war. 그들은 반전 시위를 했다.

***den•tist** *dentist*
[déntist 덴티스트]
명 (복수 **dentists** [déntists 덴티스츠]) 치과 의사
I'm going to see the *dentist('s)* today. 나는 오늘 치과 의사에게 가려고 한다.

**de•ny** *deny*
[dinái 디나이]
타 (3단현 **denies** [dináiz 디나이즈], 과거 · 과분 **denied** [dináid 디나이드], 현분 **denying** [dináiiŋ 디나이잉])
부정하다, 거절하다
She *denied* the rumor.
그녀는 소문을 부정했다.

**de•part** *depart*
[dipá:rt 디파-트]
자 (3단현 **departs** [dipá:rts 디파-츠], 과거 · 과분 **departed** [dipá:rtid 디파-티드], 현분 **departing** [dipá:rtiŋ 디파-팅])
출발하다 (동 start, 반 arrive 도착하다); 떠나다
The train *departs* at 9 a.m.
그 열차는 오전 9시에 출발한다.

**de•part•ment** *department*
[dipɑ́ːrtmənt 디파-트먼트]
명 (복수 **departments** [dipɑ́ːrtmənts 디파-트먼츠]) 부(部), 부문
the export *department* 수출부

*__de•part•ment store__*
*department store*
[dipɑ́ːrtmənt stɔ̀ːr 디파-트먼트스토-]
명 《미》 백화점 (《영》 stores)

We went to the *department store* to buy sweaters.
우리는 스웨터를 사러 백화점에 갔다.

**de•par•ture** *departure*
[dipɑ́ːrtʃər 디파-처]
명 (복수 **departures** [dipɑ́ːrtʃərz 디파-처즈]) 떠남, 출발 (반 arrival 도착)

Miss. Brown's *departure* was very sudden. 브라운 양의 출발은 아주 갑작스러웠다.

*__de•pend__* *depend*
[dipénd 디펜드]
자 (3단현 **depends** [dipéndz 디펜즈], 과거 · 과분 **depended** [dipéndid 디펜디드], 현분 **depending** [dipéndiŋ 디펜딩])
❶ 《**depend on**〔**upon**〕으로》 …에 의존하다, …을 신뢰하다
He *depended on* his brother's help. 그는 형의 도움에 의존했다.

I cannot *depend on* you.
나는 너를 믿을 수 없다.
❷ 《**depend on**〔**upon**〕으로》 달려 있다
The future world *depends on* you.
미래 세계는 너희에게 달려 있다.

**de•pen•dent** *dependent*
[dipéndənt 디펜던트]
형 의존하고 있는, …에 따라 좌우되는 《on, upon》
Mary is *dependent on* her mother.
메리는 어머니한테 의존하고 있다.

**de•pos•it** *deposit*
[dipɑ́zit 디파짓]
명 (복수 **deposits** [dipɑ́zits 디파지츠]) 예금

— [타] (3단현 **deposits** [dipázits 디파지츠], 과거 · 과분 **deposited** [dipázitid 디파지티드], 현분 **depositing** [dipázitiŋ 디파지팅])
예금하다, 맡기다
He *deposited* his money in the bank. 그는 돈을 은행에 예금했다.

**de•press** *depress*
[diprés 디프레스]
[타] (3단현 **depresses** [diprésiz 디프레시즈], 과거 · 과분 **depressed** [diprést 디프레스트], 현분 **depressing** [diprésiŋ 디프레싱])
우울하게 하다, 풀이 죽게 하다
His death *depressed* me.
그의 죽음이 나를 우울하게 했다.

***depth** *depth*
[dépθ 뎁스]
[명] 《a와 복수형 안 씀》 깊이; 한가운데, 한창
The *depth* of this pond is about three meters.
그 연못의 깊이는 3미터 정도이다.
in the *depth* of night 한밤중에

**de•rive** *derive*
[diráiv 디라이브]
[타][자] (3단현 **derives** [diráivz 디라이브즈], 과거 · 과분 **derived** [diráivd 디라이브드], 현분 **deriving** [diráiviŋ 디라이빙])
이끌어내다, 얻다; …에서 유래하다 ((from))
She *derives* much pleasure *from* her books.
그녀는 책에서 많은 기쁨을 얻는다.
The word is *derived from* Latin.
그 단어는 라틴어에서 유래되었다.

**de•scend** *descend*
[disénd 디센드]
[타][자] (3단현 **descends** [diséndz 디센즈], 과거 · 과분 **descended** [diséndid 디센디드], 현분 **descending** [diséndiŋ 디센딩])
내려가다; 경사지다; 전해지다
He *descended* the mountain.
그는 산을 내려갔다.

**de•scribe** *describe*
[diskráib 디스크라이브]
[타] (3단현 **describes** [diskráibz 디스크라이브즈], 과거 · 과분 **described** [diskráibd 디스크라이브드], 현분 **describing** [diskráibiŋ 디스크라이빙])
묘사하다, 설명하다, 말하다
Can you *describe* the man to me? 그 남자에 대해 나에게 설명해 줄 수 있습니까?

**de•scrip•tion** *description*
[diskrípʃən 디스크립션]
명 (복수 **descriptions** [diskrípʃənz 디스크립션즈]) 묘사, 설명
a brief *dscription* 간단한 설명

***des•ert** *desert*
[dézərt 데저트]
앞의 e는 [i]가 아닌 [é]로 발음함.
명 (복수 **deserts** [dézərts 데저츠]) 사막, 황무지

Sahara *Desert* 사하라 사막
—형 사막과 같은, 불모의
a *desert* island 무인도

**de•serve** *deserve*
[dizə́ːrv 디저–브]
타 (3단현 **deserves** [dizə́ːrvz 디저–브즈], 과거 · 과분 **deserved** [dizə́ːrvd 디저–브드], 현분 **deserving** [dizə́ːrviŋ 디저–빙])
…할 만하다, 할〔받을〕 가치가 있다

Her conduct *deserves* to be praised.
그녀의 행동은 칭찬받을 만하다.

**de•sign** *design*
[dizáin 디자인]
명 (복수 **designs** [dizáinz 디자인즈]) 계획; 설계; 도안, 디자인
This dress is modern in *design*.
이 드레스는 디자인이 현대적이다.
—타자 (3단현 **designs** [dizáinz 디자인즈], 과거 · 과분 **designed** [dizáind 디자인드], 현분 **designing** [dizáiniŋ 디자이닝])
계획하다; 설계하다; 디자인하다
Mr. White *designed* this house.
화이트씨가 이 집을 설계했다.

**de•sign•er** *designer*
[dizáinər 디자이너]
명 설계자; 디자이너
She is a famous hair *designer*.
그녀는 유명한 헤어 디자이너이다.

***de•sire** *desire*
[dizáiər 디자이어]
타 (3단현 **desires** [dizáiərz 디자이어즈], 과거 · 과분 **desired** [dizáiərd 디자이어드], 현분 **desiring** [dizái(ə)riŋ 디자이(어)링])
바라다, 원하다, 희망하다
All men *desire* happiness.

모든 사람은 행복을 원한다.
— 명 (복수 **desires** [dizáiərz 디자이어즈]) 욕망, 소망, 희망

## ⁎desk *desk*

[désk 데스크]
명 (복수 **desks** [désks 데스크스]) 책상

The books are on my *desk*.
그 책들은 나의 책상 위에 있다.

숙어 ***be*〔*sit*〕 *at one's desk*** 책상 앞에 앉아 있다; 사무를 보고 있다.

She *is at her desk* now.
그녀는 지금 사무를 보고 있다.

**참고** desk와 table

**desk**에는 보통 서랍이 있고, 공부하고 사무를 보는 데 쓴다. **table**에는 보통 서랍이 없고, 식사 · 회의 · 작업 등을 하거나 장식물을 놓는 데 쓴다.

## de•spair *despair*

[dispέər 디스페어]
명 《a와 복수형 안 씀》 절망, 실망

I found him in *despair*.
나는 그가 절망에 빠진 것을 알았다.

— 자 (3단현 **despairs** [dispέərz 디스페어즈], 과거 · 과분 **despaired** [dispέərd 디스페어드], 현분 **despairing** [dispέəriŋ 디스페(어)링]) 절망하다, 포기하다 《of》

He finally *despaired of* hope.
그는 마침내 희망을 버렸다.

## des•sert *dessert*

[dizə́ːrt 디저-트]
명 (복수 **desserts** [dizə́ːrts 디저-츠]) 디저트 《식사 후에 먹는 과일, 아이스크림, 파이 따위》

What do you want for *dessert*?
디저트로 무엇을 먹고 싶니?

## ⁎de•stroy *destroy*

[distrɔ́i 디스트로이]
타 (3단현 **destroys** [distrɔ́iz 디스트로이즈], 과거 · 과분 **destroyed** [distrɔ́id 디스트로이드], 현분 **destroying** [distrɔ́iiŋ 디스트로이잉])
❶ 파괴하다, 부수다 (반 construct 건설하다)

His car has been *destroyed* against the electric pole. 그의 차는 전봇대에 부딪혀서 부서졌다.

❷ 죽이다; 멸망시키다
You must not *destroy* animals for pleasure.
재미로 동물을 죽여서는 안 된다.

**de·struc·tion** *destruction*
[distrʌ́kʃən 디스트럭션]
명 《a와 복수형 안 씀》 파괴, 파멸

**de·tail** *detail*
[ditéil 디테일]
명 (복수 **details** [ditéilz 디테일즈])
세부 사항, 세목; 상세한 기술
He told me all the *details* of the event. 그는 내게 그 사건을 상세하게 말해 주었다.
숙어 ***in detail*** 상세히, 세목별로

**de·tect** *detect*
[ditékt 디텍트]
타 (3단현 **detects** [ditékts 디텍츠], 과거 · 과분 **detected** [ditéktid 디텍티드], 현분 **detecting** [ditéktiŋ 디텍팅])
찾아내다, 발견하다 (동 find out)
His lie was easily *detected*.
그의 거짓말은 쉽게 탄로났다.

**de·tec·tive** *detective*
[ditéktiv 디텍티브]
명 (복수 **detectives** [ditéktivz 디텍티브즈]) 탐정, 형사
He was a famous *detective*.
그는 유명한 탐정이었다.

— 형 탐정의, 형사의

***de·ter·mine** *determine*
[ditə́ːrmin 디터-민]
타자 (3단현 **determines** [ditə́ːrminz 디터-민즈], 과거 · 과분 **determined** [ditə́ːrmind 디터-민드], 현분 **determining** [ditə́ːrminiŋ 디터-미닝])
결정하다, 결심하다
I *determined* to become an actor. 나는 배우가 되기로 결심했다.

***de·vel·op** *develop*
[divéləp 디벨럽]
타자 (3단현 **develops** [divéləps 디벨럽스], 과거 · 과분 **developed** [divéləpt 디벨럽트], 현분 **developing** [divéləpiŋ 디벨러핑])
발달시키다, 발전시키다; 발달하다, 발육하다
He *developed* modern science.
그는 근대 과학을 발달시켰다.
Plants *develop* from seeds.
식물은 씨에서 발육한다.

**de·vel·op·ment**
*development*
[divéləpmənt 디벨럽먼트]
명 《a와 복수형 안 씀》

발달, 발전; 성장, 발육
Korea's economic *development* has been very fast. 한국의 경제 성장은 무척 빠른 편이다.

**de•vice** *device*
[diváis 디바이스]
명 장치; 연구, 고안
Safety belts are a safety *device*. 안전벨트는 하나의 안전장치이다.

**dev•il** *devil*
[dévəl 데벌]
명 (복수 **devils** [dévəlz 데벌즈]) 악마, 마귀; 《the Devil로》 마왕

Speak of the *devil*, and he will appear. 《속담》 악마 이야기를 하면, 반드시 악마가 나타난다.

***de•vote** *devote*
[divóut 디보우트]
타 (3단현 **devotes** [divóuts 디보우츠], 과거 · 과분 **devoted** [divóutid 디보우티드], 현분 **devoting** [di-vóutiŋ 디보우팅])
❶ (노력 · 시간 따위를) 바치다
He *devoted* his life to his study. 그는 연구에 일생을 바쳤다.
❷ 《**be devoted to**로》 (일 따위에) 전념하다
She *is devoted to* sport. 그녀는 운동에 전념하고 있다.

**dew** *dew*
[djúː 듀-]
명 《a와 복수형 안 씀》 이슬
The grass was wet with *dew*. 풀이 이슬에 젖어 있었다.

**di•al** *dial*
[dáiəl 다이얼]
명 (복수 **dials** [dáiəlz 다이얼즈])
❶ (시계 · 계기 따위의) 문자반
❷ (전화기 · 라디오의) 다이얼
I turned the *dial* of the radio. 나는 라디오의 다이얼을 돌렸다.
—타자 (3단현 **dials** [dáiəlz 다이얼즈], 과거 · 과분 **dial(l)ed** [dáiəld 다이얼드], 현분 **dial(l)ing** [dáiəliŋ 다이얼링])
다이얼을 돌리다; 전화를 걸다
She *dialed* the wrong number. 그녀는 전화를 잘못 걸었다.

**di•a•log(ue)** *dialog(ue)*
[dáiəlɔ̀ːg 다이얼로-그]
명 (복수 **dialog(ue)s** [dáiəlɔ̀ːgz 다이얼로-그즈]) 대화, 대사, 회화

***di•a•mond** *diamond*
[dái(ə)mənd 다이(어)먼드]
명 (복수 **diamonds** [dái(ə)məndz 다이(어)먼즈])
❶ 다이아몬드, 금강석

a *diamond* ring 다이아몬드 반지
❷ (트럼프의) 다이아몬드패, 마름모꼴
❸ 〖야구〗 내야

**⁑di•a•ry** *diary*
[dái(ə)ri 다이(어)리]
명 (복수 **diaries** [dái(ə)riz 다이(어)리즈]) 일기, 일기장
I keep a *diary* in English.
나는 영어로 일기를 쓴다.

***dic•ta•tion** *dictation*
[diktéiʃən 딕테이션]
명 (복수 **dictations** [diktéiʃəns 딕테이션즈]) 받아쓰기, 구술

***dic•tion•ar•y** *dictionary*
[díkʃənèri 딕셔네리]
명 (복수 **dictionaries** [díkʃənèriz 딕셔네리즈]) 사전, 사서
Can I use your English *Dictionary*? 네 영어사전을 써도 되겠니?

***did** *did*
[《약》 did 디드; 《강》 díd 디드]
타 자 조 do(하다)의 과거

**did•n't** *didn't*
[dídnt 디든트]
did not의 축약형

**⁑die** *die*
[dái 다이]
자 (3단현 **dies** [dáiz 다이즈], 과거 · 과분 **died** [dáid 다이드], 현분 **dying** [dáiiŋ 다이잉])
❶ 죽다 (반 live 살다, 관 death 죽음)
He *died* at (the age of) forty.
그는 40세에 죽었다.

❷ (꽃 따위가) 시들다, 말라죽다
This flower will soon *die*. 이 꽃은 (물을 주지 않으면) 곧 시들 것이다.
❸ 사라지다
This memory will never *die*.

이 기억은 결코 잊혀지지 않을 거야.

숙어 ***die away*** (바람 · 소리 따위가) 그치다, 잦아들다

The wind slowly *died away*.
바람이 서서히 잦아들었다.

***die from*** (부상으로) 죽다

He *died from* a hard work.
그는 과로로 사망했다.

***die of*** (병 · 노령으로) 죽다

She *died of* cancer last year.
그녀는 작년에 암으로 죽었다.

**diet** *diet*
[dáiət 다이어트]
명 (복수 **diets** [dáiəts 다이어츠])
(일상의) 식사; (건강을 위한) 규정식, 다이어트

She is on a *diet*.
그녀는 다이어트를 하고 있다.

**dif•fer** *differ*
[dífər 디퍼]
자 (3단현 **differs** [dífərz 디퍼즈], 과거 · 과분 **differed** [dífərd 디퍼드], 현분 **differing** [díf(ə)riŋ 디퍼링])
다르다, 틀리다 《from》

A table *differs from* a desk.
테이블과 책상은 다르다.

His opinion *differs from* mine.
그의 의견은 나와 다르다.

***dif•fer•ence*** *difference*
[díf(ə)rəns 디퍼런스]
명 (복수 **differences** [díf(ə)rənsiz 디퍼런시즈]) 다름, 차이

There are many *differences* between cricket and baseball.
크리켓과 야구 사이에는 많은 차이가 있다.

**⁑dif•fer•ent** *different*
[díf(ə)rənt 디퍼런트]
형 (비교급 **more different**, 최상급 **most different**)

❶ 다른, 딴 《from》

Their customs are quite *different from* ours. 그들의 풍습은 우리의 풍습과 꽤 다르다.

❷ 여러 가지의 (동 various)

There are *different* kinds of flowers in the garden. 정원에는 여러 가지 종류의 꽃이 있다.

**⁑dif•fi•cult** *difficult*
[dífikʌ̀lt 디피컬트]
형 (비교급 **more difficult**, 최상급 **most difficult**)
어려운; 곤란한 (반 easy 쉬운)

Speaking English is *difficult*.
영어를 말하는 것이 어렵다.

It is *difficult* for me to solve the problem.
나는 그 문제를 풀기가 어렵다.

***dif•fi•cul•ty** *difficulty*
[dífikʌ̀lti 디피컬티]
명 (복수 **difficulties** [dífikʌ̀ltiz 디피컬티즈]) 어려움, 《복수형으로》 곤경
He overcame many *difficulties*. 그는 많은 역경을 극복했다.

***dig** *dig*
[díg 디그]
타자 (3단현 **digs** [dígz 디그즈], 과거 · 과분 **dug** [dʌ́g 더그], 현분 **digging** [dígiŋ 디깅])
파다, 파내다; 캐내다 《out》
They *dug* a hole in the ground.
그들은 땅에 구멍을 팠다.

He *dug out* the treasure.
그는 보물을 파냈다.

**di•gest** *digest*
[daidʒést 다이제스트]
타 (3단현 **digests** [daidʒésts 다이제스츠], 과거 · 과분 **digested** [daidʒéstid 다이제스티드], 현분 **digesting** [daidʒéstiŋ 다이제스팅])
(음식을) 소화하다; (의미를) 이해하다
Food is *digested* in the stomach. 음식은 위에서 소화된다.

**dig•ni•ty** *dignity*
[dígnəti 디그너티]
명 《a와 복수형 안 씀》 위엄, 품위
He is a man of *dignity*.
그는 위엄 있는 사람이다.

****dil•i•gent** *diligent*
[dílədʒənt 딜러전트]
형 부지런한, 근면한 (반 idle)
She is a *diligent* girl.
그녀는 부지런한 소녀이다.

**dim** *dim*
[dím 딤]
형 (비교급 **dimmer** [dímər 디머], 최상급 **dimmest** [dímist 디미스트])
어둠침침한 (반 bright 밝은)
Don't read in *dim* light.
어둠침침한 빛에서 책을 읽지 마라.

**dime** *dime*
[dáim 다임]
명 (복수 **dimes** [dáimz 다임즈])
《미》 10센트 은화

a b c d e f g h i j k l m n o p q r s t u v w x y z

A B C D E F G H I J K L M N O P Q R S T U V W X Y Z

**dine** *dine*
[dáin 다인]
타 (3단현 **dines** [dáinz 다인즈], 과거 · 과분 **dined** [dáind 다인드], 현분 **dining** [dáiniŋ 다이닝])
식사하다

Let's *dine* out this evening.
오늘 저녁에 외식합시다.

**⁑din•ing room** *dining room*
[dáiniŋ rù:m 다이닝룸–]
명 (가정 · 호텔의) 식당

**⁑din•ner** *dinner*
[dínər 디너]
명 (복수 **dinners** [dínərz 디너즈])
❶ 정찬, 만찬; 저녁 식사
*Dinner* is ready.
저녁 식사가 준비되어 있다.
They are at *dinner*.
그들은 식사 중이다.
❷ 《**a dinner**로》 만찬회, 오찬회 (동 dinner party)
We gave *a dinner* for him.
우리는 그를 위해 만찬회를 열었다.

참고 **dinner**는 하루의 주된 식사를 뜻하며, 점심이나 저녁에 두루 쓰인다. 미국 가정에서는 6시경이 dinner 시간이며, 간단한 **supper**(저녁 식사)로 대신하는 수도 있다.

**din•ner par•ty** *dinner party*
[dínər pà:rti 디너파–티]
명 만찬회, 오찬회

**di•no•saur** *dinosaur*
[dáinəsɔ̀:r 다이너소–]
명 (복수 **dinosaurs** [dáinəsɔ̀:rz 다이너소–즈]) 공룡

**dip** *dip*
[díp 딥]
타 (3단현 **dips** [díps 딥스], 과거 · 과분 **dipped** [dípt 딥트], 현분 **dipping** [dípiŋ 디핑])
(살짝) 담그다, (물에) 적시다
He *dipped* his brush in the paint. 그는 페인트에 붓을 적셨다.

**dip•lo•mat** *diplomat*
[dípləmæ̀t 디플러맷]
명 (복수 **diplomats** [dípləmæ̀ts 디플러매츠]) 외교관

**dip•per** *dipper*
[dípər 디퍼]
명 (복수 **dippers** [dípərz 디퍼즈])
국자; 〖천문〗 북두칠성
the Great〔Big〕 *Dipper* 큰곰자리

***di•rect** *direct*
[dirékt 디렉트]
형 (비교급 **more direct** 또는 **directer** [diréktər 디렉터], 최상급 **most direct** 또는 **directest** [diréktist 디렉티스트])
❶ 똑바른 (동 straight), 곧은
Take the *direct* road to the station. 역까지 똑바로 가시오.

❷ 직접의; 솔직한
He gave me a *direct* answer.
그는 내게 솔직한 대답을 했다.

—부 똑바로, 직접
This plane flies *direct* to London. 이 비행기는 런던으로 직행한다.
—타 (3단현 **directs** [dirékts 디렉츠], 과거 · 과분 **directed** [diréktid 디렉티드], 현분 **directing** [diréktiŋ 디렉팅])
❶ 지시하다, 지도하다; 지휘하다
The conductor *directed* the orchestra.
그 지휘자는 오케스트라를 지휘했다.
She *directs* the works of the pupils.
그녀는 학생들의 작업을 지도한다.

❷ 길을 가리키다
Would you *direct* us to the park? 공원으로 가는 길을 좀 가르쳐 주시겠습니까?

***di•rec•tion** *direction*
[dirékʃən 디렉션]
명 (복수 **directions** [dirékʃənz 디렉션즈]) ❶ 방향, 방면
He went away in that *direction*. 그는 저 방향으로 가버렸다.
❷ 《a와 복수형 안 씀》 지휘, 지도, 감독
❸ 《보통 복수형으로》 설명서, 지시문

**di•rect•ly** *directly*
[diréktli 디렉틀리]
부 똑바로; 즉시; 직접

a b c d e f g h i j k l m n o p q r s t u v w x y z

**di•rec•tor** *director*
[diréktər 디렉터]
명 (복수 **directors** [diréktərz 디렉터즈]) ❶ 지도자; 감독, 연출가
He is a movie *director*.
그는 영화감독이다.
❷ 이사, 중역

**dirt** *dirt*
[də́:rt 더-트]
명 《a와 복수형 안 씀》 먼지, 쓰레기; 오물; 흙
The car was covered with *dirt*. 그 차는 먼지로 뒤덮여 있었다.

*****dirt•y** *dirty*
[də́:rti 더-티]
형 (비교급 **dirtier** [də́:rtiər 더-티어], 최상급 **dirtiest** [də́:rtiist 더-티이스트])
❶ 더러운, 불결한 (반 clean 깨끗한)
a *dirty* coat 더러운 상의
Tom's hands are very *dirty*.
톰의 손은 매우 더럽다.

❷ (행위가) 비열한
He played a *dirty* trick on me.
그는 나에게 비열한 짓을 했다.

**dis•a•gree** *disagree*
[dìsəgrí: 디서그리-]
자 (3단현 **disagrees** [dìsəgrí:z 디서그리-즈], 과거 · 과분 **disagreed** [dìsəgrí:d 디서그리-드], 현분 **disagreeing** [dìsəgrí:iŋ 디서그리-잉])
일치하지 않다, 의견이 다르다 (반 agree 일치하다) 《with》
I *disagree with* you.
나는 당신과 의견이 다르다.

***dis•ap•pear** *disappear*
[dìsəpíər 디서피어]
자 (3단현 **disappears** [dìsəpíərz 디서피어즈], 과거 · 과분 **disappeared** [dìsəpíərd 디서피어드], 현분 **disappearing** [dìsəpí(ə)riŋ 디서피(어)링])
사라지다 (반 appear 나타나다), 없어지다, 소멸하다
She *disappeared* in the crowd.
그녀는 군중 속으로 사라졌다.

**dis•ap•point** *disappoint*
[dìsəpɔ́int 디서포인트]
타 (3단현 **disappoints** [dìsəpɔ́ints 디서포인츠], 과거 · 과분 **disappointed** [dìsəpɔ́intid 디서포인티드], 현분 **disappointing** [dìsəpɔ́intiŋ 디서포인팅])
실망시키다, 기대에 어긋나다; 《**be disappointed**로》 실망하다
I *was* very *disappointed* at her answer.
나는 그녀의 대답에 크게 실망했다.

**dis•ap•point•ment** *disappointment*
[dìsəpɔ́intmənt 디서포인트먼트]
명 《a와 복수형 안 씀》 실망, 낙심

**dis•as•ter** *disaster*
[dizǽstər 디재스터]
명 (복수 **disasters** [dizǽstərz 디재스터즈]) 재난, 재해, 참사

**dis•charge** *discharge*
[distʃɑ́ːrdʒ 디스차지]
타 (3단현 **discharges** [distʃɑ́ːrdʒiz 디스차지즈], 과거 · 과분 **discharged** [distʃɑ́ːrdʒd 디스차지드], 현분 **discharging** [distʃɑ́ːrdʒiŋ 디스차징])
❶ (짐을) 부리다; (손님을) 내리다
The ship *discharged* its passengers. 그 배는 승객들을 내렸다.
❷ (총을) 발사하다; 방출하다
❸ 석방하다; 해고하다
—명 발사; 석방, 해고

***dis•ci•pline** *discipline*
[dísəplin 디서플린]
명 《a와 복수형 안 씀》 훈련, 규율
Students need *discipline*.
학생들은 규율이 필요하다.

**dis•con•tin•ue** *discontinue*
[dìskəntínjuː 디스컨티뉴-]
타 자 (3단현 **discontinues** [dìskəntínjuːz 디스컨티뉴-즈], 과거 · 과분 **discontinued** [dìskəntínjuːd 디스컨티뉴-드], 현분 **discontinuing** [dìskəntínjuːiŋ 디스컨티뉴-잉])
그만두다, 중지하다 (㊍ stop); 끝나다
He *discontinued* smoking.
그는 담배를 끊었다.

**dis•count** *discount*
[dískaunt 디스카운트, diskáunt 디스카운트]
타 (3단현 **discounts** [diskáunts 디스카운츠], 과거 · 과분 **discounted** [diskáuntid 디스카운티드], 현분 **discounting** [diskáuntiŋ 디스카운팅])
할인하다
They *discounted* 20% for books. 그들은 책을 20% 할인했다.
—명 [dískaunt 디스카운트] 할인

**dis•cour•age** *discourage*
[diskə́ːridʒ 디스커-리지]
타 (3단현 **discourages** [diskə́ːridʒiz 디스커-리지즈], 과거 · 과분 **discouraged** [diskə́ːridʒd 디스커-리지드], 현분 **discouraging** [diskə́ːridʒiŋ 디스커-리징])
용기를 잃게 하다, 낙담시키다
Don't be *discouraged*.
낙담하지 말아라.

***dis•cov•er** *discover*
[diskʌ́vər 디스커버]
타 (3단현 **discovers** [diskʌ́vərz 디스커버즈], 과거 · 과분 **discovered** [diskʌ́vərd 디스커버드], 현분 **discovering** [diskʌ́v(ə)riŋ 디스커버링])
발견하다, 찾아내다 (㊍ find); 깨닫다
Columbus *discovered* America in 1492. 콜럼버스는 1492년에 아

a b c d e f g h i j k l m n o p q r s t u v w x y z

메리카를 발견했다.

**dis•cov•er•y** *discovery*
[diskʌ́v(ə)ri 디스커버리]
명 (복수 **discoveries** [diskʌ́v(ə)riz 디스커버리즈]) 발견(물)

***dis•cuss** *discuss*
[diskʌ́s 디스커스]
타 (3단현 **discusses** [diskʌ́siz 디스커시즈], 과거 · 과분 **discussed** [diskʌ́st 디스커스트], 현분 **discussing** [diskʌ́siŋ 디스커싱])
의논하다, 검토하다, 토론하다
We *discussed* how to make our school beautiful. 우리는 학교를 아름답게 하는 방법을 토론했다.

***dis•cus•sion** *discussion*
[diskʌ́ʃən 디스커션]
명 (복수 **discussions** [diskʌ́ʃənz 디스커션즈]) 의논, 토론, 심의
The question is under *discussion*. 그 문제는 심의 중이다.

**dis•ease** *disease*
[dizíːz 디지-즈]
명 (복수 **diseases** [dizíːziz 디지-지즈]) 병, 질병 (동 illness)
a serious *disease* 중병

**dis•guise** *disguise*
[disgáiz 디스가이즈]
타 (3단현 **disguises** [disgáiziz 디스가이지즈], 과거 · 과분 **disguised** [disgáizd 디스가이즈드], 현분 **disguising** [disgáiziŋ 디스가이징])
❶ 변장하다, 가장하다
He *disguised* himself as a beggar. 그는 거지로 변장했다.
❷ (감정 따위를) 감추다, 속이다
—명 변장, 가장; 가면, 속이기

***dish** *dish*
[díʃ 디시]
명 (복수 **dishes** [díʃiz 디시즈])
❶ (큰) 접시, 주발
I have to wash the *dishes*. 나는 접시를 닦아야 한다.
❷ (접시에 담은) 요리

My favorite *dish* is chicken salad. 내가 좋아하는 요리는 치킨

샐러드이다.

어법 dish, plate, saucer

**dish**는 요리가 담겨 식탁 위에 나오는 우묵한 접시나 그릇을 가리키며, **plate**는 한 사람분의 식사를 담는 납작하고 밑이 얕은 접시를 가리킨다. 찻잔의 받침 접시는 **saucer**라고 한다.

**dis•hon•est** *dishonest*
[disánist 디사니스트]
형 부정직한, 불성실한, 부정한 (반 hon-est 정직한)
*dishonest* profits 부정한 수익

**disk, disc** *disk, disc*
[dísk 디스크]
명 (복수 **disks** [dísks 디스크스])
원반; 음반, 레코드
a compact *disc* 콤팩트 디스크

**dis•like** *dislike*
[dìsláik 디슬라이크]
타 (3단현 **dislikes** [dìsláiks 디슬라이크스], 과거 · 과분 **disliked** [dìsláikt 디슬라이크트], 현분 **disliking** [dìsláikiŋ 디슬라이킹])
싫어하다 (반 like 좋아하다), 미워하다

He *dislikes* singing.
그는 노래 부르는 것을 싫어한다.
I *dislike* big cities.
나는 대도시를 싫어한다.

**dis•miss** *dismiss*
[dismís 디스미스]
타 (3단현 **dismisses** [dismísiz 디스미시즈], 과거 · 과분 **dismissed** [dismíst 디스미스트], 현분 **dismissing** [dismísiŋ 디스미싱])
❶ (단체 따위를) 해산시키다
❷ 해고하다, 실직시키다
He was *dismissed* from his job.
그는 직장에서 해고당했다.

**Dis•ney•land** *Disneyland*
[díznilæ̀nd 디즈닐랜드]
명 디즈니랜드 ((월트 디즈니가 로스앤젤레스 교외에 만든 유원지))

**dis•o•bey** *disobey*
[dìsəbéi 디서베이]
타 (3단현 **disobeys** [dìsəbéiz 디서베이즈], 과거 · 과분 **disobeyed** [dìsəbéid 디서베이드], 현분 **disobeying** [dìsəbéiiŋ 디서베이잉])
복종하지 않다 (반 obey 순종하다); (…을) 어기다
You should not *disobey* your parents. 너는 부모에게 순종하지 않으면 안 된다.

**dis•or•der** *disorder*
[disɔ́ːrdər 디스오-더]

명 《a와 복수형 안 씀》 무질서, 혼란

**dis•play** *display*
[displéi 디스플레이]
타 (3단현 **displays** [displéiz 디스플레이즈], 과거 · 과분 **displayed** [displéid 디스플레이드], 현분 **displaying** [displéiiŋ 디스플레이잉])
전시하다, 진열하다; 보이다, (감정 · 능력 따위를) 나타내다
Our pictures are *displayed* on the wall.
우리 그림들이 벽에 전시되어 있다.
—명 (복수 **displays** [displéiz 디스플레이즈]) 전시, 진열; 전람회

New clothes are on *display*.
새 옷들이 전시 중이다.

***dis•tance** *distance*
[dístəns 디스턴스]
명 (복수 **distances** [dístənsiz 디스턴시즈]) ❶ 거리, 간격

What is the *distance* from here to the station?
여기서 역까지의 거리는 얼마지?
❷ 먼 곳, 원거리
숙어 ***at a distance*** 조금 떨어져서
***in the distance*** 먼 곳에, 저 멀리
They saw a light *in the distance*. 그들은 멀리 불빛을 보았다.

**dis•tant** *distant*
[dístənt 디스턴트]
형 (비교급 **more distant**, 최상급 **most distant**)
❶ (거리가) 먼, 멀리 있는
The school is five miles *distant* from here.
학교는 여기서 5마일 떨어져 있다.
❷ (시간 · 관계가) 먼, 지난
*distant* times 먼 옛날〔장래〕
He is my *distant* relative.
그는 나의 먼 친척이다.

**dis•tinct** *distinct*
[distíŋ(k)t 디스팅(크)트]
형 (비교급 **more distinct** 또는 **distincter** [distíŋ(k)tər 디스팅(크)터], 최상급 **most distinct** 또는 **distinctest** [distíŋ(k)tist 디스팅(크)티스트])
확실한, 뚜렷한; 별개의, 다른
She speaks with a *distinct* pronunciation.
그녀는 확실한 발음으로 말한다.

**dis•tin•guish** *distinguish*
[distíŋgwiʃ 디스팅귀시]
타 (3단현 **distinguishes** [distíŋgwiʃiz 디스팅귀시즈], 과거 · 과분 **distinguished** [distíŋgwiʃt 디스팅귀시트], 현분 **distinguishing** [distíŋgwiʃiŋ 디스팅귀싱])
구별하다, 식별하다 《from》

Can you *distinguish* a sheep *from* a goat?
양과 염소를 구별할 수 있니?

**dis•tin•guished** *distinguished*
[distíŋgwiʃt 디스팅귀시트]
형 두드러진; 유명한 (동 famous)

**dis•trib•ute** *distribute*
[distríbjut 디스트리뷰트]
타 (3단현 **distributes** [distríbjuts 디스트리뷰츠], 과거 · 과분 **distributed** [distríbjutid 디스트리뷰티드], 현분 **distributing** [distríbjutiŋ 디스트리뷰팅])
분배하다, 배급하다, 배포하다
They *distributed* food to the sufferers from the flood.
그들은 홍수 피해자들에게 음식을 배급했다.

*__dis•trict__ *district*
[dístrikt 디스트릭트]
명 (복수 **districts** [dístrikts 디스트릭츠]) ❶ 지방; 지역
a shopping *district* 상점가

❷ (행정상의) 지구, 관할 구역
I live in this school *district*.
나는 이 학군에 산다.

**dis•turb** *disturb*
[distə́ːrb 디스터-브]
타 자 (3단현 **disturbs** [distə́ːrbz 디스터-브즈], 과거 · 과분 **disturbed** [distə́ːrbd 디스터-브드], 현분 **disturbing** [distə́ːrbiŋ 디스터-빙])
❶ (질서를) 어지럽히다, 불안하게 하다
❷ 방해하다, 폐를 끼치다
I'm sorry to *disturb* you.
방해가 되어 미안합니다.
Do not *disturb*. 깨우지 마시오.
《호텔 객실 문에 거는 게시문》

a b c d e f g h i j k l m n o p q r s t u v w x y z

A B C D E F G H I J K L M N O P Q R S T U V W X Y Z

**ditch** *ditch*
[dítʃ 디치]
명 (복수 **ditches** [dítʃiz 디치즈])
도랑, 개천; 하수구
He fell in the *ditch*.
그는 도랑에 빠졌다.

**dive** *dive*
[dáiv 다이브]
자 (3단현 **dives** [dáivz 다이브즈], 과거 · 과분 **dived** [dáivd 다이브드], 현분 **diving** [dáiviŋ 다이빙])
(머리부터 물에) 뛰어들다, 다이빙하다
They *dived* into the river.
그들은 강물에 뛰어들었다.

**div•er** *diver*
[dáivər 다이버]
명 (복수 **divers** [dáivərz 다이버즈]) 잠수부
a deep-sea *diver* 심해 잠수부

***di•vide** *divide*
[diváid 디바이드]
타 (3단현 **divides** [diváidz 디바이즈], 과거 · 과분 **divided** [diváidid 디바이디드], 현분 **dividing** [diváidiŋ 디바이딩])
❶ 나누다, 분할하다
She *divided* the cake into four pieces. 그녀는 케이크를 네 조각으로 나누었다.

❷ 〖수학〗 나누다
When you *divide* 9 by 3, you get 3. 9를 3으로 나누면 3이 된다.

**di•vi•sion** *division*
[divíʒən 디비전]
명 (복수 **divisions** [divíʒənz 디비전즈]) ❶ 분할, 분배, 나누기
❷ 부분; 부(部); 〖군사〗 사단

**DMZ** *DMZ*
[díːémzíː 디-엠지-]
디엠지, 비무장 지대 《*demilitarized zone*의 약어》

**⁑do** *do*
[dúː 두-]
조 [《약》 du 두; 《강》 dúː 두-]
(3단현 **does** [《약》 dəz 더즈; 《강》 dʌ́z 더즈], 과거 **did** [díd 디드])
❶ 《의문문을 만들어》
*Do* you have a pen?
펜을 갖고 있니?
*Does* she live in Seoul?
그녀는 서울에 살고 있습니까?
Where *did* you buy it?
그것을 어디서 샀습니까?
❷ 《not과 함께 부정문을 만들어》
I *don't* know him.
나는 그를 알지 못한다.
*Don't* be afraid.
두려워하지 마라.

❸ 《동사의 뜻을 강조하여》 [dúː 두-] 《이 경우에 do를 강하게 발음함》
Please *do* come again.
부디 또 오시오.
I *do* believe so.
나는 꼭 그렇게 믿고 있다.
❹ 《대동사로 앞에 쓰인 동사를 대신함》
"*Do* you like apples?" "Yes, I *do*[like them]"
「사과를 좋아하니?」「응, 좋아해.」
❺ 《부사(구)가 맨 앞에 올 때 주어 앞에 쓰여》
Never *did* I see such a beautiful sight. 나는 그렇게 아름다운 경치를 본 적이 없었다.

**어법 조동사 do의 용법**

조동사 **do**는 보통 일반동사와 함께 쓰인다. be동사(am, are, is)나 조동사(can, will 등)와 함께 쓰이지 않는다. 다만, Don't be noisy.(시끄럽게 하지 마라.)처럼 be 동사의 부정 명령문일 때는 쓰인다.

—동 (3단현 **does** [dʌ́z 더즈], 과거 **did** [díd 디드], 과분 **done** [dʌ́n 던], 현분 **doing** [dúːiŋ 두-잉])
—타 ❶ 하다, 행하다
I must *do* my homework.
나는 숙제를 해야 한다.

He has nothing to *do*.
그는 할 일이 없다.

What shall I *do*?
어떻게 하면 좋을까?
What can I *do* for you?
무엇을 드릴까요? 《점원이 손님에게》
❷ 해주다, 베풀다
Will you *do* me a favor?
부탁 하나 들어 주시겠습니까?
❸ 《**be done** 또는 **have done**으로》 마치다, 끝내다 (동 finish)
The work *is* not *done* yet.
일이 아직 끝나지 않았다.
I *have done* shopping.
쇼핑을 끝마쳤습니다.
❹ 처리하다; 정리하다
I want someone to *do* the room. 나는 방 정리를 해 줄 사람이 필요하다.
—자 ❶ 일하다, 행하다, 처신하다
He *did* like a gentleman.
그는 신사처럼 행동했다.

When in Rome, *do* as the Romans *do*. 《속담》 로마에 가면 로마인처럼 행동해라.
❷ 《**will do**로》 쓸모가 있다, 족하다
That *will do*. 그거면 됐어.
You *won't do* for a pitcher.
너는 투수에 맞지 않다.
❸ 살아나가다, 지내다; 잘 되어가다
They are *doing* well.
그들은 잘해 나가고 있다.
How do you *do*?
안녕하세요?

[숙어] ***do away with*** 제거하다, 폐지하다
We should *do away with* the rule.
우리는 그 규칙을 폐지해야 한다.

***do one's best*** 최선을 다하다
*Do your best* in everything you do.
하는 일은 무엇이나 최선을 다해라.

***do with*** …을 처리하다, 끝마치다
She doesn't know what to *do with* her money. 그녀는 돈을 어떻게 처리해야 할지 모른다.

***do without*** …없이 해 나가다
I cannot *do without* a dictionary.
나는 사전 없이는 해 나갈 수 없다.

***have nothing to do with*** …와 관계가 없다
I *have nothing to do with* him.
나는 그와 아무 관계가 없다.

## dock *dock*

[dάk 닥]
[명] (복수 **docks** [dάks 닥스])
부두, 선창, 독

The ship crashed into the *dock*. 배는 부두를 들이받았다.

## **doc•tor *doctor*

[dάktər 닥터]
[명] (복수 **doctors** [dάktərz 닥터즈])

❶ 의사
You should see〔consult〕a *doctor*. 너는 의사의 진찰을 받아 보아야 한다.

Send for a *doctor*.
의사를 부르러 보내시오.

❷ 박사 (㊣ Dr. 또는 Dr)
*Dr.* Smith is a professor in economics.
스미스 박사는 경제학 교수이다.

[참고] **doctor**는 **Dr.**로 약하며, 이름 앞에는 안 붙이고 성 앞에 붙인다. Dr. Smith는 스미스 박사, (의사인) 스미스 선생님. 단, 이름 없이 호칭으로 쓰일 때에는 약하지 않는다: How is he, doctor? 그는 어떻습니까, 선생님?

## doc•u•ment *document*

[dάkjumənt 다큐먼트]
[명] 문서, 서류, 증서; 기록
an official *document* 공문서
legal *documents* 법률 서류

## *does *does*

[《약》 dəz 더즈; 《강》 dΛ́z 더즈]
[타][자][조] do(하다)의 3인칭 단수 현재
*Does* she speak English?
그녀는 영어를 합니까?

***does•n't** *doesn't*
[dʌ́znt 더즌트]
does not의 축약형
He *doesn't* take a walk everyday.
그는 매일 산책하는 것은 아니다.

**⁑dog** *dog*
[dɔ́ːg 도-그]
명 (복수 **dogs** [dɔ́ːgz 도-그즈]) 〖동물〗 개

A *dog* is a faithful animal.
개는 충직한 동물이다.
✎ 강아지는 puppy, 사냥개는 hound 또는 hunting dog, 개 짖는 소리는 bark, bowwow라 함.

***doll** *doll*
[dɑ́l 달]
명 (복수 **dolls** [dɑ́lz 달즈]) 인형

Jane is playing with a *doll*.
제인은 인형을 가지고 놀고 있다.

**⁑dol•lar** *dollar*
[dɑ́lər 달러]
명 (복수 **dollars** [dɑ́lərz 달러즈]) 〖단위〗 달러 《미국·캐나다의 화폐 단위; 기호는 $, 1달러는 100cent(센트)》

I bought the book for three *dollars*. 나는 그 책을 3달러에 샀다.

**dol•phin** *dolphin*
[dɑ́lfin 달핀]
명 (복수 **dolphins** [dɑ́lfinz 달핀즈]) 〖동물〗 돌고래

**do•mes•tic** *domestic*
[dəméstik 더메스틱]
형 ❶ 가정의, 집의; 가사의
*Domestic* affairs bothered her a lot. 가사로 그녀는 매우 힘들었다.
❷ 국내의; 국산의

A B C D E F G H I J K L M N O P Q R S T U V W X Y Z

*domestic* news 국내 뉴스
❸ (동물이) 길든, 집에서 기르는
a *domestic* animal 가축

**dom•i•nate** *dominate*
[dάmənèit 다머네이트]
타 자 (3단현 **dominates** [dάmənèits 다머네이츠], 과거 · 과분 **dominated** [dάmənèitid 다머네이티드], 현분 **dominating** [dάmənèitiŋ 다머네이팅])
지배하다, 위압하다, 주도하다
She always *dominates* the conversation.
그녀는 언제나 대화를 주도한다.

***done** *done*
[dʌ́n 던]
타 자 do(하다)의 과거분사
—형 끝난 (동 finished), 마친
The work is nearly *done*.
일이 거의 끝나간다.

**don•key** *donkey*
[dάŋki 당키]
명 (복수 **donkeys** [dάŋkiz 당키즈]) 〖동물〗 당나귀 (동 ass); 바보

Tom is riding a *donkey*.
톰은 당나귀를 타고 있다.

***don't** *don't*
[dóunt 도운트]
do not의 축약형

****door** *door*
[dɔ́ːr 도-]
명 (복수 **doors** [dɔ́ːrz 도-즈])
문; 출입구, 현관

Mr. Brown opened the *door*.
브라운 씨는 문을 열었다.
He heard a knock on the *door*.
그는 문 두드리는 소리를 들었다.
숙어 ***from door to door*** 이집 저집으로, 집집마다
***next door to*** …의 이웃에
She lives *next door to* us.
그녀는 우리 이웃집에 살고 있다.
***out of doors*** 야외에서, 집 밖에서
Get *out of doors*. 밖에 나가거라.

**door•bell** *doorbell*
[dɔ́ːrbèl 도-벨]
명 (복수 **doorbells** [dɔ́ːrbèlz 도-벨즈]) 현관의 벨, 초인종

I rang the *doorbell*.
나는 초인종을 울렸다.

**door•step** *doorstep*
[dɔ́ːrstèp 도-스텝]
명 현관의 계단

**door•way** *doorway*
[dɔ́ːrwèi 도-웨이]
명 (복수 **doorways** [dɔ́ːrwèiz 도-웨이즈]) 출입구, 문간
My father stood in the *doorway*. 아버지가 문간에 서 계셨다.

**dor•mi•to•ry** *dormitory*
[dɔ́ːrmitɔ̀(ː)ri 도-미토(-)리]
명 (복수 **dormitories** [dɔ́ːrmitɔ̀(ː)riz 도-미토(-)리즈])
기숙사, 합숙소 (약 dorm)

**dot** *dot*
[dát 닷]
명 (복수 **dots** [dátz 다츠])
작은 점, 반점; 작은 것

—타 (3단현 **dots** [dáts 다츠], 과거·과분 **dotted** [dátid 다티드], 현분 **dotting** [dátiŋ 다팅])
점을 찍다; 점점이 있다
The sea is *dotted* with islands.
그 바다에는 섬들이 점점이 산재되어 있다.

*__dou•ble__ *double*
[dʌ́bl 더블]
형 ❶ 두 배의, 갑절의
He did *double* work today.
그는 오늘 두 배의 일을 했다.
❷ 이중의, 2인용의
She uses a *double* bed.
그녀는 2인용 침대를 사용하고 있다.
—명 (복수 **doubles** [dʌ́blz 더블즈]) ❶ 《a와 복수형 안 씀》 두 배
Six is the *double* of three.
6은 3의 두 배다.
❷ 《복수형으로》 (탁구 따위의) 복식 시합, 더블즈 (반 singles 단식 시합)
mixed *doubles* 혼합 복식 경기

—부 두 배로, 갑절로, 2중으로

*__doubt__ *doubt*
[dáut 다우트]
b는 발음하지 않음.
명 (복수 **doubts** [dáuts 다우츠])
의심, 의문, 불확실
I have no *doubt* that you will succeed. 나는 당신이 성공하리라는 것을 의심하지 않는다.
숙어 ***in doubt*** 의심하여
***no doubt*** 의심할 바 없이, 확실히
*No doubt*, he'll be in time.
물론, 그는 시간에 맞춰 올 것이다.
***without doubt*** 틀림없이, 꼭
—타자 (3단현 **doubts** [dáuts 다우츠], 과거·과분 **doubted** [dáutid

다우티드], 현분 **doubting** [dáutiŋ 다우팅])

❶ 의심하다, 믿지 않다 (반 believe 믿다)

He *doubted* her honesty.
그는 그녀의 정직성을 의심했다.

❷《**doubt if**〔**whether**〕로》 …인지 어떤지 의심스럽게 여기다;《**doubt that**으로》 …이 아닌가 생각하다

I *doubt whether* she is coming.
그녀가 올지 안 올지 의문이다.

I don't *doubt that* he will help me. 그가 나를 도와줄 것을 의심하지 않는다.

✎ doubt 뒤에 오는 접속사는, 부정문이나 의문문에서는 that을, 긍정문에서는 whether나 if를 씀.

## doubt•ful *doubtful*

[dáutful 다우트풀]

형 의심스러운, 불확실한

I am *doubtful* of the weather on Sunday.
일요일에 날씨가 어떨지 모르겠다.

## dough•nut *doughnut*

[dóunət 도우넛]

☺ gh는 발음하지 않음.

명 도넛

We are eating *doughnuts.*
우리는 도넛을 먹고 있다.

## dove *dove*

[dʌ́v 더브]

명 (복수 **doves** [dʌ́vz 더브즈])
〖조류〗 비둘기 (동 pigeon)

## ⁂down *down*

[dáun 다운]

부 ❶ 아래로, 아래쪽으로〔에〕 (반 up 위로)

Sit *down,* please. 앉아라.
The sun went *down* in the west. 태양이 서쪽으로 졌다.

❷ (흐름을) 따라서, (층계 따위를) 내려가서; 쓰러져

Several trees fell *down.*
몇 그루의 나무가 쓰러졌다.

❸ (세력 따위가) 줄어, 약해져

Turn *down* the radio.
라디오 소리를 줄이세요.

숙어 ***up and down*** 위아래로; 여기저기; 왔다갔다

— 전 [dàun 다운] …아래로〔에〕

A B C D E F G H I J K L M N O P Q R S T U V W X Y Z

We went *down* the river in the boat.
우리는 배를 타고 강을 내려갔다.

***down•stairs** *downstairs*
[dáunstέərz 다운스테어즈]
부 아래층에〔으로〕 (반 upstairs 위층에), 1층에
She came *downstairs* for breakfast. 그녀는 아침 식사하러 아래층으로 내려왔다.

—형 아래층의, 1층의
a *downstairs* bathroom
아래층의 목욕탕
—명 《the를 붙여》 아래층, 1층
My library is in *the downstairs*.
나의 서재는 아래층에 있다.

**down•town** *downtown*
[dáuntáun 다운타운]
명 (복수 **downtowns** [dáuntáunz 다운타운즈]) 도심지; 중심가, 상업 지구
Please show me the way to the *downtown*. 도심지로 가는 길 좀 알려 주시겠어요?
—부 도심지로〔에〕, 상가로〔에〕

***down•ward(s)**
*downward(s)*
[dáunwərd(z) 다운워즈]
형 아래쪽의, 하향의 (반 upward(s) 위쪽의)
a *downward* slope 내리막 비탈
—부 아래쪽에〔으로〕

**doz•en** *dozen*
[dʌ́zn 더즌]
명 (복수 **dozens** [dʌ́znz 더즌즈])
1다스, 12개
She bought a *dozen* eggs.
그녀는 달걀을 12개 샀다.
숙어 ***a dozen of*** 한 다스의
*a dozen of* pencil 연필 한 다스

***dozens of*** 많은, 여럿의
There were *dozens of* people in that room.
그 방에는 많은 사람들이 있었다.

**draft** *draft*
[drǽft 드래프트]
명 (복수 **drafts** [drǽfts 드래프츠])
초안; 설계 도면, 밑그림
a *draft* for a yacht 요트 설계도

**drag** *drag*
[drǽg 드래그]
타 (3단현 **drags** [drǽgs 드래그즈], 과거 · 과분 **dragged** [drǽgd 드래그드], 현분 **dragging** [drǽgiŋ 드래깅])
(무거운 것을) 끌다, 질질 끌고 가다
She *dragged* the heavy trunk.
그녀는 무거운 트렁크를 질질 끌었다.

a b c d e f g h i j k l m n o p q r s t u v w x y z

A B C D E F G H I J K L M N O P Q R S T U V W X Y Z

**drag·on** *dragon*
[drǽgən 드래건]
명 (복수 **dragons** [drǽgənz 드래건즈]) 용(龍)
The *dragon* breathes fire.
용은 불을 내뿜는다.

**drag·on·fly** *dragonfly*
[drǽgənflài 드래건플라이]
명 (복수 **dragonflies** [drǽgənflàiz 드래건플라이즈]) 〖곤충〗 잠자리

**dra·ma** *drama*
[drɑ́ːmə 드라-머]
명 (복수 **dramas** [drɑ́ːməz 드라-머즈]) ❶ 《a와 복수형 안 씀》 연극
❷ 극, 희곡, 각본
She wrote a new *drama*.
그녀는 새 희곡을 썼다.

**dra·mat·ic** *dramatic*
[drəmǽtik 드러매틱]
형 ❶ 연극의, 극의
He is good at *dramatic* performance. 그는 연기를 잘한다.
❷ 극적인, 연극 같은

***drank** *drank*
[drǽŋk 드랭크]
타 자 drink(마시다)의 과거

**⁑draw** *draw*
[drɔ́ː 드로-]
동 (3단현 **draws** [drɔ́ːz 드로-즈], 과거 **drew** [drúː 드루-], 과분 **drawn** [drɔ́ːn 드론-], 현분 **drawing** [drɔ́ːiŋ 드로-잉])
—타 ❶ 끌다, 끌어당기다 (동 pull, 반 push 밀다)
She *drew* the curtain over the window. 그녀는 창문에 커튼을 쳤다.
❷ 끌어내다, 뽑다, 퍼내다
She is *drawing* water from the well. 그녀는 우물에서 물을 퍼 올리고 있다.
❸ (선을) 긋다; (그림을) 그리다
*Draw* a straight line.
직선을 그어라.
She *draws* pictures very well.
그녀는 그림을 썩 잘 그린다.

❹ (마음 · 주의를) 끌다
A girl *drew* our attention.
한 소녀가 우리의 관심을 끌었다.
—자 그림을 그리다

He *draws* very well.
그는 그림을 아주 잘 그린다.

**어법** draw와 paint
**draw**는 「(펜이나 연필로 선을 그어) 그림을 그리다」, **paint**는 「(그림물감으로) 그림을 그리다」란 뜻이다.

## drawer *drawer*
[drɔ́:r 드로-]
명 (복수 **drawers** [drɔ́:rz 드로-즈])
서랍; 《복수형으로》 옷장
This desk has two *drawers*.
이 책상은 서랍이 두 개다.

## draw•ing *drawing*
[drɔ́:iŋ 드로-잉]
명 (복수 **drawings** [drɔ́:iŋz 드로-잉즈]) 그림, 데생; 제도

## *drawn *drawn*
[drɔ́:n 드론-]
타 draw(끌다)의 과거 분사

## dread•ful *dreadful*
[drédfəl 드레드펄]
형 (비교급 **more dreadful**, 최상급 **most dreadful**)
무서운, 두려운 (동 terrible, horrible); 지독한
A *dreadful* accident happened last night.
어젯밤에 무서운 사고가 일어났다.

## **dream *dream*
[drí:m 드림-]
명 (복수 **dreams** [drí:mz 드림-즈])
꿈, 공상; 이상
I had a good *dream* last night.
어젯밤에 좋은 꿈을 꾸었다.
My *dream* has come true.
내 꿈이 실현되었다.
—타자 (3단현 **dreams** [drí:mz 드림-즈], 과거 · 과분 **dreamed** [drí:md 드림-드] 또는 **dreamt** [drémt 드렘트], 현분 **dreaming** [drí:miŋ 드리-밍])
❶ 꿈을 꾸다, 꿈에 보다; 동경하다
She *dreamed* (that) she could fly. 그녀는 날아다니는 꿈을 꾸었다.

I *dreamed* of becoming a doctor. 나는 의사가 되기를 꿈꾸었다.
❷ 《주로 부정문에서》 상상하다 《of》
I never *dreamed of* meeting you here. 여기서 너를 만나리라고는 꿈에도 생각하지 못했다.

## **dress *dress*
[drés 드레스]
명 (복수 **dresses** [drésiz 드레시즈])
❶ 드레스, (원피스의) 여성복
She is wearing a new *dress*.
그녀는 새 드레스를 입고 있다.
❷ 《관사 없이》 의복, 복장, 정장
He is in full *dress*.
그는 정장을 하고 있다.
—타자 (3단현 **dresses** [drésiz 드레시즈], 과거 · 과분 **dressed** [drést 드레스트], 현분 **dressing** [drésiŋ 드레싱])
옷을 입히다, 옷차림을 하다
She is *dressing* her child.
그녀는 아이에게 옷을 입히고 있다.

A B C D E F G H I J K L M N O P Q R S T U V W X Y Z

He is *dressed* in white.
그는 흰 옷을 입고 있다.
She *dressed* up for the party.
그녀는 파티에 갈 옷을 차려 입었다.

**dress•mak•er** *dressmaker*
[drésmèikər 드레스메이커]
명 (복수 **dressmakers** [drésmèikərz 드레스메이커즈])
(여성복의) 양재사 (관 tailor 재단사)
She is a good *dressmaker*.
그녀는 솜씨 좋은 양재사다.

*__drew__ *drew*
[drúː 드루-]
타 draw(끌다; 그리다)의 과거

**dri•er, dry•er** *drier, dryer*
[dráiər 드라이어]
명 (복수 **driers**, **dryers** [dráiərz 드라이어즈])
건조기, 헤어드라이어

**drill** *drill*
[dríl 드릴]
타 (3단현 **drills** [drílz 드릴즈], 과거·과분 **drilled** [dríld 드릴드], 현분 **drilling** [dríliŋ 드릴링])
❶ (송곳 따위로) 구멍을 뚫다
He *drilled* two holes in the board.
그는 판자에 구멍을 두 개 뚫었다.

❷ 훈련하다; 연습하다 (동 exercise)
He *drilled* students in English grammar. 그는 학생들에게 영문법 연습을 시켰다.
—명 (복수 **drills** [drílz 드릴즈])
❶ 송곳, 천공기
❷ 훈련, 연습 (동 train)
a fire *drill* 소방 훈련

⁑**drink** *drink*
[dríŋk 드링크]
타자 (3단현 **drinks** [dríŋks 드링크스], 과거 **drank** [drǽŋk 드랭크], 과분 **drunk** [drʌ́ŋk 드렁크] 또는 《미》 **drank** [drǽŋk 드랭크], 현분 **drinking** [dríŋkiŋ 드링킹])
마시다; 술을 마시다, 건배하다
They are *drinking* coffee.
그들은 커피를 마시고 있다.

I want something to *drink*.
나는 뭔가 마시고 싶다.
—명 (복수 **drinks** [dríŋks 드링크

스]) ❶ 한 잔
Would you like a *drink*?
무엇 한 잔 마시겠습니까?
❷ 마실 것, 음료; 술

Give me a cold *drink*, please.
차가운 마실 것 좀 주세요.

**⁑drive** *drive*
[dráiv 드라이브]
동 (3단현 **drives** [dráivz 드라이브즈], 과거 **drove** [dróuv 드로우브], 과분 **driven** [drívən 드리번], 현분 **driving** [dráiviŋ 드라이빙])
—타 ❶ 운전하다
She can *drive* a car.
그녀는 차를 운전할 줄 안다.
❷ 몰다; 쫓다
He *drove* cattle to pasture.
그는 소떼를 목초지에 몰아넣었다.
—자 운전하다; 차로 가다

They *drove* to the seaside.
그들은 해안까지 드라이브를 했다.
—명 (복수 **drives** [dráivz 드라이브즈]) 차를 몰기; (차로 가는) 거리
She enjoyed a *drive*.
그녀는 드라이브를 즐겼다.

***driv•en** *driven*
[drívən 드리번]
타자 drive(운전하다)의 과거분사

**driv•er** *driver*
[dráivər 드라이버]
명 (복수 **drivers** [dráivərz 드라이버즈]) ❶ 운전자; 마부

She is a good *driver*.
그녀는 운전을 잘한다.
❷ 나사 돌리개, 드라이버

**driv•ing** *driving*
[dráiviŋ 드라이빙]
명 운전, 조종

**⁑drop** *drop*
[dráp 드랍]
동 (3단현 **drops** [dráps 드랍스], 과거 · 과분 **dropped** [drápt 드랍트], 현분 **dropping** [drápiŋ 드라핑])
—타 ❶ 떨어뜨리다
She *dropped* the glass on the floor.
그녀는 마루에 유리잔을 떨어뜨렸다.

❷ (차에서 사람을) 내리다
*Drop* me at the station, please.
역 앞에 나를 내려 주세요.
—자 ❶ 떨어지다, 내리다
The apple *dropped* (down) from a tree.
사과가 나무에서 떨어졌다.
❷ (온도 · 물가 따위가) 내려가다
The price of meat will *drop*.
고깃값이 내려갈 것이다.
❸ 넘어지다
He *dropped* to the ground.
그는 땅에 넘어졌다.
숙어 ***drop by*〔*in*〕** 잠깐 들르다
Why don't you *drop in* sometime? 왜 가끔 들르지 않니?
—명 (복수 **drops** [drάps 드랍스])
❶ 물방울, 방울; 소량
A few *drops* of rain fell on my coat.
비 몇 방울이 내 외투에 떨어졌다.
❷ (온도 · 물가 따위의) 하락; 낙하

## *drove *drove*

[dróuv 드로우브]
타자 drive(운전하다)의 과거

## *drown *drown*

[dráun 드라운]
타자 (3단현 **drowns** [dráunz 드라운즈], 과거 · 과분 **drowned** [dráund 드라운드], 현분 **drowning** [dráuniŋ 드라우닝])
물에 빠뜨리다〔빠지다〕; 물에 빠져 죽다
A girl nearly *drowned* in the lake. 한 소녀가 하마터면 호수에 빠져 죽을 뻔했다.

## drug *drug*

[drΛ́g 드러그]
명 (복수 **drugs** [drΛ́gz 드러그즈])
약, 약품; 마약

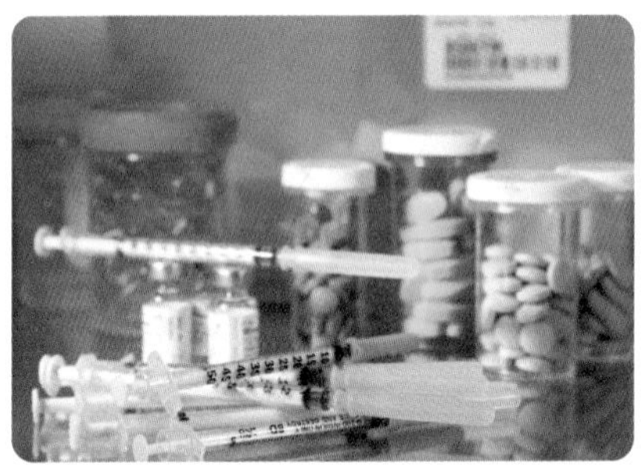

Try not to take a sleeping *drug*.
수면제를 먹지 않도록 해 보아라.

## drug•store *drugstore*

[drΛ́gstɔ̀ːr 드러그스토-]
명 (복수 **drugstores** [drΛ́gstɔ̀ːrz 드러그스토-즈]) 《미》 약방, 약국

참고 미국의 **drugstore**는 약품은 물론 화장품, 담배, 문방구, 잡

지 따위도 팔며, 스탠드에서는 아이스크림, 커피, 샌드위치 따위의 간단한 음식도 먹을 수 있다.

**drum** *drum*
[drʌ́m 드럼]
명 (복수 **drums** [drʌ́mz 드럼즈])
〖악기〗 북, 드럼

He is beating a *drum*.
그는 북을 치고 있다.

***drunk** *drunk*
[drʌ́ŋk 드렁크]
타자 drink(마시다)의 과거분사

**drunk·en** *drunken*
[drʌ́ŋkən 드렁컨]
형 술 취한
*drunken* driver 음주 운전자

**⁑dry** *dry*
[drái 드라이]
형 (비교급 **drier** 또는 **dryer** [dráiər 드라이어], 최상급 **driest** 또는 **dryest** [dráiist 드라이이스트])
❶ 마른, 건조한 (반 wet 젖은); 가문
a *dry* towel 마른 수건
The *dry* weather lasted.
가뭄이 계속되었다.
❷ 무미건조한, 재미없는; 냉담한
This book is *dry*.
이 책은 재미없다.
—동 (3단현 **dries** [dráiz 드라이즈], 과거 · 과분 **dried** [dráid 드라이드], 현분 **drying** [dráiiŋ 드라이잉])
—타 말리다, 건조시키다
I *dried* the clothes by the fire.
나는 불 옆에서 옷을 말렸다.

—자 마르다, 건조하다
The pond has *dried* up.
그 연못은 바싹 말라 버렸다.

**duck** *duck*
[dʌ́k 덕]
명 (복수 **ducks** [dʌ́ks 덕스])
〖조류〗 오리
A *duck* is swimming around the pond.
오리가 연못을 헤엄쳐 돌고 있다.

A B C D E F G H I J K L M N O P Q R S T U V W X Y Z

**due** *due*
[d(j)úː 듀–]
형 ❶ 응당 치러야 할; 지급 기일이 된
*due* date (어음의) 만기일
Our salary is *due* tomorrow.
우리의 급료는 내일 지급된다.
❷ 도착 예정인; 《**be due to** do로》 …할 예정이다, …하게 되어 있다
The plane is *due* at three.
그 비행기는 3시에 도착할 예정이다.
❸ 《**be due to**로》 …에 기인하다; …탓이다
The accident *was due to* his careless driving. 그 사고는 그의 부주의한 운전 탓이었다.

**duke** *duke*
[d(j)úːk 듀–크]
명 (복수 **dukes** [d(j)úːks 듀–크스]) 《영》 공작 《영국 외에는 prince》
the *Duke* of Wellington
웰링턴 공작

*__dull__ *dull*
[dʌ́l 덜]
형 (비교급 **duller** [dʌ́lər 덜러], 최상급 **dullest** [dʌ́list 덜리스트])
❶ (칼날이) 무딘 (반 sharp 날카로운); (머리가) 둔한 (반 clever 영리한)
a *dull* knife 무딘 칼
All work and no play makes Jack a *dull* boy. 《속담》 공부만 하고 놀지 않는 아이는 바보가 된다.
❷ (날씨가) 흐린 (동 cloudy); (색·소리가) 희미한
*dull* color 희미한 색
The weather is *dull*.
날씨가 흐리다.
❸ 재미없는, 지루한 (반 interesting 재미있는)
That movie was very *dull*.
그 영화는 매우 지루했다.

**dumb** *dumb*
[dʌ́m 덤]
b는 발음하지 않음.
형 (비교급 **dumber** [dʌ́mər 더머], 최상급 **dumbest** [dʌ́mist 더미스트])
벙어리의, 말 못 하는
the deaf and *dumb* 농아자들
He was *dumb* from birth.
그는 태어날 때부터 벙어리였다.

**dump** *dump*
[dʌ́mp 덤프]
타 (3단현 **dumps** [dʌ́mps 덤프스], 과거·과분 **dumped** [dʌ́mpt 덤프트], 현분 **dumping** [dʌ́mpiŋ 덤핑])
털썩 내려놓다; (쓰레기 등을) 내버리다
Nuclear waste should not be *dumped* in the sea. 핵폐기물을 바다에 버려서는 안 된다.
— 명 (복수 **dumps** [dʌ́mps 덤프스]) 쏟아 놓은 것, 쓰레기 더미

**__dur·ing__ *during*
[d(j)ú(ə)riŋ 듀(어)링]
전 …동안 (관 while …하는 동안); …중에, …사이에
*During* the day she stayed in her room. 낮 동안에 그녀는 자기 방에 계속 있었다.
We went rafting *during* the

summer vacation. 여름 휴가 중에 우리는 래프팅하러 갔다.

He called on me *during* my absence. 그는 내가 집에 없는 사이에 나를 찾아왔다.

**어법** during과 while

during과 while은 모두 「…동안에」란 뜻이지만 **during**은 전치사로서 뒤에 명사가 온다. 이에 대하여 **while**은 접속사로서 뒤에 주어와 동사가 있는 절이나 ~ing형이 온다.

## dust *dust*

[dʌ́st 더스트]

명 먼지, 티끌

Sweep up the *dust*.
먼지를 쓸어 내시오.

The box is covered with *dust*.
상자는 먼지로 덮여 있다.

## dust•y *dusty*

[dʌ́sti 더스티]

형 (비교급 **dustier** [dʌ́stiər 더스티어], 최상급 **dustiest** [dʌ́stiist 더스티이스트])

먼지투성이의, 먼지 같은

We drove along a *dusty* road.
우리는 차로 먼지투성이 길을 달렸다.

## Dutch *Dutch*

[dʌ́tʃ 더치]

형 네덜란드의; 네덜란드 사람〔말〕의

— 명 네덜란드어; 《the를 붙여》 네덜란드 사람 (전체)

✎ 네덜란드의 정식 호칭은 the Netherlands임.

## *du•ty *duty*

[d(j)ú:ti 듀-티]

명 (복수 **duties** [d(j)ú:tiz 듀-티즈]) ❶ 의무, 책임

It is our *duty* to obey the law.
법을 따르는 것은 우리의 의무이다.

❷ 《주로 복수형으로》 임무, 직무; 본분

Never forget the *duties* of a student. 학생의 본분을 잊지 말아라.

❸ 《주로 복수형으로》 세금

숙어 ***off duty*** 비번의

I'm *off duty* till one o'clock.
나는 1시까지 비번이다.

***on duty*** 근무 중인, 당번의

He was *on* night *duty* last night.
그는 어젯밤에 야간 당직이었다.

## dwarf *dwarf*

[dwɔ́:rf 드워-프]

명 (복수 **dwarfs** [dwɔ́:rfs 드워-프스], 또는 **dwarves** [dwɔ́:rvz 드워-브즈]) 난쟁이 (관 giant 거인)

Snow White and the seven *Dwarfs* 백설 공주와 일곱 난쟁이들

a b c d e f g h i j k l m n o p q r s t u v w x y z

**dwell** *dwell*
[dwél 드웰]
자 (3단현 **dwells** [dwélz 드웰즈], 과거 · 과분 **dwelt** [dwélt 드웰트], 또는 **dwelled** [dwéld 드웰드], 현분 **dwelling** [dwéliŋ 드웰링])
살다, 거주하다 (동 live)
They *dwell* in the country.
그들은 시골에 산다.

**dye** *dye*
[dái 다이]
명 (복수 **dyes** [dáiz 다이즈])
염료, 물감; 색깔
I like a blue *dye*.
나는 푸른색 물감을 좋아한다.
—타자 (3단현 **dyes** [dáiz 다이즈], 과거 · 과분 **dyed** [dáid 다이드], 현분 **dyeing** [dáiiŋ 다이잉])
염색하다, 물들이다
She has *dyed* her hair brown.
그녀는 머리를 갈색으로 염색했다.

***dy•ing** *dying*
[dáiiŋ 다이잉]
자 die(죽다)의 현재분사
—형 죽어가는; 임종의
She nursed her *dying* dog.
그녀는 죽어가는 개를 돌보았다.

**dy•na•mite** *dynamite*
[dáinəmàit 다이너마이트]
명 다이너마이트
*Dynamite* is very dangerous.
다이너마이트는 매우 위험하다.

**dy•nas•ty** *dynasty*
[dáinəsti 다이너스티]
명 (복수 **dynasties** [dáinəstiz 다이너스티즈]) 왕조, 왕가
the Shilla *dynasty* 신라 왕조

**E, e** *E, e*
[íː 이–]
명 (복수 **E's**, **e's** [íːz 이–즈])
이 《알파벳의 다섯 번째 글자》

****each** *each*
[íːtʃ 이–치]
형 《단수 명사 앞에서》 각자의, 각각의
*Each* student has his own dictionary. 학생들은 각자 자기 사전을 갖고 있다.
숙어 ***each time*** …할 때마다
He was out *each time* I called. 내가 방문할 때마다 그는 집에 없었다.
—대 각자, 각각
He gave some money to *each*. 그는 각자에게 돈을 좀 주었다.

***each other*** 서로
They looked at *each other* for some time. 그들은 잠시 서로 얼굴을 쳐다보았다.
✎ 주로 each other는 두 사람 사이에, one another는 세 사람 이상의 사이에 쓰임.
—부 제각기, 한 사람〔개〕마다
They cost ten dollars *each*. 그것들은 하나에 10달러씩이다.

**ea·ger** *eager*
[íːgər 이–거]
형 ❶ 열심인, 진지한
He is very *eager* in his studies. 그는 공부에 매우 열심이다.
❷ 《**eager for**〔**after**〕로》 열망하다; 《**eager to** do로》 몹시 …하고 싶어하다
She is *eager for* the prize. 그녀는 상을 받기를 간절히 바란다.

I am *eager to* see the movie. 나는 그 영화를 몹시 보고 싶다.

***ea·gle** *eagle*
[íːgl 이–글]
명 (복수 **eagles** [íːglz 이–글즈])
〖조류〗 독수리
An *eagle* is called the king of

the birds.
독수리는 새 중의 왕이라고 불린다.

****ear** *ear*
[íər 이어]
명 (복수 **ears** [íərz 이어즈])
귀; 청각, 청력; 음감
You have good *ears*.
너는 귀가 밝구나.
She has a good *ear* for classical music.
그녀는 고전 음악을 잘 이해한다.

****ear·ly** *early*
[ə́:rli 얼-리]
형부 (비교급 **earlier** [ə́:rliər 얼-리어], 최상급 **earliest** [ə́:rliist 얼-리이스트])
—형 이른, 초기의 (반 late 늦은)
The flower blooms in *early* spring. 그 꽃은 이른 봄에 핀다.
The *early* bird catches the worm. 《속담》 일찍 일어나는 새가 벌레를 잡는다.
숙어 ***keep early hours*** 일찍 자고 일찍 일어나다
—부 일찍이, 초기에 (반 late 늦게)
Ben gets up *early* in the morning. 벤은 아침 일찍 일어난다.

어법 early와 fast
**early**는 「시간 · 시기적으로 일찍」이란 뜻이고, **fast**는 「동작이나 속도가 빠르게」란 뜻이다.
get up *early* 일찍 일어나다
run *fast* 빠르게 달리다

**earn** *earn*
[ə́:rn 언-]
타 (3단현 **earns** [ə́:rnz 언-즈], 과거 · 과분 **earned** [ə́:rnd 언-드], 현분 **earning** [ə́:rniŋ 어-닝])
(일하여 돈을) 벌다, 얻다
He *earns* fifty dollars a day.
그는 하루에 50달러를 번다.

**ear·nest** *earnest*
[ə́:rnist 어-니스트]
형 성실한, 열심인, 진지한
Make an *earnest* apology for your mistake.
네 실수를 진지하게 사과하거라.

**ear•phone** *earphone*
[íərfòun 이어포운]
명 (복수 **earphones** [íərfòunz 이어포운즈]) 《복수형으로》 이어폰, (라디오 따위의) 리시버
She put on *earphones* to listen to the music. 그녀는 음악을 들으려고 이어폰을 끼었다.

****earth** *earth*
[ə́ːrθ 어-스]
명 ❶ 《the를 붙여》 지구

*The earth* moves around the sun. 지구는 태양의 주위를 돈다.
❷ 땅, 지면 (동 ground)
The kite fell to (the) *earth*. 연이 땅에 떨어졌다.
❸ 흙, 토지
Cover the seeds with *earth*. 씨를 흙으로 덮어라.
❹ 이승, 이 세상
숙어 ***on earth*** 지상에(서); 《구어》 《의문사와 함께》 도대체, 세상에
Why *on earth* did you do it? 도대체 왜 그런 짓을 했니?

**earth•quake** *earthquake*
[ə́ːrθkwèik 어-스퀘이크]
명 (복수 **earthquakes** [ə́ːrθkwèiks 어-스퀘이크스]) 지진
We had an *earthquake* last night. 어젯밤에 지진이 있었다.

**ease** *ease*
[íːz 이-즈]
명 (복수 **eases** [íːziz 이-지즈])
❶ 편안함, 안락
Please make yourself at *ease*. 편히 하십시오.
❷ 용이함, 쉬움
He passed the test with *ease*. 그는 쉽게 시험에 합격했다.

***eas•i•ly** *easily*
[íːzəli 이-절리]
부 쉽게, 수월하게
They found the place *easily*. 그들은 그 장소를 쉽게 찾았다.

****east** *east*
[íːst 이-스트]
명 ❶ 《the를 붙여》 동쪽, 동방, 동부

(반 west 서쪽)
The castle is to *the east* of the city. 그 성은 도시의 동쪽에 있다.

❷ 《**the East**로》 동양 (반 the West 서양); (지역의) 동부
*the* Far〔Middle〕 *East* 극동〔중동〕
Civilization started in *the East*. 문명은 동양에서 시작되었다.
—형 동쪽의, 동부의; 동쪽에서 오는
The *east* wind has begun to blow. 동풍이 불기 시작했다.
—부 동쪽으로, 동쪽에
The ships kept sailing *east*.
배들은 동쪽으로 계속 항해했다.

## Eas•ter *Easter*
[íːstər 이-스터]
명 부활절《예수 그리스도의 부활을 기념하는 축제로서 3월 21일 이후 첫 보름날 다음 일요일로 정함》

My aunt gave me *Easter* eggs.
아주머니가 나에게 부활절 달걀을 주셨다.
✎ 부활절에는 아름답게 채색한 달걀(Easter egg)을 선물하는 풍습이 있음.

## *east•ern *eastern*
[íːstərn 이-스턴]
형 ❶ 동쪽의, 동방의 (반 western 서쪽의)
the *eastern* coast 동해안
❷ 《**Eastern**으로》 동양의; 동부의
Korea is one of the *Eastern* countries.
한국은 동양의 한 나라이다.

## **eas•y *easy*
[íːzi 이-지]
형 (비교급 **easier** [íːziər 이-지어], 최상급 **easiest** [íːziist 이-지이스트])
❶ 쉬운, 용이한 (반 difficult, hard 어려운)
The book was *easy* to read.
그 책은 읽기 쉬웠다.

❷ 안락한, 편안한
She is living an *easy* life.
그녀는 안락한 생활을 하고 있다.
Make your mind *easy*.
마음을 편히 가지세요.
숙어 ***Take it easy!*** 서두르지 마라! 자, 침착해라 《회화체》

## eas•y chair *easy chair*
[íːzi tʃέər 이-지체어]

명 안락의자
He is sitting on an *easy chair*.
그는 안락의자에 앉아 있다.

***eat** *eat*
[íːt 이-트]
타자 (3단현 **eats** [íːts 이-츠], 과거 **ate** [éit 에이트], 과분 **eaten** [íːtn 이-튼], 현분 **eating** [íːtiŋ 이-팅])
먹다, 식사하다
He *eats* a lot. 그는 대식가이다.

I want something to *eat*.
나는 뭔가 먹고 싶다.
숙어 ***eat out*** 외식하다
We *eat out* on Sundays.
우리는 일요일에는 외식한다.
***eat up*** (…을) 먹어 치우다
He *ate up* a whole plate of raw fish.
그는 회 한 접시를 다 먹어 치웠다.

어법 eat와 have
**eat**는 「먹다」의 일반적인 말. **have**는 「먹다」, 「마시다」를 나타내는 완곡한 표현으로, 타인에 대해서는 정중하게 have를 쓴다: What do you usually *have* for lunch? 점심으로 보통 무엇을 드십니까?

**eat•en** *eaten*
[íːtn 이-튼]
타 eat(먹다)의 과거분사

**ech•o** *echo*
[ékou 에코우]
명 (복수 **echoes** [ékouz 에코우즈])
메아리, 반향, 산울림

I heard an *echo* among the hills. 나는 언덕 사이에서 메아리를 들었다.

**ec•o•nom•ic** *economic*
[ìːkənámik 이-커나믹]
형 경제학의; 경제(상)의
*economic* growth 경제 성장

**e•co•no•mi•cal** *economical*
[ìːkənámik(ə)l 이-커나미컬]
형 경제적인, 절약하는
She is *economical* with her money. 그녀는 돈을 절약한다.

**e•co•no•my** *economy*
[ikánəmi 이카너미]
명 《an과 복수형 안 씀》 경제; 절약
The Korean *economy* is developing so fast. 한국의 경제는 매우 빨리 발전하고 있다.

**edge** *edge*
[édʒ 에지]
명 (복수 **edges** [édʒiz 에지즈])
❶ 테두리, 가장자리, 끝

He is looking over the *edge* of a cliff.
그는 벼랑 끝에서 바라보고 있다.

❷ (칼 따위의) 날
This knife has a sharp *edge*.
이 칼은 날이 잘 든다.

**e•di•tion** *edition*
[idíʃən 이디션]
명 (복수 **editions** [idíʃənz 이디션즈]) (책 · 신문 따위의) 판(版)
the first *edition* 초판

**e•di•tor** *editor*
[édətər 에더터]
명 (복수 **editors** [édətərz 에더터즈])
편집자, 편찬자, 주필
Dick is the *editor* of our school paper.
딕은 우리 학교 신문의 편집자이다.

**ed•u•cate** *educate*
[édʒukèit 에주케이트]
타 (3단현 **educates** [édʒukèits 에주케이츠], 과거 · 과분 **educated** [édʒukèitid 에주케이티드], 현분 **educating** [édʒukèitiŋ 에주케이팅])
교육하다, 기르다, 양성하다
He was *educated* at a private school.
그는 사립학교에서 교육을 받았다.

She was *educated* in〔on〕 music.
그녀는 음악 교육을 받았다.

**ed•u•ca•tion** *education*
[èdʒukéiʃən 에주케이션]
명 《복수형 안 씀》 교육
a college *education* 대학 교육
She received a good *education*. 그녀는 훌륭한 교육을 받았다.

**ed•u•ca•tion•al**
*educational*
[èdʒukéiʃ(ə)nəl 에주케이셔널]
형 교육의, 교육적인
an *educational* system 교육 제도

**ef•fect** *effect*
[ifékt 이펙트]
명 (복수 **effects** [ifékts 이펙츠]
❶ 결과 (반 cause 원인)
cause and *effect* 원인과 결과
❷ 효과, 영향
Her words had a good *effect* on him. 그녀의 말은 그에게 큰 영향을 끼쳤다.

**ef•fec•tive** *effective*
[iféktiv 이펙티브]
형 (비교급 **more effective**, 최상급 **most effective**)
효과적인, 유효한
This medicine is *effective* for a

stomachache.
이 약은 복통에 잘 듣는다.

## ef•fi•cient *efficient*
[ifíʃənt 이피션트]
형 ① 능률적인, 효과적인
② (사람이) 유능한

## ef•fort *effort*
[éfərt 에퍼트]
명 (복수 **efforts** [éfərts 에퍼츠])
노력, 수고
It takes a lot of *efforts* to pass the exam. 시험에 합격하려면 많은 노력을 필요로 한다.
숙어 ***make an effort*** 노력하다

## *egg *egg*
[ég 에그]
명 (복수 **eggs** [égz 에그즈])
알, 달걀
a raw *egg* 날달걀

Fish and birds come from *eggs*.
물고기와 새는 알에서 태어난다.
She boiled three *eggs*.
그녀는 달걀 3개를 삶았다.

## E•gypt *Egypt*
[íːdʒipt 이-집트]
명 이집트《아프리카 동북부의 공화국; 수도는 카이로(Cairo)》

## **eight *eight*
[éit 에이트]
명 여덟, 8; 8명〔개〕; 8살〔시〕
Open your books to page *eight*.
여러분의 교과서 8페이지를 펴세요.
—형 8의; 8명〔개〕의; 8살의
The girl is *eight* years old.
그 소녀는 여덟 살이다.

A B C D E F G H I J K L M N O P Q R S T U V W X Y Z

**⁑eigh•teen** *eighteen*
[èitíːn 에이틴-]
명 열여덟, 18; 18명〔개〕; 18살
—형 18의; 18명〔개〕의; 18살의

**eigh•teenth** *eighteenth*
[èitíːnθ 에이틴-스]
명 《보통 the를 붙여》 제18, 열여덟 번째; (달의) 18일(약 18th); 18분의 1
on *the eighteenth* of May
5월 18일에
—형 제18의; 열여덟 번째의; 18분의 1의

***eighth** *eighth*
[éitθ 에이트스]
명 《보통 the를 붙여》 제8, 여덟 번째; (달의) 8일(약 8th); 8분의 1
February *the eighth* is my birthday. 2월 8일은 내 생일이다.
—형 제8의, 여덟 번째의; 8분의 1의
an *eighth* note 8분음표

**eight•i•eth** *eightieth*
[éitiiθ 에이티이스]
명 《보통 the를 붙여》 제80, 여든 번째(약 80th); 80분의 1
—형 제80의; 여든 번째의
Today is my grandfather's *eightieth* birthday. 오늘은 할아버지의 여든 번째 생신이다.

**⁑eight•y** *eighty*
[éiti 에이티]
명 ❶ 80; 80명〔개〕; 80살
Thirty and fifty is *eighty*.
30 더하기 50은 80이다.
❷ 《**one's eighties**로》 (나이의) 80대; 《**the eighties**로》 80년대
—형 80의; 80명〔개〕의

**⁑ei•ther** *either*
[íːðər 이-더]
형 ❶ (둘 중) 어느 하나〔쪽〕의
Take *either* book.
(둘 중에서) 어느 책을 가져도 좋다.
✎ either 다음에 오는 명사는 단수형
❷ (둘 중) 각각의, 양쪽의
There are trees on *either* side of the road.
도로 양쪽에 나무들이 있다.
❸ 《부정문에서》 (둘 중) 어느 쪽의 …도 (아니다)
I don't like *either* team.
나는 어느 쪽 팀도 좋아하지 않는다.
—대 ❶ 《단수 취급》 (둘 중) 어느 쪽이든
You can have *either*.
둘 중 어느 쪽이든 가질 수 있다.

❷ 《부정문에서》 (둘 중) 어느 쪽도 (…아니다)
I don't know *either* of them.
나는 그들 둘 중 어느 쪽도 알지 못한다.

— 부 《부정문에서》 …도 또한 아닌
If you do not go, I'll not go, *either*. 네가 가지 않는다면 나도 또한 가지 않겠다.

어법 too와 either
둘 다 「…도 또한〔역시〕」란 뜻이지만, **too**는 긍정문에 쓰이고, **either**는 부정문에 쓰인다.
He speaks English. I do, *too*. 그는 영어를 말한다. 나도 역시 할 줄 안다.
He doesn't speak French. I don't, *either*.
그는 프랑스 말을 할 줄 모른다. 나도 역시 할 줄 모른다.

— 접 《**either ... or** ~로》 …이든가 ~이든가 어느 한 쪽은; 《부정문에서》 …도 ~도 (아니다)
*Either* you *or* I am right.
너든 나든 어느 한 쪽이 옳다.
✎ 동사는 or 다음에 오는 동사와 일치함.

## el•bow *elbow*
[élbou 엘보우]
명 (복수 **elbows** [élbouz 엘보우즈]) 팔꿈치
I'm putting my *elbow* on the table. 나는 식탁에 팔꿈치를 대고 있다.

## *el•der *elder*
[éldər 엘더]
형 《old(늙은)의 비교급》 손위의, 연상의 (반 younger 연하의)
My *elder* brother is a dentist.
나의 형은 치과의사다.

참고 **elder**는 형제 자매의 관계를 나타낸다. 그러나 미국에서는 elder 대신에 보통 **older**를 사용한다. 「형」이라고 손위를 밝힐 때에는 older〔big〕 brother라고 하지만, 동양에서처럼 손아래와 손위의 순서를 굳이 따지지 않고 막연히 my brother라고 할 경우가 많다.

## *el•dest *eldest*
[éldist 엘디스트]
형 《old(늙은)의 최상급》 제일 손위의, 최연장의 (반 youngest 가장 나이 어린)
She is my *eldest* sister.
그녀가 제일 큰 언니이다.

## *e•lect *elect*
[ilékt 일렉트]
타 (3단현 **elects** [ilékts 일렉츠], 과거 · 과분 **elected** [iléktid 일렉티드], 현분 **electing** [iléktiŋ 일렉팅]) 선거하다, 뽑다, 선택하다
We *elected* him President.
우리는 그를 대통령으로 뽑았다.

**e•lec•tion** *election*
[ilékʃən 일렉션]
명 (복수 **elections** [ilékʃənz 일렉션즈]) 선거, 당선
an *election* campaign 선거 운동
an *election* speech 선거 연설

*__e•lec•tric__ *electric*
[iléktrik 일렉트릭]
형 전기의
an *electric* lamp 전등

She played the *electric* guitar.
그녀는 전기 기타를 연주했다.

**e•lec•tric•i•ty** *electricity*
[ilèktrísəti 일렉트리서티]
명 《an과 복수형 안 씀》 전기
Most refrigerators are run by *electricity*.
대부분의 냉장고는 전기로 작동된다.

**el•e•gant** *elegant*
[éligənt 엘리건트]
형 우아한, 고상한, 품위 있는
She always wears *elegant* clothes.
그녀는 항상 우아한 옷을 입는다.

**el•e•ment** *element*
[éləmənt 엘러먼트]
명 (복수 **elements** [éləmənts 엘러먼츠]) ❶ 요소, 성분
Health is a great *element* in happiness.
건강은 행복의 큰 요소이다.
❷ 〚화학〛 원소

**el•e•men•ta•ry** *elementary*
[èləméntəri 엘러멘터리]
형 초보의, 기본의; 단순한
*elementary* education 초등 교육
He is learning *elementary* mathematics.
그는 기초 수학을 배우고 있다.

**el•e•men•ta•ry school**
*elementary school*
[èləméntəri-skù:l 엘러멘터리스쿨-]
명 《미》 초등학교 (《영》 primary school)
He goes to *elementary school*.
그는 초등학교에 다닌다.

***el•e•phant** *elephant*
[éləfənt 엘러펀트]
명 (복수 **elephants** [éləfənts 엘러펀츠]) 『동물』 코끼리

An *elephant* has a long trunk.
코끼리는 긴 코를 가지고 있다.

***el•e•va•tor** *elevator*
[éləvèitər 엘러베이터]
명 (복수 **elevators** [éləvèitərz 엘러베이터즈])
승강기, 엘리베이터 (《영》 lift)

I went up to the 8th floor by *elevator*.
나는 승강기로 8층에 올라갔다.

**⁑e•lev•en** *eleven*
[ilévən 일레번]
명 11; 11명〔개〕; 11살〔시〕
He came home at *eleven*.
그는 11시에 집에 돌아왔다.
— 형 11의; 11명〔개〕의; 11살〔시〕의
The girl is *eleven* years old.
그 소녀는 열한 살이다.

***e•lev•enth** *eleventh*
[ilévənθ 일레번스]
명 《the를 붙여》 제11, 열한 번째; (달의) 11일 (약 11th); 11분의 1
on *the eleventh* of May(=on May 11) 5월 11일에
✎ May 11은 보통 May (the) eleventh라고 읽음.
— 형 《보통 the를 붙여》 제11의, 열한 번째의; 11분의 1
*the eleventh* floor, 11층

**⁑else** *else*
[éls 엘스]
부 ❶ 그 밖에, 그 외에
What *else* did you do?
그 밖에 무엇을 했느냐?
Was anybody *else* absent?
그 밖에 누가 결석했느냐?
Please show me something *else*. 무언가 다른 것을 보여 주시오.

어법 **else**는 any-, some-, every-, no-가 붙는 말이나 what, who, how 따위의 말 다음에 쓰인다.

❷ 《보통 **or else**로》 그렇지 않으면 (동 otherwise)

Hurry up, *or else* you will miss the bus. 서둘러라, 그렇지 않으면 버스를 놓칠 것이다.

**else•where** *elsewhere*
[éls(h)wὲə*r* 엘스웨어, 엘스웨어]
부 (어딘가) 다른 곳에서〔으로, 에〕
The boys went *elsewhere* to play. 소년들은 놀기 위해 다른 곳으로 갔다.

**em•bar•rass** *embarrass*
[imbǽrəs 임배러스]
타 (3단현 **embarrasses** [imbǽrəsiz 임배러시즈], 과거 · 과분 **embarrassed** [imbǽrəst 임배러스트], 현분 **embarrassing** [imbǽrəsiŋ 임배러싱])
난처하게 하다, 당황하게 하다
She was *embarrassed* by his praise.
그가 칭찬하여 그녀는 난처했다.

**e•mer•gen•cy** *emergency*
[imə́ːrdʒənsi 이머-전시]
명 (복수 **emergencies** [imə́ːrdʒənsiz 이머-전시즈]) 비상시, 긴급 사태

an *emergency* room (병원) 응급실
in an *emergency* 비상시에는

**em•i•grate** *emigrate*
[éməgrèit 에머그레이트]
자타 (3단현 **emigrates** [éməgrèits 에머그레이츠], 과거 · 과분 **emigrated** [éməgrèitid 에머그레이티드], 현분 **emigrating** [éməgrèitiŋ 에머그레이팅])
이주하다, 이민하다
His family *emigrated* from Korea to the U.S.A. 그의 가족은 한국에서 미국으로 이주했다.

**e•mo•tion** *emotion*
[imóuʃən 이모우션]
명 (복수 **emotions** [imóuʃənz 이모우션즈]) 감정, 정서; 감동
He is a man of strong *emotions*. 그는 감정이 격한 사람이다.

**e•mo•tion•al** *emotional*
[imóuʃ(ə)nəl 이모우셔널]
형 감정적인; 정서적인, 감동하기 쉬운

**em•per•or** *emperor*
[émpərə*r* 엠퍼러]
명 (복수 **emperors** [émpərərz 엠퍼러즈]) 황제, 제왕 (관 empress 황후)

His majesty the *Emperor*
황제 폐하
a Roman *emperor* 로마 황제

**em•pha•sis** *emphasis*
[émfəsis 엠퍼시스]
명 (복수 **emphases** [émfəsìːz 엠퍼시-즈]) 강조, 중점, 강세

**em•pha•size** *emphasize*
[émfəsàiz 엠퍼사이즈]
타 (3단현 **emphasizes** [émfəsàiziz 엠퍼사이지즈], 과거 · 과분 **emphasized** [émfəsàizd 엠퍼사이즈드], 현분 **emphasizing** [émfəsàiziŋ 엠퍼사이징])
강세를 두다, 강조하다, 역설하다
Our teacher *emphasized* the word 'freedom'. 우리 선생님은 「자유」란 말을 강조하셨다.

**em•pire** *empire*
[émpaiər 엠파이어]
명 (복수 **empires** [émpaiərz 엠파이어즈]) 제국
the British *Empire* 대영 제국

**em•ploy** *employ*
[implɔ́i 임플로이]
타 (3단현 **employs** [implɔ́iz 임플로이즈], 과거 · 과분 **employed** [implɔ́id 임플로이드], 현분 **employing** [implɔ́iiŋ 임플로이잉])
고용하다; 사용하다, 쓰다
She is *employed* in a bank. 그녀는 은행에서 근무하고 있다.

This work will *employ* 20 men. 이 일에는 20명이 필요하다.

**em•ploy•ee** *employee*
[implɔìíː 임플로이이-]
명 (복수 **employees** [implɔìíːz 임플로이이-즈]) 고용인, 종업원 (반 employer 고용주)

**em•ploy•er** *employer*
[implɔ́iər 임플로이어]
명 (복수 **employers** [implɔ́iərz 임플로이어즈])
고용주, 사용자 (반 employee 고용인)

**em•press** *empress*
[émpris 엠프리스]
명 (복수 **empresses** [émprisiz 엠프리시즈]) 황후, 여제 (반 emperor 황제)

**emp•ty** *empty*
[ém(p)ti 엠(프)티]
형 (비교급 **emptier** [ém(p)tiər 엠(프)티어], 최상급 **emptiest** [ém(p)tiist 엠(프)티이스트])
텅 빈, 비어 있는 (반 full 꽉 찬)
an *empty* bottle 빈 병
He found the box *empty*. 그는 상자가 텅 비어 있음을 알았다.

**en•a•ble** *enable*
[inéibl 이네이블]

타 (3단현 **enables** [inéiblz 이네이블즈], 과거 · 과분 **enabled** [inéibld 이네이블드], 현분 **enabling** [inéibliŋ 이네이블링])
《**enable ... to** do로》 …할 수 있게 하다, …을 가능하게 하다
Airplanes *enable* us *to* go to America in a day.
비행기 덕택에 우리는 하루만에 미국에 갈 수 있다.

## en•cour•age *encourage*
[inkə́:ridʒ 인커-리지]
타 (3단현 **encourages** [inkə́:ridʒiz 인커-리지즈], 과거 · 과분 **encouraged** [inkə́:ridʒd 인커-리지드], 현분 **encouraging** [inkə́:ridʒiŋ 인커-리징])
(…의) 용기를 북돋우다; 격려〔장려〕하다 (반 discourage 낙담케 하다)

My teacher *encouraged* me to draw well. 선생님은 그림을 잘 그리도록 나를 격려해 주셨다.

## en•cy•clo•p(a)e•di•a *encyclop(a)edia*
[ensàiklo(u)pí:diə 엔사이클로(우)피-디어]
명 백과사전

## ⁑end *end*
[énd 엔드]
명 (복수 **ends** [éndz 엔즈])
끝, 마지막, 종결, 결말
A drugstore is at the *end* of the street. 길 끝에 약국이 있다.
Well, this is the *end* of the story. 음, 이게 이야기의 끝이야.
숙어 ***at the end*** 마침내, 마지막에
***from beginning to end*** 처음부터 끝까지
I read the book *from beginning to end*. 나는 그 책을 처음부터 끝까지 읽었다.
***in the end*** 결국, 마침내
They were all saved *in the end*. 그들은 마침내 모두 구조되었다.

—타자 (3단현 **ends** [éndz 엔즈], 과거 · 과분 **ended** [éndid 엔디드], 현분 **ending** [éndiŋ 엔딩])
끝내다, 마치다 (반 begin 시작하다)
Let's *end* this fight right now.
즉시 이 싸움을 끝내자.
The game *ended* at five.

시합은 5시에 끝났다.

**en•deav•o(u)r** *endeavo(u)r*
[indévər 인데버]
명 (복수 **endeavo(u)rs** [indévərz 인데버즈]) 노력, 수고 (동 effort)

**end•ing** *ending*
[éndiŋ 엔딩]
명 (복수 **endings** [éndiŋz 엔딩즈]) 끝, 결말
a happy *ending* 행복한 결말

**end•less** *endless*
[éndlis 엔들리스]
형 끝없는, 무한한

**en•dure** *endure*
[ind(j)úər 인듀어]
타자 (3단현 **endures** [ind(j)úərz 인듀어즈], 과거 · 과분 **endured** [ind(j)úərd 인듀어드], 현분 **enduring** [ind(j)úəriŋ 인듀어링])
견디다, 참다 (동 bear, stand)
I can't *endure* this heat.
이런 더위에는 견딜 수가 없다.

***en•e•my** *enemy*
[énəmi 에너미]
명 (복수 **enemies** [énəmiz 에너미즈]) 적, 원수 (반 friend 친구); 《the를 붙여》 적군

They defeated *the enemy*.
그들은 적군을 격파했다.
She made an *enemy* of him.
그녀는 그를 원수로 만들었다.

**en•er•gy** *energy*
[énərdʒi 에너지]
명 (복수 **energies** [énərdʒiz 에너지즈])
❶ 힘, 활기; 《복수형으로》 활동력
He has so much *energy* for his age.
그는 나이에 비해 활력이 넘친다.

❷ 〖물리〗 《an과 복수형 안 씀》 에너지

**en•force** *enforce*
[infɔ́ːrs 인포-스]
타 (3단현 **enforces** [infɔ́ːrsiz 인포-시즈], 과거 · 과분 **enforced** [infɔ́ːrst 인포-스트], 현분 **enforcing** [infɔ́ːrsiŋ 인포-싱])
(법률 따위를) 실시하다, 집행하다; 강력히 주장하다, 강요하다
The regulations should be strictly *enforced*.
규칙은 엄격히 지켜져야 한다.

**en•gage** *engage*
[ingéidʒ 인게이지]
타자 (3단현 **engages** [ingéidʒiz 인게이지즈], 과거 · 과분 **engaged** [ingéidʒd 인게이지드], 현분 **engag-**

ing [ingéidʒiŋ 인게이징])
❶ 《**be engaged in**으로》 …에 종사하다
He *is engaged in* foreign trade.
그는 외국 무역에 종사한다.
❷ 《**be engaged to**로》 …와 약혼 중에 있다
I *am engaged to* Susan.
나는 수잔과 약혼 중에 있다.
❸ 고용하다 (㊐ employ)
He *engaged* a new secretary.
그는 새 비서를 고용했다.

**en•gage•ment** *engagement*
[ingéidʒmənt 인게이지먼트]
명 (복수 **engagements** [ingéidʒmənts 인게이지먼츠])
약속; 약혼; 계약
I have an *engagement* with her. 나는 그녀와 약속이 있다.

**en•gine** *engine*
[éndʒin 엔진]
명 (복수 **engines** [éndʒinz 엔진즈])
엔진, 기관, 발동기; 기관차
The car *engine* stopped.
자동차 엔진이 멈추었다.
An *engine* pulls railroad train.
기관차는 열차를 끈다.

**en•gi•neer** *engineer*
[èndʒiníər 엔지니어]
명 (복수 **engineers** [èndʒiníərz 엔지니어즈]) 기사, 기술자; ((영)) engine driver 기관사)
My father is a mechanical *engineer*. 나의 아버지는 기계 기사다.

*__Eng•land__ *England*
[íŋglənd 잉글런드]
명 ❶ 영국 (Great Britain)
London is the capital of *England*. 런던은 영국의 수도다.

❷ 《좁은 뜻으로》 잉글랜드
My uncle is from *England*.
나의 삼촌은 잉글랜드 출신이다.

참고 **England**는 스코틀랜드(Scotland), 웨일스(Wales), 잉글랜드(England)를 전부 포함한 Great Britain의 통칭으로 쓰이며, 좁은 뜻으로는 England 지역만을

A B C D E F G H I J K L M N O P Q R S T U V W X Y Z

가리키기도 한다. 영국의 정식 국명은 the United Kingdom of Great Britain and Northern Ireland이다.

**⁂Eng•lish** *English*
[íŋgliʃ 잉글리시]
형 ❶ 영국의; 영국 사람의
His mother is *English*.
그의 어머니는 영국 사람이다.
❷ 영어의
We have five *English* classes a week. 우리는 1주일에 다섯 번 영어 수업이 있다.
—명 ❶ 《관사 없이》 영어
Do you speak *English* well?
너는 영어를 잘 하느냐?
❷ 《the를 붙여; 복수 취급》 영국 국민(전체)
*The English* are a great nation.
영국인은 위대한 국민이다.

✎「한 명의 영국인」은 an Englishman

***En•glish•man** *Englishman*
[íŋgliʃmən 잉글리시먼]
명 (복수 **Englishmen** [íŋgliʃmən 잉글리시먼]) 영국 사람, 영국인
He is an *Englishman*.
그는 영국 사람이다.

**⁂en•joy** *enjoy*
[indʒɔ́i 인조이]
타 (3단현 **enjoys** [indʒɔ́iz 인조이즈], 과거 · 과분 **enjoyed** [indʒɔ́id 인조이드], 현분 **enjoying** [indʒɔ́iiŋ 인조이잉])
즐기다
How did you *enjoy* your vacation? 방학은 즐거웠니?
On Sunday he *enjoys* fishing.
일요일에 그는 낚시하는 것을 즐긴다.
숙어 ***enjoy** one**self*** 즐겁게 지내다
I *enjoyed myself* at the party.
나는 파티에서 즐겁게 지냈다.

**en•joy•a•ble** *enjoyable*
[indʒɔ́iəbl 인조이어블]
형 유쾌한, 재미있는; 즐거운

a b c d e f g h i j k l m n o p q r s t u v w x y z

Biking is an *enjoyable* hobby.
자전거 타기는 즐거운 취미이다.

**en•joy•ment** *enjoyment*
[indʒɔ́imənt 인조이먼트]
명 《an과 복수형 안 씀》 유쾌함, 즐거움
He took *enjoyment* in music.
그는 음악에서 즐거움을 얻었다.

**en•large** *enlarge*
[inlɑ́ːrdʒ 인라-지]
타자 (3단현 **enlarges** [inlɑ́ːrdʒiz 인라-지즈], 과거 · 과분 **enlarged** [inlɑ́ːrdʒd 인라-지드], 현분 **enlarging** [inlɑ́ːrdʒiŋ 인라-징])
크게 하다, 넓히다; (사진을) 확대하다
He wanted to *enlarge* his house. 그는 집을 넓히고 싶어했다.

***e•nor•mous** *enormous*
[inɔ́ːrməs 이노-머스]
형 거대한; 막대한
an *enormous* castle 거대한 성

**⁑e•nough** *enough*
[inʌ́f 이너프]
형 《명사의 앞 · 뒤에서》 충분한
I have *enough* time.
(= I have time *enough*.)
시간은 충분하다.
She has *enough* money to buy the camera. 그녀는 그 카메라를 살 만큼의 돈을 가지고 있다.
—부 《동사 · 형용사 · 부사의 뒤에서》 충분히, …하기에 충분할 만큼
You have worked *enough* today. 너는 오늘 충분히 일했다.
He was kind *enough* to take me to the station. 그는 친절하게도 나를 역까지 데려다 주었다.
✎ enough 뒤에 to 부정사가 와서 「…하기에 충분한」의 뜻으로 쓰임.
—명 충분한 양[수], 많음
I've had quite *enough*, thank you. 많이 먹었어요, 고맙습니다.

***en•ter** *enter*
[éntər 엔터]
타자 (3단현 **enters** [éntərz 엔터즈], 과거 · 과분 **entered** [éntərd 엔터드], 현분 **entering** [éntəriŋ 엔터링])
들어가다, 가입하다; 입학하다
I *entered* this school this year.
나는 올해 이 학교에 입학했다.
I saw him *enter* the room.
나는 그가 방으로 들어가는 것을 보았다.

**en•ter•prise** *enterprise*
[éntərpràiz 엔터프라이즈]
명 (복수 **enterprises** [éntərpràiziz 엔터프라이지즈]) 기업, 사업

He started a new *enterprise*.
그는 새로운 사업을 시작했다.

**en•ter•tain** *entertain*
[èntərtéin 엔터테인]
타 (3단현 **entertains** [èntərtéinz 엔터테인즈], 과거 · 과분 **entertained** [èntərtéind 엔터테인드], 현분 **entertaining** [èntərtéiniŋ 엔터테이닝])
❶ 대접하다, 환대하다
She *entertained* her friends for dinner. 그녀는 친구들에게 저녁식사를 대접했다.
❷ 즐겁게 하다, 기쁘게 하다
The circus *entertained* the children. 서커스는 아이들을 즐겁게 했다.

**en•ter•tain•ment**
*entertainment*
[èntərtéinmənt 엔터테인먼트]
명 (복수 **entertainments** [èntərtéinmənts 엔터테인먼츠])
환대, 접대; 오락, 연예
the *entertainment* of guests
손님 접대
Watching TV is an *entertainment* for many people. 텔레비전 시청은 많은 사람들의 오락이다.

**en•thu•si•asm** *enthusiasm*
[inθ(j)ú:ziæ̀zm 인슈-지애즘]
명 《an과 복수형 안 씀》 열광, 열중
They show *enthusiasm* for soccer. 그들은 축구에 열광한다.

**en•tire** *entire*
[intáiər 인타이어]
형 전부의, 전체의; 완전한
She spent the *entire* day in bed. 그녀는 온종일 침대에서 보냈다.

**en•tire•ly** *entirely*
[intáiərli 인타이얼리]
부 전적으로, 완전히
He agreed with me *entirely*.
그는 나와 전적으로 같은 의견이었다.

***en•trance** *entrance*
[éntrəns 엔트런스]
명 (복수 **entrances** [éntrənsiz 엔트런시즈]) **입구**; 입학, 입장, 입회
You must pay five dollars at the *entrance*.
입구에서 5달러를 지불해야 한다.
He passed the *entrance* examination. 그는 입학시험에 합격했다.

***en•ve•lope** *envelope*
[énvəlòup 엔벌로우프]
명 (복수 **envelopes** [énvəlòups 엔벌로우프스]) **봉투**, 덮개
He is opening the *envelope*.
그는 봉투를 열고 있다.

**en•vi•ron•ment** *environment*
[inváі(ə)rənmənt 인바이(어)런먼트]
명 (복수 **environments** [inváі(ə)rənmənts 인바이(어)런먼츠])
환경; 《the를 붙여》 자연 환경
We should protect *the environment*.
우리는 자연 환경을 지켜야 한다.

**en•vy** *envy*
[énvi 엔비]
명 (복수 **envies** [énviz 엔비즈])
선망(의 대상); 부러움, 시기
I felt *envy* at his success.
나는 그의 성공이 부러웠다.
— 타 (3단현 **envies** [énviz 엔비즈], 과거 · 과분 **envied** [énvid 엔비드], 현분 **envying** [énviiŋ 엔비잉])
부러워하다; 질투하다, 시기하다
I *envy* you. 나는 네가 부럽다.

They *envied* me my new camera. 그들은 나의 새 카메라를 부러워했다.

*__e•qual__ *equal*
[í:kwəl 이-퀄]
형 ❶ 같은, 동등한; 평등한
They are *equal* in weight.
그들은 체중이 같다.

All men are created *equal*.
모든 사람은 평등하게 창조되었다.
❷ 《**be equal to**로》 …와 같다
Twice two *is equal to* four.
2 곱하기 2는 4이다.
— 타 (3단현 **equals** [í:kwəlz 이-퀄즈], 과거 · 과분 **equal(l)ed** [í:kwəld 이-퀄드], 현분 **equal(l)ing** [í:kwəliŋ 이-퀄링])
(…와) 같다, …에 필적하다
One meter *equals* 100 centimeters.
1미터는 100센티미터와 같다.

**e•qual•ly** *equally*
[í:kwəli 이-퀄리]
부 같게, 동등하게, 평등하게
The two men are *equally* strong. 두 사람은 똑같이 힘이 세다.

**e•qua•tor** *equator*
[i(:)kwéitər 이(-)퀘이터]
명 《the를 붙여》 적도

cross *the equator* 적도를 횡단하다

**equip** *equip*
[ikwíp 이퀴프]
타 (3단현 **equips** [ikwíps 이퀴프스], 과거 · 과분 **equipped** [ikwípt 이큅트], 현분 **equipping** [ikwípiŋ 이퀴핑])
(…에) 갖추다, 설비하다
Our school is *equipped* with computers. 우리 학교는 컴퓨터가 설치되어 있다.

**e•quip•ment** *equipment*
[ikwípmənt 이퀴프먼트]
명 《an과 복수형 안 씀》 설비, 장치
office *equipment* 사무 용품

**equiv•a•lent** *equivalent*
[ikwívələnt 이퀴벌런트]
형 동등한, 같은, 대등한
The two computers are *equivalent* in speed.
이 두 컴퓨터는 속도면에서 같다.

**e•ras•er** *eraser*
[iréisər 이레이서]
명 (복수 **erasers** [iréisərz 이레이서즈]) (고무) 지우개; (칠판 · 잉크) 지우개

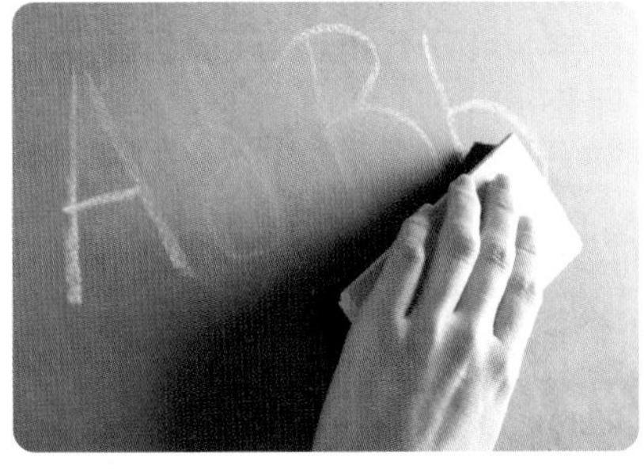

Lend me an *eraser*.
지우개 좀 빌려 줘.

**er•rand** *errand*
[érənd 에런드]
명 (복수 **errands** [érəndz 에런즈])
심부름
She went to the store on an *errand*. 그녀는 가게에 심부름 갔다.

**er•ror** *error*
[érər 에러]
명 (복수 **errors** [érərz 에러즈])
잘못, 틀림 (동 mistake); 실수, 실책; 〖야구〗 에러
He made too many *errors* in spelling. 그는 철자를 많이 틀렸다.

**es•ca•la•tor** *escalator*
[éskəlèitər 에스컬레이터]
명 (복수 **escalators** [éskəlèitərz 에스컬레이터즈]) 에스컬레이터

Let's take the *escalator*.
에스컬레이터를 타자.

A B C D E F G H I J K L M N O P Q R S T U V W X Y Z

**es•cape** *escape*
[iskéip 이스케이프]
동 (3단현 **escapes** [iskéips 이스케이프스], 과거 · 과분 **escaped** [iskéipt 이스케이프트], 현분 **escaping** [iskéipiŋ 이스케이핑])
—자 ❶ 달아나다, 도망치다
The prisoner *escaped* at night.
그 죄수는 밤에 도망쳤다.
❷ (가스 따위가) 새다
Gas is *escaping* somewhere.
어디에선가 가스가 새고 있다.
—타 (위험 따위를) 모면하다, 피하다
He *escaped* punishment.
그는 형벌을 모면했다.
—명 (복수 **escapes** [iskéips 이스케이프스]) 도망, 탈출
She had a narrow *escape*.
그녀는 구사일생으로 도망쳤다.

***es•pe•cial•ly** *especially*
[ispéʃ(ə)li 이스페셜리]
부 특히, 각별히 (동 particularly)
She is *especially* interested in mathematics.
그녀는 특히 수학에 관심이 있다.

**es•say** *essay*
[ései 에세이]
명 (복수 **essays** [éseiz 에세이즈]) 수필, 논문

**es•sence** *essence*
[ésns 에슨스]
명 《an과 복수형 안 씀》 본질; 정수

**es•sen•tial** *essential*
[isénʃəl 이센셜]
형 (비교급 **more essential**, 최상급 **most essential**)
주요한, 본질적인; 필수적인
Water is *essential* to life.
물은 생명에 필수적이다.

**es•tab•lish** *establish*
[istǽbliʃ 이스태블리시]
타 (3단현 **establishes** [istǽbliʃiz 이스태블리시즈], 과거 · 과분 **established** [istǽbliʃt 이스태블리시트], 현분 **establishing** [istǽbliʃiŋ 이스태블리싱])
❶ (학교 · 회사를) 설립하다, 창립하다
The university was *established* in 1980.
그 대학교는 1980년에 설립되었다.
❷ (제도 따위를) 확립하다, 제정하다

**es•ti•mate** *estimate*
[éstəmèit 에스터메이트]
타 (3단현 **estimates** [éstəmèits 에스터메이츠], 과거 · 과분 **estimat-**

ed [éstəmèitid 에스터메이티드], 현분 **estimating** [éstəmèitiŋ 에스터메이팅])
어림잡다, 견적하다; 평가하다
He *estimated* the damage at 5,000 dollars.
그는 손해를 5천 달러로 산정했다.

***etc.** *etc.*
[etsétərə 엣세터러]
기타, …등등, …따위 《라틴어 *et cetra* 의 약어》
✎ 읽을 때는 and so forth라고도 함.
Cats, dogs, horses, *etc.* are domestic animals.
고양이, 개, 말 따위는 가축이다.

**e•ter•nal** *eternal*
[itə́ːrn(ə)l 이터-널]
형 영원한, 영구적인
We wish for *eternal* peace.
우리는 영원한 평화를 바란다.

**et•i•quette** *etiquette*
[étikèt 에티켓]
명 《an과 복수형 안 씀》 예의, 예법

**Eu•ro** *Euro*
[jú(ə)rou 유(어)로우]
명 유럽 사람; 《**euro**로》 유로 《EU의 통일 화폐 단위》

***Eu•rope** *Europe*
[jú(ə)rəp 유(어)럽]
명 유럽 (대륙)
She has visited *Europe* several times.
그녀는 유럽을 몇 차례 방문했다.

**Eu•ro•pe•an** *European*
[jù(ə)rəpíːən 유(어)러피-언]
형 유럽의, 유럽 사람의
The house is *European* style.
그 집은 유럽식이다.

— 명 (복수 **Europeans** [jù(ə)rəpíːənz 유(어)러피-언즈]) 유럽 사람

**eve** *eve*
[íːv 이-브]
명 (축제일의) 전야, 전날, 이브
Christmas *Eve* 크리스마스 이브

We had a party on New Year's *Eve*. 우리는 설날 전야에 파티를 했다.

a b c d e f g h i j k l m n o p q r s t u v w x y z

A B C D E F G H I J K L M N O P Q R S T U V W X Y Z

***e•ven** *even*
[íːvən 이–번]
형 (비교급 **evener** [íːvənər 이–버너], 또는 **more even**, 최상급 **evenest** [íːvənist 이–버니스트] 또는 **most even**)
❶ 평평한, 같은 높이의
*even* ground 평평한 땅
❷ (수량 따위가) 같은, 동일한, 반반의
three *even* parts, 3등분
❸ 짝수의 (반 odd 홀수의)
Four is an *even* number.
4는 짝수이다.

—부 ❶ 《수식하는 말 앞에 쓰여》 …조차, …라도
*Even* a child knows such a thing.
어린애조차 그런 일을 알고 있다.
❷ 《비교급을 강조하여》 더욱
This book is *even* more useful than that.
이 책은 저것보다 훨씬 유용하다.
숙어 ***even if* 〔*though*〕 *...*** 비록 …일지라도 (동 even though)
I'll go *even if* it rains.
설사 비가 오더라도 나는 가겠다.
***not even*** …조차 않다
She did *not even* speak to me.
그녀는 나에게 말조차 하지 않았다.

***eve•ning** *evening*
[íːvniŋ 이–브닝]
명 (복수 **evenings** [íːvniŋz 이–브닝즈]) 저녁; 해질녘; 밤

My father comes home at seven in the *evening*.
아버지는 저녁 7시에 귀가하신다.
Do they watch TV every *evening*? 그들은 매일 저녁 텔레비전을 봅니까?
I'll go to a concert this *evening*.
오늘 저녁 나는 연주회에 갈 것이다.
숙어 ***Good evening!*** 안녕하세요! 《저녁 인사》
***on the evening of*** …의 밤에
The accident happened *on the evening of* July 15th.
그 사고는 7월 15일 밤에 발생했다.

어법 in과 on
일반적으로 「저녁에」라고 할 때는 전치사 **in**을 붙이고, 특정한 날의 「저녁에」라고 할 때 전치사 **on**을 붙인다. 또 this, last, yesterday 따위가 앞에 오면 전치사 없이 부사구가 된다.

**e•vent** *event*
[ivént 이벤트]
명 (복수 **events** [ivénts 이벤츠])
❶ 사건, 일어난 일, 행사
We have many school *events* every year.

매년 많은 학교 행사들이 있다.
❷ (경기의) 종목
track and field *events* 육상 경기

**even•tu•al** *eventual*
[ivéntʃuəl 이벤추얼]
형 종국의, 결과로서 일어나는
His efforts led to his *eventual* success. 그의 노력으로 결국 그는 성공의 결실을 맺었다.

**⁑ev•er** *ever*
[évər 에버]
부 ❶《긍정문에서》 언제나; 항상
I am *ever* ready to help him. 나는 언제나 그를 도울 준비가 되어 있다.
❷《부정문·의문문·비교문·조건문에서》 이제까지; 일찍이; 언젠가
Have you *ever* been to Pairs? 파리에 가 본 적 있니?

This is the best movie I've *ever* seen. 이것은 내가 지금까지 본 중에서 제일 좋은 영화다.
If you should *ever* come this way, please drop in. 언젠가 이 길로 오게 되면 잠시 들러 주세요.
숙어 ***ever after*〔*since*〕** (…한 이래) 줄곧
I have known the boy *ever since* he was a baby. 나는 그 소년을 아기 적부터 줄곧 알고 있다.
***for ever*** 언제나
I will not forget your kindness *for ever*. 나는 언제까지나 너의 친절을 잊지 않겠다.

**Ev•er•est** *Everest*
[évərist 에버리스트]
명 《**Mt. Everest**로》 에베레스트산 《Himalaya 산맥에 있는 세계 최고봉으로, 높이는 8,848m》

**⁑eve•ry** *every*
[évri 에브리]
형 ❶ 온갖, 모든 (관 each 각각의)
*Every* boy in the class passed the examination. 그 반의 소년들은 모두 시험에 합격했다.

> **어법 every와 all**
> **every**는 「어느 것이나 다」라고 전체를 개별적으로 나타내는 말이므로 그 뒤에 오는 명사는 단수형이다. **all**은 「모두」라고 전체를 통틀어 말하는 것이므로 그 뒤에 오는 명사는 복수형이다.

❷《부정문에서》 모두가 …라고는 할 수 없다 《부분 부정》
*Every* person cannot be an artist.
모든 사람이 화가가 될 수는 없다.
❸ …마다, 매…

The Olympic games are held *every* four years.
올림픽 경기는 4년마다 열린다.
I play table tennis *every* Sunday. 나는 일요일마다 탁구를 친다.

숙어 ***every moment*** 시시각각으로
***every now and then*** 〔***again***〕 때때로, 이따금
*Every now and then* I chat with her. 가끔 나는 그녀와 수다를 떤다.
***every time*** 언제나, …할 때마다
*Every time* I see him, he talks about you. 그를 만나면 언제나 그는 네 이야기를 한다.

**⁑ev•ery•bod•y** *everybody*
[évribàdi 에브리바디]
대 《단수 취급》 모든 사람, 누구나, 누구든지 (동 everyone)

*Everybody* likes ice cream.
누구나 아이스크림을 좋아한다.

**eve•ry•day** *everyday*
[évridèi 에브리데이]
형 매일의, 일상적인 (동 daily)
*everyday* clothes 일상복
*everyday* life 일상생활
✎ everyday를 every day로 띄어서 쓰면 「매일, 날마다」라는 뜻의 부사가 됨.

**⁑ev•ery•one** *everyone*
[évriwʌ̀n 에브리원]
대 《단수 취급》 모든 사람 (동 everybody), 누구나
*Everyone* wears a uniform.
누구나 제복을 입고 있다.

**⁑eve•ry•thing** *everything*
[évriθìŋ 에브리싱]
대 ❶ 《단수 취급》 모든 것, 무엇이든지, 모두
I want to see *everything* famous in Paris. 나는 파리의 유명한 것은 모두 보고 싶다.
✎ everything을 수식하는 형용사는 그 뒤에 둠.
❷ 가장 중요한 것, 전부
Health means *everything* to me. 내게는 건강이 가장 중요하다.

***ev•ery•where** *everywhere*
[évri(h)wὲər 에브리훼어, 에브리웨어]
부 어디든지, 도처에
They looked *everywhere* for their dog.
그들은 사방에서 개를 찾아보았다.

**ev•i•dence** *evidence*
[évədəns 에버던스]
명 《an과 복수형 안 씀》 증거, 믿을 만한 근거 (동 proof)
The *evidence* was against her.
그 증거는 그녀에게 불리했다.

**e•vil** *evil*
[íːvəl 이–벌]
형 (비교급 **evil(l)er** [íːvələr 이–벌러] 또는 **more evil**, 최상급 **evil(l)est** [íːvəlist 이–벌리스트] 또는 **most evil**)
나쁜, 해로운, 사악한; 불길한
— 명 (복수 **evils** [íːvəlz 이–벌즈])
악 (반 good 선), 죄악; 재해
good and *evil* 선과 악

**ex•act** *exact*
[igzǽkt 이그잭트]
형 (비교급 **exacter** [igzǽktər 이그잭터] 또는 **more exact**, 최상급 **exactest** [igzǽktist 이그잭티스트] 또는 **most exact**)
정확한, 엄밀한 (동 correct)
Tell me the *exact* time.
정확한 시간을 가르쳐 다오.

**ex•act•ly** *exactly*
[igzǽk(t)li 이그잭(틀)리]
부 정확히, 꼭
The time is *exactly* 6:52.
시간은 정확히 6시 52분이다.

**ex•am** *exam*
[igzǽm 이그잼]
명 (복수 **exams** [igzǽmz 이그잼즈])
《구어》 시험 《examination의 축약형》

**ex•am•i•na•tion**
*examination*
[igzæ̀mənéiʃən 이그재머네이션]
명 (복수 **examinations** [igzæ̀mənéiʃənz 이그재머네이션즈])
❶ 시험, 심사 (동 test)
We have an *examination* in English today.
오늘은 영어 시험이 있다.

a b c d e f g h i j k l m n o p q r s t u v w x y z

I passed 〔failed in〕 the *examination*. 나는 시험에 합격〔실패〕했다.
❷ 검사, 진찰
I had a physical *examination*. 나는 신체검사를 받았다.

**ex•am•ine** *examine*
[igzǽmin 이그재민]
타 (3단현 **examines** [igzǽminz 이그재민즈], 과거 · 과분 **examined** [igzǽmind 이그재민드], 현분 **examining** [igzǽminiŋ 이그재미닝])
❶ 시험하다; 조사하다, 검토하다
The pupils *examined* the flower carefully. 학생들은 그 꽃을 주의깊게 관찰했다.

❷ 진찰하다
The doctor *examined* the wound. 의사는 부상자를 진찰했다.

**⁑ex•am•ple** *example*
[igzǽmpl 이그잼플]
명 (복수 **examples** [igzǽmplz 이그잼플즈]) 예, 실례; 본보기, 모범
Can you give me an *example*? 실례를 들어 줄 수 있니?
You should follow his *example*. 너는 그를 본보기로 따라야 한다.
숙어 ***for example*** 이를테면, 예를 들면
In some countries, *for example*, in India, men wear skirts. 몇 나라에서는, 예를 들면, 인도에서는 남자들이 치마를 입는다.

**ex•cel•lent** *excellent*
[éks(ə)lənt 엑설런트]
형 (비교급 **more excellent**, 최상급 **most excellent**)
우수한, 뛰어난, 탁월한
The report is *excellent*.
그 보고서는 훌륭하다.
She is *excellent* in playing the piano.
그녀는 피아노 연주에 뛰어나다.

**ex•cept** *except*
[iksépt 익셉트]
전 …외에는, 제외하고
I get up at six *except* Sunday.
나는 일요일을 제외하고 6시에 일어난다.
Everybody was late *except* me.
나만 제외하고 모두가 늦었다.
숙어 ***except for*** …을 제외하고는
The letter is good *except for* a few spelling mistakes.
그 편지는 몇 개의 철자법 실수를 제외하면 훌륭하다.

**ex•cep•tion** *exception*
[iksépʃən 익셉션]
명 (복수 **exceptions** [iksépʃənz 익셉션즈]) 예외, 제외

There are some *exceptions* to this rule.
이 규칙에는 몇몇 예외가 있다.

## ex•cess *excess*

[iksés 익세스]
명 (복수 **excesses** [iksésiz 익세시즈])
과다, 초과

## ex•change *exchange*

[ikstʃéindʒ 익스체인지]
타 (3단현 **exchanges** [ikstʃéindʒiz 익스체인지즈], 과거 · 과분 **exchanged** [ikstʃéindʒd 익스체인지드], 현분 **exchanging** [ikstʃéindʒiŋ 익스체인징])
교환하다, 바꾸다; 환전하다
I want to *exchange* this CD for another. 이 CD를 다른 것으로 바꾸고 싶은데요.

Where can I *exchange* money?
환전은 어디서 합니까?
— 명 교환, 바꾸기

## ex•cite *excite*

[iksáit 익사이트]
타 (3단현 **excites** [iksáits 익사이츠], 과거 · 과분 **excited** [iksáitid 익사이티드], 현분 **exciting** [iksáitiŋ 익사이팅])
흥분시키다, 자극하다; (감정을) 일으키다
The football game *excited* us.
그 축구 경기는 우리를 흥분시켰다.

## ex•cit•ed *excited*

[iksáitid 익사이티드]
형 흥분한
Don't get *excited* about such a thing. 그런 일에 흥분하지 마라.

## ex•cite•ment *excitement*

[iksáitmənt 익사이트먼트]
명 (복수 **excitements** [iksáitmənts 익사이트먼츠]) 흥분, 소란; 자극
The crowd began to shout with *excitement*.
군중은 흥분해서 소리치기 시작했다.

## ex•cit•ing *exciting*

[iksáitiŋ 익사이팅]
형 (비교급 **more exciting**, 최상급 **most exciting**)
흥분시키는, 재미있는

It was a very *exciting* game.
그것은 퍽 재미있는 시합이었다.

**ex•claim** *exclaim*
[ikskléim 익스클레임]
자타 (3단현 **exclaims** [ikskléimz 익스클레임즈], 과거 · 과분 **exclaimed** [ikskléimd 익스클레임드], 현분 **exclaiming** [ikskléimiŋ 익스클레이밍])
(큰 소리로) 외치다, 절규하다
He *exclaimed* "Fire!".
그는 「불이야!」 하고 외쳤다.

**ex•cla•ma•tion**
*exclamation*
[èkskləméiʃən 엑스클러메이션]
명 (복수 **exclamations** [èkskləméiʃənz 엑스클러메이션즈])
외침; 감탄(의 소리)
an *exclamation* mark
감탄 부호, 느낌표 《!》

***ex•cuse** *excuse*
[ikskjú:z 익스큐-즈]
타 (3단현 **excuses** [ikskjú:ziz 익스큐-지즈], 과거 · 과분 **excused** [ikskjú:zd 익스큐-즈드], 현분 **excusing** [ikskjú:ziŋ 익스큐-징])
❶ 용서하다, 참아 주다
I cannot *excuse* your rudeness.
너의 무례함을 용서할 수 없다.
❷ 변명하다
She *excused* herself for her conduct.
그녀는 자기 행동에 대해 변명했다.
— 명 [ikskjú:s 익스큐-스] (복수 **excuses** [ikskjú:siz 익스큐-시즈])
변명; 핑계, 구실
He made an *excuse* for coming late. 그는 지각한 것을 변명했다.

***Excuse me.*** 실례합니다; 실례했습니다; 《문장 끝을 올려 발음해서》 미안하지만 한 번 더 말씀해 주세요.
***Excuse me, but ...*** 실례지만(…하여 주시겠습니까).
*Excuse me, but* would you tell me the way to the museum?
실례지만 박물관으로 가는 길 좀 가르쳐 주시겠습니까?

**어법** **Excuse me.의 용법**
(1) 실례합니다. 모르는 사람에게 말을 걸거나 남이 말하는 도중에 끼어들 때 쓰는 말이다. Certainly. 또는 Sure. (좋습니다.)로 응답한다.
(2) 실례했습니다. 상대의 어깨를 가볍게 건드렸거나 상대방에게 작은 실수를 한 경우, 사과하는 인사로 쓴다. 보통 That's all right. 또는 Never mind. (괜찮습니다.)로 응답한다.

**ex•er•cise** *exercise*
[éksərsàiz 엑서사이즈]
명 (복수 **exercises** [éksərsàiziz 엑서사이지즈])
❶ 운동, 훈련
She gets *exercise* every day.
그녀는 매일 운동을 한다.

❷ 연습; 연습 문제
Do the *exercise* on page 20.
20페이지의 연습 문제를 풀어라.

**ex•haust** *exhaust*
[igzɔ́:st 이그조-스트]
ex는 [igz]로 발음함.
타 (3단현 **exhausts** [igzɔ́:sts 이그조-스츠], 과거 · 과분 **exhausted** [igzɔ́:stid 이그조-스티드], 현분 **exhausting** [igzɔ́:stiŋ 이그조-스팅])
(사람을) 지치게 하다; 다 써버리다
I was *exhausted* with the travel. 나는 여행으로 지쳐 버렸다.

He *exhausted* his money.
그는 돈을 다 써 버렸다.

**ex•hib•it** *exhibit*
[igzíbit 이그지빗]
타 (3단현 **exhibits** [igzíbits 이그지비츠], 과거 · 과분 **exhibited** [igzíbitid 이그지비티드], 현분 **exhibiting** [igzíbitiŋ 이그지비팅])
전시하다, 보이다, 나타내다
She *exhibited* her paintings at the gallery. 그녀는 자기 그림을 화랑에 전시했다.

**ex•hi•bi•tion** *exhibition*
[èksəbíʃən 엑서비션]
ex-는 [èks]로 발음함.
명 (복수 **exhibitions** [èksəbíʃ(ə)nz 엑서비션즈])
전시, 진열; 전람회, 전시회
Art *exhibitions* are held every fall. 매년 가을에 미술전이 열린다.

**ex•ist** *exist*
[igzíst 이그지스트]
자 (3단현 **exists** [igzísts 이그지스츠], 과거 · 과분 **existed** [igzístid 이그지스티드], 현분 **existing** [igzístiŋ 이그지스팅])
존재하다, 실재하다; 생존하다
God *exists*. 신은 존재한다.
Man cannot *exist* without air.

인간은 공기 없이 생존할 수 없다.

**ex•is•tence** *existence*
[igzístəns 이그지스턴스]
명 존재, 실재; 생존

**ex•it** *exit*
[égzit 에그짓]
명 (복수 **exits** [égzits 에그지츠])
출구 (반 entrance 입구)
✎ 출구의 표지는 보통 미국에서는 Exit, 영국에서는 Way out

Where is an *exit*?
출구가 어디 있습니까?

**ex•pand** *expand*
[ikspǽnd 익스팬드]
타자 (3단현 **expands** [ikspǽndz 익스팬즈], 과거 · 과분 **expanded** [ikspǽndid 익스팬디드], 현분 **expanding** [ikspǽndiŋ 익스팬딩])
넓히다, 확장하다; 팽창하다
The population of Seoul has *expanded* by 10%.
서울의 인구는 10% 증가했다.

***ex•pect** *expect*
[ikspékt 익스펙트]
타 (3단현 **expects** [ikspékts 익스펙츠], 과거 · 과분 **expected** [ikspéktid 익스펙티드], 현분 **expecting** [ikspéktiŋ 익스펙팅])
기대하다, 예기하다; …라고 생각하다
He *expects* a letter from her every day. 그는 매일 그녀의 편지를 기다리고 있다.

I *expect* him to come.
나는 그가 오리라고 생각한다.

**ex•pec•ta•tion** *expectation*
[èkspektéiʃən 엑스펙테이션]
명 (복수 **expectations** [èkspektéiʃənz 엑스펙테이션즈])
기대, 예상, 예기
against my *expectation*
내 예상과 달리

**ex•pense** *expense*
[ikspéns 익스펜스]
명 (복수 **expenses** [ikspénsiz 익스펜시즈]) 비용, 지출; …비
school *expenses* 학비
She went abroad at her own *expense*. 그녀는 자비로 해외에 갔다.
숙어 ***at the expense of*** …의 비용으로, …을 희생하여

**ex•pen•sive** *expensive*
[ikspénsiv 익스펜시브]
형 (비교급 **more expensive**, 최상급 **most expensive**)
값비싼, 비용이 드는 (반 cheap 싼)
The car was too *expensive* for

me. 그 차는 나에게는 너무 비쌌다.

**ex•pe•ri•ence** *experience*
[ikspí(ə)riəns 익스피(어)리언스]
[타] (3단현 **experiences** [ikspí(ə)riənsiz 익스피(어)리언시즈], 과거 · 과분 **experienced** [ikspí(ə)riənst 익스피(어)리언스트], 현분 **experiencing** [ikspí(ə)riənsiŋ 익스피(어)리언싱])
경험하다, 체험하다
He *experienced* great pain.
그는 큰 아픔을 겪었다.
— [명] (복수 **experiences** [ikspí(ə)riənsiz 익스피(어)리언시즈])
경험, 체험
We had many *experiences* on our trip. 우리는 여행 도중에 많은 경험을 했다.

**ex•per•i•ment** *experiment*
[ikspérəmənt 익스페러먼트]
[명] (복수 **experiments** [ikspérəmənts 익스페러먼츠]) 실험, 시도
He made an *experiment* in chemistry. 그는 화학 실험을 했다.

**ex•pert** *expert*
[ékspəːrt 엑스퍼-트]
[명] (복수 **experts** [ékspəːrts 엑스퍼-츠]) 숙련가, 전문가
She is an *expert* at repairing cars. 그녀는 자동차 수리 전문가이다.

— [형] 능숙한, 노련한
He is an *expert* tailor.
그는 능숙한 재봉사이다.

***ex•plain** *explain*
[ikspléin 익스플레인]
[타] (3단현 **explains** [ikspléinz 익스플레인즈], 과거 · 과분 **explained** [ikspléind 익스플레인드], 현분 **explaining** [ikspléiniŋ 익스플레이닝])
설명하다, 풀이하다; 해명하다

Please *explain* the meaning of this sentence.
이 문장의 뜻을 설명해 주세요.

**ex•pla•na•tion** *explanation*
[èksplənéiʃən 엑스플러네이션]
[명] (복수 **explanations** [èksplənéiʃənz 엑스플러네이션즈])
설명, 해설; 해명

A B C D E F G H I J K L M N O P Q R S T U V W X Y Z

## ex•plode *explode*

[iksplóud 익스플로우드]

자타 (3단현 **explodes** [iksplóudz 익스플로우즈], 과거 · 과분 **exploded** [iksplóudid 익스플로우디드], 현분 **exploding** [iksplóudiŋ 익스플로우딩])

폭발하다, 폭발시키다

The gas tank *exploded*.
가스 탱크가 폭발했다.

## ex•plore *explore*

[iksplɔ́ːr 익스플로-]

자타 (3단현 **explores** [iksplɔ́ːrz 익스플로-즈], 과거 · 과분 **explored** [iksplɔ́ːrd 익스플로-드], 현분 **exploring** [iksplɔ́ːriŋ 익스플로-링])

탐험하다, 답사하다, 조사하다

They went to the Africa to *explore*. 그들은 탐험하기 위해 아프리카에 갔다.

## ex•plor•er *explorer*

[iksplɔ́ːrər 익스플로-러]

명 (복수 **explorers** [iksplɔ́ːrərz 익스플로-러즈]) 탐험가, 답사자

The boy wanted to be a space *explorer*. 그 소년은 우주 탐험가가 되고 싶어했다.

## ex•plo•sion *explosion*

[iksplóuʒən 익스플로우전]

명 (복수 **explosions** [iksplóuʒənz 익스플로우전즈]) 폭발, 폭발음; 폭증

a population *explosion*
인구의 폭발적 증가

## Ex•po *Expo*

[ékspou 엑스포우]

명 (복수 **Expos** [ékspouz 엑스포우즈]) 대박람회, 엑스포

*Expo* 93 was held in Daejon.
엑스포 93이 대전에서 열렸다.

## ex•port *export*

[ekspɔ́ːrt 엑스포-트]

타 (3단현 **exports** [ekspɔ́ːrts 엑스포-츠], 과거 · 과분 **exported** [ekspɔ́ːrtid 엑스포-티드], 현분 **exporting** [ekspɔ́ːrtiŋ 엑스포-팅])

수출하다 (반 import 수입하다)

Korea *exports* a great number of goods every year. 한국은 매년 많은 상품을 수출한다.

— 명 [ékspɔːrt 엑스포-트] (복수 **exports** [ékspɔːrts 엑스포-츠]) 수출 (반 import 수입); 수출품
Oil is important *export* of Kuwait.
석유는 쿠웨이트의 중요한 수출품이다.

**ex•pose** *expose*
[ikspóuz 익스포우즈]
타 (3단현 **exposes** [ikspóuziz 익스포우지즈], 과거 · 과분 **exposed** [ikspóuzd 익스포우즈드], 현분 **exposing** [ikspóuziŋ 익스포우징])
드러내다, 노출시키다; (비밀을) 폭로하다
Don't *expose* your skin to the sun too much. 햇볕에 피부를 지나치게 노출시키지 말아라.

**ex•press** *express*
[iksprés 익스프레스]
타 (3단현 **expresses** [iksprésiz 익스프레시즈], 과거 · 과분 **expressed** [ikspréśt 익스프레스트], 현분 **expressing** [iksprésiŋ 익스프레싱])
(생각을) 표현하다, 말로 나타내다
She *expressed* her thanks clearly. 그녀는 감사의 마음을 분명하게 표현했다.

— 명 (복수 **expresses** [iksprésiz 익스프레시즈]) 급행열차; 속달편
the 8:00 *express* for Boston
보스턴행 8시 급행

— 형 급행의; 속달의
We took an *express* train for Chicago.
우리는 시카고행 급행열차를 탔다.

**ex•pres•sion** *expression*
[ikspréʃən 익스프레션]
명 (복수 **expressions** [ikspréʃənz 익스프레션즈]) 표현; 표정
The sunset was beautiful beyond *expression*. 일몰은 표현할 수 없을 만큼 아름다웠다.

**ex•press•way** *expressway*
[ikspréswèi 익스프레스웨이]
명 (복수 **expressways** [ikspréswèiz 익스프레스웨이즈])
《미》 고속도로

This is the longest *expressway* in Korea. 이것이 한국에서 가장 긴 고속도로이다.

**ex•tend** *extend*
[iksténd 익스텐드]
동 (3단현 **extends** [ikstένdz 익스텐즈], 과거 · 과분 **extended** [iksténdid 익스텐디드], 현분 **extending** [iksténdiŋ 익스텐딩])
— 타 ❶ 넓히다, 확장하다
He *extended* his business.
그는 사업을 확장했다.
❷ 연장하다; 뻗치다, 펼치다

a b c d e f g h i j k l m n o p q r s t u v w x y z

A B C D E F G H I J K L M N O P Q R S T U V W X Y Z

Can't you *extend* your stay a few days more? 2, 3일 더 체류를 연장할 수 없습니까?

—자 뻗다, 펼쳐지다

My farm *extends* as far as the river. 나의 농장은 강이 있는 데까지 뻗쳐 있다.

**ex•ten•sion** *extension*
[iksténʃən 익스텐션]

명 ❶《an과 복수형 안 씀》 연장, 확장

the *extension* of a highway
간선 도로의 연장

❷ (전화의) 내선

**ex•ten•sive** *extensive*
[iksténsiv 익스텐시브]

형 넓은, 광범위한, 대규모의

The house stands in *extensive* grounds.
그 집은 넓은 장소에 있다.

**ex•tent** *extent*
[ikstént 익스텐트]

명 《an과 복수형 안 씀》 범위, 한도, 정도 (동 degree)

Well, it' s true to some *extent*.
글쎄요, 어느 정도는 맞는데요.

**ex•tin•guish** *extinguish*
[ikstíŋgwiʃ 익스팅귀시]

타 (3단현 **extinguishes** [ikstíŋgwiʃiz 익스팅귀시즈], 과거 · 과분 **extinguished** [ikstíŋgwiʃt 잉스팅귀시트], 현분 **extinguishing** [ikstíŋgwiʃiŋ 익스팅귀싱])

(불, 빛 따위를) 끄다; (화재를) 진화하다

He *extinguished* a candle.
그는 촛불을 껐다.

The firefighters *extinguished* a fire. 소방대원들이 화재를 진화했다.

**ex•tra** *extra*
[ékstrə 엑스트러]

형 임시의, 여분의; 특별한

an *extra* train 임시 열차

I need some *extra* money to buy it. 그것을 사기 위해 여분의 돈이 필요하다.

**ex•traor•di•nar•y**
*extraordinary*
[ikstrɔ́ːrdənèri 익스트로-더네리]

형 비상한; 유별난, 비범한

He was a man of *extraordinary* talent. 그는 비상한 재주를 가진 사람이었다.

**ex•treme** *extreme*
[ikstríːm 익스트림-]
형 극단적인, 극도의
The cold is *extreme* in that place. 그 곳의 추위는 극도로 심하다.
— 명 (복수 **extremes** [ikstríːmz 익스트림-즈]) 극단, 극도
Young men are apt to go to *extremes*.
젊은이들은 극단으로 흐르기 쉽다.

**ex•treme•ly** *extremely*
[ikstríːmli 익스트림-리]
부 극도로, 대단히
This is *extremely* important.
이것은 지극히 중요하다.

****eye** *eye*
[ái 아이]
명 (복수 **eyes** [áiz 아이즈])
❶ 눈, 시력

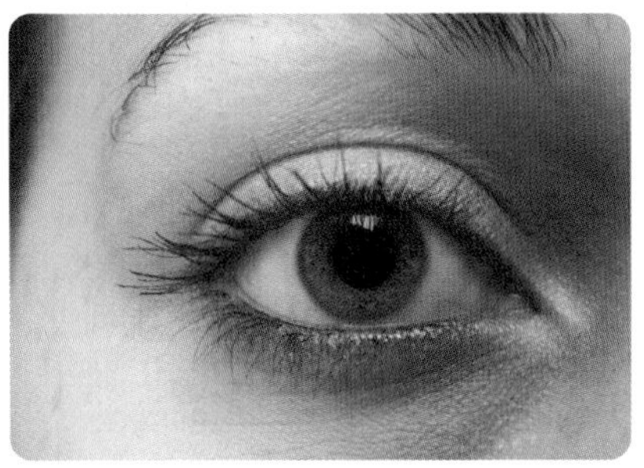

She has dark *eyes*.
그녀는 눈이 검다.

❷《**an eye**로》 분별력, 안목
He has a good *eye* for paintings. 그는 그림에 대한 뛰어난 안목을 갖고 있다.
숙어 ***keep an eye on*** …에서 눈을 떼지 않다

**eye•brow** *eyebrow*
[áibràu 아이브라우]
명 (복수 **eyebrows** [áibràuz 아이브라우즈]) 눈썹
He raised his *eyebrows*.
그는 (놀라서) 눈썹을 치켜올렸다.

**eye•lid** *eyelid*
[áilìd 아일리드]
명 (복수 **eyelids** [áilìdz 아일리즈]) 눈꺼풀
the upper〔lower〕*eyelid*
윗〔아래〕 눈꺼풀
a double *eyelid* 쌍꺼풀

**eye•sight** *eyesight*
[áisàit 아이사이트]
명《an과 복수형 안 씀》 시력, 시각

She has a good〔poor〕*eyesight*. 그녀는 시력이 좋다〔나쁘다〕.

**F, f** *F, f*
[éf 에프]
명 (복수 **F's**, **f's** [éfs 에프스])
에프 《알파벳의 여섯 번째 글자》

**fa•ble** *fable*
[féibl 페이블]
명 (복수 **fables** [féiblz 페이블즈])
우화 《동물 따위를 주인공으로 등장시킨 교훈적인 짧은 이야기》
She is reading Aesop's *fables*.
그녀는 이솝 우화를 읽고 있다.

**face** *face*
[féis 페이스]
명 (복수 **faces** [féisiz 페이시즈])
❶ 얼굴, 얼굴 모습, 표정
She has a very pretty *face*.
그녀는 아주 예쁜 얼굴을 하고 있다.

❷ 앞면, 표면; (시계의) 문자반
the *face* of the earth 지구의 표면
This watch has a black *face*.
이 시계는 검정색 문자반을 갖고 있다.
숙어 ***face to face*** 얼굴을 맞대고, 마주 대하여
I sat down *face to face* with her. 나는 그녀와 마주 보고 앉았다.

***in the face of*** …에 직면하여
She was *in the face of* great difficulties. 그녀는 커다란 어려움에 직면해 있었다.
—타자 (3단현 **faces** [féisiz 페이시즈], 과거 · 과분 **faced** [féist 페이스트], 현분 **facing** [féisiŋ 페이싱])
❶ (…에) 면하다, (…쪽으로) 향하다
My house *faces* the sea.
나의 집은 바다에 면해 있다.
❷ (…에) 맞서다, 대항하다
She *faced* the danger bravely.
그녀는 용감하게 위험에 맞섰다.

**fa•cil•i•ty** *facility*
[fəsíləty 퍼실러티]
명 (복수 **facilities** [fəsílətiz 퍼실러

티즈]) ❶ 재능, 솜씨; 기능
❷ 시설, 설비
sports *facilities* 스포츠 시설

**fact** *fact*
[fǽkt 팩트]
명 (복수 **facts** [fǽkts 팩츠])
사실; 진상
Space travel is now a *fact*.
우주 여행은 이제 (엄연한) 사실이다.

숙어 ***as a matter of fact*** 사실은, 사실상 (동 in fact)
*As a matter of fact*, they can't speak English.
사실은 그들은 영어를 할 줄 모른다.
***in fact*** 실제로는, 실은
*In fact*, he had no money.
실은 그는 돈이 없었다.

**fac•tor** *factor*
[fǽktər 팩터]
명 (복수 **factors** [fǽktərz 팩터즈])
요인, 요소
*factors* of happiness 행복의 요소

***fac•to•ry** *factory*
[fǽktəri 팩터리]
명 (복수 **factories** [fǽktəriz 팩터리즈]) 제조 공장, 공장
My brother works for this *factory*.
나의 형은 이 공장에서 일한다.

어법 factory, workshop, plant, works
**factory**는 「큰 공장」, **workshop**은 「작은 공장」, **plant**는 기계 설비에 중점을 둔 의미로서의 「공장」, **works**는 「제조 공장」, 「공익 사업의 공장」의 뜻으로 쓰인다.

**fac•ul•ty** *faculty*
[fǽkəlti 패컬티]
명 (복수 **faculties** [fǽkəltiz 패컬티즈]) ❶ 재능, 능력
❷ (대학의) 학부; 교수진

**fade** *fade*
[féid 페이드]
자 (3단현 **fades** [féidz 페이즈], 과거 · 과분 **faded** [féidid 페이디드], 현분 **fading** [féidiŋ 페이딩])
(꽃이) 시들다; (소리가) 사라지다; (색깔이) 바래다
This flower doesn't *fade* easily. 이 꽃은 쉽사리 시들지 않는다.

***fail** *fail*
[féil 페일]
자타 (3단현 **fails** [féilz 페일즈], 과거 · 과분 **failed** [féild 페일드], 현분

**failing** [féiliŋ 페일링])
❶ 실패하다; 《**fail to** do로》 …하지 못하다 (반 succeed 성공하다)
All our plans *failed*.
우리의 계획은 모두 실패했다.
He *failed to* come. (당연히 올 줄 알았는데) 그는 오지 않았다.
❷ (시험 · 학과에) 떨어지다, 불합격하다 (반 pass 합격하다, 통과하다)
He *failed* to pass the entrance exam. 그는 입학 시험에 떨어졌다.

숙어 ***never fail to*** do 반드시 …하다
I'll *never fail to* come.
반드시 오겠습니다.
— 명 실패, 낙제 (반 success 성공)
숙어 ***without fail*** 틀림없이, 꼭
Come by two o'clock *without fail*. 2시까지는 꼭 오너라.

## fail•ure *failure*
[féiljər 페일리어]
명 (복수 **failures** [féiljərz 페일리어즈]) 실패 (반 success 성공); 낙제
All the experiments ended in *failure*. 실험은 모두 실패로 끝났다.

## faint *faint*
[féint 페인트]
형 (비교급 **fainter** [féintər 페인터], 최상급 **faintest** [féintist 페인티스트])
(색 · 소리 · 빛 따위가) 희미한, 어렴풋한; 연약한, 가냘픈
a *faint* light 희미한 빛
I heard a *faint* sound in the distance.
나는 멀리서 희미한 소리를 들었다.
— 자 (3단현 **faints** [féints 페인츠], 과거 · 과분 **fainted** [féintid 페인티드], 현분 **fainting** [féintiŋ 페인팅])
까무러치다, 기절하다; 아찔해지다
She *fainted* at the scene.
그녀는 그 광경을 보고 까무러쳤다.

## *fair¹ *fair*
[fέər 페어]
형 (비교급 **fairer** [fέ(ə)rər 페(어)러], 최상급 **fairest** [fέ(ə)rist 페(어)리스트])
❶ 공정한, 공평한
A referee has to be *fair* to both teams.
심판은 양쪽 팀에게 공정해야 한다.
❷ 꽤 많은, 상당한
We've had a *fair* amount of rain this week.
이번 주에는 비가 상당히 많이 왔다.
❸ 아름다운, 고운; 금발의
She is a *fair* lady.
그녀는 아름다운 부인이다.
❹ (날씨가) 맑은, 갠 (동 fine)
The weather was *fair* that day.
그 날은 날씨가 맑았다.

**fair²**　*fair*
[fέər 페어]
명 (복수 **fairs** [fέərz 페어즈])
박람회, 전시회; (정기적으로 열리는) 장
a world('s) *fair* 만국 박람회
a book *fair* 도서 전시회

**fair•ly**　*fairly*
[fέərli 페얼리]
부 (비교급 **more fairly**, 최상급 **most fairly**)
❶ 공평하게, 공정하게
Treat everyone *fairly*.
누구에게나 공정하게 하시오.
❷ 꽤, 상당히
She plays the violin *fairly* well.
그녀는 바이올린을 상당히 잘 켠다.

**fair•y**　*fairy*
[fέ(ə)ri 패(어)리]
명 (복수 **fairies** [fέ(ə)riz 패(어)리즈]) 요정, 선녀

A *fairy* is a tiny person with wings. 요정이란 몸이 작고 날개달린 사람이다.

**fair•y tale**　*fairy tale*
[fέ(ə)ri tèil 패(어)리테일]
명 (요정이 나오는) 옛날 이야기, 동화
They are reading a *fairy tale*.
그들은 동화를 읽고 있다.

**faith**　*faith*
[féiθ 페이스]
명 《a와 복수형 안 씀》
❶ 신뢰, 신용 (동 trust) 《in》
I have no *faith in* rumor.
나는 소문을 믿지 않는다.
❷ 신앙 (동 belief) 《in》
*faith in* God 신에 대한 신앙

**faith•ful** *faithful*
[féiθfəl 페이스펄]
형 (비교급 **more faithful**, 최상급 **most faithful**)
충실한, 성실한; 신뢰할 수 있는
Dogs are *faithful* to their master. 개는 주인에게 충실하다.

**faith•ful•ly** *faithfully*
[féiθfəli 페이스펄리]
부 성실하게, 충실하게

**⁑fall** *fall*
[fɔ́ːl 폴-]
자 (3단현 **falls** [fɔ́ːlz 폴-즈], 과거 **fell** [fél 펠], 과분 **fallen** [fɔ́ːlən 폴-런], 현분 **falling** [fɔ́ːliŋ 폴-링])
❶ 떨어지다, (비 따위가) 내리다
The bus *fell* into the river.
버스가 강 속으로 떨어졌다.
Rain is *falling*. 비가 내리고 있다.
❷ 넘어지다, 쓰러지다

He *fell* over a stone.
그는 돌에 걸려 넘어졌다.
❸ (어떤 상태에) 빠지다, …이 되다 (동 become)
She has *fallen* sick.
그녀는 병이 들었다.
숙어 ***fall in love (with)*** …을 사랑하다, (…와) 사랑에 빠지다
***fall on*** …이 되다
Christmas *falls on* Saturday this year.
금년 크리스마스는 토요일이다.
—명 (복수 **falls** [fɔ́ːlz 폴-즈])
❶ 낙하, 추락
I had a *fall* from a horse.
나는 말에서 떨어졌다.
❷ 《복수형으로; 단수 취급》 폭포

Many people visit Niagara *Falls*. 많은 사람들이 나이아가라 폭포를 찾는다.
❸ 가을 (《영》 autumn)
*Fall* is my favorite season.
가을은 내가 좋아하는 계절이다.

***fall•en** *fallen*
[fɔ́ːlən 폴-런]
자 fall(떨어지다)의 과거분사
—형 떨어진; 넘어진
The road is covered with *fallen* leaves.
도로는 낙엽으로 덮여 있다.

**false** *false*
[fɔ́:ls 폴-스]
형 (비교급 **falser** [fɔ́:lsər 폴-서], 최상급 **falsest** [fɔ́:lsist 폴-시스트])
거짓의, 허위의
*false* hair〔teeth〕 가발〔틀니〕
The report was utterly *false*.
그 보고는 완전히 거짓이었다.

**fame** *fame*
[féim 페임]
명 《a와 복수형 안 씀》 명성, 명망
He is a scholar of worldwide *fame*. 그는 세계적으로 명성이 높은 학자이다.

**fa•mil•iar** *familiar*
[fəmíljər 퍼밀리어]
형 (비교급 **more familiar**, 최상급 **most familiar**)
❶ 낯익은, 친숙한
It's nice to see a few *familiar* faces around here. 여기서 몇몇 낯익은 얼굴들을 보게 되어 기쁘다.

❷ 잘 아는, 정통한 《with》
Are you *familiar with* Chinese music? 중국 음악을 잘 아십니까?

***fam•i•ly** *family*
[fǽm(ə)li 패멀리]
명 (복수 **families** [fǽm(ə)liz 패멀리즈]) ❶ 가족, 한 집안, 일족
How is〔are〕 your *family*?
당신 가족은 어떻게 지냅니까?
My *family* are all well.
나의 가족은 모두 잘 지냅니다.

✎ 가족 전체를 가리킬 때는 단수 동사로 받고, 가족 한 사람 한 사람을 가리킬 때는 복수 동사로 받음.
❷ (동물 · 식물의) 과(科)
the cat *family* 고양잇과 동물
—형 가족의, 가정의, 집의
a *family* name 성

***fa•mous** *famous*
[féiməs 페이머스]
형 (비교급 **more famous**, 최상급 **most famous**)
유명한, 이름난 《for》
He is a *famous* singer.
그는 유명한 가수이다.
London is *famous for* its fog.
런던은 안개로 유명하다.

a b c d e f g h i j k l m n o p q r s t u v w x y z

## Family 가족

mother
어머니
aunt
아주머니
I
나
uncle
삼촌
grandmother
할머니
father
아버지
grandfather
할아버지
cousin
사촌
brother
오빠
niece
(여자)조카
nephew
(남자)조카
sister
언니

**fan¹** *fan*
[fǽn 팬]
명 (복수 **fans** [fǽnz 팬즈])
부채; 송풍기, 선풍기
an electric *fan* 선풍기

—타 (3단현 **fans** [fǽnz 팬즈], 과거 · 과분 **fanned** [fǽnd 팬드], 현분 **fanning** [fǽniŋ 패닝])
(부채 등으로) 부치다, 부채질하다
She *fanned* her face with a newspaper. 그녀는 신문지로 얼굴에다 부채질했다.

**fan²** *fan*
[fǽn 팬]
명 (복수 **fans** [fǽnz 팬즈])
열렬한 애호가, 열광하는 사람, 팬
He is a basketball *fan*.
그는 농구 팬이다.
✎ fan은 원래 fanatic [fənǽtik 퍼내틱](열광자)를 줄인 말임.

***fan·cy** *fancy*
[fǽnsi 팬시]
명 (복수 **fancies** [fǽnsiz 팬시즈])
공상, 상상(력)
A dragon is an animal of *fancy*.
용은 상상의 동물이다.
—형 장식적인; 공상의

**fan·tas·tic** *fantastic*
[fæntǽstik 팬태스틱]
형 ❶ 공상적인, 근거 없는
❷ 아주 멋진, 굉장히 좋은
a *fantastic* time 멋진 시간

**⁑far** *far*
[fɑ́ːr 파-]
형부 (비교급 **farther** [fɑ́ːrðər 파-더] 또는 **further** [fə́ːrðər 퍼-더], 최상급 **farthest** [fɑ́ːrðist 파-디스트] 또는 **furthest** [fə́ːrðist 퍼-디스트])
—부 ❶ 멀리, 멀리 떨어져 (반 near 가까이에)
He saw a faint light *far* away.
그는 저 멀리에 희미한 불빛을 보았다.
The museum is not *far* from here.
박물관은 여기서 멀지 않다.

❷ 《정도나 비교급 · 최상급을 강조하여》
훨씬, 한결
This dictionary is *far better*.
이 사전이 훨씬 더 좋다.
숙어 ***as*〔*so*〕 *far as***
ⓐ 《거리》 …까지
I walked *as far as* the station.
나는 역까지 걸어갔다.
ⓑ 《범위》 …하는 한
*As far as* I know he is honest.
내가 아는 한 그는 정직하다.
***far away*** 멀리에
They live *far away* from here.
그들은 여기서 먼 곳에 산다.
***far from*** 결코 …이 아니다

He is *far from* happy.
그는 결코 행복하지 않다.
***so far*** 지금까지는
He has written only one novel *so far*. 그는 지금까지 단 한 편의 소설을 썼을 뿐이다.
—형 먼, 멀리 저쪽의
My friend lives at the *far* end of the street. 내 친구는 멀리 거리 저쪽 끝에서 산다.

**far•a•way** *faraway*
[fáːrəwèi 파-러웨이]
형 (시간 · 거리 등이) 먼 (동 distant)
in the *faraway* past 먼 과거에

**fare** *fare*
[fέər 페어]
명 (복수 **fares** [fέərz 페어즈])
(탈것의) 요금; 운임
How much is the *fare*?
요금은 얼마입니까?
The taxi *fare* is expensive.
택시 요금은 비싸다.

**fare•well** *farewell*
[fέərwèl 패어웰]
명 (복수 **farewells** [fέərwèlz 패어웰즈]) 작별 인사, 작별, 고별
He bade me *farewell*.
그는 나에게 작별을 고했다.

**⁑farm** *farm*
[fáːrm 팜-]
명 (복수 **farms** [fáːrmz 팜-즈])
농장, 농원; (가축 따위의) 사육장

a fruit *farm* 과수원
He works on a *farm*.
그는 농장에서 일한다.
My uncle has a chicken *farm*.
아저씨는 양계장을 갖고 있다.

**⁑farm•er** *farmer*
[fáːrmər 파-머]
명 (복수 **farmers** [fáːrmərz 파-머즈]) 농부, 농장 주인
These days *farmers* use machines.
요즘 농장주들은 기계를 사용한다.

**farm•ing** *farming*
[fáːrmiŋ 파-밍]
명 (복수 **farmings** [fáːrmiŋz 파-밍즈]) 농사, 농업

rice *farming* 벼농사

***far•ther** *farther*
[fɑ́ːrðər 파-더]
형 《far(먼)의 비교급》 보다 먼, 더 나아간, 그 이상의
There is a church on the *farther* side of the street.
거리 저편에 교회가 있다.
—부 더 멀리, 더 저쪽에

## Farm 농장

chicken(rooster) 닭(수탉)
cow 소
horse 말
pig 돼지
goose 거위
turkey 칠면조
duck 오리
sheep 양
chicken(hen) 닭(암탉)
goat 염소
donkey 당나귀

I can walk no *farther*.
나는 더 이상 걸을 수 없다.

***far•thest** *farthest*
[fɑ́ːrðist 파-디스트]
형 《far(먼)의 최상급》 가장 먼
They walked to the *farthest* edge of the garden. 그들은 정원의 가장 먼 가장자리까지 걸어갔다.
—부 가장 멀리
Who can throw a stone *farthest*?
누가 가장 멀리 돌을 던질 수 있지?

**fas•ci•nate** *fascinate*
[fǽsinèit 패시네이트]
타 (3단현 **fascinates** [fǽsinèits 패시네이츠], 과거 · 과분 **fascinated** [fǽsinèitid 패시네이티드], 현분 **fascinating** [fǽsinèitiŋ 패시네이팅])
매료하다, 마음을 사로잡다
I was *fascinated* by that movie.
나는 저 영화에 매료되었다.

**fash•ion** *fashion*
[fǽʃən 패션]
명 (복수 **fashions** [fǽʃənz 패션즈])
❶ 유행, 패션
*Fashions* change quickly.
유행은 빨리 바뀐다.

❷ 하는 식[투], 방식
Tom did it after his own *fashion*. 톰은 자기 방식대로 그걸 했다.

**fash•ion•a•ble** *fashionable*
[fǽʃənəbl 패셔너블]
형 유행하고 있는, 유행의
It became *fashionable* among the young. 그것은 젊은이들 사이에 유행하기 시작했다.

****fast** *fast*
[fǽst 패스트]
형 (비교급 **faster** [fǽstər 패스터], 최상급 **fastest** [fǽstist 패스티스트])
❶ 빠른 (동 quick; 반 slow 느린)
Jack is a *fast* runner.
잭은 빠른 주자이다.

❷ (시계가) 빨리 가는
My watch is five minutes *fast*.
내 손목시계는 5분 빨리 간다.
❸ 고정된, 단단한
The post is *fast* in the ground.
기둥은 땅속에 단단히 박혀 있다.
—부 ❶ 빨리, 날쌔게, 급속히
Jack runs very *fast*.
잭은 아주 빨리 달린다.
❷ 단단히, 굳게 (동 firmly)
Bind it *fast* to the tree.
그것을 나무에 단단히 잡아 매어라.

**fas•ten** *fasten*
[fǽsn 패슨]
t는 발음하지 않음.

타 자 (3단현 **fastens** [fǽsnz 패슨즈], 과거 · 과분 **fastened** [fǽsnd 패슨드], 현분 **fastening** [fǽsniŋ 패스닝])
조이다, 묶다, 매다
*Fasten* your seat belt. 안전벨트를 매시오 ((비행기 · 버스의 게시문)).

## fast food *fast food*
[fǽst fúːd 패스트푸-드]
명 (햄버거 · 프라이드 치킨 따위의) 간이 식품, 즉석 요리

## fat *fat*
[fǽt 팻]
형 (비교급 **fatter** [fǽtər 패터], 최상급 **fattest** [fǽtist 패티스트])
뚱뚱한, 살찐; 두꺼운
a *fat* man 뚱뚱한 남자
a *fat* book 두꺼운 책
She is too *fat*.
그녀는 너무 뚱뚱하다.

—명 지방, 기름기
This meat is too *fat*.
이 고기는 기름기가 너무 많다.

## fa•tal *fatal*
[féitl 페이틀]
형 치명적인, 중대한
a *fatal* disease 불치의 병
The wound was *fatal* to him.
그 부상은 그에게 치명적이었다.

## fate *fate*
[féit 페이트]
명 (복수 **fates** [féits 페이츠])
운명, 숙명
Let's leave it to our *fate*.
그 일은 우리의 운명에 맡기자.

## *fa•ther *father*
[fάːðər 파-더]
명 (복수 **fathers** [fάːðərz 파-더즈])
❶ 아버지

My *father* works for this hospital. 나의 아버지는 이 병원에서 일하신다.

❷ 《복수형으로》 선조, 조상

He is sleeping with his *fathers*. 그는 지금 조상과 함께 잠들어 있다.

❸ (…의) 창시자

the *father* of the radio 무선전신의 아버지

❹ 《**Father**로》 (가톨릭 교회의) 신부

*Father* O'Neal 오닐 신부님

**fau•cet** *faucet*
[fɔ́:sit 포-싯]

명 (복수 **faucets** [fɔ́:sits 포-싯츠]) (수도) 꼭지, 마개, 뚜껑 (동 cock)

He turned on the *faucet*. 그는 수도 꼭지를 틀었다.

**fault** *fault*
[fɔ́:lt 폴-트]

명 (복수 **faults** [fɔ́:lts 폴-츠])

❶ 과실, 잘못, 실수

It is your own *fault*. 그것은 너 자신의 잘못이다.

❷ 결점, 단점

She loves him in spite of his *fault*. 그의 결점에도 불구하고 그녀는 그를 사랑한다.

숙어 ***find fault with*** 흠을 잡다, 비난하다

Don't *find fault with* others. 남의 흠을 들추지 마라.

**fa•vo(u)r** *favo(u)r*
[féivər 페이버]

명 (복수 **favo(u)rs** [féivərz 페이버즈]) 친절한 행동; 호의; 부탁; 찬성

Did you do it as a *favor*? 호의로 그런 거니?

May I ask a *favor* of you? 부탁 하나 해도 될까요?

숙어 ***in favor of*** …에 찬성하여

I am *in favor of* your plan. 나는 당신의 계획에 찬성합니다.

**fa•vo(u)r•a•ble** *favo(u)rable*
[féiv(ə)rəbl 페이버러블]

형 호의적인; 찬성하는; 유리한

a *favorable* impression 호의적인 인상

***fa•vo(u)r•ite** *favo(u)rite*
[féiv(ə)rit 페이버릿]

형 마음에 드는, 좋아하는

What's your *favorite* flower? 네가 좋아하는 꽃은 뭐지?

—명 마음에 드는 것〔사람〕

The singer is a *favorite* with teenagers. 그 가수는 십대 청소년에게 인기있는 사람이다.

***fear** *fear*
[fíər 피어]

명 (복수 **fears** [fíərz 피어즈])
두려움, 공포; 염려, 불안
He feels no *fear*.
그는 두려움을 모른다.
There is no *fear* of rain today.
오늘은 비가 올 염려는 없다.
— 타 자 (3단현 **fears** [fíərz 피어즈], 과거 · 과분 **feared** [fíərd 피어드], 현분 **fearing** [fí(ə)riŋ 피(어)링])
❶ 두려워하다, 무서워하다
She *fears* snake.
그녀는 뱀을 무서워한다.

❷ 걱정하다; …아닐까 염려하다
I *fear* that he will be late.
그가 늦지 않을까 염려된다.
I *feared* for your safety.
나는 당신의 안전을 걱정했다.

**fear•ful** *fearful*
[fíərfəl 피어펄]
형 두려운, 무서운 (동 terrible), 염려하는 《of》
A *fearful* accident happened.
무서운 사고가 일어났다.

**feast** *feast*
[fíːst 피-스트]
명 (복수 **feasts** [fíːsts 피-스츠])
잔치; 축제, 축일
a wedding *feast* 결혼 잔치
We had a big *feast*.
우리는 큰 축제를 벌였다.

***feath•er** *feather*
[féðər 페더]
명 (복수 **feathers** [féðərz 페더즈])
깃, 깃털
It is as light as a *feather*.
그것은 깃털처럼 가볍다.

**fea•ture** *feature*
[fíːtʃər 피-처]
명 (복수 **features** [fíːtʃərz 피-처즈])
❶ 《복수형으로》 얼굴의 생김새, 용모
Dick has handsome *features*.
딕은 얼굴이 잘생겼다.
❷ 특징, 특색
Noise is a *feature* of city life.
소음이 도시 생활의 특징이다.

**⁂Feb•ru•ar•y** *February*
[fébruəri 페브루어리]
명 2월 (약 Feb.)
We have a lot of snow in *Feb-*

*ruary.*
2월에는 눈이 많이 내린다.

*fed *fed*
[féd 페드]
타자 feed(먹이다)의 과거 · 과거분사

**fed•er•al** *federal*
[fédərəl 페더럴]
형 연방의; 연방 정부의
the *Federal* Government
(미국의) 연방 정부

**fee** *fee*
[fíː 피–]
명 (복수 **fees** [fíːz 피–즈])
(수업료 · 입장료 따위의) 요금, (의사 · 변호사에 대한) 사례금
a doctor's *fee* 의사의 진료비
How much is the admission *fee*? 입장료는 얼마입니까?

**fee•ble** *feeble*
[fíːbl 피–블]
형 (비교급 **feebler** [fíːblər 피–블러], 최상급 **feeblest** [fíːblist 피–블리스트])
약한, 힘없는 (동 weak)
a *feeble* old man 힘없는 노인

*feed *feed*
[fíːd 피–드]
동 (3단현 **feeds** [fíːdz 피–즈], 과거 · 과분 **fed** [féd 페드], 현분 **feeding** [fíːdiŋ 피–딩])
— 타 ❶ 먹이를 주다
Don't *feed* these animals, please. 이 동물들에게 먹이를 주지 마시오((동물원의 게시문)).

❷ (동물을) 기르다, (사람을) 부양하다
He has to *feed* a hungry family.
그는 굶주린 가족을 부양해야 한다.
— 자 먹다, …을 먹고 살다
Cows *feed* on grass.
소는 풀을 먹는다.

**feel** *feel*
[fíːl 필–]
동 (3단현 **feels** [fíːlz 필–즈], 과거 · 과분 **felt** [félt 펠트], 현분 **feeling** [fíːliŋ 필–링])
— 타 ❶ 만지다, 만져 보다 (동 touch)
Just *feel* this cloth.
이 천을 만져 보렴.

❷ 느끼다, 지각하다
I *felt* a sudden pain on my back.
나는 등에 갑작스러운 통증을 느꼈다.
❸ …라는 생각이 들다, 여기다
I *feel* that she loves me. 그녀가 나를 사랑한다는 생각이 든다.
— 자 ❶ 느끼다
How do you *feel* now?
지금 기분이 어떠니?
❷ 더듬어 찾다, 손으로 더듬다
She *felt* around in the dark for the light switch.
그녀는 어둠 속에서 전등 스위치를 더듬어 찾았다.
숙어 ***feel like*** …같은 느낌이 들다
It *feels like* rain.
비가 올 것 같다.
***feel like ~ing*** …하고 싶다
I *feel like* go*ing* there.
나는 거기에 가고 싶다.

**feel•er** *feeler*
[fíːlər 필–러]
명 (복수 **feelers** [fíːlərz 필–러즈])
(동물의) 더듬이, 촉수

**feel•ing** *feeling*
[fíːliŋ 필–링]
명 (복수 **feelings** [fíːliŋz 필–링즈])
❶ 느낌, 감각
After the accident, he lost all *feeling* in his legs.
그 사고 후에, 그는 두 다리의 감각을 모두 잃어버렸다.
❷ 《복수형으로》 감정, 기분
I don't want to hurt his *feelings*. 나는 그의 감정을 상하게 하고 싶지 않다.

**feet** *feet*
[fíːt 피–트]
명 foot(발)의 복수
❶ 발
His *feet* are very dirty.
그의 발은 몹시 더럽다.
❷ 〖단위〗 피트 《1피트는 12인치, 약 30cm; 약 ft.》
She is five *feet* three.
그녀의 키는 5피트 3인치이다.

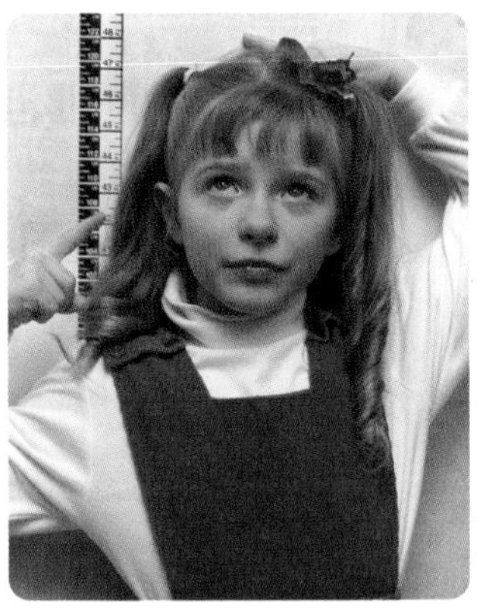

**fell** *fell*
[fél 펠]
자 fall의 과거

***fel•low** *fellow*
[félou 펠로우]
명 (복수 **fellows** [félouz 펠로우즈])
❶ 친구, 동료
They are my school *fellows*.
그들은 내 학교 친구들이다.

❷《친근감 · 경멸을 나타내어》 녀석, 놈
He's a fine *fellow*.
그는 좋은 녀석이야.

**felt** *felt*
[félt 펠트]
타자 feel의 과거 · 과거분사

**fe•male** *female*
[fí:meil 피–메일]
명 (복수 **females** [fí:meilz 피–메일즈]) 여성, 여자; (동식물의) 암컷 (반 male 남성)
Is your dog a male or a *female*?
너의 개는 수컷이냐 암컷이냐?
—형 여성의, 암컷의
the *female* sex 여성

**fence** *fence*
[féns 펜스]
명 (복수 **fences** [fénsiz 펜시즈]) 울타리, 담장
He put *fences* around the farm.
그는 농장 둘레에 울타리를 쳤다.

어법 fence, wall, hedge
**fence**는 나무 막대나 철망으로 만들어 그 사이로 건너편이 내다보이는 울타리, **wall**은 벽돌 · 콘크리트로 만들어 건너편이 보이지 않게 되어 있는 담장, **hedge**는 나지막한 산나무를 심어 두른 생울타리.

**fenc•ing** *fencing*
[fénsiŋ 펜싱]
명 〖스포츠〗《a와 복수형 안 씀》 펜싱, 검도, 검술
He is practicing *fencing*.
그는 검도 연습을 하고 있다.

**fer•ry** *ferry*
[féri 페리]
명 (복수 **ferries** [fériz 페리즈]) 나룻배; 나루터
You can cross the river by *ferry*. 당신은 나룻배로 강을 건널 수 있습니다.

**fes•ti•val** *festival*
[féstəvəl 페스터벌]
명 (복수 **festivals** [féstəvəlz 페스터벌즈]) 축제, 축제일; (음악 · 연예 따위의) 페스티벌, …제(祭)
They held a music *festival* on Tuesday.
그들은 화요일에 음악제를 개최했다.

**fe•ver** *fever*
[fí:vər 피–버]
명 (병으로 인한) 열, 발열; 열병
I have a high *fever*.
나는 고열이 있다.

**few** *few*
[fjúː 퓨-]
형 (비교급 **fewer** [fjúːər 퓨-어], 최상급 **fewest** [fjúːist 퓨-이스트])
❶ 《**few**로》 거의 없는, 조금밖에 없는 (반 many 많은)
*Few* people know of the fact. 그 사실을 아는 사람은 거의 없다.
There are *few* people in the hall. 홀에는 사람이 조금밖에 없다.
❷ 《**a few**로》 다소의, 조금 있는
I have *a few* friends in England. 나는 잉글랜드에 친구가 몇 사람 있다.
Here are *a few* birds.
여기에 새가 몇 마리 있다.

어법 (1) a few와 few
**a few**는 「조금은 있다」는 긍정적인 뜻으로, **few**는 「조금밖에 없다」는 부정적인 뜻으로 해석하는 일이 많다: He is a new student, but he already has *a few* friends. 그는 신입생이지만 벌써 몇 명의 친구가 있다 / He is a new student, so he has *few* friends. 그는 신입생이므로 친구가 거의 없다.
(2) (a) few와 (a) little
(**a**) **few**는 셀 수 있는 명사의 복수형(boys, years 따위) 앞에 붙이고, (**a**) **little**은 셀 수 없는 명사, 즉 water, tea 따위의 물질명사, knowledge 따위의 추상명사 앞에 붙인다: There is *a little* water in the bottle. 병에는 물이 조금 들어 있다.

숙어 ***in a few days*** 며칠 후면
***only a few*** 극히 적은 수의, 아주 약간의 《few와 거의 같음》
At first *only a few* people were living here. 처음에 이곳에는 아주 적은 수의 사람들만 살고 있었다.
***quite a few*** (=***not a few***) 《구어》 꽤 많은, 상당수의
*Quite a few* of the members were present.
꽤 많은 회원들이 참석했다.
— 대 ❶ 《**few**로 부정적으로 쓰여》 소수의 사람〔물건〕
*Few* of them know it. 그들 중에 그것을 아는 사람은 거의 없다.
❷ 《**a few**로 긍정적으로 쓰여》 소수의 사람〔물건〕
I know *a few* of these people. 나는 이 사람들 중의 몇 명을 알고 있다.

**fic•tion** *fiction*
[fíkʃən 픽션]
명 (복수 **fictions** [fíkʃənz 픽션즈]) 허구, 꾸며낸 이야기; 소설
I read science *fiction*.
나는 공상 과학소설을 읽었다.

a b c d e f g h i j k l m n o p q r s t u v w x y z

****field** *field*
[fíːld 필–드]
명 (복수 **fields** [fíːldz 필–즈])
❶ 들판, 밭

He is working in the *field*.
그는 들판에서 일하고 있다.
❷ (학문 · 활동의) 분야
He opened a new *field* in science. 그는 과학에서 새로운 분야를 열었다.
❸ 경기장, 필드
a baseball *field* 야구장

**fierce** *fierce*
[fíərs 피어스]
형 (비교급 **fiercer** [fíərsər 피어서], 최상급 **fiercest** [fíərsist 피어시스트])
사나운, 거친; 맹렬한, 거센
The tiger is a very *fierce* animal. 호랑이는 매우 사나운 동물이다.

****fif•teen** *fifteen*
[fìftíːn 피프틴–]
명 (복수 **fifteens** [fìftíːnz 피프틴–즈])
열다섯, 15; 15명〔개〕; 15살
Five times three is *fifteen*.
3의 5배는 15이다 (3×5=15).

—형 15의; 15개〔명, 살〕의
I am *fifteen* (years old).
나는 열다섯 살이다.

**fif•teenth** *fifteenth*
[fìftíːnθ 피프틴–스]
명 《보통 the를 붙여》 제15, 15번째; (달의) 15일 (약 15th); 15분의 1
the *fifteenth* of August, 8월 15일
—형 제15의, 15번째의; 15분의 1의

***fifth** *fifth*
[fífθ 피프스]
명 (복수 **fifths** [fíf(θ)s 피프(스)스])
《보통 the를 붙여》 제5, 5번째; (달의) 5일 (약 5th); 5분의 1
May *5th* is Children's Day.
5월 5일은 어린이날이다.
—형 제5의, 5번째의; 5분의 1의

**fif•ti•eth** *fiftieth*
[fíftiiθ 피프티이스]
명 《보통 the를 붙여》 제50, 50번째 (약 50th); 50분의 1
—형 제50 의; 50번째의; 50분의 1의

**fif•ty** *fifty*
[fífti 피프티]
명 (복수 **fifties** [fíftiz 피프티즈])
❶ 50; 50명〔개〕; 50살
❷《one's **fifties**로》(나이의) 50대; 《**the fifties**로》 50년대
in the 1950s, 1950년대에
He is in his *fifties*.
그는 50대이다.
—형 50의; 50명〔개〕의; 50살의

**fight** *fight*
[fáit 파이트]
타자 (3단현 **fights** [fáits 파이츠], 과거 · 과분 **fought** [fɔ́ːt 포-트], 현분 **fighting** [fáitiŋ 파이팅])
싸우다, 다투다
He *fought* bravely.
그는 용감하게 싸웠다.

They *fought* for the prize.
그들은 그 상을 겨루었다.
—명 (복수 **fights** [fáits 파이츠])
❶ 싸움, 전투
They won〔lost〕 the *fight*.
그들은 싸움에 이겼다〔졌다〕.
❷《a와 복수형 안 씀》 투지
They had plenty of *fight*.
그들은 투지에 넘쳤다.

**fight•ing** *fighting*
[fáitiŋ 파이팅]
동 fight(싸우다)의 현재분사
—명 싸움, 격투, 교전
Fierce *fighting* has continued.
격렬한 싸움이 계속되었다.
—형 전투의, 호전적인, 싸우는
a *fighting* field 전쟁터

**fig•ure** *figure*
[fígjər 피겨]
명 (복수 **figures** [fígjərz 피겨즈])
❶ 숫자, 수; 《복수형으로》 계산
the *figure* 5, 숫자의 5
Are you good at *figures*?
당신은 계산에 능숙합니까?
❷ (사람의) 모습, 용모; 체형
She has a good *figure*.
그녀는 몸매가 좋다.
❸ 도형; 모양; 무늬
This book has many *figures*.
이 책에는 도형이 많이 들어 있다.

❹ (중요한) 인물, 명사

**fig•ure skat•ing**
*figure skating*
[fígjər skèitiŋ 피겨스케이팅]
명 〖스포츠〗 피겨 스케이팅

**file** *file*
[fáil 파일]
명 (복수 **files** [fáilz 파일즈])
파일, 서류철
a *file* of letters 편지철
—타 (3단현 **files** [fáilz 파일즈],

과거 · 과분 **filed** [fáild 파일드], 현분 **filing** [fáiliŋ 파일링])
(서류 따위를) 철하다, 정리하다
Please *file* these papers.
이 서류들을 정리해 주세요.

****fill** *fill*
[fíl 필]
타자 (3단현 **fills** [fílz 필즈], 과거 · 과분 **filled** [fíld 필드], 현분 **filling** [fíliŋ 필링])
❶ 채우다, 가득 차다
He *filled* the pail with sand.
그는 양동이를 모래로 가득 채웠다.

I am *filled* with hope.
나는 희망에 가득 차 있다.
❷ (장소를) 가득 메우다
The students *filled* the hall.
학생들이 홀을 가득 메웠다.
숙어 ***fill in*** (빈 곳에) 써 넣다; 채우다
*Fill in* the blanks.
빈 칸을 채우시오.
***fill up*** 가득 채우다〔메우다〕

**film** *film*
[fílm 필름]
명 (복수 **films** [fílmz 필름즈])
❶ (사진 · 영화의) 필름
I want to buy a roll of *film*.
필름 한 통 사고 싶은데요.
❷ 영화
Have you seen any good *film* lately?
요즈음 좋은 영화 본 적이 있습니까?

***fi•nal** *final*
[fáinl 파이늘]
형 마지막의, 최후의 (동 last)
the *final* examination 학년말 시험
We won the *final* game.
우리는 결승전에서 이겼다.
—명 (복수 **finals** [fáinlz 파이늘즈])
❶ 《종종 복수형으로》 기말시험
❷ 《복수형으로》 (경기의) 결승전
the World Cup *finals*
월드컵 결승전

**fi•nal•ly** *finally*
[fáinəli 파이널리]
부 마침내, 드디어 (동 at last)
The train *finally* arrived.
열차가 마침내 도착했다.

**fi•nan•cial** *financial*
[finǽnʃəl 피낸셜]
형 재정상의, 돈에 관한; 재계의
His *financial* condition is poor.
그의 재정 상태는 좋지 않다.

****find** *find*
[fáind 파인드]
타 (3단현 **finds** [fáindz 파인즈], 과거 · 과분 **found** [fáund 파운드], 현분 **finding** [fáindiŋ 파인딩])

❶ 찾다, 발견하다
She found her bag under the bed. 그녀는 침대 밑에서 자기 가방을 찾아냈다.

❷ 알다, 알아차리다, 깨닫다
She *found* herself famous.
그녀는 자신이 유명해졌다는 것을 알았다.
He *found* that he was mistaken. 그는 자기가 잘못했다는 것을 깨달았다.

숙어 ***find out*** 발견하다, 알아내다
At last the scientist *found out* the secret. 마침내 과학자들은 그 비밀을 알아냈다.

## ⁑fine *fine*

[fáin 파인]
형 (비교급 **finer** [fáinər 파이너], 최상급 **finest** [fáinist 파이니스트])

❶ 좋은, 훌륭한(동 nice); 멋진
Everything is *fine*.
모든 것이 훌륭하다.
Alice has a *fine* brother.
앨리스는 훌륭한 오빠가 있다.

❷ 맑은, 날씨가 갠 (동 clear)
It's *fine* today.
오늘은 날씨가 화창하다.

참고 **날씨에 관한 말** – a *cloudy* sky (흐린 하늘), a *rainy* morning (비 오는 아침), a *windy* evening (바람 부는 저녁), *snowy* weather (눈 오는 날씨), a *sunny* day (화창한 날).

❸ 건강한, 기분 좋은
"How are you?" "I'm *fine*, thank you."
「어떻게 지내십니까?」「건강히 잘 지냅니다. 감사합니다.」

❸ 가느다란, (결이) 촘촘한
*fine* thread 가는 실

## ⁑fin•ger *finger*

[fíŋgər 핑거]
명 (복수 **fingers** [fíŋgərz 핑거즈]) 손가락
one thumb and four *fingers*
한 개의 엄지와 네 개의 손가락

참고 다섯 손가락의 명칭은 thumb (엄지손가락), the index finger 또는 fore finger (집게손가락), the middle finger (가운뎃

손가락), the third finger (약지) 《여성의 경우 반지 끼는 손가락이라 하여 the ring finger라고도 함》, the little finger (새끼손가락)임.

## **fin•ish** *finish*

[fíniʃ 피니시]

타자 (3단현 **finishes** [fíniʃiz 피니시즈], 과거 · 과분 **finished** [fíniʃt 피니시트], 현분 **finishing** [fíniʃiŋ 피니싱])

❶ 끝내다, 끝나다, 마치다 (동 end)

Have you *finished* your homework? 숙제는 다 끝냈니?

Let's *finish* up and go home.

(일을) 끝마치고 집에 가자.

✎ finish가 타동사로 쓰일 때는 목적어는 동명사나 명사만을 취함: She finished (*reading*) *the book*. 그녀는 그 책을 다 읽었다.

❷ 마무리하다, 완성하다

The bridge will be *finished* soon. 이 다리는 곧 완성될 것이다.

## **fire** *fire*

[fáiər 파이어]

명 (복수 **fires** [fáiərz 파이어즈])

❶ 《a와 복수형 안 씀》 불

Don't play with *fire*.

불장난하지 마라.

❷ 화재; 모닥불, 난로불

A *fire* broke out yesterday.

어제 화재가 발생했다.

They made a *fire* in the yard.

그들은 마당에 모닥불을 피웠다.

숙어 ***catch fire*** 불이 붙다

Paper *catches fire* easily.

종이는 쉽게 불붙는다.

***on fire*** 불타고 있는

The house is *on fire*.

그 집은 불타고 있다.

—타자 (3단현 **fires** [fáiərz 파이어즈], 과거 · 과분 **fired** [fáiərd 파이어드], 현분 **firing** [fái(ə)riŋ 파이(어)링])

❶ 발사하다, 발포하다

He *fired* his gun at them.

그는 그들을 겨냥하여 총을 쏘았다.

❷ 불태우다; 불타다

They *fired* fallen leaves.

그들은 낙엽을 불태웠다.

## **fire en•gine** *fire engine*

[fáiər èndʒin 파이어엔진]

명 《영》 소방차

✎ 미국에서는 주로 fire truck [fáiər trʌ̀k 파이어트럭]이라고 함.

## **fire•man** *fireman*

[fáiərmən 파이어먼]

명 (복수 **firemen** [fáiərmən 파이어먼]) 《영》 소방관, 소방대원

My uncle is a *fireman*.

나의 삼촌은 소방관이다.
✎ 미국에서는 firefighter [fáiərfàitər 파이어파이터] 라고 함.

***fire•place** *fireplace*
[fáiərplèis 파이어플레이스]
명 (복수 **fireplaces** [fáiərplèisiz 파이어플레이시즈]) 벽난로
We gathered by the *fireplace*.
우리는 벽난로 주변에 모였다.

**fire•side** *fireside*
[fáiərsàid 파이어사이드]
명 (복수 **firesides** [fáiərsàidz 파이어사이즈]) 난롯가, 노변
They sat at the *fireside*.
그들은 난롯가에 앉았다.

**fire sta•tion** *fire station*
[fáiər stèiʃən 파이어스테이션]
명 소방서
Fire! Call the *fire station*.
불이야! 소방서에 전화해.

**fire•work** *firework*
[fáiərwə̀ːrk 파이어워-크]
명 (복수 **fireworks** [fáiərwə̀ːrks 파이어워-크스])
《복수형으로》 불꽃(놀이)
We watched *fireworks* last Sunday evening. 우리는 지난 일요일 저녁에 불꽃놀이를 구경했다.

**firm** *firm*
[fə́ːrm 펌-]
형 (비교급 **firmer** [fə́ːrmər 퍼-머], 최상급 **firmest** [fə́ːrmist 퍼-미스트])
❶ 단단한, 견고한 (동 hard)
*firm* ground 굳은 땅, 대지
❷ (마음이) 단호한, 엄격한

**firm•ly** *firmly*
[fə́ːrmli 펌-리]
부 단단히; 단호하게

****first** *first*
[fə́ːrst 퍼-스트]
형 첫째의, 제1의, 최초의 (반 last 마지막의)
Mary is *first* in line.
메리는 줄의 맨 앞에 서 있다.

a b c d e f g h i j k l m n o p q r s t u v w x y z

You won (the) *first* prize!
너 1등상 탔구나!
숙어 ***for the first time*** 처음으로
We saw a lion *for the first time.*
우리는 처음으로 사자를 보았다.

***in the first place*** 우선, 먼저
*In the first place* you must go there. 우선 너는 거기에 가야 한다.
—부 맨 처음, 우선, 먼저
*First* I want to buy some apples. 우선 사과를 몇 개 사고 싶다.
숙어 ***first of all*** 우선 첫째로, 무엇보다도 먼저
*First of all*, you must take care of your health. 우선 첫째로, 너는 건강에 주의해야 한다.
—명 《보통 the를 붙여》 첫번째(의 것); 처음, 시작 (약 1st)
on *the first* of June, 6월 1일에
Try it again from *the first.*
처음부터 다시 시작해 보세요.
숙어 ***at first*** 처음에는
*At first* I didn't understand him.
처음에 나는 그를 이해하지 못했다.

## first name *first name*

[fə́ːrst nèim 퍼-스트네임]
명 (성명의) 이름, 퍼스트네임
Mr. Smith's *first name* is Peter.
스미스 씨의 퍼스트네임은 피터이다.

참고 서양에서는 우리와는 반대로 이름이 앞에 나오고 성이 뒤에 따른다. John F. Kennedy라는 이름에서 John을 First name이라고 하며, 이를 Christian name, given name이라고도 부른다.

## ⁑fish *fish*

[fíʃ 피시]
명 (복수 **fish** [fíʃ 피시], **fishes** [fíʃiz 피시즈]) ❶ 물고기, 어류
I caught five *fish* in the stream.
나는 개울에서 물고기 다섯 마리를 잡았다.
You can see a lot of *fishes* in the pond. 그 연못에서 많은 종류의 물고기를 볼 수 있다.
✎ 물고기의 종류를 말할 때는 fishes
❷ 《a와 복수형 안 씀》 생선, 어육

I like *fish* better than meat.
나는 고기보다 생선을 더 좋아한다.
—타자 (3단현 **fishes** [fíʃiz 피시즈], 과거 · 과분 **fished** [fíʃt 피시트], 현분 **fishing** [fíʃiŋ 피싱])
(물고기를) 낚다, 잡다, 낚시질하다
I like to *fish* in the sea. 나는 바다에서 고기 낚는 것을 좋아한다.

## fish•er•man *fisherman*

[fíʃərmən 피셔먼]

## Fishes 물고기

tuna
다랑어
octopus
낙지
salmon
연어
sardine
정어리
flatfish
넙치
stingray
노랑가오리
herring
청어
carp
잉어
eel
뱀장어
cod
대구
goldfish
금붕어
trout
송어
shark
상어
catfish
메기

A B C D E F G H I J K L M N O P Q R S T U V W X Y Z

명 (복수 **fishermen** [fíʃərmən 피셔먼]) 어부, 낚시꾼

## *fish•ing *fishing*
[fíʃiŋ 피싱]
명 고기잡이, 어업; 낚시질
He went *fishing* yesterday.
그는 어제 낚시질하러 갔다.

## fit *fit*
[fít 핏]
형 (비교급 **fitter** [fítər 피터], 최상급 **fittest** [fítist 피티스트])
꼭 맞는, 적당한 (동 suitable)
He is a *fit* man for the job.
그는 그 일에 적임자이다.
— 타자 (3단현 **fits** [fíts 피츠], 과거 · 과분 **fitted** [fítid 피티드], 현분 **fitting** [fítiŋ 피팅])
(…에) 맞다, 적합하다
The coat *fits* you very well.
그 코트는 너에게 아주 잘 맞는다.

## ⁂five *five*
[fáiv 파이브]
명 (복수 **fives** [fáivz 파이브즈])
다섯, 5; 5명〔개〕; 5살〔시〕
I get up at *five* every morning. 나는 매일 아침 5시에 일어난다.
— 형 다섯의, 5의; 5명〔개〕의; 5살〔시〕의
*five* tomatoes 토마토 5개

## fix *fix*
[fíks 픽스]
타 (3단현 **fixes** [fíksiz 픽시즈], 과거 · 과분 **fixed** [fíkst 픽스트], 현분 **fixing** [fíksiŋ 픽싱])
❶ 고정시키다, 달다, 붙이다
He *fixed* a shelf to the wall.
그는 벽에 선반을 달았다.

❷ (일시 · 장소를) 결정하다, 정하다
They *fixed* the day for the meeting. 그들은 회합 날짜를 정했다.
❸ (시선 · 주의 따위를) 기울이다
She *fixed* her eyes on the picture. 그녀는 그 그림을 응시했다.
❹ 고치다, 수선하다, 수리하다
He *fixed* his bicycle.
그는 그의 자전거를 수선했다.

***flag** *flag*
[flǽg 플래그]
명 (복수 **flags** [flǽgz 플래그즈])
깃발, 기(旗)

a national *flag* 국기
All the kids were waving *flags*.
아이들은 모두 깃발을 흔들고 있었다.

**flame** *flame*
[fléim 플레임]
명 (복수 **flames** [fléimz 플레임즈])
불꽃, 불길, 화염
The house was in *flames*.
그 집은 불길에 휩싸였다.

**flash** *flash*
[flǽʃ 플래시]
명 (복수 **flashes** [flǽʃiz 플래시즈])
❶ 섬광, 번쩍임
The bomb exploded in a *flash* of lightning.
폭탄이 섬광을 일으키며 폭발했다.
❷ 순간, 순식간
in a *flash* 순식간에
—타자 (3단현 **flashes** [flǽʃiz 플래시즈], 과거 · 과분 **flashed** [flǽʃt 플래시트], 현분 **flashing** [flǽʃiŋ 플래싱])
❶ 번쩍 빛나다; 번쩍이다
Lightning *flashed* across the sky.
하늘을 가로질러 번개가 번쩍였다.

a b c d e f g h i j k l m n o p q r s t u v w x y z

❷ 갑자기 나타나다, 휙 지나가다

**flash•light** *flashlight*
[flǽʃlàit 플래시라이트]
명 (복수 **flashlights** [flǽʃlàits 플래시라이츠])
섬광; 회중 전등; (사진기의) 플래시
Bring me the *flashlight*.
나에게 회중전등을 갖다 다오.

**flat**[1] *flat*
[flǽt 플랫]
형 (비교급 **flatter** [flǽtər 플래터], 최상급 **flattest** [flǽtist 플래티스트])
평평한 (동 even); 납작한; (타이어가) 공기가 빠진
a flat *tire* 구멍난 타이어

The earth is not *flat*.
지구는 평평하지 않다.
—부 꼭, 정확히; 딱 잘라서

**flat**[2] *flat*
[flǽt 플랫]
명 (복수 **flats** [flǽts 플래츠])
《영》 플랫, 공동 주택, 아파트 (《미》 apartment)

**fla•vo(u)r** *flavo(u)r*
[fléivər 플레이버]
명 (복수 **flavo(u)rs** [fléivərz 플레이버즈]) (독특한) 맛, 풍미; 향신료
a *flavor* of garlic 마늘의 맛
The ice cream has a special *flavor*.
그 아이스크림은 독특한 맛이 난다.

**flee** *flee*
[flíː 플리-]
타자 (3단현 **flees** [flíːz 플리-즈], 과거 · 과분 **fled** [fléd 플레드], 현분 **fleeing** [flíːiŋ 플리-잉])
달아나다, 도망치다
The criminal *fled* by airplane.
범인은 비행기를 타고 도망쳤다.

**flesh** *flesh*
[fléʃ 플레시]
명 《a와 복수형 안 씀》
❶ (동물의) 살 (《식용육은 meat》); (과일의) 과육
He put on *flesh*. 그는 살이 쪘다.
❷ 《the를 붙여》 육체 (동 body; 반 soul 영혼)
the ills of *the flesh* 육체적인 질병

***flew** *flew*
[flúː 플루-]
타자 fly(날다)의 과거

**flight** *flight*
[fláit 플라이트]
명 날기; 비행; (항공)편

a long *flight* 장거리 비행
*Flight* number 340 to New

York is boarding now.
뉴욕행 340편에 지금 탑승하십시오.

## *float *float*

[flóut 플로우트]

타자 (3단현 **floats** [flóuts 플로우츠], 과거 · 과분 **floated** [flóutid 플로우티드], 현분 **floating** [flóutiŋ 플로우팅])

뜨다; 띄우다 (반 sink 가라앉다)

Wood *floats* on water.
목재는 물에 뜬다.

A balloon is *floating* in the sky.
기구가 하늘에 떠 있다.

## flock *flock*

[flʌ́k 플럭]

명 (복수 **flocks** [flʌ́ks 플럭스])

떼, 무리

a *flock* of sheep 양 떼

— 자 (3단현 **flocks** [flʌ́ks 플럭스], 과거 · 과분 **flocked** [flʌ́kt 플럭트], 현분 **flocking** [flʌ́kiŋ 플러킹])

떼를 짓다, 모이다

People *flocked* to the theater to see the new movie. 사람들은 새 영화를 보려고 극장으로 몰려왔다.

## flood *flood*

[flʌ́d 플러드]

oo는 [ʌ]로 발음함.

명 (복수 **floods** [flʌ́dz 플러즈])

홍수, 범람; (홍수 같은) 쇄도

The heavy rain caused *floods* in the town.
폭우로 시가지에 홍수가 났다.

a *flood* of letters 편지의 쇄도

— 타자 (3단현 **floods** [flʌ́dz 플러즈], 과거 · 과분 **flooded** [flʌ́did 플러디드], 현분 **flooding** [flʌ́diŋ 플러딩])

넘치다, 침수하다, 범람하다

The river *flooded* our fields.
강이 범람하여 들판을 침수시켰다.

## *floor *floor*

[flɔ́ːr 플로–]

명 (복수 **floors** [flɔ́ːrz 플로–즈])

❶ 마루 (관 ceiling 천장)

Mary sweeps the *floor* every day. 메리는 매일 마루를 비로 쓴다.

❷ (건물의) 층 (동 story)

His office is on the fourth *floor*.
그의 사무실은 4층에 있다.

A B C D E F G H I J K L M N O P Q R S T U V W X Y Z

참고 미국에서는 1층을 first floor라고 하는 데 반해, 영국에서는 ground floor라고 한다. first floor는 영국에서는 2층을 뜻하며, second floor는 영국에서는 3층을 뜻한다.

***flour** *flour*
[fláuər 플라우어]
flower(꽃)와 발음이 같음.
명 《a와 복수형 안 씀》 밀가루; 가루
*Flour* is made from wheat.
밀가루는 밀로 만들어진다.

***flow** *flow*
[flóu 플로우]
자 (3단현 **flows** [flóuz 플로우즈], 과거 · 과분 **flowed** [flóud 플로우드], 현분 **flowing** [flóuiŋ 플로우잉])
흐르다; (인파 · 차량 등이) 물결처럼 지나가다
The river *flows* to the sea.
그 강은 바다로 흘러간다.
The crowd *flowed* out of the station.
군중이 역에서 쏟아져 나왔다.

****flow•er** *flower*
[fláuər 플라우어]
명 (복수 **flowers** [fláuərz 플라우어즈]) 꽃
I like wild *flowers*.
나는 야생화를 좋아한다.
I gave her a bunch of *flowers*.
나는 그녀에게 꽃 한 다발을 주었다.

The rose is the national *flower* of England.
장미는 잉글랜드의 국화이다.
✎ flower는 일반적으로 관상용 꽃을 가리키며, blossom은 과일나무의 꽃을 가리킴.

***flown** *flown*
[flóun 플로운]
자타 fly (날다)의 과거분사

**fluent** *fluent*
[flú:ənt 플루-언트]
형 (말이) 유창한, 거침없는
He speaks *fluent* English.
그는 유창한 영어를 한다.

**fluent•ly** *fluently*
[flú:əntli 플루-언틀리]
부 유창하게, 거침없이
He can speak English *fluently*.
그는 영어를 유창하게 말할 수 있다.

**flute** *flute*
[flú:t 플루-트]
명 (복수 **flues** [flú:ts 플루-츠])
〖악기〗 플루트, 피리

## Flowers 꽃

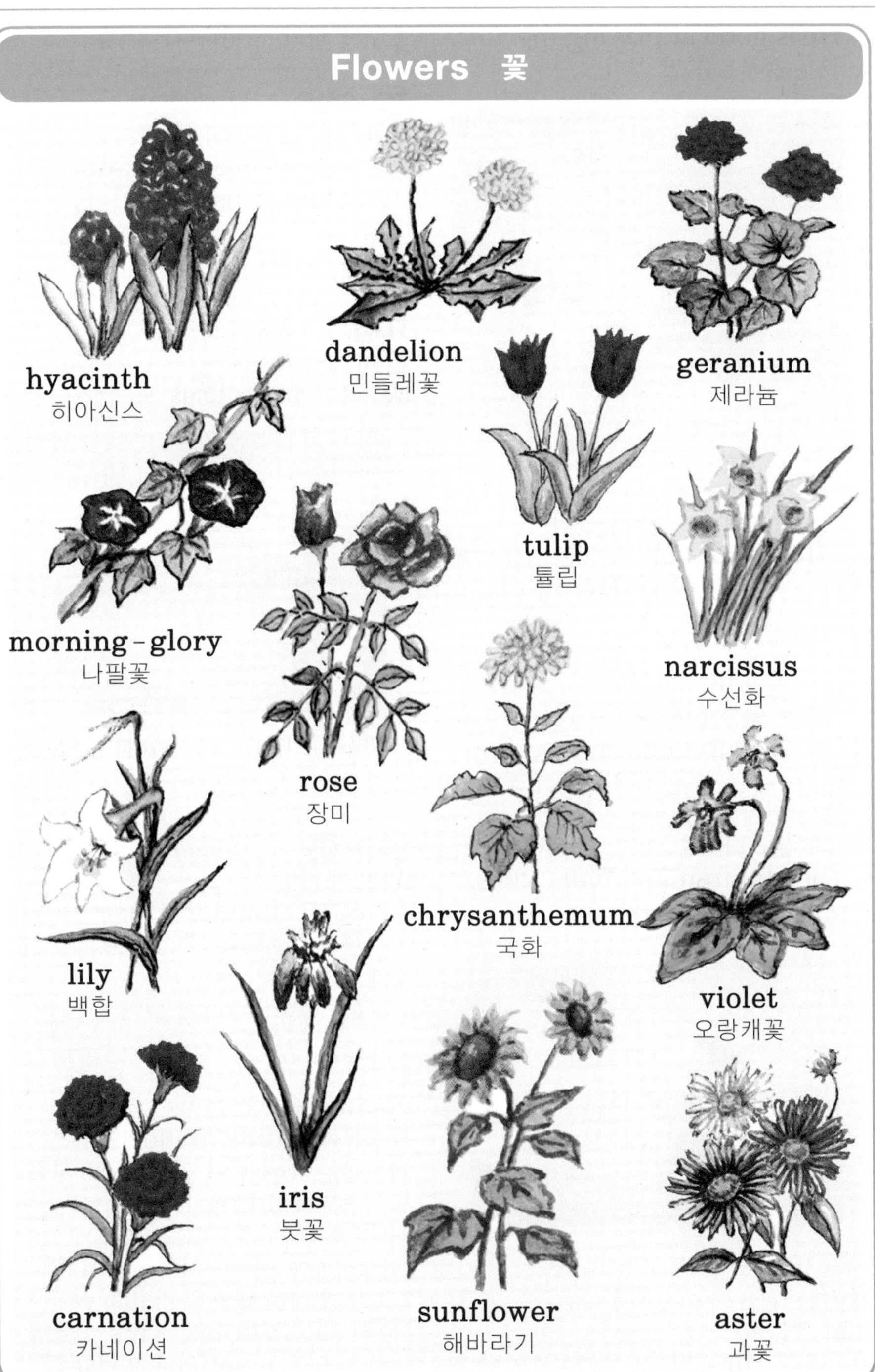
hyacinth
히아신스
dandelion
민들레꽃
geranium
제라늄
tulip
튤립
morning-glory
나팔꽃
narcissus
수선화
rose
장미
chrysanthemum
국화
lily
백합
violet
오랑캐꽃
iris
붓꽃
carnation
카네이션
sunflower
해바라기
aster
과꽃

He is good at playing the *flute*.
그는 플루트를 잘 분다.

**✽fly[1]** *fly*
[flái 플라이]
동 (3단현 **flies** [fláiz 플라이즈], 과거 **flew** [flú: 플루-], 과분 **flown** [flóun 플로운], 현분 **flying** [fláiiŋ 플라이잉])
— 자 날다, 비행하다
A swallow *flies* fast.
제비는 빠르게 난다.
I will *fly* to London next Sunday. 나는 다음 일요일에 항공편으로 런던에 갈 것이다.
— 타 날리다, 띄우다
The children are *flying* kites.
아이들이 연을 날리고 있다.

**fly[2]**
[flái 플라이]
명 (복수 **flies** [fláiz 플라이즈])
〖곤충〗 파리, 날아다니는 곤충

**fo•cus** *focus*
[fóukəs 포우커스]
명 (복수 **focuses** [fóukəsiz 포우커시즈], **foci** [fóusai 포우사이])
초점; 중심
the *focus* of a lens 렌즈의 초점

**fog** *fog*
[fɔ́:g 포-그]
명 (복수 **fogs** [fɔ́:gs 포-그즈]) 안개

The *fog* lifted〔cleared〕by noon.
정오까지 안개가 걷혔다.

**fog•gy** *foggy*
[fɔ́gi 포기]
형 (비교급 **foggier** [fɔ́giər 포기어], 최상급 **foggiest** [fɔ́gist 포기스트])
안개 낀, 안개가 많은
a *foggy* morning 안개낀 아침

**fold** *fold*
[fóuld 포울드]
타 (3단현 **folds** [fóuldz 포울즈], 과거 · 과분 **folded** [fóuldid 포울디드], 현분 **folding** [fóuldiŋ 포울딩])
접다; 포개다; (손 · 팔을) 끼다
He *folded* the letter in half.
그는 편지를 반으로 접었다.
He sat with his arms *folded*.
그는 팔짱을 끼고 앉아 있었다.

**folk** *folk*
[fóuk 포우크]
☺ l은 발음하지 않음.
명 (복수 **folk** [fóuk 포우크], 《미》 **folks** [fóuks 포우크스])
❶ 《복수 취급》 사람들
country *folk* 시골 사람들
❷ 《one's **folks**로》 민족; 가족

**folk song** *folk song*
[fóuk sɔ́(ː)ŋ 포우크송-]
명 민요, 포크송

*__fol•low__ *follow*
[fálou 팔로우]
타 (3단현 **follows** [fálouz 팔로우즈], 과거 · 과분 **followed** [fáloud 팔로우드], 현분 **following** [fálouiŋ 팔로우잉])
❶ (뒤를) 쫓아가다, (길을) 따라가다; 다음에 오다

My dog *followed* me to school.
내 개가 학교까지 나를 따라왔다.
Monday *follows* Sunday.
월요일은 일요일 다음에 온다.
❷ (말을) 이해하다; 알아듣다
I don't quite *follow* you. 무슨 말씀이신지 도무지 모르겠습니다.
❸ (지시 · 충고 따위에) 따르다
*Follow* his advice.
그의 충고에 따라라.
숙어 ***as follows*** 다음과 같이
He spoke *as follows*.
그는 다음과 같이 말했다.

**fol•low•ing** *following*
[fálouiŋ 팔로우잉]
타 follow(따르다)의 현재분사
—형 《the를 붙여》 다음의 (동 next)
On *the following* day he started. 그 다음날 그는 출발했다.
—명 《the를 붙여》 다음의 것
Read *the following* and answer the questions.
다음을 읽고 물음에 답하시오.

*__fond__ *fond*
[fánd 판드]
형 (비교급 **fonder** [fándər 판더], 최상급 **fondest** [fándist 판디스트])
❶ 《**be fond of**로》 …을 좋아하는
I *am fond of* playing golf.
나는 골프 치기를 좋아한다.

She *is fond of* flowers.
그녀는 꽃을 좋아한다.
✎ be fond of 다음에는 명사나 동명사가 옴.
❷ 애정어린, 다정한, 달콤한
a *fond* look 애정어린 눈초리

**⁂food** *food*
[fúːd 푸-드]
명 (복수 **foods** [fúːdz 푸-즈])
식료품, 먹을 것, 식량
health *food* 건강 식품
Do you like Korean *food*?
한국 음식을 좋아합니까?

A B C D E F G H I J K L M N O P Q R S T U V W X Y Z

There was much *food* on the table. 식탁에는 먹을 것이 많이 있었다.
Beefsteak is one of my favorite *foods*. 비프스테이크는 내가 좋아하는 식품 중의 하나이다.

✎ food는 원칙적으로 a와 복수형을 쓰지 않지만, 식품의 종류를 가리킬 때는 foods를 씀.

**fool** *fool*
[fúːl 풀-]
명 (복수 **fools** [fúːlz 풀-즈])
바보, 어리석은 사람, 얼간이
What a *fool* you are!
넌 정말 바보로구나!
숙어 ***make a fool of*** (…을) 바보 취급하다, 조롱하다
He *made a fool of* me.
그는 나를 조롱했다.

***fool•ish** *foolish*
[fúːliʃ 풀-리시]
형 (비교급 **more foolish**, 최상급 **most foolish**)
어리석은, 미련한, 바보 같은 (반 wise 현명한)
Don't be *foolish*.
어리석은 짓 하지 마라.
You are *foolish* to say so!
그렇게 말하다니 너도 바보 같군!

⁑**foot** *foot*
[fút 풋]
명 (복수 **feet** [fíːt 피-트])
❶ 발
Each *foot* has five toes.
각각의 발에는 5개의 발가락이 있다.

❷ 〖단위〗 피트 《1 foot는 12 inches 또는 30.48cm》
He is 5 *feet* 6 inches tall. 그는 키가 5피트 6인치이다《약 168cm》.
❸ (산)기슭, (사물의) 밑부분
The hotel is at the *foot* of a mountain. 그 호텔은 산기슭에 있다.
숙어 ***on foot*** 걸어서, 도보로
She goes to school *on foot*.
그녀는 걸어서 통학한다.

**foot•ball** *football*
[fútbɔ̀ːl 풋볼-]
명 〖스포츠〗 풋볼, (미식) 축구

I like *football* very much.
나는 축구를 매우 좋아한다.

✎ football은 American football (미식 축구)을 의미하며, 우리 나라에서 말하는 축구는 soccer

**foot•print** *footprint*
[fútprìnt 풋프린트]
명 (복수 **footprints** [fútprìnts 풋프린츠]) 발자국

**foot•step** *footstep*
[fútstèp 풋스텝]
명 (복수 **footsteps** [fútstèps 풋스텝스]) 걸음걸이; 발소리; 발자국

The children made *footsteps* on the floor.
아이들은 마루에 발자국을 냈다.

**⁑for** *for*
[《약》 fər 퍼; 《강》 fɔ́ːr 포–]
전 ❶ 《이익 · 경의를 나타내어》 …을 위하여〔위한〕; 찬성하여 (반 against 반대하여)

This is a present *for* you.
이것은 너를 위한 선물이다.
What can I do *for* you? 무엇을 도와 드릴까요? 《점원이 고객에게》
Are you *for* or against the project? 당신은 그 계획에 찬성하십니까 반대하십니까?

❷ 《목적 · 의향을 나타내어》 …을 하려고, …을 추구하여
He went *for* a walk.
그는 산보하러 갔다.
She's preparing *for* an exam.
그녀는 시험을 치르려고 준비하고 있다.

❸ 《원인 · 이유를 나타내어》 …때문에, …의 이유로
I couldn't see anything *for* the fog. 나는 안개 때문에 아무것도 볼 수 없었다.

❹ 《시간 · 거리를 나타내어》 …동안, …에 걸쳐서
I stayed there *for* a week.
나는 거기에 일주일 동안 머물렀다.
They walked *for* three miles.
그들은 3마일을 걸었다.

❺ 《방향 · 행선지를 나타내어》 …을 향하여, …행(行)의
He took a bus *for* New York.
그는 뉴욕행 버스를 탔다.

❻ …대신에
I attended the meeting *for* her.
나는 그녀 대신 그 모임에 참석했다.

❼ …에 대하여; …의 가격으로
Thank you *for* your gift.
선물을 주셔서 감사합니다.

I paid ten *dollars* for the book.
나는 그 책을 10달러 주었다.
❽ …에 비하여, …치고는
She looks young *for* her age.
그녀는 나이에 비하여 젊어 보인다.
❾ 《**for** A **to** do로》 **A**가 …하는 것은 (…이다) 《A는 의미상의 주어》
It is dangerous *for* you *to* go alone.
네가 혼자서 가는 것은 위험하다.
숙어 ***for all*** …에도 불구하고
*For all* his wealth, he is unhappy. 부자임에도 불구하고, 그는 불행하다.
***for oneself*** 스스로, 혼자 힘으로
Shine your shoes *for yourself.*
네 구두는 스스로 닦아라.
— 접 《앞의 문장을 받아서》 왜냐하면, …이니까
It will not rain, *for* the sky is so clear. 비는 오지 않을 거야, 왜냐하면 하늘이 너무 맑으니까.

## for•bad(e) *forbad(e)*
[fərbǽd 퍼배드]
타 forbid(금지하다)의 과거

## for•bid *forbid*
[fərbíd 퍼비드]
타 (3단현 **forbids** [fərbídz 퍼비즈], 과거 **forbad(e)** [fərbǽd 퍼배드], 과분 **forbidden** [fərbídn 퍼비든], 현분 **forbidding** [fərbídiŋ 퍼비딩])
금지하다, 방해하다
Father *forbids* us to play in the street. 아버지는 우리가 거리에서 노는 것을 금지하신다.

## for•bid•den *forbidden*
[fərbídn 퍼비든]
타 forbid(금지하다)의 과거분사

## force *force*
[fɔ́ːrs 포-스]
명 (복수 **forces** [fɔ́ːrsiz 포-시즈])
❶ 힘, 세력; 폭력
The thief took the money from the old man by *force.*
도둑은 폭력을 써서 노인에게서 돈을 빼앗았다.

❷ 군대, 무력
the air *force* 공군
— 타 (3단현 **forces** [fɔ́ːrsiz 포-시즈], 과거·과분 **forced** [fɔ́ːrst 포-스트], 현분 **forcing** [fɔ́ːrsiŋ 포-싱])
강요하다, 억지로 …시키다
The bank robber *forced* us to lie on the floor. 은행 강도는 강제로 우리를 마룻바닥에 엎드리게 했다.

a b c d e f g h i j k l m n o p q r s t u v w x y z

A B C D E F G H I J K L M N O P Q R S T U V W X Y Z

**fore•cast** *forecast*
[fɔ́ːrkæ̀st 포-캐스트]
명 (일기) 예보, 예측
a business *forecast* 경기 예측
Did you listen to the weather *forecast*? 일기 예보를 들었습니까?
—타 (3단현 **forecasts** [fɔ́ːrkæ̀sts 포-캐스츠], 과거 · 과분 **forecast** [fɔ́ːrkæ̀st 포-캐스트] 또는 **forecast-ed** [fɔ́ːrkæ̀stid 포-캐스티드], 현분 **forecasting** [fɔ́ːrkæ̀stiŋ 포-캐스팅]) 예측하다, 예보하다

Heavy rain has been *forecast* for tomorrow. 내일은 폭우가 내릴 것이라고 예보되었다.

**fore•fa•ther** *forefather*
[fɔ́ːrfɑ̀ːðər 포-파-더]
명 (복수 **forefathers** [fɔ́ːrfɑ̀ːðərz 포-파-더즈]) 《보통 복수형으로》 선조, 조상 (동 ancestor)
Everyone has his *forefathers*. 모든 사람에게는 조상이 있다.

**fore•fin•ger** *forefinger*
[fɔ́ːrfìŋgər 포-핑거]
명 집게손가락, 검지

**fore•head** *forehead*
[fɔ́ːrid 포-리드, fɔ́ːrhèd 포-헤드]
명 이마

**for•eign** *foreign*
[fɔ́ːrin 포-린]
형 외국의, 국외의, 외국에 관한
a *foreign* country 외국
Do you speak any *foreign* languages?
당신은 외국어를 할 줄 압니까?

***for•eign•er** *foreigner*
[fɔ́ːrinər 포-리너]
명 (복수 **foreigners** [fɔ́ːrinərz 포-리너즈])
외국인, 낯선 사람 (동 stranger)
I met a couple of *foreigners*.
나는 외국인 두 명을 만났다.

***for•est** *forest*
[fɔ́ːrist 포-리스트]
명 (복수 **forests** [fɔ́ːrists 포-리스츠]) 숲; 《복수형으로》 삼림

We walked through the *forest*.
우리는 걸어서 숲을 지나갔다.
He was lost in the *forest*.
그는 숲 속에서 길을 잃었다.

**fore•tell** *foretell*
[fɔːrtél 포-텔]
둘째 음절에 악센트가 있음.
타 (3단현 **foretells** [fɔːrtélz 포-텔즈], 과거 · 과분 **foretold** [fɔːrtóuld 포-토울드], 현분 **foretelling** [fɔːrtéliŋ 포-텔링])
예언하다; 예고하다
Who can *foretell* the future?
누가 미래를 예언할 수 있는가?

**for•ev•er** *forever*
[fərévər 퍼레버]
부 영원히, 언제까지나
I'll love you *forever*.
나는 당신을 영원히 사랑하겠습니다.

**for•gave** *forgave*
[fərgéiv 퍼게이브]
타 forgive(용서하다)의 과거

***for•get** *forget*
[fərgét 퍼겟]
타자 (3단현 **forgets** [fərgéts 퍼게츠], 과거 **forgot** [fərgát 퍼갓], 과분 **forgotten** [fərgátn 퍼가튼] 또는 **forgot** [fərgát 퍼갓], 현분 **forgetting** [fərgétiŋ 퍼게팅])
❶ 잊다, 생각나지 않다 (반 remember 기억하다)
I *forgot* your phone number.
네 전화 번호를 잊어버렸다.
✎ 현재형을 쓰는 데 주의
❷ 《**forget to** do로》 (미래에) …할 것을 잊다, …할 것을 망각하다
I *forgot to* shut the window.
창문을 닫는 것을 잊었다.
❸ 《**forget+~ing**으로》 (과거에) …한 것을 잊다, …한 것을 망각하다
I shall never *forget* meet*ing* him ten years ago. 10년 전에 그를 만난 것을 잊지 못할 것이다.
❹ (소지품 따위를) 잊고 두고 오다
She *forgot* her umbrella again.
그녀는 또 우산을 두고 왔다.

**for•give** *forgive*
[fərgív 퍼기브]
타자 (3단현 **forgives** [fərgívz 퍼기브즈], 과거 **forgave** [fərgéiv 퍼게이브], 과분 **forgiven** [fərgívən 퍼기번], 현분 **forgiving** [fərgíviŋ 퍼기빙])
용서하다, 면제해 주다
Please *forgive* me.
제발 용서해 주세요.
They *forgave* his mistakes.
그들은 그의 잘못을 용서해 주었다.

A B C D E F G H I J K L M N O P Q R S T U V W X Y Z

**for•giv•en** *forgiven*
[fərgívən 퍼기번]
타 forgive(용서하다)의 과거분사

*__for•got__ *forgot*
[fərgát 퍼갓]
타 forget(잊다)의 과거

*__for•got•ten__ *forgotten*
[fərgátn 퍼가튼]
타 forget(잊다)의 과거분사

**__fork__ *fork*
[fɔ́ːrk 포-크]
명 (복수 **forks** [fɔ́ːrks 포-크스])
포크 (관 knife 칼)
Nancy eats beefsteak with a knife and *fork*. 낸시는 나이프와 포크로 비프스테이크를 먹는다.

✎ 나이프와 포크의 경우 관사 a를 knife에만 붙이고 fork에는 생략함.

*__form__ *form*
[fɔ́ːrm 폼-]
명 (복수 **forms** [fɔ́ːrmz 폼-즈])
❶ 모양, 모습, 꼴 (동 shape)
Butterflies change their *forms*.
나비는 그 모습을 바꾼다.
❷ 형태, 형식 (반 content 내용)
Swimming is the best *form* of exercise.
수영은 가장 좋은 형태의 운동이다.
❸ 양식, 서식 (용지)
Please fill out this *form*.
이 서류를 작성하시오.
—타자 (3단현 **forms** [fɔ́ːrmz 폼-즈], 과거 · 과분 **formed** [fɔ́ːrmd 폼-드], 현분 **forming** [fɔ́ːrmiŋ 포-밍])
형성하다, 만들다; 모양을 이루다
She *formed* the clay into a bowl. 그녀는 진흙으로 주발 모양을 만들었다.

Ice *formed* on the pond.
연못에 얼음이 얼었다.

**for•mal** *formal*
[fɔ́ːrməl 포-멀]
형 (비교급 **more formal**, 최상급 **most formal**)
정식의, 공식적인 (반 informal 비공식적인); 형식적인
They came in *formal* dress.
그들은 정장 차림으로 왔다.

His kindness is merely *formal.* 그의 친절은 형식적일 뿐이다.

***for•mer** *former*
[fɔ́ːrmər 포-머]
[형] 앞의, 이전의; 전자의, 전임의
Her *former* husband is dead.
그녀의 전 남편은 죽었다.
— [대] 《the를 붙여》 전자 (반 latter 후자)
Of the two, I like *the former* better than the latter.
둘 중에서 후자보다 전자가 더 좋다.

**forth** *forth*
[fɔ́ːrθ 포-스]
[부] 전방으로, 앞으로
Tom stepped *forth.*
톰은 앞으로 발을 내딛었다.
The sun came *forth* behind the cloud.
해가 구름 뒤에서 나왔다.

[숙어] ***and so forth*** 기타, …따위
Be sure to pack a toothbrush, clothes, *and so forth.* 칫솔, 옷가지, 기타 등등을 꾸렸는지 확인해라.
***back and forth*** 앞뒤로
The lamp moved *back and forth.* 램프가 앞뒤로 흔들렸다.

**for•ti•eth** *fortieth*
[fɔ́ːrtiiθ 포-티이스]
[명] 《the를 붙여》 제40, 40번째 (약 40th); 40분의 1
— [형] 제40의, 40번째의; 40분의 1의

**fort•night** *fortnight*
[fɔ́ːrtnàit 포-트나이트]
[명] (복수 **fortnights** [fɔ́ːrtnàits 포-트나이츠]) 2주일간, 14일
✎ forteen nights에서 생긴 말.

**for•tu•nate** *fortunate*
[fɔ́ːrtʃ(u)nət 포-추넛]
[형] (비교급 **more fortunate**, 최상급 **most fortunate**)
행운의, 운이 좋은 (반 unfortunate 불행한)
He is *fortunate* in having a good job. 그는 좋은 일자리를 갖고 있어서 다행이다.
✎ lucky보다 영속적임.

**for•tu•nate•ly** *fortunately*
[fɔ́ːrtʃ(u)nətli 포-추너틀리]
[부] (비교급 **more fortunately**, 최상급 **most fortunately**)
다행히, 운좋게
*Fortunately*, we caught the last train. 다행히도 우리는 마지막 기차를 탔다.

***for•tune** *fortune*
[fɔ́ːrtʃun 포-춘]

명 (복수 **fortunes** [fɔ́ːrtʃunz 포-춘즈]) ❶ 《a와 복수형 안 씀》 재산, 부

Betty married a man of *fortune*. 베티는 부자와 결혼했다.
❷ 운, 운명 (동 fate), 행운
*Fortune* comes in by a merry gate. 《속담》 웃는 집에 행운이 온다.

**⁑for•ty** *forty*
[fɔ́ːrti 포-티]
명 (복수 **forties** [fɔ́ːrtiz 포-티즈])
❶ 40; 40명[개]; 40살
❷ 《**one's forties**로》 (나이의) 40대; 《**the forties**로》 40년대
He is in *his forties*.
그는 40대이다.

***for•ward(s)** *forward(s)*
[fɔ́ːrwərd(z) 포-워드, 포-워즈]
부 (비교급 **more forward(s)**, 최상급 **most forward(s)**)
앞으로, 앞쪽으로

Keep going *forward*.
앞으로 계속 전진하라.
숙어 ***look forward to*** …을 기대하다, 고대하다 《흔히 진행형으로》
I am *looking forward to* Christmas.
나는 크리스마스를 고대하고 있다.

***fought** *fought*
[fɔ́ːt 포-트]
타자 fight(싸우다)의 과거 · 과거분사

***found[1]** *found*
[fáund 파운드]
타 find(찾다)의 과거 · 과거분사

**found[2]** *found*
[fáund 파운드]
타 (3단현 **founds** [fáundz 파운즈], 과거 · 과분 **founded** [fáundid 파운디드], 현분 **founding** [fáundiŋ 파운딩])
(…의) 기초를 세우다, 설립하다
The university was *founded* in 1967.
그 대학교는 1967년에 설립되었다.

**foun•da•tion** *foundation*
[faundéiʃən 파운데이션]
명 (복수 **foundations** [faundéiʃənz 파운데이션즈]) ❶ 기초, 토대; 근거
the *foundation* of a building
건물의 토대
❷ 설립, 창립

***foun•tain** *fountain*
[fáunt(ə)n 파운턴]
명 (복수 **fountains** [fáunt(ə)nz 파운턴즈]) 분수; 샘 (동 spring); 원천
The children played in the *fountain* in the park. 아이들은 공원의 분수 있는 데서 놀았다.

**foun•tain pen** *fountain pen*
[fáunt(ə)n pèn 파운턴펜]
명 만년필
My father bought me a *fountain pen*.
아버지가 내게 만년필을 사 주었다.

****four** *four*
[fɔ́ːr 포–]
명 (복수 **fours** [fɔ́ːrz 포–즈])
넷, 4; 4명〔개〕; 4살〔시〕
School is over at *four*.
학교는 4시에 끝난다.

—형 4의; 4명〔개〕의; 4살〔시〕의
a boy of *four* 네 살의 소년
We have *four* classes in the morning.
우리는 오전에 4시간 수업이 있다.

***four•teen** *fourteen*
[fɔ̀ːrtíːn 포–틴–]
명 (복수 **fourteens** [fɔ̀ːrtíːnz 포–틴–즈]) 열넷, 14; 14명〔개〕; 14살〔시〕
I'll be *fourteen* next year.
나는 내년에 열네 살이 된다.
—형 14의; 14명〔개〕의; 14살〔시〕의
There are *fourteen* apples in the basket. 광주리에는 14개의 사과가 들어 있다.

**four•teenth** *fourteenth*
[fɔ̀ːrtíːnθ 포–틴–스]
명 《the를 붙여》 제14, 열네 번째; (달의) 14일 (약 14th); 14분의 1
—형 제14의; 열네 번째의; 14분의 1의
*Fourteenth* Street 제14번가
Let's study the *fourteenth* lesson. 제14과를 공부합시다.

***fourth** *fourth*
[fɔ́ːrθ 포–스]
명 (복수 **fourths** [fɔ́ːrθs 포–스스]) 《the를 붙여》 제4, 네 번째; (달의) 4일 (약 4th); 4분의 1
He was born on *the fourth* of May. 그는 5월 4일에 태어났다.
three *fourths* 4분의 3
—형 제4의, 네 번째의; 4분의 1의
*Fourth* Republic 제4공화국

**fox** *fox*
[fáks 팍스]

명 (복수 **foxes** [fάksiz 팍시즈])
〖동물〗 여우; (여우처럼) 교활한 사람

*Foxes* are smart and hard to catch.
여우는 영리해서 붙잡기가 힘들다.

**frame** *frame*
[fréim 프레임]
명 (복수 **frames** [fréimz 프레임즈])
❶ (건물 따위의) 뼈대, 골조; (사람 · 동물의) 골격, 체격
He was a man of heavy *frame*.
그는 체격이 육중했다.
❷ (창문 · 사진 따위의) 틀, 테
a window *frame* 창문틀

***France** *France*
[frǽns 프랜스]
명 프랑스 《수도는 파리(Paris)》
Paris is the capital of *France*.
파리는 프랑스의 수도이다.

**frank** *frank*
[frǽŋk 프랭크]
형 (비교급 **franker** [frǽŋkər 프랭커], 최상급 **frankest** [frǽŋkist 프랭키스트])
솔직한, 숨김 없는
He was very *frank* with me.
그는 나에게 매우 솔직하게 대했다.
숙어 ***to be frank with you*** 솔직히 말해서, 사실은
*To be frank with you*, I don't like him.
솔직히 말해서, 나는 그를 싫어한다.

**frank•ly** *frankly*
[frǽŋkli 프랭클리]
부 솔직히, 숨김없이
Mary *frankly* admitted her mistake. 메리는 솔직히 자기 잘못을 인정했다.
숙어 ***frankly speaking*** 솔직히 말해서

**⁑free** *free*
[fríː 프리-]
형 (비교급 **freer** [fríːər 프리-어], 최상급 **freest** [fríːist 프리-이스트])
❶ 자유로운, 속박받지 않는
a *free* country 자유로운 나라
Lincoln set the slaves free.
링컨은 노예를 해방시켰다.

❷ 한가한, 할 일이 없는
What time will you be *free*?
몇 시에 틈이 납니까?
❸ (입장) 무료의, 거저의
a *free* ticket 무료표
Admission to the museum is *free*. 박물관 입장은 무료이다.

**free•dom** *freedom*
[fríːdəm 프리–덤]
명 《a와 복수형 안 씀》 자유, 해방
*freedom* of speech 언론의 자유
He has *freedom* to go anywhere.
그는 어디든지 갈 자유가 있다.

**free•ly** *freely*
[fríːli 프릴–리]
부 ❶ 자유롭게, 마음대로
❷ 거림낌없이, 솔직히

**free•way** *freeway*
[fríːwèi 프리–웨이]
명 《미》 고속도로 (동 expressway)
There are no traffic lights on *freeways*.
고속도로에는 교통 신호등이 없다.

**freeze** *freeze*
[fríːz 프리–즈]
타자 (3단현 **freezes** [fríːziz 프리–지즈], 과거 **froze** [fróuz 프로우즈], 과분 **frozen** [fróuzn 프로우즌], 현분 **freezing** [fríːziŋ 프리–징])
얼다; 얼리다, 동결시키다
Does water *freeze* here in winter? 이곳은 겨울철에 물이 업니까?
The lake was *frozen* over.
호수가 온통 얼어붙었다.

***freight** *freight*
[fréit 프레이트]
명 《a와 복수형 안 씀》 수송 화물, 적재 화물, 화물

This *freight* must be carefully handled.
이 화물은 조심해서 다루어야 한다.

**French** *French*
[fréntʃ 프렌치]
명 ❶ 《관사 없이》 프랑스어
Do you speak *French*?
프랑스어를 할 줄 압니까?
❷ 《the를 붙여》 프랑스 사람 (전체)

*The French* love art.
프랑스 사람은 예술을 사랑한다.

—형 프랑스(사람)의, 프랑스풍의
His wife is *French*.
그의 부인은 프랑스 사람이다.

**fre•quent** *frequent*
[fríːkwənt 프리-퀀트]
형 (비교급 **more frequent**, 최상급 **most frequent**)
자주 일어나는, 빈번한
Traffic accidents are *frequent* in this area. 이 지역에서는 교통사고가 자주 일어난다.

***fre•quent•ly** *frequently*
[fríːkwəntli 프리-퀀틀리]
부 (비교급 **more frequently**, 최상급 **most frequently**)
자주, 빈번히
She goes abroad *frequently*.
그녀는 외국에 자주 나간다.

***fresh** *fresh*
[fréʃ 프레시]
형 (비교급 **fresher** [fréʃər 프레셔], 최상급 **freshest** [fréʃist 프레시스트])
❶ 신선한, 싱싱한; 새로운
*fresh* fruit 신선한 과일
The plants look *fresh* after the rain.
비온 뒤로 식물들이 싱싱해 보인다.
❷ 상쾌한, 생기 있는
Let's go outside and get some *fresh* air.
밖에 나가서 상쾌한 공기를 쐬자.

**fresh•man** *freshman*
[fréʃmən 프레시먼]
명 (복수 **freshmen** [fréʃmən 프레시먼]) 신입생, 1학년생
He is a *freshman* at Cambridge.
그는 케임브리지 대학 신입생이다.

**fric•tion** *friction*
[fríkʃən 프릭션]
명 (복수 **frictions** [fríkʃənz 프릭션즈]) ❶ 불화, 알력
❷ 《a와 복수형 안 씀》 마찰
Heat is produced by *friction*.
열은 마찰에 의해 생긴다.

***Fri•day** *Friday*
[fráidèi 프라이데이]
명 (복수 **Fridays** [fráidèiz 프라이데이즈]) 금요일 (약 Fri.)
He arrived on *Friday*.
그는 금요일에 도착했다.

**fried** *fried*
[fráid 프라이드]
타 fry(튀기다)의 과거 · 과거분사
—형 기름으로 튀긴
Would you like *fried* chicken?

당신은 닭튀김을 좋아합니까?

**⁑friend** *friend*
[frénd 프렌드]
명 (복수 **friends** [fréndz 프렌즈])
❶ 친구, 벗
He is a *friend* of mine.
그는 내 친구이다.
We are good *friends*.
우리는 사이 좋은 친구들이다.

❷ 자기편, 우군 (반 enemy 적)
He is always a *friend* of poor people.
그는 항상 가난한 사람들 편이다.
숙어 ***make friends with*** …와 친해지다
I *made friends with* Tom.
나는 톰과 친해졌다.

***friend·ly** *friendly*
[fréndli 프렌들리]
형 (비교급 **friendlier** [fréndliər 프렌들리어], 최상급 **friendliest** [fréndliist 프렌들리이스트])
친한, 다정한, 친절한
a *friendly* smile 다정한 미소
She is *friendly* to me.
그녀는 나에게 친절하게 대해 준다.

***friend·ship** *friendship*
[fréndʃip 프렌드십]
명 《a와 복수형 안 씀》 우정, 친한 관계
Real *friendship* is more valuable than money.
진정한 우정은 돈보다 더 가치 있다.

***fright·en** *frighten*
[fráitn 프라이튼]
타 (3단현 **frightens** [fráitnz 프라이튼즈], 과거 · 과분 **frightened** [fráitnd 프라이튼드], 현분 **frightening** [fráitniŋ 프라이트닝])
깜짝 놀라게 하다, 경악하게 하다
She was *frightened* by the thunder.
그녀는 천둥 소리에 깜짝 놀랐다.

**frog** *frog*
[frɔ́ːg 프로-그]
명 (복수 **frogs** [frɔ́ːgz 프로-그즈])
〖동물〗 개구리
*Frogs* live in or near water.
개구리는 물 속이나 그 근처에서 산다.

a b c d e f g h i j k l m n o p q r s t u v w x y z

A B C D E F G H I J K L M N O P Q R S T U V W X Y Z

**from** *from*
[《약》 frəm 프럼; 《강》 frám 프람]
전 ❶《장소의 기점을 나타내어》 …으로부터, …에서 (반 to …까지)
You can see the river *from* the hotel.
그 호텔에서는 강이 보인다.
❷《때의 기점을 나타내어》 …부터
We go to school *from* Monday to Friday. 우리는 월요일부터 금요일까지 학교에 간다.
❸《분리를 나타내어》 …에서
He took the gun *from* me.
그는 나에게서 총을 빼앗았다.
❹《출신을 나타내어》 …출신의, …에서
He comes *from* Canada.
그는 캐나다 출신이다.
❺《원료를 나타내어》 …으로
Wine is made *from* grapes.
와인은 포도로 만들어진다.

**어법** from과 of
**from**은 원료의 질이 변해서 겉으로 보기에 무엇으로 만들었는지 모를 경우에, **of**는 원료의 질이 그대로 남아 있어서 겉으로 보기에 무엇으로 만들었는지 알 수 있는 경우에 쓴다.
Butter is made *from* milk.
버터는 우유로 만들어진다.
This bag is made *of* a leather.
이 가방은 가죽으로 만들어진다.

❻《원인 · 이유를 나타내어》 …으로, …때문에
He is suffering *from* the flu.
그는 독감으로 고통받고 있다.
❼《차이 · 구별을 나타내어》 …와
My plan is different *from* yours.
나의 계획은 너의 계획과 다르다.
숙어 ***from now on*** 지금부터 (죽)
*From now on*, you must stay here. 지금부터 너는 이곳에 머물러야 한다.
***from time to time*** 때때로, 가끔
He writes to his mother *from time to time*.
그는 가끔 어머니에게 편지를 쓴다.

**front** *front*
[frʌ́nt 프런트]
명 (복수 **fronts** [frʌ́nts 프런츠])
앞, 앞쪽 (반 back 뒤, 뒤쪽); 앞면
the *front* of a building
건물의 정면
I got on a bus and took a seat in the *front*. 나는 버스에 올라타서 앞쪽에 자리를 잡았다.
숙어 ***in front of*** …의 앞에
He parked the car *in front of* the house.
그는 그 집 앞에다 차를 세웠다.

—형 앞의, 정면의
Write your name on the *front* cover of the book.

책의 앞표지에다 네 이름을 적어라.

**fron•tier** *frontier*
[frʌntíər 프런티어]
명 (복수 **frontiers** [frʌntíərz 프런티어즈]) 국경, 변경
Sweden has *frontiers* with Norway and Finland.
스웨덴은 노르웨이와 핀란드의 국경에 접해 있다.

**frost** *frost*
[frɔ́:st 프로-스트]
명 《a와 복수형 안 씀》 서리

There was a heavy *frost* this morning.
오늘 아침에는 심한 서리가 내렸다.

**frown** *frown*
[fráun 프라운]
자 (3단현 **frowns** [fráunz 프라운즈], 과거 · 과분 **frowned** [fráund 프라운드], 현분 **frowning** [fráuniŋ 프라우닝])
눈살을 찌푸리다, 찡그리다
She *frowned* at me. 그녀는 눈살을 찌푸리며 나를 보았다.
—명 (복수 **frowns** [fraunz 프라운즈]) 찌푸린 얼굴, 언짢은 표정

**froze** *froze*
[fróuz 프로우즈]
타자 freeze(얼다)의 과거

**fro•zen** *frozen*
[fróuzn 프로우즌]
타자 freeze(얼다)의 과거분사
—형 언, 결빙한
The pond was *frozen*.
연못이 얼었다.

***fruit** *fruit*
[frú:t 프루-트]
명 (복수 **fruits** [frú:ts 프루-츠])
❶ 과일, 열매
fresh *fruit* 신선한 과일

I like apples, oranges, and other *fruits*. 나는 사과, 오렌지, 그 밖의 다른 과일들을 좋아한다.
❷ 《흔히 복수형으로》 결과, 성과
His success is the *fruits* of his efforts. 그의 성공은 노력의 결과이다.

**fry** *fry*
[frái 프라이]
타 (3단현 **fries** [fráiz 프라이즈], 과거 · 과분 **fried** fráid 프라이드], 현분 **frying** [fráiiŋ 프라이잉])
기름으로 튀기다; 프라이하다
Shall I *fry* the fish for supper?
저녁 식사에 생선을 튀길까요?
—명 (복수 **fries** [fráiz 프라이즈])
프라이 요리, 튀김

# Fruits 과일

apple
사과

banana
바나나

grape
포도

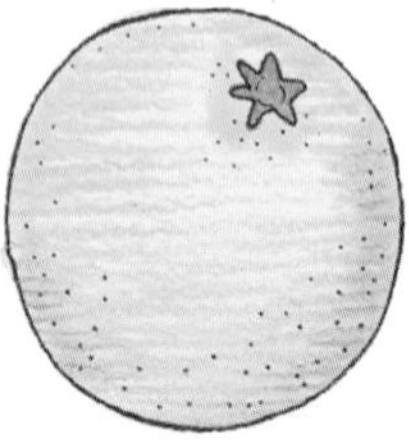

grapefruit
자몽

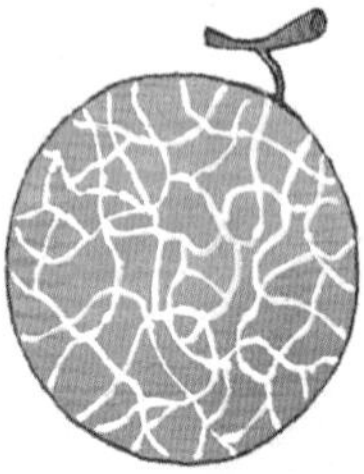

melon
멜론

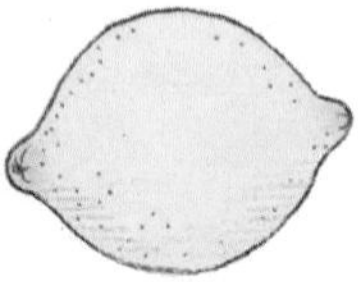

lemon
레몬

orange
오렌지

peach
복숭아

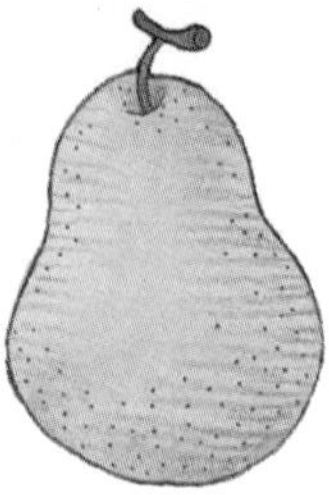

pear
배

strawberry
딸기

pineapple
파인애플

cherry
체리

**fu•el** *fuel*
[fjúːəl 퓨-얼]
명 (복수 **fuels** [fjúːəlz 퓨-얼즈])
연료

Wood, coal, oil, and gas are different kinds of *fuel*.
나무, 석탄, 석유, 가스는 다른 종류의 연료이다.

****full** *full*
[fúl 풀]
형 (비교급 **fuller** [fúlər 풀러], 최상급 **fullest** [fúlist 풀리스트])
❶ 가득한; 가득 찬
The bus is *full*. 버스는 만원이다.
This box is *full* of toys.
이 상자는 장난감으로 가득 차 있다.

❷ 완전한, 충분한, 전부의
The train ran at *full* speed.
열차는 전속력으로 달렸다.
— 명 《a와 복수형 안 씀》 완전, 전부
The moon is at the *full*.
달은 보름달이다.
숙어 ***in full*** 완전히, 전부
Write your name *in full*.
(생략하지 말고) 이름을 전부 쓰시오.
***to the full*** 충분히, 실컷
We enjoyed our trip *to the full*. 우리는 여행을 실컷 즐겼다.

**ful•ly** *fully*
[fúli 풀리]
부 (비교급 **more fully**, 최상급 **most fully**)
충분히, 완전히; 꼬박
It took *fully* two days.
꼬박 이틀이 걸렸다.
I was *fully* satisfied with his answer.
나는 그의 답변에 충분히 만족했다.

****fun** *fun*
[fʌ́n 펀]
명 《a와 복수형 안 씀》 즐거움; 재미있는 일
We had a lot of *fun* at the picnic. 피크닉은 무척 재미있었다.

숙어 ***for*〔*in*〕 *fun*** 재미삼아, 농담으로
I said it just *for fun*.
난 농담으로 말했을 뿐이야.
***make fun of*** …을 놀려대다
Don't *make fun of* old people.
노인들을 놀리지 마라.

A B C D E F G H I J K L M N O P Q R S T U V W X Y Z

**func·tion** *function*
[fʌ́ŋ(k)ʃən 펑(크)션]
명 (복수 **functions** [fʌ́ŋ(k)ʃənz 펑(크)션즈]) 작용, 기능, 구실
Do you know the *function* of the heart?
당신은 심장의 기능을 아십니까?

**fund** *fund*
[fʌ́nd 펀드]
명 (복수 **funds** [fʌ́ndz 펀즈])
자금, 기금
a scholarship *fund* 장학 기금
They raised a *fund* for the relief of the poor.
그들은 빈민 구제 기금을 모았다.

**fun·da·men·tal**
*fundamental*
[fʌ̀ndəméntl 펀더멘틀]
형 기본적인, 근본적인; 중요한
*fundamental* rules 기본 법칙
*fundamental* colors 원색

Fresh air is *fundamental* to good health.
신선한 공기는 건강에 중요하다.

**fu·ner·al** *funeral*
[fjúːnərəl 퓨-너럴]
명 (복수 **funerals** [fjúːnərəlz 퓨-너럴즈]) 장례식
His *funeral* was held at the cathedral.
그의 장례식은 성당에서 치러졌다.

***fun·ny** *funny*
[fʌ́ni 퍼니]
형 (비교급 **funnier** [fʌ́niər 퍼니어], 최상급 **funniest** [fʌ́niist 퍼니이스트])
❶ 우스운, 익살맞은
The *funny* clown made us laugh. 익살스런 광대가 우리를 흥겹게 해주었다.

❷ 이상한, 별난
This chicken tastes a bit *funny*.
이 닭고기는 약간 이상한 맛이 난다.

**fur** *fur*
[fə́ːr 퍼-]
명 (복수 **furs** [fə́ːrz 퍼-즈])
모피, 털; 《복수형으로》 모피옷
She is in *furs*.
그녀는 모피옷을 입고 있다.

**fur·nish** *furnish*
[fə́ːrniʃ 퍼-니시]
타 (3단현 **furnishes** [fə́ːrniʃiz 퍼-니시즈], 과거 · 과분 **furnished** [fə́ːrniʃt 퍼-니시트], 현분 **furnishing** [fə́ːrniʃiŋ 퍼-니싱])
❶ 공급하다, 제공하다 (동 supply)
They *furnished* him necessary tools. 그들은 그에게 필요한 연장들

을 제공했다.

❷ 비치하다, 갖추다

They *furnished* the library with new books. 그들은 도서관에 신간 서적들을 비치했다.

***fur•ni•ture** *furniture*

[fə́ːrnitʃər 퍼-니처]

명 《집합적》 가구, 비품

I ordered new *furniture*.
나는 새 가구를 주문했다.

✎ 가구 한 점은 a piece of furniture

***fur•ther** *further*

[fə́ːrðər 퍼-더]

형부 far(먼)의 비교급

—형 더욱 먼, 저 편의; 그 이상의

Do you have anything *further* to say? 더 이상 할 말이 있습니까?

—부 더 멀리, 게다가, 더 이상

They traveled *further* on.
그들은 더 멀리 여행을 계속했다.

숙어 ***further to that*** 게다가

***fu•ture** *future*

[fjúːtʃər 퓨-처]

명 (복수 **futures** [fjúːtʃərz 퓨-처즈])
미래, 장래; 장래성

Young people have a bright *future*.
젊은이들에게는 밝은 미래가 있다.

숙어 《영》 ***in*** (***the***) ***future*** 미래에, 장래; 금후에는

I want to be a great scientist *in future*. 나는 장래 위대한 과학자가 되고 싶다.

—형 미래의, 장래의

What are your *future* plans?
당신의 장래 계획은 무엇입니까?

A B C D E F G H I J K L M N O P Q R S T U V W X Y Z

**G, g** *G, g*
[dʒíː 지-]
명 (복수 **G's, g's** [dʒíːz 지-즈]
지 《알파벳의 일곱 번째 글자》

**gain** *gain*
[géin 게인]
타 (3단현 **gains** [géinz 게인즈], 과거 · 과분 **gained** [géind 게인드], 현분 **gaining** [géiniŋ 게이닝])
❶ 얻다; 획득하다 (동 get, 반 lose 잃다)
She *gained* the first prize.
그녀는 1등상을 탔다.
❷ (시계가) 빨리 가다
My watch *gains* three minutes a day.
내 시계는 하루에 3분 빠르다.
❸ (무게 · 속도 따위가) 늘다
I have *gained* weight.
나는 몸무게가 늘었다.

— 명 (복수 **gains** [géinz 게인즈])
이득, 이익 (반 loss 손실)
No *gains* without pains.
《속담》 노고 없이는 이득도 없다.

**gal·ax·y** *galaxy*
[gǽləksi 갤럭시]
명 은하, 은하계; 《the를 붙여》 은하수 (동 the Milky way)
*The galaxy* has many stars.
은하수에는 별들이 많다.

**gal·ler·y** *gallery*
[gǽləri 갤러리]
명 (복수 **galleries** [gǽləriz 갤러리즈])
❶ 화랑, 미술관
We saw many famous pictures in the *gallery*.
우리는 미술관에서 유명한 그림들을 많이 보았다.

❷ (극장 따위의) 맨 위층 관람석

**gal·lon** *gallon*
[gǽlən 갤런]
명 (복수 **gallons** [gǽlənz 갤런즈])

갤런《액체의 용량 단위; 미국에서는, 3,785리터, 영국에서는 4,546리터》

## gam•ble *gamble*

[gǽmbl 갬블]

타자 (3단현 **gambles** [gǽmblz 갬블즈], 과거 · 과분 **gambled** [gǽmbld 갬블드], 현분 **gambling** [gǽmbliŋ 갬블링])

도박하다, 내기하다

He *gambled* away his savings.
그는 도박으로 저금한 돈을 날렸다.

— 명 (복수 **gambles** [gǽmblz 갬블즈]) 도박, 투기

## ⁑game *game*

[géim 게임]

명 (복수 **games** [géimz 게임즈])

❶ 놀이, 오락, 게임

Let's play a card *game*.
카드 놀이를 합시다.

❷ 경기, 시합

We won〔lost〕 the *game*.
우리는 시합에 이겼다〔졌다〕.

I watched the baseball *game* on TV.
나는 TV로 야구 경기를 보았다.

## gap *gap*

[gǽp 갭]

명 (복수 **gaps** [gǽps 갭스])

❶ (벽 따위의) 갈라진 틈, 틈새, 금

There is a *gap* in the wall.
벽에 갈라진 틈이 있다.

❷ (의견 따위의) 차이, 격차

the generation *gap*
세대간의 단절, 세대차

## ga•rage *garage*

[gərɑ́ːdʒ 거라-지]

명 (복수 **garages** [gərɑ́ːdʒiz 거라-지즈]) (자동차) 차고; 주유소; 정비소

Father keeps his car in the *garage* at night. 아버지는 밤에 자동차를 차고에 넣어 두신다.

## ⁑gar•den *garden*

[gɑ́ːrdn 가-든]

명 (복수 **gardens** [gɑ́ːrdnz 가-든즈])

❶ 정원, 뜰; 밭

a flower *garden* 꽃밭

Nancy grows roses in her *garden*. 낸시는 정원에 장미를 가꾼다.

❷ 《종종 복수형으로》 공원, 유원지

a public *garden* 공원
botanical *gardens* 식물원

참고 garden과 yard

**garden**은 많은 화초나 나무들이 아름답게 심어져 있는 정원을 말하며 **yard**는 집, 학교 따위의 마당, 빈터 따위를 가리킨다.

## gar•den•er *gardener*

[gɑ́ːrdnər 가-드너]

명 (복수 **gardeners** [gɑ́ːrdnərz 가-드너즈]) 정원사, 원예사

His uncle is a *gardener*.
그의 삼촌은 정원사이다.

## **gas *gas*

[gǽs 개스]

명 (복수 **gases** [gǽsiz 개시즈])
❶《a와 복수형 안 씀》(연료용) 가스; (자동차) 기름

natural *gas* 천연가스
Turn on〔off〕 the *gas*.
가스를 켜라〔꺼라〕.

❷ 기체 (관 solid 고체, liquid 액체)

Oxygen is a *gas*.
산소는 기체이다.

## gas•o•line, -o•lene

*gasoline, -olene*

[gǽsəliːn 개설린-]

명《a와 복수형 안 씀》《미》 휘발유 (《영》 petrol), 가솔린 (약 gas)

He is filling *gasoline* in his car.
그는 자기 차에 가솔린을 넣고 있다.

## gas sta•tion *gas station*

[gǽs stèiʃ(ə)n 개스스테이션]

명 주유소, 급유소

We bought gasoline for our car at the *gas station*. 우리는 주유소에서 차에 쓸 가솔린을 샀다.

## **gate *gate*

[géit 게이트]

명 (복수 **gates** [géits 게이츠]) 문, 출입구; (공항 따위의) 탑승구

a school *gate* 교문
Keep the *gate* shut〔open〕.
문을 닫아〔열어〕 두어라.
The plane is leaving from *Gate* 7.

그 비행기는 7번 탑승구에서 떠난다.

*gath•er *gather*
[gǽðər 개더]
동 (3단현 **gathers** [gǽðərz 개더즈], 과거 · 과분 **gathered** [gǽðərd 개더드], 현분 **gathering** [gǽð(ə)riŋ 개더링])
— 타 ❶ 모으다, 집합시키다
He wanted to *gather* more information. 그는 더 많은 정보를 수집하고 싶었다.
❷ (꽃 따위를) 따다; (작물을) 수확하다
They *gathered* flowers in the field. 그들은 들판에서 꽃을 땄다.

— 자 모이다, 집합하다
Soon many people *gathered* around her. 곧 많은 사람들이 그녀 주위에 모였다.

*gave *gave*
[géiv 게이브]
타 give(주다)의 과거

gay *gay*
[géi 게이]
형 (비교급 **gayer** [géiər 게이어], 최상급 **gayest** [géiist 게이이스트])
명랑한, 즐거운, 흥겨운
a *gay* time 즐거운 시간
We danced to the *gay* music. 우리는 흥겨운 음악에 맞춰 춤을 추었다.

gaze *gaze*
[géiz 게이즈]
자 (3단현 **gazes** [géiziz 게이지즈], 과거 · 과분 **gazed** [géizd 게이즈드], 현분 **gazing** [géiziŋ 게이징])
응시하다, 지켜보다
He *gazed* at the goldfish.
그는 금붕어를 지켜보았다.

gem *gem*
[dʒém 젬]
명 (복수 **gems** [dʒémz 젬즈])
보석, 귀중품; 귀중한 것[사람]
This *gem* is precious.
이 보석은 값진 것이다.

*gen•er•al *general*
[dʒén(ə)rəl 제너럴]
명 (복수 **generals** [dʒén(ə)rəlz 제너럴즈]) 장군, 장성
His grandfather is a famous *general*.
그의 할아버지는 유명한 장군이다.
숙어 ***in general*** 일반적으로, 보통
*In general*, children are fond of candy.
대체로 아이들은 사탕을 좋아한다.
— 형 (비교급 **more general**, 최상급 **most general**)
일반적인; 전반적인, 대체적인

a *general* meeting 총회
Now cell phones are in *general* use. 요즘 휴대 전화는 일반적으로 사용한다.

***gen•er•al•ly** *generally*
[dʒén(ə)rəli 제너럴리]
부 일반적으로, 대체로, 대개
I *generally* walk to office.
나는 대개 걸어서 회사에 간다.
숙어 ***generally speaking*** 일반적으로 말하면
*Generally speaking*, American boys are fond of football.
일반적으로 말해서, 미국의 소년들은 미식축구를 좋아한다.

**gen•er•a•tion** *generation*
[dʒènəréiʃən 제너레이션]
명 (복수 **generations** [dʒènəréiʃənz 제너레이션즈]) 세대, (가족의) 한 세대 ((약 30년)); 동시대의 사람들

the coming *generation*
다음 세대의 사람들, 청년층

**gen•er•ous** *generous*
[dʒén(ə)rəs 제너러스]
형 (비교급 **more generous**, 최상급 **most generous**)
관대한, 너그러운; 후한
He is *generous* to his children.
그는 자식들에게 관대하다.
She is *generous* with her money.
그녀는 돈을 잘 쓴다.

**gen•ius** *genius*
[dʒíːnjəs 지-녀스]
명 (복수 **geniuses** [dʒíːnjəsiz 지-녀시즈]) 천재; 재능, 소질
She has a *genius* for writing.
그녀는 글쓰기에 재능이 있다.

***gen•tle** *gentle*
[dʒéntl 젠틀]
형 (비교급 **gentler** [dʒéntlər 젠틀러], 최상급 **gentlest** [dʒéntlist 젠틀리스트])
❶ 점잖은, 상냥한, 친절한
The doctor is always *gentle* with his patients. 그 의사는 언제나 환자들에게 친절하다.
❷ 부드러운, 조용한; 완만한
a *gentle* slope 완만한 경사면
❸ 가문이 좋은, 양가의

He is a man of *gentle* birth.
그는 집안이 좋은 사람이다.

***gen•tle•man** *gentleman*
[dʒéntlmən 젠틀먼]
명 (복수 **gentlemen** [dʒéntlmən 젠틀먼])
❶ 신사, 남자분 (반 lady 숙녀)
There is a *gentleman* to see you. 당신을 만나고자 하는 남자분이 계십니다.

❷ 〖호칭〗《복수형으로》 (신사) 여러분
Ladies and *geltlemen*!
신사 숙녀 여러분!

**gen•tly** *gently*
[dʒéntli 젠틀리]
부 온화하게, 상냥하게, 조용히

**gen•u•ine** *genuine*
[dʒénjuin 제뉴인]
형 진짜의 (반 false 가짜의); 성실한

This is a *genuine* diamond.
이것은 진짜 다이아몬드이다.

***ge•og•ra•phy** *geography*
[dʒiɑ́grəfi 지아그러피]
명 《a와 복수형 안 씀》 지리학, 지리

***Ger•man** *German*
[dʒə́ːrmən 저-먼]
형 독일의; 독일 사람[어]의
*German* music 독일 음악
—명 (복수 **Germans** [dʒə́ːrmənz 저-먼즈]) 《the를 붙여》 독일 사람 (전체); 《관사 없이》 독일어
She married a *German*.
그녀는 독일 사람과 결혼했다.

***Ger•ma•ny** *Germany*
[dʒə́ːrm(ə)ni 저-머니]
명 독일 《1949년 서독과 동독으로 나뉘었다가 1990년에 통일됨; 수도는 베를린(Berlin)》

**ger•und** *gerund*
[dʒérənd 제런드]
명 (복수 **gerunds** [dʒérəndz 제런즈]) 〖문법〗 동명사 《명사로서의 기능을 갖는 동사 변화의 일종》

**ges•ture** *gesture*
[dʒéstʃər 제스처]
명 (복수 **gestures** [dʒéstʃərz 제스

처즈]) 몸짓, 손짓; 제스처
What do these *gestures* mean?
이런 제스처들은 무슨 뜻입니까?

He made an angry *gesture*.
그는 화난 몸짓을 했다.

**get** *get*
[gét 겟]
동 (3단현 **gets** [géts 게츠], 과거 **got** [gát 갓], 과분 **got** [gát 갓] 또는 《미》 **gotten** [gátn 가튼], 현분 **getting** [gétiŋ 게팅])
— 타 ❶ 얻다, 획득하다; 사다(동 buy), 사주다
I *got* an F in science.
나는 과학에서 F학점을 받았다.

Where did you *get* the bag?
어디에서 그 가방을 샀니?
❷ (편지 따위를) 받다 (동 receive)
I *got* a letter from my aunt.
나는 아주머니로부터 편지를 받았다.
❸ 가져오다, 데려오다
Please go and *get* the paper.
신문 좀 가져다 다오.
❹ 이해하다, 알아듣다
Do you *get* me? 내 말 알아듣니?
❺ (병에) 걸리다
She *got* a bad cold.
그녀는 심한 감기에 걸렸다.
❻ 《**get**+목적어+**to** do로》 …하게 하다, …시키다
I *got* him *to* help me.
나는 그에게 도와달라고 했다.

❼ 《**get**+목적어+과거분사》 …시키다, …하게 하다, …당하다
I should *get* my hair *cut*.
나는 머리를 깎아야겠다.
He *got* his purse *stolen*.
그는 지갑을 도둑맞았다.
— 자 ❶ 도착하다, 이르다 (동 arrive)
I *got* home at six.
나는 6시에 집에 도착했다.
❷ 《형용사와 함께》 …이 되다
It was *getting* dark.
날이 점점 어두워졌다.
He soon *got* well.
그는 곧 건강이 좋아졌다.
He *got* angry at the news.
그는 그 소식을 듣고 화를 냈다.
❸ …하게 되다 《to do》
I *got to* like it.
나는 그것을 좋아하게 되었다.
숙어 ***get along*** 나아가다, 살아가다, 잘 지내다

How are you *getting along*?
어떻게 지내고 있니?

***get away*** 도망치다, 가버리다
I couldn't *get away* from the crowd.
나는 군중 속을 빠져나갈 수 없었다.

***get back*** 돌아오다; 되찾다
He will *get back* soon.
그는 곧 돌아올 것이다.

***get down*** (말 · 버스 따위에서) 내리다
He *got down* from the donkey's back.
그는 당나귀 등에서 내렸다.

***get into*** …에 들어가다; 타다; 어떤 상태로 되다, …에 흥미를 갖다
He *got into* the boat.
그는 배를 탔다.

***get off*** 내리다, 하차하다
Let's *get off* the next bus stop.
다음 버스 정류장에서 내립시다.

***get on*** 타다, 승차하다
We *got on* the bus at Third Street.
우리는 3번가에서 버스를 탔다.

***get on with*** …와 잘 지내다
I can't *get on with* her.
나는 그녀와 잘 지내지 못한다.

***get out*** 밖으로 나가다, 떠나다; 꺼내다
*Get out*! 꺼져 버려!

***get out of*** …에서 나오다
She *got out of* the room.
그녀는 방에서 나왔다.

***get over*** 회복하다, (곤란을) 극복하다
He *got over* his difficulties.
그는 난관을 극복했다.

***get through*** 통과하다, 마치다
We *got through* our duties.
우리는 의무를 다했다.

***get to*** …에 도착하다
He will *get to* New York on time. 그는 제시간에 뉴욕에 도착할 것이다.

***get together*** 모이다
Let's *get together* at five.
5시에 모입시다.

***get up*** 일어나다, 일어서다
What time do you usually *get up*? 보통 몇 시에 일어납니까?

***have got*** 《구어》 …을 가지고 있다
I'*ve got* five dollars.
나는 5달러를 가지고 있다.

***have got to do*** 《구어》 …해야만 한다, …하지 않으면 안 된다
I'*ve got to* go home before supper.
저녁 식사 전에 집에 가야만 한다.

---

**ghost** *ghost*
[góust 고우스트]
명 (복수 **ghosts** [góusts 고우스츠])
유령, 망령, 귀신
Have you ever seen a *ghost*?
너는 유령을 본 일이 있느냐?

---

**gi•ant** *giant*
[dʒáiənt 자이언트]
명 (복수 **giants** [dʒáiənts 자이언츠]) 거인; 거물, 비범한 사람
There lived a *giant* on an island. 어느 섬에 거인이 한 사람 살고 있었다.

He is a *giant* in the business world. 그는 재계의 거물이다.
—형 거대한, 매우 큰
a *giant* building 거대한 건물

*__gift__ *gift*
[gíft 기프트]
명 (복수 **gifts** [gífts 기프츠])
선물; (타고난) 재능
He gave me a lovely birthday *gift*.
그는 내게 예쁜 생일 선물을 주었다.

The boy has a *gift* for painting. 그 소년은 그림에 재능이 있다.

**gi•raffe** *giraffe*
[dʒərǽf 저래프]
명 (복수 **giraffes** [dʒərǽfs 저래프스]) 〖동물〗 기린

A *giraffe* has a long neck and legs. 기린은 목과 다리가 길다.

⁑**girl** *girl*
[gə́ːrl 걸-]
명 (복수 **girls** [gə́ːrlz 걸-즈])
여자 아이, 소녀 (반 boy 소년); 처녀
The *girl* likes a doll.
그 소녀는 인형을 좋아한다.
He has a pretty *girl* friend.
그는 예쁜 여자 친구가 있다.

⁑**give** *give*
[gív 기브]
타 (3단현 **gives** [gívz 기브즈], 과거 **gave** [géiv 게이브], 과분 **given** [gívən 기번], 현분 **giving** [gíviŋ 기빙])

❶ 주다, 수여하다; 공급하다
The sun *gives* us light and heat. 태양은 우리에게 빛과 열을 공급한다.
I will *give* you this watch.
너에게 이 시계를 주겠다.

참고 give의 사용법
위 예문의 this watch처럼 명사가 아니고 it이나 them 따위의 대명사일 경우에는, 동사 give 바로 다음에 오게 한다: She gave *it* to me. 그녀는 그것을 나에게 주었다.

❷ (돈을) 지불하다, 치르다 (동 pay)
She *gave* eighty dollars for the bag. 그녀는 가방값으로 80달러를 지불했다.
❸ (보기 따위를) 보이다, 제시하다
Can you *give* me some examples? 나에게 몇 가지 예를 들어 주겠습니까?
❹ (파티를) 열다; (연극을) 상연하다
We're going to *give* a party tomorrow.
우리는 내일 파티를 열 작정이다.
❺ 전하다, 말하다
Shall I *give* him a message?
그에게 말을 전해 드릴까요?
숙어 ***give away*** 주다, 포기하다
He *gave away* all his money.
그는 그의 돈을 전부 주었다.
***give back*** 반환하다, 되돌려주다
*Give back* the book.
그 책을 돌려다오.
***give in*** 항복하다; 제출하다
*Give in* your reports.
너희 보고서를 제출해라.
***give out*** 배부[배포]하다; (빛 따위를) 발산하다, 다 쓰다
The teacher *gave out* the exam papers.
선생님이 시험지를 배부하셨다.

***give up*** 포기하다, 버리다
My father *gave up* smoking.
나의 아버지는 금연하셨다.

---

***giv·en*** *given*
[gívn 기븐]
타 give(주다)의 과거분사

---

**giv·en name** *given name*
[gívn néim 기븐네임]
명 《성에 대하여》 이름 (관 family name 성)
His *given name* is Peter.
그의 이름은 피터이다.

---

**gla·cier** *glacier*
[gléiʃər 글레이셔]
-cier는 [ʃər]로 발음함.
명 (복수 **glaciers** [gléiʃərz 글레이셔즈]) 빙하

---

a b c d e f g h i j k l m n o p q r s t u v w x y z

**⁑glad** *glad*
[glǽd 글래드]
형 (비교급 **gladder** [glǽdər 글래더], 또는 **more glad**, 최상급 **gladdest** [glǽdist 글래디스트] 또는 **most glad**)
기쁜, 반가운 (반 sad 슬픈); 기꺼이 …하는
I am *glad* to see you.
만나 뵙게 되어 기쁩니다.

My father is *glad* of my success. 아버지는 나의 성공을 기뻐하고 계신다.
I will be *glad* to help you.
기꺼이 도와 드리겠습니다.

**glance** *glance*
[glǽns 글랜스]
자 (3단현 **glances** [glǽnsiz 글랜시즈], 과거 · 과분 **glanced** [glǽnst 글랜스트], 현분 **glancing** [glǽnsiŋ 글랜싱])
힐끗 보다, 얼핏 보다 《at》
She *glanced at* him and smiled.
그녀는 그를 힐끗 보고 미소지었다.
— 명 (복수 **glances** [glǽnsiz 글랜시즈]) 힐끗 보기, 일견(一見)
He took a *glance* at the newspaper. 그는 신문을 대충 훑어보았다.

**⁑glass** *glass*
[glǽs 글래스]
명 (복수 **glasses** [glǽsiz 글래시즈])
❶ 《a와 복수형 안 씀》 유리
Windows are made of *glass*.
유리창은 유리로 만들어져 있다.
❷ 유리컵, 글라스; 한 컵의 양
Give me a *glass* of water.
물 한 잔 주세요.

I filled the *glass* with water.
나는 컵에 물을 채웠다.

***glass·es** *glasses*
[glǽsiz 글래시즈]
명 안경
She wears *glasses*.
그녀는 안경을 쓰고 있다.

**glide** *glide*
[gláid 글라이드]
자 (3단현 **glides** [gláidz 글라이즈], 과거 · 과분 **glided** [gláidid 글라이디드], 현분 **gliding** [gláidiŋ 글라이딩])
미끄러지다, 활주하다

Skaters *glided* across the ice.
스케이트 타는 사람들이 얼음을 지쳤다.

**glid•er** *glider*
[gláidər 글라이더]
명 (복수 **gliders** [gláidərz 글라이더즈]) 글라이더, 활공기

**glit•ter** *glitter*
[glítər 글리터]
자 (3단현 **glitters** [glítərz 글리터즈], 과거 · 과분 **glittered** [glítərd 글리터드], 현분 **glittering** [glítəriŋ 글리터링])
빛나다; 반짝이다
All is not gold that *glitters*.
《속담》 반짝인다고 다 금은 아니다.

**globe** *globe*
[glóub 글로우브]
명 (복수 **globes** [glóubz 글로우브즈]) ❶ 공, 구(球); 지구본

❷ 《the를 붙여》 지구 (㊐ the earth)
He traveled around *the globe*.
그는 세계 여행을 했다.

**gloom•y** *gloomy*
[glúːmi 글루-미]
형 (비교급 **gloomier** [glúːmiər 글루-미어], 최상급 **gloomiest** [glúːmiist 글루-미이스트])
어두운, 음산한; 침울한
It was a *gloomy* winter day.
잔뜩 찌푸린 겨울날이었다.

**glo•ri•ous** *glorious*
[glɔ́ːriəs 글로-리어스]
형 ❶ 명예로운, 영광스러운; 훌륭한
a *glorious* victory 빛나는 승리
❷ 《구어》 유쾌한, 멋진
a *glorious* time 멋진 한때

**glo•ry** *glory*
[glɔ́ːri 글로-리]
명 《a와 복수형 안 씀》 영광, 명예; 장관
He got all the *glory*.
그는 모든 영예를 얻었다.

***glove** *glove*
[glʌ́v 글러브]
명 (복수 **gloves** [glʌ́vz 글러브즈])
❶ 《복수형으로》 장갑
I bought a pair of lovely *gloves*.
나는 예쁜 장갑 한 켤레를 샀다.

✎ 장갑 두 켤레는 two pairs of gloves라고 함.

He put on〔took off〕 his *gloves*.
그는 장갑을 꼈다〔벗었다〕.

❷ (야구 · 권투용) 글러브
My uncle sent me a baseball *glove* as a gift. 아저씨는 나에게 선물로 야구 글러브를 보내 주셨다.

**glue** *glue*
[glúː 글루-]
명 (복수 **glues** [glúːz 글루-즈])
아교, 접착제, 풀
instant *glue* 순간 접착제

****go** *go*
[góu 고우]
자 (3단현 **goes** [góuz 고우즈], 과거 **went** [wént 웬트], 과분 **gone** [gɔ́ːn 곤-], 현분 **going** [góuiŋ 고우잉])
❶ 가다 (반 come 오다), 나아가다; 떠나다

I *go* to school on foot.
나는 걸어서 통학한다.
He has *gone* to Africa.
그는 아프리카로 가버렸다.
It's time to *go*. 떠날 시간이다.

❷ 작동하다, 움직이다
This toy car *goes* by electricity. 이 장난감 자동차는 전기로 움직인다.

❸ (일이) 진전되다, 진행하다
"How did it *go*?"
"It *went* quite well."
「일이 어떻게 진행되었느냐?」
「잘 진행되었다.」

❹ 사라지다, 없어지다; 죽다
The pain has *gone*.
통증이 사라졌다.
Poor Nancy has *gone* at last.
가엾은 낸시는 결국 죽었다.

❺ 《**go**+형용사로》 (나쁜 상태로) 되다 (동 become)
He *went* mad. 그는 미쳤다.
The milk has *gone* bad.
우유가 상했다.

❻ 《**go**+**~ing**형으로》 …하러 가다
They *went* shopp*ing*.
그들은 쇼핑하러 갔다.

My brother has *gone* ski*ing* with his friends.
형은 친구들과 스키 타러 갔다.

숙어 ***be going to*** …할 작정이다; …하려고 하다; 막 …하려는 참이다.

I'*m going to* write a letter.
나는 편지를 쓸 작정이다.
When *are* you *going to* marry?
너는 언제 결혼할 거니?

***go about*** 돌아다니다, 퍼지다
They *went about* in the woods.
그들은 숲 속을 돌아다녔다.
***go after*** …의 뒤를 쫓아가다
They *went after* the parade.
그들은 퍼레이드의 뒤를 따라갔다.
***go ahead*** 계속하다; 진행하다
*Go ahead* with your story.
이야기를 계속하세요.
***go along*** …을 따라 나아가다
We *went along* the street.
우리는 길을 따라서 갔다.
***go away*** 떠나가다, 가버리다
He took his hat and *went away*.
그는 모자를 집어들더니 가버렸다.
***go back*** 되돌아가다
*Go back* to your seat.
네 자리로 돌아가거라.
***go by*** 지나가다
Several days *went by*.
며칠이 지났다.
***go down*** 내려가다; 가라앉다
Prices are *going down*.
물가가 내려가고 있다.
The storm has *gone down*.
폭풍우가 가라앉았다.
***go for*** …하러 가다; …을 부르러 보내다
*Go for* a doctor.
의사를 모시고 오너라.
***go on*** 나아가다, 계속하다
Please *go on*. 어서 계속하시오.
***go on with*** …을 계속하다
*Go on with* your work.
일을 계속하시오.
***go out*** 나가다; (불이) 꺼지다
We *went out* for dinner yesterday.
우리는 어제 저녁을 먹으러 나갔다.
The light has *gone out*.
불이 나갔다.
***go round*** 돌다
The earth *goes round* the sun.
지구는 태양의 주위를 돈다.

***go through*** (어느 곳을) 통과하다; (어떤 일을) 경험하다
They *went through* the woods in the car.
그들은 자동차로 숲을 통과했다.
He *went through* a lot of difficulties. 그는 많은 곤경을 겪었다.
***go up*** 올라가다
The balloon *went up* higher and higher.
기구가 점점 높이 올라갔다.
***go without*** …없이 지내다
Some people cannot *go without* coffee. 커피 없이는 견디지 못하는 사람도 있다.

A
B
C
D
E
F
G
H
I
J
K
L
M
N
O
P
Q
R
S
T
U
V
W
X
Y
Z

**goal** *goal*
[góul 고울]
명 (복수 **goals** [góulz 고울즈])
❶ 결승점; 골, 득점
He reached the *goal*.
그는 결승점에 도달했다.

❷ 목적, 목표 (동 aim, purpose)
What is your *goal* in life?
네 인생의 목표는 무엇이니?

**goal·keep·er** *goalkeeper*
[góulkìːpər 고울키－퍼]
명 (복수 **goalkeepers** [góulkìːpərz 고울키－퍼즈])
(축구 · 하키 따위의) 골키퍼
He is a skillful *goalkeeper*.
그는 능숙한 골키퍼이다.

***goat** *goat*
[góut 고우트]
명 (복수 **goats** [góuts 고우츠])
〖동물〗 염소
A *goat* is a gentle animal.
염소는 온순한 동물이다.
✎ 염소의 수컷은 he-goat, 암컷은 she-goat, 새끼는 kid라고 함. 우는 소리는 baa[bɑː 바－]

***god** *god*
[gɑ́d 가드]
명 (복수 **gods** [gɑ́dz 가즈])
❶ 신 (반 goddess 여신); 《God으로》 하느님
I believe in *God*.
나는 하느님을 믿는다.
❷ 《감탄 · 맹세 · 저주를 나타내어》 신
by *God* 하느님께 맹세코; 꼭
*God* bless you!
그대에게 축복을 내리소서!
Oh, my *god*. 이런 큰일났다.
Thank *God*! 아이 고마워라.

**god·dess** *goddess*
[gɑ́dis 가디스]
명 (복수 **goddesses** [gɑ́disiz 가디시즈]) 여신 (반 god 신)
Venus is the *goddess* of beauty. 비너스는 미의 여신이다.

***gold** *gold*
[góuld 고울드]

명 《a와 복수형 안 씀》 ❶ 금, 황금; 돈
His watch is made of *gold*.
그의 시계는 금으로 되어 있다.
❷ 금빛, 황금색
—형 금으로 된, 황금제의, 황금빛의
a *gold* ring 금반지
She won the *gold* medal in the Olympics.
그녀는 올림픽에서 금메달을 땄다.

---

***gold•en** *golden*
[góuldn 고울든]
형 ❶ 금의, 황금빛의
*golden* earrings 금 귀걸이
She has *golden* hair.
그녀는 금발을 하고 있다.

❷ 귀중한, 훌륭한; 번영하는
the *golden* age 황금 시대, 전성기
a *golden* saying 금언, 격언
This is a *golden* opportunity.
이번이 절호의 기회이다.

---

**gold•fish** *goldfish*
[góuldfiʃ 고울드피시]
명 (복수 **goldfish** 또는 **goldfishes** [góuldfiʃiz 고울드피시즈])
〖어류〗 금붕어
Look at the *goldfish* in the fish tank. 수조의 금붕어를 보아라.

---

***golf** *golf*
[gálf 갈프, gɔ́(ː)lf 골-프]
명 〖스포츠〗 골프
a *golf* club 골프채, 골프 클럽
He likes to play *golf*.
그는 골프 치기를 좋아한다.

---

***gone** *gone*
[gɔ́ːn 곤-]
자 go(가다)의 과거분사

---

****good** *good*
[gúd 굳]
형 (비교급 **better** [bétər 베터], 최상급 **best** [bést 베스트])
❶ 좋은, 착한; 질이 좋은, 훌륭한 (반 bad 나쁜)
We are *good* friends.
우리는 좋은 친구이다.
He must be *good* and honest.
그는 선량하고 정직함에 틀림없다.
That's a *good* idea.
그것은 훌륭한 생각이다.
❷ (음식이) 맛있는 (동 delicious)

This pie is very *good*.
이 파이는 대단히 맛있다.
❸ 적합한, 도움이 되는
He is a *good* man for this work.
그는 이 일에 적합한 사람이다.
❹ 친절한, 상냥한 (동 kind)
How *good* of you! 친절하군요!
❺ 잘 하는, 유능한, 솜씨 좋은
He is a *good* fisherman.
그는 낚시를 잘한다.

❻ 즐거운, 유쾌한
I had a very *good* time last night. 나는 어젯밤에 매우 즐거운 시간을 보냈다.
❼ 충분한, 꽤 많은
He had a *good* rest.
그는 충분한 휴식을 취했다.
❽ (일정 기간 동안) 유효한
This ticket is *good* for three days. 이 표는 사흘간 유효하다.
숙어 ***a good deal of*** 상당한, 다량의
She takes *a good deal of* exercise. 그녀는 많은 운동을 한다.
***a good many*** 많은 수의
She has read *a good many* books. 그녀는 꽤 많은 책을 읽었다.
***as good as*** …이나 다름없는
He is *as good as* dead.
그는 죽은 거나 다름없다.
***be good at*** …을 잘하다
He *is good at* swimming.
그는 수영을 잘한다.
***be good for*** …에 유익하다
Exercise *is good for* your health. 운동은 건강에 유익하다.
***do ... good*** …에 도움이 되다
This medicine will *do* you *good*. 이 약은 효험이 있을 게다.
***Good afternoon!*** 《오후 인사》 안녕하십니까? 안녕히 가십시오.
***Good evening!*** 《저녁 인사》 안녕하십니까? 안녕히 가십시오.
***Good for*****〔on〕** ***you.*** 잘 했다, 축하한다, 됐다!
***Good morning!*** 《아침 인사》 안녕히 주무셨습니까? 안녕하세요?
***Good night!*** 《밤 인사》 안녕히 주무세요! 안녕히 가십시오.

— 명 《a와 복수형 안 씀》 ❶ 선(善) (반 eivil 악(惡)); 착한 일
Always try to do *good*.
항상 착한 일을 하도록 노력해라.
❷ 이익, 행복; 소용, 효용
public *good* 공익
It is no *good* talking to him.
그에게 이야기해 봤자 헛수고다.
숙어 ***for good*** 영원히 (동 for ever)
Did you quit smoking *for good*? 담배를 아주 끊은 겁니까?
***for the good of*** …을 위해
He did it *for the good of* his family.
그는 그의 가족을 위해 그 일을 했다.

**good-by(e)** *good-by(e)*
[gù(d)bái 굿바이]
감 안녕!; 안녕히 가십시오[계십시오]
*Good-by(e)*, everybody.
여러분 안녕!
—명 (복수 **good-by(e)s** [gù(d)báiz 굿바이즈]) 헤어지는 말[인사]; 작별
They said *good-by(e)* to one another.
그들은 서로 작별 인사를 했다.

참고 Good-by.와 So long.
**Good-by.**는 God be with you! (하느님께서 함께 하시기를!)의 축약형으로서 일반적인 작별 인사이다. **So long.**은 친한 친구 사이에서 흔히 사용되는 작별 인사이다.

**good•ness** *goodness*
[gúdnis 굿니스]
명 착함, 선량; 장점
the *goodness* of man 인간의 선량함
숙어 ***My goodness!*** 저런! 어머나!

**goods** *goods*
[gúdz 구즈]
명 《복수 취급》 상품, 물품; 재산
household *goods* 가정 용품
That store sells many kinds of *goods*. 저 가게에서 많은 종류의 상품을 판다.

**good•will** *goodwill*
[gúdwíl 굿윌]
명 호의, 선의; 친절 (동 favor)
a *goodwill* visit to Korea
한국 친선 방문

***goose** *goose*
[gú:s 구스]
명 (복수 **geese** [gí:s 기-스])
〚조류〛 거위; 거위의 암컷
There are three *geese* in the pond. 연못에 거위가 세 마리 있다.

**go•ril•la** *gorilla*
[gərílə 거릴러]
명 (복수 **gorillas** [gəríləz 거릴러즈]) 〚동물〛 고릴라

**gos•sip** *gossip*
[gásip 가십]
명 (복수 **gossips** [gásips 가십스])

(남에 대한) 소문, 잡담; 추문
Don't believe that *gossip*.
그런 소문을 믿지 마라.

## *got *got*
[gɑ́t 갓]
타자 get(얻다)의 과거 · 과거분사

## *got•ten *gotten*
[gɑ́tn 가튼]
타자 get(얻다)의 과거분사

## gov•ern *govern*
[gʌ́vərn 거번]
타 (3단현 **governs** [gʌ́vərnz 거번즈], 과거 · 과분 **governed** [gʌ́vərnd 거번드], 현분 **governing** [gʌ́vərniŋ 거버닝])
다스리다, 통치하다, 지배하다
The king *governed* his country very wisely. 왕은 자기 나라를 매우 현명하게 다스렸다.

## *gov•ern•ment *government*
[gʌ́vər(n)mənt 거번먼트]
명 (복수 **governments** [gʌ́vər(n)-mənts 거번먼츠])
❶ 《a와 복수형 안 씀》 정치, 통치; 지배
local *government* 지방 자치
We prefer democratic *government*. 우리는 민주 정치를 선호한다.
❷ 《**Government**로》 정부, 내각

the United States *Government*
미국 정부

## gov•er•nor *governor*
[gʌ́v(ər)nər 거버너]
명 (복수 **governors** [gʌ́v(ər)nərz 거버너즈]) (미국) 주지사; (식민지) 총독

## gown *gown*
[gáun 가운]
명 (복수 **gowns** [gáunz 가운즈])
(부인용의) 실내복; 가운; 법복
She is wearing a *gown*.
그녀는 실내복을 입고 있다.

## grab *grab*
[grǽb 그래브]
타자 (3단현 **grabs** [grǽbz 그래브즈], 과거 · 과분 **grabbed** [grǽbd 그래브드], 현분 **grabbing** [grǽbiŋ 그래빙])
움켜쥐다; 붙잡다, 잡아채다
She *grabbed* me by the arm.
그녀는 나의 팔을 움켜잡았다.

## *grace *grace*
[gréis 그레이스]
명 (복수 **graces** [gréisiz 그레이시즈]) ❶ 우아함, 품위
She danced with *grace* at the party. 그녀는 파티에서 우아하게 춤을 추었다.

❷ 은혜; (식사 전후의) 감사 기도
Will you please say *grace*?
감사 기도를 해 주시겠습니까?

**grace•ful** *graceful*
[gréisfəl 그레이스펄]
형 우아한, 품위 있는, 단아한
She is *graceful* in manner.
그녀는 태도가 우아하다.

***grade** *grade*
[gréid 그레이드]
명 (복수 **grades** [gréidz 그레이즈])
❶ 등급, 계급, 정도
social *grade* 사회적 지위
Whiskey is sold in *grades*.
위스키는 등급별로 판매된다.
❷ (학생의) 성적; 평점
He got high *grades* in math.
그는 수학 성적이 좋았다.

❸ 학년; (학년의) 과정
I'm in the ninth *grade*.
나는 중학교 3학년이다.

참고 미국에서는 초등학교, 중학교, 고등학교의 학년을 계속시켜, 초등학교 1학년을 first grade, 중학교 1학년을 seventh grade, 고등학교 1학년을 tenth grade라고 하며, twelfth grade까지 있다.

**grad•u•al** *gradual*
[grǽdʒuəl 그래주얼]
형 점차적인, 점진적인
The *gradual* progress has been made in his study.
그의 연구는 점차적으로 발전되었다.

**grad•u•al•ly** *gradually*
[grǽdʒuəli 그래주얼리]
부 점점, 점차로

**grad•u•ate** *graduate*
[grǽdʒuət 그래주엇]
품사에 따라 발음이 다름
명 (복수 **graduates** [grǽdʒuəts 그래주어츠]) 졸업생; 《영》 대학 졸업생

She is a Harvard *graduate*.
그녀는 하바드 대학 졸업생이다.
— 자 [grǽdʒuèit 그래주에이트]
(3단현 **graduates** [grǽdʒuèits 그래주에이츠], 과거 · 과분 **graduated** [grǽdʒuèitid 그래주에이티드], 현분

A B C D E F **G** H I J K L M N O P Q R S T U V W X Y Z

**graduating** [grǽdʒuèitiŋ 그래주에이팅])
(학교를) 졸업하다 《from》
He *graduated from* Yale university. 그는 예일 대학을 졸업했다.

**grad·u·a·tion** *graduation*
[græ̀dʒuéiʃən 그래주에이션]
명 (학교) 졸업; 졸업식

**grain** *grain*
[gréin 그레인]
명 ❶ 곡식, 곡물(《영》 corn)
My uncle grows *grain*.
나의 삼촌은 곡식을 재배한다.

❷ (곡식의) 낟알
a *grain* of rice 쌀 한 톨

**gram(me)** *gram(me)*
[grǽm 그램]
명 (복수 **gram(me)s** [grǽmz 그램즈]) 〚단위〛 그램 (《약》 g., gm, gr.)
This bag of sugar weighs 800 *grams*. 이 설탕 부대는 중량이 800 그램 나간다.

**gram·mar** *grammar*
[grǽmər 그래머]
명 《a와 복수형 안 씀》 문법
He learned English *grammar*.
그는 영문법을 배웠다.

**grand** *grand*
[grǽnd 그랜드]
형 (비교급 **grander** [grǽndər 그랜더], 최상급 **grandest** [grǽndist 그랜디스트])
웅대한, 장대한; 훌륭한
a *grand* party 호화로운 파티
Look at this *grand* palace.
이 웅장한 궁전을 보아라.

**grand·child** *grandchild*
[grǽn(d)tʃàild 그랜(드)차일드]
명 (복수 **grandchildren** [grǽn(d)-tʃìldrən 그랜(드)칠드런])
손자, 손녀
The old man has four *grandchildren*.
그 노인은 손자와 손녀가 4명 있다.

⁑**grand·fa·ther** *grandfather*
[grǽn(d)fɑ̀ːðər 그랜(드)파-더]
명 (복수 **grandfathers** [grǽn(d)-

fɑ́ːðərz 그랜(드)파-더즈]) 조부, 할아버지 (㉮ grandmother 할머니)

My *grandfather* is seventy two years old.
나의 할아버지는 72세이다.

**grand·ma** *grandma*
[grǽn(d)mɑ̀ː 그랜(드)마-]
명 (복수 **grandmas** [grǽn(d)mɑ̀ːz 그랜(드)마-즈])
《구어》 할머니 (㉯ grandmother)

**⁑grand·moth·er** *grandmother*
[grǽn(d)mʌ̀ðər 그랜(드)머더]
명 (복수 **grandmothers** [grǽn(d)-mʌ̀ðərz 그랜(드)머더즈])
할머니 (㉮ grandfather 할아버지)

My *grandmother* lives in the country.
나의 할머니는 시골에서 사신다.

**grand·pa** *grandpa*
[grǽn(d)pɑ̀ː 그랜(드)파-]
명 (복수 **grandpas** [grǽn(d)pɑ̀ːz 그랜(드)파-즈])
《구어》 할아버지 (㉯ grandfather)

**grand·parent** *grandparent*
[grǽn(d)pɛ̀(ə)rənt 그랜(드)페(어)런트]
명 (복수 **grandparents** [grǽn(d)-pɛ̀(ə)rənts 그랜(드)페(어)런츠])
《복수형으로》 조부모

Do you have *grandparents*?
너는 조부모님이 계시느냐?

**grand·son** *grandson*
[grǽn(d)sʌ̀n 그랜(드)선]
명 (복수 **grandsons** [grǽn(d)sʌ̀nz 그랜(드)선즈])
손자 (㉥ granddaughter 손녀)

Mrs. White has two *grandsons*.
화이트 부인에게는 손자가 둘 있다.

**grant** *grant*
[grǽnt 그랜트]
타 (3단현 **grants** [grǽnts 그랜츠], 과거 · 과분 **granted** [grǽntid 그랜티드], 현분 **granting** [grǽntiŋ 그랜팅])
(요구 따위를) 들어 주다; (권리 따위를) 주다; 부여하다; 인정하다

Father *granted* me my request.
아버지께서는 내 요구를 들어 주셨다.

***grape** *grape*
[gréip 그레이프]
명 (복수 **grapes** [gréips 그레이프스])
〖식물〗 **포도**, 포도 나무

Wine is made from *grapes*.
포도주는 포도로 빚는다.

**graph** *graph*
[grǽf 그래프]
명 (복수 **graphs** [grǽfs 그래프스])
도표, 그래프
a line graph 선 그래프

**grasp** *grasp*
[grǽsp 그래스프]
타자 (3단현 **grasps** [grǽsps 그래스프스], 과거 · 과분 **grasped** [grǽspt 그래스프트], 현분 **grasping** [grǽspiŋ 그래스핑])
❶ 움켜쥐다, 붙잡다
He *grasped* me by the arm.
그는 내 팔을 움켜잡았다.
❷ 이해하다 (동 understand)
I can't *grasp* the meaning of this sentence.
나는 이 문장의 뜻을 이해할 수 없다.

****grass** *grass*
[grǽs 그래스]
명 (복수 **grasses** [grǽsiz 그래시즈])
❶ 《a와 복수형 안 씀》 **풀**, 목초, 잔디
cut the *grass* 풀을 베다
A flock of sheep are eating *grass*. 양떼가 풀을 뜯고 있다.
❷ **풀밭**, 잔디밭, 초원
Keep off the *grass*.
잔디밭에 들어가지 마시오. 《게시문》

**grass•hop•per** *grasshopper*
[grǽshɑ̀pər 그래스하퍼]
명 (복수 **grasshoppers** [grǽshɑ̀pərz 그래스하퍼즈])
〖곤충〗 **메뚜기**, 여치

**grate•ful** *grateful*
[gréitfəl 그레이트펄]
형 (비교급 **more grateful**, 최상급 **most grateful**)
**감사하는**, 고마워하는
I am *grateful* to you for your help. 도와주셔서 감사합니다.

We sent her a *grateful* letter.
우리는 그녀에게 감사장을 보냈다.

**grave**[1] *grave*
[gréiv 그레이브]
명 (복수 **graves** [gréivz 그레이브즈])
묘, 무덤

He was laid in his *grave*.
그는 무덤에 매장되었다.

**grave**[2] *grave*
[gréiv 그레이브]
형 (비교급 **graver** [gréivər 그레이버], 최상급 **gravest** [gréivist 그레이비스트])
중대한; 진지한, 엄숙한
*grave* news 중대한 뉴스
She had a *grave* look on her face. 그녀는 얼굴에 심각한 표정을 지었다.

**grav·i·ty** *gravity*
[grǽvəti 그래버티]
명 《a와 복수형 안 씀》 ❶ 중대함
❷ 〖물리〗 중력, 인력
the center of *gravity* 중심(重心)

*__gray,__ 《영》 **grey** *gray, grey*
[gréi 그레이]
형 (비교급 **grayer** [gréiər 그레이어], 최상급 **grayest** [gréiist 그레이이스트])
❶ 회색의, 잿빛의 (《영》 grey)
The girl has *gray* eyes.
그 소녀는 회색 눈을 하고 있다.
❷ 머리가 희끗희끗한, 백발이 성성한
His hair has turned *gray*.
그의 머리는 희끗희끗해졌다.
❸ 음산한, 우울한; 흐린
What a *gray* day!
참 음산한 날씨구나!
— 명 《a와 복수형 안 씀》 회색, 잿빛, 회색 옷
She was dressed in *gray*.
그녀는 회색 옷을 입었다.

**great** *great*
[gréit 그레이트]
형 (비교급 **greater** [gréitər 그레이터], 최상급 **greatest** [gréitist 그레이티스트])
❶ 큰, 대단한 (동 large, big, 반 small 작은)
a *great* city 대도시
a *great* success 대성공
He bought a *great* house.
그는 대저택을 샀다.
❷ 위대한, 훌륭한
He is a *great* scientist.
그는 위대한 과학자이다.
❸ 《구어》 굉장한, 멋진, 근사한
That's *great*! 그것 참 근사하다!
What a *great* game it is!
참으로 굉장한 경기다!

a b c d e f g h i j k l m n o p q r s t u v w x y z

A B C D E F **G** H I J K L M N O P Q R S T U V W X Y Z

## Great Bri•tain
*Great Britain*
[grèit brítn 그레이트브리튼]
명 대(大)브리튼(섬); 영국 (동 the United Kingdom)

참고 Great Britain은 잉글랜드(England), 스코틀랜드(Scotland[skɑ́tlənd]), 웨일스(Wales [weilz])의 총칭. 종종 영국의 국명 대신으로 쓰인다.

## great•ly
*greatly*
[gréitli 그레이틀리]
부 크게, 매우, 대단히

## Greece
*Greece*
[gríːs 그리-스]
명 그리스 (관 Greek 그리스의)

## greed•y
*greedy*
[gríːdi 그리-디]
형 (비교급 **greedier** [gríːdiər 그리-디어], 최상급 **greediest** [gríːdiist 그리-디이스트])
탐욕스러운, 게걸스러운
He is a man *greedy* of money. 그는 돈을 몹시 탐하는 남자이다.

## Greek
*Greek*
[gríːk 그리-크]
형 그리스의, 그리스 사람〔말〕의
*Greek* history 그리스 역사
—명 그리스 사람〔말〕

## ⁑green
*green*
[gríːn 그린-]
형 (비교급 **greener** [gríːnər 그리-너], 최상급 **greenest** [gríːnist 그리-니스트])
❶ 녹색의, 초록의
I love the blue skies and the *green* grass. 나는 푸른 하늘과 녹색의 풀밭을 좋아한다.

참고 우리말에서는 「푸른」이라고 하는데 영어에서는 blue라고 하지 않고 green이라고 할 때가 있다.
푸른 신호등 → *green* light
푸른 잎 → *green* leaves
푸른 사과 → *green* apple

❷ 야채의, 푸성귀의
I had *green* salad for lunch.
나는 점심으로 야채 샐러드를 먹었다.
❸ 익지 않은; 미숙한
This melon is still *green*.
이 멜론은 아직 익지 않았다.
— 명 (복수 **greens** [gríːnz 그린-즈])
❶ 《a와 복수형 안 씀》 녹색; 녹색 옷
The girl was dressed in *green*.
그 소녀는 녹색 옷을 입고 있었다.
❷ 《복수형으로》 야채, 푸성귀
You should eat more *greens*.
너는 야채를 더 먹어야 한다.

❸ 풀밭, 녹지, 잔디

**green·house** *greenhouse*
[gríːnhàus 그린-하우스]
명 (복수 **greenhouses** [gríːnhàuziz 그린-하우지즈]) 온실

**greet** *greet*
[gríːt 그리-트]
타 (3단현 **greets** [gríːts 그리-츠], 과거 · 과분 **greeted** [gríːtid 그리-티드], 현분 **greeting** [gríːtiŋ 그리-팅])
인사하다; 환영하다
She *greeted* me with a smile.
그녀는 미소지으며 나를 맞이했다.

***greet·ing** *greeting*
[gríːtiŋ 그리-팅]
명 (복수 **greetings** [gríːtiŋz 그리-팅즈]) ❶ 인사, 환영
She gave me a friendly *greeting*. 그녀는 나에게 다정한 인사를 하였다.
❷ 《복수형으로》 인사말, 인사장
I sent her birthday *greetings*.
나는 그녀에게 생일 축하장을 보냈다.

***grew** *grew*
[grúː 그루-]
타자 grow(자라다)의 과거

**grief** *grief*
[gríːf 그리-프]
명 슬픔, 비탄, 비통
She is in deep *grief*.
그녀는 깊은 슬픔에 잠겨 있다.

**grieve** *grieve*
[gríːv 그리-브]
타자 (3단현 **grieves** [gríːvz 그리-

a b c d e f g h i j k l m n o p q r s t u v w x y z

브즈], 과거 · 과분 **grieved** [gríːvd 그리-브드], 현분 **grieving** [gríːviŋ 그리-빙])
슬프게 하다, 슬퍼지다, 비탄에 잠기다
He is *grieved* at the bad news.
그는 슬픈 소식에 비탄에 잠겼다.

**grill** *grill*
[gríl 그릴]
명 (고기나 생선을 굽는) 석쇠; 그릴
—타자 (3단현 **grills** [grílz 그릴즈], 과거 · 과분 **grilled** [gríld 그릴드], 현분 **grilling** [grílıŋ 그릴링])
(석쇠에) 굽다, 구워지다
I decided to *grill* the chicken.
나는 닭고기를 굽기로 했다.

**grind** *grind*
[gráind 그라인드]
타 (3단현 **grinds** [gráindz 그라인즈], 과거 · 과분 **ground** [gráund 그라운드], 현분 **grinding** [gráindiŋ 그라인딩])
(곡물 따위를) 빻다, 찧다; 갈다
She is *grinding* the corn into flour. 그녀는 옥수수를 빻아서 가루로 만들고 있다.

***gro•cer** *grocer*
[gróusər 그로우서]
명 (복수 **grocers** [gróusərz 그로우서즈]) 식료품상
a *grocer's* (shop) 《영》 식품점
His mother is a *grocer* here.
그의 어머니는 이곳의 식료품 상인이다.

**gro•cer•y** *grocery*
[gróus(ə)ri 그로우서리]
명 (복수 **groceries** [gróus(ə)riz 그로우서리즈]) 식료품점 (동 grocer's store); 《복수형으로》 식료 잡화류
I dropped in the *grocery*.
나는 식료품점에 들렀다.

**ground** *ground*
[gráund 그라운드]
명 (복수 **grounds** [gráundz 그라운즈]) ❶ 《the를 붙여》 땅
*The ground* was covered with snow. 땅은 눈으로 덮여 있었다.
❷ 운동장, 경기장
a football *ground* 축구장

❸《복수형으로》 근거, 이유
We have good *grounds* for believing it. 우리는 그것을 믿을 만한 충분한 근거가 있다.

***group** *group*
[grú:p 그루-프]
명 (복수 **groups** [grú:ps 그루-프스])
그룹, 집단, 모임, 무리
We studied in *group*.
우리는 그룹을 지어 공부했다.

— 동 (3단현 **groups** [grú:ps 그루-프스], 과거·과분 **grouped** [grú:pt 그루-프트], 현분 **grouping** [grú:piŋ 그루-핑])
— 타 모으다; 분류하다, 배열하다
He *grouped* his students together. 그는 학생들을 모았다.
— 자 모이다
They *grouped* around their guide. 그들은 안내자 곁에 모였다.

****grow** *grow*
[gróu 그로우]
동 (3단현 **grows** [gróuz 그로우즈], 과거 **grew** [grú: 그루-], 과분 **grown** [gróun 그로운], 현분 **growing** [gróuiŋ 그로우잉])
— 자 ❶ 자라다, 성장하다, 커지다
She has *grown* two inches.
그녀는 2인치 자랐다.

❷《**grow**+형용사로》 …이 되다 (동 become)
She *grew* old.
그녀는 나이를 먹었다.
It began to *grow* dark.
어두워지기 시작했다.
숙어 ***grow up*** 성장하다, 성숙하다
She *grew up* to be a writer.
그녀는 자라서 작가가 되었다.
— 타 재배하다, 가꾸다
My mother *grows* tomatoes.
어머니는 토마토를 재배하신다.

***grown** *grown*
[gróun 그로운]
타자 grow(자라다)의 과거분사

**grown-up** *grown-up*
[gróunʌ̀p 그로운업]
형 성장한, 성인의, 성숙된
She became a *grown-up* woman.
그녀는 성숙한 여자가 되었다.
— 명 (복수 **grown-ups** [gróun-

a b c d e f g h i j k l m n o p q r s t u v w x y z

ʌ̀ps 그로운업스]) 성인, 어른

**growth** *growth*
[gróuθ 그로우스]
명 《a와 복수형 안 씀》 성장, 발육; 발달, 증대
the rapid *growth* of population 인구의 급증

**grum•ble** *grumble*
[grʌ́mbl 그럼블]
자 (3단현 **grumbles** [grʌ́mblz 그럼블즈], 과거 · 과분 **grumbled** [grʌ́mbld 그럼블드], 현분 **grumbling** [grʌ́mbliŋ 그럼블링])
투덜거리다, 불평하다
He *grumbled* about his salary.
그는 자기 월급에 대해 투덜거렸다.
— 명 (복수 **grumbles** [grʌ́mblz 그럼블즈]) 불평, 불만, 투덜거림
He took his *grumbles* to the boss. 그는 사장에 불만을 말했다.

**guard** *guard*
[gɑ́ːrd 가-드]
명 (복수 **guards** [gɑ́ːrdz 가-즈])
❶ 보초, 호위병, 경비원

Two *guards* watched the gate of the house. 두 사람의 경비원이 그 집의 문을 지켰다.
❷ 《a와 복수형 안 씀》 경계, 감시
숙어 ***be on guard*** 보초 서고 있다

— 타자 (3단현 **guards** [gɑ́ːrdz 가-즈], 과거 · 과분 **guarded** [gɑ́ːrdid 가-디드], 현분 **guarding** [gɑ́ːrdiŋ 가-딩])
지키다, 호위하다; 감시하다, 경계하다
The dog *guarded* the blind man. 그 개는 맹인을 호위하였다.

**guess** *guess*
[gés 게스]
타 (3단현 **guesses** [gésiz 게시즈], 과거 · 과분 **guessed** [gést 게스트], 현분 **guessing** [gésiŋ 게싱])
❶ 추측하다, 추정하다, 짐작하다
*Guess* who!
누군지 알아맞춰 봐!

I can't *guess* her age.
나는 그녀의 나이를 짐작할 수 없다.
❷ (…라고) 생각하다, 여기다
I *guess* I can do it.
그것을 할 수 있다고 생각한다.
— 명 (복수 **guesses** [gésiz 게시즈])
추측, 추정, 억측
I did it by *guess*.
나는 추측으로 그렇게 하였다.

**guest** *guest*
[gést 게스트]
명 (복수 **guests** [gésts 게스츠])
❶ 손님, 내빈, 내객 (동 visitor)
We had *guests* for dinner.
우리는 만찬에 손님을 초대했다.

❷ (TV · 라디오의) **특별 출연자**; (호텔 · 식당의) 이용객
Our special *guest* is George Bush. 오늘의 특별 출연자는 조지 부시입니다.

**guid•ance** *guidance*
[gáidns 가이든스]
명 《a와 복수형 안 씀》 안내, 지도, 지휘

*__guide__ *guide*
[gáid 가이드]
타 (3단현 **guides** [gáidz 가이즈], 과거 · 과분 **guided** [gáidid 가이디드], 현분 **guiding** [gáidiŋ 가이딩])
안내하다, 지도하다, 인도하다
She *guided* us through the city. 그녀는 우리에게 시내를 두루 안내했다.

—명 (복수 **guides** [gáidz 가이즈])
❶ (여행 따위의) 안내인, 가이드
Our *guide* showed us many famous places. 우리 안내인은 유명한 곳을 많이 보여 주었다.
❷ 여행 안내서, 입문서
This is a good *guide* to English. 이것은 좋은 영어 입문서이다.

**guide•book** *guidebook*
[gáidbùk 가이드북]
명 (복수 **guidebooks** [gáidbùks 가이드북스]) 여행 안내, 안내 책자

**guilt•y** *guilty*
[gílti 길티]
형 (비교급 **guiltier** [gíltiə*r* 길티어], 최상급 **guiltiest** [gíltiist 길티이스트])
죄를 범한, 유죄의
He was found *guilty*.
그는 유죄 판결을 받았다.

**gui•tar** *guitar*
[gitá:*r* 기타-]
명 (복수 **guitars** [gitá:*r*z 기타-즈])
〖악기〗 기타

an electric *guitar* 전기 기타
Tom plays the *guitar* quite well. 톰은 기타를 곧잘 친다.

**gulf** *gulf*
[gʌ́lf 걸프]
명 (복수 **gulfs** [gʌ́lfs 걸프스])
만 《bay보다 큰 것을 가리킴》

a b c d e f g h i j k l m n o p q r s t u v w x y z

the *Gulf* of Mexico 멕시코 만

**gull** *gull*
[gʌ́l 걸]
명 (복수 **gulls** [gʌ́lz 걸즈])
〚조류〛 갈매기

**gum** *gum*
[gʌ́m 검]
명 (복수 **gums** [gʌ́mz 검즈])
고무; 껌 (동 chewing gum); 잇몸
Teachers forbid *gum*.
선생님들은 껌을 못 씹게 한다.

***gun** *gun*
[gʌ́n 건]
명 (복수 **guns** [gʌ́nz 건즈])
포, 대포; 총, 소총, 권총
an air *gun* 공기총
a machine *gun* 기관총
She shot a bird with her *gun*.
그녀는 총으로 새를 쏘았다.

**gun•pow•der** *gunpowder*
[gʌ́npàudər 건파우더]
명 화약

**guy** *guy*
[gái 가이]
명 (복수 **guys** [gáiz 가이즈])
사나이, 녀석, 놈
a nice *guy* 좋은 녀석

***gym•(na•si•um)**
*gym(nasium)*
[dʒim(néiziəm) 짐(네이지엄)]
명 (복수 **gyms** [dʒímz 짐즈], 또는 **gymnasiums** [dʒimnéiziəmz 짐네이지엄즈], 또는 **gymnasia** [dʒimnéiziə 짐네이지어])
❶ 체육관, 실내 체육관
Let's play basketball in the *gym*. 체육관에서 농구를 하자.
❷ (학교의) 체육 수업

**H, h** *H, h*
[éitʃ 에이치]
명 (복수 **H's, h's** [éitʃiz 에이치즈])
에이치 《알파벳의 여덟 번째 글자》

***hab•it** *habit*
[hǽbit 해빗]
명 (복수 **habits** [hǽbits 해비츠])
습관; 버릇
*Habit* is second nature.
《속담》 습관은 제2의 천성
Smoking is a bad *habit*.
흡연은 나쁜 습관이다.

**⁑had** *had*
[həd 허드; 강 hǽd 해드]
타 have, has의 과거 · 과거분사
—조 have, has의 과거
❶ 《**had**+과거분사로 과거완료를 나타내어》 …해 버렸다 《완료 · 결과》; …한 적이 있었다 《경험》
The bus *had* already *left* when I arrived at the bus stop.
내가 버스 정류장에 도착했을 때 버스는 이미 출발해 버렸다 《완료》.

He *had* never *seen* a tiger before he went to the zoo.
그는 동물원에 가기 전에는 호랑이를 본 적이 없었다 《경험》.
❷ 《**had been**+현재분사로 과거완료 진행형을 나타내어》 (죽) …하고 있었다 《동작의 계속》
He *had been* watch*ing* television till then. 그때까지 죽 그는 텔레비전을 보고 있었다.
❸ 《가정법 과거완료로 쓰여》 만일 …이었더라면 《과거 사실에 대한 반대》
If I *had been* there, I could have helped you.
만일 내가 거기에 있었더라면 너를 도울 수 있었을 텐데.
숙어 ***had better** do* …하는 편이 좋다
You *had better* go home now.
너는 지금 집에 가는 게 좋겠다.
***had rather** do* 차라리 …하고 싶다; 차라리 …하는 편이 낫다

a b c d e f g h i j k l m n o p q r s t u v w x y z

I *had rather* work than play.
나는 놀기보다는 차라리 공부하고 싶다.

***had to** do* …하지 않으면 안 되었다
He *had to* work hard last night. 그는 어젯밤 열심히 일하지 않으면 안 되었다.
✎부정형 · 의문형은 다음과 같이 만듦: He *did not have to* work. 그는 열심히 하지 않아도 되었다 / *Did* he *have to* work? 그는 일하지 않으면 안 되었습니까?

## *had•n't *hadn't*

[hǽdnt 해든트]
had not의 축약형

## ⁑hair *hair*

[hέər 헤어]
명 (복수 **hairs** [hέərz 헤어즈])
❶ 《a와 복수형 안 씀》 머리털; 털
Alice is combing her *hair* now.
앨리스는 지금 머리를 빗고 있다.
I must have my *hair* cut.
나는 이발해야 한다.

❷ (한 올의) 머리카락

## hair•cut *haircut*

[hέərkʌ̀t 헤어컷]
명 (복수 **haircuts** [hέərkʌ̀ts 헤어커츠]) 이발
I have to get a *haircut*.
나는 이발을 해야 한다.

## ⁑half *half*

[hǽf 해프]
☺ l은 발음하지 않음.
명 (복수 **halves** [hǽvz 해브즈])
❶ 절반, 반쪽, 2분의 1

I will give you *half* of an apple.
너에게 사과 반쪽을 주겠다.
❷ (시각의) 반, 30분 《관사 없이 시각을 나타내는 수사와 함께 씀》
He came at *half* past ten.
그는 10시 30분에 왔다.
숙어 ***in half***(=***into halves***) 절반으로, 2등분하여
Cut an orange *in half*.
오렌지를 절반으로 잘라라.
—형 절반의, 반쪽의
He ran for *half* an hour(=a *half* hour). 그는 30분간 달렸다.
—부 반쯤, 반만큼
My homework is *half* done.
숙제는 절반쯤 한 상태이다.

## half•way *halfway*

[hæ̀fwéi 해프웨이]
형 중도의, 도중의
a *halfway* point 중간 지점
—부 중도에서, 중간까지
He turned back *halfway*.
그는 중도에서 돌아왔다.

***hall** *hall*
[hɔ́:l 홀-]
명 (복수 **halls** [hɔ́:lz 홀-즈])
❶ 집회장, 강당, 홀

The concert will be held in the school *hall*. 음악회가 학교 강당에서 열릴 것이다.
❷ 《영》 (집의) 현관 홀 (동 porch)
Leave your coat in the *hall*.
코트는 현관 홀에 놓아 두십시오.

**Hal•low•een** *Halloween*
[hæ̀ləwí:n 핼러윈-]
명 All Saint's Day(만성절)의 전야제 《10월 31일 밤》.

참고 이날 밤 아이들이 호박 속을 파낸 호롱불(jack-o'-lantern)을 들고, 도깨비나 해적 차림으로 가장하여 집집마다 돌아다니는 풍습이 있음.

**halves** *halves*
[hǽvz 해브즈]
l은 발음하지 않음.
명 half(절반)의 복수

**ham** *ham*
[hǽm 햄]
명 햄 《소금에 절여 훈제한 돼지의 허벅지살 고기》
*ham* and eggs 햄에그

**ham•burg•er** *hamburger*
[hǽmbə̀:rgər 햄버-거]
명 (복수 **hamburgers** [hǽmbə̀:rgərz 햄버-거즈]) 햄버거
We had *hamburgers* at the fast-food restaurant. 우리는 패스트푸드 식당에서 햄버거를 먹었다.

**ham•mer** *hammer*
[hǽmər 해머]
명 (복수 **hammers** [hǽmərz 해머

즈]) 망치, 쇠망치, 해머
He drove nails with a *hammer*. 그는 쇠망치로 못을 박았다.

**hand** *hand*
[hǽnd 핸드]
명 (복수 **hands** [hǽndz 핸즈])
❶ 손
Wash your *hands*, Tom.
톰, 손을 씻어라.

❷ 시계 바늘
The hour *hand* is shorter than the minute *hand*.
시침은 분침보다 짧다.
❸ 《방향을 가리켜》 쪽, 편
The hospital is on the left *hand* of this street.
그 병원은 이 거리의 왼편에 있다.
❹ 도움, 원조
Could you give me a *hand*?
좀 도와주시겠습니까?
숙어 ***at hand*** 바로 가까이, 곧
Christmas is near *at hand*.
크리스마스가 곧 다가온다.
***by hand*** 손으로, 수공으로
My gloves have been knitted *by hand*. 내 장갑은 손으로 뜨개질해서 만든 것이다.
***hand in hand*** 손을 마주 잡고
They walked *hand in hand*.
그들은 손에 손을 잡고 걸었다.
***shake hands with*** …와 악수하다
I *shook hands with* Mr. Smith.
나는 스미스 씨와 악수했다.
— 타 (3단현 **hands** [hǽndz 핸즈], 과거 · 과분 **handed** [hǽndid 핸디드], 현분 **handing** [hǽndiŋ 핸딩]) 넘겨 주다, 건네 주다
*Hand* me my bag, please.
내 가방을 건네주세요.
숙어 ***hand in*** 제출하다
*Hand in* your homework tomorrow.
내일까지 숙제를 제출해 주세요.
***hand out*** (나누어) 주다, 배포하다

**hand•bag** *handbag*
[hǽn(d)bæ̀g 핸(드)배그]
명 (복수 **handbags** [hǽn(d)bæ̀gz 핸(드)배그즈]) 핸드백, 손가방

**hand•ful** *handful*
[hǽn(d)fùl 핸(드)풀]
명 (복수 **handfuls** [hǽn(d)fùlz 핸(드)풀즈]) 한줌; 소량
The boy picked up a *handful* of sand. 그 소년은 모래를 한 움큼 집어 들었다.

**hand•i•cap** *handicap*
[hǽndikæ̀p 핸디캡]
명 (복수 **handicaps** [hǽndikæ̀ps 핸디캡스]) 장애, 불리한 조건
Blindness is a great *handicap*. 무지라는 것은 커다란 장애이다.

*__hand•ker•chief__ *handkerchief*
[hǽŋkərtʃif 행커치프]
명 (복수 **handkerchiefs** [hǽŋkərtʃifs 행커치프스]) 손수건
She left her *handkerchief* on the bench. 그녀는 벤치 위에다 손수건을 두고 갔다.

**han•dle** *handle*
[hǽndl 핸들]
명 (복수 **handles** [hǽndlz 핸들즈]) 손잡이, 자루, 핸들
a door *handle* 문손잡이
—타 (3단현 **handles** [hǽndlz 핸들즈], 과거 · 과분 **handled** [hǽndld 핸들드], 현분 **handling** [hǽndliŋ 핸들링])
❶ 손대다, 만지다
Don't *handle* books with dirty hands.
더러운 손으로 책들을 만지지 마라.
❷ (사람을) 다루다; (물건을) 취급하다
We do not *handle* such goods in this store. 이 가게에서는 그런 상품은 취급하지 않습니다.

**hand•shake** *handshake*
[hǽndʃèik 핸드셰이크]
명 (복수 **handshakes** [hǽndʃèiks 핸드셰이크스]) 악수
He greeted the old man with a warm *handshake*. 그는 따뜻한 악수로 그 노인을 맞이했다.

**hand•some** *handsome*
[hǽnsəm 핸섬]
d는 발음하지 않음.
형 (비교급 **handsomer** [hǽnsəmər 핸서머], 최상급 **handsomest** [hǽnsəmist 핸서미스트])
(용모가) 잘생긴, 수려한
He is a *handsome* boy.
그는 미남자이다.

✎ handsome은 보통 남자에게 쓰고, 여자에게는 pretty, beautiful을 씀.

**hand•writ•ing** *handwriting*
[hǽndràitiŋ 핸드라이팅]

명 《a와 복수형 안 씀》 필체, 필적
Jenny has clear *handwriting.*
제니의 필체는 또렷하다.

**hand•y** *handy*
[hǽndi 핸디]
형 (비교급 **handier** [hǽndiər 핸디어], 최상급 **handiest** [hǽndiist 핸디이스트])
(물건이) 다루기 쉬운, 편리한
This is a *handy* tool.
이것은 편리한 연장이다.

****hang** *hang*
[hǽŋ 행]
동 (3단현 **hangs** [hǽŋz 행즈], 과거 · 과분 **hung** [hʌ́ŋ 헝], 현분 **hanging** [hǽŋiŋ 행잉])
—타 ❶ 걸다, 매달다
*Hang* your coat on the hook.
네 코트를 옷걸이에다 걸어라.

❷ 교수형에 처하다, 목매달다
He was *hanged* for murder.
그는 살인죄로 교수형에 처해졌다.
—자 매달리다, 걸리다
A picture is *hanging* on the wall. 벽에 그림이 걸려 있다.
숙어 ***hang on*** 전화를 끊지 않다
***hang up*** 전화를 끊다, 수화기를 놓다
I've got to *hang up* now.
그럼 이만 전화 끊겠습니다.

***hap•pen** *happen*
[hǽpən 해펀]
자 (3단현 **happens** [hǽpənz 해펀즈], 과거 · 과분 **happened** [hǽpənd 해펀드], 현분 **happening** [hǽpəniŋ 해퍼닝])
❶ (사건이) 생기다; 발생하다
What *happened* (to her)?
(그녀에게) 무슨 일이 생겼지?
How did the accident *happen*? 그 사건은 어떻게 해서 일어났습니까?
❷ 《**happen to** do로》 우연히 …하다 《진행형 없음》
I *happened to* see him on the street.
나는 거리에서 우연히 그를 만났다.

**hap•pi•ly** *happily*
[hǽpili 해필리]
부 ❶ 행복하게; 편안히
They lived *happily* ever after.
그후 내내 그들은 행복하게 살았다.
❷ 다행히, 운 좋게(동 fortunately)
*Happily* he passed the examination.
다행히 그는 시험에 합격했다.

**hap•pi•ness** *happiness*
[hǽpinəs 해피너스]
명 《a와 복수형 안 씀》 행복, 행운
Money can't buy *happiness.*

《속담》 돈으로 행복을 살 수는 없다.

**⁑hap•py** *happy*
[hǽpi 해피]
형 (비교급 **happier** [hǽpiər 해피어], 최상급 **happiest** [hǽpiist 해피이스트])
❶ 행복한, 행운의 (반 unhappy 불행한); 기쁜, 즐거운
Alice looks *happy*.
앨리스는 행복해 보인다.
I am *happy* to see you.
당신을 만나서 기쁩니다.
❷ 경사스러운
*Happy* birthday to you!
생일을 축하합니다.

***har•bo(u)r** *harbo(u)r*
[hɑ́ːrbər 하-버]
명 (복수 **harbo(u)rs** [hɑ́ːrbərz 하-버즈]) 항구, 항만 (동 port)

**⁑hard** *hard*
[hɑ́ːrd 하-드]
형부 (비교급 **harder** [hɑ́ːrdər 하-더], 최상급 **hardest** [hɑ́ːrdist 하-디스트])
❶ 단단한, 딱딱한 (반 soft 부드러운)
This table is made of *hard* wood. 이 탁자는 단단한 목재로 만들어져 있다.
❷ 어려운 (반 easy 쉬운)
It's *hard* for foreigners to learn Korean. 외국인이 한국어를 배우는 것은 어렵다.
❸ 힘드는, 곤란한
My grandfather had a very *hard* life. 할아버지는 매우 힘든 인생을 살았다.
❹ 열심히 일하는, 부지런한
He is a *hard* worker.
그는 부지런한 일꾼이다.
❺ (사람이) 엄격한; (날씨가) 혹독한
She is a *hard* teacher.
그녀는 엄격한 선생님이다.
We had a *hard* winter.
우리는 혹독한 겨울을 보냈다.
— 부 ❶ 열심히, 부지런히
He studies math very *hard*.
그는 수학을 매우 열심히 공부한다.

❷ 심하게, 격렬하게
It rained *hard* yesterday.
어제는 비가 심하게 퍼부었다.

a b c d e f g h i j k l m n o p q r s t u v w x y z

***hard•ly** *hardly*
[háːrdli 하-들리]
부 거의 …않다 (동 barely, scarcely)
He could *hardly* believe it.
그는 그것을 거의 믿을 수가 없었다.
숙어 ***hardly ... when*** [***before***] …
하자마자, …하기가 무섭게
I had *hardly* left *when* it began to rain. 내가 출발하자마자 비가 오기 시작했다.

**hare** *hare*
[hέər 헤어]
명 (복수 **hares** [hέərz 헤어즈])
〚동물〛 산토끼 (rabbit보다 몸집이 크고 귀도 더 길며 야산 등에 서식함)

**harm** *harm*
[háːrm 함-]
명 해, 손해
The storm did great *harm* to the crop. 폭풍우는 농작물에 큰 피해를 입혔다.
— 타 (3단현 **harms** [háːrmz 함-즈], 과거 · 과분 **harmed** [háːrmd 함-드], 현분 **harming** [háːrmiŋ 하-밍])
해치다; 상처입히다.
Too much drinking *harms* your health.
과음은 건강을 해친다.

**harm•ful** *harmful*
[háːrmfəl 함-플]
형 해가 되는, 해로운
Smoking is *harmful* to your health. 흡연은 건강에 해롭다.

**har•mon•i•ca** *harmonica*
[hɑːrmánikə 하-마니커]
명 (복수 **harmonicas** [hɑːrmánikəz 하-마니커즈]) 〚악기〛 하모니카

**har•mo•ny** *harmony*
[háːrməni 하-머니]
명 (복수 **harmonies** [háːrməniz 하-머니즈]) ❶ 조화, 일치, 화합
*harmony* of mind and body
마음과 몸의 조화
❷ 〚음악〛 화음
숙어 ***in harmony*** 조화롭게

**harp** *harp*
[háːrp 하-프]
명 (복수 **harps** [háːrps 하-프스])
〚악기〛 하프

**harsh** *harsh*
[háːrʃ 하-시]
형 (비교급 **harsher** [háːrʃər 하-셔], 최상급 **harshest** [háːrʃist 하-시스트])
❶ (감촉이) 거친, 꺼칠꺼칠한
The cloth felt *harsh*.

그 천은 꺼칠꺼칠한 감촉을 주었다.
❷ 가혹한, 혹독한

***har•vest** *harvest*
[hɑ́ːrvist 하–비스트]
명 (복수 **harvests** [hɑ́ːrvists 하–비스츠]) 수확, 추수; 수확기
We had a good *harvest* of tomatoes this year.
올해는 토마토가 풍작이었다.
— 타 (3단현 **harvests** [hɑ́ːrvists 하–비스츠], 과거 · 과분 **harvested** [hɑ́ːrvistid 하–비스티드], 현분 **harvesting** [hɑ́ːrvistiŋ 하–비스팅])
수확하다, 거둬들이다
He *harvested* the fields.
그는 밭작물을 거두어들였다.

****has** *has*
[hǽz 해즈]
타조 [《약》 həz 허즈; 《강》 hǽz 해즈] have(가지다)의 3인칭 단수 현재

She *has* a younger brother.
그녀는 남동생이 한 명 있다.
My father *has* just come home.
아버지는 방금 집에 돌아오셨다.

***has•n't** *hasn't*
[hǽznt 해즌트]
has not의 축약형

**haste** *haste*
[héist 헤이스트]
명 급함, 서두름
He wrote the letter with *haste*.
그는 급하게 편지를 썼다.
*Haste* makes waste.
《속담》 서두르면 일을 그르친다.
숙어 ***in haste*** 서둘러서, 급하게

**has•ten** *hasten*
[héisn 헤이슨]
t는 발음하지 않음.
타자 (3단현 **hastens** [héisnz 헤이슨즈], 과거 · 과분 **hastened** [héisnd 헤이슨드], 현분 **hastening** [héis(ə)niŋ 헤이서닝])
서두르다, 재촉하다
He *hastened* to the hospital.
그는 서둘러 병원으로 갔다.

***hat** *hat*
[hǽt 햇]
명 (복수 **hats** [hǽts 해츠]) 모자

Please put on〔take off〕your *hat*. 모자를 쓰시오〔벗으시오〕.
I like to wear a *hat*.
나는 모자 쓰기를 좋아한다.

**hate** *hate*
[héit 헤이트]
타 (3단현 **hates** [héits 헤이츠], 과거 · 과분 **hated** [héitid 헤이티드], 현분 **hating** [héitiŋ 헤이팅])
미워하다, 혐오하다, 싫어하다 (반 love 사랑하다)
They *hated* each other.
그들은 서로를 미워했다.

He *hates* going to the dentist's.
그는 치과에 가는 것을 싫어한다.

**⁂have** *have*
[hǽv 해브]
타 (3단현 **has** [hǽz 해즈], 과거 · 과분 **had** [hǽd 해드], 현분 **having** [hǽviŋ 해빙])
❶ 갖고 있다, 소유하고 있다
I *have* a book in my hand.
나는 손에 책 한 권을 갖고 있다.
Do you *have* any money with you? 너 돈 좀 가지고 있니?
✎ 대화체에서 have 대신에 have got을 쓰는 경우가 있음.
I *have* a new baseball glove.
나는 새 야구 글러브를 갖고 있다.

어법 영국에서는 **have**가 「가지고 있다, 소유하다」란 뜻일 때, 의문문 · 부정문에서 조동사 do를 쓰지 않고 *Have* you any money with you?라든가 I *have not* a new baseball glove.라고 하는 경우도 있다.

❷ …이다, …이 있다; (성질 · 특징을) 띠고 있다
A week *has* seven days.
일주일은 7일이다.
This room *has* three windows.
이 방에는 창문이 3개 있다.
She *has* blue eyes.
그녀는 푸른 눈을 하고 있다.
❸ 먹다, 마시다
I *have* breakfast at seven.
나는 일곱 시에 아침식사를 한다.
Will you *have* some coffee?
커피 좀 드시겠습니까?
❹ (수업 따위를) 받다
We didn't *have* lessons today.
오늘은 수업이 없었다.
❺ 경험하다, (어떤 일을) 겪다
We *had* a good time at the party. 우리는 파티에서 즐거운 시간을 보냈다.
She *had* a car accident.
그녀는 자동차 사고를 당했다.
❻ (병에) 걸리다

Jim *has* a bad cold.
짐은 심한 감기에 걸려 있다.

❼《동작을 나타내는 명사와 함께》 …하다, 행하다
*have* a bath 목욕하다
*have* a walk 산보하다

❽《부사 on과 함께》 입고 있다, 쓰고 있다, 신고 있다
He *had* a red hat *on*.
그는 빨간 모자를 쓰고 있었다.

❾《**have**+목적어(사물)+과거분사로》(물건을) …시키다, …하게 하다, 당하다
I *had* my car *washed*.
나는 자동차를 세차시켰다.
I *had* my photograph *taken* by him.
나는 그에게 내 사진을 찍게 했다.

❿《**have**+목적어(사람)+동사의 원형으로》(사람에게) …시키다, …하게 하다
I *had* him *carry* the baggage.
나는 그에게 짐을 운반하게 했다.

숙어 ***have only to*** …하기만 하면 된다
You *have only to* wait for him.
너는 그를 기다리기만 하면 된다.

***have to***+동사 원형 …하지 않으면 안 된다 (동 must)
You *have to* keep your promise.
너는 약속을 지키지 않으면 안 된다.

**어법** have to와 must
(1) **have to**는 must보다 구어적, 어감도 must보다 고압적이지 않아서 you를 주어로 할 때는 have to를 쓰는 편이 부드러운 느낌을 준다.
(2) **have to**의 부정형 · 의문형은 다음과 같다: You *do not have to* do it. 너는 그것을 할 필요가 없다 / *Do I have to* do it? 제가 그것을 해야 합니까?

— 조 [《약》 həb 허브; 《강》 hǽv 해브] ❶《**have**+과거분사로 현재완료형을 만들어》 ⓐ《완료》 …해 버렸다, 지금 막 …한 참이다
I *have* just *written* the letter.
나는 방금 편지를 다 썼다.

ⓑ《결과》 …해 버렸다 (그 결과 지금 …이다)
He *has gone* to America. 그는 미국에 가 버렸다《지금 여기에 없다》.
✎ have been to... (…에 간 적이 있다; …에 갔다 왔다)와 have gone to... (…에 가버렸다)의 차이점에 주의

A B C D E F G H I J K L M N O P Q R S T U V W X Y Z

ⓒ《계속》 …해 오고 있다, 죽 …이다
I *have lived* here for three years. 나는 여기에 3년간 살고 있다.
ⓓ《경험》 …한 적이 있다
I *have read* the book before. 나는 전에 그 책을 읽은 일이 있다.
She *has been* to Canada. 그녀는 캐나다에 간 적이 있다.
❷《**have been+~ing**로 현재완료진행형을 만들어》 죽 …해 오고 있다
He *has been* watch*ing* television for two hours. 그는 두 시간 동안 줄곧 텔레비전을 보고 있다.
숙어 ***have got*** 《구어》 갖고 있다

***have•n't** *haven't*
[hǽvnt 해븐트]
have not의 축약형

**Ha•wai•i** *Hawaii*
[həwɑ́ːi 허와-이]
명 하와이 《미국의 50번째 주》

**hawk** *hawk*
[hɔ́ːk 호-크]
명 (복수 **hawks** [hɔ́ːks 호-크스])
〖조류〗 매

*Hawks* can see small things in the distance. 매는 멀리서도 작은 물체를 볼 수 있다.

***hay** *hay*
[héi 헤이]
명 《a와 복수형 안 씀》 (소 · 말 따위 가축을 먹이는) 꼴, 건초

Make *hay* while the sun shines. 《속담》 해가 비치는 동안 건초를 만들어라 《기회를 놓치지 마라》.

****he** *he*
[《약》 (h)i 히, 이; 《강》 híː 히-]
대 (복수 **they** [ðéi 데이])
그는, 그가, 그 사람은 《3인칭 남성 단수 주격의 인칭대명사》 (반 she 그녀는)
"Who is that boy?" "*He* is Frank." 「저 소년은 누구냐?」「그는 프랭크이다.」

*He* is from America. 그는 미국 출신이다.
*He* is a doctor. 그는 의사이다.

he의 변화형

| 격 \ 수 | 단 수 | 복 수 |
|---|---|---|
| 주격 | he<br>그는[가] | they<br>그들은[이] |
| 소유격 | his<br>그의 | their<br>그들의 |
| 목적격 | him<br>그를[에게] | them<br>그들을[에게] |

## ⁑head *head*

[héd 헤드]

명 (복수 **heads** [hédz 헤즈])

❶ 머리

Alice has a ribbon on her *head*.
앨리스는 머리에 리본을 달고 있다.

❷ 두뇌, 지력

Jane has a good *head*.
제인은 머리가 좋다.

❸ 우두머리, 장; 수석

He is the *head* of our school.
그는 우리 학교의 교장이시다.
She is at the *head* of her class.
그녀는 학급에서 수석이다.

— 자 (3단현 **heads** [hédz 헤즈], 과거 · 과분 **headed** [hédid 헤디드], 현분 **heading** [hédiŋ 헤딩])

…으로 향하다

The ship *headed* toward the harbor. 그 배는 항구로 향했다.

## *head•ache *headache*

[hédèik 헤드에이크]

명 (복수 **headaches** [hédèiks 헤드에이크스]) 두통

I have a bad *headache*.
나는 심한 두통이 난다.

## head•light *headlight*

[hédlàit 헤들라이트]

명 (복수 **headlights** [hédlàits 헤들라이츠]) (차량의) 전조등, 헤드라이트 (반 taillight 꼬리 등)

Turn your *headlight* on.
전조등을 켜라.

## head•phone *headphone*

[hédfòun 헤드포운]

명 (복수 **headphones** [hédfòunz 헤드포운즈]) 《보통 복수형으로》 헤드폰, (머리에 쓰는) 수화기

Take off your *headphones*.
헤드폰을 벗어라.

## ⁑health *health*

[hélθ 헬스]

명 《a와 복수형 안 씀》 건강

He is in good *health*.
그는 건강하다.
*Health* is better than wealth.
《속담》 건강은 부보다 더 귀하다.
Fresh air is good for the *health*.
신선한 공기는 건강에 좋다.

**health•y** *healthy*
[hélθi 헬시]
형 (비교급 **healthier** [hélθiər 헬시어], 최상급 **healthiest** [hélθiist 헬시이스트])
건강한; 건강에 좋은
He is a very *healthy* boy.
그는 매우 건강한 소년이다.
Swimming is a *healthy* sport.
수영은 건강에 좋은 운동이다.

**heap** *heap*
[híːp 히-프]
명 (복수 **heaps** [híːps 히-프스])
더미, 퇴적; 다수, 다량
a *heap* of vegetables 야채 더미

He has got *heaps* of money.
그는 돈을 잔뜩 가지고 있다.

**⁑hear** *hear*
[híər 히어]
타자 (3단현 **hears** [híərz 히어즈], 과거 · 과분 **heard** [hə́ːrd 허-드], 현분 **hearing** [hí(ə)riŋ 히(어)링])
❶ 듣다; 들리다
I *hear* a noise in the kitchen.
부엌에서 소리가 나는 것이 들린다.
My grandma cannot *hear* well.
할머니께서는 잘 듣지 못하신다.

어법 hear와 listen
**hear**는 「자연히 들려오다」, **listen**은 「일부러 듣다」의 의미로 쓰임:
Mary is singing. Let's *listen*.
메리가 노래 부르고 있다. 들어 보자.

❷ 《**hear**+목적어(사람)+**~ing**로》 …이 ~하(고 있)는 것을 듣다
I *hear* her play*ing* the piano.
그녀가 피아노 치는 것이 들린다.
❸ 《**hear**+목적어(사물)+동사의 원형으로》 …이 ~하는 것을 듣다
I *heard* the telephone *ring*.
나는 전화가 울리는 것을 들었다.
숙어 ***hear about*** …에 관해 듣다
I've often *heard about* you from Mary. 메리에게서 종종 당신에 관한 얘기를 들었습니다.
***hear from*** …으로부터 소식을 듣다
Have you *heard from* him since?
그 후 그에게서 소식이 있었습니까?
***hear of*** …의 소식을 듣다

Have you ever *heard of* Mr. Clark? 클라크 씨 소식을 들은 적이 있습니까?

***I hear (that)...*** …이라고 한다

***heard** *heard*

[hə́ːrd 허-드]

타자 hear(듣다)의 과거 · 과거분사

**hear•ing** *hearing*

[hí(ə)riŋ 히(어)링]

명 (주의해서) 듣기; 청각, 청취력

a *hearing* test 듣기 시험

****heart** *heart*

[hɑ́ːrt 하-트]

명 (복수 **hearts** [hɑ́ːrts 하-츠])

❶ 심장; 가슴; 정, 마음

His *heart* was beating fast. 그의 심장은 빨리 뛰고 있었다.

❷ 중심, 중심부; 한가운데

The building is in the *heart* of the city. 그 건물은 시 중심부에 있다.

❸ (트럼프의) 하트

숙어 ***at heart*** 마음으로는, 내심은

***from one's heart*** 진심으로

***learn ... by heart*** 암기하다, 외우다

*Learn* this poem *by heart*. 이 시를 외우시오.

***heat** *heat*

[híːt 히-트]

명 《a와 복수형 안 씀》 열, 고온; 더위

The sun gives us *heat* and light. 태양은 열과 빛을 준다.

—타 (3단현 **heats** [híːts 히-츠], 과거 · 과분 **heated** [híːtid 히-티드], 현분 **heating** [híːtiŋ 히-팅]) 가열하다; 데우다

Let's *heat* up some soup for lunch. 점심에 먹을 수프를 데우자.

**heat•er** *heater*

[híːtər 히-터]

명 (복수 **heaters** [híːtərz 히-터즈]) 가열 장치, 히터

***heav•en** *heaven*

[hévən 헤번]

명 (복수 **heavens** [hévənz 헤번즈]) ❶ 《보통 복수형으로》 하늘, 창공 (동 sky)

The stars shone in the *heavens*. 하늘에는 별들이 빛났다.

❷ 천국, 낙원 (반 hell 지옥)
He is in *heaven*.
그는 죽어서 하늘나라에 있다.
❸ 《Heaven으로》 신, 하나님 (동 God)
*Heaven* helps those who help themselves. 《속담》 하늘은 스스로 돕는 자를 돕는다.
숙어 ***Good Heavens!*** 어머나!

**heav•i•ly** *heavily*
[hévili 헤빌리]
부 무겁게, 육중하게; 심하게 (동 hard)
It is raining *heavily*.
비가 심하게 퍼붓고 있다.

**heav•y** *heavy*
[hévi 헤비]
형 (비교급 **heavier** [héviər 헤비어], 최상급 **heaviest** [héviist 헤비이스트])
❶ 무거운 (반 light 가벼운)
He is carrying a *heavy* bag.
그는 무거운 가방을 운반하고 있다.

❷ 심한, 지독한; 대량의
*heavy* rain 폭우
He is a *heavy* drinker. 그는 술을 너무 많이 마시는 사람이다.

**he'd** *he'd*
[hí:d 히-드]
he had, he would의 축약형

**hedge** *hedge*
[hédʒ 헤지]
명 (복수 **hedges** [hédʒiz 헤지즈])
생울타리, 산울타리
There is a *hedge* around the park. 그 공원의 둘레에는 생울타리가 있다.

**heel** *heel*
[hí:l 힐-]
명 (복수 **heels** [hí:lz 힐-즈])
뒤꿈치; (신발 · 양말의) 뒤축
I have *heels* on my shoes.
내 신발에는 뒤축이 달려 있다.

**height** *height*
[háit 하이트]
명 (복수 **heights** [háits 하이츠])
❶ 《a와 복수형 안 씀》 높이, 고도; 키

What is the *height* of that building?
저 건물의 높이는 얼마입니까?
I am 152 centimeters in *height*.
내 키는 152센티미터입니다.
❷ 《복수형으로》 높은 곳, 고지, 언덕
I am afraid of *heights*.
나는 높은 곳을 무서워한다.

***held** *held*
[héld 헬드]
타자 hold(들다)의 과거 · 과거분사

**hel•i•cop•ter** *helicopter*
[hélikɑ̀ptər 헬리캅터]
명 (복수 **helicopters** [hélikɑ̀ptərz 헬리캅터즈]) 헬리콥터

**hell** *hell*
[hél 헬]
명 (복수 **hells** [hélz 헬즈])
❶ 저승, 지옥 (반 heaven 천국)
❷ 도대체, 빌어먹을 《저주의 말 · 욕설》

**he'll** *he'll*
[híːl 힐-]
he will, he shall의 축약형

**⁑hel·lo** *hello*
[həlóu 헐로우]
감 ❶ 어이, 여어, 안녕 《친한 사이의 가벼운 인사말》
*Hello*, Nancy. How are you?
안녕, 낸시. 어떻게 지내니?
❷ (전화에서) 여보세요

*Hello*, is this Mr. James? This is Jane speaking. 여보세요, 제임스 씨입니까? 제인입니다.
—명 (복수 **hellos** [həlóuz 헐로우즈]) (여어, 안녕 따위의) 인사(말)
숙어 ***Say hello to*** …에게 안부 전해주세요.
*Say hello to* your mother.
어머니께 안부 전해 주세요.

***hel•met** *helmet*
[hélmit 헬밋]
명 (복수 **helmets** [hélmits 헬미츠]) 헬멧, 철모, 소방모

They wear *helmets* to protect their heads. 그들은 머리를 보호하기 위해 헬멧을 쓴다.

**⁑help** *help*
[hélp 헬프]
타 (3단현 **helps** [hélps 헬프스], 과거 · 과분 **helped** [hélpt 헬프트], 현분 **helping** [hélpiŋ 헬핑])
❶ 돕다, 도와주다; 거들다
We must *help* each other.
우리는 서로 도와야 한다.
❷ 《**help**+사람+**with**로》 (사람)의 …을 돕다〔거들다〕
I *helped* him *with* his homework.
나는 그의 숙제를 거들어 주었다.
❸ 《**help**+사람+동사원형〔**to** do〕으로》 (사람)이 …하는 것을 돕다〔거들다〕

a b c d e f g h i j k l m n o p q r s t u v w x y z

A B C D E F G H I J K L M N O P Q R S T U V W X Y Z

I *helped* my father *wash* the car. 나는 아버지가 세차하는 것을 도와 드렸다.

—㉮ 돕다, 거들다
That won't *help* much.
그것은 별 도움이 안 될 것 같다.
[숙어] ***cannot help ~ing*** …하지 않을 수 없다
I *cannot help* go*ing* there.
나는 거기에 가지 않을 수 없다.
***help oneself*** (***to***) (음식물을) 마음대로 먹다, 어서 드십시오.
Please *help yourself to* the sandwiches.
샌드위치를 마음대로 드세요.
***May*** [***Can***] ***I help you?*** (무엇을) 도와 드릴까요? 《점원이 손님에게》
—㉯ (복수 **helps** [hélps 헬프스])
❶ 《a와 복수형 안 씀》 도움, 원조
She cried for *help*.
그녀는 도와 달라고 소리쳤다.
❷ 도움이 되는 것[사람]
You were a great *help* to me.
당신은 저에게 큰 도움이 됐습니다.

**help·ful** *helpful*
[hélpfəl 헬프펄]
형 (비교급 **more helpful**, 최상급 **most helpful**)
도움이 되는; 쓸모 있는
Your advice is always *helpful* to me. 당신의 충고는 저에게 항상 도움이 됩니다.

**help·less** *helpless*
[hélpləs 헬플러스]
형 어쩔 수 없는; 무력한
The drunken man lay *helpless*.
주정뱅이는 무기력하게 누워 있었다.

***hen** *hen*
[hén 헨]
명 (복수 **hens** [hénz 헨즈])
암탉 (반 cock, rooster 수탉)

Our *hens* laid many eggs this week. 우리 집 암탉들은 이번 주에 달걀을 많이 낳았다.

****her** *her*
[《약》 (h)ər 허, 어; 《강》 hə́ːr 허-]
대 ❶ 《she의 소유격》 그녀의
"What's *her* name?" "*Her* name is Jane." 「그녀의 이름은 뭡니까?」 「그녀의 이름은 제인입니다.」
❷ 《she의 목적격》 그녀를, 그녀에게
I know *her* very well.
나는 그녀를 잘 안다.
I gave *her* a pen.
나는 그녀에게 펜을 주었다.

****here** *here*
[híər 히어]
부 ❶ 여기에, 여기에서, 여기로 (관 there 거기에)

Please come *here*. 이리 오세요.
*Here* or to go? 여기서 드시겠습니까? (아니면) 가져가 드시겠습니까?

❷ (상대방의 주의를 끌기 위해) 자아, 봐라
*Here* comes the bus.
봐라, 버스가 온다.

숙어 ***here and there*** 여기저기에
Birds are singing *here and there*. 여기저기서 새들이 지저귄다.

***Here I am.*** 다녀왔습니다; 저 여기 있습니다.

***Here it is.*** 자 여기 있습니다 《물건을 남에게 내놓을 때》.

***Here, sir* [*ma'am*]*!*** 예, 출석했습니다 《출석부를 부를 때의 대답》.

***Here we are.*** 자 왔다 《목적지에 도착했을 때》.

***Here you are!*** 자 받으세요! 《물건을 건네주면서》

**here•af•ter** *hereafter*
[hiərǽftər 히어래프터]
부 지금부터는, 장차, 이후, 금후
Don't come here *hereafter*.
앞으로는 여기에 오지 말아라.

*__he•ro__ *hero*
[híːrou 히-로우]
명 (복수 **heroes** [híːrouz 히-로우즈]) 영웅, 위인 (반 heroine 여걸); (소설 · 극의) 남자 주인공
They are national *heroes* in the United States.
그들은 미국의 국민적 영웅들이다.

**her•o•ine** *heroine*
[hérouin 헤로우인]
명 (복수 **heroines** [hérouinz 헤로우인즈]) 여걸, 여장부 (반 hero 영웅); (소설 · 극의) 여주인공
She was a popular French *heroine*.
그녀는 프랑스의 유명한 여걸이었다.

⁑**hers** *hers*
[hə́ːrz 허-즈]
대 (복수 **theirs** [ðέərz 데어즈]) 《she의 소유대명사》 그녀의 것
This book is *hers*, not his. 이 책은 그의 것이 아니라 그녀의 것이다.

⁑**her•self** *herself*
[(h)ərsélf 허셀프, 어셀프]
대 (복수 **themselves** [ðəmsélvz 덤셀브즈])
❶ 《재귀 용법》 그녀 자신을[에게]
She dressed *herself* in white.
그녀는 흰색 옷을 입었다.
❷ 《강조 용법》 그녀 자신, 스스로
My mother made the cake *herself* for my birthday.
어머니는 내 생일을 위해 손수 케이크를 만드셨다.

**he's** *he's*
[híːz 히-즈]
he is, he has의 축약형

**hes•i•tate** *hesitate*
[hézətèit 헤저테이트]
자 (3단현 **hesitates** [hézətèits 헤저테이츠], 과거 · 과분 **hesitated** [hézətèitid 헤저테이티드], 현분 **hesitating** [hézətèitiŋ 헤저테이팅])
망설이다, 주저하다
She *hesitated* before crossing the road.
그녀는 길을 건너기 전에 망설였다.

**hi** *hi*
[hái 하이]
감 안녕!, 여어!, 야아!
*Hi*! Tom. How are you?
여어! 톰. 어떻게 지내니?

*__hid__ *hid*
[híd 히드]
타자 hide(숨기다)의 과거 · 과거분사

*__hid•den__ *hidden*
[hídn 히든]
타자 hide(숨기다)의 과거분사
—형 숨겨진, 비밀의
They found the *hidden* treasure. 그들은 숨겨진 보물을 찾았다.

*__hide__ *hide*
[háid 하이드]
타자 (3단현 **hides** [háidz 하이즈], 과거형 **hid** [híd 히드], 과분 **hidden** [hídn 히든], 또는 **hid** [híd 히드], 현분 **hiding** [háidiŋ 하이딩])
감추다, 가리다; 숨기다, 숨다
Where did you *hide* the money? 돈을 어디에 숨겼지?
He *hid* his feelings.
그는 자기 감정을 숨겼다.
The cat is *hiding* under the bed. 고양이는 침대 밑에 숨어 있다.

**hide-and-seek**
*hide-and-seek*
[háidnsíːk 하이든시-크]
명 《a와 복수형 안 씀》 숨바꼭질
Let's play *hide-and-seek*.
우리 숨바꼭질하자.

**high** *high*
[hái 하이]
형 부 (비교급 **higher** [háiər 하이어], 최상급 **highest** [háiist 하이이스트])
❶ 높은, 높은 곳에 있는
How *high* is the building?
저 건물의 높이는 얼마입니까?

❷ 신분이 높은, 고귀한
He is a man of *high* birth.
그는 신분이 높은 사람이다.
❸ (정도가) 높은, 고도의; 값비싼
He was driving at a *high* speed.
그는 고속으로 차를 몰고 있었다.
The price of beef in Korea is too *high*.
한국에서 쇠고깃값은 너무 비싸다.
— 부 높이, 높게
The plane was flying *high*.
비행기는 높이 날고 있었다.

**high•ly** *highly*
[háili 하일리]
부 높게; 매우, 대단히
We all speak *highly* of her.
우리 모두는 그녀를 높이 칭찬한다.

**high school** *high school*
[hái-skù:l 하이스쿨–]
명 (복수 **high schools** [hái-skù:lz 하이스쿨–즈]) 《미》 고등학교

참고 미국은 주마다 조금씩 다르지만 일반적으로 a junior high school은 중학교, a senior high school은 고등학교를 일컫는다. 그러나 영국에는 이런 제도가 없다.

**high•way** *highway*
[háiwèi 하이웨이]
명 (복수 **highways** [háiwèiz 하이웨이즈]) 주요 도로; 간선 도로

**hike** *hike*
[háik 하이크]
명 (복수 **hikes** [háiks 하이크스]) 하이킹, 도보 여행
Let's go on a *hike* in the woods.
숲 속으로 하이킹 가자.

— 자 (3단현 **hikes** [háiks 하이크스], 과거 · 과분 **hiked** [háikt 하이크트], 현분 **hiking** [háikiŋ 하이킹])

하이킹 가다, 도보 여행하다

***hik•ing** *hiking*
[háikiŋ 하이킹]
명 (복수 **hikings** [háikiŋz 하이킹즈]) 하이킹, 도보 여행
I often go *hiking* at the weekend. 나는 주말에 종종 하이킹 간다.

**⁑hill** *hill*
[híl 힐]
명 (복수 **hills** [hílz 힐즈])
언덕, 구릉, 작은 동산 《영국에서는 700m 이하를 hill이라 하고, 그 이상을 mountain이라고 함》
We climbed a *hill*.
우리는 언덕을 올라갔다.

**hill•side** *hillside*
[hílsàid 힐사이드]
명 (복수 **hillsides** [hílsàidz 힐사이즈]) 언덕의 중턱

**hill•top** *hilltop*
[híltàp 힐탑]
명 (복수 **hilltops** [híltàps 힐탑스]) 언덕 꼭대기

**⁑him** *him*
[《약》 (h)im 힘, 임; 《강》 hím 힘]
대 (복수 **them** [ðém 뎀])
《he의 목적격》 그를, 그에게
I sometimes visit *him*.
나는 가끔 그를 방문한다.
Judy showed *him* her album.
주디는 그에게 앨범을 보여 주었다.

**⁑him•self** *himself*
[(h)imsélf 힘셀프, 임셀프]
대 (복수 **themselves** [ðəmsélvz 덤셀브즈])
❶ 《재귀 용법》 그 자신을〔에게〕
He hid *himself* behind the curtain. 그는 커튼 뒤에 숨었다.
❷ 《강조 용법》 그 자신, 스스로
He *himself* said so.
그 자신이 그렇게 말했다.

**hind** *hind*
[háind 하인드]
형 뒤쪽의, 뒤의; 후의, 후방의
the *hind* legs of a horse
말의 뒷다리

**hint** *hint*
[hínt 힌트]
명 (복수 **hints** [hínts 힌츠])
힌트, 암시
Will you give me a *hint*?
힌트를 주시겠습니까?

**hip** *hip*
[híp 힙]
명 (복수 **hips** [híps 힙스])

엉덩이, 히프
She stood waiting with her hands on her *hips*.
그녀는 엉덩이에 두 손을 짚고 기다리며 서 있었다.

**hire** *hire*
[háiər 하이어]
타 (3단현 **hires** [háiərz 하이어즈], 과거 · 과분 **hired** [háiərd 하이어드], 현분 **hiring** [hái(ə)riŋ 하이(어)링])
❶ (사람을) 고용하다 (동 employ)
He *hired* a new cook.
그는 새 요리사를 고용했다.

❷ (물건을) 세내다, 임대하다
They *hired* a car for a few weeks. 그들은 몇 주일 동안 승용차를 임대했다.

**⁑his** *his*
[《약》 (h)iz 히즈, 이즈; 《강》 híz 히즈]
대 (복수 **their** [ðέər 데어])
❶ 《he의 소유격》 그의
I know *his* father well.
나는 그의 아버지를 잘 안다.
❷ (복수 **theirs** [ðέərz 데어즈]) 《he의 소유대명사》 그의 것
My hat is red, and *his* is brown. 내 모자는 빨간색이고, 그의 모자는 갈색이다.

**his·tor·i·cal** *historical*
[histɔ́:rikəl 히스토-리컬]
형 역사의, 역사적인, 역사에 관한
Do you like *historical* novels?
당신은 역사 소설을 좋아합니까?

**⁑his·to·ry** *history*
[hístəri 히스터리]
명 (복수 **histories** [hístəriz 히스터리즈]) ❶ 《a와 복수형 안 씀》 역사
*History* is my favorite subject.
역사는 내가 좋아하는 과목이다.
❷ 내력, 유래; 경력

***hit** *hit*
[hít 힛]
타자 (3단현 **hits** [híts 히츠], 과거 · 과분 **hit** [hít 힛], 현분 **hitting** [hítiŋ 히팅])
❶ 치다, 때리다; 맞히다, 명중시키다
He *hit* the ball with the bat.
그는 배트로 공을 쳤다.

His arrow *hit* the apple.
그의 화살은 사과를 명중시켰다.
❷ 부딪히다, 충돌하다
The truck *hit* against the wall.
그 트럭은 벽에 충돌했다.
숙어 ***hit on*** 〔***upon***〕 문득 생각이 떠오르다
I *hit upon* a good idea.
나는 좋은 생각이 떠올랐다.
—명 (복수 **hits** [híts 히츠])
❶ 타격; 명중
She gave him a *hit* on the head.
그녀는 그의 머리를 쳤다.

❷ 대성공, 히트
The film 'Titanic' was a big *hit*.
영화 「타이타닉」은 큰 히트를 쳤다.

**hive** *hive*
[háiv 하이브]
명 (복수 **hives** [háivz 하이브즈])
벌집, 벌통

**ho** *ho*
[hou 호우]
감 야!, 저런! 《주의를 끌거나 놀람, 기쁨을 나타내는 소리》

***hob•by** *hobby*
[hábi 하비]
명 (복수 **hobbies** [hábiz 하비즈])
취미
What is your *hobby*?
너의 취미는 무엇이냐?
Playing the guitar is one of my *hobbies*. 기타 연주가 내 취미다.

**hock•ey** *hockey*
[háki 하키]
명 〖스포츠〗 하키

Our school is famous for its *hockey* team.
우리 학교는 하키 팀으로 유명하다.

**hoe** *hoe*
[hóu 호우]
명 (복수 **hoes** [hóuz 호우즈])
괭이《흙을 일구거나 잡초를 제거하는 데 쓰이는 농기구》
He is digging the garden with a *hoe*. 그는 괭이로 정원을 파고 있다.

**‡hold** *hold*
[hóuld 호울드]
타자 (3단현 **holds** [hóuldz 호울즈], 과거 · 과분 **held** [héld 헬드], 현분 **holding** [hóuldiŋ 호울딩])
❶ (손에) 들다, 붙잡다
He *held* me by the arm.
그는 내 팔을 붙잡았다.

❷ 멈추다, 억누르다; 참다
A diver needs to *hold* his breath for a long time.
잠수하는 사람은 오랜 시간 숨을 참아야 할 필요가 있다.
❸ (어떤 상태로) 두다, 지속시키다
Please *hold* the door open.
문을 열어 놓은 채로 두세요.
❹ 담다, 수용하다 (동 contain)
The bus can *hold* sixty people.
그 버스는 60명을 태울 수 있다.
❺ 개최하다, 열다
A dinner party was *held* for him. 그를 위해 디너파티가 열렸다.
숙어 ***hold back*** 억누르다, 제지하다
***hold on*** 계속하다, 버티다
*Hold on* a minute, please.
(전화에서) 끊지 말고 잠깐만 기다리세요.
***hold out*** 내밀다
We *held out* our hand with the palm down. 우리는 손바닥을 아래로 하고 손을 내밀었다.
***hold up*** 올리다, 들어올리다
He *held up* his hand to stop a taxi.
그는 택시를 세우려고 손을 들었다.

***hole** *hole*
[hóul 호울]
명 (복수 **holes** [hóulz 호울즈])
구멍, 구덩이
There is a *hole* in my trousers.
내 바지에 구멍이 뚫려 있다.

The road was full of *holes*.
길은 구덩이 투성이었다.

**‡hol•i•day** *holiday*
[hάlədèi 할러데이]
명 (복수 **holidays** [hάlədèiz 할러데이즈]) ❶ 휴일; 축제일
We spent our *holiday* at the seashore.
우리는 휴일을 해변에서 보냈다.

New Year's Day is a national *holiday*. 설날은 국경일이다.

A B C D E F G H I J K L M N O P Q R S T U V W X Y Z

❷ 《복수형으로》 휴가 (㊍ vacation)
I had a good time during the summer *holidays*. 나는 여름 휴가 동안 즐거운 시간을 가졌다.

**참고 미국의 국경일**

New Year's Day 설날(1월 1일)
Washington's Birthday 워싱턴 탄생 기념일(2월 셋째 월요일)
Memorial Day 전몰장병기념일(5월의 마지막 월요일)
Independence Day 독립기념일(7월 4일)
Labor Day 노동절(9월의 첫째 월요일)
Columbus Day 콜럼버스데이(10월의 둘째 월요일)
Veterans Day 재향군인의 날(10월 넷째 월요일)
Thanksgiving Day 추수감사절(11월의 넷째 목요일)
Christmas Day 성탄절(12월 25일)

**hol•low** *hollow*
[hɑ́lou 할로우]
형 (비교급 **hollower** [hɑ́louər 할로우어], 최상급 **hollowest** [hɑ́louist 할로우이스트])
속이 빈; 우묵한, 푹 꺼진
a *hollow* tree 속이 비어 있는 나무

She has *hollow* eyes. 그녀는 (여위어서) 두 눈이 푹 꺼져 있다.

**ho•ly** *holy*
[hóuli 호울리]
형 (비교급 **holier** [hóuliər 호울리어], 최상급 **holiest** [hóuliist 호울리이스트])
신성한; 성스러운
The nun led a *holy* life.
그 수녀는 성스러운 삶을 보냈다.

**⁑home** *home*
[hóum 호움]
명 (복수 **homes** [hóumz 호움즈])
❶ 집, 자택; 가정
I invited the children to my *home*. 아이들을 집으로 초대했다.
There is no place like *home*.
《속담》 가정만한 곳은 아무데도 없다.

**참고 home과 house**

**home**은 가족과 함께 편안히 지내는 장소로서의 「가정」을 가리키고, **house**는 건물로서의 「가옥」을 가리킨다. 단 미국에서는 「(현재 사람이 살고 있는) 주택」의 뜻으로 home을 사용하기도 한다.

❷ 고향, 고국
He left *home* when he was fifteen.

그는 열다섯 살 때 고향을 떠났다.

숙어 ***at home*** 집에(서); 편히

I stayed *at home* all day.
나는 온종일 집에 머물렀다.

Make yourself *at home*.
아무쪼록 편히 하십시오.

—형 가정의; 고향의; 국내의

Boston is my *home* town.
보스턴은 내가 태어난 고장이다.

—부 자기 집에; 고향[본국]으로

He came *home* at seven.
그는 7시에 집에 돌아왔다.

We are going *home* this summer. 우리는 이번 여름에 귀향합니다.

숙어 ***on one's way home*** 귀가 중

I met my uncle *on my way home* from school. 학교에서 집에 돌아오는 중에 아저씨를 만났다.

**home•land** *homeland*
[hóumlæ̀nd 호움랜드]
명 (복수 **homelands** [hóumlæ̀ndz 호움랜즈]) 고국, 모국

**home•made** *homemade*
[hóumméid 호움메이드]
형 집에서 만든; 국산의

Are these cookies *homemade*?
이 쿠키는 집에서 만든 것이냐?

**hom•er** *homer*
[hóumər 호우머]
명 (복수 **homers** [hóumərz 호우머즈]) 《구어》 홈런 (동 home run)

**home•room** *homeroom*
[hóumrù(ː)m 호움룸(-)]
명 (복수 **homerooms** [hóumrù(ː)mz 호움룸(-)즈])
홈룸; 홈룸 교실 《지도교사가 생활 지도 따위를 하는 학급 전체 모임》

**home•sick** *homesick*
[hóumsìk 호움식]
형 집을 그리워하는, 향수에 젖은

She got *homesick*.
그녀는 집을 그리워했다.

***home•work** *homework*
[hóumwə̀ːrk 호움워-크]
명 《a와 복수형 안 씀》 숙제

Have you done your *homework*? 숙제는 다 마쳤니?

*hon•est *honest*
[ɑ́nist 아니스트]
형 ❶ 정직한, 성실한 (반 dishonest 부정직한)
He is an *honest* boy.
그는 정직한 소년이다.
❷ 솔직한, 숨김없는
an *honest* opinion 솔직한 의견

hon•es•ty *honesty*
[ɑ́nisti 아니스티]
명 《an과 복수형 안 씀》 정직, 성실
*Honesty* is the best policy.
《속담》 정직이 최선의 방책이다.

hon•ey *honey*
[hʌ́ni 허니]
명 (복수 **honeys** [hʌ́niz 허니즈])
❶ 《a와 복수형 안 씀》 벌꿀, 꿀
Bees gather *honey* from flowers. 벌들은 꽃에서 꿀을 모은다.

❷ 《구어》 여보, 당신 (동 darling) 《보통 부부 · 애인 사이의 호칭》

*hon•o(u)r *hono(u)r*
[ɑ́nər 아너]
명 (복수 **hono(u)rs** [ɑ́nərz 아너즈])
❶ 명예, 영예; 자랑거리
She is an *honor* to her family.
그녀는 가문의 자랑거리이다.
❷ 존경, 경의 (동 respect)
People paid *honor* to the hero.
사람들은 그 영웅에게 경의를 표했다.
❸ 《복수형으로》 우등
She graduated from the university with *honors*. 그녀는 그 대학을 우등으로 졸업했다.

숙어 ***in honor of*** …의 기념으로, …을 위하여

hon•o(u)r•a•ble
*hono(u)rable*
[ɑ́n(ə)rəbl 아너러블]
형 존경할 만한, 훌륭한, 고귀한
He is an *honorable* gentleman.
그는 존경할 만한 신사이다.

hood *hood*
[hú:d 후–드]
명 (복수 **hoods** [hú:dz 후–즈])
❶ 후드, 두건 (모양의 모자)
❷ (자동차 엔진 따위의) 덮개(동 《영》 bonnet)

hook *hook*
[húk 훅]
명 (복수 **hooks** [húks 훅스])
갈고리, 후크; 낚싯바늘
Hang your coat on the *hook*.
당신 코트를 옷걸이에 거시오.
A fish *hook* has a sharp point at the end.
낚싯바늘은 끝이 날카롭다.
— 자 타 (3단현 **hooks** [húks 훅

스], 과거 · 과분 **hooked** [húkt 훅트], 현분 **hooking** [húkiŋ 후킹])
(옷을) 후크로 잠그다; (물고기를) 낚다
She *hooked* her dress up.
그녀는 옷의 후크를 채웠다.

## *hop *hop*

[hάp 합]
자 (3단현 **hops** [hάps 합스], 과거 · 과분 **hopped** [hάpt 합트], 현분 **hopping** [hάpiŋ 하핑])
(한발로) 뛰다, 깡총 뛰다
She *hopped* on the leg.
그녀는 한 발로 뛰었다.

—명 (복수 **hops** [hάps 합스])
한 발로 뛰기, 도약
숙어 ***the hop, step, and jump***
〚스포츠〛 3단 뛰기

## **hope *hope*

[hóup 호우프]
타자 (3단현 **hopes** [hóups 호우프스], 과거 · 과분 **hoped** [hóupt 호우프트], 현분 **hoping** [hóupiŋ 호우핑])
❶ 바라다, 희망하다, 기대하다
I *hope* to see you again.
다시 만나 뵙기를 바랍니다.
❷ 《**I hope** (**that**)로》 …라고 생각하다, …라면 좋겠다고 생각하다
I *hope* (*that*) you will pass the exam. 너는 시험에 합격할 거라고 생각한다.

"Will he succeed?"
"I *hope* so."
「그가 성공할까요?」
「그렇게 되기를 바랍니다.」
—명 (복수 **hopes** [hóups 호우프스]) ❶ 《a와 복수형 안 씀》 희망; 기대 (반 despair 실망); 가망
There is no *hope* of his recovering. 그가 회복될 가망은 없다.
❷ 희망을 주는 것, 호프
He is the *hope* of our swimming club.
그는 우리 수영 클럽의 호프이다.

## hope•ful *hopeful*

[hóupfəl 호우프펄]
형 희망에 찬, 희망을 품고 있는
I am *hopeful* about the future.
나는 장래에 대해 희망을 품고 있다.

## hope•less *hopeless*

[hóupləs 호우플러스]
형 희망을 잃은, 절망적인; 단념한
He is *hopeless* of success.
그는 성공을 단념하고 있다.

## ho•ri•zon *horizon*

[həráizn 허라이즌]
명 (복수 **horizons** [həráiznz 허라

이즌즈]) 수평선, 지평선
The sun is going down below the *horizon*.
해는 수평선으로 지고 있다.

**horn** *horn*
[hɔ́ːrn 혼-]
명 (복수 **horns** [hɔ́ːrnz 혼-즈])
❶ (소 · 양 따위의) 뿔; 뿔로 만든 제품
the *horns* of a goat 염소뿔

❷ (자동차의) 경적; 〖악기〗 호른

**hor•ror** *horror*
[hɔ́(ː)rər 호(-)러]
명 《a와 복수형 안 씀》 공포; 혐오
He cried out in *horror*.
그는 공포에 질려 비명을 질렀다.

⁑**horse** *horse*
[hɔ́ːrs 호-스]
명 (복수 **horses** [hɔ́ːrsiz 호-시즈]) 〖동물〗 말

I'm learning to ride a *horse*.
나는 승마를 배우고 있다.

**horse•man** *horseman*
[hɔ́ːrsmən 호-스먼]
명 (복수 **horsemen** [hɔ́ːrsmən 호-스먼]) 승마자, 기수
He was a good *horseman*.
그는 훌륭한 기수였다.

**horse rac•ing** *horse racing*
[hɔ́ːrs réisiŋ 호-스레이싱]
명 경마

**hose** *hose*
[hóuz 호우즈]
명 《단수 · 복수 동형》 (수도의) 호스

⁑**hos•pi•tal** *hospital*
[hάspitl 하스피틀]
명 (복수 **hospitals** [hάspitlz 하스피틀즈]) 병원

She is now in (the) *hospital.* 그녀는 지금 입원 중이다.
He will soon be out of (the) *hospital.* 그는 곧 퇴원할 것이다.

**host** *host*
[hóust 호우스트]
명 (복수 **hosts** [hóusts 호우스츠]) (손님을 접대하는) 주인 (반 guest 손님, 관 hostess 여주인)

**host•ess** *hostess*
[hóustəs 호우스터스]
명 (복수 **hostesses** [hóustəsiz 호우스터시즈]) (손님을 접대하는) 여주인

Miss White acted as *hostess* to her father's friends. 화이트 양은 아버지 친구들을 접대하는 여주인역을 했다.

## Hospital 병원

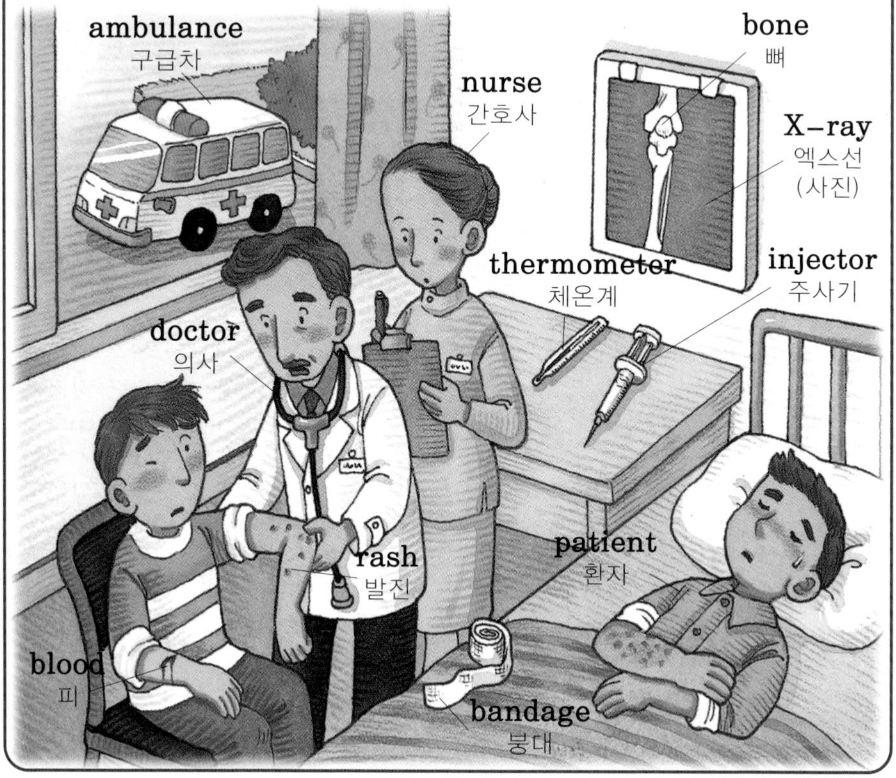

**ambulance** 구급차
**nurse** 간호사
**bone** 뼈
**X-ray** 엑스선(사진)
**thermometer** 체온계
**injector** 주사기
**doctor** 의사
**rash** 발진
**patient** 환자
**blood** 피
**bandage** 붕대

a b c d e f g h i j k l m n o p q r s t u v w x y z

A B C D E F G **H** I J K L M N O P Q R S T U V W X Y Z

**⁂hot** *hot*
[hát 핫]
형 (비교급 **hotter** [hátər 하터], 최상급 **hottest** [hátist 하티스트])
❶ 뜨거운; 더운 (㉯ cold 찬, 추운)
This soup is too *hot* to eat. 이 수프는 너무 뜨거워서 먹기 힘들다.
It was very *hot* yesterday.
어제는 몹시 더웠다.

❷ (맛이) 얼얼한, 매운
The chilli sauce is very *hot*.
칠리 소스는 아주 맵다.

**⁂ho•tel** *hotel*
[houtél 호우텔]
명 (복수 **hotels** [houtélz 호우텔즈])
호텔, 여관

We stayed at a *hotel* in Paris.
우리는 파리에서 호텔에 묵었다.

참고 (1) 호텔 프런트에서 입실 절차를 밟는 것을 **check in**, 퇴실 절차를 밟는 것을 **check out**이라고 한다.
(2) 방에 설치된 침대의 형태에 따라 대개 **single room**(1인용 침대실), **twin room**(1인용 침대 2개 놓인 방), **double room**(더블베드가 놓인 방)으로 구분한다.

**⁂hour** *hour*
[áuər 아우어]
명 (복수 **hours** [áuərz 아우어즈])
❶ (길이로서 본) 시간 (㉲ minute 분, second 초)
Please come back in an *hour*.
한 시간 내에 돌아오너라.
I waited for him for two *hours*.
나는 그를 두 시간 동안 기다렸다.

어법 「…시」라는 시각을 나타낼 때는 **o'clock**를 쓴다. 단 시간을 24시간제로 표시할 때는 **hour**를 쓴다: It is two o'clock. 2시입니다 / 14:00(오후 2시)《fourteen hundred hours라고 읽음》.

❷ 시각; (근무 · 수업 따위의) 시간
He came to see me at a late *hour*.
그는 늦은 시각에 나를 만나러 왔다.
School *hours* are from eight till four. 학교 수업 시간은 8시에

서 4시까지이다.

숙어 ***by the hour*** 시간제로

We hired a boat *by the hour*.
우리는 시간제로 보트를 빌렸다.

***for hours*** 여러 시간 동안

They discussed *for hours*.
그들은 여러 시간 동안 의논했다.

***keep early hours*** 일찍 자고 일찍 일어나다

## **house** *house*

[háus 하우스]

명 (복수 **houses** [háuziz 하우지즈])
❶ 집, 주택, 가옥 (㊎ home 가정)

They live in a big *house*.
그들은 큰 집에서 산다.

❷ (특정 목적의) 건물; 《**the House**로》 의사당; 의회

an opera *house* 오페라 극장
a publishing *house* 출판사

숙어 ***a house for rent*** (=《영》 ***a house to let***) 세 놓은 집 《게시문》

***the White House*** 백악관

## house•hold *household*

[háushòuld 하우스호울드]

명 (복수 **households** [háushòuldz 하우스호울즈])
《집합적》 가족, 식구; 세대

There are six in my *household*.
나의 식구는 여섯 명이다.

## house•keep•ing *housekeeping*

[háuskìːpiŋ 하우스키-핑]

명 가계, 살림살이, 가사

Bad *housekeeping* has led them into debt. 좋지 못한 살림살이가 그들에게 빚을 지게 했다.

## house•wife *housewife*

[háuswàif 하우스와이프]

명 (복수 **housewives** [háuswàivz 하우스와이브즈]) 가정주부

She is a good *housewife*.
그녀는 훌륭한 가정주부다.

## how *how*

[háu 하우]

부 ❶ 《의문문에서》 어떻게, 어떤 식으로

"*How* did you come here?"
"I came by bus."
「어떻게 여기에 왔지?」「버스 타고 왔습니다.」

A B C D E F G H I J K L M N O P Q R S T U V W X Y Z

## House 집

"*How* is your father?"
"He's fine, thank you."
「아버님은 어떻게 지내니?」「잘 지내십니다, 고맙습니다.」

❷《정도에 대하여》 얼마만큼, 어느 정도 《형용사 · 부사를 수반함》

*How long* will you stay here?
이곳에 얼마나 오래 머물 거지?
*How far* is it from here to the station?
여기서 역까지는 얼마나 멀지?

❸《감탄문에서》 참으로, 정말, 얼마나

*How* beautiful this flower is!
이 꽃은 정말 아름답구나!

**어법** "How…!"와 "What…!"

「정말 …이구나!」라는 감탄이나 놀라움을 나타낼 때는 'How …!' 라든가 'What …!' 의 꼴을 사용한다.
How의 경우에는 「**How**+형용사(또는 부사)+주어+동사!」의 어순이 된다: How pretty she is! 그녀는 참 예쁘구나.
What의 경우에는 「**What**+**a**+형용

사+명사+주어+동사!」의 어순이 된다: What a pretty girl she is! 그녀는 참 예쁜 소녀구나.

❹ 《**how to**+동사의 원형으로》 …하는 방법
Teach me *how to* swim. 저에게 수영하는 방법을 가르쳐 주세요.
❺ 《명사절을 이끌어》 …하는 경위
This is *how he succeeded.*
이것이 그가 성공한 경위이다.
숙어 ***How about ...?*** 《상대방 의향을 물어》 …은 어떻습니까?
*How about* going to the movies? 영화 보러 가는 건 어때?

***How are you?*** 《일상적 인사》 안녕하십니까? 《대답은 "Fine, thank you! And you?" 건강히 지냅니다, 감사합니다! 당신은요?》
***How do you do?*** 《일상적 인사》 처음 뵙겠습니다, 안녕하십니까?
***How do you like ...?*** …을 어떻게 하면 좋을까요?
*How do you like* your steak?
스테이크를 어떻게 구우면 좋을까요?

## ⁑how•ev•er *however*
[hauévər 하우에버]
부 아무리 …일지라도〔할지라도〕
*However* hard you try, you will not succeed.
아무리 열심히 노력해도, 너는 성공하지 못할 것이다.
—접 그렇다고 해도, 그렇지만
Later, *however*, he changed his mind. 그렇지만, 후에 그는 마음을 바꾸었다.

## howl *howl*
[hául 하울]
자 (3단현 **howls** [háulz 하울즈], 과거 · 과분 **howled** [háuld 하울드], 현분 **howling** [háuliŋ 하울링])
(개 · 늑대 따위가) 울부짖다; (바람 따위가) 윙윙거리다
The wolve *howled* all night.
늑대는 밤새도록 울부짖었다.

The wind *howled* in the trees.
나무들 사이로 바람이 윙윙거렸다.
—명 (복수 **howls** [háulz 하울즈])
짖는 소리; 윙윙거리는 소리

## how's *how's*
[háuz 하우즈]
how is의 축약형

## hug *hug*
[hʌ́g 허그]
타 (3단현 **hugs** [hʌ́gz 허그즈], 과거 · 과분 **hugged** [hʌ́gd 허그드], 현분 **hugging** [hʌ́giŋ 허깅])
껴안다, 부둥켜안다, 포옹하다
She *hugged* the child warmly.
그녀는 다정하게 아이를 껴안았다.

A B C D E F G **H** I J K L M N O P Q R S T U V W X Y Z

—명 (복수 **hugs** [hʌ́gz 허그즈])
포옹

***huge** *huge*
[hjúːdʒ 휴-지]
형 (비교급 **huger** [hjúːdʒə*r* 휴-저], 최상급 **hugest** [hjúːdʒist 휴-지스트]) 거대한, 막대한
a *huge* animal 거대한 동물
What is that *huge* building?
저 거대한 건물은 무엇이냐?

**hú·la** *húla*
[húːlə 훌-러]
형 훌라춤 《하와이 민속 무용》

**hu·man** *human*
[hjúːmən 휴-먼]
형 인간의, 인간다운
a *human* being 인간
the *human* race 인류

**hu·man·i·ty** *humanity*
[hjuːmǽnəti 휴-매너티]
명 (복수 **humanities** [hjuːmǽnətiz 휴-매너티즈])
《집합적》 인류, 인간; 인류애, 인간성

**hum·ble** *humble*
[hʌ́mbl 험블]
형 (비교급 **humbler** [hʌ́mblə*r* 험블러], 최상급 **humblest** [hʌ́mblist 험블리스트])
❶ (신분이) 비천한; 초라한
He is a man of *humble* birth.
그는 태생이 비천한 사람이다.
❷ 겸손한, 교만하지 않은
He has a *humble* attitude.
그는 태도가 겸손하다.

***hu·mo(u)r** *humo(u)r*
[(h)júːmə*r* 휴-머, 유-머]
명 《a와 복수형 안 씀》 ❶ 유머, 익살
He has a sense of *humor*.
그에게는 유머 감각이 있다.

❷ 기분, 성미
She is in a good *humor*.
그녀는 기분 좋아한다.

**hu·mo(u)r·ous** *humo(u)rous*
[(h)júːmərəs 휴-머러스, 유-머러스]
형 유머 있는, 익살스러운, 웃기는

****hun•dred** *hundred*
[hʌ́ndrəd 헌드러드]
명 (복수 **hundreds** [hʌ́ndrədz 헌드러즈]) 백; 100살; 100명〔개〕
five *hundred*, 500
five *hundred* (and) fifty, 550
✎ 미국에서는 백 자리와 십 자리 사이의 and를 생략하는 일이 많음.
숙어 ***hundreds of*** 수백의
*Hundreds of* people work there.
수백명의 사람들이 거기서 일하고 있다.

—형 100의; 100명〔개〕의
There are about two *hundred* books here. 여기에는 약 200권의 책들이 있다.

**hun•dredth** *hundredth*
[hʌ́ndrədθ 헌드러드스]
명 ❶《보통 the를 붙여》 제100(번째) (약 100th)
❷《**a**〔**one**〕**hundredth**로》 100분의 1
—형 제100의; 100분의 1의
the *hundredth* anniversary
100주년

***hung** *hung*
[hʌ́ŋ 헝]
타자 hang(걸다)의 과거 · 과거분사

**hun•ger** *hunger*
[hʌ́ŋgər 헝거]
명 굶주림, 배고픔, 기아
*Hunger* is the best sauce.
《속담》 시장이 최상의 반찬.

***hun•gry** *hungry*
[hʌ́ŋgri 헝그리]
형 (비교급 **hungrier** [hʌ́ŋgriər 헝그리어], 최상급 **hungriest** [hʌ́ŋgri-ist 헝그리이스트])
굶주린, 허기진, 배가 고픈
Are you *hungry* now?
너 지금 배고프니?

We were *hungry*, so we went out for pizza. 우리는 배가 고파서 피자를 사 먹으러 나갔다.

**hunt** *hunt*
[hʌ́nt 헌트]
타자 (3단현 **hunts** [hʌ́nts 헌츠], 과거 · 과분 **hunted** [hʌ́ntid 헌티드], 현분 **hunting** [hʌ́ntiŋ 헌팅])
❶ 사냥하다, 수렵하다

They *hunted* in the forest.
그들은 숲 속에서 사냥을 했다.
We *hunted* foxes.
우리는 여우 사냥을 했다.
❷ 찾으러 다니다 《for》
The children *hunted for* sea shells on the beach. 아이들은 바닷가에서 조개껍질을 찾으러 다녔다.

***hunt•er** *hunter*
[hʌ́ntər 헌터]
명 (복수 **hunters** [hʌ́ntərz 헌터즈])
사냥꾼
A *hunter* came out of the woods. 사냥꾼이 숲에서 나왔다.

**hunt•ing** *hunting*
[hʌ́ntiŋ 헌팅]
명 《a와 복수형 안 씀》 수렵, 사냥
*Hunting* is my favorite hobby.
사냥은 내가 좋아하는 취미이다.

**hur•dle** *hurdle*
[hə́ːrdl 허-들]
명 (복수 **hurdles** [hə́ːrdlz 허-들즈])
장애물; 《**the hurdles**로》 『스포츠』
허들, 장애물 경주

*the* 200-meter *hurdles*
200미터 장애물 경주

**hur•rah** *hurrah*
[hurɔ́ː 후로-]
감 만세 (동 hurray[həréi])
*Hurrah*! We won!
만세! 우리가 이겼다!

****hur•ry** *hurry*
[hə́ːri 허-리]
타자 (3단현 **hurries** [hə́ːriz 허-리즈], 과거 · 과분 **hurried** [hə́ːrid 허-리드], 현분 **hurrying** [hə́ːriiŋ 허-리잉])
서두르다, 조급히 굴다, 재촉하다
Let's *hurry* back.
서둘러 돌아가자.
She *hurried* her son to the doctor. 그녀는 아들을 재촉하여 의사한테 가게 했다.
숙어 ***hurry up*** 서두르다
*Hurry up*, or you will be late for school. 서둘러라, 그렇지 않으면 학교에 지각할거다.

— 명 서두름; 법석
What's your *hurry*?
무엇 때문에 서두르지?
숙어 ***in a hurry*** 서둘러서, 허둥지둥
He left *in a hurry*.
그는 서둘러 떠났다.

***hurt** *hurt*
[hə́ːrt 허-트]
동 (3단현 **hurts** [hə́ːrts 허-츠], 과거 · 과분 **hurt** [hə́ːrt 허-트], 현분 **hurting** [hə́ːrtiŋ 허-팅])

—타 ❶ 상처를 내다, 다치게 하다
He *hurt* himself in the accident. 그는 사고로 상처를 입었다.
❷ (사물을) 해치다; (마음을) 상하게 하다
The frost *hurt* the fruit.
서리가 과일을 해쳤다.
—자 아프다
My broken arm still *hurts*.
부러진 팔이 여전히 아프다.

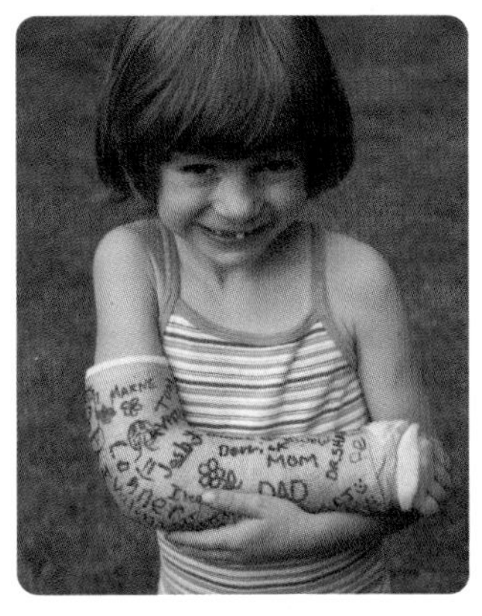


—명 (복수 **hurts** [hə́ːrts 허-츠]) 상처, 부상; (정신적) 고통
She received no *hurt* then.
그녀는 그때 상처를 입지 않았다.

## ⁑hus•band *husband*

[hʌ́zbənd 허즈번드]
명 (복수 **husbands** [hʌ́zbəndz 허즈번즈]) 남편

She loves her *husband*.
그녀는 남편을 사랑한다.
숙어 ***husband and wife*** 《보통 관사 없이》 부부

## hut *hut*

[hʌ́t 허트]
명 (복수 **huts** [hʌ́ts 허츠]) 오두막
We spent the night in a mountain *hut*. 우리는 산속 오두막에서 그날 밤을 지냈다.

## Hyde Park *Hyde Park*

[háid pάːrk 하이드파-크]
명 하이드 파크 《런던 서부 지역에 있는 큰 공원》

## hy•dro•gen *hydrogen*

[háidrədʒən 하이드러전]
명 《a와 복수형 안 씀》 수소
We can produce *hydrogen* from water. 우리는 물에서 수소

a b c d e f g h i j k l m n o p q r s t u v w x y z

를 만들어낼 수 있다.

**hymn** *hymn*
[hím 힘]
명 (복수 **hymns** [hímz 힘즈])
찬송가, 성가

The church service ended with a *hymn*.
교회 예배는 찬송가와 함께 끝났다.

**hy•phen** *hyphen*
[háifn 하이픈]
명 (복수 **hyphens** [háifnz 하이픈즈]) 하이픈(–)

참고 하이픈이란 left-handed(왼손잡이의)처럼 2개 단어로 표기되는 복합어에서 단어를 잇는 부호로 쓰인다. 또는 행을 바꿔야 할 필요가 있을 때 행 끝에 단어의 분철 부분이 걸린 경우에 쓰이기도 한다.

**I¹, i** *I, i*
[ái 아이]
명 (복수 **I's**, **i's** [áiz 아이즈])
아이 《알파벳의 아홉 번째 글자》

---

⁑**I²** *I*
[ai 아이]
대 (복수 **we** [《약》 wi 위; 《강》 wíː 위–]) 나는, 내가 《1인칭 단수 주격의 인칭대명사》

*I* am a Korean. 나는 한국인이다.
*I* am happy. 나는 행복하다.
*I* have a book in my hand.
나는 손에 책 한 권을 갖고 있다.
*I* like oranges.
나는 오렌지를 좋아한다.

She is smaller than *I*.
그녀는 나보다 키가 더 작다.
Bill, Tom and *I* go to the same school.
빌과 톰과 나는 같은 학교에 다닌다.
✎ 2명 이상의 사람 속에 I가 끼어들 때는, I는 반드시 맨 마지막에 둠.

**I의 변화형**

| 격 \ 수 | 단수 | 복수 |
|---|---|---|
| 주격 | I (나는, 내가) | we (우리는, 우리가) |
| 소유격 | my (나의) | our (우리들의) |
| 목적격 | me (나를, 나에게) | us (우리들을, 우리들에게) |

---

⁑**ice** *ice*
[áis 아이스]
명 (복수 **ices** [áisiz 아이시즈])
❶ 《an과 복수형 안 씀》 얼음
Children like skating on the *ice*. 아이들은 얼음 위에서 스케이트 타기를 좋아한다.

❷ 《영》 아이스크림 (동 ice cream)
Will you take an *ice*?
아이스크림 드시겠습니까?
—타자 (3단현 **ices** [áisiz 아이시

즈], 과거 · 과분 **iced** [áist 아이스트], 현분 **icing** [áisiŋ 아이싱])
얼게 하다; 얼다
The lake has *iced* over.
호수는 얼어붙었다.

**ice•berg** *iceberg*
[áisbə̀ːrg 아이스버-그]
명 (복수 **icebergs** [áisbə̀ːrgz 아이스버-그즈]) 빙산

**ice cream** *ice cream*
[áis krìːm 아이스크림-]
명 아이스크림

Give us two *ice creams*, please.
우리에게 아이스크림 두 개 주세요.

**ice hock•ey** *ice hockey*
[áis hɑ̀ki 아이스하키]
명 〖스포츠〗 아이스하키

**i•cy** *icy*
[áisi 아이시]
형 (비교급 **icier** [áisiər 아이시어], 최상급 **iciest** [áisiist 아이시이스트])
얼음 같은; (얼음처럼) 차가운
*Icy* winds blew all day long.
온종일 얼음같이 찬 바람이 불었다.

**I'd** *I'd*
[aid 아이드]
I would, I should, I had의 축약형

**ID card** *ID card*
[áidíː kɑ̀ːrd 아이디-카-드]
명 신분증명서(identity card)
He had lost his *ID card*.
그는 신분증명서를 분실했다.

****i•de•a** *idea*
[aidíːə 아이디-어]
명 (복수 **ideas** [aidíːəz 아이디-어즈])
❶ 생각, 착상, 아이디어
I have an *idea*.
나에게도 한 가지 생각이 있다.
It was Kate's *idea* to hire a car. 승용차를 빌린다는 것은 케이트의 착상이었다.
What a wonderful *idea*!
그것 참 멋진 아이디어다!

❷ 의견; 견해; 이상
What is your *idea* about this problem?
이 문제에 대해서 어떻게 생각하니?
❸ 예상, 짐작
숙어 ***have no idea*** …을 모르다

**i•de•al** *ideal*
[aidíːəl 아이디-얼]
형 이상적인; 더할 나위 없는, 나무랄 데 없는

It is an *ideal* day for hiking.
하이킹하기에 이상적인 날이다.

—명 (복수 **ideals** [aidíːəlz 아이디-얼즈]) 이상, 이상적인 사람〔것〕
the *ideal* of Korean women
한국 여성의 이상

**i·den·ti·fy** *identify*
[aidéntəfài 아이덴터파이]
타 (3단현 **identifies** [aidéntəfàiz 아이덴터파이즈], 과거 · 과분 **identified** [aidéntəfàid 아이덴터파이드], 현분 **identifying** [aidéntəfàiiŋ 아이덴터파이잉])
신분을 확인하다; 식별하다
*identify* handwriting
필적을 감정하다
He *identified* his shoes at once.
그는 금방 자기 구두를 식별해 냈다.

**i·den·ti·ty** *identity*
[aidéntəti 아이덴터티]
명 (복수 **identities** [aidéntətiz 아이덴터티즈]) 신원, 정체
He hid his true *identity*.
그는 그의 진짜 신원을 숨겼다.

**id·i·om** *idiom*
[ídiəm 이디엄]
명 (복수 **idioms** [ídiəmz 이디엄즈])
숙어, 관용어구

***i·dle** *idle*
[áidl 아이들]
형 (비교급 **idler** [áidlər 아이들러], 최상급 **idlest** [áidlist 아이들리스트])
❶ 나태한, 게으른 (동 lazy)
He is an *idle* man.
그는 게으른 사람이다.

❷ 무익한, 쓸데없는
It is *idle* to say so.
그렇게 말해 봤자 소용없다.
❸ 일하지 않는; 한가한
I spent five *idle* days on the beach. 나는 바닷가에서 5일을 한가롭게 보냈다.
—타자 (3단현 **idles** [áidlz 아이들즈], 과거 · 과분 **idled** [áidld 아이들드], 현분 **idling** [áidliŋ 아이들링])
빈둥거리다; (시간을) 허비하다
I *idled* away the afternoon.
나는 오후를 빈둥거리며 보냈다.

**i·dle·ness** *idleness*
[áidlnis 아이들니스]
명 《an과 복수형 안 씀》 나태, 게으름
You should not live in *idleness*. 게으르게 살아서는 안 된다.

**i·dol** *idol*
[áidl 아이들]
명 우상; 우상 같은 존재, 숭배의 대상
The pop singer was the *idol*

a b c d e f g h i j k l m n o p q r s t u v w x y z

of many young people. 그 팝 가수는 많은 젊은이들의 우상이었다.

**if** *if*
[if 이프]
접 ❶《단순한 조건을 나타내어》 만약 …이라면, …하다면
*If* it is nice tomorrow, I'll go there.
내일 날씨가 좋다면, 거기에 가겠다.
*If* you start at once, you'll be in time. 지금 곧 출발한다면, 시간에 댈 것이다.
✎ 미래의 의미를 나타내더라도 if 뒤의 동사는 현재형을 씀.
❷《사실과 반대되는 가정을 나타내어》 만약 …이라면, …하다면
*If* I were a bird, I would fly to you.
내가 새라면 너에게 날아갈 텐데.

✎ if 뒤의 동사는 과거형을 쓰며, be 동사는 주어에 관계없이 were가 됨. 또한 주절의 동사나 조동사도 과거형을 씀. 이 용법을 「가정법 과거」라고 함.
❸《간접의문문에서》 …인지 어떤지 (동 whether)
Ask him *if* he will come tomorrow.
내일 올지 어쩔지 그에게 물어 봐라.
❹《종종 **even if**로 양보를 나타내어》 비록 …일지라도 (동 although)
I will go *if* you don't go.
네가 가지 않더라도 나는 가겠다.
*Even if* it rains, we will go.
비록 비가 오더라도, 우리는 갑니다.

숙어 ***as if*** 마치 …처럼
He speaks English well *as if* he were an American. 그는 마치 미국인처럼 영어를 잘한다.
***if necessary*** 필요하다면
I will lend you some money, *if necessary*. 필요하다면, 너에게 돈을 빌려 주겠다.
***if possible*** 만약 가능하면
Come again tomorrow, *if possible*. 가능하면, 내일 다시 오세요.

**ig·no·rance** *ignorance*
[ígnərəns 이그너런스]
명 《an과 복수형 안 씀》 무지, 무식

**ig·no·rant** *ignorant*
[ígnərənt 이그너런트]

형 무지의, 무학의; …을 모르는
He's quite *ignorant*.
그는 아주 무식하다.

**ig•nore** *ignore*
[ignɔ́:r 이그노-]
타 (3단현 **ignores** [ignɔ́:rz 이그노-즈], 과거 · 과분 **ignored** [ignɔ́:rd 이그노-드], 현분 **ignoring** [ignɔ́:riŋ 이그노-링])
무시하다, 모른 체하다 (동 neglect)
He *ignored* my advice.
그는 내 충고를 묵살했다.

**ill** *ill*
[íl 일]
형부 (비교급 **worse** [wə́:rs 워-스], 최상급 **worst** [wə́:rst 워-스트])
❶ 병든 (동 sick, 반 well 건강한)
fall〔become〕 *ill* 병이 들다
She is *ill* in bed.
그녀는 병으로 누워 있다.

❷ 《명사 앞에서만 씀》 나쁜, 고약한
*Ill* news runs fast.
《속담》 나쁜 소식은 빨리 퍼진다.
— 부 나쁘게, 부정하게
숙어 ***speak ill of*** …을 나쁘게 말하다, …을 욕하다
Never *speak ill of* others.
절대로 남을 비방하지 마라.

***I'll** *I'll*
[ail 아일]
I will, I shall의 축약형

**ill•ness** *illness*
[ílnəs 일너스]
명 병 (동 sickness, disease)
He died of *illness*.
그는 병으로 죽었다.

**il•lus•tra•tion** *illustration*
[ìləstréiʃən 일러스트레이션]
명 (복수 **illustrations** [ìləstréiʃənz 일러스트레이션즈]) 도표, 도해; 삽화

***I'm** *I'm*
[aim 아임]
I am의 축약형 《회화체에 많이 씀》

***im•age** *image*
[ímidʒ 이미지]
명 (복수 **images** [ímidʒiz 이미지즈])
❶ (마음속의) 상(像), 영상; 모습

a b c d e f g h i j k l m n o p q r s t u v w x y z

He looked at his *image* in the mirror. 그는 거울에 비친 자신의 모습을 바라보았다.
❷ 꼭 닮은 사람〔것〕

**i•mag•i•na•tion**
*imagination*
[imæ̀dʒənéiʃən 이매저네이션]
명 상상(력), 창작(력); 공상

***i•mag•ine** *imagine*
[imǽdʒin 이매진]
타 (3단현 **imagines** [imǽdʒinz 이매진즈], 과거 · 과분 **imagined** [imǽdʒind 이매진드], 현분 **imagining** [imǽdʒiniŋ 이매지닝])
❶ 마음에 그리다, 상상하다
*Imagine* life on a desert.
사막에서의 생활을 상상해 봐라.

❷ 짐작하다, 추측하다
I can't *imagine* who she is.
나는 그녀가 누군지 짐작할 수 없다.

**im•i•tate** *imitate*
[ímitèit 이미테이트]
타 (3단현 **imitates** [ímitèits 이미테이츠], 과거 · 과분 **imitated** [ímitèitid 이미테이티드], 현분 **imitating** [ímitèitiŋ 이미테이팅])
모방하다, 모사하다; 본받다
A parrot *imitates* human speech.
앵무새는 사람의 말을 흉내낸다.

We must *imitate* a good man.
우리는 선량한 사람을 본받아야 한다.

**im•i•ta•tion** *imitation*
[ìmitéiʃən 이미테이션]
명 (복수 **imitations** [ìmitéiʃənz 이미테이션즈])
흉내, 모방; 모조품

**im•me•di•ate** *immediate*
[imíːdiət 이미-디엇]
형 《명사 앞에서만 씀》 즉각의, 즉시의; 직접적인
an *immediate* answer 즉답

**im•me•di•ate•ly**
*immediately*
[imíːdiətli 이미-디어틀리]
부 바로, 곧, 당장
The police arrived *immediately*. 경찰은 바로 도착했다.

**im•pa•tient** *impatient*
[impéiʃənt 임페이션트]
형 ❶ 참을 수 없는; 초조한, 성급한
Don't be so *impatient*.
그렇게 초조하게 굴지 말아라.
❷ 《to부정사를 수반하여》 …하고 싶어 안달하는[애태우는]
The children were *impatient to* open the box. 아이들은 그 상자를 열고 싶어 안달이 났다.

**im•per•a•tive** *imperative*
[impérətiv 임페러티브]
형 ❶ 불가피한, 반드시 필요한
❷ 〖문법〗 명령형의
an *imperative* sentence
〖문법〗 명령문

**im•po•lite** *impolite*
[ìmpəláit 임펄라이트]
형 무례한, 버릇없는 (동 rude, 반 polite 정중한)
It was *impolite* of him to come so late. 그가 그렇게 늦게 오는 것은 실례이다.

**im•port** *import*
[impɔ́ːrt 임포-트]
타 (3단현 **imports** [impɔ́ːrts 임포-츠], 과거 · 과분 **imported** [impɔ́ːrtid 임포-티드], 현분 **importing** [impɔ́ːrtiŋ 임포-팅])
수입하다 (반 export 수출하다)
We *import* oil from abroad.
우리는 해외에서 석유를 수입한다.
— 명 [ímpɔːrt 임포-트] (복수 **imports** [ímpɔːrts 임포-츠])
수입; 《보통 복수형으로》 수입품
the *import* of foreign cars
외제차의 수입
Coffee is one of food *imports*.
커피는 수입 식품의 하나이다.

**im•por•tance** *importance*
[impɔ́ːrtns 임포-튼스]
명 중요(한 것), 중요성
This is a matter of great *importance*. 이것은 아주 중요한 문제다.
We all know the *importance* of health. 우리 모두 건강의 중요성을 알고 있다.

***im•por•tant** *important*
[impɔ́ːrtənt 임포-턴트]
형 (비교급 **more important**, 최상급 **most important**)
중요한; 소중한; (지위 따위가) 유력한
a very *important* person
중요한 인물, (정부) 요인, 귀빈 (약 V.I.P.)
My family is very *important* to me.
나의 가족은 나에게 매우 중요하다.
It is *important* to wear a seat

belt when riding in a car. 승차시 안전벨트를 매는 것은 중요하다.

*im•pos•si•ble *impossible*
[impásəbl 임파서블]
형 (비교급 **more impossible**, 최상급 **most impossible**)
불가능한 (반 possible 가능한); 도저히 있을 수 없는; …할 수 없는《to do》
It was an *impossible* plan.
그것은 실현 불가능한 계획이었다.
It was *impossible* for me *to* solve the problem. 내가 그 문제를 푸는 것은 불가능했다.

**im•press** *impress*
[imprés 임프레스]
타 (3단현 **impresses** [imprésiz 임프레시즈], 과거 · 과분 **impressed** [imprést 임프레스트], 현분 **impressing** [imprésiŋ 임프레싱])
감명〔감동〕시키다; 인상지우다
The movie *impressed* me very much. 그 영화는 나에게 커다란 감동을 주었다.
He *impressed* me as a kind man. 그는 나에게 친절한 사람이라는 인상을 주었다.

**im•pres•sion** *impression*
[impréʃən 임프레션]
명 (복수 **impressions** [impréʃənz 임프레션즈]) 인상, 감명; 느낌
His speech made a strong *impression* on us. 그의 연설은 우리에게 강한 감명을 주었다.

**im•pres•sive** *impressive*
[imprésiv 임프레시브]
형 (비교급 **more impressive**, 최상급 **most impressive**)
감명 깊은, 인상적인 (동 moving)

Her performance was very *impressive*.

그녀의 공연은 매우 감동적이었다.

**im•prove** *improve*
[imprúːv 임프루-브]
동 (3단현 **improves** [imprúːvz 임프루-브즈], 과거 · 과분 **improved** [imprúːvd 임프루-브드], 현분 **improving** [imprúːviŋ 임프루-빙])
—타 개선[개량]하다; 향상시키다
They tried to *improve* their lives. 그들은 생활을 개선시키려고 노력했다.
—자 좋아지다; 향상되다
He is *improving* in health.
그는 건강이 좋아지고 있다.

**im•prove•ment**
*improvement*
[imprúːvmənt 임프루-브먼트]
명 (복수 **improvements** [imprúːvmənts 임프루-브먼츠])
개선, 개량; 향상, 진보
The *improvement* of roads seemed necessary.
도로 개량이 필요한 것 같았다.

**im•pulse** *impulse*
[ímpʌls 임펄스]
명 (복수 **impulses** [ímpʌlsiz 임펄시즈]) 충동, 자극, 촉진
He felt an *impulse* to run away.
그는 도망치고 싶은 충동을 느꼈다.

**⁑in** *in*
[in 인]
전 ❶《장소를 나타내어》 …안에, …에서, …에
I have a key *in* my pocket.
나는 호주머니 안에 열쇠를 갖고 있다.
We play tennis *in* the park.
우리는 공원에서 테니스를 친다.
❷《때를 나타내어》 …에, …동안에
He was born *in* 1995.
그는 1995년에 태어났다.
We go camping *in* summer.
우리는 여름철에 캠핑하러 간다.

I met him *in* the morning.
나는 아침에 그를 만났다.

어법 in, at, on
**in**은 년(年) · 계절 · 월(月) 등의 「기간」이나 아침 · 오전 · 오후 등의 「시간대」에 쓰인다(단 「밤」은 at night).
**at**은 시각 · 시점에 쓰인다: *at* six

(6시에) / *at* noon (정오에)
**on**은 특정한 날이나 요일에 쓰인다: *on* May 5 (5월 5일에) / *on* Sunday (일요일에)

❸ 《때의 경과를 나타내어》 …후에, …지나서
I'll be back *in* a few days.
나는 2, 3일 지나서 돌아오겠습니다.
✎ 미래에 대해서 말할 경우 in은 「…지나서」, within은 「…이내에」라는 뜻.
❹ 《방향을 나타내어》 …쪽에(서), …쪽으로
The sun rises *in* the east and sets *in* the west.
해는 동쪽에서 떠서 서쪽으로 진다.
❺ 《범위 · 정도 · 대상을 나타내어》 …에 (있어서), …안에
There are seven days *in* a week.
일주일에는 7일이 있다.
She is strong *in* English.
그녀는 영어에 능하다.

❻ 《상태 · 복장을 나타내어》 …한 상태로; …을 입고〔쓰고〕
I am *in* good health.
나는 건강하다.
She is dressed *in* a fur coat.
그녀는 모피 코트를 입고 있다.
❼ 《방법 · 수단을 나타내어》 …으로
May I speak *in* English?
영어로 얘기해도 됩니까?
You must not write a letter *in* red ink.
붉은 잉크로 편지를 써서는 안 된다.
—부 안으로, 안에 (반 out 밖에)
Come *in*, please. 들어오세요.

Is Mr. Smith *in*?
스미스 씨는 댁에 계십니까?

## ⁑inch *inch*
[íntʃ 인치]
명 (복수 **inches** [íntʃiz 인치즈])
〖단위〗 인치 《12분의 1피트, 2.54cm》
He is five feet ten *inches* tall.
그는 키가 5피트 10인치다.
숙어 ***inch by inch*** 조금씩, 서서히

## in·ci·dent *incident*
[ínsədənt 인서던트]
명 (복수 **incidents** [ínsədənts 인서던츠]) 사건, 사고
The *incident* happened when I was there. 내가 거기에 있을 때 그 사건이 일어났다.

## in·cline *incline*
[inkláin 인클라인]
타자 (3단현 **inclines** [inkláinz 인클라인즈], 과거 · 과분 **inclined** [inkláind 인클라인드], 현분 **inclining** [inkláiniŋ 인클라이닝])
❶ 기울이다, 숙이다; 기울어지다
The tower *inclines* to the right.
그 탑은 오른쪽으로 기울어져 있다.

❷ 《**be inclined to** do로》 …하는 경향이 있다.
She *is inclined to* be lazy.
그녀는 게으른 편이다.

## in•clude *include*

[inklúːd 인클루-드]
타 (3단현 **includes** [inklúːdz 인클루-즈], 과거 · 과분 **included** [inklúːdid 인클루-디드], 현분 **including** [inklúːdiŋ 인클루-딩])
포함[포괄]하다, 포함시키다
Does this price *include* tax? 이 가격에는 세금이 포함되어 있습니까?

The house has six rooms, *including* the kitchen. 그 집에는 부엌을 포함하여 방이 여섯 개 있다.

## in•come *income*

[ínkʌm 인컴]
명 (복수 **incomes** [ínkʌmz 인컴즈])
수입, 소득
I have an *income* of 5,000 dollars a month.
나는 월 5천 달러의 소득이 있다.

## in•con•ve•nient *inconvenient*

[ìnkənvíːnjənt 인컨비-니언트]
형 (비교급 **more inconvenient**, 최상급 **most inconvenient**)
불편한, 형편이 나쁜 (반 convenient 편안한)
The meeting is at an *inconvenient* time for me. 그 모임이 나한테는 불편한 시간에 있다.

## in•crease *increase*

[inkríːs 인크리-스]
타자 (3단현 **increases** [inkríːsiz 인크리-시즈], 과거 · 과분 **increased** [inkríːst 인크리-스트], 현분 **increasing** [inkríːsiŋ 인크리-싱])
늘다, 증대[증가]시키다 (반 decrease 감소하다)
The number of students *increased*. 학생 수가 늘어났다.
I want you to *increase* my salary. 내 봉급을 올려 주었으면 좋겠는데요.

— 명 [ínkriːs 인크리-스] (복수 **increases** [ínkriːsiz 인크리-시즈])
증가(액), 증대(량)
a sudden *increase* in popula-

A B C D E F G H I J K L M N O P Q R S T U V W X Y Z

tion 인구의 급증

## *in•deed *indeed*

[indíːd 인디-드]

부 ❶ 실로, 참으로, 정말로

"How cold it is today!"
"Yes, *indeed*."
「오늘은 무척 춥군요!」
「네, 정말 춥군요.」

❷ 과연

It may, *indeed*, be true.
과연 그것은 사실인지도 모른다.

— 감 《놀라움이나 의심을 나타내어》 저런, 설마

## *in•de•pen•dence *independence*

[ìndipéndəns 인디펜던스]

명 《an과 복수형 안 씀》 독립, 자립(심)

The United States won its *independence* from England.
미합중국은 영국으로부터 독립을 쟁취했다.

She lives a life of *independence*.
그녀는 자립해서 생활한다.

## In•de•pend•ence Day *Independence Day*

[ìndipéndəns dèi 인디펜던스데이]

명 미국 독립 기념일 《7월 4일; the Forth of July라고도 함》

## in•de•pen•dent *independent*

[ìndipéndənt 인디펜던트]

형 (비교급 **more independent**, 최상급 **most independent**)

❶ 독립한, 독립의

Sri Lanka is an *independent* country. 스리랑카는 독립국이다.

❷ 《**independent of**로》 …에게서 자립한

Nancy is *independent of* her parents. 낸시는 부모로부터 자립하여 살고 있다.

## in•dex *index*

[índeks 인덱스]

명 (복수 **indexes** [índeksiz 인덱시즈] 또는 **indices** [índisìːz 인디시-즈]) 색인, 찾아보기; 표시; 지수

Use the *index* to find the word.
그 단어를 찾으려면 색인을 사용해라.

***In•di•a** *India*
[índiə 인디어]
명 인도 《1947년 영국으로부터 독립; 수도는 뉴델리(New Delhi)》.

***In•di•an** *Indian*
[índiən 인디언]
형 ① 인도(사람)의
② 아메리카 인디언의
— 명 (복수 **Indians** [índiənz 인디언즈]) ① 인도 사람
② (아메리카의) 인디언
He is an American *Indian*.
그는 아메리카 인디언이다.

참고 콜럼버스가 아메리카 대륙에 도착했을 때 인도에 도착한 것으로 착각했기 때문에 Indian이라는 말이 생겼음. 미국 국내에 현재 살고 있는 인디언은 스스로를 Native American이라고 부름.

**in•di•cate** *indicate*
[índikèit 인디케이트]
타 (3단현 **indicates** [índikèits 인디케이츠], 과거 · 과분 **indicated** [índikèitid 인디케이티드], 현분 **indicating** [índikèitiŋ 인디케이팅])
가리키다, 지적하다, 표시하다
He *indicated* the city on the map. 그는 지도에 있는 그 도시를 가리켰다.
The sign *indicates* the way to the village. 그 표지는 마을로 가는 방향을 가리킨다.

**in•di•rect** *indirect*
[ìndirékt 인디렉트]
형 (비교급 **more indirect**, 최상급 **most indirect**)
간접적인, 에두른 (반 direct 직접적인)
an *indirect* route 우회도로
*indirect* narration
〖문법〗 간접 화법

**in•di•vid•u•al** *individual*
[ìndivídʒuəl 인디비주얼]
형 (비교급 **more individual**, 최상

급 **most individual**)
개개의; 개인의
That's an *individual* matter.
그것은 개인적인 문제이다.
—명 (복수 **individuals** [ìndivídʒuəlz 인디비주얼즈])
(무리 중의) 개인, 개체
the rights of the *individual*
개인의 권리

## in•door *indoor*

[índɔ́ːr 인도-]
형 실내의 (반 outdoor 야외의)
an *indoor* swimming pool
실내 수영장

Our *indoor* sports are table tennis, bowling, fencing, etc.
실내 스포츠는 탁구, 볼링, 펜싱 따위이다.

## in•dus•tri•al *industrial*

[indʌ́striəl 인더스트리얼]
형 공업의, 산업의
They visited the *industrial* areas in Korea. 그들은 한국 내의 공업 지대를 방문했다.

## in•dus•try *industry*

[índəstri 인더스트리]
명 (복수 **industries** [índəstriz 인더스트리즈]) ❶ 공업, 산업
the car *industry* 자동차 공업
Pohang is famous for the steel *industry*.
포항은 철강 산업으로 유명하다.

❷ 근면, 노력
His success is due to *industry*.
그의 성공은 근면함 덕분이다.

## in•fant *infant*

[ínfənt 인펀트]
명 (복수 **infants** [ínfənts 인펀츠])
(7세 미만의) 유아, 갓난애

This food is for *infants*.
이 음식은 유아용이다.

## in•fe•ri•or *inferior*

[infí(ə)riər 인피(어)리어]
형 ❶ (계급 따위가) 하급의, 아래의
My position is *inferior* to his.
나의 지위는 그의 지위보다 아래이다.
❷ (품질 따위가) 열등한, 저급의 (반 superior 우수한)
This wine is *inferior* to that in

quality. 이 포도주는 품질 면에서 저것보다 못하다.

**in•fi•ni•tive** *infinitive*
[infínitiv 인피니티브]
명 〖문법〗 부정사

참고 수 · 인칭 · 시제에 따라 변하지 않는 동사형의 하나로 원형부정사와 to부정사가 있다.
He made me *laugh*. 그는 나를 웃겼다. 《원형부정사》
I expect Mary *to go*. 나는 메리가 가기를 기대한다. 《to부정사》

*__in•flu•ence__ *influence*
[ínfluəns 인플루언스]
타 (3단현 **influences** [ínfluənsiz 인플루언시즈], 과거 · 과분 **influenced** [ínfluənst 인플루언스트], 현분 **influencing** [ínfluənsiŋ 인플루언싱])
영향을 미치다, 감화하다
The teacher *influenced* every student in the class. 그 선생님은 학급생 전원에게 영향을 미쳤다.

—명 영향(력); 감화(력)
Television has a deep *influence* on children. 텔레비전은 아이들에게 깊은 영향을 미친다.

**in•form** *inform*
[infɔ́ːrm 인폼-]
타 (3단현 **informs** [infɔ́ːrmz 인폼-즈], 과거 · 과분 **informed** [infɔ́ːrmd 인폼-드], 현분 **informing** [infɔ́ːrmiŋ 인포-밍])
알리다, 통지하다 《of》
I was *informed of* the fact.
나는 그 사실을 통보받았다.

**in•for•mal** *informal*
[infɔ́ːrməl 인포-멀]
형 비공식의; 격식을 차리지 않는 (반 formal 공식적인; 형식적인)
informal conversations
비공식 회담

*__in•for•ma•tion__ *information*
[ìnfərméiʃən 인퍼메이션]
명 (복수 **informations** [ìnfərméiʃənz 인퍼메이션즈])
❶ 《an과 복수형 안 씀》 통지, 보고
I did not get any *information*.
나는 아무 통지도 받지 못했다.
❷ 지식; 정보
The book gives a lot of new *information*.
그 책은 새로운 정보를 많이 준다.

❸ (역 · 공항 따위의) 안내소
a tourist *information* office
관광 안내소

**in•hab•it** *inhabit*
[inhǽbit 인해비트]
타 (3단현 **inhabits** [inhǽbits 인해비츠], 과거 · 과분 **inhabited** [inhǽb-itid 인해비티드], 현분 **inhabiting** [inhǽbitiŋ 인해비팅])
…에 살다, 거주하다
Is the island *inhabited*?
그 섬에는 사람이 삽니까?

**in•hab•it•ant** *inhabitant*
[inhǽbitənt 인해비턴트]
명 (복수 **inhabitants** [inhǽbitənts 인해비턴츠]) 거주자, 주민
This island has about ten thousand *inhabitants*. 이 섬에는 약 1만 명의 주민이 살고 있다.

**in•her•it** *inherit*
[inhérit 인헤리트]
타자 (3단현 **inherits** [inhérits 인헤리츠], 과거 · 과분 **inherited** [inhéritid 인헤리티드], 현분 **inher-iting** [inhéritiŋ 인헤리팅])
물려받다, 상속하다; 뒤를 잇다
She *inherited* a large fortune from her father. 그녀는 아버지로부터 많은 재산을 물려받았다.

**i•ni•tial** *initial*
[iníʃəl 이니셜]
명 (복수 **initials** [iníʃəlz 이니셜즈]) 첫 글자; 《주로 복수형으로》 (성명의) 머리글자
Steven Lane's *initials* are S. L. 스티븐 레인의 머리글자는 S. L.이다.
— 형 최초의, 초기의
the *initial* stage 초기 단계

**in•jec•tion** *injection*
[indʒékʃən 인젝션]
명 (복수 **injections** [indʒékʃənz 인젝션즈]) 주사액[약]; 주입, 주사
The nurse gave her an *injection* for a cold. 간호사는 그녀에게 감기 치료 주사를 놓아 주었다.

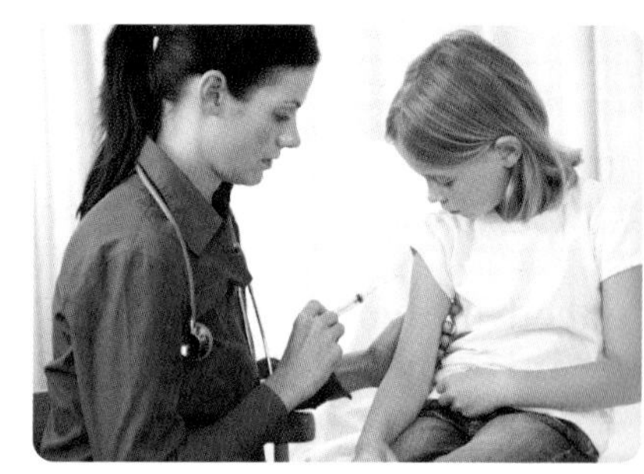

**in•jure** *injure*
[índʒər 인저]
타 (3단현 **injures** [índʒərz 인저즈], 과거 · 과분 **injured** [índʒərd 인저드], 현분 **injuring** [índʒ(ə)riŋ 인저링])
상처를 입히다; (감정을) 상하게 하다

He was badly *injured*.
그는 심하게 상처를 입었다.
She *injured* my pride.
그녀는 내 자존심을 상하게 했다.

**in•ju•ry** *injury*
[índʒəri 인저리]
명 (복수 **injuries** [índʒəriz 인저리즈]) 상해, 부상; 손해
His *injury* turned out to be serious.
그의 부상은 중상으로 판명되었다.

**⁑ink** *ink*
[íŋk 잉크]
명 《an과 복수형 안 씀》 잉크
Write in blue or black *ink*.
청색이나 검정색 잉크로 쓰시오.

**in•land** *inland*
[ínlænd 인랜드]
형 내륙의; 육지로 둘러싸인
an *inland* city 내륙의 도시
—명 내륙, 오지
the far *inland* of Brazil
브라질 오지
—부 내륙으로

**inn** *inn*
[ín 인]
명 (복수 **inns** [ínz 인즈])
여관, 여인숙
They stayed at a country *inn*.
그들은 시골 여관에서 묵었다.

**in•ner** *inner*
[ínər 이너]
형 안의, 내부의; 내면적인
an *inner* court 안뜰

**in•no•cence** *innocence*
[ínəsəns 이너선스]
명 《an과 복수형 안 씀》 (법률상의) 무죄, 결백; 순진함, 천진난만

**in•no•cent** *innocent*
[ínəsənt 이너선트]
형 (비교급 **more innocent**, 최상급 **most innocent**)
❶ (법률상) 결백한, 무죄의 《of》
He was *innocent of* that crime.
그는 그 범죄를 저지르지 않았다.
❷ 순진한, 천진난만한

a b c d e f g h i j k l m n o p q r s t u v w x y z

A B C D E F G H I J K L M N O P Q R S T U V W X Y Z

The child smiled an *innocent* smile. 그 아이는 천진난만한 미소를 지었다.

**in•put** *input*
[ínpùt 인풋]
명 (컴퓨터 따위의) 입력

**in•quire** *inquire*
[inkwáiər 인콰이어]
타자 (3단현 **inquires** [inkwáiərz 인콰이어즈], 과거 · 과분 **inquired** [inkwáiərd 인콰이어드], 현분 **inquiring** [inkwái(ə)riŋ 인콰이(어)링])
묻다, 질문하다; 조사하다《into》
He *inquired* my father's name.
그는 나의 아버지의 이름을 물었다.

I *inquired into* the affair.
나는 그 사건을 조사했다.
숙어 *inquire after* …의 안부를 묻다, …을 위문하다
I *inquired after* my sick friend.
나는 병을 앓고 있는 친구를 위문했다.

**in•quir•y** *inquiry*
[inkwáiəri 인콰이(어)리]
명 (복수 **inquiries** [inkwáiəriz 인콰이(어)리즈]) 질문, 문의; 조사; 연구
a letter of *inquiry* 조회서
scientific *inquiry* 과학 연구

***in•sect** *insect*
[ínsekt 인섹트]
명 (복수 **insects** [ínsekts 인섹츠]) 곤충

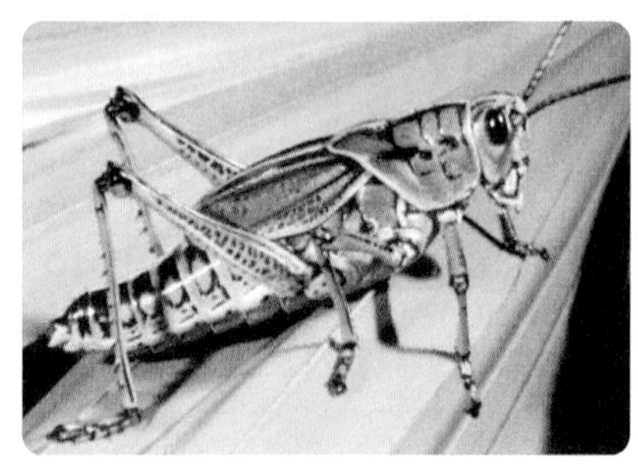

Flies, bees, ants, and grasshoppers are *insects*. 파리, 벌, 개미, 그리고 메뚜기는 곤충이다.

***in•side** *inside*
[ìnsáid 인사이드]
명 (복수 **insides** [ìnsáidz 인사이즈]) 내부, 안쪽, 내면
I want to see the *inside* of the pyramid.
나는 피라미드의 내부를 보고 싶다.
—부 내부에〔로〕, 안쪽에; 실내에
Let's go *inside*.
안으로 들어가자.
—형 안쪽의; 내면의
Put your wallet in the *inside* pocket of your jacket.
지갑을 자켓 안주머니에 넣어라.
—전 …의 안쪽에, 내부에

## Insects 곤충

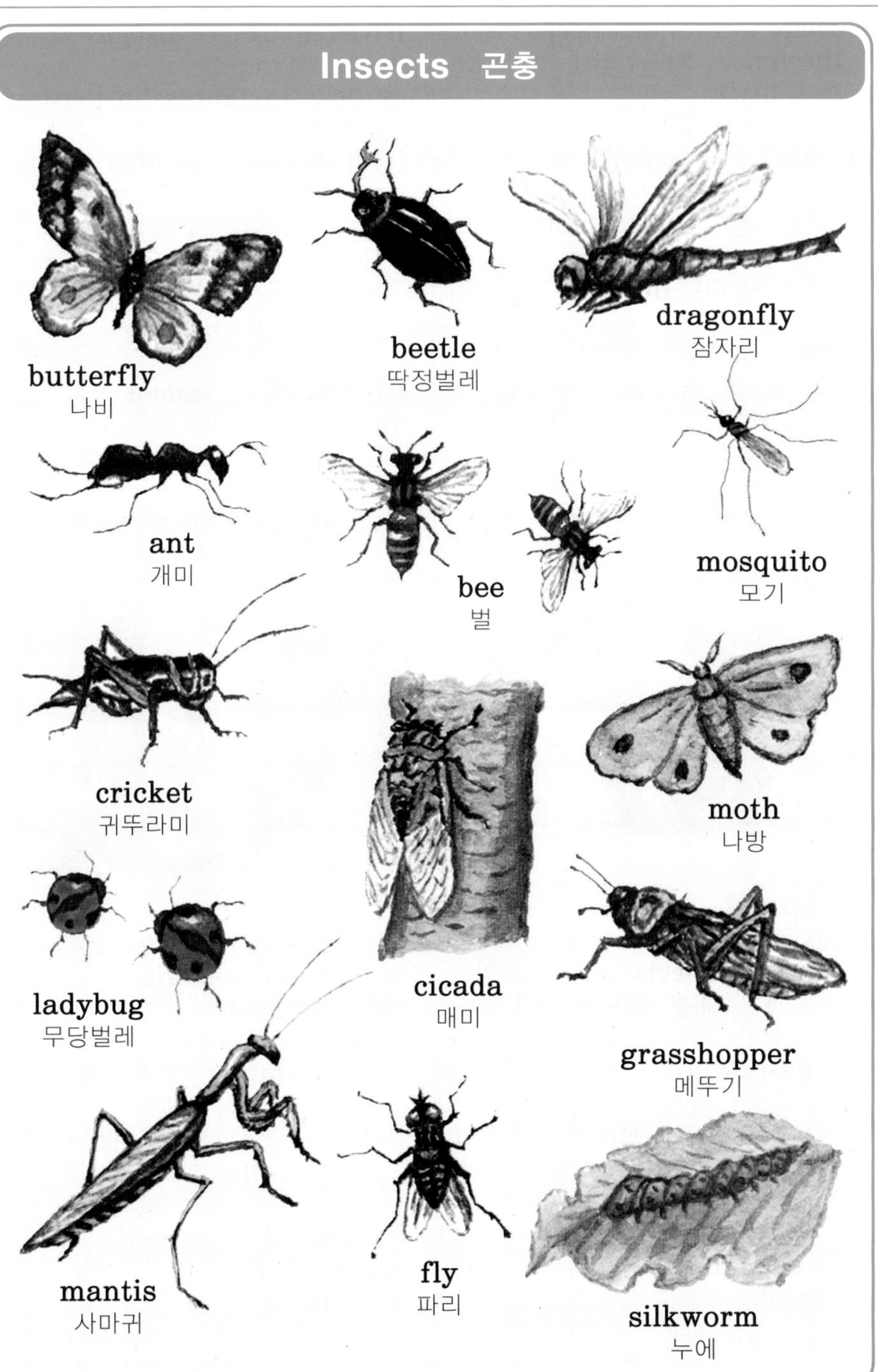
butterfly
나비
beetle
딱정벌레
dragonfly
잠자리
ant
개미
bee
벌
mosquito
모기
cricket
귀뚜라미
cicada
매미
moth
나방
ladybug
무당벌레
grasshopper
메뚜기
mantis
사마귀
fly
파리
silkworm
누에

There were some sheeps *inside* the fence. 울타리 안에 몇 마리의 양이 있었다.

**in•sist** *insist*
[insíst 인시스트]
타자 (3단현 **insists** [insísts 인시스츠], 과거 · 과분 **insisted** [insístid 인시스티드], 현분 **insisting** [insístiŋ 인시스팅])
주장하다; 고집하다, 우기다
He *insists* that he is right.
그는 자기가 옳다고 주장한다.
My brother *insists* on going with me. 내 동생은 나와 함께 가겠다고 우긴다.

**in•spect** *inspect*
[inspékt 인스펙트]
타 (3단현 **inspects** [inspékts 인스펙츠], 과거 · 과분 **inspected** [inspéktid 인스펙티드], 현분 **inspecting** [inspéktiŋ 인스펙팅])
❶ 조사〔검사, 점검〕하다
We *inspected* the used car carefully. 우리는 그 중고차를 면밀히 점검했다.
❷ 시찰〔감사(監査)〕하다, 사열하다
They came to *inspect* our school.
그들은 우리 학교를 시찰하러 왔다.

**in•stance** *instance*
[ínstəns 인스턴스]
명 (복수 **instances** [ínstənsiz 인스턴시즈]) 실례, 보기, 예
I'll show you another *instance*.
너에게 또 하나의 예를 보여 주겠다.
숙어 ***for instance*** 예를 들면
Even animals, *for instance*, love their young. 이를테면 짐승조차 자기 새끼를 사랑한다.

**in•stant** *instant*
[ínstənt 인스턴트]
명 (복수 **instants** [ínstənts 인스턴츠]) 순간, 찰나; 즉시
He stopped for an *instant*.
그는 한 순간 멈춰 섰다.

I will be back in an *instant*.
곧바로 돌아오겠습니다.
숙어 ***the instant (that)*** …하자 곧바로, …하자마자
*The instant (that)* he arrives, let me know. 그가 도착하는 대로, 저에게 알려 주세요.
—형 즉각적인; (식품 따위가) 즉석의
*instant* coffee 인스턴트 커피.

***in•stead** *instead*
[instéd 인스테드]
부 그 대신에
I don't need a fork. Give me a spoon *instead*. 포크는 필요없습

니다. 대신 스푼을 주세요.

숙어 ***instead of*** …대신에

He is playing *instead of* studying. 그는 공부하는 대신 놀고 있다.

**in•stinct** *instinct*

[ínstiŋ(k)t 인스팅(크)트]

명 《an과 복수형 안 씀》 본능, 본성

The butterflies find out the flowers by *instinct*.

나비들은 본능적으로 꽃을 찾아낸다.

**in•sti•tute** *institute*

[ínstət(j)ù:t 인스터튜-트]

명 (복수 **institutes** [ínstət(j)ù:ts 인스터튜-츠]) 협회, 학회; 연구소

I visited a number of research *institutes*.

나는 많은 연구소들을 방문했다.

**in•sti•tu•tion** *institution*

[ìnstət(j)ú:ʃən 인스터튜-션]

명 (복수 **institutions** [ìnstət(j)ú:ʃənz 인스터튜-션즈])

❶ 협회, 기관; 공공시설

Our city has many excellent *institutions*. 우리 시에는 많은 훌륭한 공공시설이 있다.

❷ 제도, 관습

**in•struct** *instruct*

[instrʌ́kt 인스트럭트]

타 (3단현 **instructs** [instrʌ́kts 인스트럭츠], 과거 · 과분 **instructed** [instrʌ́ktid 인스트럭티드], 현분 **instructing** [instrʌ́ktiŋ 인스트럭팅])

❶ 가르치다, 교육하다

She *instructs* children how to draw a picture. 그녀는 아이들에게 그림 그리는 법을 가르친다.

❷ 지시하다, 명령하다

He *instructed* me to wait here. 그는 나에게 여기서 기다리라고 지시했다.

**in•struc•tion** *instruction*

[instrʌ́kʃən 인스트럭션]

명 (복수 **instructions** [instrʌ́kʃənz 인스트럭션즈])

❶ 《an과 복수형 안 씀》 교수, 가르침

She gives *instruction* in Chinese. 그녀는 중국어를 가르친다.

❷ 《복수형으로》 지시, 명령; 사용법

Read the *instructions* on the

bottle. 병에 붙어 있는 사용법을 읽어 보시오.

**in•stru•ment** *instrument*
[ínstrəmənt 인스트러먼트]
명 (복수 **instruments** [ínstrəmənts 인스트러먼츠])
❶ (주로 정밀한) 기구, 도구
medical *instruments* 의료 기기
scientific *instruments* 과학 기구
❷ 악기 (동 musical instrument)
A violin is a stringed *instrument*. 바이올린은 현악기이다.

**in•sult** *insult*
[insʌ́lt 인설트]
타 (3단현 **insults** [insʌ́lts 인설츠], 과거·과분 **insulted** [insʌ́ltid 인설티드], 현분 **insulting** [insʌ́ltiŋ 인설팅])
모욕하다, 창피 주다
He *insulted* me in front of my friends. 그는 내 친구들 앞에서 나에게 창피를 주었다.
—명 [ínsʌlt 인설트]
(복수 **insults** [ínsʌlts 인설츠])
모욕, 무례
It is an *insult* to my mother. 그건 나의 어머니를 모욕하는 거다.

**in•sur•ance** *insurance*
[inʃú(ə)rəns 인슈(어)런스]

## Instruments 악기

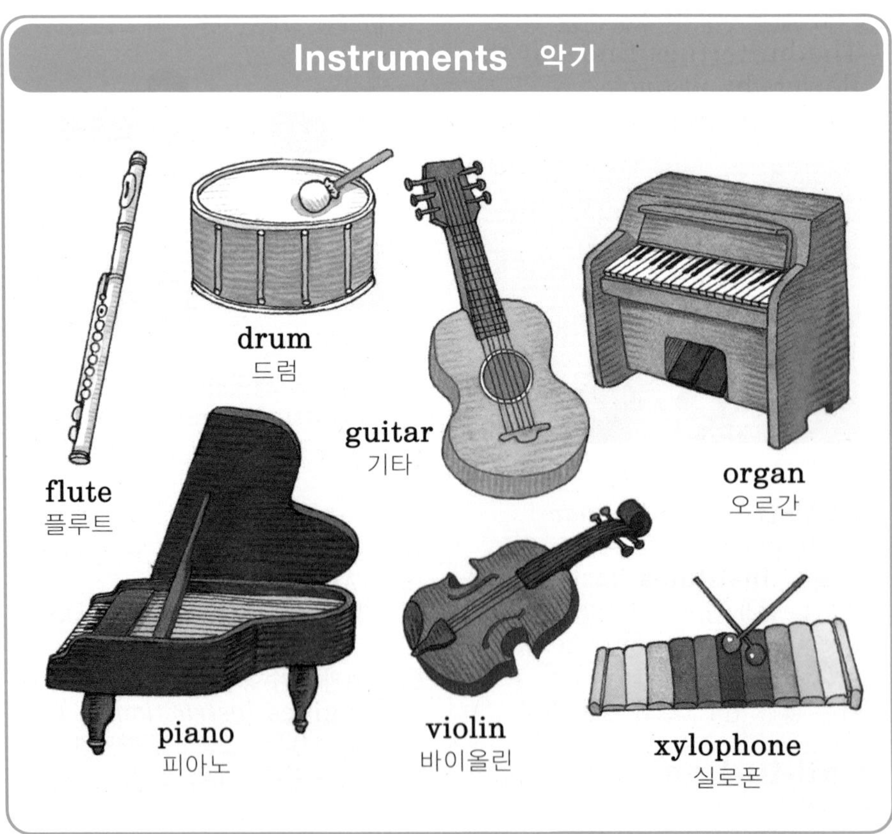

명 보험; 보험금
His mother works for an *insurance* company.
그의 어머니는 보험 회사에 다닌다.

**in•tel•li•gence** *intelligence*
[intéləʤəns 인텔러전스]
명 ❶ 지능, 이해력
He shows high *intelligence* for his age. 그는 그의 나이 치고는 높은 지능을 보인다.
❷ 정보, 지식
secret *intelligence* 비밀 정보

**in•tel•li•gent** *intelligent*
[intéləʤənt 인텔러전트]
형 (비교급 **more intelligent**, 최상급 **most intelligent**)
지적인, 영리한, 지능을 가진
He is an *intelligent* boy.
그는 머리가 좋은 소년이다.

**in•tend** *intend*
[inténd 인텐드]
타 (3단현 **intends** [inténdz 인텐즈], 과거 · 과분 **intended** [inténdid 인텐디드], 현분 **intending** [inténdiŋ 인텐딩])
❶ 《**intend to** do; **that**으로》 …하려고 생각하다, 의도하다
I *intend to* see him.
나는 그를 만나려고 한다.
❷ 《**intend**+목적어+**to** do로》 (…에게) …시킬 작정이다, 예정이다
She *intended* me *to* go on an errand. 그녀는 나를 심부름 보낼 작정이었다.

**in•ter•change** *interchange*
[íntərtʃèinʤ 인터체인지]
명 (복수 **interchanges** [íntərtʃèinʤiz 인터체인지즈])
❶ 교환, 교류
❷ (고속도로의) 인터체인지, 입체 교차로

**in•tense** *intense*
[inténs 인텐스]
형 강렬한, 격렬한, 맹렬한
The training was *intense*.
훈련은 격렬했다.

***in•ter•est** *interest*
[íntərist 인터리스트]

타 (3단현 **interests** [íntərists 인터리스츠], 과거·과분 **interested** [íntəristid 인터리스티드], 현분 **interesting** [íntəristiŋ 인터리스팅])
흥미를 갖게 하다, 관심을 일으키다
Does this music *interest* you?
이 음악에 흥미가 있습니까?
숙어 ***be interested in*** …에 관심이 있다.
I *am* very *interested in* stamps.
나는 우표에 매우 관심을 갖고 있다.

— 명 (복수 **interests** [íntərists 인터리스츠]) ❶ 관심(사), 흥미
He has a great *interest* in the project. 그는 그 계획에 커다란 관심을 갖고 있다.
❷ 이익, 이윤; 이자
the public *interest* 공익
at a low *interest* 싼 이자로

## in•ter•est•ed *interested*
[íntəristid 인터리스티드]
형 관심 있는, 흥미 있는
She heard my talk with an *interested* look. 그녀는 흥미 있는 표정으로 내 말을 들었다.

## ⁑in•ter•est•ing *interesting*
[íntəristiŋ 인터리스팅]
형 (비교급 **more interesting**, 최상급 **most interesting**)
흥미로운, 재미있는
The circus was *interesting*.
서커스는 재미있었다.

## in•ter•fere *interfere*
[ìntərfíər 인터피어]
자 (3단현 **interferes** [ìntərfíərz 인터피어즈], 과거·과분 **interfered** [ìntərfíərd 인터피어드], 현분 **interfering** [ìntərfí(ə)riŋ 인터피(어)링])
방해하다 《with》; 간섭하다 《in》
Don't *interfere with* my studying.
내가 공부하는 데 방해하지 마라.

You shouldn't *interfere in* other people's business. 다른 사람의 일에 간섭해서는 안 된다.

## in•te•ri•or *interior*
[intí(ə)riər 인티(어)리어]
형 안의, 내부의; 내륙의, 국내의
*interior* decoration 〔design〕
실내 장식

—명 (복수 **interiors** [intí(ə)riərz 인티(어)리어즈]) 내부; 실내; 내륙
The *interior* of the house is bright. 그 집의 내부는 밝다.

***in•ter•na•tion•al** *international*
[ìntərnǽʃ(ə)nəl 인터내셔널]
형 (비교급 **more international**, 최상급 **most international**)
국제적인, 세계적인
*international* trade 국제 무역

English is an *international* language. 영어는 국제적인 언어이다.

**In•ter•net** *Internet*
[íntərnèt 인터넷]
명 《the를 붙여》 인터넷 《전자 정보망을 이용한 국제적 컴퓨터 네트워크》.

**in•ter•pret** *interpret*
[intə́ːrprit 인터-프릿]
타자 (3단현 **interprets** [intə́ːrprits 인터-프리츠], 과거 · 과분 **interpreted** [intə́ːrpritid 인터-프리티드], 현분 **interpreting** [intə́ːrpritiŋ 인터-프리팅])
❶ 해석하다, 설명하다
How do you *interpret* this passage? 이 구절을 넌 어떻게 해석하니?
❷ 통역하다
He *interpreted* the President's speech into Korean. 그는 대통령의 연설을 한국어로 통역했다.

**in•ter•rupt** *interrupt*
[ìntərʌ́pt 인터럽트]
타 (3단현 **interrupts** [ìntərʌ́pts 인터럽츠], 과거 · 과분 **interrupted** [ìntərʌ́ptid 인터럽티드], 현분 **interrupting** [ìntərʌ́ptiŋ 인터럽팅])
❶ (일시적으로) 중단시키다
He *interrupted* his studies to answer the telephone. 그는 전화를 받으려고 공부를 잠시 중단했다.

❷ 가로막다, 방해하다
Don't *interrupt* our talk.
우리 이야기를 방해하지 마라.

**in•ter•val** *interval*
[íntərvəl 인터벌]
명 (복수 **intervals** [íntərvəlz 인터벌즈]) ❶ (시간 · 장소의) 사이, 간격
Trains come at 10-minute *intervals*. 열차는 10분 간격으로 온다.
❷ (연극 · 음악회의) 막간, 휴게 시간

**in•ter•view** *interview*
[íntərvjùː 인터뷰-]
명 (복수 **interviews** [íntərvjùːz 인터뷰-즈]) 면접, 인터뷰, 면담
The President gave an *interview* to reporters.
대통령은 기자 회견에 응했다.

A B C D E F G H I J K L M N O P Q R S T U V W X Y Z

—타 (3단현 **interviews** [íntərvjùːz 인터뷰-즈], 과거 · 과분 **interviewed** [íntərvjùːd 인터뷰-드], 현분 **interviewing** [íntərvjùːiŋ 인터뷰-잉])
회견하다, 면접하다, 인터뷰하다
He *interviewed* one of the actresses. 그는 여배우들 중의 한 명과 인터뷰했다.

**in•ti•mate** *intimate*
[íntimit 인티밋]
형 (비교급 **more intimate**, 최상급 **most intimate**)
친한, 친밀한
They are *intimate* friends.
그들은 절친한 친구이다.

****in•to** *into*
[íntu 인투, (문장 끝에서는) íntu(ː) 인투(-)]
전 ❶《움직임의 방향을 나타내어》 …안으로, …안에 (반 out of …에서 밖으로)
He ran *into* the room.
그는 방 안으로 달려 들어갔다.
I jumped *into* the swimming pool. 나는 수영장으로 뛰어들었다.

❷《변화를 나타내어》 …으로
The rain changed *into* snow last night.
어젯밤에 비가 눈으로 바뀌었다.
The vase was broken *into* two parts. 꽃병은 두 쪽으로 깨졌다.

**in•to•na•tion** *intonation*
[ìnto(u)néiʃən 인토(우)네이션]
명 (복수 **intonations** [ìnto(u)néiʃənz 인토(우)네이션즈])
억양, 어조
✎ 말하거나 읽을 때 연속된 소리의 높낮이를 intonation이라고 함.

***in•tro•duce** *introduce*
[ìntrəd(j)úːs 인트러듀-스]
타 (3단현 **introduces** [ìntrəd(j)úːsiz 인트러듀-시즈], 과거 · 과분 **introduced** [ìntrəd(j)úːst 인트러듀-스트], 현분 **introducing** [ìntrəd(j)úːsiŋ 인트러듀-싱])
❶ (…에게) 소개하다 《to》
Let me *introduce* Miss Smith *to* you.
스미스 양을 당신께 소개하겠습니다.

❷ 도입하다, 받아들이다
Potatoes were *introduced* into Europe from South America.
감자는 남아메리카에서 유럽으로 전래되었다.

숙어 ***introduce oneself*** 자기 소개를 하다
Let me *introduce myself*.
제 소개를 하겠습니다.

## in•tro•duc•tion
*introduction*
[ìntrədʌ́kʃən 인트러덕션]
명 (복수 **introductions** [ìntrədʌ́kʃənz 인트러덕션즈])
소개, 서문, 개론; 입문서
a letter of *introduction* 소개장
An *Introduction* to English Grammar 영문법 입문서

## in•vade
*invade*
[invéid 인베이드]
타 (3단현 **invades** [invéidz 인베이즈], 과거 · 과분 **invaded** [invéidid 인베이디드], 현분 **invading** [invéidiŋ 인베이딩])
침략[침입]하다; 침해하다
The army *invaded* the city.
군대는 그 도시를 침략했다.

## in•vad•er
*invader*
[invéidər 인베이더]
명 (복수 **invaders** [invéidərz 인베이더즈]) 침입자, 침략자

## *in•vent
*invent*
[invént 인벤트]
타 (3단현 **invents** [invénts 인벤츠], 과거 · 과분 **invented** [invéntid 인벤티드], 현분 **inventing** [invéntiŋ 인벤팅])
❶ 발명하다, 고안하다
Edison *invented* many useful things. 에디슨은 많은 유용한 것들을 발명했다.

❷ (이야기를) 꾸미다, 날조하다
He *invented* excuses for being late. 그는 지각한 변명을 꾸며댔다.

## *in•ven•tion
*invention*
[invénʃən 인벤션]
명 (복수 **inventions** [invénʃənz 인벤션즈]) 발명, 고안; 발명품
Necessity is the mother of *invention*.
《속어》 필요는 발명의 어머니.
A spaceship is a wonderful *invention*.
우주선은 놀라운 발명품이다.

## *in•ven•tor
*inventor*
[invéntər 인벤터]
명 (복수 **inventors** [invéntərz 인벤터즈]) 발명가, 창안자

Edison was a famous *inventor*.
에디슨은 유명한 발명가였다.

**in•ves•ti•gate** *investigate*
[invéstəgèit 인베스터게이트]
타 (3단현 **investigates** [invéstəgèits 인베스터게이츠], 과거 · 과분 **investigated** [invéstəgèitid 인베스터게이티드], 현분 **investigating** [invéstəgèitiŋ 인베스터게이팅])
조사하다, 연구하다
The police *investigated* the murder.
경찰은 그 살인 사건을 조사했다.

***in•vi•ta•tion** *invitation*
[ìnvətéiʃən 인버테이션]
명 (복수 **invitations** [ìnvətéiʃənz 인버테이션즈]) 초대(장), 안내(장)
a letter of *invitation* 초대장
She declined my *invitation*.
그녀는 나의 초대를 거절했다.

***in•vite** *invite*
[inváit 인바이트]
타 (3단현 **invites** [inváits 인바이츠], 과거 · 과분 **invited** [inváitid 인바이티드], 현분 **inviting** [inváitiŋ 인바이팅])
초대〔초청〕하다
I *invited* her to dinner.
나는 그녀를 만찬에 초대했다.
I was *invited* to his birthday party.
나는 그의 생일 파티에 초대받았다.

**in•volve** *involve*
[inválv 인발브]
타 (3단현 **involves** [inválvz 인발브즈], 과거 · 과분 **involved** [inválvd 인발브드], 현분 **involving** [inválviŋ 인발빙])
❶ 포함하다, 수반하다
It *involves* great expenses.
그것은 막대한 비용이 따른다.
❷ (곤란 따위에) 말려들게 하다
He was *involved* in a quarrel.
그는 싸움에 말려들었다.

**in•ward** *inward*
[ínwərd 인워드]
형 안쪽의; 마음속의 (반 outward 밖의)
— 부 안쪽으로; 내심으로
The door opened *inward*.
그 문은 안쪽으로 열렸다.

**Ire•land** *Ireland*
[áiərlənd 아이얼런드]
명 아일랜드 《영국 영토인 동북부의 Northern Ireland를 제외한 아일랜드의 나머지 지역에 자리한 공화국; 수도는 더블린(Dublin)》.

**I•rish** *Irish*
[ái(ə)riʃ 아이(어)리시]
형 아일랜드의, 아일랜드 사람〔말〕의
He is an *Irish* boy.
그는 아일랜드 소년이다.
— 명 《the를 붙여》 아일랜드 사람(전체); 《관사 없이》 아일랜드어

***i•ron** *iron*
[áiərn 아이언]
명 (복수 **irons** [áiərnz 아이언즈])

❶ 《a와 복수형 안 씀》 쇠, 철
*Iron* is a useful metal.
쇠는 유용한 금속이다.
❷ 다리미, 인두
She uses an electric *iron*.
그녀는 전기다리미를 쓴다.
— 형 철의; 견고한
an *iron* bridge 철교
an *iron* will 굳은 의지
— 타자 (3단현 **irons** [áiərnz 아이언즈], 과거 · 과분 **ironed** [áiərnd 아이언드], 현분 **ironing** [áiərniŋ 아이어닝])
다리미질하다
He is *ironing* his shirt.
그는 셔츠를 다리미질하고 있다.

## i•ron•clad *ironclad*
[áiərnklæ̀d 아이언클래드]
형 철판을 입힌, 철갑의

## i•ro•ny *irony*
[áirəni 아이러니]
명 (복수 **ironies** [áirəniz 아이러니즈]) 반어, 풍자, 아이러니

## ir•reg•u•lar *irregular*
[irégjələr 이레귤러]
형 (비교급 **more irregular**, 최상급 **most irregular**)
불규칙한; 부정기의

## ⁑is *is*
[《약》 iz 이즈, 《[z, ʒ, dʒ] 이외의 유성음 뒤에서》 z 즈, 《[s, ʃ, tʃ] 이외의 무성음 뒤에서》 s 스; 《강》 íz 이즈]
자 (과거 **was** [《약》 wəz 워즈; 《강》 wάz 와즈], 과분 **been** [《약》 bin 빈; 《강》 bín 빈], 현분 **being** [bíːiŋ 비–잉])
✎ 주어가 he, she, it 및 단수명사일 때 be동사의 현재형.
❶ …이다
She *is* very pretty.
그녀는 매우 예쁘다.

My father *is* a doctor.
나의 아버지는 의사이다.
❷ …에 있다, …이 있다
There *is* a book on the desk.
책상 위에 책이 한 권 있다.
— 조 ❶ 《**is**+**~ing**로 진행형을 만듦》 …하고 있다
She *is* cook*ing* in the kitchen.
그녀는 부엌에서 요리를 하고 있다.

A B C D E F G H I J K L M N O P Q R S T U V W X Y Z

❷ 《is+과거분사로 수동태를 만들어》 …되다
She *is loved* by everybody.
그녀는 모든 사람에게 사랑받는다.

## *is•land *island*

[áilənd 아일런드]
s는 발음하지 않음.
명 (복수 **islands** [áiləndz 아일런즈]) 섬
a desert *island* 무인도

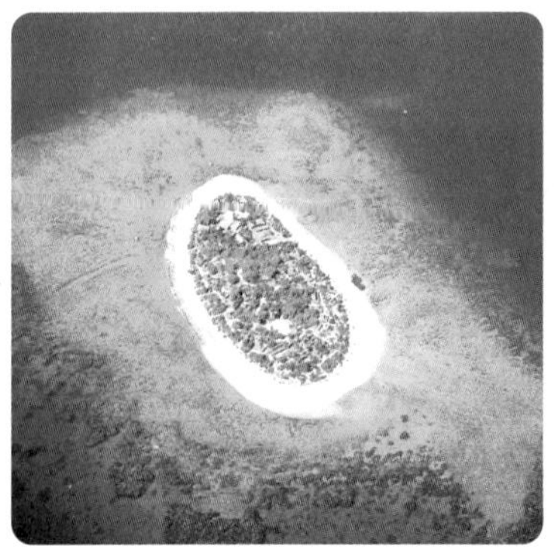

## *isn't *isn't*

[íznt 이즌트]
is not의 축약형

## is•sue *issue*

[íʃuː 이슈-]
명 (복수 **issues** [íʃuːz 이슈-즈])
❶ 발행물; (잡지의) …호
the July *issue* of the magazine 잡지의 7월호
❷ 문제(점), 쟁점
I don't want to make an *issue* of it. 나는 그 일에 대하여 문제 삼고 싶지 않습니다.
—타 (3단현 **issues** [íʃuːz 이슈-즈], 과거 · 과분 **issued** [íʃuːd 이슈-드], 현분 **issuing** [íʃuːiŋ 이슈-잉]) 나오다, 발행하다
We *issue* our school paper every month.
우리는 매달 학교 신문을 발행한다.

## **it *it*

[it 잇]
대 (복수 **they** [ðei 데이])
❶ 《주격》 그것은, 그것이; 《목적격》 그것을, 그것에
Jane has a cat. *It* is white.
제인은 고양이를 기른다. 그것은 하얀색이다.

She bought *it* at a pet shop.
그녀는 그것을 애완동물 가게에서 샀다.

**it의 변화형**

| 격＼수 | 단 수 | 복 수 |
|---|---|---|
| 주격 | it<br>그것은〔이〕 | they<br>그것들은〔이〕 |
| 소유격 | its<br>그것의 | their<br>그것들의 |
| 목적격 | it<br>그것을〔에게〕 | them<br>그것들을〔에게〕 |

❷ 《시각 · 요일 · 날씨 · 기온 · 거리 · 명암 등을 나타낼 때 주어로 쓰임》
✎ 이 경우의 it은 우리말로 번역하지 않아도 됨.

"What time is *it*?" "*It* is just two." 「몇 시입니까?」 「정각 두 시입니다.」 《시각》

*It* is Saturday today.
오늘은 토요일이다. 《요일》
*It* is cloudy today.
오늘은 날씨가 흐리다. 《날씨》
*It* is very mild here in winter. 이곳은 겨울에 날씨가 온화하다. 《기온》
How far is *it* from Seoul to Incheon? 서울에서 인천까지는 얼마나 멉니까? 《거리》
*It* was still dark outside.
밖은 아직 어두웠다. 《명암》

❸ 《가주어나 가목적어로서 「**to...**」 또는 「**that...**」을 대신하여》 …하는 것은〔것을〕, …이라는 것은〔것을〕
*It* is difficult (*for* me) *to* answer this question.
(내가) 이 질문에 답변하는 것은 어렵다 《for me는 의미상 주어; It은 가주어로서 to 이하를 가리킴》.
I think *it* necessary *to* learn English. 영어를 배우는 것은 필요하다고 생각한다 《it은 가목적어로서 to 이하를 가리킴》.
*It* is certain *that* he will come.
그가 오는 것은 확실하다 《It은 가주어로서 that 이하를 가리킴》.

❹ 《**It is... that**로 …의 부분을 강조하여》 ~한 것은 …이다
*It was* yesterday *that* I saw him. 내가 그를 만난 것은 어제였다 《I saw him yesterday.의 yesterday를 강조한 형》.

---

*I•tal•ian *Italian*
[itǽljən 이탤리언]
형 이탈리아의; 이탈리아 사람〔말〕의
—명 (복수 **Italians** [itǽljənz 이탤리언즈]) 《the를 붙여》 이탈리아 사람 (전체); 《관사 없이》 이탈리아어
She can speak *Italian*.
그녀는 이탈리아어를 할 수 있다.

---

*It•a•ly *Italy*
[ítəli 이털리]
명 이탈리아 《유럽 남부의 공화국으로서 고대 로마 문화의 발상지; 수도는 로마(Rome)》.

---

**it'd** *it'd*
[ìtud 이투드]

a b c d e f g h i j k l m n o p q r s t u v w x y z

A B C D E F G H I J K L M N O P Q R S T U V W X Y Z

it would, it had의 단축형

**i•tem** *item*
[áitəm 아이텀]
명 (복수 **items** [áitəmz 아이텀즈])
❶ 품목; 항목, 조항
*items* on the list 목록상의 품목
❷ (신문) 기사
local *items* (신문의) 지방 기사

**it'll** *it'll*
[itl 이틀]
it will, it shall의 축약형

**its** *its*
[its 이츠]
대 (복수 **their** [《약》 ðər 더; 《강》 ðέər 데어]) 《it의 소유격》 그것의
This chair lost one of *its* legs.
이 의자는 다리가 하나 없다.

**it's** *it's*
[its 이츠]
it is, it has의 축약형
*It's*(=It is) very warm today.
오늘은 날씨가 매우 따뜻하다.

****it•self** *itself*
[itsélf 잇셀프]
대 (복수 **themselves** [ðəmsélvz 뎀셀브즈])
❶ 《강조 용법》 그 자체
The story *itself* isn't interesting at all.
그 이야기 자체가 전혀 재미없다.
❷ 《재귀 용법》 그 자신을
The dog saw *itself* in the water.
그 개는 물에 비친 자기 모습을 보았다.

숙어 ***by itself*** 혼자서, 단독으로
The house stood *by itself* on a hill.
그 집은 언덕 위에 외따로 서 있었다.
***in itself*** 그 자체로; 본질적으로
The problem is not important *in itself*. 그 문제는 그 자체로는 중요하지 않다.
***of itself*** 저절로
The candle went out *of itself*.
촛불은 저절로 꺼졌다.

**I've** *I've*
[aiv 아이브]
I have의 축약형

**i•vo•ry** *ivory*
[áivəri 아이버리]
명 (복수 **ivories** [áivəriz 아이버리즈])
상아 (코끼리의 엄니)

**i•vy** *ivy*
[áivi 아이비]
명 (복수 **ivies** [áiviz 아이비즈])
〖식물〗 담쟁이 덩굴

**J, j** *J, j*
[dʒéi 제이]
명 (복수 **J's**, **j's** [dʒéiz 제이즈])
제이 《알파벳의 열 번째 글자》

**jack** *jack*
[dʒǽk 잭]
명 ❶ (트럼프의) 잭
❷ (무거운 물건을 들어올리는) 잭

**jack•et** *jacket*
[dʒǽkit 재킷]
명 (복수 **jackets** [dʒǽkits 재키츠])
❶ (소매 달린) 웃옷, 재킷

You'd better wear your *jacket*. 넌 재킷을 입는 게 좋겠다.
❷ (책의) 겉장, 레코드 커버

**jack•knife** *jackknife*
[dʒǽknàif 잭나이프]
명 (복수 **jackknives** [dʒǽknàivz 잭나이브즈]) 잭나이프 《휴대용 접칼》

**jail** *jail*
[dʒéil 제일]
명 (복수 **jails** [dʒéilz 제일즈])
감옥, 교도소
The thief was sent to *jail*.
그 도둑은 교도소로 보내졌다.

**jam**[1] *jam*
[dʒǽm 잼]
명 《a와 복수형 안 씀》 잼

a b c d e f g h i j k l m n o p q r s t u v w x y z

I spread *jam* on a slice of bread.
나는 빵 한 조각에다 잼을 발랐다.

**jam²** *jam*
[dʒǽm 잼]
명 혼잡; 붐빔
We were delayed by a traffic *jam*.
우리는 교통 혼잡으로 지체되었다.

—타 (3단현 **jams** [dʒǽmz 잼즈], 과거 · 과분 **jammed** [dʒǽmd 잼드], 현분 **jamming** [dʒǽmiŋ 재밍]) 채워넣다; (장소를) 가득 메우다
The bus was *jammed* with passengers.
버스는 승객들로 만원이었다.

****Jan•u•ar•y** *January*
[dʒǽnjuèri 재뉴에리]
명 1월 (약 Jan.)
We have much snow in *January*. 1월에는 눈이 많이 온다.

I was born on *January* 10.
나는 1월 10일에 태어났다.
✎ 날짜가 있으면 전치사는 on을 씀.

***Ja•pan** *Japan*
[dʒəpǽn 저팬]
명 일본 《수도는 도쿄(Tokyo)》

***Jap•a•nese** *Japanese*
[dʒæ̀pəníːz 재퍼니-즈]
형 일본의; 일본 사람〔말〕의
He has a *Japanese* car.
그는 일본제 승용차를 갖고 있다.
—명 (복수 **Japanese** [dʒæ̀pəníːz 재퍼니-즈] 《단수 · 복수 동형》
❶ 《the를 붙여》 일본 사람 (전체)
❷ 《관사 없이》 일본 말

**jar** *jar*
[dʒɑ́ːr 자-]
명 (복수 **jars** [dʒɑ́ːrz 자-즈])
단지, 항아리, 병

Can you open this *jar* for me?
이 단지를 열어 주겠니?

**jaw** *jaw*
[dʒɔ́ː 조-]
명 (복수 **jaws** [dʒɔ́ːz 조-즈])
턱; 《복수형으로》 (동물의) 아가리
the upper〔lower〕 *jaw*
위〔아래〕 턱

**jazz** *jazz*
[dʒǽz 재즈]
명 〖음악〗 《a와 복수형 안 씀》 재즈, 재즈 음악〔댄스〕

**jeal•ous** *jealous*
[dʒéləs 젤러스]
형 시기하는, 질투하는 《of》
He was *jealous of* his friend's success.
그는 친구의 성공을 시기했다.

**jean** *jean*
[dʒíːn 진-]
명 (복수 **jeans** [dʒíːnz 진-즈])
《복수형으로》 진 바지, 블루진 (의류)
These *jeans* are too tight.
이 청바지는 너무 꽉 낀다.

**Je•sus** *Jesus*
[dʒíːzəs 지-저스]
명 예수 (그리스도) 《Jesus Christ (예수 그리스도)라고도 함》

**jet** *jet*
[dʒét 젯]
명 (복수 **jets** [dʒéts 제츠])
❶ (액체 · 가스 따위의) 분출, 분사
*Jets* of water shot out of the hose.
물줄기가 호스에서 뿜어져 나왔다.

❷ 제트기 (동 jet plane)
a *jet* pilot 제트기 조종사

**jet plane** *jet plane*
[dʒét pléin 젯플레인]
명 제트기 (동 jet)

A B C D E F G H I J K L M N O P Q R S T U V W X Y Z

**jew•el** *jewel*
[dʒúːəl 주-얼]
명 (복수 **jewels** [dʒúːəlz 주-얼즈])
보석; 보석 장신구
She weared her finest *jewels*.
그녀는 가장 멋진 보석 장신구들을 착용했다.

---

***job** *job*
[dʒάb 자브]
명 (복수 **jobs** [dʒάbz 자브즈])
일; 직업, 일자리
a part-time *job*
시간제 일, 아르바이트

The boy got a *job* delivering newspapers. 그 소년은 신문 배달 일자리를 구했다.
He lost his *job*. 그는 실직했다.

## Jobs 직업

**astronaut** 우주 비행사

**cook** 요리사

**dentist** 치과 의사

**carpenter** 목수

**baker** 빵 굽는 사람

**bank teller** 은행 금전 출납원

BANK

**doctor** 의사

## Jobs 직업

engineer
기사
farmer
농부
fire fighter
소방관
fisherman
어부
lawyer
변호사
librarian
사서
pilot
파일럿
police officer
경찰관
programmer
프로그래머
salesclerk
점원
singer
가수
scientist
과학자
vet
수의사
secretary
비서
teacher
선생님
taxi driver
택시 운전 기사
zoo-keeper
동물원 사육사

어법 job와 work

**job**은 소규모의 일로서 보수가 따르는 경우가 많으며 부정관사 **a**를 붙이는 것이 보통. **work**는 학생의 공부에서부터 큰 사업까지 대소를 가리지 않으며 **a**를 붙이지 않는 것이 보통.

**jog•ging** *jogging*
[dʒάgiŋ 자깅]
명 조깅 ((가벼운 구보 위주의 달리기))
He goes *jogging* along the park every morning. 그는 아침마다 공원으로 조깅하러 간다.

****join** *join*
[dʒɔ́in 조인]
타자 (3단현 **joins** [dʒɔ́inz 조인즈], 과거 · 과분 **joined** [dʒɔ́ind 조인드], 현분 **joining** [dʒɔ́iniŋ 조이닝])
❶ 결합하다, 연결하다; 합류하다
He *joined* the two pipes together. 그는 두 개의 파이프를 서로 연결했다.

The two rivers *join* here.
두 강이 여기에서 합류한다.
❷ 참가하다, 끼다
Would you like to *join* us for dinner?
우리와 함께 식사하지 않으시렵니까?
Tom wants to *join* a singing group at school. 톰은 학교에서 노래 동아리에 끼고 싶어한다.

**joint** *joint*
[dʒɔ́int 조인트]
명 이음매, 접합 부분; 관절
a knee *joint* 무릎 관절

—형 연합의, 공동의
They are *joint* owners of the business.
그들은 그 사업의 공동 경영자이다.

**joke** *joke*
[dʒóuk 조우크]
명 (복수 **jokes** [dʒóuks 조우크스])
농담, 익살, 희롱
It is no *joke*. 농담이 아니야.
I said it in *joke*.
난 농담으로 말한 거야.
숙어 ***play a joke on*** …을 놀리다
They *played a joke on* me.
그들은 나를 놀렸다.
—자 (3단현 **jokes** [dʒóuks 조우크스], 과거 · 과분 **joked** [dʒóukt 조우크트], 현분 **joking** [dʒóukiŋ 조우킹])
농담을 하다
You must be *joking*.
농담이겠지.

**jol•ly** *jolly*
[dʒάli 잘리]

형 즐거운, 유쾌한
We had a *jolly* time.
우리는 즐거운 시간을 가졌다.
He is a *jolly* fellow.
그는 유쾌한 녀석이야.

**jour•nal** *journal*
[dʒə́:rnl 저-늘]
명 (복수 **journals** [dʒə́:rnlz 저-늘즈]) ❶ 신문, 잡지; 정기 간행물
She's reading a monthly *journal*. 그녀는 월간 잡지를 읽고 있다.

❷ 일기, 일지 (동 diary)
I kept a *journal* of my travels around Africa.
나는 아프리카 여행 일기를 썼다.

**jour•nal•ist** *journalist*
[dʒə́:rnlist 저-널리스트]
명 저널리스트 ((신문 · 잡지 · 텔레비전 등의 기자와 편집자))

***jour•ney** *journey*
[dʒə́:rni 저-니]
명 (복수 **journeys** [dʒə́:rniz 저-니즈]) 여행; 여정
Boston is a four-hour *journey* from New York by car. 보스턴은 뉴욕에서 차로 네 시간의 여정이다.
He went on a *journey* around the world.
그는 세계 일주 여행을 떠났다.

***joy** *joy*
[dʒɔ́i 조이]
명 (복수 **joys** [dʒɔ́iz 조이즈])
기쁨, 환희 (반 sorrow 슬픔); 기쁨을 주는 것
What a *joy* it is to see her again! 그녀를 다시 만나다니 얼마나 기쁜 일인가!
숙어 ***for*〔*with*〕*joy*** 기뻐서
He jumped *for*〔*with*〕*joy*.
그는 기뻐서 깡충 뛰었다.

**joy•ful** *joyful*
[dʒɔ́ifəl 조이펄]
형 기쁜, 기쁨에 찬; 즐거운 (동 glad)
a *joyful* look 즐거운 표정

**Jr., jr.** *Jr., jr.*
[dʒú:njər 주-니어]
junior(연소자; 손아래의)의 약어

A B C D E F G H I J K L M N O P Q R S T U V W X Y Z

***judge** *judge*
[dʒʌ́dʒ 저지]
타자 (3단현 **judges** [dʒʌ́dʒiz 저지즈], 과거 · 과분 **judged** [dʒʌ́dʒd 저지드], 현분 **judging** [dʒʌ́dʒiŋ 저징])
❶ 재판하다, 판결하다
The court *judged* him guilty.
법정은 그에게 유죄 판결을 내렸다.
❷ (사람 · 사물을) 판단하다, …라고 생각하다
Don't *judge* a man by his looks. 사람을 그의 겉모습으로 판단하지 마라.
숙어 ***judging by*〔*from*〕** …으로 판단하건대
*Judging by* her dress, I think she is an actress.
그녀의 옷차림으로 판단하건대, 그녀는 여배우라는 생각이 든다.
— 명 (복수 **judges** [dʒʌ́dʒiz 저지즈]) 재판관, 심판, 심사원

a *Judge* of the High Court
고등법원 판사
a *judge* of a beauty contest
미인 대회의 심사원

***judg(e)•ment** *judg(e)ment*
[dʒʌ́dʒmənt 저지먼트]
명 (복수 **judg(e)ments** [dʒʌ́dʒmənts 저지먼츠])
❶ 판결, 재판
The *judgment* was in his favor〔against him〕.
판결은 그에게 유리했다〔불리했다〕.
❷ 판단(력), 판정; 의견
In my *judgment*, it is a masterpiece.
내 판단으로는, 그것은 걸작품이다.

**jug** *jug*
[dʒʌ́g 저그]
명 (복수 **jugs** [dʒʌ́gz 저그즈]) (주둥이가 넓은) 주전자, (손잡이가 달린) 항아리, (맥주의) 저그
She filled the *jug* with milk.
그녀는 항아리를 우유로 가득 채웠다.

***juice** *juice*
[dʒúːs 주-스]
명 《a와 복수형 안 씀》 주스; 즙
I usually have a glass of fruit *juice* at breakfast. 나는 아침 식사 때 과일 주스 한 잔을 늘 마신다.

****Ju•ly** *July*
[dʒu(ː)lái 줄(-)라이]
명 7월 (약 Jul.)
Today is *July* 2.
오늘은 7월 2일이다 《July 2는 July (the) second라고 읽음》.
Our summer vacation begins in *July*.
우리의 여름 방학은 7월에 시작한다.

***jump** *jump*
[dʒʌ́mp 점프]
동 (3단현 **jumps** [dʒʌ́mps 점프스], 과거 · 과분 **jumped** [dʒʌ́mpt 점프트], 현분 **jumping** [dʒʌ́mpiŋ 점핑])
— 자 ❶ 뛰다, 뛰어오르다, 뛰어넘다
They can *jump* high.
그들은 높이 뛸 수 있다.

❷ (물가 따위가) 급격히 오르다
The price of oil *jumped* last week. 지난주에 기름값이 치솟았다.
— 타 (…을) 뛰어넘다
The horse *jumped* a stream.
말은 개울을 뛰어넘었다.
숙어 ***jump at*** …에 덤벼들다
— 명 (복수 **jumps** [dʒʌ́mps 점프스]) 〖스포츠〗 뛰기, 도약
the broad *jump* 멀리뛰기
the high *jump* 높이뛰기

**jump·er** *jumper*
[dʒʌ́mpə*r* 점퍼]
명 (복수 **jumpers** [dʒʌ́mpə*r*z 점퍼즈]) ❶ 뛰어오르는 사람〔것〕
a high *jumper* 높이뛰기 선수
❷ 〖의복〗 점퍼, 작업용 상의

**⁑June** *June*
[dʒúːn 준–]
명 6월 (약 Jun.)
Today is *June* fifth.
오늘은 6월 5일이다.
*June* marriages are lucky.
《속담》 6월의 결혼은 행운 《6월에 결혼하면 행운이 온다는 속설이 있음》

**jun·gle** *jungle*
[dʒʌ́ŋgl 정글]
명 (복수 **jungles** [dʒʌ́ŋglz 정글즈]) 《the를 붙여》 정글, 밀림 (지대)

*the jungles* of Africa
아프리카의 정글
Many animals live in *the jungle*. 많은 동물들이 밀림에서 산다.

## *ju•nior *junior*

[dʒúːnjər 주-니어]
명 (복수 **juniors** [dʒúːnjərz 주-니어즈]) 연소자, 손아랫사람 (약 Jr.); 후배 (반 senior 연장자)
He is my *junior* by two years.
그는 나보다 두 살 아래다.

They are my *juniors*.
그들은 내 후배들이다.

—형 ❶ 손아래의, 연하의; 2세의
John Smith, *Junior*〔Jr.〕
존 스미스 2세

참고 영미에서는 친아들이 동성 동명일 때, 아들의 이름에 **Junior**를 붙여서 아버지와 구별한다. 보통 위에 든 예처럼 **Jr.**로 약한다. 또한 아버지 쪽을 **Senior**(**Sr.**로 약함)라고 부르는 경우도 있다.

❷ 후배의, 하급의
a *junior* officer 하급 장교

## jun•ior high (school)

*junior high (school)*
[dʒúːnjər hái (skùːl) 주-니어하이 (스쿨-)]
명 《미》 중학교 《간단히 줄여서 junior high라고도 함》
We are *junior high school* students. 우리는 중학생이다.

## Ju•pi•ter *Jupiter*

[dʒúːpitər 주-피터]
명 ❶ 〖로마 신화〗 주피터 《모든 신들의 왕으로 그리스 신화의 Zeus에 해당》
❷ 〖천문〗 목성
*Jupiter* is the largest planet in our solar system. 목성은 태양계에서 가장 큰 행성이다.

## **just *just*

[dʒəs(t) 저스(트)]
부 ❶ 정확히, 꼭; 바로, 틀림없이 (동 exactly)
It is *just* three o'clock.
정각 세 시이다.

That is *just* a hundred dollars.
그것은 정확히 1백 달러이다.

❷ 《완료형과 함께》 **방금**, 이제 막
The train *has just started*.
열차는 방금 출발했다.
I *have just written* a letter.
나는 이제 막 편지를 다 썼다.

❸ 《명령문에서》 **좀**, 조금
*Just* listen to me.
내 말 좀 들어 봐.
*Just* a moment, please.
잠깐 기다려 주세요.

❹ **겨우**, 간신히; 가까스로
I was *just* in time for the plane.
나는 간신히 비행기 시간에 맞추었다.
I have *just* enough money to buy it. 나는 가까스로 그것을 살 돈만 갖고 있다.

❺ 《구어》 **아주**; 참으로, 정말
It's *just* beautiful.
정말 아름답다.

숙어 ***just now*** 바로 지금; 이제 막
She arrived *just now*.
그녀는 지금 막 도착했다.
I'm very busy *just now*.
나는 지금 아주 바쁘다.

— 형 [dʒʌ́st 저스트]
올바른, 공정한; 정당한
Our teacher is *just* to us.
우리 선생님은 우리에게 공정하시다.
You have received a *just* reward.
당신은 정당한 보상을 받았습니다.

## jus•tice *justice*

[dʒʌ́stis 저스티스]
명 《a와 복수형 안 씀》 정의; 공정, 공평
We must fight for *justice*.
우리는 정의를 위해 싸워야 한다.
Treat all people with *justice*.
모든 사람을 공평하게 다루시오.

## jus•ti•fy *justify*

[dʒʌ́stifài 저스티파이]
타 (3단현 **justifies** [dʒʌ́stifàiz 저스티파이즈], 과거 · 과분 **justified** [dʒʌ́stifàid 저스티파이드], 현분 **justifying** [dʒʌ́stifàiiŋ 저스티파이잉])
정당화하다; 변호하다, 변명하다
You cannot *justify* his carelessness. 당신은 그의 부주의를 정당화할 수 없습니다.
He *justified* himself for his behavior.
그는 자기의 행위를 변명했다.

## just•ly *justly*

[dʒʌ́stli 저스틀리]
부 올바르게, 당연히, 공정하게
He was *justly* punished.
그는 당연히 처벌되었다.

# K k

**K, k** *K, k*
[kéi 케이]
명 (복수 **K's, k's** [kéiz 케이즈])
케이 《알파벳의 열한 번째 글자》

**kan·ga·roo** *kangaroo*
[kæ̀ŋgərúː 캥거루-]
명 (복수 **kangaroos** [kæ̀ŋgərúːz 캥거루-즈]) 〖동물〗 캥거루

You can see a lot of *kangaroos* in Australia. 오스트레일리아에서는 많은 캥거루를 볼 수 있다.

**keen** *keen*
[kíːn 킨-]
형 (비교급 **keener** [kíːnər 키-너], 최상급 **keenest** [kíːnist 키-니스트])
❶ 예리한, 날카로운 (㊐ sharp)
This knife has a *keen* edge.
이 칼은 날이 예리하다.
❷ (감각이) 예민한; (통증 · 추위 따위가) 심한
He is *keen* of hearing.
그는 귀가 예민하다.
❸ 열심인, 몹시 …하고 싶어하는
Jim is *keen* about baseball.
짐은 야구에 열심이다.

**keen·ly** *keenly*
[kíːnli 킨-리]
부 날카롭게; 심하게; 열심히

⁑**keep** *keep*
[kíːp 키-프]
동 (3단현 **keeps** [kíːps 키-프스], 과거 · 과분 **kept** [képt 켑트], 현분 **keeping** [kíːpiŋ 키-핑])
— 타 ❶ 가지고 있다, 지니다; 간직하다, 보관하다
You may *keep* the change.
거스름돈은 가지셔도 됩니다.

*Keep* the film in a dark room.
필름을 암실에 보관하세요.

❷ (가축을) 기르다; (가족을) 부양하다
We *keep* cows and horses on our farm.
우리 농장에서는 소와 말을 기른다.
He *keeps* a large family.
그는 대가족을 부양한다.
❸ (약속 · 규칙 따위를) 지키다
He always *keeps* his promise.
그는 항상 약속을 지킨다.
Can you *keep* a secret?
비밀을 지킬 수 있니?
❹ (사업을) 경영하다; (상품을) 비치하다
He *keeps* a hotel in Seoul.
그는 서울에서 호텔을 경영한다.
We don't *keep* postal cards.
우리 가게에서는 우편엽서를 취급하지 않습니다.
❺ (어떤 동작 · 상태를) 계속하다
I *keep* a diary in English.
나는 영어로 일기를 쓰고 있다.

This watch *keeps* good time.
이 시계는 시간이 정확하다.
❻ 《**keep**+목적어+형용사〔분사〕로》 (어떤 상태로) 해두다, 유지하게 하다
*Keep* your room *clean*.
너의 방을 깨끗이 해두어라.
Lucy often *keeps* me *waiting* for a long time. 루시는 종종 나를 오랜 시간 동안 기다리게 만든다.
*Keep* the door *closed*.
문을 닫은 채로 두어라.
—[자] ❶ 죽 …의 상태로 있다; 계속해서 …하다
Please *keep* quiet. 조용히 하시오.
The child *kept* crying.
그 아이는 계속 울고 있었다.
She *kept* waiting for him to come. 그녀는 그가 오기를 계속 기다리고 있었다.
❷ (음식물이) 썩지 않고 견디다
Food will not *keep* long in hot weather. 더운 날씨에 음식은 오래 가지 못할 것이다.
[숙어] ***keep ... from ~ing*** …이 ~하는 것을 방해하다
The snow *kept* us *from* go*ing* out.
눈이 와서 우리는 외출하지 못했다.

***keep off*** (…에) 접근하지 않다
*Keep off* the grass.
잔디밭에 들어가지 마시오 《게시문》.
***keep on ~ing*** 계속해서 …하다
He *kept on* ask*ing* me for money. 그는 나에게 끈덕지게 돈을 달라고 졸랐다.
***keep to*** …을 굳게 지키다
*Keep to* the right. 우측 통행
***keep up with*** (사람 · 시대에) 뒤지지 않다, …을 따라잡다
I can't *keep up with* him.
나는 그를 따라잡을 수가 없다.

---

**keep·er** *keeper*
[kíːpər 키-퍼]

명 (복수 **keepers** [kíːpərz 키-퍼즈])
지키는 사람, 관리인; 사육사
a shop *keeper* 가게 주인

## *kept *kept*

[képt 켑트]
타 자 keep(유지하다, 지키다)의 과거 · 과거분사

## ket•tle *kettle*

[kétl 케틀]
명 (복수 **kettles** [kétlz 케틀즈])
주전자; 냄비
The *kettle* is boiling.
주전자의 물이 끓고 있다.

## *key *key*

[kíː 키-]
명 (복수 **keys** [kíːz 키-즈])
❶ 열쇠
This is the *key* to the front door. 이것이 현관문 열쇠이다.

❷ (…에 대한) 실마리; (…의) 비결
This letter holds the *key* to the mistery. 이 편지에 그 미스터리를 푸는 실마리가 있다.
❸ (피아노 · 타자기 등의) 건반, 키
A piano has *keys* to make music. 피아노에는 음악 소리를 내는 건반이 있다.

## key•board *keyboard*

[kíːbɔ̀ːrd 키-보-드]
명 (복수 **keyboards** [kíːbɔ̀rdz 키-보즈])
(피아노 · 타자기 따위의) 키보드, 건반

## *kick *kick*

[kík 킥]
타 자 (3단현 **kicks** [kíks 킥스], 과거 · 과분 **kicked** [kíkt 킥트], 현분 **kicking** [kíkiŋ 키킹])
차다, 걷어차다
He *kicked* the ball a long way.
그는 멀리 공을 걷어찼다.

숙어 ***kick off*** (축구 등에서) 시합을 시작하다; (모임 등을) 시작하다
They *kicked off* the discussion.
그들은 토론을 시작했다.
—명 (복수 **kicks** [kíks 킥스])
차기, 발길질

## kid¹ *kid*

[kíd 키드]

명 (복수 **kids** [kídz 키즈]) 〖동물〗 새끼 염소; 《구어》 어린이 (동 child)

I took the *kids* to the country.
나는 아이들을 시골에 데리고 갔다.

**kid²** *kid*
[kíd 키드]
자 (3단현 **kids** [kídz 키즈], 과거·과분 **kidded** [kídid 키디드], 현분 **kidding** [kídiŋ 키딩])
놀리다, 우롱하다
No *kidding*! 놀리지 마라!

*__kill__ *kill*
[kíl 킬]
타 (3단현 **kills** [kílz 킬즈], 과거·과분 **killed** [kíld 킬드], 현분 **killing** [kíliŋ 킬링])
❶ 죽이다; (일을) 망쳐 놓다
A lot of people are *killed* in traffic accidents. 수많은 사람들이 교통사고로 사망한다.

❷ (시간을) 보내다
He *killed* time by reading a book.
그는 책을 읽으면서 시간을 보냈다.
숙어 ***kill oneself*** 자살하다
He *killed himself* by taking poison. 그는 음독 자살했다.

**kill·er** *killer*
[kílər 킬러]
명 (복수 **killers** [kílərz 킬러즈])
죽이는 사람〔것〕, 살인자

**kil·o·gram** *kilogram*
[kíləgræ̀m 킬러그램]
명 (복수 **kilograms** [kíləgræ̀mz 킬러그램즈]) 〖단위〗 킬로그램 (약 kg)

**kil·o·me·ter** *kilometer*
[kilɑ́mitər 킬라미터]
명 (복수 **kilometers** [kilɑ́mitərz 킬라미터즈]) 〖단위〗 킬로미터 (약 km)

⁑**kind¹** *kind*
[káind 카인드]
형 (비교급 **kinder** [káindər 카인더], 최상급 **kindest** [káindist 카인디스트])
친절한, 상냥한, 인정 있는 (반 unkind 불친절한)
Be *kind* to old people.
노인에게 친절히 대해라.

a b c d e f g h i j k l m n o p q r s t u v w x y z

A B C D E F G H I J K L M N O P Q R S T U V W X Y Z

Jenny is a *kind* girl.
제니는 상냥한 소녀이다.

숙어 ***be kind enough to** do* 친절하게도 …하다, 부디 …해 주십시오.

She *was kind enough to* show me the way. 그녀는 친절하게도 나에게 길을 가르쳐 주었다.

***It is very kind of you.*** 정말 고맙습니다.

## *kind²

*kind*

[káind 카인드]

명 (복수 **kinds** [káindz 카인즈])
종류 (동 sort)

What *kind* of flowers do you like? 어떤 종류의 꽃을 좋아합니까?

There are many *kinds* of food here.
여기에는 많은 종류의 음식이 있다.

숙어 ***a kind of*** 일종의

The tomato is *a kind of* vegetable. 토마토는 야채의 일종이다.

## kin•der•gar•ten

*kindergarten*

[kíndərgɑ̀:rtn 킨더가-튼]

명 (복수 **kindergartens** [kíndərgɑ̀:rtnz 킨더가-튼즈]) 유치원, 유아원

## kind•ly

*kindly*

[káindli 카인들리]

부 ❶ 친절하게, 상냥하게

He *kindly* gave me this present. 그는 친절하게도 나에게 이 선물을 주었다.

❷ 죄송하지만, 부디 《please쪽이 더 자연스러운 표현》

Will you *kindly* tell me the way to the lake? 죄송하지만 호수로 가는 길을 가르쳐 주시겠습니까?

—형 (비교급 **kindlier** [káindliər 카인들리어], 최상급 **kindliest** [káindliist 카인들리이스트])
친절한, 상냥한

a *kindlly* smile 상냥한 미소

## kind•ness

*kindness*

[káin(d)nəs 카인(드)너스]

명 《복수형 안 씀》 친절; 친절한 행위

Thank you for your *kindness*.
친절을 베풀어 주셔서 감사합니다.

We did him a *kindness*.
우리는 그에게 친절을 베풀었다.

## **king

*king*

[kíŋ 킹]

명 (복수 **kings** [kíŋz 킹즈])

❶ 왕, 국왕, 임금 (반 queen 여왕)

The *king* ruled the country wisely.
그 왕은 나라를 현명하게 다스렸다.

❷ (어떤 분야의) 실력자, …왕

He is an oil *king*.
그는 석유업계의 실력자이다.

The lion is the *king* of beasts.
사자는 백수의 왕이다.

**king•dom** *kingdom*
[kíŋdəm 킹덤]
명 (복수 **kingdoms** [kíŋdəmz 킹덤즈]) ❶ 왕국
Sweden is a *kingdom*.
스웨덴은 왕국이다.
❷ (자연의) …계
the animal〔plant〕 *kingdom*
동물〔식물〕계

***kiss** *kiss*
[kís 키스]
명 (복수 **kisses** [kísiz 키시즈])
키스, 입맞춤
She gave me a *kiss*.
그녀는 나에게 키스를 했다.
— 타자 (3단현 **kisses** [kísiz 키시즈], 과거 · 과분 **kissed** [kíst 키스트], 현분 **kissing** [kísiŋ 키싱])
키스하다, 입맞추다
They *kissed* their grandfather on each cheek. 그들은 할아버지의 양쪽 뺨에 키스했다.

****kitch•en** *kitchen*
[kítʃin 키친]
명 (복수 **kitchens** [kítʃinz 키친즈])
부엌, 주방
Mother is cooking in the *kitchen*. 어머니는 부엌에서 요리를 하고 계신다.

**kite** *kite*
[káit 카이트]
명 (복수 **kites** [káits 카이츠])
연; 〖조류〗 솔개
The girl is flying a *kite* on the hill.
소녀가 언덕에서 연을 날리고 있다.

**kit•ten** *kitten*
[kítn 키튼]
명 (복수 **kittens** [kítnz 키튼즈])
〖동물〗 새끼 고양이
The mother cat licked her *kittens* clean. 엄마 고양이가 새끼 고양이들을 깨끗이 핥아 주었다.

A B C D E F G H I J **K** L M N O P Q R S T U V W X Y Z

**km, km.** *km, km.*
[kilámitər 킬라미터]
킬로미터 ((kilometer의 약어))

**knee** *knee*
[níː 니-]
k는 발음하지 않음.
명 (복수 **knees** [níːz 니-즈])
무릎, 무릎 관절
He prayed on his *knees*.
그는 무릎을 꿇고 기도했다.
The water came above the *knee*. 물은 무릎 위까지 차올랐다.

**kneel** *kneel*
[níːl 닐-]

## Kitchen 부엌

자 (3단현 **kneels** [níːlz 닐-즈], 과거 · 과분 **knelt** [nélt 넬트], 또는 **kneeled** [níːld 닐-드], 현분 **kneeling** [níːliŋ 닐-링])
무릎을 굽히다[꿇다]

He *knelt* to pick it up. 그는 그것을 주우려고 무릎을 굽혔다.

***knew** *knew*
[n(j)úː 뉴-]
타자 know(알다)의 과거

**⁑knife** *knife*
[náif 나이프]
명 (복수 **knives** [náivz 나이브즈])
칼, 나이프, 식칼
We eat meat with a *knife* and fork. 우리는 나이프와 포크로 고기를 먹는다.

He cut his finger with a *knife*. 그는 칼로 손가락을 베었다.

**knight** *knight*
[náit 나이트]
명 (복수 **knights** [náits 나이츠])
(중세의) 기사, 무사; (영국의) 작위를 받은 사람

***knit** *knit*
[nít 닛]
타자 (3단현 **knits** [níts 니츠], 과거 · 과분 **knitted** [nítid 니티드], 또는 **knit** [nít 닛], 현분 **knitting** [nítiŋ 니팅])
짜다, 뜨다; 뜨개질하다
She *knitted* a sweater for Tom. 그녀는 톰을 위해 스웨터를 짰다.

A B C D E F G H I J K L M N O P Q R S T U V W X Y Z

**knives** *knives*
[náivz 나이브즈]
명 knife(칼)의 복수

**⁑knock** *knock*
[nák 낙]
타자 (3단현 **knocks** [náks 낙스], 과거 · 과분 **knocked** [nákt 낙트], 현분 **knocking** [nákiŋ 나킹])
❶ (문을) 두드리다, 노크하다 ((on, at))
I *knocked on* the door.
나는 문을 노크했다.

❷ 치다, 때리다; 부딪치다 ((against))
He *knocked* his brother on the head. 그는 동생의 머리를 때렸다.
Tom *knocked* his head *against* the wall.
톰은 담벽에 머리를 부딪쳤다.
숙어 ***knock down*** 때려눕히다
I *knocked* him *down*.
나는 그를 때려눕혔다.
***knock out*** (권투 · 야구에서 상대방을) 녹아웃시키다
He was *knocked out* at the second round.
그는 2라운드에 녹아웃되었다.
— 명 (복수 **knocks** [náks 낙스])
노크 (소리); 치기
I heard a *knock* on〔at〕 the door.
나는 문을 노크하는 소리를 들었다.

**knot** *knot*
[nát 낫]
명 (복수 **knots** [náts 나츠])
❶ 매듭; (나무의) 혹, 옹이

The sailor made a *knot* in a rope.
그 선원은 밧줄에 매듭을 지었다.
❷ 〖단위〗 노트 ((한 시간에 1해리(海里: 약 1,852m)를 나아가는 속도 단위))
The ship can make a speed of 25 *knots*. 그 배는 25노트의 속력을 낼 수 있다.
— 타자 (3단현 **knots** [náts 나츠], 과거 · 과분 **knotted** [nátid 나티드], 현분 **knotting** [nátiŋ 나팅])
매다, 결합하다; 매듭을 짓다
He *knotted* his tie.
그는 넥타이를 맸다.

**⁑know** *know*
[nóu 노우]
타자 (3단현 **knows** [nóuz 노우즈], 과거 **knew** [n(j)úː 뉴-], 과분 **known** [nóun 노운], 현분 **knowing** [nóuiŋ 노우잉])
❶ 알고 있다, 알다, 이해하다
I *know* some French words.
나는 몇 개의 프랑스어 단어들을 안다.
I don't *know* about that.

나는 그 일은 잘 알지 못한다.
Do you *know* how to drive a car? 차를 운전하는 법을 압니까?

I don't *know* what to do.
나는 어찌해야 좋을지 모르겠다.
❷ …와 아는 사이이다, 서로 알다
Do you *know* each other?
당신들은 서로 아는 사이입니까?
I have *known* him for ten years.
나는 10년 동안 그를 알고 지냈다.
❸ 알아보다; 구별하다 《from》
I *knew* Tom at once.
나는 톰을 금방 알아보았다.
I *know* a duck *from* a goose.
나는 오리와 거위를 구별할 줄 안다.
숙어 ***as far as I know*** 내가 알고 있는 한에서는
He is diligent *as far as I know*.
내가 알고 있는 한에서는 그는 부지런합니다.
***as you know*** 알다시피
*As you know*, everything is expensive these days.
알다시피, 요즘은 모든 것이 비싸다.
***be known to*** 《수동태》 …에 알려져 있다
She *is known to* everybody.
그녀는 누구에게나 알려져 있다.
***God〔Heaven〕 knows*** …은 하느님만 안다, 아무도 모른다

## knowl•edge *knowledge*

[nάlidʒ 날리지]
명 《a와 복수형 안 씀》 지식, 학식
He has some *knowledge* of history. 그는 역사 지식이 약간 있다.
*Knowledge* is power.
《속담》 아는 것이 힘이다.

## known *known*

[nóun 노운]
타자 know(알다)의 과거분사
He is *known* as a good pianist.
그는 훌륭한 피아니스트로 알려져 있다.

## ko•a•la *koala*

[ko(u)άːlə 코(우)알-러]
명 (복수 **koalas** [ko(u)άːləz 코(우)알-러즈]) 〖동물〗 코알라 《오스트레일리아에 사는 동물》

a b c d e f g h i j k l m n o p q r s t u v w x y z

*Koalas* live in Australia. 코알라는 오스트레일리아에서 서식한다.

**⁑Ko•re•a** *Korea*
[kəríːə 커리-어]
명 한국 《공식명은 the Republic of Korea; 수도는 서울(Seoul)》
*Korea* is a beautiful country.
한국은 아름다운 나라이다.

**⁑Ko•re•an** *Korean*
[kəríːən 커리-언]
형 한국의, 한국 사람의; 한국어의
*Korean* clothes 한복

I have a lot of *Korean* books.
나는 한국어 책을 많이 가지고 있다.
—명 (복수 **Koreans** [kəríːənz 커리-언즈])
❶ 《the를 붙여》 한국 사람 (전체)
*The Koreans* are a kind people.
한국 사람은 친절한 국민이다.
❷ 《관사 없이》 한국어
Can you speak *Korean*?
당신은 한국말을 할 줄 압니까?

## L, l *ℒ, ℓ*

[él 엘]

명 (복수 **L's, l's** [élz 엘즈])
엘 《알파벳의 열두 번째 글자》

## L, £ *ℒ, £*

[páund 파운드]

명 〖단위〗 파운드《pound의 약어로, 영국의 화폐 단위; 숫자 앞에 붙여 £5와 같이 표시》

## la•bel *label*

[léibəl 레이벌]

명 (복수 **labels** [léibəlz 레이벌즈])
라벨, 딱지; 꼬리표

He put a *label* on his suitcase.
그는 여행 가방에다 꼬리표를 달았다.

—타 (3단현 **labels** [léibəlz 레이벌즈], 과거 · 과분 **label(l)ed** [léibəld 레이벌드], 현분 **label(l)ing** [léibəliŋ 레이벌링])
라벨을 붙이다

## *la•bo(u)r *labo(u)r*

[léibər 레이버]

명 《a와 복수형 안 씀》 노동, 일; 수고, 힘든 일

manual *labor* 육체 노동
Machines save much *labor*.
기계는 많은 수고를 덜어 준다.

—자 (3단현 **labo(u)rs** [léibərz 레이버즈], 과거 · 과분 **labo(u)red** [léibərd 레이버드], 현분 **labo(u)r-ing** [léib(ə)riŋ 레이버링])
일하다, 노동하다; 수고하다

He *labored* hard all day.
그는 온종일 열심히 일했다.

## lab•o•ra•to•ry *laboratory*

[lǽb(ə)rətɔ̀ːri 래버러토-리]

명 (복수 **laboratories** [lǽb(ə)rə-tɔ̀ːriz 래버러토-리즈])
실험실, 연구실

a language *laboratory*
어학 실습실

**lace** *lace*
[léis 레이스]
명 (복수 **laces** [léisiz 레이시즈])
❶《a와 복수형 안 씀》 레이스, 레이스 장식
She hung *lace* curtains on the window. 그녀는 창문에다 레이스 커튼을 달았다.
❷ (신발 · 글러브 따위의) 끈

**lack** *lack*
[lǽk 랙]
명《복수형 안 씀》 모자람, 부족, 결핍
They are suffering from *lack* of water. 그들은 식수가 부족해서 고생하고 있다.

—타자 (3단현 **lacks** [lǽks 랙스], 과거 · 과분 **lacked** [lǽkt 랙트], 현분 **lacking** [lǽkiŋ 래킹])
(…이) 부족하다, 결핍되다
He *lacks* courage.
그는 용기가 부족하다.

**lad** *lad*
[lǽd 래드]
명 (복수 **lads** [lǽdz 래즈])
젊은이; 소년 (동 boy, 반 lass 소녀)

**lad•der** *ladder*
[lǽdər 래더]
명 (복수 **ladders** [lǽdərz 래더즈])
사다리
He climbed up a *ladder* to fix the roof. 그는 지붕을 수리하려고 사다리를 올라갔다.

****la•dy** *lady*
[léidi 레이디]
명 (복수 **ladies** [léidiz 레이디스])
❶ 숙녀, 부인 (반 gentleman 신사)
Do you know those *ladies*?
저 숙녀들을 아십니까?

❷《성 앞에 붙여》 …부인
*Lady* Brown 브라운 부인
❸《명사 앞에 두어》 여성…, 여류…
She is a *lady* writer.
그녀는 여류 작가이다.
숙어 ***Ladies and gentlemen!*** 여러분 《남녀 청중들에 대한 호칭》

***laid** *laid*
[léid 레이드]
타 lay(눕다, 놓다)의 과거 · 과거분사

***lain** *lain*
[lein 레인]
자 lie(눕다)의 과거분사

****lake** *lake*
[léik 레이크]
명 (복수 **lakes** [léiks 레이크스])
호수; (공원 등의) 연못

They went swimming in the *lake*. 그들은 호수에 수영하러 갔다.

**lamb** *lamb*
[lǽm 램]
b는 발음하지 않음.
명 (복수 **lambs** [lǽmz 램즈])
〖동물〗 어린 양; 새끼 양의 고기

a flock of *lambs* 양떼

**lame** *lame*
[léim 레임]
형 절름발이의, 절룩거리는; 불구의
He is *lame* in the left leg.
그는 왼쪽 다리를 전다.

***lamp** *lamp*
[lǽmp 램프]
명 (복수 **lamps** [lǽmps 램프스])
램프, 등불

a table *lamp* 탁상용 램프
street *lamps* 가로등

****land** *land*
[lǽnd 랜드]
명 (복수 **lands** [lǽndz 랜즈])
❶ 토지; 땅, 육지 (반 sea 바다)
rich *land* 비옥한 토지
The ship is coming toward the *land*.
그 배는 육지로 다가가고 있다.

❷ 나라, 국토
I want to visit a foreign *land*.
나는 외국을 방문하고 싶다.

Korea is my native *land*.
한국은 나의 조국이다.
숙어 ***by land*** 육로로
They went to Beijing *by land*.
그들은 육로로 베이징에 갔다.
— 타 자 (3단현 **lands** [lǽndz 랜즈], 과거 · 과분 **landed** [lǽndid 랜디드], 현분 **landing** [lǽndiŋ 랜딩]) 상륙하다, 착륙하다; 착륙시키다
We *landed* at Dover.
우리는 도버에 상륙했다.
The pilot *landed* the airplane in a field. 조종사는 비행기를 들판에 착륙시켰다.

**land•ing** *landing*
[lǽndiŋ 랜딩]
명 (복수 **landings** [lǽndiŋz 랜딩즈])
❶ 착륙, 상륙; 착륙장
❷ (계단의) 층계참
I met him on the *landing*.
층계참에서 그를 만났다.

**land•mark** *landmark*
[lǽn(d)mὰːrk 랜(드)마-크]
명 (복수 **landmarks** [lǽn(d)-mὰːrks 랜(드)마크스])
랜드마크, 경계표, (지리적인) 표지

**land•scape** *landscape*
[lǽn(d)skèip 랜(드)스케이프]
명 (복수 **landscapes** [lǽn(d)skèips 랜(드)스케입스]) 풍경, 경치; 풍경화

**lane** *lane*
[léin 레인]
명 (복수 **lanes** [léinz 레인즈])
❶ 시골길, 오솔길
❷ (도로의) 차선; 항로
a four-*lane* highway
(왕복) 4차선 도로
❸ (육상 경기 · 수영의) 코스, 레인
He is running in *lane* three.
그는 3번 레인에서 달리고 있다.

***lang•uage** *language*
[lǽŋgwidʒ 랭귀지]
명 (복수 **languages** [lǽŋgwidʒiz 랭귀지즈]) 언어, 말; 국어
one's native *language* 모국어
He is learning a foreign *language*. 그는 외국어를 배우고 있다.
How many *languages* do you speak?
당신은 몇 개 국어를 하십니까?

**lan•tern** *lantern*
[lǽntərn 랜턴]
명 (복수 **lanterns** [lǽntərnz 랜턴즈]) 손전등, 랜턴; 초롱

**lap** *lap*
[lǽp 랩]
명 (복수 **laps** [lǽps 랩스])

무릎 《앉았을 때 허리에서 무릎까지의 사이》
The baby is on its mother's *lap*. 아기는 엄마의 무릎 위에 있다.
✎ 아기의 성별을 모를 때는 it로 받음.

**⁑large** *large*
[lάːrdʒ 라-지]
형 (비교급 **larger** [lάːrdʒər 라-저], 최상급 **largest** [lάːrdʒist 라-지스트])
큰, 거대한 (동 big, 반 small 작은); (수 · 양이) 많은, 다량의
He lives in a *large* city.
그는 대도시에서 산다.
A tiger is *larger* than a cat.
호랑이는 고양이보다 크다.

He has a *large* family.
그에게는 가족이 많다.

**large•ly** *largely*
[lάːrdʒli 라-질리]
부 주로, 대부분은
His success was *largely* due to luck. 그의 성공은 주로 운이 좋은 덕분이었다.

**lark** *lark*
[lάːrk 라-크]
명 (복수 **larks** [lάːrks 라-크스])
〖조류〗 종달새
A *lark* is a small brown bird.
종달새는 작은 갈색 새이다.

**laser** *laser*
[léizər 레이저]
명 (복수 **lasers** [léizərz 레이저즈])
레이저 《전자파에 의한 빛의 방출 장치》
a *laser* beam 레이저 광선
We saw a *laser* show.
우리는 레이저 쇼를 보았다.

**lass** *lass*
[lǽs 래스]
명 (복수 **lasses** [lǽsiz 래시즈])
아가씨, 소녀 (반 lad 소년)

**⁑last[1]** *last*
[lǽst 래스트]
형 《late(늦은)의 최상급》
❶ 《the를 붙여》 최후의, 맨 마지막의 (반 first 최초의)

A B C D E F G H I J K L M N O P Q R S T U V W X Y Z

December 31 is *the last* day of the year. 12월 31일은 그 해의 마지막 날이다.
I missed the *last* train.
나는 막차를 놓쳤다.
❷ 지난번의, 요전의; 최근의
He called on me *last* Sunday.
그는 지난 일요일에 나를 찾아왔다.
He has been sick for the *last* few days.
그는 최근 며칠 동안 병을 앓았다.
❸ 《the를 붙여》 결코 …하지 않은
He is *the last* person to tell a lie. 그는 절대로 거짓말할 사람이 아니다.
숙어 ***for the last time*** 최후에
— 부 ❶ (순서 · 시간적으로) 최후에, 맨 마지막에
Who came *last*?
누가 맨 마지막에 왔지?

❷ 요전에, 최근에
When I *last* saw her, she looked well. 요전에 그녀를 만났을 때 그녀는 건강해 보였다.
— 명 《the를 붙여》 마지막, 끝, 최후
*The last* of the story was not interesting.
이야기의 끝은 재미없었다.
숙어 ***at last*** 마침내, 드디어
He reached the village *at last*.
그는 마침내 그 마을에 도착했다.

## *last² *last*

[lǽst 래스트]
자 (3단현 **lasts** [lǽsts 래스츠], 과거 · 과분 **lasted** [lǽstid 래스티드], 현분 **lasting** [lǽstiŋ 래스팅])
계속하다 (동 continue), 지속하다; 견디다, 오래 가다
The storm *lasted* (for) three days. 폭풍우는 3일간 계속되었다.
These shoes will *last* (for) two years.
이 구두는 2년 동안은 신을 것이다.

## **late *late*

[léit 레이트]
형 (비교급 **later** [léitər 레이터], 또는 **latter** [lǽtər 래터], 최상급 **latest** [léitist 레이티스트] 또는 **last** [lǽst 래스트])
❶ 늦은, 더딘, 지각한
He is often *late* for school.
그는 종종 학교에 지각한다.

❷ 최근의, 요즈음의
They lost their houses in the *late* war. 그들은 최근의 전쟁에서 집을 잃어버렸다.
❸ 작고한, 고… (동 dead)
The *late* Mr. White was a good pianist. 돌아가신 화이트 씨는 훌륭한 피아니스트였다.
숙어 ***of late*** 요즘, 최근
We have had no rains *of late*.

요즘 비가 내리지 않았다.

—부 (비교급 **later**, 최상급 **latest**) 늦게, 뒤늦게 (반 early 일찍)

He came ten minutes *late*.
그는 10분 늦게 왔다.

***late•ly** *lately*
[léitli 레이틀리]
부 최근에, 요즘에

I have not met her *lately*.
나는 요즘 그녀를 만나 보지 못했다.

***lat•er** *later*
[léitər 레이터]
형 《late(늦은)의 비교급》 보다 늦은, 더 나중의

We'll take a *later* train. 우리는 더 나중의 열차를 타겠습니다.

—부 뒤에, 나중에; 《late(늦게)의 비교급》 더 늦게, 보다 나중에

The accident took place a few minutes *later*.
그 사고는 몇 분 후에 일어났다.

See you *later*.
나중에 (또) 만나요《헤어질 때 인사》.

숙어 ***sooner or later*** 조만간, 곧

He will be here *sooner or later*.
그는 조만간 여기에 올 것이다.

***lat•est** *latest*
[léitist 레이티스트]
형 《late(늦은)의 최상급》 최신의; 최근의; 최후의, 맨뒤의

Alice likes the *latest* fashions.
앨리스는 최신 패션을 좋아한다.

숙어 ***at the latest*** 늦어도

Come back by ten *at the latest*. 늦어도 10시까지는 돌아오너라.

—부 맨 나중에; 가장 최근에

**Lat•in** *Latin*
[lǽtin 래틴]
명 라틴어; 라틴족
—형 라틴어의; 라틴계의

***lat•ter** *latter*
[lǽtər 래터]
형 《late(늦은)의 비교급》 뒤〔나중〕의, 후반의, 후자의

the *latter* years of her life
그녀 인생의 만년

숙어 ***the latter*** 후자, 뒤의 것

I have a dog and a cat; I prefer the former to *the latter*.

나는 개와 고양이를 기르는데, 후자보다 전자를 좋아한다.

**laugh** *laugh*
[lǽf 래프]
자 (3단현 **laughs** [lǽfs 래프스], 과거 · 과분 **laughed** [lǽft 래프트], 현분 **laughing** [lǽfiŋ 래핑])
(소리내어) 웃다 (관 smile 미소짓다)
Don't *laugh.* 웃지 마.
They all *laughed* loudly.
그들은 모두 큰 소리로 웃었다.

He could not help *laughing.*
그는 웃지 않을 수 없었다.
숙어 ***laugh at*** …을 비웃다; …을 듣고[보고] 웃다
They *laughed at* the boy.
그들은 그 소년을 비웃었다.
Nobody *laughed at* his jokes.
그의 농담을 듣고 아무도 웃지 않았다.
—명 (복수 **laughs** [lǽfs 래프스])
웃음, 웃음소리

어법 **laugh**는 소리내어 유쾌히 웃는 웃음. **smile**이나 **grin**은 소리를 내지 않고 표정만으로 짓는 웃음. **chuckle**이나 **giggle**은 소리를 죽여 킬킬거리며 웃는 웃음.

**laugh•ter** *laughter*
[lǽftər 래프터]
명 《a와 복수형 안 씀》 웃음, 웃음소리
He burst into *laughter.*
그는 갑자기 웃음을 터뜨렸다.

**launch** *launch*
[lɔ́ːntʃ 론-치]
타 자 (3단현 **launches** [lɔ́ːntʃiz 론-치즈], 과거 · 과분 **launched** [lɔ́ːntʃt 론-치트], 현분 **launching** [lɔ́ːntʃiŋ 론-칭])
(배를) 진수시키다; (로켓을) 발사하다
They *launched* another spaceship.
그들은 또 다른 우주선을 발사했다.

**laun•dry** *laundry*
[lɔ́ːndri 론-드리]
명 (복수 **laundries** [lɔ́ːndriz 론-드리즈]) 세탁소; 《the를 붙여》 세탁물

Linda folded *the laundry* after it was dry.
린다는 세탁물이 마른 다음 개켰다.

**lau•rel** *laurel*
[lɔ́:rəl 로-럴]
명 (복수 **laurels** [lɔ́:rəlz 로-럴즈])
❶ 월계수 《남유럽의 상록수》.
❷ 월계관; 《복수형으로》 영예, 승리
She gained the *laurels*.
그녀는 영예를 얻었다.

***law** *law*
[lɔ́: 로-]
명 (복수 **laws** [lɔ́:z 로-즈])
❶ 법률, 법
Everybody is equal under the *law*.
법 앞에서는 만인이 평등하다.
❷ 《복수형으로》 법칙, 규칙 (동 rule)
the *laws* of nature 자연의 법칙

**lawn** *lawn*
[lɔ́:n 론-]
명 (복수 **lawns** [lɔ́:nz 론-즈])
잔디(밭)
My father is mowing the *lawn*.
아버지는 잔디를 깎고 계신다.

**lawn mow•er** *lawn mower*
[lɔ́:n mòuər 론-모우어]
명 잔디 깎는 기계

**lawn ten•nis** *lawn tennis*
[lɔ́:n tènis 론-테니스]
명 론 테니스 《잔디에서 하는 정구》

**law•yer** *lawyer*
[lɔ́:jər 로-여]
명 (복수 **lawyers** [lɔ́:jərz 로-여즈])
변호사; 법률가
She consulted her *lawyer*.
그녀는 변호사와 상담했다.

***lay**[1] *lay*
[léi 레이]
타 (3단현 **lays** [léiz 레이즈], 과거 · 과분 **laid** [léid 레이드], 현분 **lay-ing** [léiiŋ 레이잉])
❶ 놓다, 두다; 눕히다
*Lay* your book on the desk.
책을 책상 위에 두어라.
The baby is *laid* in the cradle.
아기는 요람 속에 눕혀져 있다.

a b c d e f g h i j k l m n o p q r s t u v w x y z

❷ (바닥 · 지면에) 깔다
We *laid* a carpet on the floor.
우리는 마루에 양탄자를 깔았다.
❸ (알을) 낳다
This hen *lays* a lot of eggs.
이 암탉은 많은 알을 낳는다.
숙어 ***lay aside*** (떼어) 간직해 두다; 치워 두다
Please *lay aside* these books.
이 책들을 치워 두어라.
***lay out*** (정원 따위를) 설계하다, (책 따위를) 레이아웃하다
***lay the table*** 식탁을 차리다

---

***lay²** *lay*
[léi 레이]
자 lie(눕다)의 과거

---

**la•zi•ly** *lazily*
[léizili 레이질리]
부 게으르게, 느릿느릿

---

***la•zy** *lazy*
[léizi 레이지]
형 (비교급 **lazier** [léiziər 레이지어], 최상급 **laziest** [léiziist 레이지이스트]) 게으른, 나태한
Don't be so *lazy*!
그렇게 게으름 피우지 마라!

---

****lead¹** *lead*
[lí:d 리-드]
동 (3단현 **leads** [lí:dz 리-즈], 과거 · 과분 **led** [léd 레드], 현분 **leading** [lí:diŋ 리-딩])
—타 ❶ 이끌다, 인도하다, 안내하다
She *led* me to my seat.
그녀가 나를 좌석으로 안내했다.

❷ 지휘하다, 지도하다; 선두에 서다
He is *leading* the orchestra.
그는 오케스트라를 지휘하고 있다.
He *leads* the class in English.
그는 반에서 영어를 제일 잘한다.
❸ 《**lead** a person **to** do로》 (아무)에게 …을 시키다
Our teacher *led* us *to* study science. 선생님은 우리에게 과학 공부를 시켰다.
—자 …에 이르다, 통하다 《to》
This road *leads to* the zoo.
이 길을 따라가면 동물원에 다다른다.
—명 (복수 **leads** [lí:dz 리-즈]) 지도, 지휘; 선도; 《the를 붙여》 선두
He took *the lead* and we followed.
그가 선두에 서고, 우리는 뒤따랐다.

---

**lead²** *lead*
[léd 레드]
명 〖광물〗 《a와 복수형 안 씀》 납

---

***lead•er** *leader*
[lí:dər 리-더]
명 (복수 **leaders** [lí:dərz 리-더즈])

지도자, 지휘자, 리더
He is the *leader* of the climbing party. 그는 등반대의 지휘자다.

**lead•er•ship** *leadership*
[líːdərʃìp 리-더십]
명 (복수 **leaderships** [líːdərʃìps 리-더십스]) 지도력, 통솔력, 리더십
He showed great *leadership*. 그는 위대한 지도력을 발휘했다.

**lead•ing** *leading*
[líːdiŋ 리-딩]
형 주요한, 선두의; 일류의
the *leading* car 선도차
He is a *leading* Hollywood actor. 그는 일류 헐리우드 배우다.

***leaf** *leaf*
[líːf 리-프]
명 (복수 **leaves** [líːvz 리-브즈]) 잎
the falling *leaves* 낙엽
In the autumn, some *leaves* become brown, red, or yellow. 가을에 어떤 잎들은 갈색, 빨간색, 노란색을 띠기 시작한다.

**leaf•y** *leafy*
[líːfi 리-피]
형 잎이 많은, 잎이 우거진
a *leafy* lane 잎이 우거진 오솔길

**league** *league*
[líːg 리-그]
명 연맹; 〖스포츠〗 경기 연맹, 리그
a *league* match 리그전

**leak** *leak*
[líːk 리-크]
명 (복수 **leaks** [líːks 리-크스]) (액체 · 가스 등의) 누출; 새는 곳〔구멍〕
There was a *leak* in the hose. 그 호스에 구멍이 나 있었다.
—자 (3단현 **leaks** [líːks 리-크스], 과거 · 과분 **leaked** [líːkt 리-크트], 현분 **leaking** [líːkiŋ 리-킹])
(물 · 가스가) 새다; (비밀이) 누설되다
Gas is *leaking*. 가스가 새고 있다.
The secret *leaked* out. 비밀이 새어 나갔다.

**lean¹** *lean*
[líːn 린-]
자 (3단현 **leans** [líːnz 린-즈], 과거 · 과분 **leaned** [líːnd 린-드], 또는 《영》 **leant** [lént 렌트], 현분 **leaning** [líːniŋ 리-닝])
기대다; 기울어지다; 의지하다
They are *leaning* against the wall. 그들은 벽에 기대고 있다.

The tower of Pisa *leans* sharply. 피사의 사탑은 상당히 기울어져 있다.

a b c d e f g h i j k l m n o p q r s t u v w x y z

**lean²** *lean*
[líːn 린-]
형 마른, 여윈 (동 thin, 반 fat 살찐)
He is tall and *lean*.
그는 키가 크고 깡마르다.

**leant** *leant*
[lént 렌트]
자 lean(비스듬히 기대다)의 과거 · 과거분사

**leap** *leap*
[líːp 리-프]
자 (3단현 **leaps** [líːps 리-프스], 과거 · 과분 **leaped** [líːpt 리-프트] 또는 **leapt** [lépt 렙트], 현분 **leaping** [líːpiŋ 리-핑])
뛰다, 뛰어넘다, 뛰어오르다
He *leapt* the high fence.
그는 높은 울타리를 뛰어넘었다.
—명 (복수 **leaps** [líːps 리-프스])
뜀, 뛰어오름, 도약
He took a *leap* over the brook.
그는 개울을 단번에 뛰어넘었다.

**leapt** *leapt*
[lépt 렙트]
자 leap(뛰다)의 과거 · 과거분사

**leap year** *leap year*
[líːp jìər 리-프이어]
명 윤년 《1년이 366일인 해로 4년마다 한 번씩 옴》

**⁑learn** *learn*
[lə́ːrn 런-]
동 (3단현 **learns** [lə́ːrnz 런-즈], 과거 · 과분 **learned** [lə́ːrnd 런-드], 또는 《영》 **learnt** [lə́ːrnt 런-트], 현분 **learning** [lə́ːrniŋ 러-닝])
—타 ❶ 배우다, 익히다
I am *learning* how to cook.
나는 요리법을 배우고 있다.
I *learned* the piano from Mr. White. 나는 화이트 선생님에게서 피아노를 배웠다.

❷ 듣다, (듣고 · 보고) 알다
I *learned* the news from Tom.
나는 그 소식을 톰에게서 들었다.
I *learned* his death in today's paper. 나는 그의 죽음을 오늘자 신문을 보고 알았다.
—자 배우다, 익히다
She *learns* fast.
그녀는 빨리 배운다.
숙어 ***learn by heart*** 외우다
*Learn* this poem *by heart*.
이 시를 외우세요.

**learn•ed** *learned*
[lə́ːrnid 러-니드]
ed는 [id]로 발음함.
형 학식 있는, 박식한
He is a very *learned* man.

그는 매우 박식한 사람이다.

**learn•ing** *learning*
[lə́ːrniŋ 러-닝]
타 learn(배우다)의 현재분사
—명 배움, 학습; 학식, 학문
the *learning* of French
프랑스어 학습

**learnt** *learnt*
[lə́ːrnt 런-트]
타자 learn(배우다)의 과거 · 과거분사

***least** *least*
[líːst 리-스트]
형 《little(작은)의 최상급》 가장 작은, 가장 적은 (반 most 가장 많은)
Kate did the *least* work.
케이트가 가장 일을 적게 했다.
—부 《little(조금)의 최상급》 가장 적게, 가장 작게
I like that book *least* of all.
나는 그 책이 가장 싫다.
—명 《the를 붙여》 최소; 최소량
숙어 ***at least*** 적어도, 최소한
He is *at least* forty.
그는 적어도 40세는 된다.
***not in the least*** 조금도 …하지 않다
I'm *not in the least* tired.
나는 조금도 지치지 않았다.

***leath•er** *leather*
[léðər 레더]
명 《a와 복수형 안 씀》 가죽, 가죽 제품
My bag is made of *leather*.
내 가방은 가죽 제품이다.

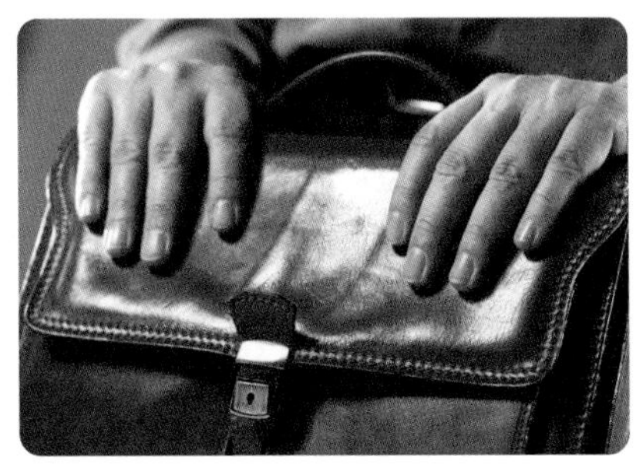

⁑**leave** *leave*
[líːv 리-브]
동 (3단현 **leaves** [líːvz 리-브즈], 과거 · 과분 **left** [léft 레프트], 현분 **leaving** [líːviŋ 리-빙])
—타 ❶ 떠나다, 출발하다, 나가다 (반 arrive 도착하다)
Don't *leave* your seat.
자기 좌석을 떠나지 마세요.
I *leave* home for school at seven o'clock. 나는 7시에 집을 출발하여 학교에 간다.

❷ 두고 가다, 잊어버리고 가다
Somebody *left* an umbrella behind. 누군가가 우산을 잊어버린 채 놔두고 갔다.

A B C D E F G H I J K L M N O P Q R S T U V W X Y Z

❸ (직장 · 일을) 그만두다, (학교를) 졸업하다
He *left* his job for research.
그는 연구 생활을 하려고 직장을 그만두었다.
❹ 맡기다, 위탁하다
I will *leave* the matter up to you. 그 일을 당신께 맡기겠습니다.
❺ 《**leave**+목적어+보어로》 …을 ~인 채로 두다
He *left* the door open.
그는 문을 열어 둔 채로 놓아 두었다.
—자 출발하다, 떠나다 《for》
He *left for* London.
그는 런던으로 떠났다.
숙어 ***leave ... alone*** …을 가만 내버려두다
*Leave* me *alone*.
나를 가만 내버려두세요.
***leave ... behind*** …을 (잊어버리고) 두고 가다
Don't *leave* anything *behind* you.
잊고 두고 가는 것이 없도록 하시오.

## leaves *leaves*

[líːvz 리-브즈]
명 leaf(잎)의 복수

## lec•ture *lecture*

[léktʃər 렉처]
명 (복수 **lectures** [léktʃərz 렉처즈]) 강연, 강의

He gave a *lecture* on Korean literature.
그는 한국 문학에 관한 강연을 했다.
—타자 (3단현 **lectures** [léktʃərz 렉처즈], 과거 · 과분 **lectured** [léktʃərd 렉처드], 현분 **lecturing** [léktʃ(ə)riŋ 렉처링])
강의하다, 강연하다, 설교하다

## *led *led*

[léd 레드]
타자 lead(이끌다)의 과거

## **left¹ *left*

[léft 레프트]
형 왼쪽의 (반 right 오른쪽의)
Raise your *left* hand.
왼손을 드세요.

I sat on Tom's *left* side.
나는 톰의 왼쪽 편에 앉았다.
—부 왼쪽으로
Turn *left* at the next corner.
다음 모퉁이에서 왼쪽으로 도시오.
—명 (복수 **lefts** [léfts 레프츠])
왼쪽, 왼편
Keep to the *left*.
좌측 통행 《게시문》

## *left² *left*

[léft 레프트]
타자 leave(떠나다)의 과거 · 과거분사

**⁂leg** *leg*
[léɡ 레그]
명 (복수 **legs** [léɡz 레그즈])
(동물의) 다리; (의자 · 책상의) 다리
He is standing on one *leg*.
그는 한 쪽 다리로 서 있다.
We walk with our *legs*.
우리는 다리로 걷는다.

The table has four *legs*.
테이블은 다리가 네 개 있다.

**le•gal** *legal*
[líːɡəl 리-걸]
형 법률상의; 합법의, 적법의
Is it *legal* to carry a handgun?
권총을 소지하는 것은 합법입니까?

**lei•sure** *leisure*
[líːʒər 리-저]
명 틈, 여가
a life of *leisure* 한가한 생활
— 형 한가한, 틈이 있는

I have *leisure* time to read.
나에게는 독서할 틈이 있다.

**lem•on** *lemon*
[lémən 레먼]
명 (복수 **lemons** [lémənz 레먼즈])
『식물』 레몬, 레몬 나무

**lem•on•ade** *lemonade*
[lèmənéid 레머네이드]
명 레모네이드, 레몬 소다 《음료수》

**⁂lend** *lend*
[lénd 렌드]
타 (3단현 **lends** [léndz 렌즈], 과거 · 과분 **lent** [lént 렌트], 현분 **lending** [léndiŋ 렌딩])
빌려 주다 (반 borrow 빌리다)

Will you *lend* me your skate board?
스케이트 보드 좀 빌려 주겠니?
I *lent* him my notebook.

a b c d e f g h i j k l m n o p q r s t u v w x y z

나는 그에게 노트를 빌려 주었다.

**어법** lend와 borrow

**lend**는 아무에게 「빌려 주다」, **borrow**는 아무에게서 「빌리다」의 뜻: He *lent* a dictionary to me. 그는 나에게 사전을 빌려 주었다 / I *borrowed* a dictionary from him. 나는 그에게서 사전을 빌렸다.

## length *length*

[léŋ(k)θ 렝(크)스]

명 (복수 **lengths** [léŋ(k)θs 렝(크)스스]) ❶ 길이, 세로 (반 width 넓이)

The *length* of this bridge is 50 meters. 이 다리의 길이는 50미터다.

❷ (시간의) 길이, 기간

숙어 ***at length*** 드디어, 마침내

The climber reached the top *at length.*

등산가는 마침내 정상에 올랐다.

## lens *lens*

[lénz 렌즈]

명 (복수 **lenses** [lénziz 렌지즈])

(안경 · 현미경 · 카메라 등의) 렌즈

Spectacles have a pair of *lenses.* 안경에는 렌즈가 두 개 있다.

## lent *lent*

[lént 렌트]

타 lend(빌려 주다)의 과거 · 과거분사

## *less *less*

[lés 레스]

형 《little(작은)의 비교급》 보다 작은, 보다 적은 (반 more 보다 많은)

Five dollars is *less* than ten dollars. 5달러는 10달러보다 적다.

—부 《little(조금)의 비교급》 보다 적게, 보다 덜

He is *less* bright than his sister. 그는 누나보다 덜 영리하다.

숙어 ***more or less*** 다소간, 약간

She was *more or less* excited.

그녀는 다소 흥분했다.

***no less than*** …만큼이나 (많은)

*No less than* five hundred people were present.

5백명이나 되는 사람들이 참석했다.

## **les•son *lesson*

[lésn 레슨]

명 (복수 **lessons** [lésnz 레슨즈])

❶ (교과서의) 과

Read *Lesson* Five.

제5과를 읽으세요.

❷ 수업, 수업 시간; 레슨

The students are at their *lesson.* 학생들은 수업 중이다.

She has music *lessons* every Sunday. 그녀는 매주 일요일에 음악 레슨을 받는다.

❸ 교훈
I learned a good *lesson* from the story. 나는 그 이야기에서 좋은 교훈을 배웠다.

## lest *lest*
[lést 레스트]
접 …하지 않도록, …하면 안되니까
Be careful *lest* you (should) break it.
그것을 깨뜨리지 않도록 주의해라.
✎ 《영》에서는 should를 쓰는 일이 많지만, 《미》에서는 보통 동사의 원형만을 씀.

## ⁑let *let*
[lét 렛]
타 (3단현 **lets** [léts 렛츠], 과거 · 과분 **let** [lét 렛], 현분 **letting** [létiŋ 레팅])
❶ 《**let**+목적어+동사의 원형으로》 …에게 ~을 하게 하다, …에게 ~하는 것을 허락하다
We *let* him *go* to the movies.
우리는 그를 영화 보러 가게 했다.
❷ 《**let us** 또는 **let's**로》 …하자, …합시다
*Let us*[*Let's*] play football.
축구하자
Yes, *let's*. 그래 하자.
❸ (…을) 가게 하다; (사람 · 동물을 어떤 상태로) 시키다
Don't *let* the dog loose.
개를 풀어놓지 마시오.
❹ (집 · 토지 따위를) 빌려 주다, 세놓다
I *let* my cottage for the summer.
나는 여름철에 별장을 세 놓는다.

## let's *let's*
[léts 렛츠]
《let us의 축약형》 …하자, …합시다
*Let's* play cricket. 크리켓하자.

## ⁑let•ter *letter*
[létər 레터]
명 (복수 **letters** [létərz 레터즈])
❶ 편지
I wrote her a long *letter*.
나는 그녀에게 긴 편지를 썼다.
❷ 문자, 글자

a capital *letter* 대문자
a small *letter* 소문자

a b c d e f g h i j k l m n o p q r s t u v w x y z

**let•ter box** *letter box*
[létər bὰks 레터박스]
명 우체통, (개인의) 우편함
Put this letter in a *letter box*.
이 편지를 우체통에 넣어라.

**lettuce** *lettuce*
[létəs 레터스]
명 (복수 **lettuces** [létəsiz 레터시즈])
〖식물〗 상추, 양상추

**lev•el** *level*
[lévəl 레벌]
명 (복수 **levels** [lévəlz 레벌즈])
❶ 수평, 평면; (수평면의) 높이
This mountain is 1,500 meters above sea *level*.
이 산은 해발 1,500미터이다.
❷ (질 · 능력 따위의) 수준, 정도
Those two players are on different *levels*.
저 두 선수는 수준이 다르다.

—형 수평의, 평평한; 동등한
*level* ground 평지
A football field must be *level*.
축구장은 평평해야 한다.

**li•a•ble** *liable*
[láiəbl 라이어블]
형 …하기 쉬운; 책임이 있는
Mary is *liable* to catch cold.
메리는 감기 걸리기 쉬운 체질이다.

**li•ar** *liar*
[láiər 라이어]
명 (복수 **liars** [láiərz 라이어즈])
거짓말쟁이
You are a *liar*. 넌 거짓말쟁이야.

**lib•er•al** *liberal*
[líb(ə)rəl 리버럴]
형 자유로운; 관대한, 너그러운
*liberal* ideas 자유 사상
He is *liberal* to his enemy.
그는 적에게 관대하다.

**lib•er•ty** *liberty*
[líbərti 리버티]
명 《a와 복수형 안 씀》 자유
the Statue of *Liberty*
(뉴욕에 있는) 자유의 여신상

Give me *liberty*, or give me death. 자유 아니면 죽음을 달라 ((패트릭 헨리의 말)).

**li•brar•i•an** *librarian*
[laibrέriən 라이브레리언]
명 (복수 **librarians** [laibrέriənz 라이브레리언즈]) 도서관 직원, 사서
My uncle is a *librarian*.
나의 아저씨는 도서관 직원이다.

**⁑li•brar•y** *library*
[láibrèri 라이브레리]
명 (복수 **libraries** [láibrèriz 라이브레리즈])
❶ 도서관, 도서실

Our school has a large *library*.
우리 학교에는 큰 도서관이 있다.
❷ (개인의) 장서, 서재
He has a *library* of 10,000 books.
그에게는 1만 권의 장서가 있다.

**li•cense,** ((영)) **li•cence** *license, licence*
[láisns 라이슨스]
명 (복수 **licenses** [láisnsiz 라이슨시즈]) 면허(증), 허가(증)
a driver's *license* 운전 면허증

**lick** *lick*
[lík 릭]
타 (3단현 **licks** [líks 릭스], 과거 · 과분 **licked** [líkt 릭트], 현분 **licking** [líkiŋ 리킹])
핥다
The dog *licked* my face.
개가 내 얼굴을 핥았다.

**lid** *lid*
[líd 리드]
명 (복수 **lids** [lídz 리즈])
뚜껑; 눈꺼풀 (동 eyelid)
put on the *lid* 뚜껑을 닫다
take off the *lid* 뚜껑을 벗기다

**⁑lie¹** *lie*
[lái 라이]
자 (3단현 **lies** [láiz 라이즈], 과거 **lay** [léi 레이], 과분 **lain** [léin 레인], 현분 **lying** [láiiŋ 라이잉])
❶ 눕다, 드러눕다
They *lay* down on the grass.
그들은 잔디밭 위에 드러누웠다.

a b c d e f g h i j k l m n o p q r s t u v w x y z

He was *lying* on his face.
그는 엎드려 누워 있었다.
❷ 놓여 있다, 위치하다
Korea *lies* in the east of Asia.
한국은 동아시아에 위치한다.

****lie²** *lie*
[lái 라이]
명 (복수 **lies** [láiz 라이즈])
거짓말 (반 truth 진실)
Don't tell a *lie*.
거짓말하지 마라.
He never *lies*.
그는 결코 거짓말하지 않는다.
— 자 (3단현 **lies** [láiz 라이즈], 과거 · 과분 **lied** [láid 라이드], 현분 **lying** [láiiŋ 라이잉])
거짓말하다, 속이다.
You are *lying*.
너 거짓말하고 있군.

****life** *life*
[láif 라이프]
명 (복수 **lives** [láivz 라이브즈])
✎ live [lív 리브] 「살다」의 3인칭 단수 현재는 lives [lívz 리브즈]
❶ 《a와 복수형 안 씀》 생명, 목숨 (반 death 죽음)
a matter of *life* and death
생사가 걸린 문제
The doctor saved her *life*. 의사 선생님이 그녀의 목숨을 구했다.

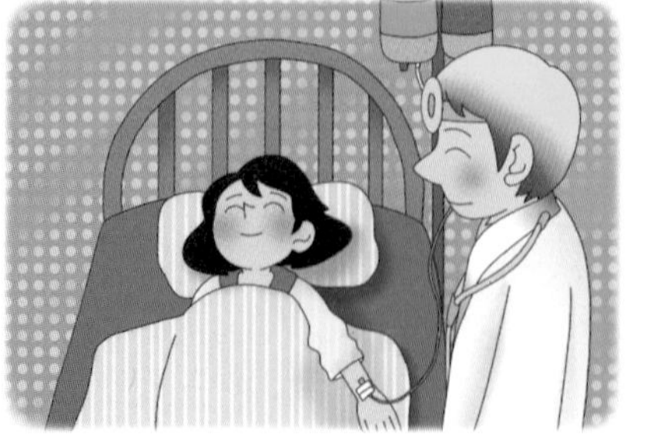

❷ 《a와 복수형 안 씀》 일생, 생애; 인생
He gave his *life* to education.
그는 교육에 일생을 바쳤다.
*Life* is compared to a voyage.
인생은 항해에 비유된다.
❸ 생활, 삶
He is enjoying a country *life*.
그는 시골 생활을 즐기고 있다.
He started a new *life*.
그는 새 삶을 시작했다.
❹ 전기(傳記)
The *life* of Edison is exciting.
에디슨전은 재미있다.
❺ 《집합적》 생물, 생명체
There is no *life* on the moon.
달에는 생명체가 없다.
숙어 ***all one's life*** 한평생
He lived *all his life* in Paris
그는 일생을 파리에서 살았다.
***come to life*** 살아나다, 소생하다

**life•boat** *lifeboat*
[láifbòut 라이프보우트]
명 (복수 **lifeboats** [láifbòuts 라이프보우츠]) 구명정, 구명 보트

**life•time** *lifetime*
[láiftàim 라이프타임]
명 평생, 일생
I have spent a *lifetime* in chemical studies.
나는 평생을 화학 연구에 바쳤다.

***lift** *lift*
[líft 리프트]
타 자 (3단현 **lifts** [lífts 리프츠], 과거 · 과분 **lifted** [líftid 리프티드], 현분 **lifting** [líftiŋ 리프팅])
❶ 들어올리다, 들다
These boxes are too heavy for me to *lift*. 이 상자들은 너무 무거워서 나는 들어올릴 수가 없다.

❷ (안개가) 걷히다, (비가) 개다
At dawn the fog *lifted*.
새벽에 안개가 걷혔다.
—명 (복수 **lifts** [lífts 리프츠])
❶ 들어올리기; 자동차에 태우기
Can you give me a *lift*?
차를 태워 주실 수 있습니까?
❷ ((영)) 승강기 (((미)) elevator)

## **light¹** *light*

[láit 라이트]
명 (복수 **lights** [láits 라이츠])
❶ 불빛; 등, 등불
I saw a *light* in the distance.
나는 멀리서 불빛을 보았다.
She put out the *light*.
그녀는 전등을 껐다.
❷ 《a와 복수형 안 씀》 빛, 광선
The sun gives us *light* and heat.
태양은 우리에게 빛과 열을 준다.
❸ (담배 · 라이터 따위의) 불

Will you give me a *light*?
담뱃불 좀 빌릴까요?
✎ 이 의미로 fire를 쓰면 틀림.
—타자 (3단현 **lights** [láits 라이츠], 과거 · 과분 **lighted** [láitid 라이티드], 또는 **lit** [lít 릿], 현분 **lighting** [láitiŋ 라이팅])
❶ 불을 켜다; 불타다
She *lighted* the candle.
그녀는 촛불을 켰다.

Dry wood *lights* easily.
마른 목재는 쉽게 불탄다.
❷ 밝히다, 비추다; 밝아지다
Several spotlights *lighted* the stage.
몇 개의 조명이 무대를 비추었다.
—형 (비교급 **lighter** [láitər 라이터], 최상급 **lightest** [láitist 라이티스트])
❶ 밝은, 환한
The room is wide and *light*.
그 방은 넓고 환하다.
❷ (빛깔이) 엷은, 옅은 색의
I like a *light* color.
나는 연한 색을 좋아한다.

## **light²** *light*

[láit 라이트]
형 (비교급 **lighter** [láitər 라이터], 최상급 **lightest** [láitist 라이티스트]) (무게가) 가벼운 (반 heavy 무거운); (양이) 적은

Feathers are *light*. 깃털은 가볍다.
I had a *light* meal.
나는 가벼운 식사를 했다.

**light•er** *lighter*
[láitər 라이터]
명 (복수 **lighters** [láitərz 라이터즈]) 라이터; 점화기
He lit a cigarette with his *lighter*.
그는 라이터로 담배에 불을 붙였다.

**light•house** *lighthouse*
[láithàus 라이트하우스]
명 (복수 **lighthouses** [láithàuziz 라이트하우지즈]) 등대

There is a *lighthouse* on the coast. 그 바닷가에 등대가 있다.

**light•ly** *lightly*
[láitli 라이틀리]
부 가볍게, 경쾌하게, 살짝
He kissed her *lightly* on the cheek.
그는 그녀의 뺨에 살짝 키스했다.

**light•ning** *lightning*
[láitniŋ 라이트닝]
명 번개, 번갯불
*Lightning* flashed in the sky all night.
번개가 밤새도록 하늘에서 번쩍였다.

***like¹** *like*
[láik 라이크]
동 (3단현 **likes** [láiks 라이크스], 과거 · 과분 **liked** [láikt 라이크트], 현분 **liking** [láikiŋ 라이킹])
—타 ❶ 좋아하다 (반 dislike 싫어하다), 마음에 들다
Helen *likes* fruit.
헬렌은 과일을 좋아한다.
Do you *like* this picture?
이 그림이 마음에 드십니까?
✎ **like**는 「…을 좋아하다」라고 하는 「마음의 상태」를 나타내는 말이므로 진행형을 쓸 수 없음.
❷ 《**like**+~**ing**; **like to** do로》 …하기를 좋아하다, …하고 싶다
I *like* play*ing* tennis.
나는 테니스 치기를 좋아한다.

I *like to* take a trip.
나는 여행을 하고 싶다.
—자 마음에 들다, 마음이 내키다

Come whenever you *like*.
언제든지 좋은 때 오세요.

숙어 ***How do you like...?*** …은 어떻습니까?
*How do you like* this flim?
이 영화는 어떻습니까?

***if you like*** 좋으시다면
You can eat this pizza *if you like*. 좋으시다면 이 피자를 드셔도 됩니다.

***would*〔*should*〕 *like to do*** …하고 싶다
I *would like to* stay here tonight.
오늘밤 여기에 머물고 싶은데요.

—명 (복수 **likes** [láiks 라이크스]) 좋아하는 것, 기호
Everybody has his *likes* and dislikes. 누구나 좋아하는 것과 싫어하는 것이 있다.

***like²**　*like*
[láik 라이크]
전 [làik 라이크] …와 같은, …처럼, …을 닮은
The lake was *like* a mirror.
호수는 거울 같았다.
I cannot play the piano *like* you.
나는 너처럼 피아노를 칠 수 없다.

숙어 ***feel like ~ing*** …하고 싶다
I don't *feel like* eating now.
지금은 먹고 싶지 않은데요.

***look like*** …처럼 보이다; …와 닮았다
He *looks like* a policeman.
그는 경찰관같이 보인다.

—형 (비교급 **more like**, 최상급 **most like**)
닮은, 같은, 비슷한
The two sisters are wearing *like* stockings. 두 자매는 똑같은 스타킹을 신고 있다.

**like·ly**　*likely*
[láikli 라이클리]
형 (비교급 **likelier** [láikliər 라이클리어] 또는 **more likely**, 최상급 **likeliest** [láikliist 라이클리이스트] 또는 **most likely**)
❶ …할 것 같은, …일 듯 싶은
It is *likely* to rain.
비가 올 것 같다.

❷ 그럴싸한, 있음직한
It's a *likely* story.
그건 그럴싸한 이야기다.

—부 아마 (동 probably)
He will very *likely* refuse.
그는 아마 거절할 것이다.

✎ 이 경우의 likely는 흔히 very, quite, more, most 등과 함께 쓰임.

A B C D E F G H I J K L M N O P Q R S T U V W X Y Z

**like•ness** *likeness*
[láiknis 라이크니스]
명 (복수 **likenesses** [láiknisiz 라이크니시즈])
비슷함, 닮음; 꼭 닮은 것〔사람〕
The portrait is a very good *likeness* of mother. 그 초상화는 어머니의 모습과 꼭 닮았다.

***lil•y** *lily*
[líli 릴리]
명 (복수 **lilies** [líliz 릴리즈])
〖식물〗 백합(꽃)
Put some *lilies* in the vase.
꽃병에 백합 몇 송이를 꽂아라.

**limb** *limb*
[lím 림]
b는 발음하지 않음.
명 (사람 · 동물의) 팔다리; (새의) 날개

**lim•it** *limit*
[límit 리밋]
명 (복수 **limits** [límits 리미츠])
한계, 한도; 《복수형으로》 경계(선)
outside〔inside〕 the city *limits*
시외〔시내〕에서
The speed *limit* on this road is 40 miles. 이 도로에서의 속도 제한은 시속 40마일이다.

숙어 ***Off limits.*** 출입 금지 (구역)
— 타 (3단현 **limits** [límits 리미츠], 과거 · 과분 **limited** [límitid 리미티드], 현분 **limiting** [límitiŋ 리미팅])
제한하다, 한계를 설정하다
*Limit* your answer to 25 words.
25단어 이내로 답하시오.

**lim•it•ed** *limited*
[límitid 리미티드]
형 한정된, 제한된
Speeches are *limited* to ten minutes.
연설은 10분으로 제한되어 있다.

***Lin•coln** *Lincoln*
[líŋkən 링컨]
명 **Abraham Lincoln**, 에이브러햄 링컨(1809–65) 《미국 제16대 대통령으로 노예 해방을 단행하였음》.

****line** *line*
[láin 라인]
명 (복수 **lines** [láinz 라인즈])
❶ 선, 줄, 열 (동 row)
Can you draw a straight *line*?
직선을 그을 수 있느냐?
Stand in a *line*.
일렬로 서 주세요.
❷ 끈, 밧줄
a fishing *line* 낚싯줄

Hang the clothes on the *line* to dry. 세탁물을 빨랫줄에 널어라.

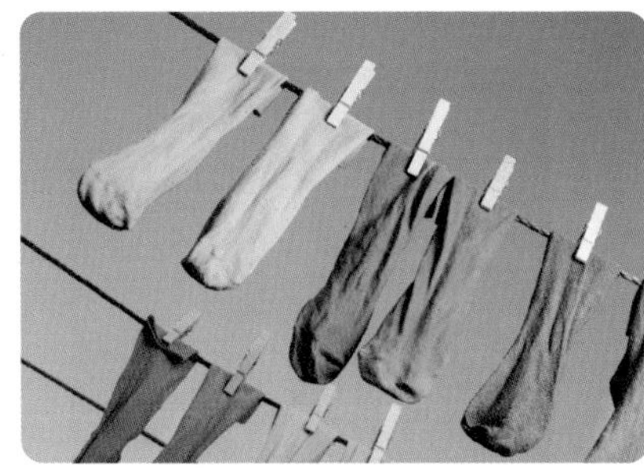

❸ (선박 · 항공기 · 버스의) 노선, 항로
the European *line* 유럽 항로
Two bus *lines* run in our town. 우리 마을에는 2개의 버스 노선이 운행된다.
❹ 전선, 전화선
Hold the *line*, please.
전화를 끊지 말고 기다려 주세요.

(The) *Line*('s) busy.
통화 중입니다.
❺ (활동의) 분야, (기업체 내의) 부서
She is in the selling *line*.
그녀는 판매 부서에서 일한다.
— 타 자 (3단현 **lines** [láinz 라인즈], 과거 · 과분 **lined** [láind 라인드], 현분 **lining** [láiniŋ 라이닝])
정렬시키다; 선을 긋다; 늘어서다
Cars *were lined* up on the road. 차들이 도로에 줄지어 있었다.

**lin•en** *linen*
[línin 리닌]
명 (복수 **linens** [líninz 리닌즈])
〖직물〗 리넨, 아마포

**lin•er** *liner*
[láinər 라이너]
명 (복수 **liners** [láinərz 라이너즈])
(대형) 정기 여객선〔여객기〕
That big ship is an ocean *liner*.
저 큰 배는 대양 항로 여객선이다.

**link** *link*
[líŋk 링크]
명 (복수 **links** [líŋks 링크스])
(쇠사슬의) 고리; 연결; 연관, 관련
one *link* in a chain
쇠사슬의 한 고리
— 타 자 (3단현 **links** [líŋks 링크스], 과거 · 과분 **linked** [líŋkt 링크트], 현분 **linking** [líŋkiŋ 링킹])
연결하다, 잇다; 이어지다 (동 join)
The airline will *link* New York to Seoul. 그 항공로는 뉴욕과 서울을 이어 준다.

***li•on** *lion*
[láiən 라이언]
명 (복수 **lions** [láiənz 라이언즈])
〖동물〗 사자 (관 lioness 암사자)
The *lion* is the king of beasts.
사자는 백수의 왕이다.

A B C D E F G H I J K L M N O P Q R S T U V W X Y Z

*__lip__ *lip*
[líp 립]
명 (복수 **lips** [líps 립스]) 입술
the upper〔lower〕 *lip*
윗〔아랫〕 입술
He put his finger to his *lips*.
그는 손가락을 입술에 갖다 대었다.

**liq•uid** *liquid*
[líkwid 리퀴드]
명 (복수 **liquids** [líkwidz 리퀴즈])
액체 (관 gas 기체, solid 고체)
Water is a *liquid*. 물은 액체이다.
—형 액체의, 유동성의
The patient can only be given *liquid* food.
환자는 유동식만 먹어야 된다.

**li•quor** *liquor*
[líkər 리커]
명 (복수 **liquors** [líkərz 리커즈])
술, 알콜 음료, (특히) 증류주
I never drink hard *liquor*.
나는 절대로 독한 술을 마시지 않는다.

**list** *list*
[líst 리스트]
명 (복수 **lists** [lísts 리스츠])
표, 명부, 목록
a price *list* 가격표
My name is not on the *list*.
내 이름이 명부에 실려 있지 않다.

**lis•ten** *listen*
[lísn 리슨]
t는 발음하지 않음.
자 (3단현 **listens** [lísnz 리슨즈], 과거 · 과분 **listened** [lísnd 리슨드], 현분 **listening** [lís(ə)niŋ 리서닝])
듣다; 《**listen to**로》 귀 기울여 듣다

She is *listening to* music.
그녀는 음악을 듣고 있다.
I *listened* for the steps.
나는 발자국 소리를 들으려고 귀를 기울였다.

**lis•ten•er** *listener*
[lís(ə)nər 리서너]
t는 발음하지 않음.
명 (복수 **listeners** [lís(ə)nərz 리서너즈]) 듣는 사람, 청취자

**lit** *lit*
[lít 릿]
타자 light(불을 켜다)의 과거 · 과거분사

**li•ter,** ((영)) **li•tre** *liter, litre*
[líːtər 리-터]
명 (복수 **liters** [líːtərz 리-터즈])
〖단위〗 리터 ((미터법의 용량 단위로 1리터는 1,000cc; 약 l., lit.))

**lit•er•ar•y** *literary*
[lítərèri 리터레리]
형 문학적인, 문학의
*literary* criticism 문학 비평
*literary* works 문학 작품

**lit•er•a•ture** *literature*
[lítərətʃər 리터러처]
명 (복수 **literatures** [lítərətʃərz 리터러처즈]) 문학 (작품)
I am going to study English *literature*.
나는 영문학을 연구할 작정이다.

**⁑lit•tle** *little*
[lítl 리틀]
형부 (비교급 **less** [lés 레스], 최상급 **least** [líːst 리-스트])
—형 ❶ 작은, 조그마한 (동 small, 반 big, large 큰); 어린
She keeps three *little* birds.
그녀는 작은 새를 세 마리 기른다.
Helen has a *little* sister.
헬렌에게는 어린 여동생이 있다.
❷ ((**a little**로)) (양이) 조금 있는, 약간의
I have *a little* money with me now.
지금 나에게는 약간의 돈이 있다.

❸ ((**little**로)) (양이) 거의 없는
Hurry up! We have *little* time left.
서둘러라! 시간이 거의 남지 않았다.

**어법** a little과 little
같은 양이라 하더라도 기분상 a little이 되기도 하고 little이 되기도 한다. 소량이긴 하지만 「있다」는 느낌이 들면 **a little**이 되고, 「거의 없다」는 느낌이 들면 **little**이 된다:

There is *a little* milk in the bottle. 병 속에는 우유가 조금 있다 / There is *little* milk in the bottle. 병 속에는 우유가 거의 없다.

—부 ❶ 《**a little**로》 조금은 (…하는)
I can speak English *a little*.
나는 영어를 조금은 말할 수 있다.
❷ 《**little**로》 《동사 뒤에 두어》 거의 …하지 않는; 《동사 앞에 두어》 조금도 …하지 않는
I slept very *little* last night.
나는 어젯밤에 거의 자지 못했다.
I *little* knew that he was a teacher.
그가 교사라는 것을 조금도 몰랐다.
—대 《**a little**로》 조금 (…있음)
He drank *a little* of the water.
그는 물을 조금 마셨다.
❷ 《**little**로》 거의 없음, 소량
I know *little* about Africa.
나는 아프리카에 관해서 거의 모른다.
숙어 ***little by little*** 조금씩, 점차로
Learn *little by little* every day.
매일 조금씩 배워라.
***not a little*** 적지 않게
She was *not a little* surprised.
그녀는 적지 않게 놀랐다.

**⁑live[1]** *live*
[lív 리브]
동 (3단현 **lives** [lívz 리브즈], 과거 · 과분 **lived** [lívd 리브드], 현분 **living** [líviŋ 리빙])
—자 ❶ 살다, 거주하다
Where do you *live*?
너는 어디 살고 있니?

He has *lived* there for ten years.
그는 10년 동안 거기에 살고 있다.
❷ 살아 있다, 생존하다 (반 die 죽다)
We can not *live* without air.
우리는 공기 없이 살 수 없다.
He *lived* to be ninety years old. 그는 90세까지 살았다.
❸ 생활하다, 살아가다
They *lived* happily.
그들은 행복하게 살았다.
—타 …한 생활을 하다
She *lived* a happy life.
그녀는 행복한 생활을 하였다.
숙어 ***live on*** 〔***upon***〕 …을 먹고 살다
Many Asians *live on* rice.
많은 아시아인들이 쌀을 먹고 산다.

**live²** *live*
[láiv 라이브]
☺ live¹ [lív]와 다른 발음임.
형 《명사 앞에서만 씀》
❶ 살아 있는 (동 alive, 반 dead 죽은); 활기있는
I have never seen a *live* whale.
나는 살아 있는 고래를 본 적이 없다.
❷ 생방송의; (연주 · 연극이) 실연의
a *live* TV broadcast
텔레비전 생방송

**live•ly** *lively*
[láivli 라이블리]
형 (비교급 **livelier** [láivliər 라이블리어], 최상급 **liveliest** [láivliist 라이블리이스트])
활발한, 활기찬; 생생한
*lively* children 활기찬 아이들

She is a *lively* girl.
그녀는 발랄한 소녀이다.

**lives¹** *lives*
[láivz 라이브즈]
명 life(인생, 생명)의 복수
They gave their *lives* for their country.
그들은 조국을 위해 목숨을 바쳤다.

**lives²** *lives*
[lívz 리브즈]
자 live(살다)의 3인칭 단수 현재

**liv•ing** *living*
[líviŋ 리빙]
자 live(살다)의 현재분사
—형 살아 있는, 현존하는
He is a great *living* artist.
그는 현존하는 위대한 예술가이다.
—명 생활, 생존; 생계
the standard of *living* 생활 수준
He makes his *living* as a taxi driver. 그는 택시 운전사로서 생계를 꾸려 나간다.

****liv•ing room** *living room*
[líviŋ rù:m 리빙룸-]
명 《미》 거실 (《영》 sitting room)

My father is watching TV in the *living room*. 아버지는 거실에서 텔레비전을 보고 계신다.

**liz•ard** *lizard*
[lízərd 리저드]

## Living Room 거실

명 (복수 **lizards** [lízərdz 리저즈])
〖동물〗 도마뱀

A *lizard* has a long tail and four short legs. 도마뱀은 긴 꼬리와 네 개의 짧은 다리를 가지고 있다.

## load *load*

[lóud 로우드]

명 (복수 **loads** [lóudz 로우즈])
짐; (정신적) 부담

He lifts heavy *loads* easily.
그는 무거운 짐을 쉽게 들어올린다.

— 타자 (3단현 **loads** [lóudz 로우즈], 과거 · 과분 **loaded** [lóudid 로우디드], 현분 **loading** [lóudiŋ 로우딩])
(…에) 짐을 싣다, 쌓아 올리다

They *loaded* the truck with bundles of hay.
그들은 트럭에 건초 더미를 실었다.

## loaf *loaf*

[lóuf 로우프]

명 (복수 **loaves** [lóuvz 로우브즈])
(빵의) 한 덩어리

two *loaves* of bread
빵 두 덩어리

She cut the *loaf* into slices.
그녀는 빵 덩어리를 얇게 잘랐다.

## loan *loan*

[lóun 로운]

명 (복수 **loans** [lóunz 로운즈])
대여, 대출(금)

He got a *loan* from the bank.
그는 은행에서 대출을 받았다.

— 타자 (3단현 **loans** [lóunz 로운즈], 과거 · 과분 **loaned** [lóund 로운드], 현분 **loaning** [lóuniŋ 로우닝])
《미》 대출하다, 빌려 주다

## loaves *loaves*

[lóuvz 로우브즈]

명 loaf(한 덩어리)의 복수

## lob•by *lobby*

[lábi 라비]

명 (복수 **lobbies** [lábiz 라비즈])
(호텔 · 극장의) 로비, 휴게실, 대기실

I met him in the hotel *lobby*.
나는 그를 호텔 로비에서 만났다.

## lob•ster *lobster*

[lábstər 라브스터]

명 (복수 **lobsters** [lábstərz 라브스터즈]) 〖동물〗 바닷가재, 왕새우

a b c d e f g h i j k l m n o p q r s t u v w x y z

**lo•cal** *local*
[lóukəl 로우컬]
형 지역적인; 지방의
That is a *local* train.
저것은 완행 열차이다.
The *local* radio station is at the center of the town.
그 지방 라디오 방송국은 시가지의 중심부에 있다.

**lo•cate** *locate*
[lóukeit 로우케이트]
타 (3단현 **locates** [lóukeits 로우케이츠], 과거 · 과분 **located** [lóukeitid 로우케이티드], 현분 **locating** [lóukeitiŋ 로우케이팅])
(어떤 장소에) 위치시키다, 두다
Our school is *located* near the park. 우리 학교는 공원 근처에 자리잡고 있다.

**lo•ca•tion** *location*
[loukéiʃən 로우케이션]
명 (복수 **locations** [loukéiʃənz 로우케이션즈]) 위치, 장소
The hotel has a beautiful *location*.
그 호텔은 아름다운 장소에 있다.

**lock** *lock*
[lák 락]
명 (복수 **locks** [láks 락스])
자물쇠, 잠금 장치
Open the *lock* with this key.
이 열쇠로 자물쇠를 여세요.
—타자 (3단현 **locks** [láks 락스], 과거 · 과분 **locked** [lákt 락트], 현분 **locking** [lákiŋ 라킹])
❶ 자물쇠를 채우다, 잠그다; 잠기다
Did you *lock* the door?
문을 잠궜니?

The window *locks* easily.
그 창문은 쉽게 잠긴다.
❷ (꼼짝 않고) 틀어박히다, 가두다

**lock•er** *locker*
[lákər 라커]
명 (복수 **lockers** [lákərz 라커즈])
로커, 보관 상자

**lo•co•mo•tive** *locomotive*
[lòukəmóutiv 로우커모우티브]
명 (복수 **locomotives** [lòukə-móutivz 로우커모우티브즈]) 기관차

**lo•cust** *locust*
[lóukəst 로우커스트]
명 (복수 **locusts** [lóukəsts 로우커스츠]) 〖곤충〗 메뚜기

**lodge** *lodge*
[lád3 라지]
타 자 (3단현 **lodges** [lád3iz 라지즈], 과거 · 과분 **lodged** [lád3d 라지드], 현분 **lodging** [lád3iŋ 라징]) 묵다, 묵게 하다

Where are you *lodging* now? 지금 어디에 묵고 계십니까?
I'm *lodging* at Mr. Smith's. 스미스씨 댁에서 묵고 있습니다.

—명 (복수 **lodges** [lád3iz 라지즈]) (일시적으로 사용하는) 오두막집, 산장

He has a fishing *lodge* by the lake. 그는 호숫가에 낚시용 오두막집을 가지고 있다.

**lodg•ing** *lodging*
[lád3iŋ 라징]
명 (복수 **lodgings** [lád3iŋz 라징즈]) 숙박, (일시적인) 숙소

a *lodging* house 하숙집

**log** *log*
[lɔ́ːg 로-그]
명 (복수 **logs** [lɔ́ːgz 로-그즈]) 통나무, 목재

a *log* bridge 통나무 다리
His house was made of *logs*. 그의 집은 통나무로 만들어졌다.

*__Lon•don__ *London*
[lʌ́ndən 런던]
명 런던 《템스(Thames) 강에 면해 있는 영국의 수도》

**lone•ly** *lonely*
[lóunli 로운리]
형 (비교급 **lonelier** [lóunliər 로운리어], 최상급 **loneliest** [lóunliist 로운리이스트])
❶ 고독한, 외로운, 쓸쓸한
He felt very *lonely*.
그는 몹시 외롭다고 느꼈다.

❷ 외딴, 인적이 드문
There is a *lonely* house on the hill.
언덕 위에 외딴 집 한 채가 있다.

**⁑long[1]** *long*
[lɔ́ːŋ 롱-]
형부 (비교급 **longer** [lɔ́ːŋgər 롱-거], 최상급 **longest** [lɔ́ːŋgist 롱-기스트])
—형 ❶ (시간 · 거리가) 긴 (반 short 짧은)
A *long* winter is over.
긴 겨울이 끝났다.
His house is a *long* way from here. 그의 집은 여기서 멀다.
❷ 길이가 …인; (모양이) 긴
She has *long* hair.
그녀는 머리가 길다.

"How *long* is this bridge?"
"It is sixty meters *long*."
「이 다리는 길이가 얼마입니까?」
「60미터입니다.」
—부 오래, 오래도록
*Long* ago, there was a nice garden. 오래 전에 거기에 멋진 정원이 있었다.
Everybody wants to live *long*.
누구나 오래도록 살고 싶어한다.
숙어 ***all day long*** 하루 종일
He worked *all day long*.
그는 온종일 일했다.
***as*〔*so*〕 *long as*** ⓐ …하는 만큼, …하는 동안은
You can use my room *as long as* you like. 네가 원하는 만큼 내 방을 사용해도 된다.
ⓑ …하는 한, …하기만 하면
You may go *as long as* you come home early. 집에 일찍 돌아오기만 한다면 가도 좋다.
***no longer***(=***not ... any longer***) 더 이상 …아니다
Space traveling is *no longer* a dream.

우주 여행은 더 이상 꿈이 아니다.
***So long!*** 안녕!, 잘 있어!

**—** 명 오랫동안, 장기간
I haven't seen you for *long*.
오랫동안 만나 뵙지 못했군요.
숙어 ***before long*** 머지않아, 곧
He'll be back *before long*.
그는 곧 돌아올 것입니다.
***take long*** (시간이) 오래 걸리다.
It *takes long* to learn a foreign language. 외국어를 배우는 데는 시간이 오래 걸린다.

**long²** *long*
[lɔ́(ː)ŋ 롱-]
자 (3단현 **longs** [lɔ́(ː)ŋz 롱(-)즈], 과거 · 과분 **longed** [lɔ́(ː)ŋd 롱(-)드], 현분 **longing** [lɔ́(ː)ŋiŋ 롱(-)잉]) 《**long for** 또는 **long to** do로》 열망[갈망]하다, 자꾸 …하고 싶어하다
They *longed for* freedom.
그들은 자유를 갈망했다.
He is *longing to* see you.
그는 당신을 만나고 싶어합니다.

**⁎look** *look*
[lúk 룩]
자 (3단현 **looks** [lúks 룩스], 과거 · 과분 **looked** [lúkt 룩트], 현분 **looking** [lúkiŋ 루킹])
❶ 바라보다, 주목하다
He *looked* far into the sky.
그는 멀리 하늘을 바라보았다.
*Look* at that picture on the wall. 벽에 걸린 저 그림을 보아라.

❷ 《보어를 수반하여》 …인 것 같다, …으로 보이다 (동 seem)
She *looked* happy in her new dress. 그녀는 새 드레스를 입고 행복한 것 같다.
He *looks* tired. 그는 피곤해 보인다.

어법 look과 see와 watch
**look**은 정지해 있는 것을 「눈여겨 보다」, **see**는 자연적으로 눈에 들어오는 것을 「보다」, **watch**는 움직이고 있는 것을 「주의해서 보다」란 뜻이다.

숙어 ***look about*** 〔***around***〕 (주위를) 둘러보다
She *looked about* for a clock.
그녀는 벽시계가 있는지 찾아보려고 둘러보았다.
***look after*** 보살펴 주다
Alice *looks after* the children.
앨리스가 아이들을 돌보아 준다.
***look back*** 뒤돌아보다, 돌이켜보다
She *looked back* many times.
그녀는 여러 번 뒤돌아보았다.
***look down*** (***upon***) 내려다보다; 경멸하다
Don't *look down upon* poor people.

가난한 사람들을 깔보지 마라.

***look for*** 찾다

She is *looking for* a blouse.
그녀는 블라우스를 찾고 있다.

***look forward to*** …을 고대하다

The children are *looking forward to* summer vacation.
아이들은 여름방학을 고대하고 있다.

***look into*** 들여다보다; 조사하다

The police *looked into* the matter. 경찰은 그 문제를 조사했다.

***look like*** …처럼 보이다; …할 것 같다; …을 닮다

He *looks like* a soldier.
그는 군인처럼 보인다.
It *looks like* rain. 비가 올 것 같다.

***look on*** 〔***upon***〕 …라고 생각하다

Many people *look on* him as a singer. 많은 사람들이 그를 가수라고 여긴다.

***look out*** 내다보다, 바깥을 보다

I was *looking out* (of) the window. 나는 창밖을 내다보고 있었다.

***look out for*** 조심하다, 유의하다

*Look out for* passing cars.
지나가는 차를 조심하세요.

***look over*** 조사하다, 검토하다

Will you *look over* my composition?
나의 작문을 검토해 주시겠습니까?

***look to*** 보살피다; 기대하다

He *looked to* me for advice.
그는 나의 충고를 기대했다.

***look up*** 쳐다보다; (사전 따위에서) 찾아보다

She *looked up* at the tower.
그녀는 그 탑을 쳐다보았다.

***look well*** (의상 따위가) 잘 어울리다

—명 (복수 **looks** [lúks 룩스])

❶ 《**a look**으로》 보기, 일견

Have *a look* at the world map.
세계 지도를 보시오.

❷ 표정; 모양; 《복수형으로》 용모

My mother had a sad *look* then.
그때 어머니는 슬픈 표정이었다.
He has good *looks*.
그는 용모가 잘 생겼다.

## loose *loose*

[lúːs 루-스]

형 (비교급 **looser** [lúːsər 루-서], 최상급 **loosest** [lúːsist 루-시스트])

❶ 느슨한, 헐렁한 (반 tight 꽉 낀)

This coat is too *loose* for me.
이 코트는 내 몸에 너무 헐렁하다.

❷ 얽매이지 않은, 자유로운 (㊀ free)
He let the dog *loose* in the garden.
그는 개를 정원에 풀어 놓았다.

❸ 단정치 못한, 방종한
He leads a *loose* life.
그는 방탕한 생활을 하고 있다.

## lord *lord*

[lɔ́ːrd 로-드]

명 (복수 **lords** [lɔ́ːrdz 로-즈])

❶ 군주, 영주

❷ 귀족, (귀족의 칭호로서) …경
*Lords* Nelson 넬슨 경
the House of *Lords*
영국의 상원

❸ 《**the Lord**로》 신, 하나님
*The Lord* forgives us.
신께서 우리를 용서하신다.

## lor•ry *lorry*

[lɔ́ːri 로-리]

명 (복수 **lorries** [lɔ́ːriz 로-리즈])
《영》 트럭, 화물 자동차 (《미》 truck)

## Los An•gel•es *Los Angeles*

[lɔːs ǽndʒiləs 로-스앤질러스]

명 로스앤젤레스 《미국 캘리포니아 주 서남부에 있는 대도시; ㊀ L.A.》.

## *lose *lose*

[lúːz 루-즈]

동 (3단현 **loses** [lúːziz 루-지즈], 과거 · 과분 **lost** [lɔ́ːst 로-스트], 현분 **losing** [lúːziŋ 루-징])

— 타 ❶ 잃어버리다, 분실하다 (반 find, get 찾다, 얻다)
She *lost* her son in the war.
그녀는 전쟁에서 아들을 잃어버렸다.
He *lost* the key.
그는 열쇠를 분실했다.

❷ (시계가) 느리다 (반 gain 빠르다)
My watch *loses* three minutes a week.
내 시계는 1주일에 3분씩 늦어진다.

❸ 길을 잃다
I *lost* my way in the mountain. 나는 산속에서 길을 잃었다.

❹ (싸움 · 시합에서) 패하다, 지다 (반 win 이기다)
Our team *lost* the baseball

game.
우리 팀은 야구 시합에서 패했다.
—자 (싸움에) 지다; 손해를 보다
The company *lost* heavily.
그 회사는 크게 손해를 보았다.

**loss** *loss*
[lɔ́ːs 로-스]
명 (복수 **losses** [lɔ́ːsiz 로-시즈])
손실, 손해 (반 gain 이익)
His death is a great *loss* to our company. 그의 죽음은 우리 회사에 크나큰 손실이다.
숙어 ***at a loss*** 당황하여, 어찌할 바를 몰라
Jack was *at a loss* what to do.
잭은 어찌 할 바를 몰랐다.

***lost** *lost*
[lɔ́ːst 로-스트]
동 lose(잃어버리다)의 과거 · 과거분사
—형 잃어버린; 길 잃은
The kids were looking for their *lost* dog. 그 아이들은 잃어버린 개를 찾고 있었다.

****lot** *lot*
[lɑ́t 랏]
명 (복수 **lots** [lɑ́ts 라츠])
❶ 제비, 추첨
He was chosen by *lot*.
그는 추첨에 의해 뽑혔다.
❷ 한 구역, 한 구획
a parking *lot* 주차장
❸ 《**a lot**으로》《명사적》 다수, 다량; 《부사적》 매우, 상당히
She knows *a lot* about London. 그녀는 런던에 관해서 많은 것을 알고 있다 《명사적》.
Thanks *a lot*.
매우 감사합니다 《부사적》.
숙어 ***a lot of, lots of*** 많은
My father has *a lot of* books.
아버지는 많은 책을 갖고 계신다.

어법 a lot of와 many, much
**many**는 셀 수 있는 명사(보통명사)에 붙여서 「다수의」를 나타내고, **much**는 셀 수 없는 명사(물질명사 · 추상명사)에 붙여 「다량의」를 나타내지만, **a lot of**, **lots of**는 그 어느 쪽에도 쓰인다. 단, 부정문 · 의문문에는 many, much를 쓴다.

***loud** *loud*
[láud 라우드]
형부 (비교급 **louder** [láudər 라우더], 최상급 **loudest** [láudist 라우디스트])
—형 목소리가 큰, 큰 소리의, 시끄러운 (반 quiet 조용한)
He has a *loud* voice.
그는 목소리가 크다.

The radio is a bit *loud*.
라디오 소리가 좀 시끄럽다.
—부 큰 소리로 (동 loudly)
Speak *louder*, please.
더 크게 이야기해 주세요.

**loud•ly** *loudly*
[láudli 라우들리]
부 큰 소리로 (동 loud)

**loud•speak•er** *loudspeaker*
[láudspìːkər 라우드스피-커]
명 (복수 **loudspeakers** [láudspìːkərz 라우드스피커즈]) 확성기

**lounge** *lounge*
[láundʒ 라운지]
명 (복수 **lounges** [láundʒiz 라운지즈]) 라운지, 휴게실

Let's have coffee in the *lounge*. 휴게실에서 커피를 마시자.

**love** *love*
[lʌ́v 러브]
타 (3단현 **loves** [lʌ́vz 러브즈], 과거 · 과분 **loved** [lʌ́vd 러브드], 현분 **loving** [lʌ́viŋ 러빙])
사랑하다 (반 hate 미워하다); 좋아하다
I *love* you. 당신을 사랑합니다.
They *love* each other.
그들은 서로 사랑한다.

She *loves* music.
그녀는 음악을 좋아한다.
—명 (복수 **loves** [lʌ́vz 러브즈])
❶ 사랑, 애정; 호의
a mother's *love* for her children 자식들에 대한 어머니의 사랑
❷ (남자 쪽에서 본) 애인, 여인; 《친밀한 호칭으로서》 여보, 이봐
Helen is my *love*.
헬렌은 나의 애인이다.
❸ 좋아하는 것, 애호
Painting was the great *love* of his life. 그림 그리기는 그가 평생 좋아한 것이었다.
숙어 ***fall in love with*** …와 사랑에 빠지다, 반하다
Peter *fell in love with* Kate.
피터는 케이트와 사랑에 빠졌다.

***love•ly** *lovely*
[lʌ́vli 러블리]
형 (비교급 **lovelier** [lʌ́vliər 러블리어] 또는 **more lovely**, 최상급 **loveliest** [lʌ́vliist 러블리이스트] 또는 **most lovely**)
❶ 사랑스러운, 귀여운, 예쁜
What a *lovely* girl!
정말 귀여운 소녀구나!

❷ 즐거운, 멋진
We had a *lovely* holiday.
우리는 즐거운 휴일을 보냈다.

**lov•er** *lover*
[lʌ́vər 러버]
명 (복수 **lovers** [lʌ́vərz 러버즈])
❶ 연인, 애인
❷ 애호가
He is a *lover* of sports.
그는 스포츠 애호가이다.

**lov•ing** *loving*
[lʌ́viŋ 러빙]
형 《명사 앞에서만 씀》 사랑하는, 애정어린
Thank you for your *loving* advice. 애정어린 충고 고맙습니다.

****low** *low*
[lóu 로우]
형부 (비교급 **lower** [lóuər 로우어], 최상급 **lowest** [lóuist 로우이스트])
— 형 ❶ (높이 · 음조가) 낮은 (반 high 높은)
My house stands on a *low* hill.
나의 집은 낮은 언덕에 서 있다.
She spoke in a *low* voice.
그녀는 낮은 음성으로 말했다.
❷ (수량 · 값 등이) 적은, 낮은; 싼
The temperature was very *low* yesterday.
어제 기온이 매우 낮았다.
I bought this shirt at a *low* price. 나는 이 셔츠를 싸게 샀다.

❸ (신분 · 계급이) 비천한, 저속한
He is a man of *low* birth.
그는 비천하게 태어난 사람이다.
— 부 낮게; 싸게
A helicopter is flying *low*.
헬리콥터가 낮게 날고 있다.

**low•er** *lower*
[lóuər 로우어]
타자 (3단현 **lowers** [lóuərz 로우어즈], 과거 · 과분 **lowered** [lóuərd 로우어드], 현분 **lowering** [lóu(ə)riŋ 로우(어)링])
낮추다, 내리다 (반 raise 높이다); 낮아지다, 내려가다
He *lowered* his voice.
그는 음성을 낮추었다.
The sun *lowered* in the west.

해가 서쪽으로 기울었다.

—형 《low(낮은)의 비교급》 더 낮은; 더 아래의; 하급의

the *lower* classes 하층 계급

The bottle is on the *lower* shelf.
그 병은 더 아래쪽 선반에 있다.

**loy•al** *loyal*
[lɔ́iəl 로이얼]
형 충성스러운, 성실한 (동 faithful)

She is always *loyal* to her friends.
그녀는 항상 친구들에게 성실하다.

**loy•al•ty** *loyalty*
[lɔ́iəlti 로이얼티]
명 (복수 **loyalties** [lɔ́iəltiz 로이얼티즈]) 충성(심), 성실

**luck** *luck*
[lʌ́k 럭]
명 운, 행운 (동 fortune)

He had good *luck*.
그는 운이 좋았다.

He tried his *luck*.
그는 운에 맡기고 해보았다.

숙어 ***Good luck*** (***to you***)***!***
행운을 빕니다 《헤어질 때의 인사》.

***luck•y** *lucky*
[lʌ́ki 러키]
형 (비교급 **luckier** [lʌ́kiər 러키어], 최상급 **luckiest** [lʌ́kiist 러키이스트]) 운이 좋은, 행운의 (동 fortunate)

How *lucky* you are!
넌 정말 운이 좋구나!

She was *lucky* enough to marry a rich man. 그녀가 부자와 결혼한 것은 무척 행운이었다.

**lug•gage** *luggage*
[lʌ́gidʒ 러기지]
명 짐, 수화물 (동 baggage)

I put my *luggage* on the train.
나는 수화물을 열차에 실었다.

**lump** *lump*
[lʌ́mp 럼프]
명 (복수 **lumps** [lʌ́mps 럼프스])
❶ 덩어리; 각설탕(한 개)
a *lump* of clay 진흙 한 덩어리
❷ 혹, 부스럼

**lu•nar** *lunar*
[lúːnər 루-너]

형 달의 (관 solar 태양의)
the *lunar* orbit 달의 궤도

**⁑lunch** *lunch*
[lʌ́ntʃ 런치]
명 (복수 **lunches** [lʌ́ntʃiz 런치즈])
점심 (관 breakfast 아침, supper 저녁); 도시락
school *lunch* 학교 급식
Let's eat *lunch*. 점심을 먹자.

What did you have for *lunch*?
점심에 무엇을 드셨어요?

**lunch•time** *lunchtime*
[lʌ́ntʃtàim 런치타임]
명 점심 시간

It's *lunchtime*. 점심 시간이다.
We enjoy *lunchtime*.
우리는 점심 시간을 즐긴다.

**lung** *lung*
[lʌ́ŋ 렁]
명 (복수 **lungs** [lʌ́ŋz 렁즈])
《보통 복수형으로》 폐, 허파

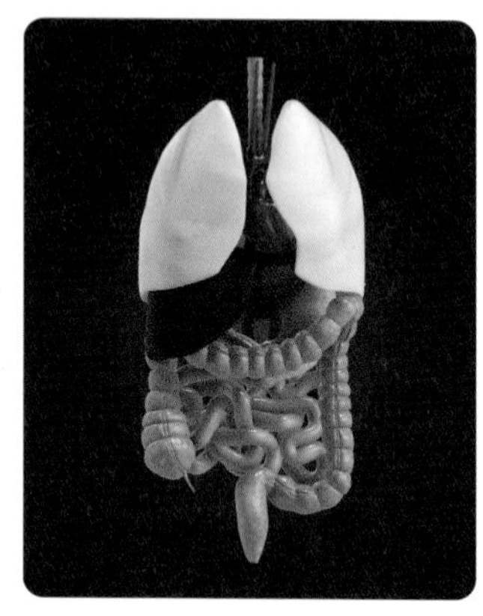

the right *lung* 오른쪽 폐

**lux•u•ri•ous** *luxurious*
[lʌgʒú(:)riəs 러그주(–)리어스]
'xu'는 [ʒu]로 발음함.
형 사치스러운, 호화로운
He lives in a *luxurious* mansion. 그는 호화로운 저택에서 산다.

**lux•u•ry** *luxury*
[lʌ́kʃ(ə)ri 럭셔리]
명 (복수 **luxuries** [lʌ́kʃ(ə)riz 럭셔리즈]) 사치, 호사; 사치품
She lives in *luxury*.
그녀는 사치스럽게 산다.

***ly•ing¹** *lying*
[láiiŋ 라이잉]
자 lie(눕다)의 현재분사

***ly•ing²** *lying*
[láiiŋ 라이잉]
자 lie(거짓말하다)의 현재분사
—형 거짓의, 거짓말하는
It's a *lying* rumor.
그것은 거짓 소문이다.
—명 거짓말하기, 거짓

**M, m** *M, m*
[ém 엠]
명 (복수 **M's**, **m's** [émz 엠즈])
엠 《알파벳의 열세 번째 글자》

***ma'am** *ma'am*
[《약》 məm 멈; 《강》 mǽm 맴]
명 《구어》 마님; 아주머니; 선생님
Yes, *ma'am*. 예, 마님
✎ 하인이 여주인에게, 점원이 여자 손님에게, 학생이 여선생님에게 쓰는 존칭어. 남자에게는 sir를 씀.

***ma•chine** *machine*
[məʃíːn 머신-]
명 (복수 **machines** [məʃíːnz 머신-즈]) 기계, 기계 장치
a sewing *machine* 재봉틀
This washing *machine* works well. 이 세탁기는 작동이 잘 된다.

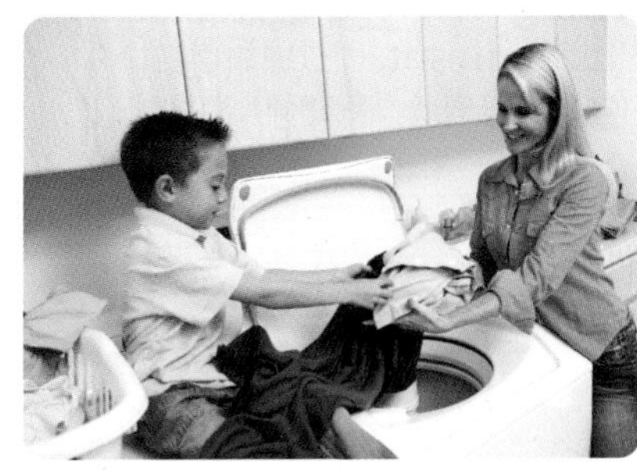

**ma•chin•er•y** *machinery*
[məʃíːn(ə)ri 머시-너리]
명 《집합적》 기계류 (동 machines), 기계 장치
The *machinery* in the factory worked smoothly.
그 공장의 기계 장치는 잘 움직였다.

**mad** *mad*
[mǽd 매드]
형 (비교급 **madder** [mǽdər 매더], 최상급 **maddest** [mǽdist 매디스트])
❶ 미친, 실성한 (동 crazy)
He went *mad*. 그는 미쳤다.
❷ 화가 난, 성난
Jim got *mad* about her words.
짐은 그녀의 말에 화가 났다.
❸ 열광적인, 광적인 《about, on》
He is *mad about* baseball.
그는 야구에 열광적이다.

❹ 무모한, 어리석은
It is a *mad* plan.
그것은 무모한 계획이다.

A B C D E F G H I J K L **M** N O P Q R S T U V W X Y Z

**mad•am** *madam*
[mǽdəm 매덤]
명 (복수 **madams** [mǽdəms 매덤스]) 부인, 마님, 안주인 《흔히 ma'am으로 줄여 씀》
May I help you, *Madam*?
도와 드릴까요, 부인?

***made** *made*
[méid 메이드]
타 make(만들다)의 과거 · 과거분사
—형 《복합어로》 …제(製)의
ready-*made clothes* 기성복
a Swiss-*made* watch
스위스제 시계

**mad•ness** *madness*
[mǽdnis 매드니스]
명 《a와 복수형 안 씀》 광기, 미침, 어리석은 짓

***mag•a•zine** *magazine*
[mǽgəzìːn 매거진–]
명 (복수 **magazines** [mǽgəzìːnz 매거진–즈]) 잡지

What *magazine* do you take?
무슨 잡지를 받아 보십니까?

**mag•ic** *magic*
[mǽdʒik 매직]
명 《a와 복수형 안 씀》 마법, 마술, 요술; 마력
He produced a rabbit out of his hat by *magic*. 그는 마술을 부려 모자에서 토끼를 꺼내 보였다.

—형 《명사 앞에서만 씀》 마술의, 요술의
a *magic* mirror 요술 거울

**ma•gi•cian** *magician*
[mədʒíʃən 머지션]
명 (복수 **magicians** [mədʒíʃənz 머지션즈]) 마법사, 마술사

**mag•net** *magnet*
[mǽgnit 매그니트]
명 (복수 **magnets** [mǽgnits 매그니츠]) 자석
a horseshoe *magnet* 말굽 자석
a bar *magnet* 막대 자석

**mag•nif•i•cent** *magnificent*
[mægnífəsnt 매그니퍼슨트]
형 ❶ 장엄한, 웅장한, 훌륭한

We visited a *magnificent* cathedral. 우리는 웅장한 성당을 방문했다.
❷ 굉장한, 멋진, 근사한
What a *magnificent* soup!
정말 근사한 수프구나!

***maid** *maid*
[méid 메이드]
명 (복수 **maids** [méidz 메이즈])
❶ 하녀, 가정부
Our *maid* works everyday except Sunday. 우리 집 가정부는 일요일을 제외하고 매일 일한다.
❷ 처녀, 소녀
She is now an old *maid*.
그녀도 이제 노처녀이다.

**maid•en** *maiden*
[méidn 메이든]
명 (복수 **maidens** [méidnz 메이든즈]) 소녀, 처녀 (동 virgin)
—형 《명사 앞에서만 씀》 최초의, 처음의
The ship made its *maiden* voyage last year.
그 배는 작년에 처녀 항해를 했다.

***mail** *mail*
[méil 메일]
명 《a와 복수형 안 씀》 우편물; 우편

Is there any *mail* for me?
나에게 온 우편물이 있습니까?

—타 (3단현 **mails** [méilz 메일즈], 과거 · 과분 **mailed** [méild 메일드], 현분 **mailing** [méiliŋ 메일링])
(우편물을) 부치다, 우송하다
Will you *mail* this letter for me? 이 편지 좀 부쳐 주시겠습니까?

**mail•box** *mailbox*
[méilbɑ̀ks 메일박스]
명 (복수 **mailboxes** [méilbɑ̀ksiz 메일박시즈]) 우체통; (개인 전용) 우편함

✎ 「우체통」의 뜻으로 영국에서는 postbox 또는 pillar box를 씀.

**mail•man** *mailman*
[méilmæ̀n 메일맨]
명 (복수 **mailmen** [méilmèn 메일멘]) 우편 집배원, 우체부
The *mailman* brought a letter to Jim. 우편 집배원이 짐에게 편지 한 통을 가져왔다.

***main** *main*
[méin 메인]
형 주요한, 주된
This is the *main* road into town. 이것이 시가지로 들어가는 주요 도로이다.

A B C D E F G H I J K L M N O P Q R S T U V W X Y Z

**main•ly** *mainly*
[méinli 메인리]
부 주로, 대부분, 대개
They were *mainly* tourists.
그들은 주로 관광객이었다.

**main•tain** *maintain*
[meintéin 메인테인]
타 (3단현 **maintains** [meintéinz 메인테인즈], 과거 · 과분 **maintained** [meintéind 메인테인드], 현분 **maintaining** [meintéiniŋ 메인테이닝])
❶ 지속하다, 유지하다
We must *maintain* peace and order. 우리는 평화와 질서를 유지해야 한다.
❷ (가족 등을) 부양하다, 지탱하다
She works hard to *maintain* her family. 그녀는 가족을 부양하기 위하여 열심히 일한다.

❸ 주장하다
He *maintains* that there is no life on Mars. 그는 화성에는 생명체가 없다고 주장한다.

**maj•es•ty** *majesty*
[mǽdʒəsti 매저스티]
명 (복수 **majesties** [mǽdʒəstiz 매저스티즈])
❶ 위엄, 존엄, 장중
❷ 《**Majesty**로》 폐하
Her *Majesty* Queen Elizabeth the Second
엘리자베스 2세 여왕 폐하

**ma•jor** *major*
[méidʒər 메이저]
형 ❶ 중요한, 주요한, 주된
There haven't been any *major* problems. 중요한 문제는 없었다.
❷ 큰 쪽의, 더 많은, 대부분의 (반 minor 소수의)
the *major* opinion 다수의 의견
— 명 (복수 **majors** [méidʒərz 메이저즈]) (대학의) 전공 과목; 전공 학생
He is a economics *major*.
그는 경제학 전공 학생이다.

**ma•jor•i•ty** *majority*
[mədʒɔ́:rəti 머조-러티]
명 (복수 **majorities** [mədʒɔ́:rətiz 머조-러티즈])
대다수, 과반수 (반 minority 소수)
a *majority* decision 다수결
The *majority* of people desire peace.
대다수의 사람들이 평화를 열망한다.

⁑**make** *make*
[méik 메이크]
타 (3단현 **makes** [méiks 메이크스], 과거 · 과분 **made** [méid 메이드], 현분 **making** [méikiŋ 메이킹])
❶ (물건을) 만들다, 제조하다

Frank is *making* a dog house.
프랭크는 개집을 만들고 있다.

❷ (어떤 동작 · 행위를) 하다, 행하다
I asked her to *make* tea.
나는 그녀에게 차를 타달라고 했다.
Don't *make* a noise in the classroom.
교실에서는 시끄럽게 굴지 말아라.
✎ 이 밖에도 뒤에 오는 명사와 함께 여러 가지 의미를 만듦. *make* an answer(대답하다), *make* a plan(계획을 세우다), *make* a promise(약속하다), *make* a speech(연설하다)
❸ (돈을) 벌다; (명성 따위를) 얻다
He *made* a lot of money.
그는 큰돈을 벌었다.
❹ (수 · 양이) …으로 되다; (발전하여) …으로 되다
Four and two *make(s)* six.
4에 2를 더하면 6이 된다《4+2=6》.
She will *make* a good wife.
그녀는 앞으로 좋은 아내가 될 것이다.
❺ 《**make**+간접목적어+직접목적어로》 …에게 ~을 만들어 주다
Mother will *make* me a new dress for the party.
어머니는 나에게 파티에 입고 갈 새 드레스를 만들어 줄 것이다.
❻ 《**make**+목적어+보어로》 …을 ~으로 하다〔삼다〕
We *made* him chairman.
우리는 그를 의장으로 삼았다.
The news *made* her happy.
그 소식이 그녀를 행복하게 했다.
❼ 《**make**+목적어+동사의 원형으로》 …을 ~시키다
We *made* her *cry*.
우리는 그녀를 울렸다.

I *made* Tom *open* the window.
나는 톰에게 창문을 열게 했다.

숙어 ***make*** A ***from*** B(=***make*** A (***out***) ***of*** B) B로 A를 만들다
Butter is *made from* milk.
버터는 우유로 만들어진다.
This furniture is *made of* wood.
이 가구는 목재로 만들어진다.

**어법** make ... of 〔from〕 ~
**of**는 재료의 질이 변화하지 않는 경우, **from**은 원료 · 재료의 질이나 성분이 변화하는 경우에 쓰인다. 나무로 책상을 만들 경우, 재료인 나무는 책상이 되어도 나무의 성질이 그냥 있으므로 of를 써서 The desk is *made of* wood.가 된다. 그러나 포도로 포도주를 만들면 원료인 포도는 그 성질이 변해 버리므로 from을 써서 Wine is *made from* grapes. 가 된다.

***make it a rule to*** 언제나 …하기로 하고 있다, 습관적으로 …하다
I *make it a rule to* go for a walk after breakfast. 나는 아침 식사

a b c d e f g h i j k l **m** n o p q r s t u v w x y z

A B C D E F G H I J K L M N O P Q R S T U V W X Y Z

후에 산보 나가기로 하고 있다.

***make out*** 이해하다; 작성하다

I can not *make out* what he means. 나는 그가 무슨 말을 하는지 이해할 수가 없다.

***make up*** 만들다, 구성하다

We *made up* a play from an old story. 우리는 옛날 이야기에서 연극을 만들었다.

***make up*** *one's* ***mind*** 결심하다, 마음먹다

I *made up my mind* to go there. 나는 거기에 가기로 결심했다.

명 (복수 **makes** [méiks 메이크스]) 형, 모양; 제작, …제(製)

goods of foreign〔home〕 *make* 외국〔국산〕 제품

He bought a new *make* of car. 그는 신형 차를 샀다.

## mak•er *maker*

[méikər 메이커]

명 (복수 **makers** [méikərz 메이커즈]) 만드는 사람, 제조자

a toy*maker* 장난감 제조업자

He is a cheese *maker*. 그는 치즈 제조업자이다.

## make-up *make-up*

[méikʌ̀p 메이크업]

명 (복수 **make-ups** [méikʌ̀ps 메이크업스]) 분장, 화장

light *make-up* 엷은 화장

## male *male*

[méil 메일]

명 (복수 **males** [méilz 메일즈]) 남성, 수컷 (반 female 여성, 암컷)

— 형 남성의; 수컷의

a *male* nurse 남자 간호사

## ma(m)•ma *ma(m)ma*

[mɑ́ːmə, 《영》 məmɑ́ː 마-머, 머마-]

명 (복수 **ma(m)mas** [mɑ́ːməz, məmɑ́ːz 마-머즈, 머마-즈]) 엄마 《mother의 소아어》(관 papa 아빠)

May I have some cookies, *mama*? 과자 좀 먹어도 돼요, 엄마?

## mam•mal *mammal*

[mǽməl 매멀]

명 (복수 **mammals** [mǽməlz 매멀즈]) 포유류, 포유동물

Bears, hippos, and whales are all *mammals*. 곰, 하마 그리고 고래는 모두 포유동물이다.

## ⁑man *man*

[mǽn 맨]

명 (복수 **men** [mén 멘])

❶ 남자 (반 woman 여자)

Boys grow up to become *men*. 소년들이 자라서 대장부가 된다.

❷ 《관사 없이; 단수 취급》 인간, 사람, 인류
*Man* is a thinking reed. 인간은 생각하는 갈대다 《파스칼의 말》.
❸ (개개의) 사람
Any *man* can do it.
누구라도 그 일을 할 수 있다.
❹ 《복수형으로》 부하; 하인, 종업원
He loved his men.
그는 부하를 사랑했다.
숙어 ***like a man*** 남자답게

## man•age *manage*
[mǽnidʒ 매니지]
타 (3단현 **manages** [mǽnidʒiz 매니지즈], 과거 · 과분 **managed** [mǽnidʒd 매니지드], 현분 **managing** [mǽnidʒiŋ 매니징])
❶ 다루다, 조종하다
She can *manage* a horse very well.
그녀는 말을 매우 잘 다룰 수 있다.

❷ 경영하다, 관리하다
He has *managed* the bookstore for 20 years.
그는 20년간 서점을 경영했다.
❸ 《**manage to** do로》 그럭저럭〔어떻게든〕 …해내다
I *managed to* get there in time.
나는 그럭저럭 시간에 대어 그곳에 닿았다.

## man•age•ment
*management*
[mǽnidʒmənt 매니지먼트]
명 《a와 복수형 안 씀》 경영, 운영; 관리, 취급
Good *management* is the key to success in business.
좋은 경영이 사업에서 성공하는 열쇠가 된다.

## man•ag•er *manager*
[mǽnidʒər 매니저]
명 (복수 **managers** [mǽnidʒərz 매니저즈]) 경영자, 지배인
Who is the *manager* of this hotel?
이 호텔의 지배인은 누구입니까?

## man•kind *mankind*
[mæ̀nkáind 맨카인드]
명 《a와 복수형 안 씀》 인간, 인류
He devoted his life to the welfare of *mankind*. 그는 인류의 복지를 위하여 평생을 바쳤다.

## *man•ner *manner*
[mǽnər 매너]
명 (복수 **manners** [mǽnərz 매너즈])
❶ 방식, 방법
She did it in this *manner*.
그녀는 이런 방식으로 그것을 했다.
❷ 태도, 모양

I don't like his *manner*.
나는 그의 태도가 마음에 들지 않는다.
❸ 《복수형으로》 예법, 예절
table *manners* 식탁 예법
Where are your *manners*?
예절 바르게 굴지 못해?

**man•sion** *mansion*
[mǽnʃən 맨션]
명 (복수 **mansions** [mǽnʃənz 맨션즈]) 맨션; 큰 집, 저택
He lives in that big *mansion*.
그는 저 대저택에서 산다.

**man•u•al** *manual*
[mǽnjuəl 매뉴얼]
형 손으로 하는, 육체를 쓰는
*Manual* work is tiring.
육체노동은 고되다.

—명 해설서, 입문서, 안내서
He is reading a *manual* for tourists.
그는 여행 안내서를 읽고 있다.

**man•u•fac•ture** *manufacture*
[mæ̀n(j)ufǽktʃər 매뉴팩처]
명 (복수 **manufactures** [mæ̀n(j)ufǽktʃərz 매뉴팩처즈])
❶ 《a와 복수형 안 씀》 (대규모) 생산, 제조
the *manufacture* of television sets 텔레비전 수상기의 제조
❷ 《복수형으로》 제품
—타 (3단현 **manufactures** [mæ̀n(j)ufǽktʃərz 매뉴팩처즈], 과거 · 과분 **manufactured** [mæ̀n(j)ufǽktʃərd 매뉴팩처드], 현분 **manufacturing** [mæ̀n(j)ufǽktʃ(ə)riŋ 매뉴팩처링]) 제조하다, 생산하다
The company *manufactures* many kinds of clothing.
그 회사는 많은 의류를 만든다.

**man•u•fac•tur•er** *manufacturer*
[mæ̀n(j)ufǽktʃ(ə)rər 매뉴팩처러]
명 (복수 **manufacturers** [mæ̀n(j)ufǽktʃ(ə)rərz 매뉴팩처러즈]) 제조업자, 제조 회사

⁂**man•y** *many*
[méni 메니]
형 (비교급 **more** [mɔ́ːr 모-], 최상급 **most** [móust 모우스트])

많은, 다수의 (㉥ few 적은)

*Many* houses were burned.
많은 집들이 불탔다.
He doesn't have *many* books.
그에게는 책이 많지 않다.
She has many *sisters*.
그녀는 자매가 많다.

**어법** (1) many와 much

**many**는 셀 수 있는 명사(보통명사)에 쓰인다. 반면 **much**는 셀 수 없는 명사(물질명사·추상명사)에 쓰인다.
*many* books, *many* boys
*much* water, *much* time

(2) many와 a lot of

**many**는 주로 의문문·부정문·조건문에 쓰인다. 긍정문에서는 many 대신에 **a lot of**, **lots of** 등을 쓰는 일이 많다: I have *a lot of* postage stamps. 나는 많은 우표를 갖고 있다.
단, 긍정문에서도 문장 앞의 주어를 수식할 때는 many를 쓴다: *Many* people went to the concert. 많은 사람들이 음악회에 갔다.

숙어 ***a good many*** 꽤 많은
You've made *a good many* mistakes.
너는 꽤 많은 잘못을 저질렀다.

***a great many*** 대단히 많은, 다수의
*A great many* people attended. 아주 많은 사람들이 참석했다.

***as many as*** …만큼의
Take *as many as* you want.
네가 원하는 만큼 가져라.

***how many*** 몇 개의
*How many* brothers do you have? 형제가 몇이나 됩니까?

—명 《복수 취급》 다수, 다수의 사람들
*Many* of the apples went bad.
사과들 중의 다수가 상했다.

## **map** *map*

[mǽp 맵]
명 (복수 **maps** [mǽps 맵스])
(한 장의) 지도 (㉠ atlas 지도책)

There is a *map* on the wall.
벽에 지도가 걸려 있다.

## **ma•ple** *maple*

[méipl 메이플]
명 (복수 **maples** [méiplz 메이플즈]) 〖식물〗 단풍나무

The *maples* in the yard are turning red. 정원의 단풍나무가 붉게 물들고 있다.

**mar·a·thon** *marathon*
[mǽrəθɑ̀n, mǽrəθən 매러산[선]]
명 마라톤 《경주 거리는 42.195km》

He won a gold medal at the *marathon*.
그는 마라톤에서 금메달을 땄다.

**mar·ble** *marble*
[mɑ́ːrbl 마-블]
명 (복수 **marbles** [mɑ́ːrblz 마-블즈])
❶ 대리석
This statue is made of *marble*.
이 조상은 대리석으로 되어 있다.

❷ 《복수형으로; 단수 취급》 구슬치기, 공기놀이

**march** *march*
[mɑ́ːrtʃ 마-치]
명 (복수 **marches** [mɑ́ːrtʃiz 마-치즈]) 행진, 행군; 행진곡
a protest *march* 시위 행진
— 자 (3단현 **marches** [mɑ́ːrtʃiz 마-치즈], 과거 · 과분 **marched** [mɑ́ːrtʃt 마-치트], 현분 **marching** [mɑ́ːrtʃiŋ 마-칭])
행군하다, 행진하다
They *marched* along the street.
그들은 거리를 행진했다.

⁑**March** *March*
[mɑ́ːrtʃ 마-치]
명 3월 (약 Mar.)
Spring comes in *March*.
봄은 3월에 온다.
He will arrive on *March* 6.
그는 3월 6일에 도착할 것이다.
✎ 읽을 때는 *March* (the) sixth 또는 the sixth of *March*로 읽음.

**ma·rine** *marine*
[məríːn 머린-]
형 바다의, 해양의
*marine* plants 해초
— 명 (복수 **marines** [məríːnz 머린-즈]) 해병(대원)
the Royal *Marines* 영국 해병대

⁑**mark** *mark*
[mɑ́ːrk 마-크]
명 (복수 **marks** [mɑ́ːrks 마-크스])

A B C D E F G H I J K L M N O P Q R S T U V W X Y Z

❶ 표, 기호, 부호; 자국
a question *mark* 의문 부호(?)
Who made a dirty *mark* on the picture? 누가 그림에다 더러운 자국을 냈느냐?
❷ (시험) 성적, 점수
He got 95 *marks* for history.
그는 역사에서 95점을 받았다.
❸ 표적, 목표
The arrow hit its *mark*.
화살이 표적을 맞추었다.

— 타 (3단현 **marks** [mɑ́ːrks 마크-스], 과거 · 과분 **marked** [mɑ́ːrkt 마-크트], 현분 **marking** [mɑ́ːrkiŋ 마-킹])
❶ 표시하다, (이름 · 번호 등을) 붙이다
*Mark* your name on your bag.
너의 가방에다 이름을 써서 붙여라.
❷ (시험을) 채점하다
The teacher is busy *marking* papers. 선생님은 시험지를 채점하느라고 바쁘다.
❸ (…에) 주의하다
*Mark* my words.
내 말을 주의해서 들어라.

## ⁑mar•ket *market*
[mɑ́ːrkit 마-킷]
명 (복수 **markets** [mɑ́ːrkits 마-키츠]) ❶ 시장, 장
a fish *market* 어시장
My mother goes to *market* every day.
어머니는 매일 시장에 가신다.

❷ (상품의) 판로, 수요
South America is our largest *market*. 남아메리카는 우리의 가장 큰 판로이다.

## mar•riage *marriage*
[mǽridʒ 매리지]
명 (복수 **marriages** [mǽridʒiz 매리지즈]) 결혼, 결혼식
The *marriage* took place in church.
결혼식은 교회에서 거행되었다.

## mar•ried *married*
[mǽrid 매리드]
타 marry(결혼하다)의 과거 · 과거분사
— 형 결혼한, 결혼의
a *married* woman
결혼한 여자, 기혼녀
How do you like *married* life?
결혼 생활은 즐거우십니까?

## ⁑mar•ry *marry*
[mǽri 매리]
타자 (3단현 **marries** [mǽriz 매리즈], 과거 · 과분 **married** [mǽrid 매리드], 현분 **marrying** [mǽriiŋ 매리잉])
결혼시키다; (…와) 결혼하다
He *married* his daughter to a

A B C D E F G H I J K L M N O P Q R S T U V W X Y Z

rich man.
그는 딸을 부자에게 결혼시켰다.
He *married* a pretty lady.
그는 미녀와 결혼했다.

She *married* at the age of twenty.
그녀는 스무 살에 결혼했다.

**Mars** *Mars*
[mɑ́ːrz 마-즈]
명 『천문』 화성

**mar•vel** *marvel*
[mɑ́ːrvəl 마-벌]
명 (복수 **marvels** [mɑ́ːrvəlz 마-벌즈]) 놀라운 일, 경이, 불가사의한 일
**—** 자 (3단현 **marvel(l)es** [mɑ́ːrvəlz 마-벌즈], 과거 · 과분 **marvel(l)ed** [mɑ́ːrvəld 마-벌드], 현분 **marvel(l)ing** [mɑ́ːrvəliŋ 마-벌링])
(…에) 놀라다, 경탄하다 ((at))
I *marveled at* his skills.
나는 그의 솜씨에 놀랐다.

**mar•vel(l)•ous** *marvel(l)ous*
[mɑ́ːrvələs 마-벌러스]
형 놀라운, 경이로운; 굉장한
The concert was simply *marvelous*. 음악회는 그저 대단했다.

**mas•cot** *mascot*
[mǽskət 매스커트]
명 (복수 **mascots** [mǽskəts 매스커츠]) (행운의) 마스코트

**mask** *mask*
[mǽsk 매스크]
명 (복수 **masks** [mǽsks 매스크스]) 가면, 복면; (보호용) 마스크
They wear *masks*.
그들은 가면을 쓰고 있다.

**mass** *mass*
[mǽs 매스]
명 (복수 **masses** [mǽsiz 매시즈])
❶ 덩어리 (동 lump)
a solid *mass* of rock
단단한 바위 덩어리.
❷ 다수, 다량; 군중, 집단
a *mass* game 단체 경기, 매스게임
*Masses* of people swarmed the ballpark.
군중이 야구장을 메웠다.

**mast** *mast*
[mǽst 매스트]
명 (복수 **masts** [mǽsts 매스츠])
돛대, 마스트

That ship has two *masts*.
저 배는 돛대가 2개이다.

***mas•ter** *master*
[mǽstər 매스터]
명 (복수 **masters** [mǽstərz 매스터즈]) ❶ 장(長); 주인, 고용주
a station *master* 역장
A dog knows his *master*.
개는 주인을 알아본다.

❷ 대가, 명수, 거장
He is a great *master* of painting. 그는 그림의 대가이다.
❸ (학교의) 남자 교사, (특수 기능의) 선생
He is a dancing *master*.
그는 댄스 교사이다.
—타 (3단현 **masters** [mǽstərz 매스터즈], 과거 · 과분 **mastered** [mǽstərd 매스터드], 현분 **mastering** [mǽstəriŋ 매스터링])
(…에) 숙달하다, 정통하다; 정복하다
It is not easy to *master* English. 영어에 숙달하기는 쉽지 않다.

**mat** *mat*
[mǽt 맷]
명 (복수 **mats** [mǽts 매츠])
매트, 깔개, 돗자리
They took exercise on the *mat*. 그들은 매트 위에서 운동했다.

***match[1]** *match*
[mǽtʃ 매치]
명 (복수 **matches** [mǽtʃiz 매치즈])
성냥
You can use this *match* to light the candles. 양초에 불을 켜는 데 이 성냥을 사용하면 된다.

A B C D E F G H I J K L M N O P Q R S T U V W X Y Z

***match²** *match*
[mǽtʃ 매치]
명 (복수 **matches** [mǽtʃiz 매치즈])
❶ 시합, 경기 (관 game 경기)
We won〔lost〕 the match.
우리는 그 시합에 이겼다〔졌다〕.

참고 흔히 baseball, football, basketball처럼 어미에 -ball이 붙는 경우는 game을 쓰고 tennis, boxing처럼 주로 두 사람이 하는 경기에는 match를 쓴다.

❷ 호적수, 경쟁 상대
He is a good *match* for me in swimming. 그는 수영에서 나의 좋은 경쟁 상대이다.
❸ 어울리는 것〔사람〕
The tie is a good *match* for your coat. 그 넥타이는 당신의 상의와 잘 어울리는 군요.

— 타 자 (3단현 **matches** [mǽtʃiz 매치즈], 과거 · 과분 **matched** [mǽtʃt 매치트], 현분 **matching** [mǽtʃiŋ 매칭])
❶ (…에) 필적하다, (…의) 상대가 되다
No one can *match* him in speech.
연설에는 그를 당해낼 사람이 없다.
❷ 조화하다, 어울리다
The carpet and curtains do not *match*. 그 양탄자와 커튼은 어울리지 않는다.

**mate** *mate*
[méit 메이트]
명 (복수 **mates** [méits 메이츠])
《주로 복합어로》 짝; 친구, 동료
They are my class*mates*.
그들은 나와 같은 반 친구들이다.

**ma•te•ri•al** *material*
[mətí(ə)riəl 머티(어)리얼]
명 (복수 **materials** [mətí(ə)riəlz 머티(어)리얼즈])
❶ 재료, 자재, 원료; 옷감
building *materials* 건축 자재
❷ 《복수형으로》 용구, 도구
I bought writing *materials*.
나는 필기도구를 샀다.

— 형 물질적인, 물질의
The storm did a great deal of *material* dammage. 그 폭풍우는 엄청난 물질적 피해를 입혔다.

**math** *math*
[mǽθ 매스]
명 《구어》 수학 《mathematics의 축약형》

***math•e•mat•ics**
*mathematics*
[mæ̀θəmǽtiks 매서매틱스]
명 《복수형으로; 단수 취급》 수학

*Mathematics* is very interesting. 수학은 매우 재미있다.

✎ politics(정치학), economics(경제학) 같은 그 밖의 학문명도 모두 복수꼴을 취하고 있지만 단수로 취급함.

## ⁑mat•ter *matter*

[mǽtər 매터]

명 (복수 **matters** [mǽtərz 매터즈])

❶ 일, 사항, 문제

It was no laughing *matter*.
그것은 웃어넘길 일이 아니다.

It is a *matter* of law.
그것은 법률상의 문제이다.

❷《복수형으로》 사정, 사태;《the를 붙여》 곤란한 일, 고장

*Matters* are becoming worse.
사태는 점점 나빠지고 있다.

Is anything *the matter* with your car? 당신 차가 고장났습니까?

❸《a와 복수형 안 씀》 물체, 물질

*Matter* exists in three forms; solid, gas, and liquid.
물질은 고체, 기체, 액체의 3가지 형태로 존재한다.

숙어 ***as a matter of fact*** 사실은, 사실을 말하면

*As a matter of fact* I know nothing about him. 사실은 그에 관해서 아무것도 모른다.

***no matter what*〔*how, who*〕** 무엇이〔어떻게, 누가〕 …일지라도

*No matter what* he says, never mind.
그가 뭐라 하더라도 상관하지 마라.

— 자 (3단현 **matters** [mǽtərz 매터즈], 과거 · 과분 **mattered** [mǽtərd 매터드], 현분 **mattering** [mǽtəriŋ 매터링])

중요하다; 문제가 되다 ((it를 주어로 하여 주로 부정문 · 의문문에 쓰임))

It doesn't *matter* much.
그것은 그다지 중요하지 않다.

What does it *matter*?
그게 무슨 문제가 됩니까?

## mat•tress *mattress*

[mǽtris 매트리스]

명 (복수 **mattresses** [mǽtrisiz 매트리시즈]) 매트리스, (침대의) 요

I need a new *mattress* for my bed. 나는 침대에 깔 새 매트리스가 필요하다.

## ⁑May *May*

[méi 메이]

명 5월

Roses bloom in *May*.
장미는 5월에 핀다.

## ⁑may *may*

[mei 메이]

조 (과거형 **might** [mait 마이트])

❶ ((허가)) …해도 좋다 (반 must not

…해서는 안 된다)
You *may* ask me any question.
너는 나에게 어떤 질문을 해도 좋다.

**어법 May I ...?에 대한 답변**
May I come in? (들어가도 좋습니까?)라고 물었을 때 Yes, you *may*.라고 대답하면 약간 거만한 느낌이 들므로, Certainly.(괜찮고 말고요.)라든가 Yes, of course.(물론이지요.) 등으로 대답하는 편이 좋다. 특히 거절의 뜻으로 No, you *may* not.는 어린이나 손아랫사람 이외에는 실례가 된다. 그럴 때는 I'm sorry, but please wait for a minute. (죄송하지만 조금만 기다려 주십시오.)라고 대답하면 좋다.

❷ 《추측》 …일지도 모른다 (반 may not …이 아닐지도 모른다)
It *may* rain this afternoon.
오늘 오후에 비가 올지도 모른다.

✎ 「…이었는지도 모른다」라고 과거의 일을 말할 때는 「may have+과거분사」의 꼴을 취함.
❸ 《가능》 …할 수 있다 (동 can)
Enjoy life while you *may*.
할 수 있는 동안에 인생을 즐겨라.
❹ 《양보》 가령 …일지라도
Whoever *may* say so, I cannot believe it.
가령 누가 그렇게 말하더라도, 나는 그 말을 믿을 수 없다.
❺ 《기원》 《주어 앞에 두어》 부디 …하소서
*May* you succeed!
부디 성공하소서!
숙어 ***may as well ...*** …하는 편이 좋다
You *may as well* begin at once.
당장 시작하는 편이 좋다.
***may well ...*** …하는 것은 당연하다
You *may well* get angry.
네가 화를 내는 것도 당연하다.
(*so*) ***that ... may ~*** 《목적》 …이 ~하기 위하여, …이 ~할 수 있도록
Study hard (*so*) *that* you *may* pass the examination.
시험에 합격하도록 열심히 공부해라.

## *may•be *maybe*
[méibi 메이비]
부 아마, 어쩌면 (동 perhaps)
*Maybe* he will be a good teacher. 아마도 그는 훌륭한 교사가 될 것이다.

## May Day *May Day*
[méi déi 메이데이]
명 메이데이, 노동절《5월 1일》.

## May•flow•er *Mayflower*
[méiflàuər 메이플라우어]
명 《the를 붙여》 메이플라워호 《영국의

청교도가 1620년에 아메리카 대륙으로 건너왔을 때 탔던 배의 이름》

**may•or** *mayor*
[méiər 메이어]
명 (복수 **mayors** [méiərz 메이어즈]) 시장(市長)
He was elected *mayor*.
그는 시장으로 선출되었다.

**⁑me** *me*
[《약》 mi 미; 《강》 míː 미-]
❶ 《I의 목적격》 나를, 나에게
Nancy knows *me*.
낸시는 나를 안다.
Give *me* the book.
그 책을 나에게 다오.

❷ 《be의 보어로 쓰여》 나(이다)
"Who is it?" "It's *me*."
「누구십니까?」「접니다.」
❸ 《I 대신으로 쓰여》 나
"I'm hungry." "*Me*, too."
「나는 배고프다.」「나도 (그렇다).」

***mead•ow** *meadow*
[médou 메도우]
명 (복수 **meadows** [médouz 메도우즈]) 초원, 목초지 (동 pasture)
The cattle are grazing in the *meadow*.
소떼가 초원에서 풀을 뜯고 있다.

**⁑meal** *meal*
[míːl 밀-]
명 (복수 **meals** [míːlz 밀-즈]) 식사
We eat three *meals* a day.
우리는 하루 세 끼를 먹는다.

**⁑mean[1]** *mean*
[míːn 민-]
타 (3단현 **means** [míːnz 민-즈], 과거 · 과분 **meant** [mént 멘트], 현분 **meaning** [míːniŋ 미-닝])
❶ 의미하다; 의도하다
What does this Chinese character *mean*?
이 한자는 무엇을 의미합니까?
What do you *mean* by this word?
무슨 의도로 이런 말을 하십니까?
❷ 《**mean to** do로》 …할 작정이다
I *mean to* go abroad this year.
나는 금년에 외국에 갈 작정이다.

A B C D E F G H I J K L M N O P Q R S T U V W X Y Z

**mean²** *mean*
[míːn 민-]
형 (비교급 **meaner** [míːnər 미-너], 최상급 **meanest** [míːnist 미-니스트])
천한, 초라한; 비열한; 인색한
He lives in a *mean* house.
그는 초라한 집에서 산다.
She is *mean* about money.
그녀는 돈에 인색하다.

***mean•ing** *meaning*
[míːniŋ 미-닝]
명 (복수 **meanings** [míːniŋz 미-닝즈]) 의미, 뜻
What's the *meaning* of this word? 이 단어의 뜻이 무엇이지?

***means** *means*
[míːnz 민-즈]
명 (복수 **means** [míːnz 민-즈]
❶ 《종종 단수 취급》 수단, 방법
The telephone is a *means* of communication.
전화는 통신 수단이다.

❷ 《복수 취급》 재력, 재산, 부
We don't have the *means* to buy the house.
우리는 그 집을 살 재력이 없다.
숙어 ***by all means*** 반드시, 필히
I must see him *by all means*.
나는 반드시 그를 만나야 한다.
***by means of*** …을 사용하여, …으로
Thoughts are expressed *by means of* words.
사상은 말을 사용하여 표현된다.
***by no means*** 결코 …아니다
He is *by no means* a gentleman.
그는 결코 신사가 아니다.

**mea•sure** *measure*
[méʒər 메저]
명 (복수 **measures** [méʒərz 메저즈]) ❶ 치수; 크기, 무게
Her waist *measure* is 26 inches. 그녀의 허리 치수는 26인치이다.

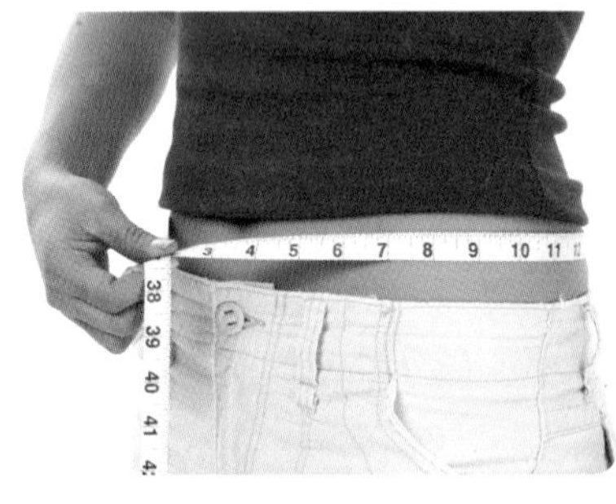

❷ (치수를 재는) 자; 계량기
May I use this tape *measure*?
이 줄자를 사용해도 되겠습니까?
❸ 《종종 복수형으로》 수단, 조치
We took necessary *measures*.
우리는 필요한 조치를 취했다.
—타자 (3단현 **measures** [méʒərz 메저즈], 과거 · 과분 **measured** [méʒərd 메저드], 현분 **measuring** [méʒəriŋ 메저링])
재다, 측정〔계량〕하다; 길이〔넓이 · 높이〕가 …이다
They *measured* the speed of the car.
그들은 그 차의 속도를 쟀다.
The bridge *measures* 20 meters long. 그 다리는 길이가 20미터이다.

**⁑meat** *meat*
[mí:t 미-트]
명 (식용 짐승의) 고기, 육류
a piece of *meat* 고기 한 점
Eat more vegetables than *meat*.
고기보다 야채를 더 먹어라.

✎ 원래 소 · 양 · 돼지의 고기를 말하지만, 미국에서는 게 · 새우 · 조개의 살까지도 meat를 씀.

**me•chan•i•cal** *mechanical*
[mikǽnikəl 미캐니컬]
형 ❶ 기계의, 기계에 의한
*mechanical* products 기계 제품
❷ (움직임이) 기계적인, 판에 박힌

***mech•an•ism** *mechanism*
[mékənìzm 메커니즘]
명 (복수 **mechanisms** [mékənìzmz 메커니즘즈])
❶ 기계 장치, 기계 작용
❷ 구조, 기구
the *mechanism* of the human body 인체의 구조

**med•al** *medal*
[médl 메들]
명 (복수 **medals** [médlz 메들즈]) 메달, 훈장
a gold *medal* 금메달
*Medal* of Honor 명예 훈장 《미국 군인의 최고 훈장》

**med•i•cal** *medical*
[médikəl 메디컬]
형 의학의, 의료의, 의술의
a *medical* college 의과 대학
The child went to the hospital for *medical* care. 그 아이는 치료를 받기 위해 병원에 갔다.

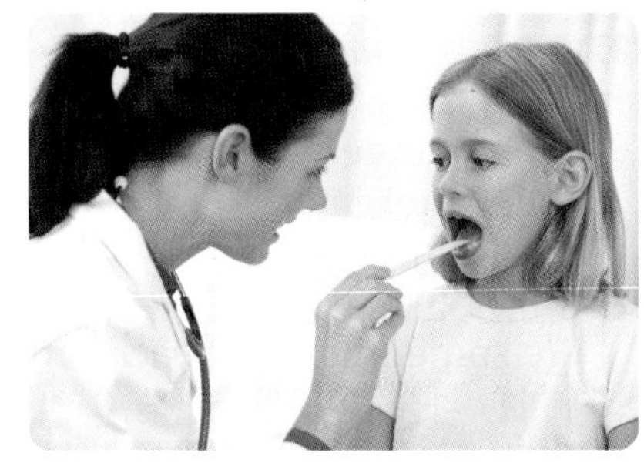

***med•i•cine** *medicine*
[médəsin 메더신]
명 (복수 **medicines** [médəsinz 메더신즈]) ❶ 약, 내복약
a *medicine* for colds 감기약
Take this *medicine* every four hours.
이 약을 네 시간마다 복용하세요.
❷ 《a와 복수형 안 씀》 의학
He studied *medicine* in England.
그는 영국에서 의학을 공부했다.

**Med•i•ter•ra•ne•an** *Mediterranean*
[mèditəréiniən 메디터레이니언]
형 지중해의
the *Mediterranean* sea 지중해
—명 《the를 붙여》 지중해

**me•di•um** *medium*
[mí:diəm 미-디엄]
명 (복수 **mediums** [mí:diəmz 미-디엄즈], **media** [mí:diə 미-디어]) 매체, 매개물; 수단; 중간
news *media* 보도 기관
The air is a *medium* for sound.
공기는 소리를 전달하는 매개물이다.
—형 중간의, 보통 정도의
He is of *medium* height.
그는 중간 키이다.

****meet** *meet*
[mí:t 미-트]
동 (3단현 **meets** [mí:ts 미-츠], 과거 · 과분 **met** [mét 멧], 현분 **meeting** [mí:tiŋ 미-팅])
—타 ❶ 만나다, 마주치다
We sometimes *meet* each other.
우리는 가끔 서로 만난다.
I am glad to *meet* you.
만나뵙게 되어 기쁩니다.

❷ 마중나가다, 맞이하다
I went to the airport to *meet* my mother. 나는 어머니를 마중하러 공항에 갔다.
—자 만나다; 회합하다, 모이다
Let's *meet* here again tomorrow. 내일 여기서 다시 만나자.
숙어 ***meet with*** (사람과) 우연히 만나다; (사고 따위를) 당하다
He *met with* a traffic accident on his way back. 그는 돌아가는 길에 교통사고를 당했다.

***meet•ing** *meeting*
[mí:tiŋ 미-팅]
명 (복수 **meetings** [mí:tiŋz 미-팅즈]) 모임, 집회, 회합
a farewell〔welcome〕*meeting*
송별〔환영〕회
The athletic *meeting* was held yesterday. 운동회는 어제 열렸다.

**mel•o•dy** *melody*
[mélədi 멜러디]
명 (복수 **melodies** [mélədiz 멜러디즈]) 멜로디, 선율, 노랫가락
That song has a sweet *melody*.
저 노래는 멜로디가 감미롭다.

**mel•on** *melon*
[mélən 멜런]
명 (복수 **melons** [mélənz 멜런즈]) 〖식물〗 멜론, 참외

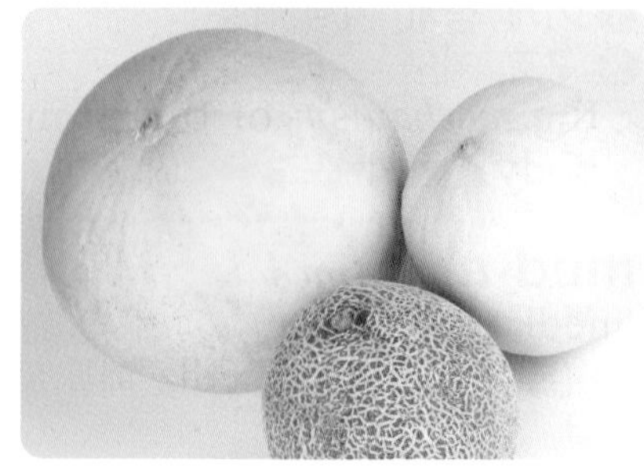

a slice of *melon* 멜론 한 조각

***melt** *melt*
[mélt 멜트]
동 (3단현 **melts** [mélts 멜츠], 과거 · 과분 **melted** [méltid 멜티드], 현분 **melting** [méltiŋ 멜팅])
—타 녹이다, 용해하다; (감정을) 누그러뜨리다
The sun *melted* the ice.
태양이 얼음을 녹였다.
—자 ❶ 녹다; 서서히 사라지다
The snowman is *melting* away in the sun.
눈사람은 햇볕에 녹고 있다.

❷ (마음이) 누그러지다
Her heart *melted* at his kind words. 그의 친절한 말에 그녀의 마음이 누그러졌다.

***mem•ber** *member*
[mémbər 멤버]
명 (복수 **members** [mémbərz 멤버즈]) (단체의) 일원, 회원, 구성원

I am a *member* of the swimming club. 나는 수영부원이다.
The lion is a *member* of the cat family.
사자는 고양잇과의 일원이다.

**mem•ber•ship** *membership*
[mémbərʃìp 멤버십]
명 (복수 **memberships** [mémbərʃìps 멤버십스]) 회원의 지위〔자격〕
He has a *membership* card of the sports club. 그는 그 스포츠 클럽의 회원 카드를 갖고 있다.

**mem•o** *memo*
[mémou 메모우]
명 (복수 **memos** [mémouz 메모우즈]) 메모 ((memorandum의 약어))

**me•mo•ri•al** *memorial*
[mimɔ́:riəl 미모-리얼]
형 기념의
a *memorial* hall 기념관
a *memorial* festival 기념제
—명 (복수 **memorials** [mimɔ́:riəlz 미모-리얼즈]) 기념비〔상〕, 기념관
We visited the Lincoln *Memorial*. 우리는 링컨 기념관을 방문했다.

a b c d e f g h i j k l m n o p q r s t u v w x y z

**mem•o•ry** *memory*
[mém(ə)ri 메머리]
명 (복수 **memories** [mém(ə)riz 메머리즈]) ❶ 기억, 기억력
He has a good〔bad〕 *memory*.
그는 기억력이 좋다〔나쁘다〕.
❷ 추억, 회상
The trip to Europe was one of her happiest *memories*.
유럽 여행은 그녀의 가장 행복한 추억 중의 하나였다.
숙어 ***in memory of*** …을 기념하여
They built a tower *in memory of* Washington. 그들은 워싱턴을 기념하여 탑을 세웠다.

***men** *men*
[mén 멘]
명 man(사람, 남자)의 복수

***mend** *mend*
[ménd 멘드]
동 (3단현 **mends** [méndz 멘즈], 과거 · 과분 **mended** [méndid 멘디드], 현분 **mending** [méndiŋ 멘딩])
—타 고치다, 수선하다 (동 repair)
He *mended* a broken door.
그는 부서진 문짝을 고쳤다.
She *mended* her old pants.
그녀는 낡은 바지를 수선했다.

—자 행실을 바로잡다〔고치다〕
It's never too late to *mend*.
《속담》 행실을 고치는 데 늦다는 법은 결코 없다.

**men•tal** *mental*
[méntl 멘틀]
형 마음의, 정신의 (반 physical 육체의); 지능의
a *mental* hospital 정신 병원
Tom took a *mental* test.
톰은 지능 검사를 받았다.

**men•tion** *mention*
[ménʃən 멘션]
타 (3단현 **mentions** [ménʃənz 멘션즈], 과거 · 과분 **mentioned** [ménʃənd 멘션드], 현분 **mentioning** [ménʃəniŋ 멘셔닝])
언급하다, …에 관해 말하다
He *mentioned* it to me.
그는 나에게 그것을 말했다.
숙어 ***Don't mention it.*** (=《미》 ***You are welcome.***) 천만에요.
—명 언급, 진술, 기재

**men•u** *menu*
[ménjuː 메뉴–]
명 (복수 **menus** [ménjuːz 메뉴–즈]) (식당 등의) 차림표, 식단, 메뉴
Look at the *menu* and choose your lunch.
식단을 보고 점심을 골라라.

*__mer•chant__ *merchant*
[mə́ːrtʃənt 머-천트]
명 (복수 **merchants** [mə́ːrtʃənts 머-천츠]) 상인; 무역상; ⟪영⟫ 도매상
a *merchant* ship 상선(商船)
Mr. Brown is a fruit *merchant*. 브라운 씨는 과일 장수이다.

**mer•cy** *mercy*
[mə́ːrsi 머-시]
명 ⟪a와 복수형 안 씀⟫ 자비, 연민, 불쌍히 여김
He begged the judge for *mercy*. 그는 재판관에게 자비를 간청했다.
숙어 ***at the mercy of*** …에 맡겨져, …의 처분대로
The yacht was *at the mercy of* the waves. 그 요트의 운명은 파도에 맡겨져 있었다.

**mere** *mere*
[míər 미어]
형 단지 …에 지나지 않는, …에 불과한
The house was a *mere* cabin. 그 집은 그야말로 오두막에 지나지 않았다.

**mere•ly** *merely*
[míərli 미얼리]
부 단지, 그저, 다만
He *merely* wants to know the truth. 그는 단지 사실을 알고 싶어 할 뿐이다.

**mer•it** *merit*
[mérit 메리트]
명 (복수 **merits** [mérits 메리츠]) 장점, 좋은 점; 공적
His only *merit* is his honesty. 그의 유일한 장점은 정직성이다.
—타 (3단현 **merits** [mérits 메리츠], 과거 · 과분 **merited** [méritid 메리티드], 현분 **meriting** [méritiŋ 메리팅])
(상 · 벌 · 비난 따위를) 받을 만하다
His work *merits* the highest praise. 그의 업적은 최고의 칭찬을 받을 만하다.

**mer•maid** *mermaid*
[mə́ːrmèid 머-메이드]
명 (복수 **mermaids** [mə́ːrmèidz 머-메이즈]) 인어; 여자 수영 선수
Anderson wrote a famous fairy tale '*The Little Mermaid*'. 안데르센은 「인어 아가씨」라는 유명한 동화를 썼다.

*__mer•ri•ly__ *merrily*
[mérili 메릴리]
부 명랑하게, 유쾌하게, 즐겁게
Birds were singing *merrily*. 새들이 즐겁게 지저귀고 있었다.

A B C D E F G H I J K L M N O P Q R S T U V W X Y Z

**⁑mer•ry** *merry*
[méri 메리]
형 (비교급 **merrier** [mériər 메리어], 최상급 **merriest** [mériist 메리이스트])
유쾌한, 즐거운
*Merry* Christmas!
즐거운 크리스마스가 되기를!

We had a *merry* time yesterday.
우리는 어제 즐거운 시간을 보냈다.

**mer•ry-go-round**
*merry-go-round*
[mérigouràund 메리고우라운드]
명 (복수 **merry-go-rounds** [mérigouràundz 메리고우라운즈])
회전목마

***mes•sage** *message*
[mésidʒ 메시지]
명 (복수 **messages** [mésidʒiz 메시지즈]) 전언, 전갈
Will you leave a *message*?
전언을 남겨 두시겠습니까?

**mes•sen•ger** *messenger*
[mésindʒər 메신저]
명 (복수 **messengers** [mésindʒərz 메신저즈]) 전달자, 배달원; 심부름꾼
A *messenger* brought the telegram to our house. 배달원이 우리 집에 전보를 가져왔다.

***met•al** *metal*
[métl 메틀]
명 (복수 **metals** [métlz 메틀즈])
금속, 쇠붙이

Iron, gold, and silver are *metals*. 쇠, 금, 은은 금속이다.

**me•ter,** 《영》 **-tre**
*meter, -tre*
[míːtər 미-터]
명 (복수 **meters** [míːtərz 미-터즈])
❶ 〖단위〗 미터 《길이의 단위; 약 m, m.》
The tower is 33 *meters* tall.
그 탑은 높이가 33미터이다.
❷ (가스 · 전기 따위의) 계량기

**meth•od** *method*
[méθəd 메서드]
명 (복수 **methods** [méθədz 메서즈]) 방법, 방식
What's the best *method* of solving this problem? 이 문제를 푸는 가장 좋은 방법은 무엇입니까?

**mew** *mew*
[mjúː 뮤-]
명 고양이 울음 소리, 야옹
— 자 (3단현 **mews** [mjúːz 뮤-즈], 과거 · 과분 **mewed** [mjúːd 뮤-드], 현분 **mewing** [mjúːiŋ 뮤-잉]) (고양이가) 야옹하고 울다

**mice** *mice*
[máis 마이스]
명 mouse(생쥐)의 복수

**mi•cro•phone** *microphone*
[máikrəfòun 마이크러포운]
명 (복수 **microphones** [máikrəfòunz 마이크러포운즈])
마이크로폰, 확성기 (약 mike)

**mi•cro•scope** *microscope*
[máikrəskòup 마이크러스코우프]
명 (복수 **microscopes** [máikrəskòups 마이크러스코웁스]) 현미경

Bacteria can be seen through a *microscope*. 세균은 현미경으로 볼 수 있다.

**‡mid•dle** *middle*
[mídl 미들]
형 중앙의, 한가운데의; 중간의
We sat in the *middle* row of the class.
우리는 학급의 중간 줄에 앉았다.
— 명 중앙, 한가운데; 중간
The pig is in the *middle*.
돼지가 한가운데 있다.

숙어 ***in the middle of*** …의 한가운데[중앙]에, …의 중간에
He planted rose trees *in the middle of* the garden.
그는 정원 중앙에 장미나무를 심었다.

**mid•night** *midnight*
[mídnàit 미드나이트]
명 《a와 복수형 안 씀》 한밤중

He didn't go to bed until *midnight*. 그는 한밤중까지 잠자리

에 들지 않았다.

## *might *might*

[mait 마이트]

조 may의 과거 《시제 일치 및 가정법 과거에서 may 대신 사용》

❶ 《「간접화법」에서 가능성 · 추측을 나타내어》 …일지도〔할지도〕 모른다

He said it *might* rain.
그는 비가 올지도 모른다고 말했다.

✎ 주절의 동사가 과거(said)이므로 「시제의 일치」로 may가 might로 됨.

❷ 《허가를 나타내어》 …해도 좋다

He asked me if he *might* use my pencil. 그는 내 연필을 사용해도 좋으냐고 물었다.

❸ 《주절이 과거일 때 목적을 나타내는 부사절로서》 …하기 위하여, …하려고

He did his best so that he *might* succeed.
그는 성공하려고 최선을 다했다.

❹ 《가정법 과거로서 현재 또는 미래 사실의 반대되는 가정을 나타내어》 …하였을지도 모른다

He *might* come, if we asked him. 우리가 요청했더라면 그는 왔을지도 모른다.

❺ 《정중하게 허가를 나타내어》 …해도 좋겠습니까

*Might* I come in?
들어가도 괜찮겠습니까?

## might•y *mighty*

[máiti 마이티]

형 (비교급 **mightier** [máitiər 마이티어], 최상급 **mightiest** [máitiist 마이티이스트])

강력한, 강대한; 거대한

That nation has a *mighty* army.
저 나라는 강력한 군대를 갖고 있다.

## mild *mild*

[máild 마일드]

형 (비교급 **milder** [máildər 마일더], 최상급 **mildest** [máildist 마일디스트])

❶ (성격이) 온순한, 상냥한, 관대한

He is a *mild* gentleman.
그는 상냥한 신사이다.

❷ (날씨가) 온화한, (맛이) 부드러운

The weather is *mild* these days. 요즘은 날씨가 온화하다.

## *mile *mile*

[máil 마일]

명 (복수 **miles** [máilz 마일즈])

〖단위〗 마일 《길이의 단위; 1마일은 약 1.6km》

We live twenty *miles* from New York. 우리는 뉴욕에서 20마일 떨어진 지점에 산다.

## mil•i•tar•y *military*

[mílətèri 밀러테리]

형 군대의, 군사의; 육군의
a *military* uniform 군복
He is in *military* service.
그는 군복무 중이다.

****milk** *milk*
[mílk 밀크]
명 《a와 복수형 안 씀》 우유; 젖

powdered *milk* 분유
I have a glass of *milk* every morning.
나는 매일 아침 우유 한 잔을 마신다.

**milk•man** *milkman*
[mílkmən, mílkmæ̀n 밀크먼〔맨〕]
명 (복수 **milkmen** [mílkmən, mílkmèn 밀크먼〔멘〕])
우유 배달부, 우유 장수

**milk•y** *milky*
[mílki 밀키]
형 (비교급 **milkier** [mílkiər 밀키어], 최상급 **milkiest** [mílkiist 밀키이스트])
우유 같은, 우유를 넣은; 유백색의
She prepared a *milky* mixture for the child. 그녀는 아이를 위해 우유를 탄 혼합 음료를 준비했다.
숙어 ***the Milky way*** 은하수

**mill** *mill*
[míl 밀]
명 (복수 **mills** [mílz 밀즈])
맷돌; 물방앗간; 제분소, 제분기
a water *mill* 물방앗간

**mill•er** *miller*
[mílər 밀러]
명 (복수 **millers** [mílərz 밀러즈])
제분업자, 물방앗간 주인

***mil•lion** *million*
[míljən 밀리언]
명 (복수 **millions** [míljənz 밀리언즈]) 백만; 《복수형으로》 다수, 무수
The population of our city is about two *million*.
우리 시의 인구는 약 2백만이다.
✎ million 앞에 two, three 등의 숫자가 올 때는 복수형으로 하지 않음.
숙어 ***millions of*** 수많은, 몇백만의
—형 백만의; 무수한
five *million* dollars 5백만 달러

**mil•lion•aire** *millionaire*
[mìljənέər 밀리어네어]
명 (복수 **millionaires** [mìljənέərz 밀리어네어즈]) 백만장자, 대부호
She married a *millionaire*.
그녀는 백만장자에게 시집갔다.

**mind** *mind*
[máind 마인드]
명 (복수 **minds** [máindz 마인즈])
❶《보통 단수형으로》마음, 정신 (반 body 육체); 지성, 이성
peace of *mind* 마음의 평화
A sound *mind* in a sound body.
《속담》건강한 신체에 건전한 정신
❷《a와 복수형 안 씀》기억, 기억력
You must keep this in *mind*.
너는 이것을 기억 속에 간직해 두어야 한다.
❸ 생각, 기분, 의향
Speak your *mind* plainly.
네 의향을 솔직히 말해라.
숙어 ***make up** one's **mind to** do*
…하기로 결심하다
I *made up my mind to* keep a diary. 나는 일기를 쓰기로 결심했다.
— 타자 (3단현 **minds** [máindz 마인즈], 과거 · 과분 **minded** [máinded 마인디드], 현분 **minding** [máindiŋ 마인딩])
❶ 조심하다, 주의하다
*Mind* your step. 발걸음 조심

❷ 마음을 쓰다, 싫어하다, 염려하다
Do you *mind* my smoking?
담배 피워도 괜찮습니까?
숙어 ***Never mind!*** 걱정하지 마라.
***Would you mind ~ing?*** …해 주시겠습니까?
*Would you mind* shut*ting* the door?
문을 닫아 주시겠습니까?

**mine¹** *mine*
[máin 마인]
대 《I의 소유대명사》나의 것 (관 yours 너의 것, his 그의 것, hers 그녀의 것)
This camera is *mine*.
이 카메라는 내 것이다.

Your watch is better than *mine*.
너의 시계가 내 것보다 좋다.

**mine²** *mine*
[máin 마인]
명 (복수 **mines** [máinz 마인즈])
광산, 광업소
Gold, silver, and diamonds come from *mines*. 금, 은, 다이아몬드는 광산에서 나온다.

**min•er** *miner*
[máinər 마이너]
명 (복수 **miners** [máinərz 마이너즈])
광부, 탄광 노동자

**min•er•al** *mineral*
[mín(ə)rəl 미너럴]
명 (복수 **minerals** [mín(ə)rəlz 미너럴즈]) 광물, 광석
Iron and copper are *minerals*.
철과 구리는 광물이다.

—형 광물의, 광물을 함유하는
*Mineral* water is good for health. 광천수는 건강에 좋다.

**min•i•mum** *minimum*
[mínəməm 미너멈]
명 (복수 **minimums** [mínəməmz 미너멈즈] 또는 **minima** [mínəmə 미너머])
최소한, 최저한; 최소수〔량〕 (반 maximum 최대한)
—형 《명사 앞에서만 씀》 최소한의; 최저한의
What was the *minimum* temperature in Seoul last year?
작년에 서울의 최저 기온은 몇 도였지요?

**min•is•ter** *minister*
[mínistər 미니스터]
명 (복수 **ministers** [mínistərz 미니스터즈])
❶ (영국 · 유럽의) 장관, 대신
the Prime *Minister* 국무총리
the foreign *Minister* 외무 장관
❷ 목사 (동 clergyman), 성직자
A *minister* serves a church.
목사는 교회에 봉사한다.

**mi•nor** *minor*
[máinər 마이너]
형 ❶ 적은 쪽의, 소수의 (반 major 큰 쪽의, 다수의)
❷ (비교적) 중요치 않은, 이류의
It's only a *minor* problem.
그것은 단지 하찮은 문제다.

**mi•nor•i•ty** *minority*
[mənɔ́:rəti 머노-러티]
명 (복수 **minorities** [mənɔ́:rətiz 머노-러티즈]) 소수 (반 majority 다수)

**mi•nus** *minus*
[máinəs 마이너스]
전 (…을) 뺀, 마이너스의
Seven *minus* four is three.
7에서 4를 빼면 3이다 《7−4=3》.

—형 마이너스의, 음의
a *minus* sign
마이너스〔뺄셈〕 부호《−》

**⁑min•ute** *minute*
[mínit 미닛]
명 (복수 **minutes** [mínits 미니츠])
❶ (시간의) 분 (관 hour 시간, second 초)
It is five *minutes* past ten.
10시 5분이다.
It is ten *minutes* to〔before〕 seven. 7시 10분 전이다.

❷ 잠깐, 짧은 시간 (동 moment)
Wait a *minute*.
잠깐 기다려 주세요.
숙어 ***for a minute*** 잠깐 동안

May I speak with you *for a minute*?
잠깐 이야기할 수 있습니까?

***in a minute*** 곧, 즉시
I'll be back *in a minute*.
곧 돌아오겠습니다.

***the minute*** (***that***) …하는 순간, …하자마자
*The minute* he saw me, he began to run away. 그는 나를 보자마자 도망치기 시작했다.

**mir•a•cle** *miracle*
[mírəkl 미러클]
명 (복수 **miracles** [mírəklz 미러클즈]) 기적, 불가사의
His success is a *miracle*.
그의 성공은 기적이다.

**mir•ror** *mirror*
[mírə*r* 미러]
명 (복수 **mirrors** [mírə*r*z 미러즈]) 거울
She looked at herself in the *mirror*. 그녀는 거울에 비친 자기 모습을 보았다.

**mis•er•a•ble** *miserable*
[mízərəbl 미저러블]
형 ❶ 비참한, 불쌍한
He is leading a *miserable* life.
그는 비참한 삶을 살고 있다.
❷ 초라한, 지독한, 보잘것없는

**mis•for•tune** *misfortune*
[misfɔ́ːrtʃən 미스포-천]
명 (복수 **misfortunes** [misfɔ́ːrtʃənz 미스포-천즈]) 불행, 불운, 곤란
The fire was a great *misfortune* to the family. 화재는 그 가족에게 커다란 불행이었다.

⁑**Miss** *Miss*
[mís 미스]
명 (복수 **Misses** [mísiz 미시즈]) …양 《미혼 여성의 이름 앞에 붙이는 경칭》
*Miss* Smith is our music teacher.
스미스 양은 우리의 음악 교사이다.

***miss** *miss*
[mís 미스]
타 (3단현 **misses** [mísiz 미시즈], 과거 · 과분 **missed** [míst 미스트], 현분 **missing** [mísiŋ 미싱])
❶ 놓치다, …하지 못하다; 빗나가다
I *missed* the school bus.
나는 통학 버스를 놓쳤다.

❷ (…이 없어서) 쓸쓸해 하다, 그리워하다
I *miss* my mother when she is away.
어머니가 안 계시면 그립다.

❸ 빼먹다, 빠뜨리다
Don't *miss* my name.
내 이름을 빠뜨리지 마세요.

***Mis•sis•sip•pi** *Mississippi*
[mìsəsípi 미서시피]
명 《the를 붙여》 미시시피 강 《미네소타(Minnesota) 주 북부에서 멕시코 만으로 흘러드는 미국에서 제일 긴 강》

**mist** *mist*
[míst 미스트]
명 (복수 **mists** [místs 미스츠])
(엷은) 안개 (동 fog)

The trees were hidden in *mist*.
나무들은 안개에 가려졌다.

****mis•take** *mistake*
[mistéik 미스테이크]
타 (3단현 **mistakes** [mistéiks 미스테이크스], 과거 **mistook** [mistúk 미스툭], 과분 **mistaken** [mistéikən 미스테이컨], 현분 **mistaking** [mis-téikiŋ 미스테이킹])
잘못 알다, 착각하다, 오해하다
He often *mistakes* the date of the meeting. 그는 종종 회합 날짜를 잘못 알고 있다.
I *mistook* the nurse for her sister. 나는 그 간호사를 그녀의 언니로 착각했다.
—명 (복수 **mistakes** [mistéiks 미스테이크스]) 잘못, 틀림, 실수, 오해
I made seven *mistakes* on the dictation.
나는 받아쓰기에서 7개 틀렸다.

숙어 ***by mistake*** 실수로
I entered the wrong room *by mistake*.
나는 실수로 엉뚱한 방에 들어갔다.

***mis•tak•en** *mistaken*
[mistéikən 미스테이컨]
타 mistake(잘못 알다)의 과거분사
—형 틀린, 잘못된, 오해한
You are *mistaken*.
당신은 오해하고 계시군요.

**mis•tress** *mistress*
[místris 미스트리스]
명 (복수 **mistresses** [místrisiz 미스트리시즈]) 주부, 여주인 (반 master 남자 주인), 여교사

a b c d e f g h i j k l **m** n o p q r s t u v w x y z

**mis•un•der•stand** *misunderstand*
[mìsʌ̀ndərstǽnd 미스언더스탠드]
타 (3단현 **misunderstands** [mìsʌ̀ndərstǽndz 미스언더스탠즈], 과거 · 과분 **misunderstood** [mìsʌ̀ndərstúd 미스언더스투드], 현분 **misunderstanding** [mìsʌ̀ndərstǽndiŋ 미스언더스탠딩])
오해하다, 잘못 생각하다
I think you *misunderstood* me.
당신은 제 말을 오해했다고 생각합니다.

**mis•un•der•stand•ing** *misunderstanding*
[mìsʌ̀ndərstǽndiŋ 미스언더스탠딩]
명 (복수 **misunderstandings** [mìsʌ̀ndərstǽndiŋz 미스언더스탠딩즈]) 오해, 잘못된 생각

***mitt** *mitt*
[mít 미트]
명 (복수 **mitts** [míts 미츠])
〖야구〗 미트 《포수용 글러브》

***mix** *mix*
[míks 믹스]
동 (3단현 **mixs** [míksiz 믹시즈], 과거 · 과분 **mixed** [míkst 믹스트], 현분 **mixing** [míksiŋ 믹싱])
—타 섞다, 혼합하다, 뒤섞다

She *mixed* the flour with water.
그녀는 밀가루에 물을 섞었다.
—자 ❶ 섞이다, 혼합되다
Oil and water don't *mix*.
기름과 물은 섞이지 않는다.
❷ 어울리다, 사귀다
Don't *mix* with bad boys.
나쁜 아이들과 어울리지 말아라.

***mod•el** *model*
[mádl 마들]
명 (복수 **models** [mádlz 마들즈])
모형, 본; 모델
Andy is making a *model* of airplane.
앤디는 모형 비행기를 만들고 있다.
She works as a fashion *model*.
그녀는 패션 모델을 하고 있다.

**mod•er•ate** *moderate*
[mádərət 마더럿]
형 ❶ 알맞은, 적당한
The price of this coat is *moderate*.
이 코트의 가격은 적당하다.
❷ 온건한, 온화한
He is *moderate* in his views.
그는 사고방식이 온건하다.

***mod•ern** *modern*
[mɑ́dərn 마던]
형 현대(식)의, 현대적인; 최신식의
*modern* art 현대 미술

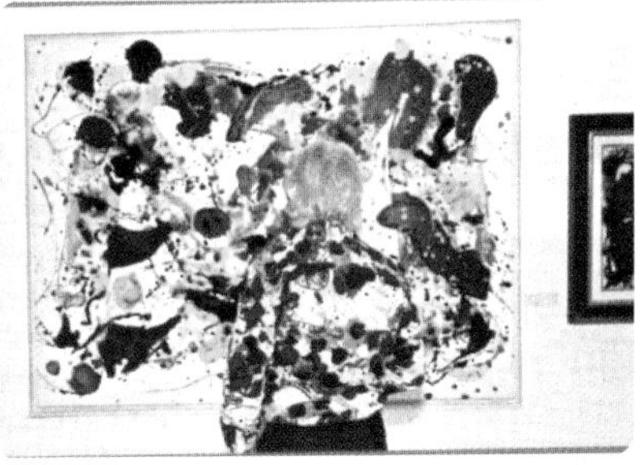

Their new house is very *modern*. 그들의 새 집은 아주 최신식이다.

**mod•est** *modest*
[mɑ́dist 마디스트]
형 겸손한; 검소한; 알맞은, 적당한
He is very *modest* about his success. 그는 자기의 성공에 대해 매우 겸손하다.
Her demands are *modest*.
그녀의 요구는 온당하다.

**mom** *mom*
[mɑ́m 맘]
명 (복수 **moms** [mɑ́mz 맘즈]) 《구어》 엄마 (동 mommy, 반 dad 아빠)

****mo•ment** *moment*
[móumənt 모우먼트]
명 (복수 **moments** [móumənts 모우먼츠]) 순간, 찰나
Wait a *moment*.(=Just a *moment*.) 잠깐만 기다리세요.
He stared at me for a *moment*.
그는 잠시 나를 노려보았다.
숙어 ***at any moment*** 언제라도
Accidents may occur *at any moment*.
사고란 언제라도 일어날 수 있다.
***in a moment*** 곧, 당장
I'll finish the letter *in a moment*. 지금 곧 편지를 끝마치겠다.

**mom•my** *mommy*
[mɑ́mi 마미]
명 (복수 **mommies** [mɑ́miz 마미즈]) 엄마 (동 mom, 관 daddy 아빠)

I want a cake, *mommy*.
엄마, 나 케이크 먹고 싶어.

****Mon•day** *Monday*
[mʌ́ndèi 먼데이]
명 (복수 **Mondays** [mʌ́ndèiz 먼데이즈]) 《관사 없이》 월요일 (약 Mon.)
I'll go on *Monday*.
월요일에 갈게.

He came last *Monday*.
그는 지난 월요일에 왔다.

**monk** *monk*
[mʌ́ŋk 멍크]
명 (복수 **monks** [mʌ́ŋks 멍크스]) 수사, 수도사〔승〕

**⁑mon•ey** *money*
[mʌ́ni 머니]
명 《a와 복수형 안 씀》 돈, 화폐

Lend me some *money*.
돈 좀 빌려 주세요.
Do you have any *money* with you? 돈 좀 갖고 계십니까?
He made a lot of *money* last year. 그는 작년에 많은 돈을 벌었다.

***mon•key** *monkey*
[mʌ́ŋki 멍키]
명 (복수 **monkeys** [mʌ́ŋkiz 멍키즈]) 〚동물〛 원숭이

There are many *monkeys* in this zoo. 이 동물원에는 원숭이가 많다.
✎ monkey는 몸집이 작고 꼬리가 있고, ape는 몸집이 크고 꼬리가 없음.

**mon•ster** *monster*
[mɑ́nstər 만스터]
명 (복수 **monsters** [mɑ́nstərz 만스터즈]) 괴물, 괴수

**⁑month** *month*
[mʌ́nθ 먼스]
명 (복수 **months** [mʌ́nθs 먼스스]) (1년 열두 달의) 달, 월
this〔last, next〕 *month*
이 달〔지난 달, 다음 달〕
the *month* before last 지지난 달
There are twelve *months* in a year. 1년에는 12개월이 있다.
"What day of the *month* is it today?" "It's the 12th."
「오늘이 며칠이니?」「12일이야.」

달의 이름

| 달 | 명칭 | 약어 |
|---|---|---|
| 1월 | January | Jan. |
| 2월 | February | Feb. |
| 3월 | March | Mar. |
| 4월 | April | Apr. |
| 5월 | May | 약어 없음 |
| 6월 | June | Jun. |
| 7월 | July | Jul. |
| 8월 | August | Aug. |
| 9월 | September | Sep., Sept. |
| 10월 | October | Oct. |
| 11월 | November | Nov. |
| 12월 | December | Dec. |

## Month 월

January 1월 · February 2월 · March 3월 · April 4월
May 5월 · June 6월 · July 7월 · August 8월
September 9월 · October 10월 · November 11월 · December 12월

**month·ly** *monthly*
[mʌ́nθli 먼슬리]
명 (복수 **monthlies** [mʌ́nθliz 먼슬리즈]) 월간 잡지
—형 매달의, 월 1회의
a *monthly* magazine 월간 잡지
—부 매월, 월 1회
Are you paid weekly or *monthly*? 당신은 주급을 받습니까 아니면 월급을 받습니까?

**mon·u·ment** *monument*
[mɑ́njumənt 마뉴먼트]
명 (복수 **monuments** [mɑ́njumənts 마뉴먼츠])
기념비〔물〕; (역사적) 유물

a b c d e f g h i j k l m n o p q r s t u v w x y z

The pyramids in Egypt are famous *monuments*. 이집트의 피라미드는 유명한 유물이다.

**mood** *mood*
[mú:d 무-드]
명 (복수 **moods** [mú:dz 무-즈])
❶ (일시적인) 기분, 심정
You're in a good *mood* today!
당신은 오늘 기분이 좋으시군요.
❷ 〖문법〗 법(法)
the imperative *mood* 명령법

**⁑moon** *moon*
[mú:n 문-]
명 (복수 **moons** [mú:nz 문-즈])
〖천문〗 달 (㉪ sun 해)
The *moon* is beautiful tonight.
오늘 밤은 달이 아름답다.

참고 이 세상에 단 하나밖에 없는 천체에는 *the* moon, *the* sun 처럼 **the**를 붙이지만, 형용사가 있으면 a full *moon*(보름달), a half *moon*(반달), a new *moon*(초승달)처럼 쓴다.

**moon•light** *moonlight*
[mú:nlàit 문-라이트]
명 《a와 복수형 안 씀》 달빛
The lake looked beautiful in the *moonlight*. 호수는 달빛을 받아 아름다워 보였다.

**mor•al** *moral*
[mɔ́:rəl 모-럴]
형 윤리적인, 도덕적인
She has always lived a very *moral* life. 그녀는 항상 매우 도덕적인 삶을 살아 왔다.
—명 (복수 **morals** [mɔ́:rəlz 모-럴즈]) 교훈; 《복수형으로》 품행, 행실
What's the *moral* of this story?
이 이야기의 교훈은 무엇인가?

***more** *more*
[mɔ́:*r* 모-]
형 《much, many(많은)의 비교급》
❶ 《many(많은)의 비교급으로서》(수가) 더 많은, 보다 많은 (㉯ less 더 적은)
He has *more* books than I (have).
그는 나보다 많은 책을 갖고 있다.
Please wait for ten *more* minutes. 10분만 더 기다려 주십시오.
❷ 《much(많은)의 비교급으로서》(양이) 더 많은, 보다 많은 (㉯ less 더 적은)
You need *more* practice.
너는 더 많은 연습이 필요하다.
She has *more* money than I (have).
그녀는 나보다 많은 돈을 갖고 있다.

—부 《much(많이)의 비교급》
❶ 더 많이
You have to eat *more*.
너는 더 많이 먹어야 한다.
❷ 《형용사 · 부사 앞에서 비교급을 만들어》 더욱, 한층 더
Please speak *more* slowly.
더 천천히 이야기해 주세요.
❸ 《**more ... than**으로》 (…보다) 오히려 (동 rather)
It's *more* pink *than* red. 그것은 빨갛다기보다는 오히려 분홍색이다.

**어법 more가 붙는 비교급**
1음절어(big, high, cold 따위)는 어미에 -er를 붙여서 비교급을 만들지만 2음절 이상의 어휘(fa·mous, quick·ly, in·ter·est·ing 따위)는 그 말 앞에 **more**를 붙여 비교급을 만드는 일이 많다. 단 ear·ly, bus·y 같이 예외도 있으므로 주의해야 한다. 최상급 most에 대해서도 같은 원칙이 적용된다.

—대 더 많은 양〔수〕
He wants *more*.
그는 더 많은 것을 바라고 있다.
숙어 ***more and more*** 점점 더, 더욱 더
The story became *more and more* interesting.
이야기는 점점 더 재미있어졌다.
***more or less*** 다소, 얼마간; 대략
The work is *more or less* finished. 그 일은 대충 끝났다.
***more than*** 그 이상(으로)
This monument was built *more than* fifty years ago. 이 기념비는 50년도 더 전에 세워졌다.
***no more*** (=***not ... any more***) 더 이상 …않다
I'll come here *no more*.
나는 이곳에 더 이상 오지 않겠다.
***no more than*** 단지 …에 지나지 않다
***once more*** 한번 더
***the more... the more ~*** …하면 할수록 더욱 ~하다
*The more* I read this book, *the more* interesting it becomes.
이 책을 읽으면 읽을수록 더욱 재미있어진다.

## more·o·ver *moreover*
[mɔːróuvər 모-로우버]
부 게다가, 또, 더욱이
He is a fool, *moreover* a coward.
그는 바보인데다가 더욱이 겁쟁이다.

## ⁑morn·ing *morning*
[mɔ́ːrniŋ 모-닝]
명 (복수 **mornings** [mɔ́ːrniŋz 모-닝즈]) 아침, 오전
He left home early in the *morning*. 그는 아침 일찍 집을 나섰다.

He works from *morning* till night. 그는 아침부터 밤까지 일한다.

숙어 ***Good morning!*** ⓐ [gùd mɔ́ːrniŋ] 안녕하십니까《아침 인사》. ⓑ [gúd mɔ̀ːrniŋ] 안녕히 가십시오《오전 중에 헤어질 때의 인사》.

**mos•qui•to** *mosquito*
[məskíːtou 머스키-토우]
명 (복수 **mosquito(e)s** [məskíːtouz 머스키-토우즈]) 〖곤충〗 모기
There are many *mosquitos* in this room. 이 방에는 모기가 많다.

**moss** *moss*
[mɔ́ːs, mɑ́s 모-스, 마스]
명 〖식물〗《a와 복수형 안 씀》 이끼

***most** *most*
[móust 모우스트]
형 ❶《many(많은)의 최상급; 보통 the를 붙여》 (수가) 가장 많은 (반 least 가장 적은)
He has *the most* books in our class. 그는 우리 반에서 가장 많은 책을 갖고 있다.
❷《much(많은)의 최상급; 보통 the를 붙여》 (양이) 가장 많은
Who spent *the most* money? 누가 돈을 가장 많이 썼는가?
❸《관사 없이》 대부분의
*Most* children like ice cream. 대부분의 아이들은 아이스크림을 좋아한다.

숙어 ***for the most part*** 대부분은
They are *for the most part* students. 그들은 대부분 학생들이다.
—부《much(많이)의 최상급》
❶ 가장 많이
He worked *most*.
그는 가장 많이 일했다.
❷《형용사 · 부사 앞에서 최상급을 만들어》 가장, 제일
This picture is *the most* beautiful of all. 이 그림은 전부 중에서 가장 아름답다.
❸ [mòust 모우스트]《**a most**로》 대단히, 매우 (동 very)
This is *a most* interesting book. 이것은 매우 재미있는 책이다.

**어법 most와 관사**
**most**가 부사로서 쓰일 경우, 다음 3가지 꼴이 있다.

(1) **the**가 붙을 때－다음에 형용사를 수반하여 최상급을 만든다.
It's *the most* beautiful flower.
그것은 가장 아름다운 꽃이다.
(2) **a**가 붙을 때－very의 뜻이 된다.
It's *a most* beautiful flower.
그것은 매우 아름다운 꽃이다.
(3) 관사 (**a**, **the**)가 붙지 않을 때－동사 또는 다른 부사를 수식한다.
She sang *most* beautifully.
그녀는 가장 아름답게 노래했다.

숙어 ***most of all*** 무엇보다도, 특히
I like this cake *most of all.*
나는 무엇보다도 이 케이크를 좋아한다.

—대 ❶《관사 없이》 대부분
*Most* of her story is true.
그녀 이야기의 대부분은 사실이다.
❷《the를 붙여》 가장 많은 수〔양〕, 최대한
That is *the most* she can do.
그것이 그녀가 할 수 있는 최대한의 것이다.

숙어 ***at*** (***the***) ***most*** 고작해야, 기껏
She is seventeen *at* (*the*) *most.*
그녀는 고작해야 17세이다.

**most·ly** *mostly*
[móus(t)li 모우스틀리]
부 대개, 대체로

****moth·er** *mother*
[mʌ́ðər 머더]
명 (복수 **mothers** [mʌ́ðərz 머더즈]) 어머니, 모친 (반 father 아버지)
That woman is Mary's *mother.* 저 부인이 메리의 어머니이다.

*Mother* is not at home.
어머니는 집에 안 계신다.
—형 어머니의; 모국의
a *mother* bird 어미새
the *mother* country 모국

**mo·tion** *motion*
[móuʃən 모우션]
명 (복수 **motions** [móuʃənz 모우션즈]) 움직임, 동작, 몸짓
up-and-down *motion* 상하 운동
All her *motions* are graceful.
그녀의 모든 동작은 우아하다.

***mo·tor** *motor*
[móutər 모우터]
명 (복수 **motors** [móutərz 모우터즈]) 발동기, 모터; 자동차
an electric *motor* 전동기
Most *motors* get their power from gas or electricity.
대부분의 모터는 가스나 전기에서 동력을 얻는다.

**mo·tor·boat** *motorboat*
[móutərbòut 모우터보우트]

명 (복수 **motorboats** [móutərbòuts 모우터보우츠]) 모터 보트, 발동기선

---

**mo•tor•car** *motorcar*
[móutərkɑ̀:r 모우터카-]
명 (복수 **motorcars** [móutərkɑ̀:rz 모우터카-즈])
《영》 자동차 (=《미》 automobile)

---

**mo•tor•cy•cle** *motorcycle*
[móutərsàikl 모우터사이클]
명 (복수 **motorcycles** [móutərsài-klz 모우터사이클즈]) 오토바이

He likes to ride on a *motorcycle*. 그는 오토바이 타기를 좋아한다.

---

**mot•to** *motto*
[mɑ́tou 마토우]
명 (복수 **motto(e)s** [mɑ́touz 마토우즈]) 좌우명, 모토
Our *motto* is: Never give up.
우리의 좌우명은 「절대 포기하지 마라」이다.

---

**mount** *mount*
[máunt 마운트]
타 (3단현 **mounts** [máunts 마운츠], 과거 · 과분 **mounted** [máuntid 마운티드], 현분 **mounting** [máuntiŋ 마운팅])
(계단 따위를) 올라가다; (말 · 탈것에) 올라타다
She *mounted* the stairs.
그녀는 계단을 올라갔다.
He *mounted* his horse and rode away.
그는 말에 올라타서 내달았다.

---

***moun•tain** *mountain*
[máunt(ə)n 마운턴]
명 (복수 **mountains** [máunt(ə)nz 마운턴즈]) 산; 《복수형으로》 산맥

Have you ever climbed that *mountain*?

저 산을 올라간 적이 있습니까?
The Rocky *Mountains* have snow on top yet. 록키산맥은 꼭대기에 눈이 아직 남아 있다.

***mouse** *mouse*
[máus 마우스]
명 (복수 **mice** [máis 마이스])
❶ 생쥐 《rat보다 작은 쥐》

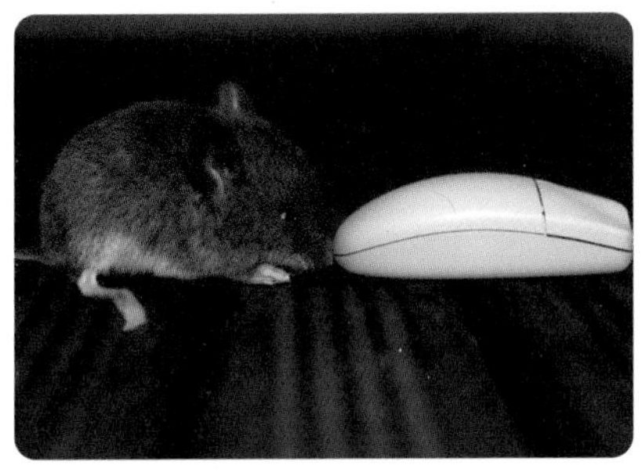

There are *mice* in the kitchen.
부엌에 생쥐가 있다.
❷ 〖컴퓨터〗 마우스

**mouse•trap** *mousetrap*
[máustræ̀p 마우스트랩]
명 (복수 **mousetraps** [máustræ̀ps 마우스트랩스]) 쥐덫

**⁑mouth** *mouth*
[máuθ 마우스]
명 (복수 **mouths** [máuðz 마우드즈])
❶ 입, 구강

Open your *mouth* wide.
입을 크게 벌려라.
Shut your *mouth*! 입 닥쳐!
Don't talk with your *mouth* full.
음식을 입에 잔뜩 넣고 말하지 마라.
❷ 출입구; 강어귀

**⁑move** *move*
[mú:v 무-브]
동 (3단현 **moves** [mú:vz 무-브즈], 과거 · 과분 **moved** [mú:vd 무-브드], 현분 **moving** [mú:viŋ 무-빙])
—타 ❶ 옮기다, 움직이다
Don't *move* your hands.
손을 움직이지 마라.
*Move* the table to the other side of the room.
탁자를 방 건너편으로 옮겨라.
❷ 감동시키다
The story *moves* me deeply.
그 이야기는 나를 깊이 감동시킨다.
—자 움직이다; 이사하다
Keep still. Don't *move*.
가만히 있어. 움직이지 말고.
She *moved* to a new house.
그녀는 새 집으로 이사했다.

**move•ment** *movement*
[mú:vmənt 무-브먼트]
명 (복수 **movements** [mú:vmənts 무-브먼츠]) 움직임, 운동; 동작

the *movement* toward peace
평화 운동
She was sleeping without *movement*. 그녀는 움직이지 않고 잠들어 있었다.

***mov•ie** *movie*
[múːvi 무–비]
명 (복수 **movies** [múːviz 무–비즈])
영화; 영화관 (⊜ movie theater)
a *movie* star 배우
I go to the *movies* once a week.
나는 일주일에 한 번 영화 보러 간다.

The *movie* is near the hotel.
영화관은 호텔 옆에 있다.

**mow** *mow*
[móu 모우]
타자 (3단현 **mows** [móuz 모우즈], 과거 **mowed** [móud 모우드], 과분 **mowed** [móud 모우드] 또는 **mown** [móun 모운], 현분 **mowing** [móuiŋ 모우잉])
(풀 따위를) 베다, 깎아내다
John is *mowing* the grass.
존은 잔디를 깎고 있다.

**⁑Mr., Mr** *Mr.*
[místər 미스터]
명 (복수 **Messrs.** [mésərz 메서즈])
《남자의 성 · 성명 · 직함 앞에 붙여》 …씨, …님; …선생님 (㉺ Mrs. …부인)
《Mister의 약어. 영국에서는 Mr로 쓸 때가 많음》
*Mr.* and Mrs. Brown
브라운씨 부부
*Mr.* White is the president of big company.
화이트 씨는 큰 회사의 사장이다.

I have a question, *Mr.* Chairman. 의장님, 질문 있습니다.
✎ 「스미스 선생님」이라고 할 때, 우리식으로 Teacher Smith 또는 Smith teacher라고는 하지 않음에 주의. 반드시 Mr. Smith라고 함.

**⁑Mrs., Mrs** *Mrs*
[mísiz 미시즈]
명 (복수 **Mmes.** [meidáːm 메이담–])
《기혼 여성의 성 · 성명 앞에 붙여》 …부인, …씨; …선생님 (㉺ Mr. …씨)
《Mistress의 약어》

*Mrs.* Green teaches Sunday school. 그린 부인〔선생님〕은 교회

학교에서 가르치고 있다.

## Ms., Ms *Ms.*

[mìz 미즈]

명 (복수 **Mses.** 또는 **Mss** [mízəz 미저즈]) 《Miss와 Mrs.를 구별하지 않고 쓰여》 …님, …씨; …선생님

## **Mt. *Mt.*

[màunt 마운트]

mountain, mount (산)의 약어 《산 이름 앞에 붙임》

Have you ever climbed *Mt.* Baekdu?
백두산을 등반한 적이 있습니까?

## **much *much*

[mʌ́tʃ 머치]

형부 (비교급 **more** [mɔ́ːr 모–], 최상급 **most** [móust 모우스트])

—형 (양이) 많은 (반 little 적은) 《수가 많을 경우는 many를 씀》

We had *much* rain this year.
올해는 비가 많이 왔다.

Do you have *much* time for tennis? 테니스할 시간은 많습니까?

—대 ❶ 다량, 많음

There is *much* to do today.
오늘 할 일이 많다.

I don't eat *much* for breakfast.
나는 아침 식사를 많이 먹지 않는다.

❷ 대부분

*Much* of the money was wasted. 돈의 대부분이 낭비되었다.

숙어 ***how much*** 얼마만큼; (가격이) 얼마

*How much* of sugar do you need? 설탕이 얼마나 필요합니까?
*How much* is this watch?
이 손목시계는 얼마입니까?

—부 [mʌ̀tʃ 머치]

❶ 대단히, 매우, 몹시

Thank you very *much*.
대단히 감사합니다.

> **어법** much와 very
>
> 양쪽 다 「매우, 대단히」의 뜻이지만, **much**는 동사의 과거분사에, **very**는 형용사 · 부사에 쓰인다. 단지 원래는 과거분사였더라도 형용사의 성질을 강하게 띠고 있을 때는, much가 아니라 very를 쓴다: I am *very* interested in English. 나는 영어에 매우 흥미가 있다.

❷ 《비교급 · 최상급 앞에서》 훨씬

You must work *much* more carefully.
너는 훨씬 더 주의해서 일해야 한다.

숙어 ***as much as*** …만큼, …와 같은 정도로

You may eat *as much as* you like. 네가 원하는 만큼 먹어도 된다.

a b c d e f g h i j k l m n o p q r s t u v w x y z

***so much*** 그만큼, 그렇게

**mud** *mud*
[mʌ́d 머드]
명 진흙, 진창
Both of her feet were caught in the *mud*.
그녀의 두 발이 진흙에 빠졌다.

**mud•dy** *muddy*
[mʌ́di 머디]
형 (비교급 **muddier** [mʌ́diər 머디어], 최상급 **muddiest** [mʌ́dist 머디스트]) 진흙의, 진흙투성이의
a *muddy* face 진흙투성이 얼굴

**mul•ti•ply** *multiply*
[mʌ́ltəplài 멀터플라이]
타 (3단현 **multiplies** [mʌ́ltəplàiz 멀터플라이즈], 과거 · 과분 **multiplied** [mʌ́ltəplàid 멀터플라이드], 현분 **multiplying** [mʌ́ltəplàiiŋ 멀터플라이잉])
❶ 〖수학〗 곱하다
Seven *multiplied* by three equals twenty-one.
7곱하기 3은 21《7×3=21》.
❷ 늘리다, 증가시키다

**mur•der** *murder*
[mə́ːrdər 머-더]
명 (복수 **murders** [mə́ːrdərz 머-더즈]) 살인, 살인 사건
Police are still looking for the *murder* weapon. 경찰은 여전히 살인 무기를 찾고 있다.
— 타 (3단현 **murders** [mə́ːrdərz 머-더즈], 과거 · 과분 **murdered** [mə́ːrdərd 머-더드], 현분 **murdering** [mə́ːrdəriŋ 머-더링])
죽이다, 살해하다 (동 kill)
She was *murdered* with a knife. 그녀는 칼로 살해당했다.

**mur•mur** *murmur*
[mə́ːrmər 머-머]
타자 (3단현 **murmurs** [mə́ːrmərz 머-머즈], 과거 · 과분 **murmured** [mə́ːrmərd 머-머드], 현분 **murmuring** [mə́ːrmər 머-머링])
속삭이다, 소곤거리다; (시냇물이) 졸졸 소리를 내다
— 명 속삭임; (시냇물의) 졸졸 소리

**mus•cle** *muscle*
[mʌ́sl 머슬]
명 (복수 **muscles** [mʌ́slz 머슬즈])
근육, 근력; 완력
*Muscles* get stronger when they are exercised.
근육은 운동을 할 때 더 강해진다.

***mu•se•um** *museum*
[mjuːzíːəm 뮤-지-엄]

명 (복수 **museums** [mju:zí:əmz 뮤-지-엄즈]) 박물관, 미술관

an art *museum* 미술관
Have you been to the Louvre *Museum*? 당신은 루브르 박물관에 간 적이 있습니까?

---

****mu·sic** *music*
[mjú:zik 뮤-직]
명 《a와 복수형 안 씀》 음악, 악곡
classical *music* 고전 음악
She likes *music* very much.
그녀는 음악을 대단히 좋아한다.

---

**mu·si·cal** *musical*
[mjú:zikəl 뮤-지컬]
형 음악의, 음악적인

The clarinet is a *musical* instrument. 클라리넷은 악기이다.
—명 (복수 **musicals** [mjú:zikəlz 뮤-지컬즈]) 음악극, 음악 영화

---

***mu·si·cian** *musician*
[mju(:)zíʃən 뮤(-)지션]
명 (복수 **musicians** [mju(:)zíʃənz 뮤(-)지션즈])
음악가 《작곡가 · 지휘자 · 연주가 등》
He was a famous *musician*.
그는 유명한 음악가였다.

---

****must** *must*
[《약》 məs(t) 머스(트); 《강》 mʌ́st 머스트]
조 ❶ 《필요 · 의무를 나타내어》 …해야 한다, …하지 않으면 안 된다 (동 have to, 반 need not …할 필요가 없다)
We *must* do it at once. 우리는 당장 그것을 하지 않으면 안 된다.
Man *must* eat to live.
사람은 살기 위해서 먹어야 한다.

어법 (1) must의 반대말
must의 반대말인 「…할 필요가 없

다」는 **need not** 또는 **do not have to**이다. **must not**은 「…해서는 안 된다」의 뜻이다: "*Must* I go?" "No, you *need not*." 「나는 가지 않으면 안 됩니까?」 「아니오, 그럴 필요 없습니다.」

(2) must의 과거와 미래
must에는 과거형 · 미래형이 없으므로 「…하지 않으면 안 되었다」는 **had to**로 나타낸다: I *had to* go there. (나는 거기에 가지 않으면 안 되었다)
또 미래형으로서 「…하지 않으면 안 될 것이다」는 **will have to**로 나타낸다: He *will have to* go there. (그는 거기에 가지 않으면 안 될 것이다)

❷ 《자신 있는 추측을 나타내어》 …임에 틀림없다 (㉤ cannot …일 리가 없다)

It *must* be true.
그것은 사실임에 틀림없다.
She *must* be an actress.
그녀는 여배우임에 틀림없다.

❸ 《**must not** 또는 **mustn't**로 강한 금지를 나타내어》 …해서는 안 된다, …하지 말아야 한다

You *must not* tell a lie.
너는 거짓말해서는 안 된다.
You *must not* park here.
이곳에 주차해서는 안 된다.

**mus·tache** *mustache*
[mʌ́stæʃ 머스태시]
명 콧수염 (「턱수염」은 beard, 「구레나룻」은 whisker).

He wears a *mustache*.
그는 콧수염을 기르고 있다.

**must·n't** *mustn't*
[mʌ́snt 머슨트]
must not의 축약형

**⁑my** *my*
[mai 마이]
대 (복수 **our** [áuər 아우어])
《I의 소유격》 나의

This is *my* desk.
이것은 나의 책상이다.

*My* name is John Smith.
나의 이름은 존 스미스입니다.

**⁑my·self** *myself*
[maisélf 마이셀프]

대 (복수 **ourselves** [auərsélvz 아우어셀브즈])
❶ 《강조 용법》 나 자신이, 나 스스로
I baked the cake *myself*.
내 스스로 케이크를 구웠다.
❷ 《재귀 용법》 나 자신을〔에게〕
I dressed *myself* in a hurry.
나는 서둘러 옷을 입었다.
I hid *myself* behind the curtain. 나는 커튼 뒤에 숨었다.
숙어 ***by myself*** 혼자서
I don't like to go there *by myself*. 나 혼자서 거기 가기 싫다.
***for myself*** 혼자 힘으로, 자력으로
I made this doll *for myself*.
나 혼자 힘으로 이 인형을 만들었다.

**mys•te•ri•ous** *mysterious*
[mistí(ː)riəs 미스티(−)리어스]
형 신비로운, 불가사의한
a *mysterious* event
불가사의한 사건

**mys•ter•y** *mystery*
[místəri 미스터리]
명 (복수 **mysteries** [místəriz 미스터리즈]) ❶ 신비, 불가사의; 수수께끼
Her death is a *mystery*.
그녀의 죽음은 수수께끼이다.
❷ 추리 소설, 탐정 소설
Do you like *mystery* stories?
추리 소설을 좋아합니까?

**myth** *myth*
[míθ 미스]
명 (복수 **myths** [míθs 미스스])
신화(神話); 지어낸 이야기

Have you ever read the Greek *myths*?
그리스 신화를 읽어 본 적이 있느냐?

**N, n** *N, n*
[én 엔]
명 (복수 **N's, n's** [énz 엔즈])
엔 《알파벳의 열네 번째 글자》

**nail** *nail*
[néil 네일]
명 (복수 **nails** [néilz 네일즈])
❶ 손톱, 발톱

Cut your *nails*. 손톱을 깎아라.
❷ 못
I hit a *nail* on the wall.
나는 벽에 못을 박았다.

**na•ked** *naked*
[néikid 네이키드]
형 벌거벗은, 나체의
a *naked* body 나체
They walked with *naked* feet.
그들은 맨발로 걸었다.

**⁑name** *name*
[néim 네임]
명 (복수 **names** [néimz 네임즈])
이름; (물건의) 명칭; 평판
"What's your *name*?"
"My *name* is Jane."
「네 이름이 뭐니?」「내 이름은 제인이야.」
Snoopy is my dog's *name*.
스누피는 내 개의 이름이다.
숙어 ***by name*** 이름으로; 이름은
I know her *by name*.
나는 그녀의 이름을 알고 있다.
***in the name of God*** 신의 이름을 걸고, 맹세코
— 타 (3단현 **names** [néimz 네임즈], 과거 · 과분 **named** [néimd 네임드], 현분 **naming** [néimiŋ 네이밍]
❶ 이름짓다, 명명하다
They *named* the baby Nancy.
그들은 아기 이름을 낸시라고 지었다.

❷ 이름을 말하다, 이름을 듣다
Can you *name* this plant?
이 식물의 이름을 말할 수 있습니까?
숙어 ***name after*** …의 이름을 따서

이름을 짓다
He was *named* Robert after his grandfather.
그는 할아버지의 이름을 따서 로버트라고 이름지어졌다.

참고 영어의 이름은 우리 이름과는 반대로 이름(first name 또는 Christian name)이 성(family name) 앞에 온다. Abraham Lincoln은 Abraham이 이름이고 Lincoln이 성이다. 또, John Fitzgerald Kennedy의 Fitzgerald처럼 middle name(중간 이름)이 들어가기도 한다.

**name•ly** *namely*
[néimli 네임리]
부 말하자면, 즉

**nap** *nap*
[nǽp 냅]
명 (복수 **naps** [nǽps 냅스])
선잠, 낮잠
He is taking a *nap* now.
그는 지금 낮잠을 자고 있다.

—자 (3단현 **naps** [nǽps 냅스], 과거·과분 **napped** [nǽpt 냅트], 현분 **napping** [nǽpiŋ 내핑])
졸다, 낮잠을 자다
Grandfather usually *naps* in his armchair. 할아버지께서는 보통 안락의자에서 낮잠을 주무신다.

**nap•kin** *napkin*
[nǽpkin 냅킨]
명 (복수 **napkins** [nǽpkinz 냅킨즈])
(식탁용) 냅킨
Spread your *napkin* on your lap. 무릎 위에 냅킨을 펼쳐 놓아라.

**nar•cis•sus** *narcissus*
[nɑːrsísəs 나-시서스]
명 (복수 **narcissi** [nɑːrsísai 나-시사이], **narcissuses** [nɑːrsísəsiz 나-시서시즈])
❶ 〖식물〗 수선화
❷ 〖그리스 신화〗 《**Narcissuses**로》 나르시스 《물에 비친 자기 모습에 도취되어 수선화가 되어 버린 미소년》

**nar•ra•tion** *narration*
[nəréiʃən 너레이션]
명 《a와 복수형 안 씀》 서술, 이야기(하기) (동 tale); 〖문법〗 화법
direct 〔indirect〕 narration
직접〔간접〕 화법

***nar•row** *narrow*
[nǽrou 내로우]
형 (비교급 **narrower** [nǽrouər 내로우어], 최상급 **narrowest** [nǽrouist 내로우이스트])

A B C D E F G H I J K L M N O P Q R S T U V W X Y Z

❶ (폭이) 좁은, 가는 (반 wide 넓은)
a *narrow* ribbon 가는 리본
This street is *narrow*.
이 거리는 좁다.

❷ (지역, 범위가) 한정된; (마음이) 좁은, 편협한
He has a *narrow* view.
그는 편협한 시각을 갖고 있다.

## **na•tion *nation*

[néiʃən 네이션]
명 (복수 **nations** [néiʃənz 네이션즈])
❶ 국가 (동 country)
Each *nation* has its own flag.
각국은 저마다의 국기를 가지고 있다.

❷《집합적》 국민
The President spoke on TV to the *nation*.
대통령은 TV로 국민에게 연설했다.

## *na•tion•al *national*

[nǽʃənəl 내셔널]
형 국민의, 국가의; 국립의
a *national* anthem 국가(國歌)
a *national* flag 국기
a *national* park 국립 공원

## na•tion•al•i•ty *nationality*

[næ̀ʃənǽləti 내셔낼러티]
명 (복수 **nationalities** [næ̀ʃənǽlətiz 내셔낼러티즈]) 국적
What is your *nationality*?
당신의 국적은 어디입니까?

## *na•tive *native*

[néitiv 네이티브]
형 선천적인; 출생지의, 본국의; 고향의; 타고난
Canada is his *native* land.
캐나다는 그의 고국이다.
She has a *native* talent.
그녀는 타고난 재능을 갖고 있다.
— 명 (복수 **natives** [néitivz 네이티브즈]) …태생, 원주민, 토착민
She is a *native* of this town.
그녀는 이 도시 태생이다.
He is a *native* of Hawaii.
그는 하와이 원주민이다.

## *nat•u•ral *natural*

[nǽtʃ(u)rəl 내추럴]
형 ❶ 자연의, 천연의; 타고난
*natural* resources 천연자원
*natural* food 자연식품

He is a *natural* poet.
그는 타고난 시인이다.
❷ 당연한, 자연스러운
It is *natural* for him to say so.
그가 그렇게 말하는 것은 당연하다.

**nat•u•ral•ly** *naturally*
[nǽtʃ(u)rəli 내추럴리]
부 저절로, 자연히, 선천적으로; 당연히, 물론
He is a *naturally* obedient boy.
그는 천성이 유순한 소년이다.
*Naturally*, she accepted the invitation.
물론 그녀는 초대에 응했다.

*__na•ture__ *nature*
[néitʃər 네이처]
명 (복수 **natures** [néitʃərz 네이처즈])
❶ 자연, 자연계

*Nature* teaches us many lessons. 자연은 우리에게 많은 교훈을 가르쳐 준다.
❷ 성질; 천성, 본성
Mary has a kind *nature*.
메리는 친절한 성품을 지니고 있다.
숙어 ***by nature*** 천성적으로, 본래
She was weak *by nature*.
그녀는 태어나면서부터 약했다.

**na•val** *naval*
[néivəl 네이벌]
형 《명사 앞에서만 씀》 해군의 (관 military 육군의), 군함의
He is a *naval* officer.
그는 해군 장교이다.

*__na•vy__ *navy*
[néivi 네이비]
명 (복수 **navies** [néiviz 네이비즈])
해군 (관 army 육군, air force 공군)
He has decided to join the *navy*. 그는 해군에 입대하기로 했다.

**__near__ *near*
[níər 니어]
부형 (비교급 **nearer** [ní(ə)rər 니(어)러], 최상급 **nearest** [ní(ə)rist 니(어)리스트])
—부 (거리 · 시간상으로) 가까이, 접근하여 (반 far 멀리)
He lives quite *near* to the school.
그는 학교 바로 가까이에 살고 있다.

Christmas is getting *near*.
크리스마스가 다가오고 있다.

숙어 ***come near(er)*** 가까이 가다〔오다〕, 접근하다

The summer vacation is *coming near*. 여름 방학이 다가온다.

***far and near*** 도처에, 여기저기에

***near at hand*** 가까이; 이내, 곧

He always keeps the book *near at hand*.
그는 늘 그 책을 가까이 두고 있다.

***near by*** 바로 가까이

A grocery store is *near by*.
식품점이 바로 가까이 있다.

— 형 (거리 · 시간상으로) 가까운

Where is the *nearest* bus stop?
가장 가까운 버스 정류장은 어디에 있습니까?

— 전 [nìər 니어] (거리 · 시간이) …의 가까이에

Is there a bank *near* here?
이 근처에 은행이 있습니까?

## near•by *nearby*

[níərbái 니어바이]

형 가까이의, 근처의

She stopped at a *nearby* store.
그녀는 근처 가게에 들렀다.

## *near•ly *nearly*

[níərli 니얼리]

부 거의, 겨우; 하마터면

It is *nearly* eleven o'clock.
거의 11시다.

She *nearly* lost her cap. 그녀는 하마터면 모자를 잃어버릴 뻔했다.

숙어 ***not nearly*** 도무지 …아니다

## neat *neat*

[niːt 니-트]

형 (비교급 **neater** [níːtər 니-터], 최상급 **neatest** [níːtist 니-티스트]) 말쑥한, 단정한; 잘 정리되어 있는

He is always *neat* and tidy.
그는 언제나 옷차림이 말쑥하다.

## *nec•es•sar•y *necessary*

[nésəsèri 네서세리]

형 필요한; 불가피한, 없어서는 안 될

Sleep is *necessary* for health.
수면은 건강을 위하여 필요하다.

It was *necessary* for him to save money.
그는 돈을 모으는 것이 필요했다.

숙어 ***if necessary*** 필요하다면

**ne•ces•si•ty** *necessity*
[nisésəti 니세서티]
명 (복수 **necessities** [nisésətiz 니세서티즈])
❶ 《a와 복수형 안 씀》 필요
*Necessity* is the mother of invention.
《속담》 필요는 발명의 어머니
❷ 필요한 것, 필수품
daily *necessities* 일용품

***neck** *neck*
[nék 넥]
명 (복수 **necks** [néks 넥스])
목; (옷의) 옷깃; (병 따위의) 목 부분
A giraffe has a long *neck*.
기린은 목이 길다.

**neck•lace** *necklace*
[néklis 네클리스]
명 (복수 **necklaces** [néklisiz 네클리시즈]) 목걸이
She is wearing a *necklace*.
그녀는 목걸이를 하고 있다.

**neck•tie** *necktie*
[néktài 넥타이]
명 (복수 **neckties** [néktàiz 넥타이즈]) 넥타이

My father has various kinds of *neckties*. 아버지는 여러 가지 넥타이를 갖고 계신다.
✎ necktie는 간단히 tie라고도 함.

**⁑need** *need*
[ní:d 니-드]
명 (복수 **needs** [ní:dz 니-즈])
❶ 《a와 복수형 안 씀》
필요, 소용; 부족; 곤경
There is no *need* to hurry.
서두를 필요가 없다.
A friend in *need* is a friend indeed. 《속담》 어려울 때 친구가 진정한 친구이다.

❷ 《보통 복수형으로》 필요한 물건
We bought camping *needs*.
우리는 캠핑에 필요한 물건을 샀다.
숙어 ***be in need of*** …을 필요로 하다
You *are in need of* some rest.

너는 휴식이 좀 필요하다.
—타 (3단현 **needs** [ní:dz 니-즈], 과거 · 과분 **needed** [ní:did 니-디드], 현분 **needing** [ní:diŋ 니-딩])
❶ (…을) 필요로 하다
He *needed* a new skateboard.
그는 새 스케이트보드가 필요했다.

My watch *needs* mending.
내 시계는 수선이 필요하다.
❷ 《**need to** do로》 …할 필요가 있다, …해야 하다
He *needs to* get a job at once.
그는 당장 취직하지 않으면 안 된다.
You don't *need to* do it now.
너는 지금 그것을 할 필요가 없다.
—조 《부정문 · 의문문에서》 …할 필요가 있다
"*Need* I go soon?"
"No, you *need* not."
「내가 곧 갈 필요가 있느냐?」
「아니, 갈 필요 없어.」

**어법 동사와 조동사로서의 need**
**need**는 동사로도 조동사로도 쓰이지만 용법상 다음과 같은 차이가 있다. 다음은 부정문과 의문문의 예이다. 「우리는 서두를 필요가 없다」는, We *don't need to* hurry. 《동사》 We *need not* hurry. 《조동사》 「우리는 서두를 필요가 있습니까?」는, *Do* we *need* to hurry? 《동사》. *Need* we hurry? 《조동사》 동사의 경우는 to부정사(to hurry)를 수반하고, 조동사의 경우는 동사의 원형(hurry)이 오는 데 주의.

## *nee•dle *needle*
[ní:dl 니-들]
명 (복수 **needles** [ní:dlz 니-들즈]) (바느질 · 주사용) 바늘
a *needle* and thread 실 꿴 바늘
She is sewing clothes with a *needle*.
그녀는 바늘로 옷을 꿰매고 있다.

## need•n't *needn't*
[ní:dnt 니-든트]
need not의 축약형

## neg•a•tive *negative*
[négətiv 네거티브]
형 부정의, 부정적인; 소극적인
He gave me a *negative* answer.
그는 나에게 부정적인 대답을 했다.
—명 (복수 **negatives** [négətivz 네거티브즈])
부정, 반대; 〖사진〗 네거티브, 음화

## ne•glect *neglect*
[niglékt 니글렉트]
타 (3단현 **neglects** [nigléktS 니글렉츠], 과거 · 과분 **neglected** [nigléktid 니글렉티드], 현분 **neglecting**

A B C D E F G H I J K L M N O P Q R S T U V W X Y Z

[nigléktiŋ 니글렉팅])
소홀히 하다, 무시하다; 게을리하다
Don't *neglect* your duties.
의무를 게을리하지 마라.
He *neglected* his health.
그는 건강을 소홀히 했다.
—명 무시, 경시; 소홀, 태만
*neglect* of one's duties
직무 태만

## *Ne•gro, ne•gro
*Negro, negro*
[níːgrou 니-그로우]
명 (복수 **Negroes**, **negroes** [níː-grouz 니-그로우즈])
니그로, 흑인 (동 black person)
✎ Negro는 경멸하는 느낌이 있으므로 흔히 black을 씀.
the *Negro* race 흑인종

## *neigh•bo(u)r *neighbo(u)r*
[néibər 네이버]
명 (복수 **neighbo(u)rs** [néibərz 네이버즈]) 이웃; 이웃 사람
They are next door *neighbors*.
그들은 이웃간이다.

## neigh•bo(u)r•hood
*neighbo(u)rhood*
[néibərhùd 네이버후드]
명 (복수 **neighbo(u)rhoods** [néi-bərhùdz 네이버후즈])
《a와 복수형 안 씀》 이웃, 근처; 《집합적》 이웃 사람들
Mr. Smith lives in my *neighborhood*. 스미스 선생님은 나의 이웃에 살고 계신다.
There is no good hospital in this *neighborhood*.
이 근처에는 좋은 병원이 없다.

## ⁑nei•ther *neither*
[níːðər 니-더]
부 ❶《**neither ... nor ~**로》 …도 아니고 ~도 아니다, …도 또한 ~ 않다
*Neither* you *nor* I am right.
너도 나도 옳지 않다.
I can play *neither* the piano *nor* the violin. 나는 피아노도 바이올린도 연주할 줄 모른다.
I can *neither* skate *nor* ski. 나는 스케이트도 스키도 탈 줄 모른다.

✎ neither와 nor의 다음에 오는 단어는 같은 품사의 것이 쓰임. 위 예문에서 you와 I(대명사), the piano와 the violin(명사), skate와 ski(동사) 따위
❷《부정문 뒤에서》 …도 또한 ~하지 않다
"I ca*n't* do that." "*Neither* can I." 「나는 그것을 할 수 없어.」 「나도 못해.」
✎ neither 뒤에서 주어와 동사의 순서가 바뀜에 주의

A B C D E F G H I J K L M N O P Q R S T U V W X Y Z

—형 (둘 중) 어느 쪽의 …도 ~아니다
*Neither* story is true.
어느 이야기도 사실이 아니다.
✎ neither의 뒤에는 명사의 단수형이 옴.
—대 (둘 중) 어느 쪽도 …아니다
I knew *neither* of the girls.
나는 그 소녀들을 둘 다 몰랐다.

**neph•ew** *nephew*
[néfju: 네퓨-]
명 (복수 **nephews** [néfju:z 네퓨-즈]) 조카 (관 niece 질녀)
I have many *nephews*.
나는 조카가 많다.

**ner•vous** *nervous*
[nə́:rvəs 너-버스]
형 신경의; 신경질적인, 초조한
the *nervous* system 신경 계통
I am very *nervous* about the finals. 나는 기말 시험 때문에 아주 초조하다.

***nest** *nest*
[nést 네스트]
명 (복수 **nests** [nésts 네스츠]) (새 따위의) 둥지, 보금자리

The bird built a *nest* to lay its eggs. 그 새는 알을 낳기 위하여 둥지를 만들었다.

***net** *net*
[nét 넷]
명 (복수 **nets** [néts 네츠]) 그물, 네트

a fishing *net* 어망
a tennis *net* 테니스용 네트

**Neth•er•lands**
*Netherlands*
[néðərləndz 네덜런즈]
명 《the를 붙여》 네덜란드, 화란 《수도는 암스테르담(Amsterdam)》

*Netherlands* is famous for windmills.
네덜란드는 풍차로 유명하다.

**net•work** *network*
[nétwə̀:rk 넷워-크]
명 (복수 **networks** [nétwə̀:rks 넷워-크스]) 망상 조직; 방송망, 통신망
a TV *network* 텔레비전 방송망
a road *network* 도로망

**⁑nev•er** *never*
[névər 네버]
부 ❶ 결코 …하지 않다
*Never* mind. 걱정하지 마라.
*Never* do that again.
다시는 그런 짓을 하지 마라.

❷ 한 번도 …한 적이 없다
I've *never* been to Paris.
나는 한 번도 파리에 가본 적이 없다.
I've *never* seen such a monster. 나는 그런 괴물을 한 번도 본 적이 없다.

**nev•er•the•less**
*nevertheless*
[nèvərðəlés 네버덜레스]
부 그럼에도 불구하고, 그렇지만
It was raining. *Nevertheless* we started on our trip.
비가 오고 있었지만, 그래도 우리는 여행을 떠났다.

**⁑new** *new*
[n(j)úː 뉴-]
형 (비교급 **newer** [n(j)úːər 뉴-어], 최상급 **newest** [n(j)úːist 뉴-이스트])
❶ 새로운 (반 old 낡은); 신형의
a *new* book 신간
John has a *new* car.
존은 새 차를 갖고 있다.

She is our *new* teacher.
그녀는 우리의 새 담임 선생님이다.
❷ 익숙지 않은, 경험이 없는
He's *new* to the job.
그는 그 일에 익숙지 않다.
숙어 ***Happy New Year.***
새해 복 많이 받으세요.
***What's new?*** 별일 없니?

**new•ly** *newly*
[njúːli 뉼-리]
부 최근에, 새로이, 다시
a *newly* married couple
신혼 부부

**⁑news** *news*
[n(j)úːz 뉴-즈]
명 소식, 뉴스, 새로운 사건
That's *news* to me.
그것은 금시초문이다.
Here is an interesting piece of *news*.
여기에 재미있는 소식이 있다.
I usually watch the evening

*news* on television. 나는 보통 텔레비전 저녁 뉴스를 본다.

****news•pa•per** *newspaper*
[n(j)úːzpèipər 뉴-즈페이퍼]
명 (복수 **newspapers** [n(j)úːzpèi-pərz 뉴-즈페이퍼즈])
신문 《간단히 paper라고도 함》

a morning *newspaper* 조간 신문
an evening *newspaper* 석간 신문
He is reading a daily *newspaper*. 그는 일간 신문을 읽고 있다.

참고 신문은 발행 방식에 따라 daily(일간지), weekly(주간지), Sunday paper(일요판)로 나뉘어 진다. 호별 배달은 교외의 주택지에서나 볼 수 있다. 대도시에서는 대개 거리의 가두 판매소(newsstand)에서 사서 본다.

**news•stand** *newsstand*
[n(j)úːzstæ̀nd 뉴-즈스탠드]
명 신문〔잡지〕 판매대, 가판대
She bought a newspaper at a *newsstand*. 그녀는 신문 판매대에서 신문을 샀다.

**new year** *new year*
[njúː jíər 뉴-이어]
명 《보통 the를 붙여》 새해, 신년
*New Year's* Day 설날 《1월 1일》
I wish you a happy *New Year*. 새해 복 많이 받으십시오.

***New York** *New York*
[n(j)ùː jɔ́ːrk 뉴-요-크]

명 ❶ 뉴욕 시 (= New York City)
❷ 뉴욕 주(州) (약 N.Y., NY)

**⁑next** *next*
[nékst 넥스트]
형 ❶ (시간적으로) 다음의, 오는
The book will be out *next* year.
그 책은 내년에 나온다.
Are you free *next* Saturday?
너는 오는 토요일에 한가하니?
I saw him the *next* day.
나는 그 다음 날 그를 만났다.
✎ 현재를 기준으로 「내주」, 「내달」이라고 말할 때는 next에 the를 붙이지 않고, 과거의 어느 시점을 기준으로 「그 다음 주」, 「그 다음 달」이라고 말할 때는 next에 the를 붙임.
❷ 《보통 the를 붙여》 (순서 · 장소상으로) 다음의; 이웃의, 옆의
I'll get off at *the next* station.
나는 다음 정거장에서 내리겠다.
Read *the next* sentence.
다음 문장을 읽어라.
숙어 ***next door*** (***to***) (…의) 이웃에
She lives *next door to* us.
그녀는 우리 이웃에 살고 있다.

***next time*** 이 다음에
—부 다음에, 이번에는; 이웃에
Who comes *next*?
다음은 누구지요?
What shall I do *next*?
다음엔 무엇을 할까요?
숙어 ***next to*** …의 옆에, …의 이웃에
She sat *next to* me.
그녀는 내 옆에 앉았다.

—전 … 다음에, …의 옆에
My house is *next* his.
내 집은 그의 집 옆이다.
—대 다음 (사람)
*Next*, please! 다음 분!

**next-door** *next-door*
[néks(t)dɔ̀ːr 넥스(트)도-]
형 옆집의, 이웃집의
He is a *next-door* neighbor.
그는 옆집에 사는 이웃이다.

**⁑nice** *nice*
[náis 나이스]
형 (비교급 **nicer** [náisər 나이서], 최상급 **nicest** [náisist 나이시스트])
❶ 좋은, 훌륭한, 멋진; 즐거운
It's a *nice* day, isn't it?
날씨가 좋지?
We had a *nice* time last Sunday. 지난 일요일은 즐거웠다.
❷ 친절한 (동 kind), 다정한

She was *nice* to me.
그녀는 나에게 친절했다.

❸ 맛있는

The food at this restaurant is very *nice*.
이 식당 음식은 아주 맛있다.

숙어 ***Nice to meet you.*** 만나서 반갑습니다.

**nick•el** *nickel*
[níkl 니클]
명 《a와 복수형 안 씀》 니켈; 《미》 5센트짜리 백동화

**nick•name** *nickname*
[níknèim 닉네임]
명 (복수 **nicknames** [níknèimz 닉네임즈]) 별명, 애칭

Bob is a *nickname* for Robert.
보브는 로버트의 애칭이다.

**niece** *niece*
[ní:s 니-스]
명 (복수 **nieces** [ní:siz 니-시즈]) 질녀, 조카딸 (관 nephew 조카)

⁑**night** *night*
[náit 나이트]
명 (복수 **nights** [náits 나이츠]) 밤, 야간 (반 day 낮)

every〔this〕 *night* 매일〔오늘〕 밤

They arrived on Sunday *night*.
그들은 일요일 밤에 도착했다.

I went to bed early last *night*.
나는 어젯밤에 일찍 잤다.

숙어 ***all night*** (***long***) 밤새도록

They talked *all night long*.
그들은 밤새도록 이야기를 나누었다.

***at night*** 밤에

***by night*** 밤에는

They slept by day and traveled *by night*.
그들은 낮에 자고 밤에 여행했다.

***from morning till night*** 아침부터 밤까지

My mother works *from morning till night*. 나의 어머니는 아침부터 밤까지 일하신다.

***Good night!*** 안녕히 주무세요 《밤에 잘 때나 헤어질 때 하는 인사》

***have a good*** 〔***bad***〕 ***night*** 잘 자다〔못 자다〕

I hope you will *have a good night*. 편히 주무시기를 바랍니다.

***night and day*** (=***day and night***) 밤낮으로

**night•gown** *nightgown*
[náitgàun 나이트가운]
명 (복수 **nightgowns** [náitgàunz 나이트가운즈]) (여성, 어린이용) 잠옷

She was wearing a *nightgown*.
그녀는 잠옷을 입고 있었다.

**⁑nine** *nine*
[náin 나인]
명 (복수 **nines** [náinz 나인즈])
9; 아홉 살; 9시; 《복수 취급》 9개〔명〕
The school begins at *nine*.
학교 수업은 9시에 시작된다.
—형 9의; 9개〔명〕의, 아홉 살의
There are *nine* players on a baseball team. 야구의 한 팀에는 9명의 선수가 있다.

숙어 ***in nine cases out of ten*** 십중팔구는
*In nine cases out of ten*, she will succeed in the examination. 십중팔구 그녀는 시험에 합격할 것이다.

**⁑nine·teen** *nineteen*
[nàintíːn 나인틴-]
명 (복수 **nineteens** [nàintíːnz 나인틴-즈])
19; 열아홉 살; 《복수 취급》 19개〔명〕

She went to New York at the age of *nineteen*.
그녀는 열아홉 살에 뉴욕에 갔다.
—형 19의; 19개〔명〕의; 열아홉 살의

**nine·teenth** *nineteenth*
[nàintíːnθ 나인틴-스]
명 (복수 **nineteenths** [nàintíːnθs 나인틴-스스]) 《보통 the를 붙여》 제19, 열아홉 번째; (달의) 19일 (약 19th)
Today is the *19th* of June.
오늘은 6월 19일이다.
—형 《보통 the를 붙여》 제19의, 열아홉 번째의; 19분의 1의
the *nineteenth* century, 19세기

**nine·ti·eth** *ninetieth*
[náintiiθ 나인티이스]
명 (복수 **ninetieths** [náintiiθs 나인티이스스]) 《보통 the를 붙여》 제90, 아흔 번째 (약 90th)
—형 제90의; 아흔 번째의

**⁑nine·ty** *ninety*
[náinti 나인티]
명 (복수 **nineties** [náintiz 나인티즈])
❶ 90; 90살; 《복수 취급》 90개〔명〕
a man of *ninety*, 90세인 사람
❷ 《one's **nineties**로》 (나이의) 90대; 《**the nineties**로》 (각 세기의) 90년대
—형 90의; 90개〔명〕의; 90살의
His grandfather is *ninety* years old. 그의 할아버지는 90세다.

***ninth** *ninth*
[náinθ 나인스]
명 (복수 **ninths** [náin(θ)s 나인(스)스])
❶ 《보통 the를 붙여》 제9, 아홉 번째; (달의) 9일 (약 9th)
❷ 9분의 1
—형 《보통 the를 붙여》 제9의, 아홉

번째의; 9분의 1의

**⁑no** *no*
[nóu 노우]
형 《명사 앞에서만 씀》 조금도 …이 아닌, 결코 …이 아닌, 하나도 …이 없는
*No* parking. 주차 금지 《게시문》
I have *no* money. (= I don't have any money.)
나는 돈이 한 푼도 없다.
He is *no* fool.
그는 결코 바보가 아니다.
There is *no* mail in the mailbox.
우편함에는 우편물이 하나도 없다.

—부 ❶ 아니오, 아니 (반 yes 예)
"Do you like this?"
"*No*, I don't."
「너는 이것을 좋아하니?」
「아니, 좋아하지 않아.」
"Will you have another cup of coffee?" "*No*, thank you."
「커피 한 잔 더 드시겠습니까?」「아니오, 괜찮습니다.」
❷ 《비교급 앞에서》 조금도 …않다
He is *no* better.
그는 조금도 더 나아지지 않는다.
숙어 ***no longer*** 더 이상 …하지 않다
I can wait *no longer*.
나는 더 이상 기다릴 수가 없다.
***no more*** 더 …하지 않다, 다시는 …않다
She will come *no more*.
그녀는 이제 더 이상 오지 않을 것이다.
***no more than*** 단지 …뿐 (동 only)
I have *no more than* three dollars. 나에게는 3달러밖에 없다.

어법 **yes와 no**
영어에서는 묻는 내용이 어떻게 되었든 대답하는 사람쪽에서 보아 긍정이면 **yes**로, 부정이면 **no**로 대답한다. 따라서 우리 말로는 yes가 「아니오」, no가 「예」에 해당할 수 있다: Can't you swim? (헤엄칠 줄 모르지요?) – *Yes*, I can. (아니오, 헤엄칠 줄 압니다.) / *No*, I can't. (예, 헤엄칠 줄 모릅니다.)

**⁑No., no.** *No., no.*
[nʌ́mbər 넘버]
명 (복수 **Nos., nos.** [nʌ́mbərz 넘버즈]) 제 …번〔호〕 《number의 약어》
He is *No.* 1. 그가 1번이다.

**No·bel** *Nobel*
[noubél 노우벨]
명 **Alfred Bernard Nobel** 노벨 (1833–96) 《스웨덴의 화학자. 다이너마이트의 발명자로 Nobel상을 창설》

***no•ble** *noble*
[nóubl 노우블]
형 (비교급 **nobler** [nóublər 노우블러], 최상급 **noblest** [nóublist 노우블리스트])
고상한, 고귀한; 귀족의
a man of *noble* character
고매한 인격의 사람
She is of *noble* birth.
그녀는 귀족 태생이다.

**⁑no•bod•y** *nobody*
[nóubədi 노우버디]
대《단수 취급》아무도 …않다
*Nobody* knows our secret.
아무도 우리의 비밀을 모른다.
There was *nobody* present.
아무도 참석하지 않았다.

**nod** *nod*
[nɑ́d 나드]
자 (3단현 **nods** [nɑ́dz 나즈], 과거 · 과분 **nodded** [nɑ́did 나디드], 현분 **nodding** [nɑ́diŋ 나딩])
머리를 끄덕이다, 가볍게 인사하다; 꾸벅꾸벅 졸다
He *nodded* in agreement. 그는 찬성의 뜻으로 머리를 끄덕였다.
—명 (복수 **nods** [nɑ́dz 나즈])
끄덕임, 꾸벅임, 졸음
She gave us a *nod*.
그녀는 우리에게 가볍게 인사했다.

***noise** *noise*
[nɔ́iz 노이즈]
명 (복수 **noises** [nɔ́iziz 노이지즈])
소음, 잡음, 시끄러운 소리
I heard a strange *noise*.
나는 이상한 소리를 들었다.
숙어 ***make a noise*** 떠들다; 소리내다
Don't *make* so much *noise*.
그렇게 시끄럽게 굴지 마라.

**nois•y** *noisy*
[nɔ́izi 노이지]
형 (비교급 **noisier** [nɔ́iziər 노이지어], 최상급 **noisiest** [nɔ́iziist 노이지이스트])
떠들썩한, 시끄러운
What a *noisy* classroom!
교실이 왜 이리 시끄러운가!

**nom•i•nate** *nominate*
[nɑ́mənèit 나머네이트]

a b c d e f g h i j k l m n o p q r s t u v w x y z

타 (3단현 **nominates** [nάmənèits 나머네이츠], 과거 · 과분 **nominated** [nάmənèitid 나머네이티드], 현분 **nominating** [nάmənèitiŋ 나머네이팅])
(후보자로) 지명하다, 추천하다
He was *nominated* for president of the club. 그는 그 클럽의 회장으로 지명되었다.

## *none *none*

[nʌ́n 넌]
대 ❶《보통 복수 취급》 아무도〔하나도〕 …않다, 결코 …아니다
*None* have left yet.
아직 아무도 출발하지 않았다.
I knew *none* of them.
나는 그들 중에 아무도 몰랐다.
❷《**no**+단수 명사를 대신하여; 단수 취급》 조금도〔전혀〕 …않다〔없다〕
"Is there any cake left?"
"No, there is *none*."
「케이크가 좀 남아 있니?」
「아니, 조금도 없어.」

## non•sense *nonsense*

[nάnsens 난센스]
명《a와 복수형 안 씀》 실없는 짓〔말〕, 허튼소리; 바보 같은 짓
Don't talk *nonsense*!
허튼소리 말아라!

## non•stop *nonstop*

[nanstάp 난스탑]
형 직행의, 도중에서 정지하지 않는
a *nonstop* bus to L.A.
로스앤젤레스행 직행 버스

## noo•dle *noodle*

[nú:dl 누-들]
명 〖요리〗《보통 복수형으로》 면, 국수류(의 총칭)

## **noon *noon*

[nú:n 눈-]
명 정오, 한낮 (동 midday)
It's *noon*. 12시다.
We have lunch at *noon*.
우리는 정오에 점심을 먹는다.

## **nor *nor*

[《약》 nər 너; 《강》 nɔ́:r 노-]
접 ❶《**neither ... nor ~**로》 …도 아니고 ~도 아니다

I have *neither* time *nor* money. 나는 시간도 돈도 없다.

❷ [nɔ́ːr 노-] 《부정문 뒤에서》 …도 또한 아니다

John is*n't* coming today, *nor* is Mary. 존도 오늘 안 오고 메리도 안 온다.

✎ nor 뒤에서는 주어와 동사의 어순이 바뀜에 주의

**nor•mal** *normal*

[nɔ́ːrməl 노-멀]

형 정상적인, 표준적인, 보통의

My temperature is *normal*. 내 체온은 정상이다.

****north** *north*

[nɔ́ːrθ 노-스]

명 《the를 붙여》 북, 북쪽, 북부 (반 south 남쪽)

*north*, south, east and west 동서남북

Canada is on the *north* of the U.S. 캐나다는 미국의 북쪽에 있다.

—형 북쪽의

the *North* Star 북극성

—부 북쪽으로, 북쪽에

My room faces *north*. 내 방은 북향이다.

**north•east** *northeast*

[nɔ̀ːrθíːst 노-시-스트]

명 《the를 붙여》 북동, 북동부 (약 NE, N.E.)

—형 북동부의

a *northeast* wind 북동풍

—부 북동(쪽)에〔으로〕

***north•ern** *northern*

[nɔ́ːrðərn 노-던]

형 북의, 북쪽의 (반 southern 남의)

the *Northern* States 미국 북부의 여러 주

**North Pole** *North Pole*

[nɔ́ːrθ póul 노-스포울]

명 북극 (지방) (관 South Pole 남극)

White bears live in the *North Pole*. 북극에는 흰곰이 산다.

**north•west** *northwest*

[nɔ̀ːrθwést 노-스웨스트]

명 《the를 붙여》 북서, 북서부 (약 NW, N.W.)

—형 북서부의

The town is *northwest* of London. 그 읍은 런던의 북서부에 있다.

—부 북서(쪽)에〔으로〕

**Nor•way** *Norway*

[nɔ́ːrwèi 노-웨이]

명 노르웨이 《스칸디나비아 반도의 왕국; 수도는 오슬로(Oslo)》

**⁑nose** *nose*
[nóuz 노우즈]
명 (복수 **noses** [nóuziz 노우지즈])
코; 《**a nose**로》 후각
She has a long *nose*.
그녀는 코가 오뚝하다.

A dog has a sensitive *nose*.
개는 예민한 후각을 갖고 있다.
숙어 ***blow** one's **nose*** 코를 풀다

**⁑not** *not*
[nát 낫]
부 ❶ 《문장을 부정하여》 …이 아니다, …하지 않다
I'm *not* busy now.
나는 지금 바쁘지 않다.
This is *not* my umbrella.
이것은 내 우산이 아니다.

He did *not* go there yesterday. 그는 어제 그곳에 가지 않았다.
I ca*n't* play tennis.
나는 테니스를 칠 수 없다.
He told me *not* to come.
그는 나에게 오지 말라고 했다.
❷ 《all, both, every, always 따위와 함께 부분 부정을 나타내어》 (모두가, 언제나) …은 아니다
*All* boys do*n't* like baseball.
모든 소년들이 다 야구를 좋아하는 것은 아니다.

The rich are *not always* happy.
부자가 항상 행복한 것은 아니다.

어법 **not의 위치**
(1) not은 be동사나 조동사 바로 뒤에 둔다. 구어에서는 단축형 n't를 많이 쓴다.
(2) 일반 동사를 부정할 때에는 do[does] not, did not을 동사 앞에 둔다.

숙어 ***Not at all.*** 천만에요.
***not ... at all*** 조금도 …아니다
I do*n't* know him *at all*.
나는 그를 전혀 모른다.
***not ... but ~*** …이 아니고 ~이다
This book is *not* mine *but* hers.
이 책은 내 것이 아니고 그녀의 것이다.
***not only ... but also ~*** …뿐만 아니라 ~이다
She is *not only* a novelist *but also* a poet. 그녀는 소설가일 뿐만 아니라 시인이기도 하다.

## note *note*

[nóut 노우트]

명 (복수 **notes** [nóuts 노우츠])

❶ 메모, 짧은 편지; 주(註), 주석, 각서

He left the *note*.

그는 메모를 남겼다.

❷ 《영》 지폐 (《미》 bill)

a £ 5 note, 5파운드 지폐

숙어 ***make a note of*** …을 적다, 노트하다

You should *make a note of* this. 너는 이것을 적어 두어야 한다.

***take note of*** …에 주의[주목]하다

No one *took note of* me.

아무도 나에게 주목하지 않았다.

— 타 (3단현 **notes** [nóuts 노우츠], 과거 · 과분 **noted** [nóutid 노우티드], 현분 **noting** [nóutiŋ 노우팅])

❶ 쓰다, 적어 두다

I *noted* down his telephone number.

나는 그의 전화번호를 적어 두었다.

❷ 주목하다, 주의하다, 알아차리다

Please *note* my words.

내 말을 주의해서 들으시오.

## ⁑note•book *notebook*

[nóutbùk 노우트북]

명 (복수 **notebooks** [nóutbùks 노우트북스]) 노트, 수첩, 공책

Write these words in your *notebook*. 이 단어들을 공책에 적어라.

## ⁑noth•ing *nothing*

[nʌ́θiŋ 너싱]

대 아무것도 …아니다[하지 않다, 없다]

She said *nothing*.

그녀는 아무 말도 하지 않았다.

There is *nothing* in the bag.

가방 안에는 아무것도 없다.

I have heard *nothing* important. 나는 중요한 것은 아무것도 듣지 못했다.

✎ 형용사는 nothing 뒤에 옴.

숙어 ***for nothing*** 무료로

I got this ticket *for nothing*.

나는 이 티켓을 공짜로 얻었다.

***have nothing to do with*** …와 아무런 관계가 없다.

I *have nothing to do with* the matter. 난 그 문제와 아무 상관없다.

***nothing but*** …이외의 아무것도 아니

다, 다만 …뿐
It's *nothing but* a joke.
그건 농담일 뿐이야.

## *no•tice *notice*

[nóutis 노우티스]
명 (복수 **notices** [nóutisiz 노우티시즈]) ❶ 《a와 복수형 안 씀》 주의, 주목 (동 attention)
That news attracted our *notice*.
그 뉴스는 우리의 주의를 끌었다.
❷ 게시, 공고, 통지, 예고
They posted a *notice* on the wall. 그들은 벽에 게시문을 붙였다.

숙어 ***take notice of*** …에 주의하다
He *took no notice of* my warning. 그는 내 경고를 무시했다.
***without notice*** 예고 없이, 무단으로
He did it *without notice*.
그는 예고 없이 그것을 했다.
—타 (3단현 **notices** [nóutisiz 노우티시즈], 과거 · 과분 **noticed** [nóutist 노우티스트], 현분 **noticing** [nóutisiŋ 노우티싱])
주의하다, 주목하다, 알아차리다
She didn't *notice* me.
그녀는 나를 알아보지 못했다.

## no•tion *notion*

[nóuʃ(ə)n 노우션]
명 (복수 **notions** [nóuʃ(ə)nz 노우션즈]) 관념, 개념; 생각, 의향
I have no *notion* of going out today. 오늘은 외출할 생각이 없다.

## noun *noun*

[náun 나운]
명 (복수 **nouns** [náunz 나운즈]) 〖문법〗 명사 (약 n.)

참고 명사에는 보통명사(cat(고양이), desk(책상)), 집합명사(family(가족), people(국민)), 물질명사(air(공기), gold(금)), 추상명사(love(사랑), knowledge(지식)), 고유명사(John, Korea))가 있고, 그 중 셀 수 있는 명사(보통 · 집합명사)와 셀 수 없는 명사(물질 · 추상 · 고유명사)가 있다.

## nov•el *novel*

[nάvəl 나벌]
명 (복수 **novels** [nάvəlz 나벌즈]) 소설(책)
Her *novel* is widely read among people. 그녀의 소설은 사람들 사이에 널리 읽혀지고 있다.

## nov•el•ist *novelist*

[nάvəlist 나벌리스트]
명 (복수 **novelists** [nάvəlists 나벌리스츠]) 소설가, 작가

**⁑No•vem•ber** *November*
[nouvémbər 노우벰버]
명 11월 (약 Nov.)
It gets cold in *November*.
11월에는 날씨가 추워진다.

**⁑now** *now*
[náu 나우]
부 ❶ 지금, 현재, 이제; 즉시
It's seven o'clock *now*.
지금은 7시다.
What are you doing *now*?
지금 무엇을 하고 있느냐?
❷ 《문장 앞에 써서》 자, 이제, 우선 《화제를 바꾸거나 주의를 끌거나 할 때 씀》
*Now*, listen to me.
자, 내 말을 들어라.
숙어 ***just now*** 지금 막
He left *just now*.
그는 지금 막 떠났다.
***now and then*** 이따금, 가끔
I see Mary *now and then*.
나는 이따금 메리를 만난다.
***right now*** 지금 곧, 당장
I'll call him *right now*.
당장 그에게 전화하겠다.

—명 《a와 복수형 안 씀》 지금, 현재
*Now* is the best time.
지금이야말로 절호의 시기이다.
숙어 ***by now*** 지금쯤은
She must be in New York *by now*. 그녀는 지금쯤 뉴욕에 있을 것이다.
***from now on*** 지금부터, 앞으로는
I'll quit smoking *from now on*. 이제부터 담배를 끊겠다.

**now•a•days** *nowadays*
[náuədèiz 나우어데이즈]
부 요즈음에는, 오늘날에는
*Nowadays* many people use computers. 오늘날에는 많은 사람들이 컴퓨터를 사용한다.

**no•where** *nowhere*
[nóu(h)wɛ̀ər 노우훼어, 노우웨어]
부 아무데도 …않다
I could find the book *nowhere*.
나는 그 책을 아무 데서도 찾을 수 없었다.

**nu•cle•ar** *nuclear*
[n(j)ú:kliər 뉴-클리어]
형 핵의, 핵 같은, 원자핵의
a *nuclear* test 핵 실험
*nuclear* wars 핵전쟁
*Nuclear* weapons are dangerous. 핵무기는 위험하다.

**⁑num•ber** *number*
[nʌ́mbər 넘버]
명 (복수 **numbers** [nʌ́mbərz 넘버즈]) ❶ 수, 숫자
an even〔odd〕 *number* 짝수〔홀수〕

## Number 수

| 0 | 1 | 2 | 3 | 4 | 5 | 6 |
|---|---|---|---|---|---|---|
| zero | one | two | three | four | five | six |

| 7 | 8 | 9 | 10 | 11 | 12 | 13 |
|---|---|---|---|---|---|---|
| seven | eight | nine | ten | eleven | twelve | thirteen |

| 14 | 15 | 16 | 17 | 18 | 19 |
|---|---|---|---|---|---|
| fourteen | fifteen | sixteen | seventeen | eighteen | nineteen |

| 20 | 30 | 40 | 50 | 60 |
|---|---|---|---|---|
| twenty | thirty | forty | fifty | sixty |

| 70 | 80 | 90 |
|---|---|---|
| seventy | eighty | ninety |

| 100 | 1000 |
|---|---|
| hundred | thousand |

| first | second | third | fourth | fifth | sixth | seventh | eighth | ninth | tenth |
|---|---|---|---|---|---|---|---|---|---|
| 첫째 | 둘째 | 셋째 | 넷째 | 다섯째 | 여섯째 | 일곱째 | 여덟째 | 아홉째 | 열번째 |

The *number* of cars is increasing rapidly.
자동차의 수가 급격히 늘고 있다.
✎ the number of 는 단수 취급
❷ 번호; 전화번호; (잡지 따위의) 호
What *number* are you calling?
몇 번에 전화를 거셨습니까?
숙어 ***a great*〔*large*〕 *number of*** 매우 많은
There are *a great number of* books in the library.
그 도서관에는 많은 책이 있다.
***a number of*** 다수의 (동 many), 얼마간의 (동 some)
*A* large *number of* people gathered at the station.
수많은 사람들이 역에 모였다.
***a small number of*** 소수의
***numbers of*** 많은

## *nurse *nurse*
[nə́:rs 너-스]
명 (복수 **nurses** [nə́:rsiz 너-시즈]) 간호사
The *nurse* is very kind to me.
그 간호사는 내게 매우 친절하다.

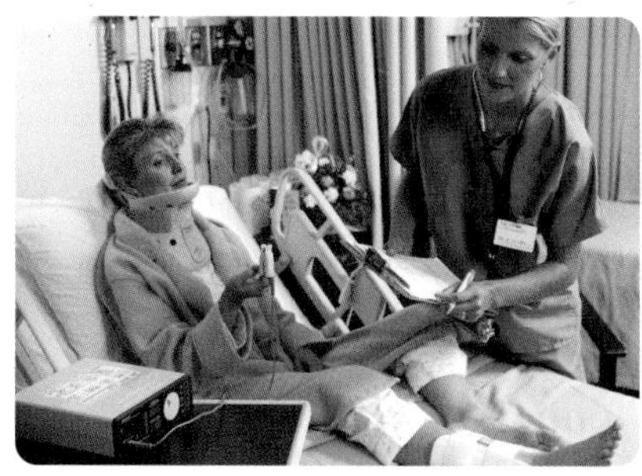

—타 (3단현 **nurses** [nə́:rsiz 너-시즈], 과거 · 과분 **nursed** [nə́:rst 너-스트], 현분 **nursing** [nə́:rsiŋ 너-싱]) 간호하다, …에게 젖을 먹이다
The mother *nursed* her baby.
어머니는 아기에게 젖을 먹였다.

## nurs•er•y *nursery*
[nə́:rsəri 너-서리]
명 (복수 **nurseries** [nə́:rsəriz 너-서리즈]) 탁아소, 육아실
Toys were scatterd in the *nursery*.
탁아소에는 장난감이 흩어져 있었다.

## *nut *nut*
[nʌ́t 넛]
명 (복수 **nuts** [nʌ́ts 너츠])
❶ 〖식물〗 나무 열매, 견과 《호두 · 밤 따위》

They went out to gather *nuts*.
그들은 나무 열매를 주우러 나갔다.
❷ 어미나사, 너트

## **ny•lon *nylon*
[náilɑn 나일란]
명 《a와 복수형 안 씀》 나일론 《합성 섬유의 일종》
*Nylon* is used to make clothing and stockings. 나일론은 옷이나 스타킹을 만드는 데 쓰인다.

## nymph *nymph*
[nímf 님프]
명 (복수 **nymphs** [nímfs 님프스]) (신화 속의) 요정, 님프 《강 · 숲에 산다는 반신반인(半神半人)의 미소녀》

A B C D E F G H I J K L M N O P Q R S T U V W X Y Z

**O, o** *O, o*
[óu 오우]
명 (복수 **O's, o's**)
오우 《알파벳의 열다섯 번째 글자》

**O** *O*
[ou 오우]
감 오, 아 《공포 · 기원 · 고통 등의 감정을 표현》 (관 oh 오)
*O* dear me! 어머나 저런!
*O* Yes! 그렇고 말고!
*O* no! 원 천만에!
*O* John! 이봐 존!

***oak** *oak*
[óuk 오우크]
명 (복수 **oaks** [óuks 오우크스])
〖식물〗 참나무, 떡갈나무

**oar** *oar*
[ɔ́ːr 오–]
명 (복수 **oars** [ɔ́ːrs 오–스])
(보트의) 노, 노 젓는 사람

*Oars* are used to row a boat.
노는 보트를 젓는 데 사용된다.

**o•a•sis** *oasis*
[ouéisis 오우에이시스]
명 (복수 **oases** [ouéisiːz 오우에이시–즈]) 오아시스 《사막 한가운데 물과 나무가 있는 곳》

**oath** *oath*
[óuθ 오우스]
명 (복수 **oaths** [óuθz 오우스즈])
맹세, 서약; 선서

**oat•meal** *oatmeal*
[óutmiːl 오우트밀–]
명 ❶ 오트밀 《귀리를 빻은 것》
❷ 오트밀 죽

**o•be•di•ent** *obedient*
[oubíːdiənt 오우비–디언트]
명 순종하는, 고분고분한 《to》
He is *obedient to* his parents.

그는 부모님의 말씀을 잘 듣는다.

***o•bey** *obey*
[oubéi 오우베이]
타 (3단현 **obeys** [oubéiz 오우베이즈], 과거 · 과분 **obeyed** [oubéid 오우베이드], 현분 **obeying** [oubéiiŋ 오우베이잉])
(…을) 따르다, (…에) 복종하다, (법률 따위를) 지키다
Soldiers must *obey* orders.
군인은 명령에 복종해야 한다.

You should *obey* your parents.
너는 부모님께 순종해야 한다.

**ob•ject** *object*
[ɑ́bdʒikt 아브직트]
명 (복수 **objects** [ɑ́bdʒikts 아브직츠]) ❶ 물건, 물체
We saw a strange *object* in the sky. 우리는 하늘에서 이상한 물체를 보았다.

❷ 목적, 목표 (동 aim, purpose)
My *object* is to learn cooking.
나의 목표는 요리를 배우는 것이다.
❸ 〖문법〗 목적어 (관 subject 주어)
a direct *object* 직접 목적어
an indirect *object* 간접 목적어
— 자 (3단현 **objects** [əbdʒékts 어브젝츠], 과거 · 과분 **objected** [əbdʒéktid 어브젝티드], 현분 **objecting** [əbdʒéktiŋ 어브젝팅])
《**object to**로》 (…에) 반대하다, 이의를 제기하다 (동 oppose)
He *objected to* our plan.
그는 우리의 계획에 반대했다.

**ob•jec•tion** *objection*
[əbdʒékʃən 어브젝션]
명 (복수 **objections** [əbdʒékʃənz 어브젝션즈]) 반대; 이의
I have no *objection* to your plan. 나는 너의 계획에 이의가 없다.

**o•blige** *oblige*
[əbláidʒ 어블라이지]
타 (3단현 **obliges** [əbláidʒiz 어블라이지즈], 과거 · 과분 **obliged** [əbláidʒd 어블라이지드], 현분 **obliging** [əbláidʒiŋ 어블라이징])
❶ 《**be obliged to** do로》 할 수 없이 …하다
We *were obliged to* go.
우리는 할 수 없이 가야 했다.

❷ 《be obliged to로》 …에게 감사하다, 고맙게 여기다
I *am* very much *obliged to* you.
당신께 매우 감사하게 생각합니다.

**ob•ser•va•tion** *observation*
[àbzərvéiʃən 아브저베이션]
명 (복수 **observations** [àbzərvéiʃənz 아브저베이션즈])
관찰, 관측; 관찰력
She made an *observation* about the weather.
그녀는 기상 관측을 했다.

**ob•serve** *observe*
[əbzə́ːrv 어브저-브]
타 (3단현 **observes** [əbzə́ːrvz 어브저-브즈], 과거 · 과분 **observed** [əbzə́ːrvd 어브저-브드], 현분 **observing** [əbzə́ːrviŋ 어브저-빙])
❶ 관찰하다, 관측하다
I *observed* the stars.
나는 별들을 관측했다.

❷ (법 · 규칙 따위를) 지키다, 준수하다
We must *observe* the school rules. 우리는 학교 규칙을 지키지 않으면 안 된다.

**ob•tain** *obtain*
[əbtéin 어브테인]
타 (3단현 **obtains** [əbtéinz 어브테인즈], 과거 · 과분 **obtained** [əbtéind 어브테인드], 현분 **obtaining** [əbtéiniŋ 어브테이닝])
얻다, 입수하다, 획득하다 (㊍ get)
Where did he *obtain* the money?
어디서 그가 그 돈을 입수했지?
I *obtained* this information from Internet.
나는 인터넷에서 이 정보를 얻었다.

**ob•vi•ous** *obvious*
[ɑ́bviəs 아브비어스]
형 명백한, 분명한 (㊍ clear)
It is *obvious* that he will win.
그가 이긴다는 것은 명백하다.

**oc•ca•sion** *occasion*
[əkéiʒən 어케이전]
명 (복수 **occasions** [əkéiʒənz 어케이전즈]) ❶ (특정한) 때, 경우
This is not an *occasion* for jokes. 지금은 농담할 때가 아니다.
❷ (…할) 기회, 호기
The party was an *occasion* to meet many people. 그 파티는 많은 사람들을 만날 기회였다.

숙어 ***on occasion*** 때때로, 가끔

**oc•ca•sion•al•ly**
*occasionally*
[əkéiʒ(ə)nəli 어케이저널리]
부 이따금, 가끔 (㊍ sometimes)

I see my aunt *occasionally*.
나는 이따금 아주머니를 만난다.

**oc•cu•pa•tion** *occupation*
[ɑ̀kjupéiʃən 아큐페이션]
명 (복수 **occupations** [ɑ̀kjupéiʃənz 아큐페이션즈]) ❶ 직업, 일
I'm a cook by *occupation*.
내 직업은 요리사입니다.

❷ 점령, 점거
an army of *occupation* 점령군

**oc•cu•py** *occupy*
[ɑ́kjupài 아큐파이]
타 (3단현 **occupies** [ɑ́kjupàiz 아큐파이즈], 과거 · 과분 **occupied** [ɑ́kjupàid 아큐파이드], 현분 **occupying** [ɑ́kjupàiiŋ 아큐파이잉])
❶ (장소 · 시간 등을) 점령하다, 차지하다

The enemy *occupied* the town.
적군이 그 시가지를 점령했다.
❷ (집에) 살다; (방 · 좌석을) 사용하다
This house is *occupied*.
이 집은 사람이 살고 있다.
숙어 ***be occupied in*〔*with*〕** …에 종사하다, …으로 바쁘다
They *are occupied in*〔*with*〕 building roads. 그들은 도로를 건설하는 일에 종사하고 있다.

**oc•cur** *occur*
[əkə́ːr 어커-]
자 (3단현 **occurs** [əkə́ːrz 어커-즈], 과거 · 과분 **occurred** [əkə́ːrd 어커-드], 현분 **occurring** [əkə́ːriŋ 어커-링])
❶ (사건 따위가) 일어나다, 발생하다
The fire *occurred* in the middle of the night.
한밤중에 화재가 발생했다.

❷ (생각이) 떠오르다
Her name dose not *occur* to me. 그녀의 이름이 생각나지 않는다.

**oc•cur•rence** *occurrence*
[əkə́ːrəns 어커-런스]
명 (복수 **occurrences** [əkə́ːrənsiz 어커-런시즈]) 사건; 발생, 일어남

*__o•cean__ *ocean*
[óuʃən 오우션]

명 (복수 **oceans** [óuʃənz 오우션즈]) 《the를 붙여》 대양, 해양

It takes two weeks to cross *the ocean* by boat. 그 대양을 배로 건너는 데 2주일이 걸린다.

**참고** **5대양**

the Pacific *Ocean* 태평양
the Atlantic *Ocean* 대서양
the Indian *Ocean* 인도양
the Arctic *Ocean* 북극해
the Antarctic *Ocean* 남극해

## ⁑o'clock *o'clock*

[əklɑ́k 어클락]

부 …시 (정각)

It is ten *o'clock*. 10시입니다.

**참고** **o'clock**는 of the clock의 축약형으로서 「정각」에 붙이지만, 이 경우에도 생략하는 것이 보통: "What time is it?" "It is three." 「몇 시지요?」 「3시입니다.」 「몇 시 몇 분」의 경우에는 생략하는 것이 보통: It is a quarter past six. 6시 15분이다.

## ⁑Oc•to•ber *October*

[ɑktóubər 악토우버]

명 10월 (약 Oct.)

Apples are ripe in *October*. 10월에는 사과가 익는다.

## odd *odd*

[ɑ́d 아드]

형 (비교급 **odder** [ɑ́dər 아더], 최상급 **oddest** [ɑ́dist 아디스트])

❶ 별난, 기묘한, 이상한 (동 strange)

He is an *odd* fellow.
그는 이상한 녀석이다.

❷ 홀수의 (반 even 짝수의)

Five, seven and nine are *odd* numbers. 5, 7, 9는 홀수이다.

## ⁑of *of*

[《약》 (ə)v (어)브; 《강》 ɑ́v 아브]

전 ❶ 《소유 · 소속》 …의

I am a student *of* this school.
나는 이 학교의 학생이다.

**어법** **소유를 나타내는 of와 ~'s**

주로 무생물의 경우는 **of ...**으로,

사람이나 동물의 경우는 **~'s**으로 표현하는 일이 많음: the leg *of* the table (테이블의 다리)/the dog's leg (개의 다리)

❷ 《관계》 …에 관한〔관하여〕
We haven't heard *of* him yet.
우리는 그에 관하여 아직 들은 적이 없다.

❸ 《동격》 …라는
He lives in the city *of* Boston.
그는 보스턴 시에 산다.

❹ 《부분》 …중의〔에서〕
He is one *of* my friends.
그는 내 친구들 중의 한 명이다.

❺ 《재료》 …의, …으로 (되어 있는)
This bridge is made *of* stone.
이 다리는 돌로 만들어져 있다.

❻ 《거리 · 위치 · 분리》 …에서
My house is within ten miles *of* New York. 내 집은 뉴욕에서 10마일 이내에 있다.
He robbed me *of* my watch.
그는 나에게서 손목시계를 강탈했다.

❼ 《원인》 …때문에, …으로
He died *of* heart disease.
그는 심장병으로 죽었다.

✎ 병으로 죽었을 때는 die of, 부상이나 사고로 죽었을 때는 die from을 씀: He died *from* wounds. 그는 부상당해 죽었다.

❽ 《기원》 …(출신)의
He is a man *of* noble birth.
그는 명문 출신이다.

❾ 《작자 · 행위자》 …의, …에 의한
I like the works *of* Shakespeare.
나는 셰익스피어의 작품을 좋아한다.

❿ 《시각》 (…분) 전 (㊞ to)
It is five minutes *of* eight.
8시 5분 전이다.

⓫ 《분량》 …의
I want to have a cup *of* tea.
나는 차 한 잔을 마시고 싶다.

⓬ 《특성》 …을 가진, …의
He is a man *of* ability.
그는 능력을 가진 사람이다.

숙어 ***of course*** 물론
"Will you come tomorrow?"
"*Of course* I will."
「내일 오겠니?」「물론 오구말구.」

***of oneself*** 혼자서, 저절로
The door opened *of itself*.
문이 저절로 열렸다.

**⁎off** *off*
[ɔːf 오-프]

전 …으로부터 떨어져, …에서 벗어나
His house is *off* the main road.
그의 집은 큰 길에서 떨어져 있다.
Keep *off* the grass.
잔디밭에 들어가지 마시오 《게시문》.

숙어 ***off duty*** (일이) 비번의, 쉬는 (㊥ on duty 당번의)
He is *off duty* this afternoon.

그는 오늘 오후에 비번이다.

**—** 부 [ɔ́ːf 오-프] ❶ (장소 · 시간이) 떨어져서, 멀리에, 떠나서

He stood ten meters *off*.
그는 10미터 떨어진 곳에 서 있었다.

The test is a week *off*.
테스트는 앞으로 일주일 남아 있다.

❷ (옷 · 신발을) 벗어; (탈것에서) 내려

Take *off* your hat.
모자를 벗으시오.

They got *off* the bus.
그들은 버스에서 내렸다.

❸ (수도 · 전기 따위가) 끊어져, 꺼져 (반 on 켜져)

Please turn *off* the gas.
가스를 끄시오.

숙어 ***put off*** 연기하다

We *put off* the meeting.
우리는 회합을 연기했다.

***see ... off*** …을 배웅하다

He went to Seoul Station to *see* a friend *off*. 그는 친구를 배웅하러 서울역에 갔다.

**—** 형 [ɔ́ːf 오-프] 휴가의; 한산한; 제철이 아닌

an *off* day 쉬는 날
the *off* season 비수기

## of•fend *offend*

[əfénd 어펜드]

타자 (3단현 **offends** [əféndz 어펜즈], 과거 · 과분 **offended** [əféndid 어펜디드], 현분 **offending** [əféndiŋ 어펜딩])

❶ 화나게 하다, 기분을 상하게 하다

He was *offended* by my joke.
그는 내 농담에 기분이 상했다.

❷ (법을) 위반하다; (죄를) 범하다

## *of•fer *offer*

[ɔ́ːfər 오-퍼]

타 (3단현 **offers** [ɔ́ːfərz 오-퍼즈], 과거 · 과분 **offered** [ɔ́ːfərd 오-퍼드], 현분 **offering** [ɔ́ːfəriŋ 오-퍼링])

❶ 제공하다; 바치다

He *offered* his seat on the bus to an old lady. 그는 버스에서 자기 좌석을 노부인에게 내드렸다.

❷ 제안〔제의〕하다

He *offered* to drive me home.
그는 차로 집까지 나를 데려다 주겠다고 제의했다.

**—** 명 (복수 **offers** [ɔ́ːfərz 오-퍼즈]) 제안, 제의

She accepted my *offer* of help.
그녀는 도와주겠다는 나의 제안을 받아들였다.

***of•fice** *office*
[ɔ́:fis 오-피스]
명 (복수 **offices** [ɔ́:fisiz 오-피시즈])
사무실; 회사; 관청

*office* clerks 사무원
a head *office* 본사, 본점
His *office* is on the third floor.
그의 사무실은 3층에 있다.

**of•fi•cer** *officer*
[ɔ́:fisər 오-피서]
명 (복수 **officers** [ɔ́:fisərz 오-피서즈]) 장교, 경찰관; 공무원

a public *officer* 공무원
an army *officer* 육군 장교
Where's the hospital, *officer*?
병원이 어디에 있지요, 경찰관님?

**of•fi•cial** *official*
[əfíʃəl 어피셜]
형 직무상의, 공적인; 공무의
an *official* record 공식 기록
They are on *official* business.
그들은 공무 중이다.

—명 (복수 **officials** [əfíʃəlz 어피셜즈]) 관리; 임직원, 임원
He is a government *official*.
그는 국가 공무원이다.

****of•ten** *often*
[ɔ́:fən 오-펀]
부 (비교급 **more often** 또는 **oftener** [ɔ́:fənər 오-퍼너], 최상급 **most often** 또는 **oftenest** [ɔ́:fənist 오-퍼니스트])
종종, 자주, 빈번히
He *often* goes to see the movies. 그는 종종 영화 보러 간다.
숙어 ***how often*** 얼마나 자주
*How often* should you go to the dentist's? 당신은 얼마나 자주 치과에 가십니까?

***oh** *oh*
[óu 오우]
감 오오, 어머나, 저런 《놀람 · 즐거움 · 고통 · 감탄 따위를 나타냄》
*Oh*, no! Look what happened!
오, 맙소사! 무슨 일이 일어났는지 봐라!

A B C D E F G H I J K L M N O P Q R S T U V W X Y Z

***oil** *oil*
[ɔ́il 오일]
명 (복수 **oils** [ɔ́ilz 오일즈])
❶ 기름, 석유

an *oil* well 유정(油井)
He put *oil* in his car.
그는 자동차에 기름을 넣었다.
❷ 《복수형으로》 유화 물감; 유화
He often paints in *oils*.
그는 종종 유화를 그린다.

***OK, O.K.** *OK, O.K.*
[òukéi 오우케이]
부 좋아, 됐다 (동 all right)

*OK*, I'll do it.
좋아, 내가 해 보지.
—형 《구어》 좋은, 틀림없는
Everything is *OK*.
모든 것이 좋다.

**o•kay** *okay*
[òukéi 오우케이]
형부 = OK, O.K.

**⁑old** *old*
[óuld 오울드]
형 (비교급 **older** [óuldər 오울더], 최상급 **oldest** [óuldist 오울디스트], 형제 · 자매의 관계를 나타낼 때는 비교급 **elder** [éldər 엘더], 최상급 **eldest** [éldist 엘디스트])
❶ 나이 먹은, 늙은 (반 young 젊은)

Be kind to the *old* people.
노인들에게 친절히 대하시오.
❷ …살의; 연상의
"How *old* are you?"
"I'm thirteen years *old*."
「몇 살이지?」「열세 살이에요.」
She is two years *older* than me. 그녀는 나보다 2살 연상이다.
❸ 헌, 오래 된 (반 new 새로운); 옛날의; 예로부터의
He has collected many *old* coins. 그는 오래 된 동전들을 모았다.
He is an *old* friend of mine.
그는 나의 옛 친구이다.

**ol•ive** *olive*
[ɑ́liv 알리브]
명 (복수 **olives** [ɑ́livz 알리브즈])
〖식물〗 올리브 나무; 그 열매

**O•lym•pi•a** *Olympia*
[oulímpiə 오울림피어]
명 올림피아 《고대 올림픽 경기가 4년마다 열린 그리스의 평원》

***O•lym•pic** *Olympic*
[əlímpik 얼림픽]
형 올림픽의
숙어 ***the Olympic Games*** 국제 올림픽 (경기 대회)
—명 《**the Olympics**로》 국제 올림픽 대회
*The* Seoul *Olympics* were held in 1988. 서울 올림픽 대회는 1988년에 개최되었다.

**o•mit** *omit*
[oumít 오우밋]
동타 (3단현 **oumits** [oumíts 오우미츠], 과거 · 과분 **omitted** [oumítid 오우미티드], 현분 **omitting** [oumítiŋ 오우미팅])
제외하다, 생략하다; 빠뜨리다
This word may be *omitted*.
이 말은 생략해도 좋다.

****on** *on*
[ɑn 안]
전 ❶ 《위치, 접촉》 …의 위에, …에
My radio is *on* the desk.
내 라디오는 책상 위에 있다.
She put a ring *on* her finger.
그녀는 손가락에 반지를 꼈다.

어법 on, above, over
**on**은 「표면상에」의 의미로 어떤 물체의 윗면, 옆면, 밑면에 접해 있을 때 쓴다. **above**는 「(어떤 물체)보다 높은 위치에, 떨어져서 위쪽에」의 뜻. **over**는 「(어떤 물체)의 바로 위에」와 「(어떤 물체)의 위를 덮어」의 뜻.

❷ 《특정의 날짜 · 시간》 …에
He visited her *on* October 1.
그는 10월 1일에 그녀를 방문했다.

❸ 《근접 · 방향》 …에 접하여; …쪽에
London is *on* the Thames.
런던은 템스 강변에 있다.
❹ 《수단 · 방법》 …으로, …에 의하여
She talked to him *on* the phone.
그녀는 전화로 그에게 이야기했다.
❺ 《관계 · 관련》 …에 대하여
He wrote a book *on* China.
그는 중국에 관한 책을 썼다.
❻ 《용건 · 목적》 …의 일로, …을 위하여
My father went to London *on* business.
아버지는 사업차 런던에 갔다.
❼ 《상태》 …하고 있는, …중에
That house is *on* fire.
저 집은 불타고 있다.
❽ 《기초 · 근거》 …에 의(거)하여
This story is based *on* facts.
이 이야기는 사실에 근거하고 있다.

A B C D E F G H I J K L M N O P Q R S T U V W X Y Z

❾ …하자마자, …와 동시에
*On* hearing the news, he started for home. 그 소식을 듣자마자 그는 집으로 출발했다.

숙어 ***on time*** 시간에 맞추어
She came here *on time*.
그녀는 시간에 맞추어 이곳에 왔다.

— 부 ❶ 《동작의 계속을 나타내어》 계속하여, 줄곧
Go *on* with your work.
일을 계속하시오.

❷ (몸에다) …을 입고[쓰고]

He put his coat *on*.
그는 상의를 입었다.
The child had a yellow hat *on*.
그 아이는 노란 모자를 쓰고 있었다.

❸ (전기 · 라디오가) 켜져 (반 off 꺼져)
The lights were all *on*.
전등이 모두 켜져 있었다.
Turn *on* the television.
텔레비전을 켜라.

❹ (연극 · 영화가) 상연[상영] 중으로
What is *on* at the theater?
극장에서 무엇을 상연하고 있습니까?

숙어 ***and so on***[***forth***] 등등, 따위
We bought books, notebooks, *and so on*. 우리는 책, 노트 등을 샀다.
***from now on*** 지금부터는, 앞으로는
***on and on*** 계속해서, 줄곧
They marched *on and on*.
그들은 계속해서 행진했다.

## ⁂once *once*

[wʌ́ns 원스]

부 ❶ 한 번, 1회
I go to a concert about *once* a month. 나는 한 달에 한 번 가량 음악회에 간다.

✎ once(1회), twice(2회), three times(3회), four times(4회)처럼 3회부터는 times가 붙음.

❷ [wʌ̀ns 원스] 한때, 이전에, 일찍이
Once I lived in London.
이전에 나는 런던에 살았다.

**어법 once와 ever**

양쪽 다 「일찍이, 이전에」라는 의미이지만, once는 긍정문에, ever는 의문문 · 부정문 · 조건문에 쓰인다: I have *once* been to Kenya. 나는 이전에 케냐에 간 적이 있다 / Have you *ever* been to Kenya? 이전에 케냐에 간 적이 있습니까?

숙어 ***once more*** 한 번 더
Please say it *once more*.
한 번 더 말씀해 주세요.
***once for all*** 단 한 번만
***once in a while*** 가끔, 종종
***once upon a time*** 옛날 옛적에
*Once upon a time* there was a beautiful princess.
옛날 옛적에 예쁜 공주님이 살았습니다 《동화의 시작 문구》.

—명 한 번, 1회
*Once* is enough.
한 번으로 충분하다.
숙어 ***all at once*** 갑자기, 별안간
*All at once* I heard a scream.
갑자기 나는 비명 소리를 들었다.
***at once*** 당장, 즉시
Come *at once*. 즉시 돌아오너라.
—접 일단 …하면, …하면 곧
*Once* we cross the river, we are safe.
일단 강을 건너면 우리는 안전하다.

## **one** *one

[wʌ́n 원]
형 ❶ 하나의, 1개의
She eats *one* apple a day.
그녀는 하루에 사과 1개를 먹는다.

The bus started at *one* o'clock.
버스는 1시에 출발했다.
❷《때를 나타내는 명사 앞에 쓰여》어느 …
*One* day Tom went to the zoo.
어느 날 톰은 동물원에 갔다.
❸ 같은, 동일한 (동 same)
They all left in *one* direction.
그들은 모두 같은 방향으로 떠났다.
—명 (복수 **ones** [wʌ́nz 원즈])
하나; 한 사람; 1개; 1시
Lesson *One* 제1과
He is *one* of my friends.
그는 내 친구 중의 한 사람이다.

숙어 ***one by one*** 하나씩, 차례로
They went out of the room *one by one*.
그들은 한 사람씩 방을 나갔다.
—대 ❶ (일반) 사람, 누구나
*One* must love one's neighbors. 사람은 자기 이웃을 사랑하지 않으면 안 된다.
❷《앞에 나온 명사를 대신하여》한 사람, 하나의 것
We sold our old car and bought a new *one*.
우리는 낡은 차를 팔고 새 차를 샀다.
숙어 ***one after another*** 차례로
They came in *one after another*.
그들은 차례로 들어왔다.
***one another*** (셋 이상일 때) 서로
The three brothers helped *one another*. 세 형제는 서로 도왔다.

***one ..., the other ~*** (둘 중에서) 하나는 …, 다른 하나는 ~
There are two dogs in the garden. *One* is black, and *the other* is white.
정원에 개 두 마리가 있다. 하나는 검정색이고, 다른 하나는 흰 색이다.

## *one's *one's*

[wʌ́nz 원즈]
대 ❶ 《one의 소유격》사람의
❷ one is의 축약형

A B C D E F G H I J K L M N **O** P Q R S T U V W X Y Z

***one•self** *oneself*
[wʌnsélf 원셀프]
대 《one의 재귀대명사》
❶ 《강조 용법》 스스로, 자기 자신이
You must do it *yourself*.
너는 그것을 스스로 해야 한다.
✎ oneself는 주어가 one일 때 쓰이며, 그 외에는 주어의 인칭에 따라 변함.

**oneself의 변화형**

| 인칭 \ 수 | 단수 | 복수 |
|---|---|---|
| 1인칭 | myself | ourselves |
| 2인칭 | yourself | yourselves |
| 3인칭 | himself<br>herself<br>itself | themselves |

❷ 《재귀 용법》 자기 자신을〔에게〕
Today I absented *myself* from school. 오늘 나는 학교를 결석했다.
숙어 ***by oneself*** 혼자서
I went there *by myself*.
나는 거기에 혼자서 갔다.

***for oneself*** 혼자 힘으로
He painted the wall *for himself*. 그는 혼자 힘으로 벽을 칠했다.
***of oneself*** 저절로
The door opened *of itself*.
문이 저절로 열렸다.

**on•ion** *onion*
[ʌ́njən 어니언]
명 (복수 **onions** [ʌ́njənz 어니언즈]) 〖식물〗 양파

****on•ly** *only*
[óunli 오운리]
형 유일한, 단 하나의
We have an *only* daughter.
우리에게는 외동딸이 있다.

Her *only* answer was 'no'.
그녀의 유일한 대답은 「아니오」였다.
— 부 [òunli 오운리] 오직, 단지; …만, …뿐; 고작
I came *only* to see you.
나는 오직 당신을 만나려고 왔습니다.
*Only* he knows it.
그만이 그것을 알고 있다.
There was *only* one horse in the field.
들판에는 단 한 마리의 말이 있었다.

Our club has *only* ten members.
우리 클럽은 회원이 고작 10명이다.

숙어 ***have only to** do* 단지 …하기만 하면 된다

You *have only to* sign your name here.

당신은 여기에 서명만 하면 됩니다.

***not only ... but also ~*** …뿐만 아니라 ~도 또한

*Not only* you *but also* I am angry with him. 당신뿐만 아니라 나도 그에게 화가 나 있습니다.

## on•to *onto*

[ɑ́ntu 안투]

전 …의 위로 (동 upon); …으로 (동 to)

He climbed *onto* the roof.

그는 지붕 위로 올라갔다.

## **o•pen *open*

[óupən 오우펀]

타자 (3단현 **opens** [óupənz 오우펀즈], 과거 · 과분 **opened** [óupənd 오우펀드], 현분 **opening** [óup(ə)niŋ 오우퍼닝])

❶ (문 따위를) 열다, 열리다; (책 따위를) 펴다(반 close, shut 닫다)

She *opened* the window.

그녀는 창문을 열었다.

This door will not *open*.

이 문은 도무지 열리지 않는다.

Please *open* your books to page ten.

책의 10페이지를 펴세요.

❷ 개시하다; (상점 등을) 개업하다, 열다

This store *opens* at ten.

이 상점은 10시에 문을 연다.

❸ (…으로) 향해 있다, 면해 있다.

The window *opens* on the garden. 그 창문은 정원 쪽으로 열린다.

— 형 (비교급 **opener** [óupənər 오우퍼너], 최상급 **openest** [óupənist 오우퍼니스트])

❶ 열린; (상점 따위가) 영업 중인

The drugstore is not *open* yet.

약국은 아직 문을 열지 않고 있다.

❷ 공개된, 출입 자유의

This gym is *open* to the public. 이 체육관은 대중에게 개방되어 있다.

❸ 널따란, 틔어 있는

Children like to play in the *open* air. 아이들은 옥외에서 노는 것을 좋아한다.

## o•pen•ing *opening*

[óup(ə)niŋ 오우퍼닝]

명 (복수 **openings** [óup(ə)niŋz 오우퍼닝즈]) ❶ 《an과 복수형 안 씀》 시작, 개시, 개업, 개통

the *opening* of a new shop

새 점포의 개업

❷ (벌어진) 구멍, 틈

— 형 개시의, 개점의, 개통의 (반 closing 종료의)

a b c d e f g h i j k l m n o p q r s t u v w x y z

an *opening* ceremony 개회식
an *opening* adress 개회사

**op•er•a** *opera*
[ɑ́p(ə)rə 아퍼러]
명 (복수 **operas** [ɑ́p(ə)rəz 아퍼러즈])
〚음악〛 오페라, 가극

Do you love Italian *opera*?
이탈리아 오페라를 좋아하십니까?

**op•er•ate** *operate*
[ɑ́pərèit 아퍼레이트]
동 (3단현 **operates** [ɑ́pərèits 아퍼레이츠], 과거 · 과분 **operated** [ɑ́pərèitid 아퍼레이티드], 현분 **operating** [ɑ́pərèitiŋ 아퍼레이팅])
—자 ❶ 움직이다, 작동하다
This machine *operates* well.
이 기계는 잘 작동한다.
❷ 수술하다
The doctors *operated* on him.
의사들은 그를 수술했다.

—타 ❶ 운전하다; 작동하다
I can't *operate* this car.
나는 이 차를 운전할 수 없다.
❷ 경영하다, 운영하다
He *operates* two restaurants.
그는 식당 두 개를 경영한다.

**op•er•a•tion** *operation*
[ɑ̀pəréiʃən 아퍼레이션]
명 (복수 **operations** [ɑ̀pəréiʃənz 아퍼레이션즈])
❶ 운전; 작동, 조작; 경영
The machine is in *operation*.
그 기계는 작동 중이다.

❷ 수술
He had an *operation* on his eye. 그는 눈 수술을 받았다.
❸ 《복수형으로》 (군사) 작전

**op•er•a•tor** *operator*
[ɑ̀pəréitər 아퍼레이터]
명 (복수 **operators** [ɑ̀pəréitərz 아퍼레이터즈])
(기계) 운전자, 조작자; (전화) 교환원
a telephone *operator*
전화 교환원

**o•pin•ion** *opinion*
[əpínjən 어피니언]
명 (복수 **opinions** [əpínjənz 어피니언즈]) 의견, 생각, 견해
public *opinion* 여론

I asked my teacher for his *opinion*.
나는 선생님께 의견을 물어 보았다.

## op•por•tu•ni•ty

*opportunity*
[ɑ̀pərt(j)úːnəti 아퍼튜-너티]
명 (복수 **opportunities** [ɑ̀pərt(j)úːnətiz 아퍼튜-너티즈])
기회, 호기
I had no *opportunity* to speak.
나는 말할 기회가 없었다.

## op•pose

*oppose*
[əpóuz 어포우즈]
타 (3단현 **opposes** [əpóuziz 어포우지즈], 과거·과분 **opposed** [əpóuzd 어포우즈드], 현분 **opposing** [əpóuziŋ 어포우징])
반대하다, 저지하다
We *opposed* the plan to raise taxes. 우리는 세금을 인상하는 계획에 반대했다.
숙어 ***be opposed to*** …에 반대하다
I *am opposed to* war.
나는 전쟁에 반대한다.

## op•po•site

*opposite*
[ɑ́pəzit 아퍼짓]
형 반대쪽의; 맞은편의; 정반대의
They sat *opposite* each other.
그들은 서로 마주보고 앉았다.

My opinion is *opposite* to yours.
내 의견은 너의 의견과 정반대이다.
— 명 (복수 **opposites** [ɑ́pəzits 아퍼지츠]) 반대의 것〔사람〕; 반대말
White is the *opposite* of black.
흰색은 검정색의 반대말이다.

## ⁂or

*or*
[《약》 ər 어; 《강》 ɔ́ːr 오-]
접 ❶ …이나 ~, 또는, 혹은
Two *or* three girls were absent.
두 명 또는 세 명의 소녀가 결석했다.
She is seventeen *or* eighteen.
그녀는 열일곱 살이나 열여덟 살이다.

> **어법 or와 동사의 일치**
> 주어가 2개 있을 경우에 동사는 보다 가까운 쪽의 주어에 일치시킨다: You *or* he *is* to go there. 너나 그가 거기에 가야 한다 / *Were* you *or* she there? 너 혹은 그녀가 거기에 있었단 말이냐?

❷ 《명령문 뒤에서》 그렇지 않으면
Take a taxi, *or* you'll be late.
택시를 타라, 그렇지 않으면 늦을 거다.

❸ 《보통 쉼표 뒤에서》 즉, 바꿔 말하면
The distance is two miles, *or* about three kilometers. 거리는 2마일, 바꿔 말하여 3킬로미터이다.
숙어 ***either ... or ~*** …이거나 또는 ~이거나

A B C D E F G H I J K L M N O P Q R S T U V W X Y Z

# Opposite 반대 개념

*Either* come in *or* go out.
들어오든가 나가든가 해라.
**... or so** …쯤, …가량
for a month *or so* 한 달쯤

## o•ral *oral*
[ɔ́ːrəl 오-럴]
형 구두의, 구술의 (반 written 문어의, 문서의)
We took an *oral* examination.
우리는 구술시험을 보았다.

## ‡or•ange *orange*
[ɔ́ːrindʒ 오-린지]
명 (복수 **oranges** [ɔ́ːrindʒiz 오-린지즈]) 〖식물〗 오렌지; 오렌지색

—형 오렌지색의

## or•bit *orbit*
[ɔ́ːrbit 오-빗]
명 (복수 **orbits** [ɔ́ːrbits 오-비츠]) 〖천문〗 (천체 · 인공위성의) 궤도

## or•chard *orchard*
[ɔ́ːrtʃərd 오-처드]
명 (복수 **orchards** [ɔ́ːrtʃərdz 오-처즈]) 과수원
He has an apple *orchard*.
그는 사과 과수원을 갖고 있다.

## *or•ches•tra *orchestra*
[ɔ́ːrkistrə 오-키스트러]
명 〖음악〗 관현악단, 오케스트라
a symphony *orchestra* 교향악단

## ‡or•der *order*
[ɔ́ːrdər 오-더]
타 (3단현 **orders** [ɔ́ːrdərz 오-더즈], 과거 · 과분 **ordered** [ɔ́ːrdərd 오-더드], 현분 **ordering** [ɔ́ːrdəriŋ 오-더링])
❶ 명령하다, 지시하다
The doctor *ordered* me to stay in bed. 의사는 나에게 침대에 누워 있으라고 지시했다.
❷ 주문하다
He *ordered* a steak for his son.
그는 아들을 위해 스테이크를 주문했다.
—명 (복수 **orders** [ɔ́ːrdərz 오-더즈]) ❶ 《a와 복수형 안 씀》 순서; 질서
They lined up in *order* of age.
그들은 나이 순서대로 나란히 섰다.
Law and *order* must be kept.
법과 질서는 지켜져야 한다.
❷ 《종종 복수형으로》 명령
Soldiers must obey *orders*.
군인은 명령에 복종해야 한다.
❸ 주문; 주문품, 주문서
I made an *order* for a book.
나는 책 한 권을 주문했다.
May I take your *order*?
주문하시겠어요?

숙어 ***in order to** do* …하기 위하여
He went abroad *in order to* study law. 그는 법률을 공부하기 위해 외국에 갔다.
***out of order*** 고장난
The brakes are *out of order*. 브레이크가 고장 나 있다.
***be on order*** 주문되어 있는
**or·di·nar·y** *ordinary*
[ɔ́ːrdənèri 오-더네리]
형 보통의, 평범한
He lives an *ordinary* life. 그는 평범한 생활을 하고 있다.

**or·gan** *organ*
[ɔ́ːrgən 오-건]
명 (복수 **organs** [ɔ́ːrgənz 오-건즈])
❶ 〖악기〗 오르간

She plays the *organ* well. 그녀는 오르간 연주를 잘한다.
❷ (신체의) 기관; (정치적인) 기관
sense of *organ* 감각 기관
*organs* of government 정부 기관

**or·gan·i·za·tion** *organization*
[ɔ̀ːrgənizéiʃən 오-거니제이션]
명 (복수 **organizations** [ɔ̀ːrgənizéiʃənz 오-거니제이션즈])
단체, 기구; 조직, 구성
the World Health *Organization* 세계 보건 기구(WHO)

**or·ga·nize** *organize*
[ɔ́ːrgənàiz 오-거나이즈]
타 (3단현 **organizes** [ɔ́ːrgənàiziz 오-거나이지즈], 과거 · 과분 **organized** [ɔ́ːrgənàizd 오-거나이즈드], 현분 **organizing** [ɔ́ːrgənàiziŋ 오-거나이징])
조직하다, 편성하다
They *organized* a good team. 그들은 훌륭한 팀을 편성했다.

**O·ri·ent** *Orient*
[ɔ́ːriənt 오-리언트]
명 《the를 붙여》 동방, 동양
Korea, China, and Japan are countries of *the Orient*. 한국, 중국, 일본은 동양의 나라들이다.

**O·ri·ent·al** *Oriental*
[ɔ̀ːriéntl 오-리엔틀]

명 동양의, 동양풍의
*Oriental* civilization 동양 문명

**or•i•gin** *origin*
[ɔ́:rədʒin 오-러진]
명 (복수 **origins** [ɔ́:rədʒinz 오-러진즈]) 기원, 시초, 발단
the *origin* of life 생명의 기원
The *origin* of the fire was in the basement.
화재는 지하실에서 시작되었다.

⁂**o•rig•i•nal** *original*
[ərídʒ(ə)nəl 어리저널]
형 ❶ 최초의, 본래의
They changed the *original* plan.
그들은 본래의 계획을 변경했다.
❷ 독창적인
*original* ideas 독창적인 아이디어
—명 (복수 **originals** [ərídʒ(ə)nəlz 어리저널즈]) 원형, 원본; 원작
an *original* story (영화의) 원작

**o•rig•i•nal•ly** *originally*
[ərídʒ(ə)nəli 어리저널리]
부 본래, 처음부터

**or•na•ment** *ornament*
[ɔ́:rnəmənt 오-너먼트]
명 (복수 **ornaments** [ɔ́:rnəmənts 오-너먼츠]) 장식품, 장신구; 장식

**or•phan** *orphan*
[ɔ́:rfən 오-펀]
명 (복수 **orphans** [ɔ́:rfənz 오-펀즈]) 고아
a home for *orphans* 고아원

**os•trich** *ostrich*
[ɑ́stritʃ 아스트리치]
명 (복수 **ostriches** [ɑ́stritʃiz 아스트리치즈])
〖조류〗 타조

⁂**oth•er** *other*
[ʌ́ðər 어더]
형 ❶ 다른, 그 밖의
Do you have any *other* questions? 다른 질문 있습니까?

Jim can run faster than any *other* boy. 짐은 그 밖의 어느 소년보다도 빨리 달릴 수 있다.

a b c d e f g h i j k l m n o p q r s t u v w x y z

❷《the를 붙여》(둘 중에) 다른 한 쪽의; (셋 이상의 것 중에) 나머지의
Use *the other* hand.
다른 한쪽 손을 쓰시오.
Mary is here, but where are *the other* girls? 메리는 여기 있지만, 나머지 소녀들은 어디에 있지요?
숙어 ***every other day*** 하루 걸러
I go to the dentist's *every other day*.
나는 하루 걸러 치과에 간다.

***in other words*** 다시 말해서
—대 (복수 **others** [ʌ́ðərz 어더즈])
❶《보통 복수형으로》다른 것〔사람〕
Bill always helps *others*.
빌은 항상 다른 사람을 도와준다.
❷《the를 붙여》(둘 중) 다른 한 쪽; 《**the others**로》(셋 이상의 것 중에) 나머지의 것〔사람〕
I don't want this; I want *the other*. 이건 싫습니다, 다른 것을 보여 주세요.
Only one was cheap; all *the others* were very expensive.
한 개만 쌌고, 나머지 것은 전부 매우 비쌌다.
숙어 ***each other*** (둘 사이에) 서로
They love *each other*.
그들은 서로 사랑한다.
***one after the other*** 차례로, 잇따라
They jumped into the water *one after the other*.
그들은 잇따라 물속에 뛰어들었다.
***one..., the other ~*** (둘 중에서) 하나는 …, 다른 하나는 ~
I have two dolls. *One* is big, and *the other* is small.
나는 두 개의 인형을 갖고 있다. 하나는 크고, 다른 하나는 작다.

## oth•er•wise *otherwise*

[ʌ́ðərwàiz 어더와이즈]
부 ❶ 그렇지 않고, 다른 방식으로
I think *otherwise*.
나는 달리 생각한다.
❷ 그렇지 않으면 (동 or)
Start at once, *otherwise* you will be late. 즉시 출발해라, 그렇지 않으면 늦을 것이다.

❸ 그 밖의 점에서는
The rent is high, but *otherwise* the house is satisfactory.
집세는 비싸지만, 그 밖의 점에서 그 집은 만족스럽다.

## ouch *ouch*

[áutʃ 아우치]
감《아픔 · 고통을 나타내어》아야
*Ouch*! I burned my finger.
아얏! 손가락을 데었어.

## *ought *ought*

[ɔ́ːt 오-트]
조 ❶《**ought to** do로》…해야 한

다, …하는 것이 당연하다 (㊐ should)
You *ought to* do your best.
너는 최선을 다해야 한다.
✎「ought to+동사의 원형」의 과거는 「ought to have+과거분사」의 형을 취함: You *ought to have read* that book. 너는 그 책을 읽었어야 했다.

❷ …임에 틀림없다
He *ought to* be there by now.
그는 지금쯤 거기에 있는 게 틀림없다.

## **our** *our*

[《약》 ɑːr 아-; 《강》 áuər 아우어]
대 《we의 소유격》 우리(들)의
*Our* classroom is always clean.
우리 교실은 항상 깨끗하다.

## **ours** *ours*

[áuərz 아우어즈]
대 《we의 소유대명사》 우리(들)의 것

| 소유격 | 소유대명사 |
|---|---|
| my(나의)<br>our(우리들의) | mine(나의 것)<br>ours(우리들의 것) |
| your(너의)<br>your(너희들의) | yours(너의 것)<br>yours(너희들의 것) |
| his(그의)<br>her(그녀의)<br>their(그들의) | his(그의 것)<br>hers(그녀의 것)<br>theirs(그들의 것) |

Which car is *ours*?
어떤 차가 우리 것이지?
Your school is larger than *ours*.
너희 학교는 우리 학교보다 크다.

## **our·selves** *ourselves*

[ɑːrsélvz 아-셀브즈]
대 《myself의 복수》
❶ 《재귀 용법》 우리(들) 자신을〔에게〕
We hurt *ourselves*.
우리는 상처를 입었다.
❷ 《강조 용법》 우리(들) 자신이〔에게〕
We should do the work *ourselves*.
우리 스스로 그 일을 해야 한다.
숙어 ***by ourselves*** 우리들만으로
***for ourselves*** 우리들 힘으로〔스스로〕
We cooked *for ourselves* in the camp. 캠프에서 우리는 우리들 스스로 요리를 했다.

## **out** *out*

[áut 아웃]
부 ❶ 밖으로, 밖에 (㊀ in 안으로)
She went *out*. 그녀는 외출했다.
They went *out* for a walk.
그들은 산책하러 나갔다.
❷ 없어져서; 꺼져서
Miniskirts are *out* this year.
미니스커트는 올해 유행하지 않는다.
The lights go *out* at ten.
전등은 10시에 꺼진다.
❸ 끝까지; 완전히

A B C D E F G H I J K L M N O P Q R S T U V W X Y Z

Hear me *out*.
내 말을 끝까지 들어봐.
I am tired *out*.
나는 완전히 지쳐버렸다.

❹ (모습을) 나타내어; (꽃이) 피어
The stars came *out*.
별이 떴다.
The tulips come *out* in April.
튤립은 4월에 핀다.

❺ 큰 소리로, 분명히
She cried *out*, "Fire!"
그녀는 「불이야!」하고 외쳤다.

❻ 〖야구〗 아웃의 (반 safe 세이프의)
The batter is *out*.
그 타자는 아웃이다.

숙어 ***out of*** ⓐ 《장소》 …의 밖으로
The dog came *out of* its house.
개가 개집 밖으로 나왔다.

ⓑ 《원인 · 이유》 …에서, …때문에
He gave her the money *out of* pity. 그는 동정심에서 그녀에게 돈을 주었다.

ⓒ 《재료》 …으로, …에 의해
He made a kite *out of* paper.
그는 종이로 연을 만들었다.

ⓓ 《부분》 …중
Seven *out of* ten students have a cellphone. 10명의 학생 중 7명이 휴대폰을 갖고 있다.

## out•door *outdoor*

[áutdɔ̀ːr 아웃도-]
형 집 밖의, 옥외의, 야외의 (반 indoor 실내의)
Baseball is an *outdoor* sport.
야구는 옥외 스포츠이다.

## *out•doors *outdoors*

[àutdɔ́ːrz 아웃도-즈]
부 집 밖에서, 야외에서 (반 indoors 실내에서)
We ate *outdoors* under a tree.
우리는 야외의 나무 밑에서 식사했다.

**out•er** *outer*
[áutər 아우터]
형 바깥의, 외부의 (동 outside, 반 inner 안의)
the *outer* wall 외벽

**out•line** *outline*
[áutlàin 아우트라인]
명 (복수 **outlines** [áutlàinz 아우트라인즈]) ❶ 윤곽; 약도
Draw the *outline* of the house. 그 집의 약도를 그려라.
❷ 개요, 대강 줄거리

***out•side** *outside*
[àutsáid 아웃사이드]
명 (복수 **outsides** [àutsáidz 아웃사이즈]) 《보통 the를 붙여》 바깥쪽, 외면, 외부 (반 inside 내면, 내부)
*The outside* of the house was painted white. 그 집의 외부는 흰 페인트로 칠해졌다.
—형 바깥쪽의; 외부의
What is the *outside* noise? 바깥쪽 소음은 뭐지?
—부 밖에, 바깥쪽에
We played *outside* all day. 우리는 온종일 밖에서 놀았다.
—전 [áutsàid] …의 바깥에
She stood just *outside* the door. 그녀는 문 바로 바깥쪽에 서 있었다.

**out•stand•ing** *outstanding*
[àutstǽndiŋ 아웃스탠딩]
형 뛰어난, 두드러진, 걸출한
He is an *outstanding* football player. 그는 뛰어난 축구 선수이다.

**out•ward** *outward*
[áutwərd 아우트워드]
형 바깥쪽의 (반 inward 안쪽의)
—부 바깥쪽으로, 밖으로

**ov•en** *oven*
[ʌ́vən 어번]
명 (복수 **ovens** [ʌ́vənz 어번즈]) 오븐, 솥 《요리 기구》
She baked a pie in the *oven*. 그녀는 오븐에 파이를 구웠다.

⁑**o•ver** *over*
[óuvər 오우버]
전 ❶ …의 위에《떨어져서 위에 있는 경우》 (반 under …의 밑에)

There is a bridge *over* the river.
강 위에 다리가 놓여 있다.
❷ …을 덮어(가려); …의 도처에
She put her hands *over* her face. 그녀는 두 손으로 얼굴을 덮어 가렸다.
He traveled all *over* the world.
그는 세계 도처를 여행했다.
❸ 《장소》 …을 넘어서, …의 건너편에; 《시간》 …에 걸쳐서, …동안 죽
They went *over* the hill.
그들은 언덕을 넘어갔다.
He'll be there *over* the weekend.
그는 주말 내내 거기에 있을 것이다.
❹ …이상 (동 more than)
It costs *over* two hundred dollars. 그것은 2백 달러 이상 나간다.
❺ …에 관하여〔대하여〕
We talked *over* the matter last night. 우리는 그 문제에 관하여 어젯밤 이야기했다.
❻ …하면서
We talked *over* a cup of tea.
우리는 차를 한 잔 하면서 이야기했다.

❼ (전화 · 라디오를) 통하여, …으로
I talked to my uncle *over* the telephone.
나는 전화로 아저씨와 이야기했다.
—부 ❶ 위에; 전면에, 완전히
He painted the wall *over*.
그는 벽 전면에 페인트칠을 했다.
❷ 넘어서, 건너편에
He went *over* to Africa.
그는 아프리카로 건너갔다.
❸ 끝나서, 마쳐서
Winter is *over* at last.
마침내 겨울이 끝났다.
❹ 남아서
There is nothing left *over*.
아무것도 남아 있지 않다.
❺ 처음부터 끝까지, 되풀이하여
He read the book *over* carefully. 그는 그 책을 처음부터 끝까지 주의 깊게 읽었다.
❻ 넘어져; 뒤집어
He fell *over* on the ice.
그는 빙판 위에서 넘어졌다.

숙어 ***over again*** 다시 한 번
Say it *over again*.
다시 한 번 말해 주세요.
***over and over*** (***again***) 몇 번이고 되풀이하여
She is writing the letter *over and over again*. 그녀는 그 편지를 몇 번이고 되풀이하여 쓰고 있다.
***over there*** 건너편에, 저쪽에

## o•ver•coat *overcoat*

[óuvərkòut 오우버코우트]
명 (복수 **overcoats** [óuvərkòuts 오우버코우츠]) 외투, 오버코트
Father put on his *overcoat* and

went out. 아버지는 외투를 입고 밖에 나가셨다.

**o•ver•come** *overcome*
[òuvərkʌ́m 오우버컴]
타 (3단현 **overcomes** [òuvərkʌ́mz 오우버컴즈], 과거 **overcame** [òuvərkéim 오우버케임], 과분 **overcome** [òuvərkʌ́m 오우버컴], 현분 **overcoming** [òuvərkʌ́miŋ 오우버커밍])
극복하다, 이겨내다; 압도하다
He *overcame* many difficulties. 그는 많은 고난을 이겨냈다.

**o•ver•eat** *overeat*
[òuvəríːt 오우버리-트]
타 자 (3단현 **overeats** [òuvəríːts 오우버리-츠], 과거 **overate** [òuvəréit 오우버레이트], 과분 **overeaten** [òuvəríːtn 오우버리-튼], 현분 **overeating** [òuvəríːtiŋ 오우버리-팅])
과식하다, 너무 많이 먹다

Don't *overeat*. 과식하지 마라.
He *overate* himself at the party. 그는 그 파티에서 과식했다.

**o•ver•eat•en** *overeaten*
[òuvəríːtn 오우버리-튼]
타 자 overeat(과식하다)의 과거분사

**o•ver•flow** *overflow*
[òuvərflóu 오우버플로우]
타 자 (3단현 **overflows** [òuvərflóuz 오우버플로우즈], 과거 **overflowed** [òuvərflóud 오우버플로우드], 과분 **overflown** [òuvərflóun 오우버플로운], 현분 **overflowing** [òuvərflóuiŋ 오우버플로우잉])
❶ (강 따위가) 범람하다, 넘쳐 흐르다
Every spring the river *overflows*. 매년 봄 그 강은 범람한다.
❷ (마음이 어떤 감정으로) 가득 차다

**o•ver•head** *overhead*
[òuvərhéd 오우버헤드]
부 머리 위에〔위로〕
Birds flew *overhead*.
새들이 머리 위로 날아갔다.

**o•ver•hear** *overhear*
[òuvərhíər 오우버히어]
타 (3단현 **overhears** [òuvərhíərz 오우버히어즈], 과거 · 과분 **overheard** [òuvərhə́ːrd 오우버허-드], 현분

a b c d e f g h i j k l m n o p q r s t u v w x y z

A B C D E F G H I J K L M N O P Q R S T U V W X Y Z

**overhearing** [òuvərhíəriŋ 오우버히어링])
우연히 듣다; 엿듣다
I *overheard* them talking about me. 나는 그들이 나에 대해서 얘기하는 소리를 엿들었다.

**o•ver•look** *overlook*
[òuvərlúk 오우버룩]
타 (3단현 **overlooks** [òuvərlúks 오우버룩스], 과거 · 과분 **overlooked** [òuvərlúkt 오우버룩트], 현분 **overlooking** [òuvərlúkiŋ 오우버루킹])
❶ 내려다보다, 멀리 바라보다
The house on the hill *overlooks* a river. 언덕 위의 집에서는 강이 내려다보인다.

❷ 빠뜨리고 못 보다, 간과하다

**o•ver•night** *overnight*
[òuvərnáit 오우버나이트]
부 밤새도록; 하룻밤 동안에
He prepared the report *overnight*.
그는 밤새도록 보고서를 준비했다.
—형 밤새의; 하룻밤 동안의

**o•ver•seas** *overseas*
[òuvərsí:z 오우버시-즈]
형 해외의, 외국의
*overseas* trade 해외 무역
—부 해외로, 외국으로
We plan to travel *overseas* this summer. 우리는 이번 여름에 해외로 여행갈 계획을 세우고 있다.

**o•ver•take** *overtake*
[òuvərtéik 오우버테이크]
타 (3단현 **overtakes** [òuvərtéiks 오우버테이크스], 과거 **overtook** [òuvərtúk 오우버툭], 과분 **overtaken** [òuvərtéikn 오우버테이큰], 현분 **overtaking** [òuvərtéikiŋ 오우버테이킹])
❶ 따라잡다; 만회하다
We can not *overtake* his car.
우리는 그의 차를 따라잡을 수 없다.
❷ 갑자기 덮치다, 불시에 닥치다
We were *overtaken* in the rain.
우리는 갑자기 비를 만났다.

**o•ver•throw** *overthrow*
[òuvərθróu 오우버스로우]
타 (3단현 **overthrows** [òuvərθróuz

오우버스로우즈], 과거 **overthrew** [òuvərθrú: 오우버스루-], 과분 **overthrown** [òuvərθróun 오우버스로운], 현분 **overthrowing** [òuvərθróuiŋ 오우버스로우잉])
뒤집어엎다; 타도하다; 폐지하다
They *overthrew* the military government.
그들은 군사 정부를 타도했다.

## o•ver•work *overwork*

[òuvərwə́:rk 오우버워-크]
타 자 (3단현 **overworks** [òuvərwə́:rks 오우버워-크스], 과거 · 과분 **overworked** [òuvərwə́:rkt 오우버워-크트], 현분 **overworking** [òuvərwə́:rkiŋ 오우버워-킹])
지나치게 일을 시키다; 과로하다
Don't *overwork* yourself.
과로하지 마라.

—명 과로, 과도한 일
*Overwork* was the cause of my illness. 과로가 내 병의 원인이었다.

## owe *owe*

[óu 오우]
타 (3단현 **owes** [óuz 오우즈], 과거 · 과분 **owed** [óud 오우드], 현분 **owing** [óuiŋ 오우잉])
❶ (…에게) 빚지다
She *owes* Jim two dollars.
그녀는 짐에게 2달러 빚지고 있다.
❷ 은혜를 입고 있다, …덕분이다 《to》
I *owe* my success *to* her.
나의 성공은 그녀 덕분이다.

## ow•ing *owing*

[óuiŋ 오우잉]
형 《**owing to**로》 …때문에 (동 because of)
*Owing to* the rain, the game was put off.
비 때문에 그 시합은 연기되었다.

## owl *owl*

[ául 아울]
명 (복수 **owls** [áulz 아울즈])
〚조류〛 올빼미

*Owls* hunt for food at night.
올빼미는 밤에 먹이 사냥을 한다.

***own** *own*
[óun 오운]
형 ❶ 자기 자신의; 고유한, 독특한 《인칭대명사의 소유격 뒤에 써서 소유나 독자성을 강조함》
Write down your *own* ideas.
네 자신의 생각을 적어라.
We should build our *own* building. 우리는 우리 자신의 빌딩을 지어야 한다.
The sea has its *own* beauty.
바다에는 그 나름의 독특한 아름다움이 있다.
❷ 《명사적으로 쓰여》 자기 자신의 것
This house is my *own*.
이 집은 나의 것이다.

숙어 ***of one's own ~ing*** 자신이 …한
It is a boat *of his own* mak*ing*.
그것은 그가 손수 만든 보트다.
— 타자 (3단현 **owns** [óunz 오운즈], 과거 · 과분 **owned** [óund 오운드], 현분 **owning** [óuniŋ 오우닝])
소유하다, 가지고 있다; 인정하다
He *owns* two cars.
그는 승용차 두 대를 갖고 있다.
He *owned* his faults.
그는 자기의 결점을 인정했다.

**own•er** *owner*
[óunər 오우너]
명 (복수 **owners** [óunərz 오우너즈])
소유자, 임자
an *owner* driver 자가용 운전자
Who is the *owner* of this house? 누가 이 집의 주인입니까?

***ox** *ox*
[áks 악스]
명 (복수 **oxen** [áksn 악슨])
〖동물〗 수소 (반 cow 암소)
In some countries *oxen* are used to pull carts. 어떤 나라에서는 수소가 수레를 끄는 데 쓰인다.

**ox•y•gen** *oxygen*
[áksidʒən 악시전]
명 《an과 복수형 안 씀》 산소
People must have *oxygen* to live. 사람은 살아가는 데 산소가 있어야만 한다.

**oys•ter** *oyster*
[ɔ́istər 오이스터]
명 (복수 **oysters** [ɔ́istərz 오이스터즈])
〖조개〗 굴
*Oysters* taste good.
굴은 맛이 좋다.

A B C D E F G H I J K L M N **O** P Q R S T U V W X Y Z

**P, p** *P, p*
[píː 피-]
명 (복수 **P's**, **p's** [píːz 피-즈])
피 《알파벳의 열여섯 번째 글자》

**p.** *p.*
[péidʒ 페이지]
명 (복수 **pp.** [péidʒiz 페이지즈])
page(쪽, 면)의 약어

**pace** *pace*
[péis 페이스]
명 (복수 **paces** [péisiz 페이시즈])
❶ 걷는 속도, 보조
I couldn't keep *pace* with him.
나는 그와 보조를 맞출 수가 없었다.

❷ 한 걸음, 보폭
Take five *paces* forward.
앞으로 다섯 걸음 가거라.

***Pa•cif•ic** *Pacific*
[pəsífik 퍼시픽]
형 태평양의
the *Pacific* Ocean 태평양
명 《the를 붙여》 태평양

***pack** *pack*
[pǽk 팩]
명 (복수 **packs** [pǽks 팩스])
❶ 짐, 꾸러미
❷ (담배 따위의) 한 갑; (트럼프) 한 벌
a *pack* of cigarettes 담배 한 갑
— 타 (3단현 **packs** [pǽks 팩스], 과거 · 과분 **packed** [pǽkt 팩트], 현분 **packing** [pǽkiŋ 패킹])
(짐을) 싸다, 꾸리다

Have you *packed* your things?
네 물건들을 다 꾸렸느냐?

***pack·age** *package*
[pǽkidʒ 패키지]
명 (복수 **packages** [pǽkidʒiz 패키지즈]) 짐꾸러미; 소포
Did you get the *package* we sent? 우리가 보낸 소포 받았습니까?

****page** *page*
[péidʒ 페이지]
명 (복수 **pages** [péidʒiz 페이지즈]) (책의) 페이지, 쪽
Open your books to〔at〕*page* 20. 책의 20페이지를 펴세요.

**pa·go·da** *pagoda*
[pəgóudə 퍼고우더]
명 (동양의) 탑, 파고다
There is a *pagoda* in the temple. 그 절에는 탑이 있다.

***paid** *paid*
[péid 페이드]
타자 pay(지불하다)의 과거 · 과거분사

**pail** *pail*
[péil 페일]
명 (복수 **pails** [péilz 페일즈]) 물통, 양동이 (동 bucket)
a *pail* of water 한 통의 물

***pain** *pain*
[péin 페인]
명 (복수 **pains** [péinz 페인즈])
❶ (신체 일부의) 아픔, 통증
I have a *pain* in the back.
나는 등이 아프다.

❷ 《a와 복수형 안 씀》 (육체적 · 정신적인) 괴로움, 고통
I felt a great deal of *pain* when I heard the news. 그 소식을 들었을 때 나는 무척 괴로웠다.
❸ 《복수형으로》 수고, 고생
No *pains*, no gain. 《속담》 수고하지 않고는 얻는 것도 없다.

**pain·ful** *painful*
[péinfəl 페인펄]
형 (비교급 **more painful**, 최상급 **most painful**)
아픈, 괴로운; 힘든
Are your fingers still *painful*?
손가락이 아직도 아프니?

****paint** *paint*
[péint 페인트]
타 (3단현 **paints** [péints 페인츠], 과거 · 과분 **painted** [péintid 페인티드], 현분 **painting** [péintiŋ 페인

팅])
❶ (그림물감으로) 그리다; 채색하다
The child *painted* his father.
그 아이는 아버지를 그렸다.
❷ (페인트를) 칠하다
I *painted* the door green.
나는 문에 초록색 페인트를 칠했다.

—명 (복수 **paints** [péints 페인츠])
❶ 《a와 복수형 안 씀》 페인트
Wet 〔《영》 Fresh〕 *paint*!
칠 주의! 《게시문》
❷ 《복수형으로》 그림물감
He gave me a box of *paints*.
그는 내게 그림물감 한 통을 주었다.

**paint•er** *painter*
[péintər 페인터]
명 (복수 **painters** [péintərz 페인터즈]) 화가; 칠장이, 페인트공
My aunt is a famous *painter*.
아주머니는 유명한 화가이다.

**paint•ing** *painting*
[péintiŋ 페인팅]
명 (복수 **paintings** [péintiŋz 페인팅즈]) 그림, 회화; 그림 그리기
My sister went to Paris to study *painting*. 누나는 그림 공부를 하려고 파리에 갔다.

**pair** *pair*
[pέər 페어]
명 (복수 **pairs** [pέərz 페어즈])
❶ ⓐ 《2개로 이루어진》 한 켤레〔짝〕
a *pair* of shoes 구두 한 켤레
a *pair* of gloves 장갑 한 켤레
ⓑ 《분리할 수 없는 2개의 부분으로 이루어진》 한 개〔벌〕
a *pair* of scissors 가위 한 개
a *pair* of trousers 바지 한 벌

❷ 부부, 연인; (동물의) 한 쌍
the happy *pair* 신혼부부

**pa•ja•mas,** 《영》 **py•ja•mas**
*pajamas, pyjamas*
[pədʒɑ́ːməz 퍼자-머즈]
명 《항상 복수형으로》 잠옷, 파자마
I need a new pair of *pajamas*.
나는 새 파자마 한 벌이 필요하다.

**pal** *pal*
[pǽl 팰]
명 (복수 **pals** [pǽlz 팰즈])
《구어》 친구, 동료; 동아리

I have a pen *pal* in London.
나는 런던에 펜팔 친구가 있다.

***pal•ace** *palace*
[pǽləs 팰러스]
명 (복수 **palaces** [pǽləsiz 팰러시즈])
궁전, 궁궐; 대저택

Buckingham *Palace* 버킹엄 궁전
The king lives in a *palace*.
왕은 궁전에서 산다.

***pale** *pale*
[péil 페일]
형 (비교급 **paler** [péilər 페일러], 최상급 **palest** [péilist 페일리스트])
❶ (얼굴이) 창백한, 핏기 없는
Are you OK? You look a little *pale*. 너 괜찮니? 얼굴이 좀 창백해 보이는구나.

❷ (색깔이) 연한; 희미한
*pale* yellow 연노랑색

**palm** *palm*
[pɑ́ːm 팜-]
l은 발음하지 않음.
명 (복수 **palms** [pɑ́ːmz 팜-즈])
손바닥; 〖식물〗 야자수
He placed a coin in the *palm* of my hand. 그는 내 손바닥에 동전 한 닢을 놓았다.

**pam•phlet** *pamphlet*
[pǽmflət 팸플럿]
명 (복수 **pamphlets** [pǽmfləts 팸플러츠]) 소책자, 팸플릿
He handed out *pamphlets*.
그는 팸플릿을 나누어 주었다.

**pan** *pan*
[pǽn 팬]
명 (복수 **pans** [pǽnz 팬즈])
납작한 냄비, 팬

a frying *pan* 프라이팬
She baked a cake in the *pan*.

그녀는 팬에 케이크를 구웠다.

**pan•cake** *pancake*
[pǽnkèik 팬케이크]
명 (복수 **pancakes** [pǽnkèiks 팬케이크스]) 팬케이크 《우유, 달걀, 밀가루를 반죽하여 얇게 구운 핫케이크》

**pan•da** *panda*
[pǽndə 팬더]
명 〖동물〗 팬더(곰)

**pan•ic** *panic*
[pǽnik 패닉]
명 (복수 **panics** [pǽniks 패닉스]) (갑작스러운) 공포 (동 fear)
I felt *panic* when the fire started. 불이 붙기 시작했을 때 나는 두려움을 느꼈다.

**pan•sy** *pansy*
[pǽnzi 팬지]
명 (복수 **pansies** [pǽnziz 팬지즈]) 〖식물〗 팬지(꽃)

***pants** *pants*
[pǽnts 팬츠]
명 《항상 복수형으로》 《미》 바지 (동 trousers); 《영》 속바지, 팬츠
Bill put on his new *pants*.
빌은 새 바지를 입었다.

**pa•pa** *papa*
[pɑ́:pə 파-퍼]
명 (복수 **papas** [《미》 pɑ́:pəz 파-퍼즈, 《영》 pəpɑ́:z 퍼파-즈]) 《소아어》 아빠 (동 daddy, 반 mama 엄마)

***pa•per** *paper*
[péipər 페이퍼]
명 (복수 **papers** [péipərz 페이퍼즈])
❶ 《a와 복수형 안 씀》 종이
Please give me a sheet of *paper*.
종이 한 장 주세요.

**어법 paper를 세는 법**
**paper**가 「종이」란 뜻일 때에는 셀 수 없는 명사이므로, 장수를 셀 때에는 piece를 써서 a piece of *paper* (종이 한 장), two pieces of *paper* (종이 두 장)처럼 한다. 또, 일정한 크기나 모양의 종이일 경우에는 sheet를 써서 a sheet of *paper*라고도 한다.

❷ 신문 (동 newspaper)

Have you read today's *paper*?
오늘 신문을 읽으셨습니까?
❸ 《복수형으로》 서류, 문서
These are the important *papers*.
이것들은 중요한 서류이다.
❹ (인쇄된) 답안(지), 시험 문제(지)

A B C D E F G H I J K L M N O **P** Q R S T U V W X Y Z

**pa•rade** *parade*
[pəréid 퍼레이드]
명 (복수 **parades** [pəréidz 퍼레이즈])
퍼레이드, 행렬, 행진
a Labor Day *parade* 노동절 행진
There is a big *parade* in the Disneyland. 디즈니랜드에서 성대한 퍼레이드가 행해지고 있다.

— 자 (3단현 **parades** [pəréidz 퍼레이즈], 과거 · 과분 **paraded** [pəréidid 퍼레이디드], 현분 **parading** [pəréidiŋ 퍼레이딩])
(거리에서) 행진하다

**par•a•dise** *paradise*
[pǽrədàis 패러다이스]
명 (복수 **paradises** [pǽrədàisiz 패러다이시즈]) 천국, 낙원, 파라다이스

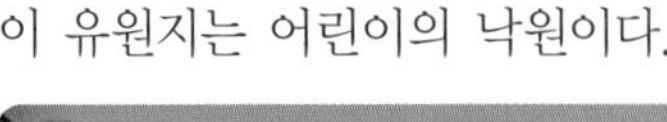

This amusement park is a *paradise* for children.
이 유원지는 어린이의 낙원이다.

**par•a•graph** *paragraph*
[pǽrəgræ̀f 패러그래프]
명 (복수 **paragraphs** [pǽrəgræ̀fs 패러그래프스]) 〖문법〗 단락, 문단

**par•al•lel** *parallel*
[pǽrəlèl 패러렐]
명 (복수 **parallels** [pǽrəlèlz 패러렐즈]) 평행선
— 형 (…와) 평행하는, 나란한
The road runs *parallel* with the railroad.
그 도로는 철도와 나란히 뻗어 있다.

**par•a•sol** *parasol*
[pǽrəsɔ̀:l 패러솔–]
명 (복수 **parasols** [pǽrəsɔ̀:lz 패러솔–즈]) (여성용) 양산, 파라솔

**par•cel** *parcel*
[pá:rsl 파–슬]
명 (복수 **parcels** [pá:rslz 파–슬즈])
소포, 꾸러미, 짐
She came back with some *parcels*. 그녀는 몇 개의 꾸러미를 갖고 돌아왔다.

**⁑par•don** *pardon*
[pá:rdn 파–든]
타 (3단현 **pardons** [pá:rdnz 파–든즈], 과거 · 과분 **pardoned** [pá:rdnd 파–든드], 현분 **pardoning**

[pɑ́ːrdniŋ 파-드닝])
용서하다 (동 forgive)
*Pardon* me for interrupting you. 방해한 것을 용서해 주십시오.
숙어 ***Pardon me.*** 죄송합니다.

—명 《a와 복수형 안 씀》 용서
숙어 ***I beg your pardon.***
ⓐ 《말끝을 내려》 죄송합니다.
ⓑ 《말끝을 올려》 죄송하지만 다시 한 번 말씀해 주십시오.

****par•ent** *parent*
[pɛ́(ə)rənt 페(어)런트]
명 (복수 **parents** [pɛ́(ə)rənts 페(어)런츠]) 어버이《어머니 또는 아버지》; 《복수형으로》 양친, 부모님
He lost his *parent* early in life.
그는 어렸을 적에 한쪽 부모를 잃었다.
Her *parents* are still alive.
그녀의 양친은 아직 살아 계신다.
✎ 단수와 복수의 의미의 차이에 주의

***Par•is** *Paris*
[pǽris 패리스]
명 파리 《프랑스의 수도》

*Paris* is the capital of France.
파리는 프랑스의 수도이다.

****park** *park*
[pɑ́ːrk 파-크]
명 (복수 **parks** [pɑ́ːrks 파-크스])
❶ 공원, 유원지
a national *park* 국립 공원

He was taking a walk in the *park*. 그는 공원에서 산보하고 있었다.
❷ 《미》 운동장, 경기장
a baseball *park* 야구장
❸ 주차장 (《미》 parking lot, 《영》 car park)
—타 (3단현 **parks** [pɑ́ːrks 파-크스], 과거 · 과분 **parked** [pɑ́ːrkt 파-크트], 현분 **parking** [pɑ́ːrkiŋ 파-킹])
주차하다

a *parking* lot 주차장
Where can we *park* the car?
차를 어디에 주차시킬 수 있을까요?
[숙어] ***No Parking*** 주차 금지《게시문》

**par•lia•ment** *parliament*
[pά:rləmənt 팔-러먼트]
명 의회, 국회; 《복수형으로》 영국 의회
(관 Congress 미국 의회)
the House of *Parliament*
(영국의) 국회 의사당

***par•rot** *parrot*
[pǽrət 패럿]
명 (복수 **parrots** [pǽrəts 패러츠])
〖조류〗 앵무새
Some *parrots* can imitate speech. 어떤 앵무새들은 말을 흉내 낼 수 있다.

****part** *part*
[pά:rt 파-트]
명 (복수 **parts** [pά:rts 파-츠])
❶ 부분, 일부 (반 whole 전체)
Please divide this cake in three *parts*.
이 케이크를 세 조각으로 나누시오.
❷ 《종종 복수형으로》 (기계의) 부품
A radio has many *parts*.
라디오에는 많은 부품들이 있다.
❸ 지방, 지역
Which *part* of Seoul do you live in?
서울의 어느 지역에 사십니까?
❹ (극 · 일 따위의) 역(役), 역할
He acted the *part* of Romeo.
그는 로미오 역을 연기했다.

❺ (책 따위의) 부; (음악의) 음부
*Part* I, 제1부

❻ (논쟁 따위의) 편, 쪽
I always take *part* with you.
나는 항상 네 편이다.
숙어 ***for one's part*** 자기로서는
*For my part*, I have nothing more to say.
나로서는 더 이상 할 말이 없습니다.
***take part in*** 참가하다
I'll *take part in* the discussion.
나는 그 토론에 참가하겠다.
— 동 (3단현 **parts** [pάːrts 파-츠], 과거 · 과분 **parted** [pάːrtid 파-티드], 현분 **parting** [pάːrtiŋ 파-팅])
— 자 헤어지다
They *parted* at the gate.
그들은 대문에서 헤어졌다.
— 타 나누다, 가르다, 떼어 놓다
She *parted* the two boys that were fighting. 그녀는 싸우고 있는 두 소년을 떼어 놓았다.

숙어 ***part from*** …와 헤어지다

**par•tic•i•pate** *participate*
[pəːrtísəpèit 퍼-티서페이트]
자 (3단현 **participates** [pəːrtísəpèits 퍼-티서페이츠], 과거 · 과분 **participated** [pəːrtísəpèitid 퍼-티서페이티드], 현분 **participating** [pəːrtísəpèitiŋ 퍼-티서페이팅])
참가하다, 가담하다; 관계하다 《in》
I'd like to *participate in* the game. 나는 그 경기에 참가하고 싶다.

**par•ti•ci•ple** *participle*
[pάːrtisipl 파-티시플]
명 (복수 **participles** [pάːrtisiplz 파-티시플즈]) 〖문법〗 분사
the past *participle* 과거분사
the present *participle* 현재분사

**par•tic•u•lar** *particular*
[pərtíkjulər 퍼티큘러]
형 (비교급 **more particular**, 최상급 **most particular**)
❶ 특별한, 독특한
I have no *particular* reason to do so. 나에게는 그렇게 해야 할 특별한 이유가 없다.
❷ 상세한
a *particular* account 상세한 설명
❸ (취향이) 까다로운, 꼼꼼한
My father is *particular* about food. 아버지는 음식에 까다롭다.
— 명 사항, 항목; 《복수형으로》 상세
숙어 ***in particular*** 특히

**par•tic•u•lar•ly** *particularly*
[pərtíkjulərli 퍼티큘러리]
부 특별히, 각별히; 상세하게

**part•ly** *partly*
[pάːrtli 파-틀리]
부 부분적으로, 일부분; 얼마간
He was *partly* responsible.

그에게도 얼마간 책임이 있었다.

**part•ner** *partner*
[pɑ́ːrtnər 파-트너]
명 (복수 **partners** [pɑ́ːrtnərz 파-트너즈]) (춤 · 시합 따위의) 상대, 파트너, 동료; 배우자
a dancing *partner* 춤 상대
I was *partners* with her in table tennis.
나는 그녀의 탁구 파트너였다.

**part-time** *part-time*
[pɑ́ːrttàim 파-트타임]
형 파트 타임의, 시간제의
a *part-time* job
시간제 일, 아르바이트

****par•ty** *party*
[pɑ́ːrti 파-티]
명 (복수 **parties** [pɑ́ːrtiz 파-티즈])
❶ (사교상의) 모임, 파티

a farewell *party* 송별회
I invited her to my birthday *party*. 나는 내 생일 파티에 그녀를 초대했다.
❷ 정당; 당파
the Democratic *Party* 민주당
❸ 일행; (공동 작업을 하는) 대(隊)
a search *party* 수색대

****pass** *pass*
[pǽs 패스]
동 (3단현 **passes** [pǽsiz 패시즈], 과거 · 과분 **passed** [pǽst 패스트], 현분 **passing** [pǽsiŋ 패싱])
—자 ❶ 지나가다, 통과하다
We *passed* through the village. 우리는 마을을 지나갔다.
❷ (시간이) 지나다, 경과하다
Time *passes* very fast.
시간은 아주 빨리 지나간다.
❸ (…에게) 양도되다, 넘어가다
The farm *passed* to his oldest son. 농장은 장남에게 양도되었다.
—타 ❶ (…을) 지나가다, 통과하다
I *pass* the post office on my way to school. 나는 등굣길에 우체국 옆을 지나간다.
❷ (시험에) 합격하다 (반 fail 불합격하다); (법안을) 통과시키다
Tom *passed* the examination.
톰은 시험에 합격했다.
❸ 건네주다, 전하다

*Pass* me the salt, please.
소금 좀 건네 주세요.
❹ (시간을) **보내다** (㊐ spend)
We *passed* the summer at a seaside cottage. 우리는 여름을 해변의 별장에서 보냈다.
—명 (복수 **passes** [pǽsiz 패시즈])
❶ (무료) **입장권**, 허가증
a railway *pass* 철도 무임 승차권
❷ (시험의) **합격**; 〖구기〗 패스

---

***pas•sage** *passage*
[pǽsidʒ 패시지]
명 (복수 **passages** [pǽsidʒiz 패시지즈]) ❶ **통행**, 통과; 항해
No *passage* this way.
이 길은 통행 금지 《게시문》
❷ (문장 따위의) **구절**, 한 구절
Please explain this *passage*.
이 구절을 설명해 주세요.
❸ **통로**, 복도
We walked along the *passage*.
우리는 복도를 따라 걸었다.

---

***pas•sen•ger** *passenger*
[pǽs(ə)ndʒər 패선저]
명 (복수 **passengers** [pǽs(ə)ndʒərz 패선저즈]) **승객**, 여객, 통행인

All *passengers* should be on board. 승객 여러분 탑승해 주십시오《공항 안내 방송》.

---

**pass•er-by** *passer-by*
[pǽsərbài 패서바이]
명 (복수 **passers-by** [pǽsərzbài 패서즈바이]) 지나가는 사람, 통행인
There are quite a few *passers-by* on the street.
거리에는 상당수의 행인이 있다.

---

**pas•sion** *passion*
[pǽʃən 패션]
명 ❶ 《a와 복수형 안 씀》 정열, 열정
He is a man of *passion*.
그는 정열적인 남자이다.
❷ 열광함, 몹시 좋아함 《for》
She has a *passion for* music.
그녀는 음악을 아주 좋아한다.

---

**pas•sive** *passive*
[pǽsiv 패시브]
형 ❶ 수동적인; 소극적인 (㊥ active 적극적인)
❷ 〖문법〗 수동의 (㊥ active 능동의)

a *passive* voice 수동태

**pass•port** *passport*
[pǽspɔ̀ːrt 패스포-트]
명 (복수 **passports** [pǽspɔ̀ːrts 패스포-츠]) 여권, 패스포트
May I have your *passport*?
여권을 보여 주시겠습니까?

***past** *past*
[pǽst 패스트]
형 지난, 지나간, 과거의
The danger is *past*.
위험은 지나갔다.
my *past* life 나의 과거 생활
— 명 《the나 one's를 붙여》 과거 (관 present 현재, future 미래)
We cannot change *our past*.
우리는 과거를 바꿀 수 없다.
— 전 ❶ (시간이) 지나서 (동 after); (나이가) …세를 넘어서
It is ten *past* four. 4시 10분이다.

My grandfather is now *past* eighty.
할아버지는 지금 80세가 넘으셨다.
❷ (장소를) 지나쳐서, 통과하여
They ran *past* my house.
그들은 달려서 내 집 앞을 지나쳤다.

**paste** *paste*
[péist 페이스트]
명 《a와 복수형 안 씀》 풀; 밀가루 반죽, 반죽같이 생긴 것
bean *paste* 된장
tooth *paste* 치약

**pas•ture** *pasture*
[pǽstʃər 패스처]
명 (복수 **pastures** [pǽstʃərz 패스처즈]) 목장; 목초지 (동 meadow)
The cattle are out in the *pasture*. 소들은 목초지에 나가 있다.

**pat** *pat*
[pǽt 패트]
타 (3단현 **pats** [pǽts 패츠], 과거·과분 **patted** [pǽtid 패티드], 현분 **patting** [pǽtiŋ 패팅])
토닥거리다, 가볍게 두드리다
He *patted* me on the shoulder.
그는 내 어깨를 가볍게 두드렸다.

***pat•ent** *patent*
[pǽtənt 패턴트]

명 (복수 **patents** [pǽtənts 패턴츠])
특허(권); 특허품
a *patent* for invention 발명 특허
—형 (전매) 특허의
a *patent* right 특허권

**path** *path*
[pǽθ 패스]
명 (복수 **paths** [pǽðz 패드즈])
(좁은) 오솔길, 보도, 통로
The *path* in the woods leads to the lake. 숲 속의 오솔길은 호수까지 뻗어 있다.

**pa•tience** *patience*
[péiʃəns 페이션스]
명 《a와 복수형 안 씀》 인내(심), 참을성
We waited with *patience*.
우리는 참을성을 갖고 기다렸다.

**pa•tient** *patient*
[péiʃənt 페이션트]
형 (비교급 **more patient**, 최상급 **most patient**)
참을성 있는, 인내심이 강한 (반 impatient 참을성 없는)
You must be *patient* with children. 아이들에게는 참을성 있게 대해야 한다.
—명 (복수 **patients** [péiʃənts 페이션츠]) 환자, 병자
The doctor has a large number of *patients*.
그 의사는 환자가 많다.

**pa•tri•ot** *patriot*
[péitriət 페이트리엇]
명 (복수 **patriots** [péitriəts 페이트리어츠]) 애국자
the *patriots* who fought for Korean independence
한국의 독립을 위해 싸운 애국자들

**pa•trol** *patrol*
[pətróul 퍼트로울]
타 (3단현 **patrols** [pətróulz 퍼트로울즈], 과거 · 과분 **patrolled** [pətróuld 퍼트로울드], 현분 **patrolling** [pətróuliŋ 퍼트로울링])
순찰하다, 순시하다
A policeman is *patrolling* the town. 한 경찰관이 시가지를 순찰하고 있다.

—명 (복수 **patrols** [pətróulz 퍼트로울즈]) 순찰, 순시
a *patrol* car 순찰차

**pat•tern** *pattern*
[pǽtərn 패턴]
명 (복수 **patterns** [pǽtərnz 패턴즈])
❶ 본, 모형; 무늬, 도안
setence *patterns* 문형(文型)
This carpet has a pretty *pattern*. 이 양탄자는 무늬가 예쁘다.

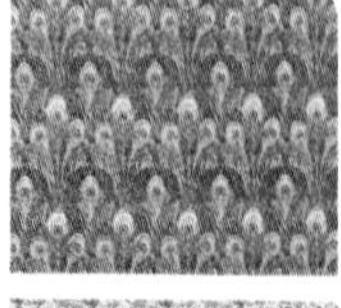
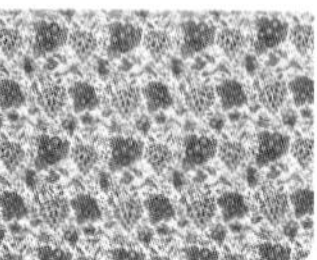

❷ 모범, 본보기

**pause** *pause*
[pɔ́ːz 포-즈]
명 (복수 **pauses** [pɔ́ːziz 포-지즈])
휴지, 중지, 멈춤
After a *pause* because of rain, the game continued. 비 때문에 잠시 중지한 다음, 시합은 계속되었다.
—자 (3단현 **pauses** [pɔ́ːziz 포-지즈], 과거·과분 **paused** [pɔ́ːzd 포-즈드], 현분 **pausing** [pɔ́ːziŋ 포-징])
휴지하다, 중지하다; 멈추어 서다
He *paused* to look at the poster.
그는 멈추어 서서 포스터를 보았다.

**pave•ment** *pavement*
[péivmənt 페이브먼트]
명 (복수 **pavements** [péivmənts 페이브먼츠]) 포장(도로); ((영)) (포장된) 인도, 보도

They are walking on the *pavement*. 그들은 보도 위를 걷고 있다.

**paw** *paw*
[pɔ́ː 포-]
명 (복수 **paws** [pɔ́ːz 포-즈])
(짐승의) 발톱 달린 발
Dogs and cats have *paws*. 개와 고양이는 발톱 달린 발을 갖고 있다.

****pay** *pay*
[péi 페이]
동 (3단현 **pays** [péiz 페이즈], 과거·과분 **paid** [péid 페이드], 현분 **paying** [péiiŋ 페이잉])
—타 ❶ (대금 따위를) 지불하다, (빚 따위를) 갚다
He *paid* five dollars for this book.
그는 이 책값으로 5달러를 지불했다.

I will *pay* you the money tomorrow. 그 돈을 내일 갚겠소.
❷ (주의 따위를) 기울이다; (방문 따위를) 하다
We *paid* attention to what he said. 우리는 그가 하는 말에 주의를 기울였다.
I'll *pay* a visit to the mayor.
나는 시장님을 방문하겠다.
—자 ❶ 대금을 지불하다〔치르다〕
Did you *pay* for the picture?
그림 값을 지불했습니까?

A B C D E F G H I J K L M N O P Q R S T U V W X Y Z

❷ (일 등이) 득이 되다, 수지가 맞다
Crime does not *pay*.
범죄는 득이 되지 않는다.
숙어 ***pay back*** (돈을) 갚다; (…에게) 돌려 주다
He was not able to *pay back* the money.
그는 그 돈을 갚을 수가 없었다.
— 명 《a와 복수형 안 씀》 급료, 임금
I got my *pay* yesterday.
나는 어제 급료를 받았다.

**pay·ment** *payment*
[péimənt 페이먼트]
명 (복수 **payments** [péimənts 페이먼츠]) 지불, 납입; 지불액
They made a *payment* by credit card. 그들은 신용카드로 지불했다.

***pea** *pea*
[píː 피-]
명 (복수 **peas** [píːz 피-즈])
〖식물〗 완두(콩), 꼬투리 콩

I like to eat green *peas*.
나는 완두콩 먹기를 좋아한다.

***peace** *peace*
[píːs 피-스]
명 《a와 복수형 안 씀》 평화 (반 war 전쟁); 평온
Everyone wants *peace*.
누구나 평화를 원한다.

The children are sleeping in *peace*.
아이들은 평온하게 잠들어 있다.
숙어 ***be at peace with*** …와 사이가 좋다
We *are at peace* with all nations.
우리는 모든 나라와 평화롭게 지낸다.
***make peace with*** …와 화해하다, 사이좋게 지내다
John will *make peace with* Tom.
존은 톰과 사이좋게 지낼 것이다.

**peace·ful** *peaceful*
[píːsfəl 피-스펄]
형 평화로운, 평온한
I had a *peaceful* afternoon.
나는 평온한 오후를 보냈다.

**peace·ful·ly** *peacefully*
[píːsfəli 피-스펄리]
부 평화롭게, 평온하게
He lived *peacefully* all his life.
그는 평생 평온하게 살았다.

***peach** *peach*
[píːtʃ 피-치]
명 (복수 **peaches** [píːtʃiz 피-치즈])
〖식물〗 복숭아, 복숭아 나무
Mother put the *peaches* in her basket.
어머니는 바구니에 복숭아를 담았다.

**pea•cock** *peacock*
[pí:kὰk 피-칵]
명 (복수 **peacocks** [pí:kὰks 피-칵스]) 〖조류〗 공작(의 수컷) (관 peahen 공작의 암컷)
*Peacocks* spread out their tail feathers like a fan. 수공작은 꼬리 깃털을 부채처럼 펼친다.

**peak** *peak*
[pí:k 피-크]
명 (복수 **peaks** [pí:ks 피-크스])
❶ 산꼭대기, 봉우리
We could see the snow-covered *peaks* in the distance. 멀리 눈 덮인 산봉우리들을 볼 수 있었다.
❷ 절정, 최고점
The actor's fame was at its *peak*. 그 배우의 명성은 절정에 달해 있었다.

**pea•nut** *peanut*
[pí:nʌ̀t 피-넛]
명 (복수 **peanuts** [pí:nʌ̀ts 피-너츠]) 〖식물〗 땅콩, 낙화생

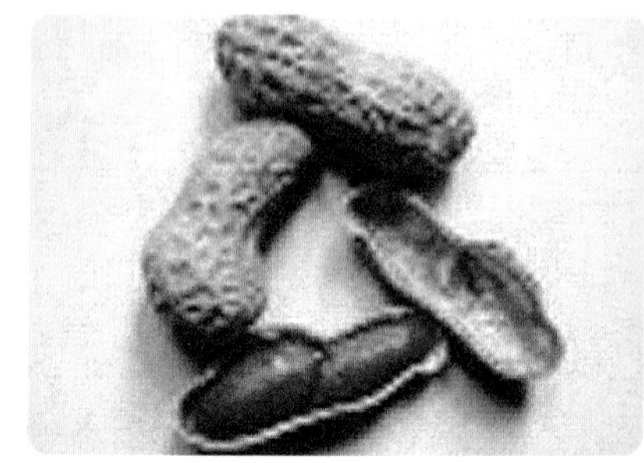

The oil from *peanuts* is used for cooking. 땅콩에서 짠 기름은 요리에 사용된다.

***pear** *pear*
[pέər 페어]
명 (복수 **pears** [pέərz 페어즈]) 〖식물〗 (서양) 배; 배나무

A *pear* is a sweet and juicy fruit. 배는 달고 즙이 많은 과일이다.

**pearl** *pearl*
[pə́:rl 펄-]
명 (복수 **pearls** [pə́:rlz 펄-즈]) 진주; 진주색
a natural *pearl* 천연 진주
She wears a *pearl* necklace. 그녀는 진주 목걸이를 하고 있다.

**peas•ant** *peasant*
[pézənt 페전트]
명 (복수 **peasants** [pézənts 페전츠])
소작농, 농부
The *peasant* worked all day long. 농부는 온종일 일했다.

**peb•ble** *pebble*
[pébl 페블]
명 (복수 **pebbles** [péblz 페블즈])
조약돌, 둥근 자갈

**pe•cu•liar** *peculiar*
[pikjú:ljər 피큘-리어]
형 ❶《명사 앞에서 안 씀》 독특한, 고유의, 특별한
The kangaroo is *peculiar* to Australia. 캥거루는 오스트레일리아 고유의 것이다.
❷ 묘한, 별난 (동 odd, strange)
There is something *peculiar* about him.
그에게는 어딘지 별난 데가 있다.

**peel** *peel*
[pí:l 필-]
타자 (3단현 **peels** [pí:lz 필-즈], 과거·과분 **peeled** [pí:ld 필-드], 현분 **peeling** [pí:liŋ 필-링])
(껍질을) 벗기다; (칠이) 벗겨지다
Sam *peeled* the potatoes.
샘은 감자 껍질을 벗겼다.
—명 (복수 **peels** [pí:lz 필-즈]) (과일·야채의) 껍질
Don't slip on that banana *peel*.
저 바나나 껍질에 미끄러지지지 마라.

**peep** *peep*
[pí:p 피-프]
자 (3단현 **peeps** [pí:ps 핍-스], 과거·과분 **peeped** [pí:pt 핍-트], 현분 **peeping** [pí:piŋ 피-핑])
❶ 엿보다, 들여다 보다
He *peeped* through the window. 그는 창문을 통해 엿보았다.

❷ 나타나다, 싹이 나오다
The moon *peeped* out from behind the clouds.
달이 구름 뒤에서 얼굴을 내밀었다.
—명 엿보기, 들여다보기; 출현

**peer** *peer*
[píər 피어]

명 (복수 **peers** [píərz 피어즈])
❶ 《영》 귀족(의 일원)
❷ 동등한 사람; 동료

****pen** *pen*
[pén 펜]
명 (복수 **pens** [pénz 펜즈])
펜, 만년필, 볼펜; 문필
a fountain *pen* 만년필
Write with *pen* and ink.
펜과 잉크로 쓰시오.
The *pen* is mightier than the sword.
《격언》 문(文)은 무(武)보다 강하다.

***pence** *pence*
[péns 펜스]
명 〖단위〗 펜스 《영국의 화폐 단위》
✎ penny(페니)의 복수형으로 금액을 나타내며, two*pence*처럼 합성어로도 쓰임.
I paid five *pence* for the cake.
나는 케이크 값으로 5펜스를 지불했다.

****pen•cil** *pencil*
[pénsl 펜슬]
명 (복수 **pencils** [pénslz 펜슬즈])
연필
colored *pencils* 색연필

Write in *pencil*, not pen.
펜으로 쓰지 말고 연필로 쓰시오.

**pen•cil case** *pencil case*
[pénsəl kèis 펜설케이스]
명 필통
Do you have a *pencil case*?
너 필통 가지고 있니?

**pen-friend** *pen-friend*
[pénfrènd 펜프렌드]
명 (복수 **pen-friends** [pénfrèndz 펜프렌즈])
《영》 펜팔 친구 (㊞ pen pal)

**pen•guin** *penguin*
[péŋgwin 펭귄]
명 (복수 **penguins** [péŋgwinz 펭귄즈]) 〖조류〗 펭귄

*Penguins* live in and near Antarctica. 펭귄은 남극 대륙과 그 근방에서 산다.

**pen•in•su•la** *peninsula*
[pənínsjulə 퍼닌슐러]
명 (복수 **peninsulas** [pənínsjuləz 퍼닌슐러즈]) 반도
Korea, Italy, and Greece are *peninsulas*.
한국, 이탈리아, 그리스는 반도이다.

**pen name** *pen name*
[pén nèim 펜네임]
명 필명
The *pen name* of Samuel

Clemens is Mark Twain.
새뮤얼 클레먼스의 필명은 마크 트웨인이다.

**pen•nant** *pennant*
[pénənt 페넌트]
명 페넌트, (길고 좁은) 삼각기; (경기의) 우승기
*Pennants* are used for signaling. 페넌트는 신호하는 데 쓰인다.

*__pen•ny__ *penny*
[péni 페니]
명 (복수 **pennies** [péniz 페니즈], **pence** [péns 펜스]
〖단위〗 페니 《영국의 화폐 단위; 1파운드의 100분의 1; ㉮ p》; 페니 동전
I gave him five *pennies*.
나는 그에게 동전 5개를 주었다.
I have ten *pence*.
나는 10펜스를 갖고 있다.
✎ 복수형으로 동전의 개수는 pennies, 금액은 pence를 씀.

**pen pal** *pen pal*
[pén-pæ̀l 펜팰]
명 펜팔 친구 (㊐ pen-friend)
I have a *pen pal* in America.
나는 미국에 펜팔 친구를 갖고 있다.

**__peo•ple__ *people*
[pí:pl 피-플]
명 ❶ 《복수 취급》 사람들; 세상 사람
There are a lot of *people* in the square. 광장에 많은 사람들이 있다.

*People* say it is true. 세상 사람들은 그것이 사실이라고 말한다.
❷ 국민, 민족 (㊐ nation); 종족 (㊐ race)
the German *people* 독일 민족
The Koreans are a diligent *people*. 한국인은 부지런한 국민이다.
❸ 《the를 붙여; 복수 취급》 인민, 민중
government of *the people*, by *the people*, for *the people*
인민의, 인민에 의한, 인민을 위한 정부 《링컨의 연설문》

**pep•per** *pepper*
[pépər 페퍼]
명 (복수 **peppers** [pépərz 페퍼즈])
후추, 고추
Please pass me the *pepper*.
후추 좀 건네주세요.

**per** *per*
[《약》 pər 퍼]
전 …당; …에 대해; …마다
My brother earns sixty dollars *per* week.
나의 형은 주당 60달러씩 번다.

**per•ceive** *perceive*
[pərsí:v 퍼시-브]

타 (3단현 **perceives** [pərsíːvz 퍼시-브즈], 과거 · 과분 **perceived** [pərsíːvd 퍼시-브드], 현분 **perceiving** [pərsíːviŋ 퍼시-빙])
❶ 감지하다, 지각하다
Dogs can *perceive* even faint smells. 개는 희미한 냄새조차 감지할 수 있다.
❷ 이해하다, 알다, 깨닫다
I could not *perceive* what he meant. 나는 그가 무슨 말을 하는지 이해할 수 없었다.

**per•cent, 《영》 per cent** *percent, per cent*
[pərsént 퍼센트]
명 (복수 **percent, per cent** [pərsént 퍼센트]) 《단수 · 복수 동형》
퍼센트, 비율 《-cent는 「100」, per는 「…마다」를 의미함. 숫자 뒤에서는 %로 표시함》
Ten *percent* of the students were absent.
학생들 중의 10퍼센트가 결석했다.

**per•cent•age** *percentage*
[pərséntidʒ 퍼센티지]
명 (복수 **percentages** [pərséntidʒiz 퍼센티지즈]) 백분율, 백분비, 퍼센트
a *percentage* of 5, 5퍼센트, 5%
What *percentage* of the class passed the exam? 학급의 몇 퍼센트가 시험에 합격했습니까?

***per•fect** *perfect*
[pə́ːrfikt 퍼-픽트]
형 ❶ 완벽한, 더할 나위 없는
She is *perfect* in every way.
그녀는 모든 면에서 완벽하다.
❷ 순전한, 전적인
He is in *perfect* health.
그는 그야말로 건강하다.
He is a *perfect* stranger to me.
그는 내게는 전혀 낯선 사람이다.

❸ 〖문법〗 완료의
the present〔past〕 *perfect* tense
현재〔과거〕 완료 시제

**per•fect•ly** *perfectly*
[pə́ːrfiktli 퍼-픽틀리]
부 완벽하게, 전적으로
You are *perfectly* right.
당신이 전적으로 옳습니다.

**per•form** *perform*
[pərfɔ́ːrm 퍼폼-]
타자 (3단현 **performs** [pərfɔ́ːrmz 퍼폼-즈], 과거 · 과분 **performed** [pərfɔ́ːrmd 퍼폼-드], 현분 **performing** [pərfɔ́ːrmiŋ 퍼포-밍])
❶ (일 · 직무 등을) 수행하다, 실행하다
He *performed* his work very well.
그는 그의 일을 훌륭히 수행했다.
❷ (음악을) 연주하다; (극을) 공연하다

The actor *performed* before a large audience. 그 배우는 많은 관중 앞에서 공연했다.

**per•for•mance**
*performance*
[pərfɔ́:rməns 퍼포-먼스]
명 (복수 **performances** [pərfɔ́:rmənsiz 퍼포-먼시즈])
❶ 《a와 복수형 안 씀》 실행, 수행, 이행
❷ 공연, 상연; 연주
The evening *performance* begins at 8 o'clock.
저녁 공연은 8시에 시작한다.

**per•fume** *perfume*
[pə́:rfju:m 퍼-퓸-]
명 (복수 **perfumes** [pə́:rfju:mz 퍼-퓸-즈]) 향기; 향료, 향수

She is wearing *perfume*.
그녀는 향수를 바르고 있다.

*__per•haps__ *perhaps*
[pərhǽps 퍼햅스]
부 아마; 어쩌면, 혹시 (동 maybe)
*Perhaps* he will go.
아마도 그가 갈 겁니다.
*Perhaps* it will rain.
어쩌면 비가 올지도 모릅니다.

*__pe•ri•od__ *period*
[pí(ə)riəd 피(어)리어드]
명 (복수 **periods** [pí(ə)riədz 피(어)리어즈]) ❶ 기간
He stayed in Seoul for a short *period*. 그는 짧은 기간 동안 서울에 머물렀다.
❷ 시기, 시대
the *period* of the Revolution
혁명의 시대
❸ (수업) 시간
We have six *periods* on Monday. 월요일에 6시간의 수업이 있다.
❹ 《미》 〖문법〗 마침표, 피리어드 (《영》 full stop)

**per•ma•nent** *permanent*
[pə́:rmənənt 퍼-머넌트]
형 영구적인, 영원한 (동 eternal)
a *permanent* adress 본적지
*permanent* peace 영구적인 평화
She is getting a *permanent* wave. 그녀는 파마를 하고 있다.

a b c d e f g h i j k l m n o p q r s t u v w x y z

A B C D E F G H I J K L M N O P Q R S T U V W X Y Z

**per•mis•sion** *permission*
[pəːrmíʃən 퍼-미션]
명 《a와 복수형 안 씀》 허가, 허락
Don't enter without *permission*. 허가 없이 들어오지 마시오.

*__per•mit__ *permit*
[pəːrmít 퍼-밋]
타자 (3단현 **permits** [pəːrmíts 퍼-미츠], 과거 · 과분 **permitted** [pəːrmítid 퍼-미티드], 현분 **permitting** [pəːrmítiŋ 퍼-미팅])
허락하다, 허가하다 (동 allow)
He *permitted* me to drive his car. 그는 내가 자기 차를 운전하도록 허가해 주었다.
If the weather *permits*, I will go. 만약 날씨가 허락하면 가겠다.

**__per•son__ *person*
[pə́ːrsn 퍼-슨]
명 (복수 **persons** [pə́ːrsnz 퍼-슨즈])
❶ 《남 · 녀 구별 없이》 사람, 개인
Several *persons* were present. 몇 사람이 출석했다.
There is a young *person* to see you. 당신을 만나려고 젊은 사람이 와 있습니다.

❷ 〖문법〗 인칭
the first 〔second, third〕 *person* 제1〔2, 3〕인칭
숙어 ***in person*** 본인 자신이, 직접
I want to attend *in person*. 내가 직접 참석하고 싶은데요.

**per•son•al** *personal*
[pə́ːrs(ə)nəl 퍼-서널]
형 ❶ 개인의, 사적인 (동 private)
a *personal* computer 개인용 컴퓨터
This is his *personal* opinion. 이것은 그의 개인적인 의견이다.
❷ 본인 스스로의, 직접의
a *personal* visit 직접 방문
❸ 〖문법〗 인칭의

**per•son•al•i•ty** *personality*
[pə̀ːrsənǽləti 퍼-서낼러티]
명 (복수 **personalities** [pə̀ːrsənǽlətiz 퍼-서낼러티즈])
개성, 성격; 인격, 인품
He has a strong *personality*. 그는 강한 개성을 갖고 있다.

**per•suade** *persuade*
[pəːrswéid 퍼-스웨이드]
타 (3단현 **persuades** [pəːrswéidz 퍼-스웨이즈], 과거 · 과분 **persuaded** [pəːrswéidid 퍼-스웨이디드], 현분 **persuading** [pəːrswéidiŋ 퍼-스웨이딩])
설득하다, 설득하여 …하게 하다
I *persuaded* him to go home. 나는 그를 집에 가라고 설득했다.

***pet** *pet*
[pét 펫]
명 (복수 **pets** [péts 페츠])
❶ 애완 동물
Dogs, cats, and birds are the most common *pets*. 개, 고양이, 새는 가장 흔한 애완동물이다.

❷ 귀염둥이, 마음에 드는 사람
Roy is the teacher's *pet*.
로이는 선생님의 마음에 드는 아이다.
—형 애완용의, 귀여워하는
a *pet* daughter 귀염둥이 딸

**pet•al** *petal*
[pétl 페틀]
명 (복수 **petals** [pétlz 페틀즈])
꽃잎
The *petals* of some flowers smell sweet. 어떤 꽃잎들은 감미로운 냄새가 난다.

**pe•tro•le•um** *petroleum*
[pitróuliəm 피트로울리엄]
명 《a와 복수형 안 씀》 석유
*Petroleum* is used for heating.
석유는 난방에 쓰인다.

**pheas•ant** *pheasant*
[féznt 페즌트]
명 (복수 **pheasants** [féznts 페즌츠], 《집합적》 **pheasant**)
〖조류〗 꿩

**phe•nom•e•non**
*phenomenon*
[finάmənən 피나머넌]
명 (복수 **phenomena** [finάmənə 피나머너]) 현상
a natural *phenomenon* 자연 현상
Snow is a *phenomenon* of the weather. 눈은 기후의 한 현상이다.

**phi•los•o•pher**
*philosopher*
[filάsəfər 필라서퍼]
명 (복수 **philosophers** [filάsəfərz 필라서퍼즈]) 철학자
a great *philosopher*
위대한 철학자

**phi•los•o•phy** *philosophy*
[filάsəfi 필라서피]
명 《a와 복수형 안 씀》 철학

## Pets 애완동물

cat
고양이
chick
병아리
duckling
새끼오리
kitten
새끼고양이
hamster
햄스터
dog
강아지
goldfish
금붕어
parrot
앵무새
rabbit
토끼
turtle
거북이

***phone** *phone*
[fóun 포운]
타 (3단현 **phones** [fóunz 포운즈], 과거 · 과분 **phoned** [fóund 포운드], 현분 **phoning** [fóuniŋ 포우닝])
전화를 걸다; 전화로 이야기하다

Will you *phone* me tomorrow?
내일 나에게 전화해 주시겠습니까?
— 명 전화, 전화기 《telephone의 축약형》
May I use your *phone*?
당신 전화기를 써도 될까요?
숙어 ***on the phone*** 전화로
I talked to him *on the phone*.
나는 그와 전화로 이야기했다.

**pho•no•graph** *phonograph*
[fóunəgræf 포우너그래프]
명 (복수 **phonographs** [fóunəgræfs 포우너그래프스])
축음기, 레코드 플레이어

***pho•to** *photo*
[fóutou 포우토우]
명 (복수 **photos** [fóutouz 포우토우즈]) 사진 《photograph의 축약형》

a *photo* album 사진첩

***pho•to•graph** *photograph*
[fóutəgræ̀f 포우터그래프]
명 (복수 **photographs** [fóutəgræ̀fs 포우터그래프스]) 사진 (동 picture)
I had my *photographs* taken.
나는 나의 사진을 찍었다.
I took a *photograph* of Mary.
나는 메리의 사진을 찍었다.
✎ my mother's photograph는 「어머니가 갖고 계신 사진」

**pho•tog•ra•pher**
*photographer*
[fətágrəfər 퍼타그러퍼]
명 (복수 **photographers** [fətágrəfərz 퍼타그러퍼즈]) 사진사, 사진 작가

a b c d e f g h i j k l m n o p q r s t u v w x y z

Helen is a good *photographer.*
헬렌은 훌륭한 사진 작가이다.

**phrase** *phrase*
[fréiz 프레이즈]
명 (복수 **phrases** [fréiziz 프레이지즈]) 어구; 관용구; 〖문법〗 구 (관 word 단어, clause 절, sentence 문(文))
a noun *phrase* 명사구

**phys•i•cal** *physical*
[fízikəl 피지컬]
형 ❶ 신체의, 육체의 (반 mental 정신의)
*physical* education 체육
He had a *physical* examination yesterday.
그는 어제 신체검사를 받았다.

❷ 물리의; 물질의
*physical* change 물리적 변화

**phy•si•cian** *physician*
[fizíʃən 피지션]
명 (복수 **physicians** [fizíʃənz 피지션즈]) 의사; (특히) 내과 의사

**phys•ics** *physics*
[fíziks 피직스]
명 《복수형으로; 단수 취급》 물리학
*Physics* is a physical science.
물리학은 물질을 다루는 과학이다.

***pi•an•ist** *pianist*
[piǽnist 피애니스트]
명 (복수 **pianists** [piǽnists 피애니스츠]) 피아니스트, 피아노 연주자
His sister is a good *pianist.*
그의 누나는 훌륭한 피아니스트이다.

⁑**pi•an•o** *piano*
[piǽnou 피애노우]
명 (복수 **pianos** [piǽnouz 피애노우즈]) 〖악기〗 피아노
Jane can play the *piano.*
제인은 피아노를 칠 줄 안다.

⁑**pick** *pick*
[pík 픽]
동 (3단현 **picks** [píks 픽스], 과거 · 과분 **picked** [píkt 픽트], 현분 **picking** [píkiŋ 피킹])
—타 ❶ (꽃 · 과일 따위를) 따다, 뜯다
She *picked* flowers in the garden. 그녀는 정원에서 꽃을 땄다.

❷ (귓구멍 · 이 따위를) 쑤시다, 후비다
Don't *pick* your nose!
코를 후비지 마라!
❸ 고르다, 정선하다
*Pick* (out) the best camera.
제일 좋은 카메라를 골라라.
— 자 쪼다, 쪼아 먹다
Hens *picked* at the feed.
암탉들이 모이를 쪼아 먹었다.
숙어 ***pick out*** 고르다, 뽑다
***pick up*** 집어들다; 차에 태우다
He *picked up* a stone.
그는 돌멩이를 집어들었다.
I will *pick* you *up* at six.
6시에 너를 차로 데리러 가겠다.

**pick•le** *pickle*
[píkl 피클]
명 (복수 **pickles** [píklz 피클즈])
(오이 · 양파 따위의) 절임; 피클

**pick•pock•et** *pickpocket*
[píkpɑ̀kit 픽파킷]
명 (복수 **pickpockets** [píkpɑ̀kits 픽파키츠]) 소매치기
Watch out for *pickpockets*!
소매치기 조심! 《게시문》

***pic•nic** *picnic*
[píknik 피크닉]
명 (복수 **picnics** [píkniks 피크닉스])
소풍, 피크닉, 야유회

Spring is the season for *picnics*. 봄은 소풍가기 좋은 계절이다.
We went on a *picnic* in the country. 우리는 시골로 피크닉 갔다.

***pic•ture** *picture*
[píktʃər 픽처]
명 (복수 **pictures** [píktʃərz 픽처즈])
❶ 그림, 회화 (동 drawing)

The *picture* hangs on the wall.
그 그림은 벽에 걸려 있다.
I like to draw *pictures*.
나는 그림 그리기를 좋아한다.
❷ 사진 (동 photograph)
He took several *pictures* of me. 그는 내 사진을 여러 장 찍었다.
❸ 《**the pictures**로》 영화
We went to *the pictures* last night.
우리는 어젯밤 영화 보러 갔다.
❹ 《**a picture**로》 그림 같은 광경
That seaside was *a picture* of beauty.
그 해변은 그림처럼 아름다웠다.

**pie** *pie*
[pái 파이]
명 (복수 **pies** [páiz 파이즈]) 파이
an apple *pie* 사과 파이

Have some more *pies*.
파이 좀 더 드시죠.

**⁑piece** *piece*
[píːs 피-스]
명 (복수 **pieces** [píːsiz 피-시즈])
❶ 한 개, 한 조각, 한 장
She gave the child a *piece* of cake. 그녀는 아이에게 케이크 한 조각을 주었다.

어법 **a piece of**는 bread, paper, chalk처럼 하나, 둘 셀 수 없는 명사에 쓰인다. 단수의 경우는 a piece of, 복수의 경우는 two〔three〕pieces of로 표시한다: *a piece of* paper 종이 한 장 / *three pieces of* chalk 분필 3자루 / *a piece of* bread 빵 한 조각

❷ (문학 · 예술 작품의) 한 편, 한 점
a *piece* of poetry 시 한 편
a wonderful *piece* of music 멋진 음악 한 곡
❸ 《복수형으로》 (부서진) 조각, 파편
The vase was broken to〔into〕*pieces*. 꽃병이 산산조각으로 깨졌다.

**pi•e•ty** *piety*
[páiəti 파이어티]
명 ❶ (신에 대한) 신앙심, 경건
❷ 효성, 충성

**⁑pig** *pig*
[píg 피그]
명 (복수 **pigs** [pígz 피그즈])
〖동물〗 돼지 《돼지고기는 pork》

*Pigs* are raised for their meat.
돼지는 고기를 얻으려고 사육된다.

**pi•geon** *pigeon*
[pídʒən 피전]
명 (복수 **pigeons** [pídʒənz 피전즈])
〖조류〗 비둘기

A B C D E F G H I J K L M N O P Q R S T U V W X Y Z

a carrier *pigeon* 전서 비둘기
a wood *pigeon* 산비둘기

**pile** *pile*
[páil 파일]
명 (복수 **piles** [páilz 파일즈])
쌓아올린 것, 더미
a *pile* of books 책더미
There is a *pile* of newspapers on the floor.
마루 위에 신문지 더미가 있다.
— 타 자 (3단현 **piles** [páilz 파일즈], 과거 · 과분 **piled** [páild 파일드], 현분 **piling** [páiliŋ 파일링])
쌓아올리다; 쌓이다
She *piled* plates.
그녀는 접시를 쌓아올렸다.

The work has *piled* up.
일이 산더미처럼 쌓였다.

**pil•grim** *pilgrim*
[pílgrim 필그림]
명 (복수 **pilgrims** [pílgrim 필그림즈]) (성지) 순례자

**pill** *pill*
[píl 필]
명 (복수 **pills** [pílz 필즈]) 알약, 정제
a vitamin *pill* 비타민 정제
Take one *pill* a day.
하루에 한 알씩 복용하시오.

**pil•lar** *pillar*
[pílər 필러]
명 (복수 **pillars** [pílərz 필러즈])
기둥, 지주

**pil•low** *pillow*
[pílou 필로우]
명 (복수 **pillows** [pílouz 필로우즈])
베개
She sleeps with a soft *pillow*.
그녀는 푹신한 베개를 베고 잔다.

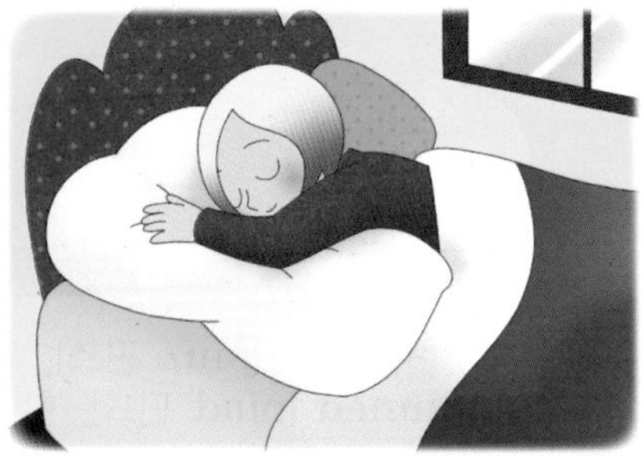

***pi•lot** *pilot*
[páilət 파일럿]
명 (복수 **pilots** [páiləts 파일러츠])
(항공기) 조종사; (항구의) 수로 안내인
His father is a jet *pilot*.
그의 아버지는 제트기 조종사이다.

A *pilot* guided the ship out of the harbor. 수로 안내인이 그 배를 항구 밖으로 인도했다.

***pin** *pin*
[pín 핀]
명 (복수 **pins** [pínz 핀즈])
핀, 못바늘, 장식 바늘
a safety *pin* 안전핀
My sister sets her hair with *pins*. 누나는 핀을 꽂아 머리를 고정시킨다.

—타 (3단현 **pins** [pínz 핀즈], 과거 · 과분 **pinned** [pínd 핀드], 현분 **pinning** [píniŋ 피닝])
핀으로 꽂다〔고정시키다〕《up》
I *pinned up* her picture on the wall.
나는 그녀의 사진을 벽에다 꽂았다.

**pinch** *pinch*
[píntʃ 핀치]
타 (3단현 **pinches** [píntʃiz 핀치즈], 과거 · 과분 **pinched** [píntʃt 핀치트], 현분 **pinching** [píntʃiŋ 핀칭])
(…을) 꼬집다, (구두 따위가) 꽉 끼다
He *pinched* the boy's cheek.
그는 소년의 뺨을 꼬집었다.

**pine** *pine*
[páin 파인]
명 (복수 **pines** [páinz 파인즈])
〖식물〗 솔, 소나무 (동 pine tree)
The forest was filled with *pines*.
그 숲은 소나무로 가득 차 있었다.

**pine·ap·ple** *pineapple*
[páinæ̀pl 파인애플]
명 (복수 **pineapples** [páinæ̀plz 파인애플즈]) 〖식물〗 파인애플

a glass of *pineapple* juice
파인애플 주스 한 잔

***ping-pong** *ping-pong*
[píŋpɑ̀ŋ 핑팡]
명 《a와 복수형 안 씀》 탁구, 핑퐁 (동 table tennis)
I like to play *ping-pong*.
나는 탁구 치는 것을 좋아한다.

***pink** *pink*
[píŋk 핑크]
명 (복수 **pinks** [píŋks 핑크스])
분홍색, 핑크색; 분홍색옷
She is dressed in *pink*.
그녀는 분홍색 옷을 입고 있다.
—형 분홍색의
*pink* roses 분홍색 장미

**pi•o•neer** *pioneer*
[pàiəníər 파이어니어]
명 (복수 **pioneers** [pàiəníərz 파이어니어즈]) 개척자; 선구자
the Western *pioneers*
미서부 개척자

**pipe** *pipe*
[páip 파이프]
명 (복수 **pipes** [páips 파이프스])
❶ (물 · 가스 · 증기용) 파이프, 관
a gas *pipe* 가스관
The hot water *pipe* burst yesterday. 온수 파이프가 어제 터졌다.
❷ (담배) 파이프
He is smoking his *pipe*.
그는 파이프로 담배를 피우고 있다.

**pis•tol** *pistol*
[pístəl 피스털]
명 (복수 **pistols** [pístəlz 피스털즈]) 피스톨, 권총

**pitch** *pitch*
[pítʃ 피치]
명 (복수 **pitches** [pítʃiz 피치즈])
❶ 던지기, 〖야구〗 투구
❷ 경사; (배의) 뒷질
❸ 〖음악〗 가락; 음의 고저
—타자 (3단현 **pitches** [pítʃiz 피치즈], 과거 · 과분 **pitched** [pítʃt 피치트], 현분 **pitching** [pítʃiŋ 피칭])
❶ 던지다; 〖야구〗 투구하다
He *pitched* a fast ball.
그는 속구를 던졌다.
❷ (천막을) 치다
They *pitched* their tents in the valley.
그들은 골짜기에다 텐트를 쳤다.

**pitch•er[1]** *pitcher*
[pítʃər 피처]
명 (복수 **pitchers** [pítʃərz 피처즈]) 〖야구〗 투수

The baseball team had their best *pitchers*. 그 야구 팀은 좋은 투수들을 보유하고 있었다.

***pitch•er²** *pitcher*
[pítʃər 피처]
명 (복수 **pitchers** [pítʃərz 피처즈])
(물)주전자 《주로 귀 모양의 손잡이와 주둥이가 달린 주전자》

There is a beautiful *pitcher* on the table.
식탁 위에 예쁜 주전자가 있다.

***pit•y** *pity*
[píti 피티]
명 (복수 **pities** [pítiz 피티즈])
❶ 《a와 복수형 안 씀》 동정, 측은함
I felt *pity* for the child.
나는 그 아이를 불쌍히 여겼다.

❷ 《**a pity**로》 유감스러운 일
It is *a pity* that you failed the examination. 네가 시험에 떨어진 것은 유감스러운 일이다.
—타 (3단현 **pities** [pítiz 피티즈], 과거 · 과분 **pitied** [pítid 피티드], 현분 **pitying** [pítiiŋ 피티잉])
불쌍하게 여기다; 동정하다
She doesn't want people to *pity* her. 그녀는 사람들이 자기를 동정하는 것을 원치 않는다.

**piz•za** *pizza*
[pí:tsə 피–처]
명 (복수 **pizzas** [pí:tsəz 피–처즈])
피자

We ordered a *pizza*.
우리는 피자를 주문했다.

**⁑place** *place*
[pléis 플레이스]
명 (복수 **places** [pléisiz 플레이시즈])
❶ 장소, 곳
There are a lot of beautiful *places* in Switzerland.
스위스에는 아름다운 곳들이 많다.
❷ 주소; 집
Please write your name and *place* here. 여기에 당신의 이름과 주소를 쓰시오.
Come to my *place* tomorrow.
내일 저희 집에 오세요.
❸ 좌석, 자리; 순위, 지위
We took our *places* at the theater. 우리는 극장의 좌석에 앉았다.

She won the first *place* in the contest. 그녀는 그 경연 대회에서 1등을 차지했다.

❹ 일자리

She got the *place* at the office. 그녀는 사무소에 일자리를 구했다.

숙어 ***from place to place*** 이리저리, 여기저기

She walked about *from place to place*. 그녀는 여기저기 걸어다녔다.

***in place of*** …대신에

Use margarine *in place of* butter. 버터 대신에 마가린을 사용해라.

***take place*** (사건이) 일어나다; 개최되다

The concert will *take place* next Friday. 콘서트는 다음 금요일에 열릴 것이다.

***take one's place***(=***take the place of***) …을 대신〔대리〕하다

He *took my place* as chairman. 그는 나를 대신해서 의장직을 맡았다.

—타 (3단현 **places** [pléisiz 플레이시즈], 과거·과분 **placed** [pléist 플레이스트], 현분 **placing** [pléisiŋ 플레이싱])

두다, 놓다 (㊂ put)

She *placed* the plates on the table.

그녀는 식탁 위에 접시들을 놓았다.

## plain *plain*

[pléin 플레인]

형 (비교급 **plainer** [pléinər 플레이너], 최상급 **plainest** [pléinist 플레이니스트])

❶ 분명한, 명백한

The meaning is *plain*.

그 의미는 분명하다.

❷ 알기 쉬운, 평이한

Write in *plain* English.

쉬운 영어로 쓰시오.

❸ 솔직한, 숨김 없는

I'll be *plain* with you.

당신께 솔직히 말씀드리겠습니다.

❹ 검소한, 수수한

a *plain* dress 소박한 옷

—명 (복수 **plains** [pléinz 플레인즈]) 평야, 평원

a vast *plain* 광활한 평원

## **plan *plan*

[plǽn 플랜]

명 (복수 **plans** [plǽnz 플랜즈])

❶ 계획, 안, 플랜
We made a *plan* for the trip.
우리는 여행 계획을 짰다.

I have a good *plan*.
나에게 묘안이 있습니다.

❷ 설계도, 도안
He drew a *plan* for his new house.
그는 자기의 새 집 설계도를 그렸다.

— 타 (3단현 **plans** [plǽnz 플랜즈], 과거 · 과분 **planned** [plǽnd 플랜드], 현분 **planning** [plǽniŋ 플래닝])

❶ 계획하다; 설계하다
They are *planning* a tour around the world. 그들은 세계 일주 여행 계획을 세우고 있다.

❷ 《**plan to** do로》 …할 작정〔참〕이다
What do you *plan to* do today?
당신은 오늘 무엇을 할 작정입니까?
I *plan to* spend my vacation in Paris. 나는 파리에서 휴가를 보낼 작정이다.

---

***plane[1]** *plane*
[pléin 플레인]
명 (복수 **planes** [pléinz 플레인즈])

❶ 비행기 (동 airplane)
He came back from Hongkong by *plane*.
그는 홍콩에서 비행기로 돌아왔다.

❷ 평면; 수준, 정도
a horizontal *plane* 수평면

---

**plane[2]** *plane*
[pléin 플레인]
명 (복수 **planes** [pléinz 플레인즈])
(나무를 깎는) 대패
A carpenter uses a *plane*.
목수는 대패를 사용한다.

---

**plan•et** *planet*
[plǽnit 플래닛]
명 (복수 **planets** [plǽnits 플래니츠])
『천문』 행성(行星)
The solar system has nine *planets*.
태양계에는 9개의 행성이 있다.

참고 행성들을 태양에 가까운 순

서대로 들면 Mercury(수성), Venus(금성), Earth(지구), Mars(화성), Jupiter(목성), Saturn(토성), Uranus(천왕성), Neptune(해왕성), Pluto(명왕성)의 9개이다.

****plant** *plant*
[plǽnt 플랜트]
명 (복수 **plants** [plǽnts 플랜츠])
❶ 식물 (반 animal 동물); 초목
Many *plants* bloom in spring.
많은 식물들이 봄에 꽃이 핀다.
❷ 공장; (기계) 설비, 시설
He works in an automobile *plant*. 그는 자동차 공장에서 일한다.
—타 (3단현 **plants** [plǽnts 플랜츠], 과거 · 과분 **planted** [plǽntid 플랜티드], 현분 **planting** [plǽntiŋ 플랜팅])
(초목을) 심다, (씨를) 뿌리다

I *planted* potatoes in my backyard. 나는 뒤뜰에다 감자를 심었다.

**plas•tic** *plastic*
[plǽstik 플래스틱]
명 (복수 **plastics** [plǽstiks 플래스틱스]) 플라스틱 (제품)
Many toys are made from *plastic*. 많은 장난감들이 플라스틱으로 만들어진다.
—형 플라스틱제의; 비닐제의

***plate** *plate*
[pléit 플레이트]
명 (복수 **plates** [pléits 플레이츠])
❶ (둥글납작한) 접시; (요리) 한 접시
two *plates* of meat 고기 두 접시
Put the cake on a *plate*.
케이크를 접시에 담아라.

> 참고 dish와 plate
> **dish**는 요리를 담아 두는 큰 접시로서 식탁 중앙에 놓아 두거나 좌중에게 돌려 덜어 먹게 한다. **plate**는 그 요리를 각자 덜어서 먹는 작은 접시.

❷ (금속 · 유리 따위의) 판; 간판, 표찰
a steel *plate* 강철판
a name *plate* 명패
❸ 『야구』 루, 플레이트

**plat•form** *platform*
[plǽtfɔːrm 플랫폼-]
명 (복수 **platforms** [plǽtfɔːrmz 플랫폼-즈]) ❶ 교단, 연단
Our teacher came down the *platform*. 선생님은 교단에서 내려왔다.
❷ (역의) 플랫폼

The next train leaves from *platform* 3. 다음 열차는 3번 플랫

폼에서 출발한다.

**⁑play** *play*
[pléi 플레이]
자타 (3단현 **plays** [pléiz 플레이즈], 과거 · 과분 **played** [pléid 플레이드], 현분 **playing** [pléiiŋ 플레이잉])
❶ 놀다, 장난치다 (반 work 일하다)
My children are *playing* in the garden. 우리 집 아이들은 정원에서 놀고 있다.
❷ 경기하다, 게임하다
*play* cards 카드놀이를 하다
Mother *plays* tennis almost every Sunday. 어머니는 거의 매주 일요일에 테니스를 친다.
✎ play는 스포츠 중에서 baseball, football, tennis같이 공을 사용하는 경기에 쓰임. 따라서 swimming이나 boxing 같은 경기에는 쓰지 않음.

**Play 놀이**

hopscotch 돌차기

chess 체스

tug-of-war 줄다리기

hulahoop 훌라후프

hide-and-seek 숨바꼭질

We love to *play* video games. 우리는 비디오 게임하는 것을 좋아한다.

❸ (연극을) 상연하다; 연기하다

He *played* the part of the old man. 그는 노인역을 맡아 했다.

❹ (악기를) 연주하다

Lucy is *playing* the violin in the school hall. 루시는 학교 강당에서 바이올린을 연주하고 있다.

—명 (복수 **plays** [pléiz 플레이즈])

❶ 《a와 복수형 안 씀》 놀이, 유희

All works and no *play* makes Jack a dull boy. 《속담》 공부만 하고 놀지 않으면 아이는 바보가 된다.

❷ 경기, 시합

Bad weather stopped *play* yesterday.
악천후로 어제 시합이 중단되었다.

❸ 연극, 희곡

We saw a *play* about Robin Hood. 우리는 로빈 후드를 다룬 연극을 보았다.

숙어 ***at play*** 놀고 있는

## *play•er *player*

[pléiər 플레이어]

명 (복수 **players** [pléiərz 플레이어즈]) ❶ 운동선수, 경기자

She is an excellent tennis *player*. 그녀는 뛰어난 테니스 선수이다.

❷ 연주자, 연기자

He was a good flute *player*.
그는 훌륭한 플루트 연주자였다.

❸ 재생 장치

a CD *player* 콤팩트 디스크 플레이어

## **play•ground *playground*

[pléigràund 플레이그라운드]

명 (복수 **playgrounds** [pléigràundz 플레이그라운즈])

운동장; 놀이터

There were many boys in the *playground*.
운동장에는 많은 소년들이 있었다.

## play•thing *plaything*

[pléiθiŋ 플레이싱]

명 (복수 **playthings** [pléiθiŋz 플레이싱즈]) 노리개, 장난감 (동 toy)

## pla•za *plaza*

[plǽzə 플레저]

명 (복수 **plazas** [plǽzəz 플레저즈]) (도시의) 광장; (스페인어권의) 시장 (동 market)

## *pleas•ant *pleasant*

[pléznt 플레즌트]

형 (비교급 **pleasanter** [plézntər 플레즌터], 또는 **more pleasant**, 최상급 **pleasantest** [plézntist 플레즌티스트] 또는 **most pleasant**)

즐거운, 유쾌한; 상쾌한, 기분 좋은

a b c d e f g h i j k l m n o p q r s t u v w x y z

## Playground 놀이터

We had a *pleasant* time.
우리는 즐거운 시간을 보냈다.
It was cool and *pleasant* by the lake.
호숫가는 시원하고 상쾌했다.

**⁑please** *please*
[plíːz 플리-즈]
타자 (3단현 **pleases** [plíːziz 플리-지즈], 과거 · 과분 **pleased** [plíːzd 플리-즈드], 현분 **pleasing** [plíːziŋ 플리-징])
❶ 기쁘게 하다, 만족시키다
The news *pleased* him.
그 소식이 그를 기쁘게 했다.
It is difficult to *please* everybody.
모든 사람을 만족시키기란 어렵다.
❷ …하고 싶어하다; 좋아하다; 마음에 들다 《as, what, where와 함께 씀》
Do *as* you *please*.
당신 좋을 대로 하세요.
Go *where* you *please*.
마음에 드는 곳으로 가세요.
숙어 ***be pleased to*** (*do*) 기꺼이 …하다, …하여 기쁘다
He will *be pleased to* help you.
그는 기꺼이 당신을 도와줄 것입니다.
***be pleased with*** …이 마음에 들다, …에 만족하다
*Are* you *pleased with* your new car? 새 차가 마음에 드십니까?

숙어 ***if you please*** 제발
— 부 ❶ 《정중한 요구나 간청에 쓰여》 부디, 제발, 아무쪼록
Come this way, *please*.
어서 이쪽으로 오세요.
*Please* don't forget it.
부디 그것을 잊지 마세요.
❷ 《권유에 대한 대답으로서》 기꺼이
"Would you like another cup of tea?" "Yes, *please*."
「차 한 잔 더 드릴까요?」
「예, 주십시오.」

***plea•sure** *pleasure*
[pléʒər 플레저]
명 (복수 **pleasures** [pléʒərz 플레저즈])
❶ 《a와 복수형 안 씀》 기쁨, 즐거움
She takes *pleasure* in teaching them. 그녀는 그들을 가르치는 것을 즐거움으로 삼는다.

❷ 즐거운〔유쾌한〕 일
It is a *pleasure* to listen to her sing. 그녀의 노래를 듣는 것은 즐거운 일이다.
숙어 ***for pleasure*** 재미삼아
She draws pictures *for pleasure*. 그녀는 재미 삼아 그림을 그린다.
***with pleasure*** 기꺼이, 즐거이
"May I have a dance with you?" "Yes, *with pleasure*."
「당신과 춤춰도 될까요?」「그럼요, 기

A B C D E F G H I J K L M N O P Q R S T U V W X Y Z

꺼이.」

**plen•ti•ful** *plentiful*
[pléntəfəl 플렌터펄]
형 많은, 풍부한
Peaches are *plentiful* this year.
복숭아는 금년에 풍작이다.

***plen•ty** *plenty*
[plénti 플렌티]
명 많음, 풍부, 충분
I've had *plenty*, thank you.
많이 먹었습니다, 감사합니다.
숙어 ***in plenty*** 충분히, 풍부하게
There is food *in plenty*.
음식물이 충분히 있다.
***plenty of*** 많은, 충분한
We have *plenty of* money.
우리는 많은 돈을 갖고 있다.

**plot** *plot*
[plát 플랏]
명 (복수 **plots** [pláts 플라츠])
❶ 음모, 계략
a *plot* to kill the President
대통령을 암살하려는 음모
❷ (영화 · 소설 등의) 줄거리, 플롯
I like movies with complicated *plots*. 나는 복잡한 줄거리를 가진 영화를 좋아한다.
—타자 (3단현 **plots** [pláts 플라츠], 과거 · 과분 **plotted** [plátid 플라티드], 현분 **plotting** [plátiŋ 플라팅])
음모를 꾸미다, (은밀하게) 계획하다
The thieves *plotted* to rob the store. 도둑들은 그 가게를 털 음모를 꾸몄다.

**plow,** ⟪영⟫ **plough**
*plow, plough*
[pláu 플라우]
명 (복수 **plows**, **ploughs** [pláuz 플라우즈]) 쟁기
—타 (3단현 **plows** [pláuz 플라우즈], 과거 · 과분 **plowed** [pláud 플라우드], 현분 **plowing** [pláuiŋ 플라우잉])
(쟁기로 농토를) 갈다
The farmer *plows* the field in spring. 농부는 봄에 밭을 간다.

**plug** *plug*
[plʌ́g 플러그]
명 (복수 **plugs** [plʌ́gz 플러그즈])
(전기 콘센트의) 플러그
Pull the *plug* out.
플러그를 뽑아라.

**plu•ral** *plural*
[plú(ə)rəl 플루(어)럴]
명 (복수 **plurals** [plú(ə)rəlz 플루(어)럴즈]) 〖문법〗 복수 (반 single 단수)
'Mice' is the *plural* of 'mouse'.

'mice'는 'mouse'의 복수이다.
—형 〖문법〗 복수의 (반 singular 단수의)
a *plural* noun 복수 명사

**plus** *plus*
[plʌ́s 플러스]
전 …을 더하여 (반 minus …을 빼어)
Three *plus* five is〔equals〕 eight.
3 더하기 5는 8이다.

—형 더하기의, 플러스의
His grade was A *plus*.
그의 등급은 A플러스였다.

***p.m., P.M.** *p.m., P.M.*
[píːém 피–엠]
오후 (동 afternoon, 관 a.m., A.M. 오전) 《라틴어 *p*ost *m*eridiem의 약어》
ten thirty *p.m.* 오후 10시 30분
Let's meet here at 6 *p.m.*
오후 6시에 여기서 만납시다.

***pock•et** *pocket*
[pɑ́kit 파킷]
명 (복수 **pockets** [pɑ́kits 파키츠])
호주머니, 포켓
What do you have in your *pocket*? 호주머니에 뭘 갖고 있니?
I have our door key in my *pocket*. 호주머니에 우리 집 문 열쇠를 갖고 있다.

—형 포켓용〔형〕의; 소형의
a *pocket* dictionary 소형 사전

***po•em** *poem*
[póuim 포우임]
명 (복수 **poems** [póuimz 포우임즈])
(한 편의) 시
This *poem* is hard to understand. 이 시는 이해하기 어렵다.

***po•et** *poet*
[póuit 포우잇]
명 (복수 **poets** [póuits 포우이츠])
시인
My favorite *poet* is William Wordsworth. 내가 좋아하는 시인은 윌리엄 워즈워스이다.

**po•et•ry** *poetry*
[póuitri 포우이트리]
명 《집합적》 시, 시가, 운문
He likes to read *poetry*.
그는 시 읽기를 좋아한다.

⁑**point** *point*
[pɔ́int 포인트]
명 (복수 **points** [pɔ́ints 포인츠])
❶ 뾰족한 끝, 첨단
the *point* of a pen 펜 끝
❷ 점, 구두점; 소수점
five *point* six, 5.6
❸ (작은) 점; (장소 · 시간 · 눈금 따위

의) 한 점, 지점
the starting *point* 출발점
He stopped at this *point*.
그는 이 지점에서 멈췄다.
❹ 특질; (이야기의) 요점
Everyone has strong and weak *points*.
누구나 다 장점과 약점을 갖고 있다.
I can't get your *point*.
당신 이야기의 요점을 모르겠는데요.
❺ (시합의) 득점, (채점의) 점수
Our team won by five *points* to two. 우리 팀이 5대 2로 이겼다.
숙어 ***be on*〔*at*〕*the point of ~ing***
막 …하려고 하다
He *was on the point of* leaving when she arrived. 그녀가 도착했을 때 그는 막 떠나려는 참이었다.
— 타자 (3단현 **points** [pɔ́ints 포인츠], 과거 · 과분 **pointed** [pɔ́intid 포인티드], 현분 **pointing** [pɔ́intiŋ 포인팅])
❶《**point at**〔**to**〕로》(손가락으로) 가리키다; (총을) 겨누다
She *pointed at* the map.
그녀는 지도를 가리켰다.
He *pointed* the rifle at the target. 그는 표적에 소총을 겨누었다.

❷ (끝을) 날카롭게 하다
She *pointed* the pencil.
그녀는 연필심을 뾰족하게 깎았다.
숙어 ***point out*** 가리키다, 지적하다
Please *point out* my mistakes.
제 잘못을 지적해 주십시오.

**poi•son** *poison*
[pɔ́izn 포이즌]
명 (복수 **poisons** [pɔ́iznz 포이즌즈])
독, 독약
— 타 (3단현 **poisons** [pɔ́iznz 포이즌즈], 과거 · 과분 **poisoned** [pɔ́iznd 포이즌드], 현분 **poisoning** [pɔ́izniŋ 포이즈닝])
독살시키다, (음식에) 독을 넣다
They tried to *poison* the king.
그들은 왕을 독살하려고 했다.

***pole** *pole*
[póul 포울]
명 (복수 **poles** [póulz 포울즈])
❶ (천체 · 지구의) 극, 극지
The North *Pole* is opposite the South *Pole*.
북극은 남극의 반대편에 있다.
❷ (나무 · 금속의) 막대기, 장대; 기둥
a flag *pole* 깃대
Jane has a new fishing *pole*.
제인은 새 낚싯대를 갖고 있다.

***po•lice** *police*
[pəlíːs 펄리-스]
명 ❶《the를 붙여; 복수 취급》경찰
The robbers were arrested by *the police*.

강도들은 경찰에 체포되었다.
❷ 《형용사적으로 쓰여》 경찰의
a *police* dog 경찰견
a *police* station 경찰서

**⁑po•lice•man** *policeman*
[pəlí:smən 펄리-스먼]
명 (복수 **policemen** [pəlí:smən 펄리-스먼]) 경찰관

a traffic *policeman* 교통 경찰관
Did you call a *policeman* when your car was stolen?
당신 차를 도난당했을 때 경찰관을 불렀습니까?
✎ 여성형은 policewoman, 남녀를 구별하지 않을 때는 police officer로, 부를 때는 officer만 씀.

**pol•i•cy** *policy*
[pάləsi 팔러시]
명 (복수 **policies** [pάləsiz 팔러시즈])
❶ 정책, 방침
economic *policy* 경제 정책
❷ 방책, 수단
Honesty is the best *policy*.
정직이 최선의 방책이다.

**pol•ish** *polish*
[pάliʃ 팔리시]
타 (3단현 **polishes** [pάliʃiz 팔리시즈], 과거 · 과분 **polished** [pάliʃt 팔리시트], 현분 **polishing** [pάliʃiŋ 팔리싱])
(문질러) 닦다, 윤을 내다
He *polishes* his shoes every day. 그는 매일 구두를 닦는다.

***po•lite** *polite*
[pəláit 펄라이트]
형 (비교급 **politer** [pəláitər 펄라이터], 또는 **more polite**, 최상급 **politest** [pəláitist 펄라이티스트] 또는 **most polite**)
공손한, 예의 바른, 정중한
He's always *polite* to the old.
그는 항상 노인에게 공손하다.

**po•lite•ly** *politely*
[pəláitli 펄라이틀리]
부 공손히, 정중하게

**po•lit•i•cal** *political*
[pəlítikəl 펄리티컬]
형 정치(상)의, 정치적인
a *political* problem 정치적인 문제
She belongs to a *political* party.
그녀는 한 정당에 소속되어 있다.

**pol•i•ti•cian** *politician*
[pὰlətíʃən 팔러티션]
명 (복수 **politicians** [pὰlətíʃənz 팔러티션즈]) 정치가
Churchill was a distinguished *politician*.

처칠은 뛰어난 정치가였다.

**pol•i•tics** *politics*
[pálətìks 팔러틱스]
❶《단수 취급》 정치(학)
He has little interest in *politics*. 그는 정치에는 별 관심이 없다.
❷《복수 취급》 정책, 정견
What are your *politics*?
당신의 정치적 견해는 무엇입니까?

**pol•lute** *pollute*
[pəlúːt 펄루-트]
타 (3단현 **pollutes** [pəlúːts 펄루-츠], 과거 · 과분 **polluted** [pəlúːtid 펄루-티드], 현분 **polluting** [pəlúːtiŋ 펄루-팅])
오염시키다, 더럽히다
The river has been *polluted* by factory waste.
그 강은 공장 폐기물로 오염되었다.

**pol•lu•tion** *pollution*
[pəlúːʃən 펄루-션]
명 오염; 공해(물질)
water *pollution* 수질 오염
air *pollution* 대기 오염

***pond** *pond*
[pánd 판드]
명 (복수 **ponds** [pándz 판즈])
연못, 못, 늪

Three ducks are swimming in this *pond*. 이 연못에는 세 마리의 오리가 헤엄치고 있다.

**po•ny** *pony*
[póuni 포우니]
명 (복수 **ponies** [póuniz 포우니즈])
〖동물〗 조랑말, 망아지
The girl rode on the *pony* in the meadow. 그 소녀는 목초지에서 조랑말을 탔다.

***pool** *pool*
[púːl 풀-]
명 (복수 **pools** [púːlz 풀-즈])
❶ 물웅덩이, 작은 못
We dipped our feet in a *pool*.
우리는 물웅덩이에 발을 담갔다.
❷ 수영장, 풀장 (동 swimming pool)

The hotel has two outdoor *pools*. 그 호텔에는 2개의 옥외 수영장이 있다.

**⁑poor** *poor*
[púər 푸어]
형 (비교급 **poorer** [pú(ə)rər 푸(어)러], 최상급 **poorest** [pú(ə)rist 푸(어)리스트])
❶ 가난한, 빈곤한 (반 rich 부유한)
We must help *poor* people.
우리는 가난한 사람들을 도와야 한다.

❷ 불쌍한, 가엾은
The *poor* bird died.
그 불쌍한 새는 죽었다.
❸ 초라한, 보잘것없는
They live in a *poor* house.
그들은 초라한 집에서 산다.
❹ 서투른, 잘하지 못하는
He is a *poor* swimmer.
그는 수영이 서투르다.
❺ (몸이) 약한, 건강치 못한
She is in *poor* health.
그녀는 건강이 좋지 않다.

**pop** *pop*
[páp 팝]
형 대중적인, 통속적인
a *pop* song 팝송, 대중가요
a *pop* singer 대중가요 가수

— 명 《a와 복수형 안 씀》 대중 음악

**pop•corn** *popcorn*
[pápkɔ̀ːrn 팝콘-]
명 팝콘, 튀긴 옥수수
a bowl of *popcorn* 팝콘 한 주발

**pop•py** *poppy*
[pápi 파피]
명 (복수 **poppies** [pápiz 파피즈])
〖식물〗 양귀비; 진홍색

*__pop•u•lar__ *popular*
[pápjulər 파퓰러]
형 ❶ 인기 있는; 유행의
They are singing a *popular* song. 그들은 유행가를 부르고 있다.

That pop singer is *popular* among the young people. 저 팝 가수는 젊은이들 사이에 인기다.
❷ 대중적인, 통속의
I don't like *popular* novels.
나는 통속 소설을 싫어한다.

*__pop•u•la•tion__ *population*
[pàpjuléiʃən 파퓰레이션]
명 (복수 **populations** [pàpjuléiʃənz 파퓰레이션즈])
(한 나라의) 인구; (한 지역의) 주민
Korean *population* is about seventy million.
한국의 인구는 약 7천만 명이다.

**porch** *porch*
[pɔ́ːrtʃ 포-치]
명 (복수 **porches** [pɔ́ːrtʃiz 포-치즈])

현관, 입구, 포치 《건물의 입구로서 지붕이 있음》
His house has a large front *porch*. 그의 집에는 큰 현관이 있다.

***pork** *pork*
[pɔ́ːrk 포-크]
명 돼지고기
roast *pork* 돼지고기 구이

***port** *port*
[pɔ́ːrt 포-트]
명 (복수 **ports** [pɔ́ːrts 포-츠])
항구, 항구 도시

The ship is leaving (a) *port*.
배가 출항하고 있다.

**por•ta•ble** *portable*
[pɔ́ːrtəbl 포-터블]
형 가지고 다닐 수 있는, 휴대용의
a *portable* radio 휴대용 라디오

**por•ter** *porter*
[pɔ́ːrtər 포-터]
명 (복수 **porters** [pɔ́ːrtərz 포-터즈])
(호텔 따위의) 보이, 수위(《미》 doorman); 《영》 (역 · 공항의) 짐꾼
The *porter* carried my suitcase.
포터가 내 여행 가방을 날라 주었다.

**por•tion** *portion*
[pɔ́ːrʃən 포-션]
명 (복수 **portions** [pɔ́ːrʃ(ə)nz 포-션즈]) 부분; 몫; (음식의) 1인분
Here is your *portion*.
이게 당신 몫입니다.

**por•trait** *portrait*
[pɔ́ːrtrit 포-트릿]
명 (복수 **portraits** [pɔ́ːrtrits 포-트리츠]) 초상화
a self-*portrait* 자화상

**pose** *pose*
[póuz 포우즈]
명 (복수 **poses** [póuziz 포우지즈])
포즈, 자세
—자 (3단현 **poses** [póuziz 포우지즈], 과거 · 과분 **posed** [póuzd 포우즈드], 현분 **posing** [póuziŋ 포우징])

자세를 취하다; …인 체하다
She *posed* for a picture. 그녀는 사진 찍기 위해 포즈를 취했다.

He *posed* as a rich man.
그는 부자인 체했다.

*****po•si•tion** *position*
[pəzíʃən 퍼지션]
명 (복수 **positions** [pəzíʃənz 퍼지션즈]) ❶ 위치, 장소
Let's change the *position* of the desks.
책상의 위치를 바꾸도록 하자.
❷ 지위; 직책, 근무처
She got a *position* in the bank.
그녀는 은행에 취직했다.

❸ 입장, 처지
He is in a difficult *position*.
그는 곤란한 처지에 있다.
❹ 자세, 태도
She sits in a comfortable *position*.
그녀는 편안한 자세로 앉아 있다.

**pos•i•tive** *positive*
[pázətiv 파저티브]
형 (비교급 **more positive**, 최상급 **most positive**)
❶ 확실한, 명백한; 확신하는
I'm *positive* that he is right.
나는 그가 옳다고 확신한다.
❷ 적극적인, 긍정적인 (반 negative 부정적인)
He made a *positive* answer to my request. 그는 내 부탁에 긍정적인 답변을 했다.

**pos•sess** *possess*
[pəzés 퍼제스]
타 (3단현 **possesses** [pəzésiz 퍼제시즈], 과거 · 과분 **possessed** [pəzést 퍼제스트], 현분 **possessing** [pəzésiŋ 퍼제싱])
소유하다, 가지고 있다
She *possesses* a house and a car. 그녀는 집과 자동차가 있다.

s ***be possessed of*** …을 갖고[소유하고] 있다
He *is possessed of* many books.
그는 많은 책을 갖고 있다.
***be possessed with*** …에 사로잡히다
He *was possessed with* an idea.
그는 어떤 생각에 사로잡혀 있었다.

A B C D E F G H I J K L M N O P Q R S T U V W X Y Z

**pos•ses•sion** *possession*
[pəzéʃən 퍼제션]
명 (복수 **possessions** [pəzéʃənz 퍼제션즈])
소유; 《복수형으로》 재산, 소유물
He lost all his *possessions* in the fire.
그는 화재로 모든 재산을 잃었다.

**pos•ses•sive** *possessive*
[pəzésiv 퍼제시브]
형 ❶ 소유의; 소유욕이 강한
❷ 『문법』 소유를 나타내는
the *possessive* case 소유격

**pos•si•bil•i•ty** *possibility*
[pàsəbíləti 파서빌러티]
명 (복수 **possibilities** [pàsəbílətiz 파서빌러티즈])
가능성, 가망; 《복수형으로》 장래성
There is no *possibility* of his coming. 그가 올 가망은 없다.

*__pos•si•ble__ *possible*
[pásəbl 파서블]
형 ❶ 가능한, 할 수 있는 (반 impossible 불가능한)
Is it *possible* to live alone?
혼자서 사는 것이 가능할까?
❷ 있음직한, 일어날 수 있는
It is *possible* that he is still alive. 그가 아직 살아 있다는 것은 있음직한 일이다.

어법 possible과 able

**possible**은 it을 주어로 하는 문장에 쓰이고, **able**은 be able to의 꼴로 사람을 주어로 하는 문장에 쓰인다. 「나는 이 강을 헤어쳐 건널 수 있다」는 다음의 어느 표현을 써도 된다.
(1) It is *possible* for me to swim across this river.
(2) I *am able to* swim across this river.

숙어 ***as ... as possible*** 되도록 …
Run *as* fast *as possible*.
될 수 있는 대로 빨리 달려라.

***if possible*** 가능하다면
I will come, *if possible*.
가능하다면 오겠습니다.

**pos•si•bly** *possibly*
[pásəbli 파서블리]
부 ❶ 어쩌면, 아마 (동 perhaps)
It may *possibly* snow today.
어쩌면 오늘 눈이 올지도 모른다.

❷ 《**can**과 함께》 될 수 있는 한; 《**cannot**과 함께》 아무리 해도
*Can* you *possibly* lend me a hundred dollars? 될 수 있는 한 100달러를 빌려 주시겠습니까?

*__post__ *post*
[póust 포우스트]
명 ❶ 《영》 우편 (《미》 mail); 우편물
He sent the parcel by *post*.
그는 우편으로 소포를 부쳤다.
Is there any *post* for me?
나에게 온 우편물이 있습니까?
❷ 《the를 붙여》 우체통, 우편함(《미》 mailbox)
Put this letter in *the post*.
이 편지를 우체통에 넣어 다오.
—타 (3단현 **posts** [póusts 포우스츠], 과거 · 과분 **posted** [póustid 포우스티드], 현분 **posting** [póustiŋ 포우스팅])
《영》 우송하다, 부치다(《미》 mail)
I *posted* Mother's letter on my way to school. 나는 학교에 가는 도중에 어머니의 편지를 부쳤다.

**post•age** *postage*
[póustidʒ 포우스티지]
명 《a와 복수형 안 씀》 우편 요금
return *postage* 반신 우편료

**post•age stamp**
*postage stamp*
[póustidʒ-stæ̀mp 포우스티지스탬프]
명 우표
I need three 32-cent *postage stamps*.
32센트짜리 우표가 3장 필요합니다.

*__post•box__ *postbox*
[póustbɑks 포우스트박스]
명 (복수 **postboxes** [póustbɑksiz 포우스트박시즈])
우체통, 우편함 (《미》 mailbox)

*__post•card, post card__
*postcard, post card*
[póus(t)kɑ̀ːrd 포우스(트)카-드]
명 (복수 **postcards** [póus(t)kɑ̀ːrdz 포우스(트)카-즈])
《영》 우편엽서 (《미》 postal card)

a picture *postcard* 그림 엽서
I mailed a *postcard* to my brother in New York. 나는 뉴욕에 있는 형에게 엽서를 부쳤다.

**post•er** *poster*
[póustər 포우스터]
명 (복수 **posters** [póustərz 포우스터즈]) 포스터, 벽보; 광고 전단
Put up a *poster* on the wall.
벽에 포스터를 붙여라.

**post•man** *postman*
[póus(t)mən 포우스(트)먼]
명 (복수 **postmen** [póus(t)mən 포우스(트)먼])
우체부, 우편 집배원 (《미》 mailman)
A *postman* is a person who delivers mail. 우체부는 우편물을 배달하는 사람이다.

***post of•fice** *post office*
[póust-ɔ̀:fis 포우스트오-피스]
명 우체국 (《약》 P.O. 또는 p.o.)
I went to the *post office* to buy some stamps. 나는 우표를 좀 사려고 우체국에 갔다.

***pot** *pot*
[pát 팟]
명 (복수 **pots** [páts 파츠])
단지, 화분; (깊숙한) 냄비 (관 pan 납작한 냄비)
Put the *pot* on the stove.
냄비를 스토브에 올려놓아라.
You can grow this flower in a *pot*. 이 꽃을 화분에 기를 수 있다.

***po•ta•to** *potato*
[pətéitou 퍼테이토우]
명 (복수 **potatoes** [pətéitouz 퍼테이토우즈]) 〖식물〗 감자

*potato* chips 감자 튀김
I like sweet *potatoes*.
나는 고구마를 좋아한다.

***pound** *pound*
[páund 파운드]
명 (복수 **pounds** [páundz 파운즈])
〖단위〗 ❶ 파운드 (《무게의 단위로 16온스, 약 454g; 약 lb.》)
The baby weighed six *pounds* at birth. 그 아기는 태어났을 때 체

중이 6파운드였다.

❷ 파운드 《영국의 화폐 단위로 100펜스; 약 £》

I have three *pounds* in my purse.

내 지갑에 3파운드 들어 있다.

## *pour *pour*

[pɔ́ːr 포-]

타자 (3단현 **pours** [pɔ́ːrz 포-즈], 과거 · 과분 **poured** [pɔ́ːrd 포-드], 현분 **pouring** [pɔ́ːriŋ 포-링])

❶ (액체를) **붓다, 따르다**

She *poured* me a glass of juice.

그녀는 내게 주스를 한 잔 따라 주었다.

❷ (강물 따위가) **흘러나오다;** (사람이) **쏟아져 나오다**

The river *pours* into the Pacific. 그 강은 태평양으로 흘러든다.

The crowd *poured* out of the hall. 군중이 강당에서 쏟아져 나왔다.

❸ (비가) **퍼붓다**

The rain *poured* down all day.

비가 온종일 퍼부었다.

## pov•er•ty *poverty*

[pávərti 파버티]

명 《a와 복수형 안 씀》 가난, 궁핍

That family lives in *poverty*.

저 가족은 가난하게 살고 있다.

## pow•der *powder*

[páudər 파우더]

명 《a와 복수형 안 씀》 가루, 분말; 화약

face *powder* (화장품의) 분

soap *powder* 가루 비누

## *pow•er *power*

[páuər 파워]

명 (복수 **powers** [páuərz 파워즈])

❶ **힘, 체력; 능력**

Man has the *power* of speech.

인간은 말하는 능력을 가지고 있다.

❷ **세력, 권력, 실력자**

the struggle for *power* 세력 다툼

come into *power* 권력을 장악하다

❸ **강대국**

the great *powers* of the world

세계의 강대국들

❹ **동력, 에너지**

atomic〔electrical〕 *power*

원자력〔전력〕

## pow•er•ful *powerful*

[páuərfəl 파워펄]

형 **강력한; 세력이 있는**

He is a *powerful* politician.

그는 유력한 정치가이다.

## prac•ti•cal *practical*

[prǽktik(ə)l 프랙티컬]

형 **실제[실질]적인; 실용적인**

They can offer *practical* help

to us. 그들은 우리에게 실질적인 도움을 줄 수 있다.

**prac•tice** *practice*
[prǽktis 프랙티스]
명 (복수 **practices** [prǽktisiz 프랙티시즈])
❶ 연습, 실습 (동 exercise)
You need more *practice*.
너는 연습이 더 필요하다.
❷《a와 복수형 안 씀》 실행, 실천
Put your plan into *practice*.
너의 계획을 실천에 옮겨라.
— 타자 (3단현 **practices** [prǽktisiz 프랙티시즈], 과거 · 과분 **practiced** [prǽktist 프랙티스트], 현분 **practicing** [prǽktisiŋ 프랙티싱])
❶ 연습하다, 익히다
I *practice* playing the piano every day. 나는 매일 피아노 치는 것을 연습한다.

❷ 실행〔실천〕하다; (의사 · 변호사업을) 개업하다
*Practice* what you say.
네가 하는 말을 실천해라.
His father *practices* medicine.
그의 아버지는 의사로서 개업하고 있다.

**prai•rie** *prairie*
[prɛ́(ː)ri 프래(–)리]
명《복수형으로》 대초원; 목장

**praise** *praise*
[préiz 프레이즈]
타 (3단현 **praises** [préiziz 프레이지즈], 과거 · 과분 **praised** [préizd 프레이즈드], 현분 **praising** [préiziŋ 프레이징])
칭찬하다, 찬양하다
The teacher *praised* Jane's good drawing. 선생님은 제인의 잘 그린 그림을 칭찬했다.

— 명《a와 복수형 안 씀》 칭찬, 찬양
His act is worthy of *praise*.
그의 행동은 칭찬할 만하다.

**pray** *pray*
[préi 프레이]
타자 (3단현 **prays** [préiz 프레이즈], 과거 · 과분 **prayed** [préid 프레이드], 현분 **praying** [préiiŋ 프레이잉])
기도하다, 기원하다

He knelt down and *prayed.* 그는 무릎을 꿇고 기도했다.

**prayer** *prayer*
[prɛ́ər 프레어]
명 (복수 **prayers** [prɛ́ərz 프레어즈])
❶ 기도하는 사람, 기원하는 사람
❷ 기도, 기원; 기도문
She says a *prayer* every night. 그녀는 매일 밤 기도문을 외운다.

**preach** *preach*
[priːtʃ 프리-치]
타 자 (3단현 **preaches** [príːtʃiz 프리-치즈], 과거 · 과분 **preached** [príːtʃt 프리-치트], 현분 **preaching** [príːtʃiŋ 프리-칭])
설교하다, 전도하다
The priest *preached* that God would save us. 목사님은 하느님이 우리를 구원해 주신다고 설교했다.

**pre•cede** *precede*
[pri(ː)síːd 프리(-)시-드]
타 (3단현 **precedes** [pri(ː)síːdz 프리(-)시-즈], 과거 · 과분 **preceded** [pri(ː)síːdid 프리(-)시-디드], 현분 **preceding** [pri(ː)síːdiŋ 프리(-)시-딩])
…에 앞서다, 우선하다[중요하다]
Monday *precedes* Tuesday. 월요일은 화요일 앞에 온다.

**pre•cious** *precious*
[préʃəs 프레셔스]
e는 [e]로 발음함.
형 (비교급 **more precious**, 최상급 **most precious**)
귀중한 (동 valuable); 값비싼
*precious* jewels 값비싼 보석들
Nothing is more *precious* than freedom. 그 어느 것도 자유보다 더 귀중하지는 않다.

**pre•cise** *precise*
[prisáis 프리사이스]
형 (비교급 **more precise** 또는 **preciser** [prisáisər 프리사이서], 최상급 **most precise** 또는 **precisest** [prisáisist 프리사이시스트])
정확한, 명확한
His answer was very *precise.* 그의 대답은 아주 정확했다.

**pre•dict** *predict*
[pridíkt 프리딕트]
타 (3단현 **predicts** [pridíkts 프리딕츠], 과거 · 과분 **predicted** [pridíktid 프리딕티드], 현분 **predicting** [pridíktiŋ 프리딕팅])
(…을) 예언하다; 예보하다
The coach *predicts* victory for his team. 그 코치는 자기 팀이 이길 것이라고 예언한다.

A B C D E F G H I J K L M N O **P** Q R S T U V W X Y Z

**pre•fer** *prefer*
[prifə́ːr 프리퍼-]
타 (3단현 **prefers** [prifə́ːrz 프리퍼-즈], 과거 · 과분 **preferred** [prifə́ːrd 프리퍼-드], 현분 **preferring** [prifə́ːriŋ 프리퍼-링])
(…을) 더 좋아하다; 《**prefer ... to ~**로》 ~보다 …쪽을 더 좋아하다
"Which do you *prefer*, tea or coffee?" "I *prefer* coffee."
「홍차와 커피 중에서 어느 쪽을 더 좋아합니까?」「커피를 더 좋아합니다.」
I *perfer to* stay at home.
나는 집에 있는 것을 더 좋아한다.

**prej•u•dice** *prejudice*
[prédʒudis 프레주디스]
명 (복수 **prejudices** [prédʒudisiz 프레주디시즈]) (나쁜) 선입관, 편견
He has a *prejudice* against foreigners. 그는 외국인에 대해 편견을 갖고 있다.

**prep•a•ra•tion** *preparation*
[prèpəréiʃən 프레퍼레이션]
명 (복수 **preparations** [prèpəréiʃənz 프레퍼레이션즈]) 준비, 대비; 각오
the *preparation* for the examination 시험 준비
I made *preparations* for a trip.
나는 여행 준비를 했다.

***pre•pare** *prepare*
[pripέər 프리페어]
타 자 (3단현 **prepares** [pripέərz 프리페어즈], 과거 · 과분 **prepared** [pripέərd 프리페어드], 현분 **preparing** [pripέəriŋ 프리페어링])
❶ 준비하다, 채비하다; 미리 마련하다
My mother is *preparing* breakfast. 어머니는 아침 식사를 준비하고 계신다.

❷ 《**be prepared for**로》 준비〔각오〕가 되어 있다
We *are prepared for* the examination. 우리는 시험에 대비했다.
숙어 ***be prepared to*** *do* …할 준비가 되어 있다
I'*m prepared to go* out.
나는 외출 준비가 되어 있다.

**prep•o•si•tion** *preposition*
[prèpəzíʃən 프레퍼지션]
명 〖문법〗 전치사
✎ 명사나 대명사 앞에 놓여 다른 어구와의 관계를 나타내는 말: The cat climbed *up* the tree. (고양이가 나무 위로 올라갔다.)에서 up은 전치사.

**pres•ence** *presence*
[prézns 프레즌스]
명 ❶ 존재, 실재
I never doubted the *presence* of God. 나는 신의 존재를 결코 의

심하지 않았다.
❷ 출석, 참석 (반 absence 부재)
Your *presence* is requested at the party.
파티에 꼭 참석해 주십시오.
숙어 ***in the presence of*** …이 있는 데서, …의 면전에서
Take off your hats *in the presence of* ladies. 숙녀들이 있는 데서는 모자를 벗으시오.

****pres•ent¹** *present*
[préznt 프레즌트]
형 ❶ 참석한, 출석한 (반 absent 결석한)
There were fifty students *present*. 50명의 학생들이 출석했다.

*Present*, sir. 예 《출석 호명의 대답》
❷ 현재의, 지금의
I don't know his *present* address.
나는 그의 현재 주소를 모른다.

**참고 present의 위치**
**present**가 형용사로서 명사를 수식할 때 「출석해 있는」의 의미이면 명사 뒤에 두고 「현재의」라는 의미이면 명사 앞에 둔다.

숙어 ***the present day*** 〔***time***〕 현대
***at the present*** 현재는
— 명 《the를 붙여》 현재, 지금 (관 past 과거, future 미래)
We learn from the past, experience *the present*. 우리는 과거에서 배우고, 현재를 경험한다.
숙어 ***at present*** 현재, 지금
He is not home *at present*.
그는 지금 집에 없다.
***for the present*** 당분간
I am staying here *for the present*. 나는 당분간 여기에 머물고 있습니다.

***pres•ent²** *present*
[préznt 프레즌트]
☺ e는 명사일 때는 [e]로, 동사일 때는 [i]로 발음함. 악센트는 명사일 때 앞 음절에, 동사일 때 뒤 음절에 있음.
명 (복수 **presents** [préznts 프레즌츠]) 선물

a birthday *present* 생일 선물
This is a *present* for you.
이건 너한테 주는 선물이다.
— 타 [prizént] (3단현 **presents** [prizénts 프리젠츠], 과거 · 과분 **presented** [prizéntid 프리젠티드], 현분 **presenting** [prizéntiŋ 프리젠팅])
❶ 선물하다, 증정하다, 바치다
I *presented* flowers to her.
나는 그녀에게 꽃을 선사했다.

❷ 제출하다, 제안하다; 소개하다
When will you *present* your report?
네 보고서는 언제 제출하겠니?

**pre•serve** *preserve*
[prizə́ːrv 프리저-브]
타 (3단현 **preserves** [prizə́ːrvz 프리저-브즈], 과거 · 과분 **preserved** [prizə́ːrvd 프리저-브드], 현분 **preserving** [prizə́ːrviŋ 프리저-빙])
보호하다; 보존하다
We must *preserve* our nature.
우리는 자연을 보호해야 한다.

***pres•i•dent** *president*
[préz(ə)dənt 프레저던트]
명 (복수 **presidents** [préz(ə)dənts 프레저던츠])
❶ 《**the President**로》 대통령

B. H. Obama is *the* forty-fourth *President* of the United States. B. H. 오바마는 미국의 44대 대통령이다.
❷ 회장, 사장, 학장
He is the *president* of the company. 그는 그 회사의 사장이다.

**press** *press*
[prés 프레스]
타 (3단현 **presses** [présiz 프레시즈], 과거 · 과분 **pressed** [prést 프레스트], 현분 **pressing** [présiŋ 프레싱])
❶ 누르다, 밀어붙이다
She *pressed* the doorbell.
그녀는 초인종을 눌렀다.

❷ (압착하여) 짜다; (옷을) 다리다
I have to *press* my pants.
나는 바지를 다리지 않으면 안 된다.
—명 (복수 **presses** [présiz 프레시즈]) ❶ 압착기; 인쇄기
a printing *press* 인쇄기
❷ 《the를 붙여》 신문, 출판물; 언론
It was reported in *the press*.
그것은 신문에 보도되었다.

**pres•sure** *pressure*
[préʃər 프레셔]
명 (복수 **pressures** [préʃərz 프레셔즈]) 압력, 압착; (정신적) 압박감
blood *pressure* 혈압

They put social *pressure* on him. 그들은 그에게 사회적 압력을 가했다.

**pre•tend** *pretend*
[priténd 프리텐드]
타 자 (3단현 **pretends** [priténdz 프리텐즈], 과거 · 과분 **pretended** [priténdid 프리텐디드], 현분 **pretending** [priténdiŋ 프리텐딩])
…인 체하다, 가장하다
He *pretended* to be asleep.
그는 잠든 체했다.
She *pretended* not to know me.
그녀는 나를 모르는 체했다.

***pret•ty** *pretty*
[príti 프리티]
형 (비교급 **prettier** [prítiər 프리티어], 최상급 **prettiest** [prítiist 프리티이스트])
귀여운, 예쁜 (동 beautiful)

What a *pretty* girl she is!
정말 귀여운 소녀구나!
I like this *pretty* dress.
이 예쁜 드레스가 마음에 든다.
—부 꽤, 상당히 (동 very)
It's *pretty* cold this morning.
오늘 아침은 꽤 춥다.
She speaks English *pretty* well.
그녀는 영어를 상당히 잘 한다.

**pre•vent** *prevent*
[privént 프리벤트]
타 (3단현 **prevents** [privénts 프리벤츠], 과거 · 과분 **prevented** [privéntid 프리벤티드], 현분 **preventing** [privéntiŋ 프리벤팅])
❶ 막다, 예방하다
How can we *prevent* car accidents? 어떻게 자동차 사고를 예방할 수 있을까요?
❷ 《**prevent ... from ~ing**로》 …을 ~하지 못하게 하다
Illness *prevented* him *from* go*ing* on his trip.
병이 나서 그는 여행을 가지 못했다.

**pre•vi•ous** *previous*
[príːviəs 프리-비어스]
형 앞의, 이전의
Tom visited her on the *previous* day.
톰은 그 전날 그녀를 방문했다.

숙어 ***previous to*** …보다 전에
He left the hotel *previous to* my arrival. 그는 내가 도착하기 전에 호텔을 떠났다.

****price** *price*
[práis 프라이스]
명 (복수 **prices** [práisiz 프라이시즈])
❶ 가격, 값
What is the *price* of this book?
이 책값은 얼마입니까?

❷ 《복수형으로》 물가, 시세
*Prices* are going up〔falling〕.
물가가 오르고〔내리고〕 있다.
❸ 대가, 희생
He paid a high *price* for his success. 그는 성공을 위해서 비싼 대가를 치렀다.
숙어 ***at any price*** ⓐ 값이 얼마든; 아무리 비싸도
I will buy this painting *at any price*.
아무리 비싸도 이 그림을 사겠다.
ⓑ 어떤 희생을〔대가를〕 치르더라도

***pride** *pride*
[práid 프라이드]
명 《복수형 안 씀》 자랑(거리); 자부심, 자존심
He is a *pride* of our school.
그는 우리 학교의 자랑거리이다.
Don't hurt his *pride*.
그의 자존심을 상하게 하지 마라.

**priest** *priest*
[prí:st 프리-스트]
명 (복수 **priests** [prí:sts 프리-스츠])
성직자, 목사, 사제
He is a *priest* in a Catholic church. 그는 가톨릭 교회의 사제이다.

**pri•mar•y** *primary*
[práimèri 프라이메리]
형 ❶ 첫째의, 제1의, 주요한 (관 secondary 두 번째의)
the *primary* meaning of a word
단어의 제1의 의미
❷ 초보의, 초등의; 기본의
*primary* education 초등 교육
❸ 근본적인; 본래의
*primary* colors 삼원색

**pri•ma•ry school** *primary school*
[práimeri skù:l 프라이메리스쿨]
명 《영》 초등학교 (《미》 elementary school)

**prime** *prime*
[práim 프라임]
형 첫째의, 주요한 (동 chief)
the *Prime* Minister
국무총리, 수상
—명 《the를 붙여》 전성기, 한창때
The singer is in her *prime*.
그 가수는 전성기에 있다.

**prim•i•tive** *primitive*
[prímətiv 프리머티브]
형 원시적인, 원시 시대의
*Primitive* men hunted wild animals.
원시인들은 야생 동물을 사냥했다.

***prince** *prince*
[príns 프린스]
명 (복수 **princes** [prínsiz 프린시즈]) 왕자 (관 princess 공주); 왕족
*Prince* Edward is the Queen's youngest son. 에드워드 왕자는 여왕의 막내아들이다.

***prin•cess** *princess*
[prínsəs 프린서스]
명 (복수 **princesses** [prínsəsiz 프린서시즈]) 공주; 황녀, 왕녀
A *princess* is the daughter of a king or a queen.
공주란 왕이나 여왕의 딸이다.

***prin•ci•pal** *principal*
[prínsəp(ə)l 프린서펄]
형 《명사 앞에서만 씀》 주요한, 주된
a *principal* actor 주연 배우
Our *principal* food is rice.
우리의 주식은 쌀이다.
—명 (복수 **principals** [prínsəp(ə)lz 프린서펄즈]) 우두머리, 장; 교장
Mr. White is the *principal* of our school. 화이트 씨는 우리 학교의 교장 선생님이시다.

✎ 여자 교장은 a lady principal

***prin•ci•ple** *principle*
[prínsəpl 프린서플]
명 (복수 **principles** [prínsəplz 프

린서플즈]) 원칙, 원리; 주의, 신조
the *principles* of democracy
민주주의의 여러 원칙
It is her *principle* to drink milk every morning. 매일 아침 우유를 마시는 것이 그녀의 신조다.
숙어 ***in principle*** 원칙적으로
I agree with you *in principle*.
나는 원칙적으로 당신 의견에 동의합니다.

***print** *print*
[prínt 프린트]
명 (복수 **prints** [prínts 프린츠])
인쇄, 프린트; 인쇄물
This *print* is easy to read.
이 인쇄물은 읽기가 쉽다.

숙어 ***out of print*** (책이) 절판되어
This book is *out of print*.
이 책은 절판되어 있다.
— 타 (3단현 **prints** [prínts 프린츠], 과거 · 과분 **printed** [príntid 프린티드], 현분 **printing** [príntiŋ 프린팅])
인쇄하다, 출판하다
How many copies are you going to *print*?
몇 부나 인쇄할 겁니까?

**print•er** *printer*
[príntər 프린터]
명 (복수 **printers** [príntərz 프린터즈]) 인쇄공, 인쇄업자; 인쇄기
He worked as a *printer* for twenty years.
그는 인쇄공으로 20년 동안 일했다.

***pris•on** *prison*
[prízn 프리즌]
명 (복수 **prisons** [príznz 프리즌즈])
감옥, 교도소
The thief was sent to *prison* for a year.
그 도둑은 1년간 투옥되었다.

**pris•on•er** *prisoner*
[príz(ə)nər 프리저너]
명 (복수 **prisoners** [príz(ə)nərz 프리저너즈]) 죄수; 포로
a *prisoner* of war 전쟁 포로

**pri•va•cy** *privacy*
[práivəsi 프라이버시]
명 《a와 복수형 안 씀》 사생활, 프라이버시; 비밀
He disturbed my *privacy*.
그는 나의 사생활을 침해했다.

**pri•vate** *private*
[práivət 프라이벗]
형 ❶ 사적인, 개인의 (반 public 공적인)
This is my *private* opinion.
이것은 나의 개인적인 의견이다.

❷ 비밀의, 비공개의
The matter was kept *private.*
그 일은 비밀로 해두었다.

❸ 사립의, 사유의
He attends a *private* school.
그는 사립학교에 다닌다.
숙어 ***in private*** 은밀히, 남몰래
We met him *in private.*
우리는 남몰래 그를 만났다.

**priv•i•lege** *privilege*
[prívilidʒ 프리빌리지]
명 (복수 **privileges** [prívilidʒiz 프리빌리지즈]) 특권; 특전
I had the *privilege* of meeting the Queen.
나는 여왕을 만나는 특전을 누렸다.

***prize** *prize*
[práiz 프라이즈]
명 (복수 **prizes** [práiziz 프라이지즈]) 상, 상품, 상금

Jack won the first *prize* at the speech contest.
잭은 웅변대회에서 1등상을 탔다.
this year's Nobel Peace *Prize*
금년의 노벨 평화상

**prob•a•ble** *probable*
[prɑ́bəbl 프라버블]
형 있음직한, 예상되는, 그럴싸한
a *probable* result 예상되는 결과
It is *probable* that they will win. 그들이 이길 것 같다.

**prob•a•bly** *probably*
[prɑ́bəbli 프라버블리]
부 아마도, 십중팔구
He will *probably* come back tonight.
그는 아마도 오늘밤 돌아올 것이다.

**prob•lem** *problem*
[prɑ́bləm 프라블럼]
명 (복수 **problems** [prɑ́bləmz 프라블럼즈]) 문제; 과제, 난제
a serious *problem* 심각한 문제
He tried to solve the math *problem.*
그는 그 수학 문제를 풀려고 애썼다.

어법 That's no problem.
Excuse me. 또는 I am sorry. 라는 사과의 말에 대해 「괜찮다」,

「아무렇지도 않다」라고 할 때 쓰는 말이다. 간단히 No problem. 또는 That's all right.라고도 한다.

A: Excuse me for being late. 늦어서 미안합니다.
B: That's no problem. 괜찮아요.

**pro•ceed** *proceed*
[prəsíːd 프러시-드]
자 (3단현 **proceeds** [prəsíːdz 프러시-즈], 과거 · 과분 **proceeded** [prəsíːdid 프러시-디드], 현분 **proceeding** [prəsíːdiŋ 프러시-딩])
❶ 나아가다; 진행되다
The parade *proceeded* to the park. 행렬은 공원 쪽으로 나아갔다.

❷ 계속해서 하다
Please *proceed* with your story.
이야기를 계속해 주세요.

**proc•ess** *process*
[práses 프라세스]
명 (복수 **processes** [prásesiz 프라세시즈]) 제조법, 공정(工程); 진행, 과정
the *process* of making cheese
치즈 제조법
The bridge is in *process* of construction.
그 다리는 건설 중에 있다.

**pro•duce** *produce*
[prəd(j)úːs 프러듀-스]
타 (3단현 **produces** [prəd(j)úːsiz 프러듀-시즈], 과거 · 과분 **produced** [prəd(j)úːst 프러듀-스트], 현분 **producing** [prəd(j)úːsiŋ 프러듀-싱])
❶ 생산하다; 산출하다
That factory *produces* automobiles.
저 공장은 자동차를 생산한다.
Canada *produces* good wheat.
캐나다는 양질의 밀을 산출한다.
❷ (연극 · 영화 따위를) 연출하다
She *produced* many plays.
그녀는 많은 연극을 연출했다.

— 명 [prád(j)uːs] 《집합적》 생산물, 농산물
They sell garden *produce*.
그들은 원예 작물을 판매한다.

**pro•duc•er** *producer*
[prəd(j)úːsər 프러듀-서]
명 (복수 **producers** [prəd(j)úːsərz 프러듀-서즈])
❶ 생산자, 산출국
the *producers* of food
식료품 생산자
Brazil is a major *producer* of coffee.
브라질은 주요 커피 산출국이다.
❷ (영화) 제작자, (연극) 연출가
She is a well-known movie

*producer.*
그녀는 유명한 영화 제작자다.

**prod•uct** *product*
[prɑ́dʌkt 프라덕트]
명 (복수 **products** [prɑ́dʌkts 프라덕츠]) 생산물, 생산품, 제품
farm *products* 농작물

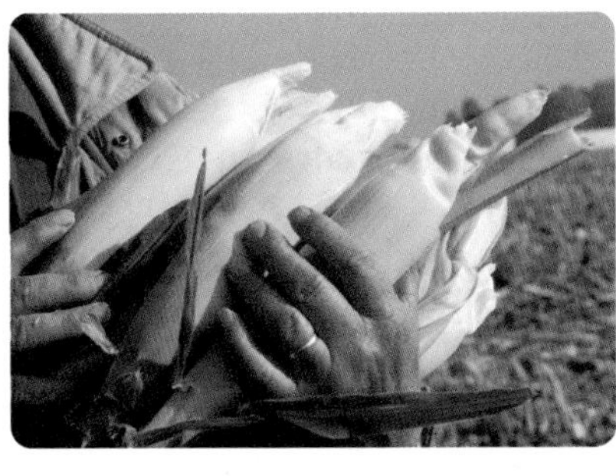

Fruit and wine are important *products* of California.
과일과 포도주는 캘리포니아의 중요한 생산품이다.

**pro•duc•tion** *production*
[prədʌ́kʃən 프러덕션]
명 (복수 **productions** [prədʌ́kʃənz 프러덕션즈]) ❶ 생산, 제조; 생산품, 제품
agricultural *productions* 농산물
❷ (영화 · 연극 등의) 제작, 상연; 작품

**pro•fes•sion** *profession*
[prəféʃən 프러페션]
명 (복수 **professions** [prəféʃənz 프러페션즈]) (의사 · 변호사 · 교사 등의 지적인) 직업
He is a doctor by *profession.*
그의 직업은 의사이다.

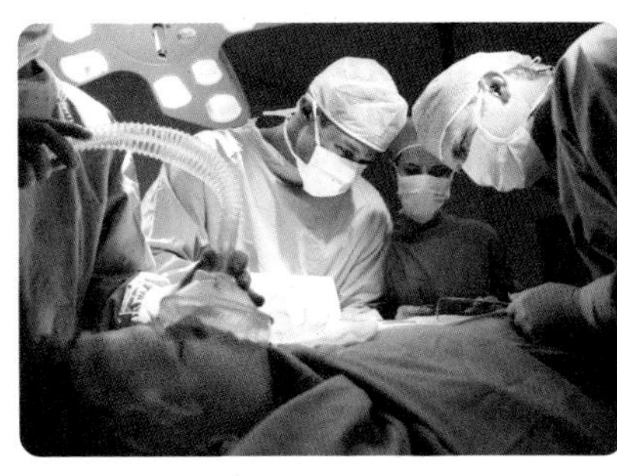

**pro•fes•sion•al**
*professional*
[prəféʃ(ə)nəl 프러페셔널]
형 (비교급 **more professional**, 최상급 **most professional**)
전문적인, 직업상의; 프로의
He is a *professional* baseball player. 그는 프로 야구 선수이다.

—명 (복수 **professionals** [prəféʃ(ə)nəlz 프로페셔널즈]) 전문가; 프로 선수 (반 amateur 아마추어)
a health *professonal* 건강 전문가

**pro•fes•sor** *professor*
[prəfésər 프러페서]
명 (복수 **professors** [prəfésərz 프

a b c d e f g h i j k l m n o p q r s t u v w x y z

러페서즈]) 교수

He is a *professor* of history at Columbia University. 그는 콜럼비아 대학의 역사학 교수이다.

**prof•it** *profit*
[prάfit 프라핏]
명 (복수 **profits** [prάfits 프라피츠]) 이익, 수익 (반 loss 손실); 이득

He made a lot of *profit* on the sale.
그는 판매에서 많은 수익을 올렸다.
There is no *profit* in smoking.
흡연에는 아무런 이득도 없다.

***pro•gram,** 《영》 **-gramme**
*program, -gramme*
[próugræm 프로우그램]
명 (복수 **programs**, **programmes** [próugræmz 프로우그램즈])
❶ 프로그램; 《집합적》 상연 목록

This TV *program* is interesting. 이 TV 프로그램은 재미있다.

❷ 예정, 계획(표)

What's the *program* for next week? 다음 주의 계획은 뭐지요?

**pro•gram•er,**
《영》 **pro•gram•mer**
*programer, programmer*
[próugræmər 프로우그래머]
명 (복수 **programers** [próugræmərz 프로우그래머즈])
프로그램 편성자; (컴퓨터) 프로그래머

He is a computer *programer* by profession.
그의 직업은 컴퓨터 프로그래머이다.

**prog•ress** *progress*
[prάgrəs 프라그러스]
명사일 때는 앞 음절에, 동사일 때는 뒤 음절에 악센트가 있음.
명 《a와 복수형 안 씀》 ❶ 전진; 진행

The snow made our *progress* difficult.
눈이 우리의 전진을 어렵게 했다.

❷ 진보, 발달, 향상 (동 advance)

He has made good *progress* in English.
그는 영어가 상당히 향상되었다.

— 자 (3단현 **progresses** [prəgrésiz 프러그레시즈], 과거 · 과분 **progressed** [prəgrést 프러그레스트], 현분 **progressing** [prəgrésiŋ 프러그레싱])
전진하다, 발전하다, 진보하다

The technology *progressed* rapidly. 과학기술은 급격히 발전했다.

**pro•gres•sive** *progressive*
[prəgrésiv 프러그레시브]
형 ❶ 전진하는, 점진적인; 진보적인

He is a man with *progressive*

ideas.
그는 진보적인 사상을 가진 사람이다.
❷ 〖문법〗 진행형의
a *progressive* form 진행형

**proj•ect** *project*
[prədʒékt 프러젝트]
동사일 때는 뒤 음절에, 명사 일 때는 앞 음절에 악센트가 있음.
타자 (3단현 **projects** [prədʒékts 프러젝츠], 과거 · 과분 **projected** [prədʒéktid 프러젝티드], 현분 **projecting** [prədʒéktiŋ 프러젝팅])
❶ (영상을) 투영하다, (…을) 발사하다
The movie was *projected* on a screen. 영화가 스크린에 영사되었다.

They *projected* a missile.
그들은 미사일을 발사했다.
❷ 계획하다
They *projected* a new power plant.
그들은 새 발전소 건설을 계획했다.
— 명 (복수 **projects** [prádʒekts 프라젝츠]) 계획, (대규모) 사업
a *project* to build a new airport 새 공항의 건설 계획

*__prom•ise__ *promise*
[prámis 프라미스]
명 (복수 **promises** [prámisiz 프라미시즈]) ❶ 약속; 맹세
I think she will keep her *promise*. 나는 그녀가 약속을 지킬 것이라고 생각한다.

❷ 《a와 복수형 안 씀》 (장래에 대한) 기대, 가망
He shows great *promise* as a singer.
그는 가수로서 장래가 촉망된다.
— 타자 (3단현 **promises** [prámisiz 프라미시즈], 과거 · 과분 **promised** [prámist 프라미스트], 현분 **promising** [prámisiŋ 프라미싱])
❶ 약속하다, 맹세하다
I *promise* to give you a birthday present. 너에게 생일 선물 주는 것을 약속하지.
❷ (…의) 가망이 있다, …할 것 같다.
Those black clouds *promise* rain. 저 검은 구름으로 보아 비가 올 것 같다.

**prom•is•ing** *promising*
[prámisiŋ 프라미싱]
형 전도가 유망한; 장래가 촉망되는
He is a *promising* young scholar.
그는 전도가 유망한 젊은 학자이다.

**pro•mote** *promote*
[prəmóut 프러모우트]
타 (3단현 **promotes** [prəmóuts 프러모우츠], 과거 · 과분 **promoted** [prəmóutid 프러모우티드], 현분 **promoting** [prəmóutiŋ 프러모우팅])

A B C D E F G H I J K L M N O P Q R S T U V W X Y Z

❶ 승진시키다, 진급시키다
She was *promoted* to a head of the team. 그는 팀장으로 승진됐다.

❷ 촉진시키다, 증진시키다
Milk *promotes* children's growth.
우유는 아이들의 성장을 촉진한다.

**prompt** *prompt*
[prámpt 프람프트]
명 (비교급 **prompter** [prámptər 프람프터], 최상급 **promptest** [prámptist 프람프티스트])
빠른, 신속한; 즉석의
He was *prompt* to carry it out.
그는 즉각 그것을 실행했다.

**pro•noun** *pronoun*
[próunàun 프로우나운]
명 (복수 **pronouns** [próunàunz 프로우나운즈]) 〖문법〗 대명사

참고 대명사란 문자 그대로 사람이나 사물의 이름을 대신 나타내는 말을 가리킨다. 예를 들어 Jack은 남자 이름이므로 he, Jane은 여자 이름이므로 she, book은 물건 이름이므로 it으로 대신할 수 있다.

**pro•nounce** *pronounce*
[prənáuns 프러나운스]
동 (3단현 **pronounces** [prənáunsiz 프러나운시즈], 과거 · 과분 **pronounced** [prənáunst 프러나운스트], 현분 **pronouncing** [prənáunsiŋ 프러나운싱])
발음하다; 언명하다
How do you *pronounce* this word?
이 단어는 어떻게 발음합니까?

**pro•nun•ci•a•tion** *pronunciation*
[prənʌ̀nsiéiʃən 프러넌시에이션]
명 (복수 **pronunciations** [prənʌ̀nsiéiʃənz 프러넌시에이션즈])
발음(법)
Your *pronunciation* of English is good. 너의 영어 발음은 좋다.

**proof** *proof*
[prú:f 프루-프]
명 (복수 **proofs** [prú:fs 프루-프스]) 증거, 증명; 증거물
There is no *proof* that he was there.
그가 거기에 있었다는 증거는 없다.
—형 (…을) 막는, 견디는
✎ fire*proof*(방화의), water*proof*(방수의)처럼 복합어로도 쓰임.

**prop•er** *proper*
[prápər 프라퍼]

형 (비교급 **more proper**, 최상급 **most proper**)
❶ 적합한, 알맞은
at the *proper* time 알맞은 때에
I need the *proper* tool for this job. 이 일을 하려면 적합한 연장이 필요하다.
❷ 고유의, 특유의; 본래의
a *proper* noun 고유명사
This custom is *proper* to England. 이 관습은 영국 고유의 것이다.

**prop•er•ly** *properly*
[prάpərli 프라펄리]
부 적절히; 올바르게, 정확히
Behave *properly*.
예의바르게 행동해라.

**prop•er•ty** *property*
[prάpərti 프라퍼티]
명 (복수 **properties** [prάpərtiz 프라퍼티즈])
❶ 재산, 자산; 소유물
That coat is my *property*.
저 코트는 내 소유물이다.
❷ (고유한) 성질, 특성
Sweetness is a *property* of sugar.
단맛은 설탕의 특성이다.

**pro•por•tion** *proportion*
[prəpɔ́ːrʃ(ə)n 프러포-션]
명 ❶ 《a와 복수형 안 씀》 비율, 비례
Its *proportion* is two to one.
그 비율은 2대 1이다.
❷ 균형, 조화
This furniture is out of *proportion* to the room.
이 가구는 방과 균형이 맞지 않다.
❸ (전체에 대한) 부분, 몫

**pro•pos•al** *proposal*
[prəpóuzəl 프러포우절]
명 (복수 **proposals** [prəpóuzəlz 프러포우절즈]) 신청, 제안, 제의
I agreed to her *proposal*.
나는 그녀의 제안에 동의했다.

**pro•pose** *propose*
[prəpóuz 프러포우즈]
타자 (3단현 **proposes** [prəpóuziz 프러포우지즈], 과거 · 과분 **proposed** [prəpóuzd 프러포우즈드], 현분 **proposing** [prəpóuziŋ 프러포우징])
❶ 제안하다, 제의하다, 신청하다
He *proposed* to take a short rest. 그는 잠시 휴식을 취하자고 제안했다.
❷ (남자가 여자에게) 청혼하다
The young man *proposed* to her. 그 청년은 그녀에게 청혼했다.

**pros•per** *prosper*
[prάspər 프라스퍼]
자 (3단현 **prospers** [prάspərz 프

라스퍼즈], 과거 · 과분 **prospered** [práspərd 프라스퍼드], 현분 **prospering** [práspəriŋ 프라스퍼링])
번영[번창]하다; 성공하다 (동 succeed)
His business is *prospering*.
그의 사업은 번창하고 있다.

## *pro•tect *protect*
[prətékt 프러텍트]
타 (3단현 **protects** [prətékts 프러텍츠], 과거 · 과분 **protected** [prətéktid 프러텍티드], 현분 **protecting** [prətéktiŋ 프러텍팅])
보호하다, 지키다 (동 guard); (…을) 막다 《from》
The firemen wear helmets to *protect* their heads. 소방수들은 머리를 보호하기 위해서 헬멧을 쓴다.

He *protected* the child *from* danger.
그는 위험으로부터 아이를 지켰다.

## pro•test *protest*
[prətést 프러테스트]
타자 (3단현 **protests** [prətésts 프러테스츠], 과거 · 과분 **protested** [prətéstid 프러테스티드], 현분 **protesting** [prətéstiŋ 프러테스팅])
❶ 항의하다; 반대하다
They *protested* against the new plan. 그들은 그 새 계획에 항의했다.
❷ 주장하다, 단언하다
He *protested* his innocence.
그는 그가 무죄라고 주장했다.

— 명 [próutest 프로우테스트] 항의; 주장, 단언
a *protest* march 항의 시위
She paid without *protest*. 그녀는 항의하지 않고 돈을 지불했다.

## **proud *proud*
[práud 프라우드]
형 (비교급 **prouder** [práudər 프라우더], 최상급 **proudest** [práudist 프라우디스트])
❶ 자랑으로 여기는, 자만하는
I was *proud* of my brother when he won the race.
나는 동생이 경주에서 이겼을 때 자랑스러웠다.

I am *proud* to be a Korean.
나는 한국인인 것이 자랑스럽다.
❷ 거만한, 뽐내는
Don't be too *proud*!

너무 뽐내지 마라!

**proud·ly** *proudly*
[práudli 프라우들리]
부 자랑스럽게; 거만하게
He showed me his watch *proudly*. 그는 자랑스럽게 그의 손목시계를 나에게 보여 주었다.

**prove** *prove*
[prúːv 프루-브]
동 (3단현 **proves** [prúːvz 프루-브즈], 과거 **proved** [prúːvd 프루-브드], 과분 **proved** [prúːvd 프루-브드] 또는 《미》 **proven** [prúːvən 프루-번], 현분 **proving** [prúːviŋ 프루-빙])
타 증명하다, 입증하다
He *proved* that it was true.
그는 그것이 사실임을 입증했다.
— 자 (…임이) 알려지다, 판명되다
The rumor *proved* (to be) false.
그 소문은 허위임이 판명되었다.

**prov·erb** *proverb*
[prάvəːrb 프라버-브]
명 (복수 **proverbs** [prάvəːrbz 프라버-브즈]) 속담, 격언
"An Englishman's house is his castle." says the *proverb*.
「영국 사람의 집은 그의 성이다」라는 속담이 있다.

***pro·vide** *provide*
[prəváid 프러바이드]
동 (3단현 **provides** [prəváidz 프러바이즈], 과거 · 과분 **provided** [prəváidid 프러바이디드], 현분 **providing** [prəváidiŋ 프러바이딩])
❶ 공급하다, 제공하다 《with》
He *provided* food for the poor.
그는 가난한 사람들에게 음식을 제공했다.
Cows *provide* us *with* milk.
암소는 우리에게 우유를 제공한다.

❷ 준비하다, 대비하다 《for》
We must *provide for* the future.
우리는 장래에 대비해야 한다.

***pub·lic** *public*
[pʌ́blik 퍼블릭]
형 공적인, 공공의
a *public* telephone 공중 전화
*public* opinion 여론
The town has its own *public* library. 그 소도시는 자체의 공공 도서관을 갖고 있다.
— 명 《the를 붙여》 대중, 일반인
The museum is open to *the public*. 그 박물관은 대중에게 개방되어 있다.

숙어 ***in public*** 공공연히
He insulted me *in public*.
그는 공공연히 나를 모욕했다.

A B C D E F G H I J K L M N O P Q R S T U V W X Y Z

**pub•lish** *publish*
[pʌ́bliʃ 퍼블리시]
타 (3단현 **publishes** [pʌ́bliʃiz 퍼블리시즈], 과거 · 과분 **published** [pʌ́bliʃt 퍼블리시트], 현분 **publishing** [pʌ́bliʃiŋ 퍼블리싱])
❶ 출판하다, 발행하다
The book was *published* in 1973. 그 책은 1973년에 발행되었다.
❷ 발표하다; 공포하다
She *published* her marriage.
그녀는 자신의 결혼을 발표했다.

**pub•lish•er** *publisher*
[pʌ́bliʃər 퍼블리셔]
명 (복수 **publishers** [pʌ́bliʃərz 퍼블리셔즈]) 출판업자, 발행자; 출판사
He is the *publisher* of a magazine. 그는 한 잡지의 발행인이다.

**pud•ding** *pudding*
[púdiŋ 푸딩]
명 (복수 **puddings** [púdiŋz 푸딩즈]) 푸딩 《밀가루로 과일 · 우유 · 달걀 따위를 입혀 만든 과자》

**⁑pull** *pull*
[púl 풀]
타자 (3단현 **pulls** [púlz 풀즈], 과거 · 과분 **pulled** [púld 풀드], 현분 **pulling** [púliŋ 풀링])
끌다, 잡아당기다 (반 push 밀다)

She *pulled* at my coat.
그녀가 내 코트를 잡아당겼다.
The horse was *pulling* a cart.
말이 짐수레를 끌고 있었다.
They are *pulling* a rope.
그들은 밧줄을 끌어당기고 있다.
숙어 ***pull down*** ⓐ 끌어내리다
He *pulled down* the curtain.
그는 커튼을 끌어내렸다.
ⓑ (집 따위를) 허물다
***pull out*** (이 · 마개 따위를) 뽑다
The dentist *pulled out* one of my teeth.
치과 의사가 내 이를 한 개 뽑았다.

**pulse** *pulse*
[pʌ́ls 펄스]
명 (복수 **pulses** [pʌ́lsiz 펄시즈]) 맥박, 고동
The doctor felt her *pulse*.
의사는 그녀의 맥을 짚어 보았다.

**pump** *pump*
[pʌ́mp 펌프]
명 (복수 **pumps** [pʌ́mps 펌프스]) 펌프, 양수기
Draw water from well with *pump*. 펌프로 샘에서 물을 길어라.

**pump•kin** *pumpkin*
[pʌ́m(p)kin 펌(프)킨]
명 (복수 **pumpkins** [pʌ́m(p)kinz

펌(프)킨즈]) 『식물』 (서양) 호박
She has baked a *pumpkin* pie.
그녀는 호박파이를 구워냈다.

**punc•tu•al** *punctual*
[pʌ́ŋ(k)tʃuəl 펑(크)추얼]
형 시간을 엄수하는, 늦지 않는
I was always *punctual* for class.
나는 항상 수업 시간을 엄격히 지켰다.

**punc•tu•a•tion** *punctuation*
[pʌŋktʃuéuʃən 펑크추에이션]
형 《a와 복수형 안 씀》 구두법 《마침표나 쉼표의 사용법》

***pun•ish** *punish*
[pʌ́niʃ 퍼니시]
타 (3단현 **punishes** [pʌ́niʃiz 퍼니시즈], 과거 · 과분 **punished** [pʌ́niʃt 퍼니시트], 현분 **punishing** [pʌ́niʃiŋ 퍼니싱])
벌주다, 처벌하다

He was *punished* for being late. 그는 지각해서 벌을 받았다.
Drunk driving should be severely *punished*.
음주 운전은 엄하게 처벌돼야 한다.

**pun•ish•ment** *punishment*
[pʌ́niʃmənt 퍼니시먼트]
명 처벌, 형벌
The boy accepted his *punishment* without complaining.
그 소년은 불평 없이 벌을 받았다.

****pu•pil** *pupil*
[pjúːp(ə)l 퓨-펄]
명 (복수 **pupils** [pjúːp(ə)lz 퓨-펄즈]) 학생, 생도

There are twenty *pupils* in our class.
우리 반에는 20명의 학생들이 있다.

참고 **pupil**은 미국에서는 초등학생, 영국에서는 초등 · 중등 학생을 가리킨다. 또 **student**는 미국에서는 중학생 이상, 영국에서는 대학생을 가리킨다.

**pup•py** *puppy*
[pʌ́pi 퍼피]
명 (복수 **puppies** [pʌ́piz 퍼피즈]) 『동물』 강아지

a b c d e f g h i j k l m n o p q r s t u v w x y z

A B C D E F G H I J K L M N O P Q R S T U V W X Y Z

**pur•chase** *purchase*
[pə́ːrtʃəs 퍼-처스]
타 (3단현 **purchases** [pə́ːrtʃəsiz 퍼-처시즈], 과거 · 과분 **purchased** [pə́ːrtʃəst 퍼-처스트], 현분 **purchasing** [pə́ːrtʃəsiŋ 퍼-처싱])
구입하다, 사다 (동 buy)
We *purchased* our train ticket at the station.
우리는 역에서 열차표를 구입했다.

—명 (복수 **purchases** [pə́ːrtʃəsiz 퍼-처시즈]) 구입, 구매; 구매품
the *purchase* of a house
주택의 매입

**pure** *pure*
[pjúər 퓨어]
형 (비교급 **purer** [pjúərər 퓨어러], 최상급 **purest** [pjúərist 퓨어리스트])
❶ 순수한, 깨끗한
*pure* water 깨끗한 물
❷ 순결한, 청순한
She has a *pure* heart.
그녀는 순결한 마음씨를 갖고 있다.

**pur•ple** *purple*
[pə́ːrpl 퍼-플]
명 자색, 자줏빛 (관 violet 보라색)
—형 자색의, 자줏빛의
His lips turned *purple*.
그의 입술은 자줏빛으로 변했다.

***pur•pose** *purpose*
[pə́ːrpəs 퍼-퍼스]
명 (복수 **purposes** [pə́ːrpəsiz 퍼-퍼시즈]) 목적 (동 aim); 의도
What was his *purpose* in coming here?
그가 여기에 온 의도가 무엇이었지?
숙어 ***for the purpose of*** …의 목적으로, …을 위하여
***on purpose*** 고의로, 일부러
He kicked me *on purpose*.
그는 일부러 나를 걷어찼다.

***to the purpose*** 적절히; 요령 있게
He explained it *to the purpose*.
그는 요령 있게 그것을 설명했다.

***purse** *purse*
[pə́ːrs 퍼-스]
명 (복수 **purses** [pə́ːrsiz 퍼-시즈])
돈지갑, 돈주머니; 《미》 핸드백
I keep my money in a *purse*.

나는 돈을 지갑에 넣어 둔다.
✎ 지폐를 넣는 지갑은 wallet.

**pur•sue** *pursue*
[pərsúː 퍼수-]
타 (3단현 **pursues** [pərsúːz 퍼수-즈], 과거 · 과분 **pursued** [pərsúːd 퍼수-드], 현분 **pursuing** [pərsúːiŋ 퍼수-잉])
❶ 뒤를 쫓다; 추적하다
The police *pursued* the thief along the street. 경관은 거리를 따라 도둑을 뒤쫓았다.

❷ 추구하다; (일 · 연구를) 수행하다
She *pursued* the plan.
그녀는 그 계획을 수행했다.

**pur•suit** *pursuit*
[pərsúːt 퍼수-트]
명 (복수 **pursuits** [pərsúːts 퍼수-츠]) ❶ 추적, 뒤쫓음
The hounds are in *pursuit* of the fox. 사냥개들이 여우를 쫓고 있다.
❷ (학문의) 연구, 종사; 직업, 일
literary *pursuits* 문학의 연구

**⁑push** *push*
[púʃ 푸시]
타 자 (3단현 **pushes** [púʃiz 푸시즈], 과거 · 과분 **pushed** [púʃt 푸시트], 현분 **pushing** [púʃiŋ 푸싱])
❶ 밀다, 밀어붙이다 (반 pull 당기다)
I *pushed* the door open.
나는 문을 밀어서 열었다.

❷ (계획을) 추진하다
Please *push* this job.
이 일을 추진하시오.
숙어 ***push aside*〔*away*〕** 밀어제치다
She *pushed* him *aside*.
그녀는 그를 밀어젖혔다.

**⁑put** *put*
[pút 풋]
타 자 (3단현 **puts** [púts 푸츠], 과거 · 과분 **put** [pút 풋], 현분 **putting** [pútiŋ 푸팅])
❶ 놓다, 두다, 얹다, 넣다
*Put* the vase on the shelf.
꽃병을 선반에다 얹어라.
She *put* the plates on the table.
그녀는 식탁에다 접시들을 놓았다.

a b c d e f g h i j k l m n o p q r s t u v w x y z

A B C D E F G H I J K L M N O P Q R S T U V W X Y Z

❷ (어떤 상태로) 해 두다
She *put* her books in order.
그녀는 책을 정돈하였다.
❸ (…을) 쓰다, (말로) 나타내다
*Put* your name here, please.
여기에 당신 이름을 쓰시오.
How would you *put* that in English?
저것을 영어로 뭐라고 합니까?
❹ (질문을) 하다, (문제를) 내다
He *put* several questions to me. 그는 나에게 몇몇 질문을 했다.

숙어 ***put away*** 〔***aside***〕 치우다; (장래를 위해) 떼어 두다
*Put away* your toys.
네 장난감들을 치워라.

***put back*** 제자리로 돌려놓다
*Put* the book *back* on the bookshelf. 그 책을 책장에 되돌려놓아라.

***put down*** 내려 놓다; 적어 두다
*Put down* your pencils.
연필을 내려놓아라.

***put into*** …의 안에 넣다; …으로 번역하다
*Put* the setence *into* English
그 문장을 영어로 번역하시오.

***put off*** 연기하다
We *put off* the meeting till next Saturday. 우리는 모임을 다음 토요일까지 연기했다.

***put on*** 입다, 쓰다, 신다
Jane *put on* her coat.
제인은 코트를 입었다.
*Put on* your hat.
모자를 쓰시오.

***put out*** (불 등을) 끄다
He *put out* the light.
그는 전등을 껐다.

***put together*** 모으다; (기계를) 조립하다
He *put* the machine *together*.
그는 그 기계를 조립했다.

***put up*** (기를) 내걸다; (텐트를) 치다
They *put up* the flags.
그들은 깃발을 내걸었다.

We *put up* a tent by the lake.
우리는 호숫가에 텐트를 쳤다.

***put up at*** …에서 묵다
We *put up at* an inn for the night.
우리는 그날 밤을 여관에서 묵었다.

***put up with*** 참다
We must *put up with* hardships. 우리는 고난을 견뎌내지 않으

면 안 된다.

**puz•zle** *puzzle*
[pʌ́zl 퍼즐]
명 (복수 **puzzles** [pʌ́zlz 퍼즐즈])
수수께끼, 퍼즐
a picture *puzzle* 그림 맞추기 퍼즐

— 타자 (3단현 **puzzles** [pʌ́zlz 퍼즐즈], 과거 · 과분 **puzzled** [pʌ́zld 퍼즐드], 현분 **puzzling** [pʌ́zliŋ 퍼즐링])
난처하게 하다; 어리둥절해지다
I'm quite *puzzled* what to do.
어찌 해야 할지 난 정말 난처하다.

**pyr•a•mid** *pyramid*
[pírəmìd 피러미드]
명 (복수 **pyramids** [pírəmìdz 피러미즈]) ❶ 피라미드

The *Pyramids* were built as tombs in ancient Egypt.
피라미드는 고대 이집트에서 묘로 건립되었다.
✎ 고대 이집트왕의 무덤을 뜻할 때는 the Pyramid로 씀.
❷ 〖수학〗 각뿔, 각추

A B C D E F G H I J K L M N O P Q R S T U V W X Y Z

**Q, q** *Q, q*
[kjúː 큐-]
명 (복수 **Q's**, **q's** [kjúːz 큐-즈])
큐 《알파벳의 열일곱 번째 글자》

**qual•i•ty** *quality*
[kwɑ́ləti 콸러티]
명 (복수 **qualities** [kwɑ́lətiz 콸러티즈]) ❶ 질; 품질 (반 quantity 양)
This cloth is of good *quality*. 이 옷은 품질이 좋습니다.

❷ 《복수형으로》 성질, 소질
Jane has many good *qualities*. 제인은 좋은 소질을 많이 지니고 있다.

**quan•ti•ty** *quantity*
[kwɑ́ntəti 콴터티]
명 (복수 **quantities** [kwɑ́ntətiz 콴터티즈])
❶ 양, 분량 (반 quality 질)
There is a small *quantity* of wine left. 포도주가 조금 남아 있다.
❷ 《보통 복수형으로》 많음, 다량, 다수
She made large *quantities* of food for us. 그녀는 우리를 위해서 많은 음식을 했다.
숙어 ***in quantities*** 많이, 다량으로
I bought things *in quantities*. 나는 물건을 다량으로 샀다.

***quar•rel** *quarrel*
[kwɔ́ːrəl 쿼-럴]
자 (3단현 **quarrels** [kwɔ́ːrəlz 쿼-럴즈], 과거 · 과분 **quarreled**, 《영》 **quarrelled** [kwɔ́ːrəld 쿼-럴드], 현분 **quarreling**, 《영》 **quarrelling** [kwɔ́ːrəliŋ 쿼-럴링])
싸우다, 말다툼하다, 다투다
Don't *quarrel* with your friends. 친구들과 싸우지 마라.
— 명 (복수 **quarrels** [kwɔ́ːrəlz 쿼-럴즈]) 싸움, 말다툼, 언쟁
He had a *quarrel* with his brother over the bicycle. 그는 자전거 때문에 자기 동생과 싸웠다.

**⁑quar•ter** *quarter*
[kwɔ́ːrtər 쿼–터]
명 (복수 **quarters** [kwɔ́ːrtərz 쿼–터즈]) ❶ 4분의 1
three *quarters* 4분의 3
A *quarter* of the country is covered with forest.
국토의 4분의 1이 숲으로 덮여 있다.
❷ 15분 ((한 시간의 4분의 1))
It is *quarter* to nine.
9시 15분 전이다.

❸ ((미)) 쿼터, 25센트 동전

***queen** *queen*
[kwíːn 퀸–]
명 (복수 **queens** [kwíːnz 퀸–즈])
❶ 여왕, 왕비 (반 king 왕)
*Queen* Elizabeth II 엘리자베스 2세 ((II는 the second라고 읽음))

❷ 저명한 여성; (사교계의) 여왕
She was a *queen* of the screen.
그녀는 은막의 여왕이었다.

**queer** *queer*
[kwíər 퀴어]
형 (비교급 **queerer** [kwíərər 퀴어러], 최상급 **queerest** [kwíərist 퀴어리스트])
이상한, 기묘한, 괴상한 (동 strange)
a *queer* fellow 괴짜
He has a *queer* way of walking. 그는 걸음걸이가 이상하다.

**quest** *quest*
[kwést 퀘스트]
명 (복수 **quests** [kwésts 퀘스츠])
탐색, 수색; 탐구, 추구 (동 search)
He went off in *quest* of truth.
그는 진실을 찾아 나섰다.

**⁑ques•tion** *question*
[kwéstʃən 퀘스천]
명 (복수 **questions** [kwéstʃənz 퀘스천즈]) ❶ 질문, 물음 (반 answer 대답); 의문
Do you have any *questions*?
뭔가 질문이 있습니까?
May I ask you a *question*?
질문을 해도 됩니까?

There is no *question* of his honesty. 그가 정직하다는 것은 의

문의 여지가 없다.
❷ 문제, 현안; 문제점
Success is only a *question* of time. 성공은 단지 시간 문제다.

**ques•tion mark**
*question mark*
[kwéstʃ(ə)n mɑ̀ːrk 퀘스천마-크]
명 의문 부호 《?》

**queue** *queue*
[kjúː 큐-]
명 (복수 **queues** [kjúːz 큐-즈])
《영》 줄, 열, 행렬 (《미》 line)
He stood in *queue* for over an hour. 그는 한 시간 이상이나 줄을 서 있었다.

⁑**quick** *quick*
[kwík 퀵]
형 (비교급 **quicker** [kwíkər 퀴커], 최상급 **quickest** [kwíkist 퀴키스트])
빠른, 민첩한 (반 slow 느린)
A rabbit is a *quick* animal.
토끼는 빠른 동물이다.

He is *quick* to understand.
그는 이해가 빠르다.
—부 빠르게, 신속하게
Come *quick*! 빨리 와!

***quick•ly** *quickly*
[kwíkli 퀴클리]
부 빨리, 급히; 곧 (반 slowly 늦게)
Go home *quickly*.
속히 집에 가거라.
She got well *quickly*.
그녀는 곧 건강해졌다.

⁑**qui•et** *quiet*
[kwáiət 콰이엇]
형 (비교급 **quieter** [kwáiətər 콰이어터], 최상급 **quietest** [kwáiətist 콰이어티스트])
❶ 조용한 (반 noisy 시끄러운)
Be *quiet*! 조용히 해!

I asked him to be *quiet*.
나는 그에게 조용히 하라고 했다.
❷ 평화로운, 평온한
She leads a *quiet* life.
그녀는 평온한 생활을 한다.

**qui•et•ly** *quietly*
[kwáiətli 콰이어틀리]
부 조용히; 침착하게
She closed the door *quietly*.
그녀는 조용히 문을 닫았다.

**quilt** *quilt*
[kwílt 퀼트]
명 (복수 **quilts** [kwílts 퀼츠])
누비이불, 누비 침대 커버
I slept with two *quilts*.
나는 누비이불 두 채를 덮고 잤다.

A B C D E F G H I J K L M N O P Q R S T U V W X Y Z

**quit** *quit*
[kwít 큇]
타 (3단현 **quits** [kwíts 퀴츠], 과거 · 과분 **quit** [kwít 큇], 《영》 **quitted** [kwítid 퀴티드], 현분 **quitting** [kwítiŋ 퀴팅])
❶ 그만두다, 중지하다, 멈추다
He *quit* smoking last year.
그는 작년에 담배를 끊었다.
❷ 떠나다; 물러가다, 사직하다
He *quit* his job last month.
그는 지난 달에 직장을 그만두었다.

**⁑quite** *quite*
[kwáit 콰이트]
부 ❶ 아주, 전적으로
They are *quite* healthy.
그들은 아주 건강하다.

We *quite* agree with you. 우리는 전적으로 당신에게 동의합니다.
❷ 꽤, 제법
It was *quite* cold last night.
지난 밤은 꽤 추웠다.
숙어 ***not quite*** 아주 …한 것은 아니다 《부분 부정》
Your answer is *not quite* wrong.
너의 대답이 전혀 틀린 것은 아니다.
***quite a few*** 꽤 많은, 상당수의
***Quite so.*** 정말 그렇다.

**quiz** *quiz*
[kwíz 퀴즈]
명 (복수 **quizzes** [kwíziz 퀴지즈])
퀴즈; 간단한 시험〔테스트〕
a *quiz* show
(라디오 · TV의) 퀴즈 쇼

**quo·ta·tion** *quotation*
[kwoutéiʃən 쿼우테이션]
명 (복수 **quotations** [kwoutéiʃənz 쿼우테이션즈]) 인용; 인용문, 인용구
*quotation* marks
따옴표 《" " 또는 ' '》

**quote** *quote*
[kwóut 쿼우트]
타자 (3단현 **quotes** [kwóuts 쿼우츠], 과거 · 과분 **quoted** [kwóutid 쿼우티드], 현분 **quoting** [kwóutiŋ 쿼우팅])
(남의 말, 문장을) 인용하다
He *quoted* sayings from the Bible.
그는 성서에서 격언을 인용했다.

**R, r** *R, r*
[ɑ́ːr 아-]
명 (복수 **R's**, **r's** [ɑ́ːrz 아-즈]
아 《알파벳의 열여덟 번째 글자》

*__rab•bit__ *rabbit*
[rǽbit 래빗]
명 (복수 **rabbits** [rǽbits 래비츠])
〖동물〗 (집)토끼 (관 hare 산토끼)
She keeps a *rabbit*.
그녀는 토끼를 기르고 있다.

*__race¹__ *race*
[réis 레이스]
명 (복수 **races** [réisiz 레이시즈])
경주, 레이스, 경마
a boat *race* 보트 레이스
a car *race* 자동차 경주
He joined a horse *race*.
그는 경마에 참가했다.

— 자 (3단현 **races** [réisiz 레이시즈], 과거 · 과분 **raced** [réist 레이스트], 현분 **racing** [réisiŋ 레이싱])
달리다, 질주하다; 경주하다
I *raced* with him to the tree.
나무가 있는 데까지 그와 경주했다.

**race²** *race*
[réis 레이스]
명 (복수 **races** [réisiz 레이시즈])
민족, 인종; 종족
the black *race* 흑인종
the white *race* 백인종
the yellow *race* 황인종
the human *race* 인류

**rac•er** *racer*
[réisər 레이서]
명 (복수 **racers** [réisərz 레이서즈])
달리기 선수, 경주마
He is a car *racer*.
그는 자동차 경주 선수이다.

***rack•et** *racket*
[rǽkit 래킷]
명 (복수 **rackets** [rǽkits 래키츠])
〖스포츠〗 (테니스 · 탁구 따위의) 라켓

I need a new *racket*.
나는 새 라켓이 필요하다.

**ra•dar** *radar*
[réidɑːr 레이다–]
명 (복수 **radars** [réidɑːrz 레이다–즈])
레이더, 전파 탐지기
a *radar* screen 레이더 화면
a *radar* system 레이더 장치

****ra•di•o** *radio*
[réidiòu 레이디오우]
명 (복수 **radios** [réidiòuz 레이디오우즈]) 라디오 (방송); 무선 통신
a *radio* station 라디오 방송국
I listened to the news on the *radio*. 그 뉴스를 라디오에서 들었다.

**rad•ish** *radish*
[rǽdiʃ 래디시]
명 (복수 **radishes** [rǽdiʃiz 래디시즈]) 〖식물〗 무

**raft•ing** *rafting*
[rǽfting 래프팅]
명 래프팅, 뗏목 타기

**rag** *rag*
[rǽg 래그]
명 (복수 **rags** [rǽgz 래그즈])
넝마; 《복수형으로》 누더기
He is in *rags*.
그는 누더기를 걸치고 있다.

**rail** *rail*
[réil 레일]
명 (복수 **rails** [réilz 레일즈])
❶ (철도의) 레일; 철도

Don't cross the *rails*.
철로를 횡단하지 마라.

A B C D E F G H I J K L M N O P Q R S T U V W X Y Z

❷ (나무 · 철책의) 가로대; 난간

**rail•road** *railroad*
[réilròud 레일로우드]
명 (복수 **railroads** [réilròudz 레일로우즈])
《미》 철도; 철로(《영》 railway)

a *railroad* station 역, 정거장
a *railroad* crossing 철도 건널목

**rail•way** *railway*
[réilwèi 레일웨이]
명 (복수 **railways** [réilwèiz 레일웨이즈]) 《영》 철도 (《미》 railroad)

****rain** *rain*
[réin 레인]
명 비
The *rain* is still falling.
비는 아직도 오고 있다.

It looks like *rain*.
비가 올 것 같다.
He went out in the *rain*.
그는 비가 오는데 외출했다.

—자 (3단현 **rains** [réinz 레인즈], 과거 · 과분 **rained** [réind 레인드], 현분 **raining** [réiniŋ 레이닝])
《it을 주어로 하여》 비가 오다
*It* didn't *rain* for many weeks.
여러 주 동안 비가 오지 않았다.
*It* has been *raining* since last sunday. 지난 일요일부터 줄곧 비가 오고 있다.

***rain•bow** *rainbow*
[réinbòu 레인보우]
명 (복수 **rainbows** [réinbòuz 레인보우즈]) 무지개

There is a *rainbow* in the sky.
하늘에 무지개가 떴다.

참고 무지개의 일곱 색깔은 바깥쪽부터 **red**(빨강), **orange**(주황), **yellow**(노랑), **green**(초록), **blue**(파랑), **indigo**(남색), **violet**(보라)이다.

**rain•coat** *raincoat*
[réinkòut 레인코우트]
명 (복수 **raincoats** [réinkòuts 레인코우츠]) 비옷, 레인코트
I wear my own *raincoat*.
나는 레인코트를 입고 있다.

**rain•fall** *rainfall*
[réinfɔ̀:l 레인폴-]
명 (복수 **rainfalls** [réinfɔ̀:lz 레인폴-즈]) 강우; 강우량
the average *rainfall* in London
런던의 평균 강우량

*__rain•y__ *rainy*
[réini 레이니]
형 (비교급 **rainier** [réiniər 레이니어], 최상급 **rainiest** [réiniist 레이니이스트])
비가 오는; 비가 많이 오는

on a *rainy* day 비 오는 날에
the *rainy* season 우기, 장마철
That day was *rainy* and cold.
그 날은 비가 오고 추웠다.

*__raise__ *raise*
[réiz 레이즈]
타 (3단현 **raises** [réiziz 레이지즈], 과거 · 과분 **raised** [réizd 레이즈드], 현분 **raising** [réiziŋ 레이징])
❶ 올리다, 들어올리다 (동 lift, 반 lower 내리다)
*Raise* your hand. 손을 들어라.

Mr. Brown *raised* his hat to her. 브라운씨는 그녀에게 모자를 들어올려 인사했다.
❷ (건물을) 세우다, 짓다 (동 build)
They *raised* a monument.
그들은 기념비를 세웠다.
❸ (가축 · 작물을) 기르다, 재배하다
The farmer *raised* cows and pigs. 그 농부는 소와 돼지를 길렀다.
❹ (가격 따위를) 올리다, 인상하다
They demanded to *raise* their wages.
그들은 임금을 올려달라고 요구했다.

**rake** *rake*
[réik 레이크]
명 (복수 **rakes** [réiks 레이크스])
고무래, 갈퀴, 써레
—타 (3단현 **rakes** [réiks 레이크스], 과거 · 과분 **raked** [réikt 레이크트], 현분 **raking** [réikiŋ 레이킹])
(낙엽을) 갈퀴로 긁어모으다, (흙을) 써레로 고르다
He is *raking* the leaves in the

yard. 그는 뜰에 있는 나뭇잎을 갈퀴로 긁어모으고 있다.

**ran** *ran*
[rǽn 랜]
동 run의 과거

**ran•dom** *random*
[rǽndəm 랜덤]
형 제멋대로의, 되는 대로의, 임의의
He asked *random* questions.
그는 닥치는 대로 질문을 했다.
숙어 ***at random*** 되는 대로, 임의로
She picked a book *at random* from the shelf. 그녀는 서가에서 임의로 한 권의 책을 뽑았다.

**rang** *rang*
[rǽŋ 랭]
자타 ring(울다, 울리다)의 과거

**range** *range*
[réindʒ 레인지]
명 (복수 **ranges** [réindʒiz 레인지즈])
❶ (변동의) 범위, 폭; 영역
He has a wide *range* of knowledge.
그는 광범위한 지식을 갖고 있다.
❷ 줄, 열 (동 row, line); 연속; 산맥
a *range* of passengers
한 줄로 늘어선 승객들

a *range* of mountains 산맥
❸ (요리용) 레인지
—타자 (3단현 **ranges** [réindʒiz 레인지즈], 과거 · 과분 **ranged** [réindʒd 레인지드], 현분 **ranging** [réindʒiŋ 레인징])
❶ 정렬시키다, 정리하다
*Range* the books by size.
책을 크기 순서로 정렬시켜라.
❷ (…의 범위에) 이르다, 걸치다
They *range* in age from six to nine years. 그들은 나이가 여섯 살에서 아홉 살에 걸쳐 있다.

**rank** *rank*
[rǽŋk 랭크]
명 (복수 **ranks** [rǽŋks 랭크스])
❶ 계급, 계층; 지위, 등급
He is a man of high *rank*.
그는 고위층의 사람이다.

❷ 열, 줄 (동 line, row)
We sat in the front〔rear〕 *rank*.
우리는 앞줄〔뒷줄〕에 앉았다.

***rap•id** *rapid*
[rǽpid 래피드]
형 (비교급 **rapider** [rǽpidər 래피더], 최상급 **rapidest** [rǽpidist 래피디스트])
(속도가) 빠른, 신속한 (동 quick, fast, 반 slow 느린)
a *rapid* train 쾌속 열차
This is a *rapid* stream.
이것은 물살이 빠른 시내다.

He is a *rapid* worker.
그는 일이 빠른 사람이다.

**rap•id•ly** *rapidly*
[rǽpidli 래피들리]
부 빠르게, 신속하게, 재빠르게 (동 quickly, 반 slowly 천천히)
Don't speak too *rapidly*.
너무 빠르게 말하지 마라.

***rare** *rare*
[rɛ́ər 레어]
형 (비교급 **rarer** [rɛ́(ə)rər 레(어)러], 최상급 **rarest** [rɛ́(ə)rist 레(어)리스트])
❶ 드문, 진귀한 (반 common 흔한)
a *rare* bird 진귀한 새
It's very *rare* for her to arrive late. 그녀가 늦게 도착하는 일은 매우 드물다.
❷ (특히 고기가) 덜 익은 (관 well-done 잘 익힌)
I'd like my steak *rare*, please.
제 스테이크는 살짝 구워 주세요.

**rare•ly** *rarely*
[rɛ́ərli 레얼리]
부 드물게, 진귀하게, 좀처럼 …하지 않다 (동 seldom, hardly)
I *rarely* see him these days.
나는 요즘 그를 좀처럼 만나지 못한다.

***rat** *rat*
[rǽt 랫]
명 (복수 **rats** [rǽts 래츠])
쥐 ((들쥐, 시궁쥐, 집쥐 따위)) (관 mouse 생쥐)
We caught a *rat* in our trap.
우리는 덫으로 쥐를 잡았다.

**rate** *rate*
[réit 레이트]
명 (복수 **rates** [réits 레이츠])
❶ 비율, 율
a *rate* of exchange 환율, 환시세
The birth *rate* is very low in our country. 우리 나라에서는 출산율이 매우 낮다.
❷ 가격 (동 price); 요금, 사용료
a telephone *rate* 전화 요금

③ 빠르기, 속도

She drove the car at the *rate* of eighty miles an hour.
그녀는 시속 80마일로 운전했다

숙어 ***at any rate*** 어쨌든, 좌우지간

*At any rate* you must go there.
어쨌든 너는 거기에 가야 한다.

***at this rate*** 이런 식으로는

**⁑rath•er** *rather*
[rǽðər 래더]
부 ① 《**rather than**으로》 (…보다는) 오히려, 차라리

He is a teacher *rather than* a writer.
그는 작가라기보다는 선생님이다.

② 다소, 얼마간

We were *rather* surprised at the news.
우리는 그 소식을 듣고 다소 놀랐다.

숙어 ***would rather ... than ~*** ~하느니 차라리 …하겠다

I *would rather* go *than* stay.
나는 남아 있느니 차라리 가고 싶다.

**ra•tio** *ratio*
[réiʃiou 레이시오우]
명 (복수 **ratios** [réiʃiouz 레이시오우즈]) 비, 비율

The *ratio* of men to women was two to one.
남녀의 비율은 2대 1이었다.

***raw** *raw*
[rɔ́ː 로-]
형 (비교급 **rawer** [rɔ́ːər 로-어], 최상급 **rawest** [rɔ́ːist 로-이스트])
① 설익은; 날〔생〕것의 (반 ripe 익은)

a *raw* egg 날달걀
The lions in the zoo eat a lot of *raw* meat. 동물원의 사자는 많은 날고기를 먹는다.

② 자연 그대로의, 가공하지 않은

a *raw* material 원료

**ray** *ray*
[réi 레이]
명 (복수 **rays** [réiz 레이즈]) 광선 (동 light); 방사선, 열선

Lead shuts out X-*rays*.
납은 X선을 통과시키지 않는다.

**ra•zor** *razor*
[réizər 레이저]

명 (복수 **razors** [réizərz 레이저즈]) 면도기; 면도칼

He is shaving with a *razor.* 그는 면도기로 면도하고 있다.

## ⁑reach *reach*

[ríːtʃ 리-치]

동 (3단현 **reaches** [ríːtʃiz 리-치즈], 과거 · 과분 **reached** [ríːtʃt 리-치트], 현분 **reaching** [ríːtʃiŋ 리-칭])

—타 ❶ (…에) 도착하다, 다다르다 (동 arrive, 반 leave 떠나다)

The train *reaches* Busan at 8 p.m. 그 기차는 오후 8시에 부산에 도착한다.

Your letter *reached* me yesterday. 네 편지가 어제 내게 도착했다.

어법 「…에 도착하다」란 뜻일 때 reach는 타동사이므로 뒤에 in, at, to 따위의 전치사를 쓰지 않는다. arrive나 get과 다름에 주의.

*reach* Seoul =*arrive in* Seoul =*get to* Seoul (서울에 도착하다)

❷ (…에) 닿다, 이르다; (손을) 뻗치다

I can *reach* the apple on this tree. 나는 이 나무에 달린 사과까지 손이 닿는다.

—자 ❶ (…에) 달하다, 이르다, 미치다

Her hair *reaches* to her waist. 그녀의 머리카락은 허리까지 닿는다.

❷ (…을) 잡으려고 손을 뻗치다 《for》

She *reached for* my arm. 그녀는 내 팔을 잡으려고 손을 뻗쳤다.

## re•act *react*

[riːǽkt 리-액트]

자 (3단현 **reacts** [ri(ː)ǽkts 리(-)액츠], 과거 · 과분 **reacted** [ri(ː)ǽktid 리(-)액티드], 현분 **reacting** [ri(ː)ǽktiŋ 리(-)액팅])

반작용하다, 반응하다 《to》; 반발하다, 반항하다 《against》

Our eyes *react to* light. 우리 눈은 빛에 반응한다.

He soon *reacted against* the plan. 그는 곧 그 계획에 반발했다.

## re•ac•tion *reaction*

[riːǽkʃən 리-액션]

명 (복수 **reactions** [riːǽkʃənz 리-액션즈]) 반작용, 반응; 반발

## ⁑read *read*

[ríːd 리-드]

타자 (3단현 **reads** [ríːdz 리-즈], 과거 · 과분 **read** [réd 레드], 현분 **reading** [ríːdiŋ 리-딩])

현재 · 과거 · 과거분사형이 철자는 같아도 발음은 서로 다름.

❶ 읽다, 독서하다; 읽어 주다

They are *reading* the books. 그들은 독서하고 있다.

Please *read* me the letter.
나에게 그 편지를 읽어 다오.
❷ 판독하다, 해석하다
The blind *read* with their fingers. 맹인들은 손가락으로 판독한다.
❸ 알다 《of, about》
I *read of* his death in the paper.
나는 그의 죽음을 신문에서 읽고 알았다.

**read•er** *reader*
[ríːdər 리-더]
명 (복수 **readers** [ríːdərz 리-더즈])
❶ 독자, 독서가
She is a good *reader*.
그녀는 훌륭한 독서가이다.
❷ 독본, 교과서
an English *reader* 영어 교과서

**read•ing** *reading*
[ríːdiŋ 리-딩]
명 《a와 복수형 안 씀》 독서, 읽기; 읽을 거리
Susie is very fond of *reading*.
수지는 독서를 대단히 좋아한다.

****read•y** *ready*
[rédi 레디]
형 (비교급 **readier** [rédiər 레디어], 최상급 **readiest** [rédiist 레디이스트])
❶ 준비가 된, 채비가 된
Finally everything was *ready*.
마침내 모든 것이 준비되었다.
❷ 《**be ready to** do로》 …의 준비〔각오〕가 되어 있다, 기꺼이 …하다
*Are* you *ready to* start?
떠날 준비는 되었니?

I *am ready to* help you.
기꺼이 당신을 돕겠습니다.
숙어 ***get*〔*make*〕 *ready (for)*** (…을) 준비하다
*Get*〔*Make*〕 *ready for* the test at once. 즉시 시험 준비를 해라.

***re•al** *real*
[ríː(ə)l 리-얼]
형 ❶ 진짜의, 진실한 (동 true)

Is this a *real* diamond?
이것은 진짜 다이아몬드니?
❷ 실제의, 현실의
a *real* story 실제 이야기
He is a *real* person in history.
그는 역사상의 실제 인물이다.

**re•al•is•tic** *realistic*
[rì:əlístik 리-얼리스틱]
형 현실주의의, 사실주의의
a *realistic* goal 현실적인 목표
a *realistic* novel 사실주의 소설

**re•al•i•ty** *reality*
[riǽləti 리앨러티]
명 (복수 **realities** [riǽlətiz 리앨러티즈]) 진실, 현실, 실제
His dream became a *reality*.
그의 꿈은 실현되었다.
숙어 ***in reality*** 사실은, 실제로는
*In reality* he is not rich.
사실 그는 부자가 아니다.

**re•al•ize** *realize*
[rí:əlàiz 리-얼라이즈]
타 (3단현 **realizes** [rí:əlàiziz 리-얼라이지즈], 과거 · 과분 **realized** rí:əlàizd 리-얼라이즈드], 현분 **realizing** [rí:əlàiziŋ 리-얼라이징])
❶ (희망 · 계획을) 실현하다
She *realized* her hope.
그녀는 자기의 희망을 실현시켰다.

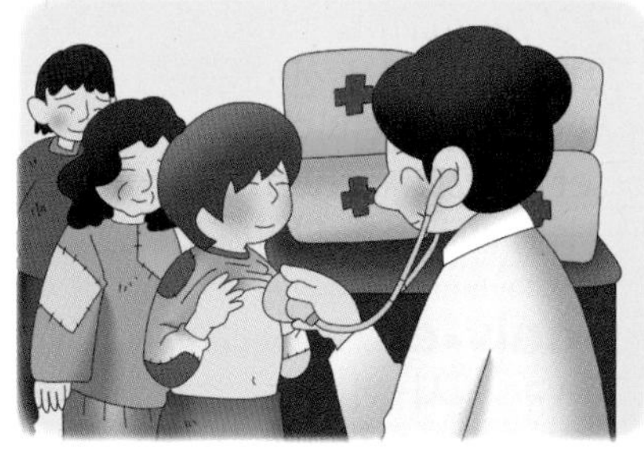

❷ 이해하다, 깨닫다, 알다
He *realized* what was wrong.
그는 무엇이 그른가를 깨달았다.

**⁑re•al•ly** *really*
[rí:(ə)li 리-얼리]
부 ❶ 정말로, 실제로; 사실은
I was *really* afraid.
나는 정말로 무서웠다.
It's *really* hot today.
오늘은 진짜 덥다.

❷ 《감탄사적》 정말로?, 어머!
Oh, *really*? 어머, 정말이니?

**reap** *reap*
[rí:p 리-프]
타 (3단현 **reaps** [rí:ps 리-프스], 과거 · 과분 **reaped** [rí:pt 리-프트], 현분 **reaping** [rí:piŋ 리-핑])
(농작물을) 수확하다, 베다, 거둬들이다.
We *reaped* a heavy crop of wheat. 우리는 많은 밀을 수확했다.

**rear** *rear*
[ríər 리어]
명 《the를 붙여》 뒤, 후위, 후부 (동 back, 반 front 앞)
—형 뒤쪽의, 후위의
Open the *rear* door of the car.
차 뒷문을 열어라.

**⁑rea•son** *reason*
[rí:zn 리-즌]
명 (복수 **reasons** [rí:znz 리-즌즈])
❶ 이유; 원인 (동 cause)
Tell me the *reason* (why) you don't like him. 네가 그를 싫어하는 까닭을 말해 다오.
We have no *reason* to refuse

his proposal. 우리는 그의 제안을 거절할 이유가 없다.

❷ 《a와 복수형 안 씀》 이성; 도리, 이치

Only man has *reason*.
인간에게만 이성이 있다.

**rea•son•a•ble** *reasonable*
[ríːz(ə)nəbl 리-저너블]

형 ❶ 분별 있는; 이치에 맞는

She is a *reasonable* woman.
그녀는 분별 있는 여성이다.

❷ (가격 따위가) 적당한, 알맞은

Jack bought it at a *reasonable* price.
잭은 그것을 알맞은 가격으로 샀다.

**re•call** *recall*
[rikɔ́ːl 리콜-]

타 (3단현 **recalls** [rikɔ́ːlz 리콜-즈], 과거 · 과분 **recalled** [rikɔ́ːld 리콜-드], 현분 **recalling** [rikɔ́ːliŋ 리콜-링])

❶ 상기하다, 생각해 내다

I don't *recall* her name.
그녀의 이름이 기억나지 않는다.

❷ 소환하다, 다시 불러들이다.

He was *recalled* to his office in Seoul.
그는 서울 사무소로 소환되었다.

**re•ceipt** *receipt*
[risíːt 리시-트]

😊 p는 발음하지 않음.

명 (복수 **receipts** [risíːts 리시-츠]) 수취, 수령; 영수증

Give me a *receipt*.
영수증을 주십시오.

**re•ceive** *receive*
[risíːv 리시-브]

타 (3단현 **receives** [risíːvz 리시-브즈], 과거 · 과분 **received** [risíːvd 리시-브드], 현분 **receiving** [risíːviŋ 리시-빙])

❶ 받다, 수령하다 (동 accept, 반 send 보내다)

I *received* your letter.
나는 너의 편지를 받았다.

She *received* a gift from him.
그녀는 그에게서 선물을 받았다.

❷ 맞이하다, 접견하다

Let's *receive* them warmly.
그들을 따뜻하게 맞이해라.

**re•ceiv•er** *receiver*
[risíːvər 리시-버]

명 (복수 **receivers** [risíːvərz 리시-버즈]) ❶ 수취인, 수령인

Write the *receiver*'s name here.
여기에 수취인의 이름을 쓰시오.

❷ 수화기, 수신기

My phone *receiver* is out of order. 전화 수화기가 고장났다.

**re•cent** *recent*
[rí:snt 리-슨트]
형 최근의, 근래의
It was a *recent* event.
그것은 최근의 사건이었다.
He paid a *recent* visit to his uncle. 그는 최근 삼촌을 찾아뵈었다.

***re•cent•ly** *recently*
[rí:sntli 리-슨틀리]
부 최근에, 요사이 (동 lately)
She has *recently* returned from abroad. 그녀는 최근에 귀국했다.
Have you seen him *recently*?
최근에 그를 만난 적이 있니?

**re•cep•tion** *reception*
[risépʃən 리셉션]
명 (복수 **receptions** [risépʃənz 리셉션즈]) ❶ 받아들임, 수취
❷ 접대; 환영(회), 리셉션, 피로연
a wedding *reception* 결혼 피로연
I gave him a hearty *reception*.
나는 그를 진심으로 환영했다.

**re•cit•al** *recital*
[risáitl 리사이틀]
명 독주(회), 독창(회); 암송, 낭독
She will give a piano *recital* on Saturday. 그녀는 토요일에 피아노 독주회를 열 것이다.

**rec•og•nize** *recognize*
[rékəgnàiz 레커그나이즈]
타 (3단현 **recognizes** [rékəgnàiziz 레커그나이지즈], 과거 · 과분 **recognized** [rékəgnàizd 레커그나이즈드], 현분 **recognizing** [rékəgnàiziŋ 레커그나이징])
❶ 알아보다, 보고 곧 알다, 인식하다 (동 acknowledge)
I *recognized* his voice.
나는 그의 목소리를 알아보았다.
❷ 인정하다, 승인하다 (동 admit)
He *recognized* that he had been beaten.
그는 졌다고 인정했다.

**rec•om•mend** *recommend*
[rèkəménd 레커멘드]
타 (3단현 **recommends** [rèkəméndz 레커멘즈], 과거 · 과분 **recommended** [rèkəméndid 레커멘디드], 현분 **recommending** [rèkəméndiŋ 레커멘딩])
❶ 추천하다, 천거하다
He *recommended* me a good dictionary. 그는 나에게 좋은 사전을 추천해 주었다.

❷ 권하다, 권고하다
The doctor *recommended* him to stop smoking. 의사는 그에게 담배를 끊으라고 권고했다.

***rec•ord** *record*
[rékərd 레커드]
품사에 따라 발음과 악센트 위치가 바뀜.
명 (복수 **records** [rékərdz 레커즈])
❶ (학교) 성적, 경력
Jane has a good school *record*.
제인은 학교 성적이 좋다.

❷ 기록, 등록
Keep a *record* of all the money you spend.
지출한 모든 돈을 기록해 두어라.
❸ 레코드, 음반
She listened to some music *records*.
그녀는 음반을 몇 장 들었다.
❹ (경기의) 기록, 최고 기록
He set a new *record* for the Marathon race. 그는 그 마라톤 레이스에서 신기록을 세웠다.
—타 (3단현 **records** [rikɔ́ːrdz 리코-즈], 과거 · 과분 **recorded** [rikɔ́ːrdid 리코-디드], 현분 **recording** [rikɔ́ːrdiŋ 리코-딩])
❶ 기록하다
She *recorded* everything in her diary. 그녀는 일기장에 무엇이든 기록해 두었다.
❷ 녹음하다, 녹화하다
I *recorded* the music on tape.
나는 그 음악을 테이프에 녹음했다.

**re•cord•er** *recorder*
[rikɔ́ːrdər 리코-더]
명 (복수 **recorders** [rikɔ́ːrdərz 리코-더즈]) ❶ 기록자, 등록자
❷ (자동) 기록기; 녹음기, 녹화기
a tape *recorder* 테이프 리코더

**re•cov•er** *recover*
[rikʌ́vər 리커버]
타 자 (3단현 **recovers** [rikʌ́vərz 리커버즈], 과거 · 과분 **recovered** [rikʌ́vərd 리커버드], 현분 **recovering** [rikʌ́v(ə)riŋ 리커버링])
(잃은 것을) 되찾다; (건강을) 회복하다
I *recovered* my lost wallet.
나는 나의 잃어버린 지갑을 되찾았다.
He *recovered* his health.
그는 건강을 회복했다.

**rec•re•a•tion** *recreation*
[rèkriéiʃən 레크리에이션]
명 (복수 **recreations** [rèkriéiʃənz 레크리에이션즈])
오락, 기분 전환, 레크리에이션

****red** *red*
[réd 레드]
형 (비교급 **redder** [rédər 레더], 최상급 **reddest** [rédist 레디스트])
빨간, 적색의
This is a *red* apple.
이것은 빨간 사과다.

A B C D E F G H I J K L M N O P Q R S T U V W X Y Z

She was *red* with shame.
그녀는 창피해서 얼굴이 빨개졌다.
—명 《a와 복수형 안 씀》 **빨강; 빨간 옷**
She was dressed in *red*.
그녀는 빨간 옷을 입고 있었다.

## Red Cross *Red Cross*

[réd krɔ́:s 레드크로-스]
《the를 붙여》 적십자(사) 《정식 명칭은 the Red Cross Society》

## re•duce *reduce*

[rid(j)ú:s 리듀-스]
동 (3단현 **reduces** [rid(j)ú:siz 리듀-시즈], 과거 · 과분 **reduced** [rid(j)ú:st 리듀-스트], 현분 **reducing** [rid(j)ú:siŋ 리듀-싱])
—타 ❶ (크기 · 수 · 힘 · 값 따위를) **줄이다, 축소하다, 감하다, 내리다**
She *reduced* her weight by five kilograms.
그녀는 체중을 5킬로그램 줄였다.

❷ (어떤 상태에) **빠뜨리다**
The city was *reduced* to ashes by the fire.
그 도시는 화재로 인해 재가 되었다.
—자 **줄다; (식이요법으로) 체중을 줄이다.**
No more, thanks, I'm *reducing*. 됐습니다. 절식(節食)하고 있으니까요.

## reed *reed*

[ri:d 리-드]
명 〖식물〗 **갈대**

## re•fer *refer*

[rifə́:r 리퍼-]
자 (3단현 **refers** [rifə́:rz 리퍼-즈], 과거 · 과분 **referred** [rifə́:rd 리퍼-드], 현분 **referring** [rifə́:rriŋ 리퍼-링])
❶ 《**refer to**로》 **참고〔참조〕하다, 조회하다**

a b c d e f g h i j k l m n o p q r s t u v w x y z

You had better *refer to* the map. 지도를 참조하는 편이 좋겠다.
❷ 《**refer to**로》 언급하다, 인용하다
He *referred to* the facts of history.
그는 역사적 사실에 대해 언급했다.

---

**ref•er•ee** *referee*
[rèfərí: 레퍼리-]
마지막 -ee는 [íː]로 발음함.
명 (복수 **referees** [rèfəríːz 레퍼리-즈]) 중재자; 심판원 (동 judge)
He is a football *referee*.
그는 축구 심판이다.

---

**ref•er•ence** *reference*
[réf(ə)rəns 레퍼런스]
명 (복수 **references** [réf(ə)rənsiz 레퍼런시즈]) 참고, 참조, 조회; 언급
a *reference* book 참고서
Make *reference* to a dictionary. 사전을 참조해라.

---

**re•flect** *reflect*
[riflékt 리플렉트]
타자 (3단현 **reflects** [rifléktś 리플렉츠], 과거 · 과분 **reflected** [rifléktid 리플렉티드], 현분 **reflecting** [rifléktiŋ 리플렉팅])
❶ 반사하다; (거울 따위가) 비추다

The lake is *reflecting* the trees.
호수는 나무들을 비추고 있다.
A mirror *reflects* light.
거울은 빛을 반사한다.
❷ (의견 · 생각 따위를) 반영하다
The result of the voting *reflected* public opinion.
투표의 결과는 여론을 반영했다.
❸ 반성하다, 숙고하다 (동 think)
You should *reflect* on your mistake.
너는 네 잘못을 반성해야 한다.

---

**re•form** *reform*
[riːfɔ́ːrm 리-폼-]
타 (3단현 **reforms** [riːfɔ́ːrmz 리-폼-즈], 과거 · 과분 **reformed** [riːfɔ́ːrmd 리-폼-드], 현분 **reforming** [riːfɔ́ːrmiŋ 리-포-밍])
개정하다, 개선하다, 개혁하다
The government *reformed* the tax system.
정부는 세제를 개정했다.
— 명 (복수 **reforms** [riːfɔ́ːrmz 리-폼-즈]) 개정, 개선, 개혁
social *reforms* 사회 개혁

---

**re•frig•er•a•tor** *refrigerator*
[rifrídʒərèitər 리프리저레이터]
명 (복수 **refrigerators** [rifrídʒərèitərz 리프리저레이터즈])
냉장고 (《영》 fridge)

Put the milk in the *refrigerator*.
우유를 냉장고에 넣어 두어라.

## *re•fuse *refuse*

[rifjúːz 리퓨-즈]

타 (3단현 **refuses** [rifjúːziz 리퓨-지즈], 과거 · 과분 **refused** [rifjúːzd 리퓨-즈드], 현분 **refusing** [rifjúːziŋ 리퓨-징])

❶ 거절하다, 거부하다 (반 accept 받아들이다)

She *refused* my gift.
그녀는 내 선물을 거절했다.

❷ 《**refuse to** do로》 (도무지) …하려 하지 않다

He *refused to* give his name.
그는 이름을 대려고 하지 않았다.

## re•gard *regard*

[rigɑ́ːrd 리가-드]

명 (복수 **regards** [rigɑ́ːrdz 리가-즈])

❶ 《a와 복수형 안 씀》 주의, 관심

He paid no *regard* to the order.
그는 그 명령에 아무 관심도 갖지 않았다.

❷ 《a와 복수형 안 씀》 존중, 경의

I have a great *regard* for his efforts.
나는 그의 노력에 경의를 표한다.

❸ 《복수형으로》 안부, 인사

Give my *regards* to your parents. 부모님께 안부 전해 주시오.

숙어 ***in*〔*with*〕 *regard to*** …에 관하여 (동 about)

— 타 (3단현 **regards** [rigɑ́ːrdz 리가-즈], 과거 · 과분 **regarded** [rigɑ́ːrdid 리가-디드], 현분 **regarding** [rigɑ́ːrdiŋ 리가-딩])

❶ 《**regard ... as ~**로》 …을 ~라고 여기다, ~으로 간주하다

I *regard* him *as* my best friend.
나는 그를 가장 친한 친구로 생각한다.

❷ 중시하다, 존중하다

You never *regard* my feelings.
넌 내 기분을 전혀 중시하지 않는다.

❸ 주목해서 보다, 응시하다

He *regarded* the photograph with interest. 그는 흥미를 가지고 그 사진을 바라보았다.

## re•gion *region*

[ríːdʒən 리-전]

명 (복수 **regions** [ríːdʒənz 리-전즈]) 지역, 지대, 지방; (학문의) 영역

A B C D E F G H I J K L M N O P Q R S T U V W X Y Z

a desert *region* 사막 지대
That doesn't belong to the *region* of science.
그것은 과학의 영역에 들지 않는다.

**re•gret** *regret*
[rigrét 리그렛]
타 (3단현 **regrets** [rigréts 리그레츠], 과거 · 과분 **regretted** [rigrétid 리그레티드], 현분 **regretting** [rigrétiŋ 리그레팅])
후회하다, 유감으로 생각하다
I *regret* my mistake.
나는 잘못을 후회하고 있다.
I *regret* to say that I can't help you.
도와 드릴 수 없어서 유감입니다.
—명 《a와 복수형 안 씀》 유감, 후회; 애도, 슬픔
I express my deep *regret* for his death. 나는 그의 죽음에 대해 깊은 애도를 표한다.

**reg•u•lar** *regular*
[régjulər 레귤러]
형 ❶ 규칙적인, 정연한
She leads a *regular* life.
그녀는 규칙적인 생활을 한다.
❷ 정기적인, 정해진
a *regular* holiday 정기 휴일
We had a *regular* meeting.
우리는 정기 모임을 가졌다.

❸ 정규의, 정식의
He is a *regular* member of the club. 그는 그 클럽의 정회원이다.

**reg•u•la•tion** *regulation*
[règjuléiʃən 레귤레이션]
명 (복수 **regulations** [règjuléiʃənz 레귤레이션즈])
❶ 규칙, 규정, 법규 (동 rule, law)
He broke traffic *regulations*.
그는 교통 법규를 어겼다.
❷ 조절, 조정
*regulation* of prices 물가 조정

**re•hears•al** *rehearsal*
[rihə́ːrs(ə)l 리허–설]
명 (복수 **rehearsals** [rihə́ːrs(ə)lz 리허–설즈]) (연극의) 예행 연습, 리허설
They put the play into *rehearsal*.
그들은 그 연극의 예행 연습을 했다.

**rein** *rein*
[réin 레인]
명 (복수 **reins** [réinz 레인즈]) 《보통 복수형으로》 고삐; 지배, 구속
He pulled the *reins* to stop the horse.
그는 말을 세우려고 고삐를 당겼다.

**re•ject** *reject*
[ridʒékt 리젝트]

타 (3단현 **rejects** [ridʒékts 리젝츠], 과거·과분 **rejected** [ridʒéktid 리젝티드], 현분 **rejecting** [ridʒéktiŋ 리젝팅])
거절하다; 사절하다
He *rejected* my offer.
그는 나의 제의를 거절했다.

## re•late *relate*

[riléit 릴레이트]
타 (3단현 **relates** [riléits 릴레이츠], 과거·과분 **related** [riléitid 릴레이티드], 현분 **relating** [riléitiŋ 릴레이팅])
❶ 이야기하다, 말하다
He *related* his adventure to her. 그는 그의 모험담을 그녀에게 들려 주었다.

❷ 관계[관련]시키다; 《**be related to**로》 …와 관계가 있다, 친척이다
The doctor *related* her illness *to* overwork. 의사는 그녀의 병을 과로와 연관지었다.
I *am* closely *related to* the family. 나는 그 가족과 가까운 친척이다.

## re•la•tion *relation*

[riléiʃən 릴레이션]
명 (복수 **relations** [riléiʃənz 릴레이션즈]) ❶ 관계, 관련; 《복수형으로》 (국가 간의) 관계
international *relations* 국제 관계
We have no business *relations* with the firm.
우리는 그 회사와 거래 관계가 없다.
❷ 친척 (관계), 동족 관계
Nancy is a near *relation* to me. 낸시는 나의 가까운 친척이다.

숙어 ***in*〔*with*〕 *relation to*** …에 관하여
I have nothing to say *in relation to* the project. 나는 그 계획에 관하여 아무 할 말이 없다.

## re•la•tion•ship

*relationship*
[riléiʃənʃìp 릴레이션십]
명 (복수 **relationships** [riléiʃənʃìps 릴레이션십스])
관계, 관련; 친족 (관계) (동 relation)

## rel•a•tive *relative*

[rélətiv 렐러티브]
명 (복수 **relatives** [rélətivz 렐러티브즈]) 친척, 일가 (동 relation)
I have many *relatives* in my home town. 내 고향에 친척이 많다.
—형 ❶ 비교적인, 상대적인
He lives in *relative* comfort.
그는 비교적 안락하게 살고 있다.
❷ 관계 있는, 관련된; 〖문법〗 관계를 나타내는
a *relative* pronoun 관계대명사
the article *relative* to the acci-

dent 사고에 관한 (신문) 기사

**rel•a•tive•ly** *relatively*
[rélətivli 렐러티블리]
부 상대적으로, 비교적
He is *relatively* a rich man.
그는 비교적 부자이다.

**re•lax** *relax*
[rilǽks 릴랙스]
동 (3단현 **relaxes** [rilǽksiz 릴랙시즈], 과거 · 과분 **relaxed** [rilǽkst 릴랙스트], 현분 **relaxing** [rilǽksiŋ 릴랙싱])
—타 (힘, 긴장 따위를) 늦추다, 완화하다; 편하게 하다
Music always *relaxes* me. 음악을 들으면 나는 언제나 편해진다.

—자 누그러지다; 편안히 쉬다
Please be seated and *relax*.
편히 앉아 쉬어라.

**re•lay** *relay*
[rí:lei 릴-레이]
명 (복수 **relays** [rí:leiz 릴-레이즈])
❶ 교대, 교체; 교대자
in〔by〕 *relays* 교대로
❷ 계주, 릴레이 경주 (동 relay race)
a 800-meter *relay*, 800미터 릴레이

**re•lease** *release*
[rilí:s 릴리-스]
타 (3단현 **releases** [rilí:siz 릴리-시즈], 과거 · 과분 **released** [rilí:st 릴리-스트], 현분 **releasing** [rilí:siŋ 릴리-싱])
놓아주다, 풀어 주다; 석방〔해방〕하다
He was *released* from prison yesterday.
그는 어제 감옥에서 석방되었다.

**re•li•a•ble** *reliable*
[riláiəbl 릴라이어블]
형 신뢰할 수 있는; 확실한
He is a *reliable* person.
그는 믿을 수 있는 사람이다.

**re•lief** *relief*
[rilí:f 릴리-프]
명 (복수 **reliefs** [rilí:fs 릴리-프스])
❶ (고통 따위의) 경감; 안심; 위안
It was a *relief* to hear the news.
그 소식을 듣고 안심이 되었다.
❷ 구조, 구제; 구원금
a *relief* fund 구제 기금

**re•lieve** *relieve*
[rilí:v 릴리-브]
타 (3단현 **relieves** [rilí:vz 릴리-브즈], 과거 · 과분 **relieved** [rilí:vd 릴리-브드], 현분 **relieving** [rilí:viŋ 릴리-빙])
❶ (고통 따위를) 덜다, 풀다; (남을) 안심시키다

The medicine *relieved* my stomachache quickly. 그 약은 즉시 나의 복통을 덜어 주었다.

❷ 구제하다, 구조하다
They *relieved* him from poverty. 그들은 그를 가난에서 구제했다.

**re•li•gion** *religion*
[rilídʒən 릴리전]
명 (복수 **religions** [rilídʒənz 릴리전즈]) 종교; 신앙(심)

What *religion* do you believe in? 당신은 어떤 종교를 믿습니까?
He has no *religion*.
그는 신앙이 없다.

**re•li•gious** *religious*
[rilídʒəs 릴리저스]
형 종교의; 신앙심이 깊은, 경건한
a *religious* life 신앙 생활

**re•ly** *rely*
[rilái 릴라이]
자 (3단현 **relies** [riláiz 릴라이즈], 과거 · 과분 **relied** [riláid 릴라이드], 현분 **relying** [riláiiŋ 릴라이잉])
《**rely on**〔**upon**〕으로》 의지하다, 신뢰하다, 믿다 (동 depend)
You shouldn't *rely upon* others too much.
지나치게 남에게 의존하면 안 된다.

***re•main** *remain*
[riméin 리메인]
자 (3단현 **remains** [riméinz 리메인즈], 과거 · 과분 **remained** [riméind 리메인드], 현분 **remaining** [riméiniŋ 리메이닝])
❶ (어떤 장소에) 머무르다 (동 stay)
They will *remain* here for a few weeks. 그들은 2, 3 주 동안 이곳에 머무를 것이다.
❷ 《보어를 수반하여》 …인 채로 있다, 여전히 …이다
He *remained* poor.
그는 여전히 가난했다.
❸ 잔존하다, 남다
Only two oranges *remained* in the box. 상자 속에는 오렌지가 2개 밖에 남아 있지 않았다.

A B C D E F G H I J K L M N O P Q R S T U V W X Y Z

**re•mark** *remark*
[rimɑ́ːrk 리마-크]
타 (3단현 **remarks** [rimɑ́ːrks 리마-크스], 과거 · 과분 **remarked** [rimɑ́ːrkt 리마-크트], 현분 **remarking** [rimɑ́ːrkiŋ 리마-킹])
❶ 주의[주목]하다, 알아차리다
I *remarked* the difference between them. 나는 그들 사이의 차이점을 알아차렸다.
❷ (소견으로) 말하다; 비평하다
He *remarked* that he would attend the meeting. 그는 회의에 참석할 것이라고 말했다.

—명 (복수 **remarks** [rimɑ́ːrks 리마-크스]) 주목; 비평, 소견, 말
He made a good *remarks* on her habits.
그는 그녀의 습관을 칭찬했다.

**re•mark•a•ble** *remarkable*
[rimɑ́ːrkəbl 리마-커블]
형 주목할 만한, 뛰어난
She has a *remarkable* memory.
그녀는 뛰어난 기억력을 갖고 있다.

**rem•e•dy** *remedy*
[rémidi 레미디]
명 (복수 **remedies** [rémidiz 레미디즈]) ❶ 치료 (동 cure); 치료약
This is a *remedy* for a cold.
이것은 감기 치료약이다.
❷ 구제책, 개선책

**⁑re•mem•ber** *remember*
[rimémbər 리멤버]
동 (3단현 **remembers** [rimémbərz 리멤버즈], 과거 · 과분 **remembered** [rimémbərd 리멤버드], 현분 **remembering** [rimémb(ə)riŋ 리멤버링])
—타 ❶ 생각해 내다, 상기하다
I couldn't *remember* his name.
나는 그의 이름이 생각나지 않았다.

❷ 기억하다 (반 forget 잊다); 《**remember+~ing**형으로》 (과거에) …한 것을 기억하다
I *remember* reading this book.
나는 이 책을 읽은 기억이 있다.
❸ 《**remember to** do로》 (앞으로) …할 것을 기억하다, 잊지 않고 …하다
Please *remember to* mail this letter.
잊지 말고 이 편지를 부쳐 주십시오.
❹ 안부를 전하다
Please *remember* me to your family.
당신 가족에게 안부 전해 주세요.
—자 생각나다, 기억하다
Now I *remember*! 아, 생각났다!

**re•mem•brance**
*remembrance*
[rimémbr(ə)ns 리멤브런스]

명 (복수 **remebrances** [rimémbr(ə)nsis 리멤브런시스])
기억, 회상; 기념품

## re•mind *remind*

[rimáind 리마인드]
타 (3단현 **reminds** [rimáindz 리마인즈], 과거 · 과분 **reminded** [rimáindid 리마인디드], 현분 **reminding** [rimáindiŋ 리마인딩])
일깨우다, 생각나게 하다 《of》
This album *reminds* me *of* my school days. 이 앨범을 보면 학창 시절이 생각난다.

Please *remind* her to call me. 내게 잊지 말고 전화하라고 그녀에게 일러 다오.

## re•mote *remote*

[rimóut 리모우트]
형 (비교급 **remoter** [rimóutər 리모우터] 또는 **more remote**, 최상급 **remotest** [rimóutist 리모우티스트] 또는 **most remote**)
먼, 멀리 떨어진 (동 distant); 외딴
He lives in a *remote* village. 그는 외딴 마을에 산다.

## re•mote con•trol *remote control*

[rimóut kəntróul 리모우트컨트로울]
명 원격 조정(기), 원격 제어
Pass me the TV *remote control*. TV 리모컨 좀 건네다오.

## *re•move *remove*

[rimúːv 리무-브]
동 (3단현 **removes** [rimúːvz 리무-브즈], 과거 · 과분 **removed** [rimúːvd 리무-브드], 현분 **removing** [rimúːviŋ 리무-빙])
—타 ❶ 옮기다, 이동〔이전〕시키다
They *removed* the boxes from the truck.
그들은 트럭에서 상자들을 옮겼다.

❷ 제거하다, 치우다
Let's *remove* the dishes.
접시들을 치우자.
❸ 벗다; 벗기다 (동 take off)
Please *remove* your hat.
모자를 벗어 주십시오.

— 자 옮기다, 이동하다, 이사하다

**rent** *rent*
[rént 렌트]
명 (복수 **rents** [rénts 렌츠])
임대료; 사용료, 집세, 땅세
He pays the *rent* regularly every month. 그는 매월 정기적으로 집세를 지불한다.
숙어 ***for rent*** 세놓는
Rooms *for Rent*.
셋방 있음 《게시문》
— 타 (3단현 **rents** [rénts 렌츠], 과거 · 과분 **rented** [réntid 렌티드], 현분 **renting** [réntiŋ 렌팅])
❶ (돈을 주고) 빌리다, 임차하다
We *rented* a cottage for the summer. 우리는 여름철 동안 별장을 빌렸다.
❷ (돈을 받고) 빌려 주다, 임대하다
He *rented* his car to me.
그는 나에게 차를 빌려 주었다.

**re•pair** *repair*
[ripέər 리페어]
타 (3단현 **repairs** [ripέərz 리페어즈], 과거 · 과분 **repaired** [ripέərd 리페어드], 현분 **repairing** [ripέ(ə)riŋ 리페(어)링])
고치다, 수선[수리]하다 (동 mend)

He *repaired* this car.
그가 이 차를 수리했다.

— 명 수리, 수선
The house is under *repair*.
그 집은 보수 중이다.

***re•peat** *repeat*
[ripí:t 리피-트]
타자 (3단현 **repeats** [ripí:ts 리피-츠], 과거 · 과분 **repeated** [ripí:tid 리피-티드], 현분 **repeating** [ripí:tiŋ 리피-팅])
❶ 되풀이하다, 반복하다
Don't *repeat* such an error.
그런 잘못을 되풀이하지 마라.
Could you *repeat* that?
다시 한 번 해 주시겠습니까?
❷ 되풀이하여 말하다
Now *repeat* after the tape.
자 테이프를 따라 말하시오.

**re•pent** *repent*
[ripént 리펜트]
타자 (3단현 **repents** [ripénts 리펜츠], 과거 · 과분 **repented** [ripéntid 리펜티드], 현분 **repenting** [ripéntiŋ 리펜팅])
후회하다, 뉘우치다
He *repented* having wasted her money.
그는 돈을 낭비한 것을 후회했다.

**re•place** *replace*
[ripléis 리플레이스]

타 (3단현 **replaces** [ripléisiz 리플레이시즈], 과거 · 과분 **replaced** [ripléist 리플레이스트], 현분 **replacing** [ripléisiŋ 리플레이싱])

❶ 제자리에 놓다

*Replace* the book on the bookshelf. 책을 책장에 도로 갖다놓아라.

❷ (…을) 대신하다, 대체하다; 바꾸다

The vacuum cleaner *replaced* the broom.
진공 청소기가 비를 대신했다.

He *replaced* a worn tire by a new one. 그는 헌 타이어를 새 것으로 바꾸었다.

## *re•ply *reply*

[riplái 리플라이]

타자 (3단현 **replies** [ripláiz 리플라이즈], 과거 · 과분 **replied** [ripláid 리플라이드], 현분 **replying** [ripláiiŋ 리플라이잉])

❶ 대답하다; 회답하다 (동 answer, 반 ask 묻다) ((to))

Please *reply to* my question.
내 질문에 대답하세요.

✎ answer를 쓰면 to를 붙이지 않음.

❷ (…라고) 대답하다

"Of course." she replied.
「물론이지요」라고 그녀는 대답했다.

**—명** (복수 **replies** [ripláiz 리플라이즈]) 대답; 회답

I e-mailed him, but he gave no *reply*. 나는 그에게 이메일을 보냈지만 회답이 없었다.

숙어 ***in reply to*** …의 대답으로, …에 답하여

I said many things *in reply to* her question. 나는 그녀의 질문에 답하여 여러 가지를 말했다.

## *re•port *report*

[ripɔ́ːrt 리포-트]

타자 (3단현 **reports** [ripɔ́ːrts 리포-츠], 과거 · 과분 **reported** [ripɔ́ːrtid 리포-티드], 현분 **reporting** [ripɔ́ːrtiŋ 리포-팅])

❶ 보고하다, 알리다((to, on))

He *reported* the accident *to* the police.
그는 그 사고를 경찰에 알렸다.

❷ 보도하다; 전하다

The newspapers *report* his death. 신문들이 그의 죽음을 보도하고 있다.

— 명 (복수 **reports** [ripɔ́ːrts 리포-츠]) ❶ 보고(서); 보도; 기사
a newspaper *report* 신문 보도
He is writing his *report*.
그는 보고서를 쓰고 있다.
❷ 성적표 (동 report card)
I got a good *report* this term.
이번 학기에 나는 좋은 성적을 받았다.

참고 우리 나라에서 학생들이 말하는 시험이나 숙제로서의 「리포트」는 영어로 paper이다. report는 「보고(서)」란 뜻이다.

**re•port•er** *reporter*
[ripɔ́ːrtər 리포-터]
명 (복수 **reporters** [ripɔ́ːrtərz 리포-터즈]) 보고자; 통신원, 기자
He is a *reporter* for a broadcasting station.
그는 방송국 기자이다.

**rep•re•sent** *represent*
[rèprizént 레프리젠트]
타 (3단현 **represents** [rèprizénts 레프리젠츠], 과거·과분 **represented** [rèprizéntid 레프리젠티드], 현분 **representing** [rèprizéntiŋ 레프리젠팅])
❶ 표현하다, 나타내다, 묘사하다
A heart *represents* "love".
하트는 「사랑」을 나타낸다.

❷ 대표하다
She *represented* our class.
그녀는 우리 학급을 대표했다.

**rep•re•sent•a•tive**
*representative*
[rèprizéntətiv 레프리젠터티브]
명 (복수 **representatives** [rèprizéntətivz 레프리젠터티브즈]) ❶ 대표, 대표자; 대리인; 후계자
The *representatives* of the companies attended the meeting.
회사의 대표들이 회의에 출석했다.
❷ 대의원, 의원
The House of *Representatives*
(미국의) 하원

**re•pub•lic** *republic*
[ripʌ́blik 리퍼블릭]
명 (복수 **republics** [ripʌ́bliks 리퍼블릭스]) 공화국; 공화제
the *Republic* of Korea 대한민국

**rep•u•ta•tion** *reputation*
[rèpjutéiʃən 레퓨테이션]
명 《a와 복수형 안 씀》 평판; 명성
He has a good *reputation*.
그는 평판이 좋다.

*__re•quest__ *request*
[rikwést 리퀘스트]
타 (3단현 **requests** [rikwésts 리퀘스츠], 과거 · 과분 **requested** [rikwéstid 리퀘스티드], 현분 **requesting** [rikwéstiŋ 리퀘스팅])
요구하다, 청하다; 부탁하다
He *requested* me to work with him. 그는 나에게 자기와 함께 일하자고 부탁했다.
— 명 (복수 **requests** [rikwésts 리퀘스츠]) 요구, 요청; 부탁, 의뢰
Can I make a *request*?
부탁 하나 해도 될까요?
Susie sang at our *request*.
수지는 우리의 요청을 받고 노래를 불렀다.

**re•quire** *require*
[rikwáiər 리콰이어]
타 (3단현 **requires** [rikwáiərz 리콰이어즈], 과거 · 과분 **required** [rikwáiərd 리콰이어드], 현분 **requiring** [rikwái(ə)riŋ 리콰이(어)링])
요구하다, 요청하다; 필요로 하다
The chairman *required* us to be silent. 의장은 우리에게 조용히 하라고 요청했다.
I *require* your help.
나는 너의 도움이 필요하다.

**res•cue** *rescue*
[réskjuː 레스큐-]
타 (3단현 **rescues** [réskjuːz 레스큐-즈], 과거 · 과분 **rescued** [réskjuːd 레스큐-드], 현분 **rescuing** [réskjuːiŋ 레스큐-잉])
구하다, 구조하다 (동 save)
They *rescued* a woman from the burning building.
그들은 불타고 있는 건물에서 한 여자를 구해냈다.

— 명 구조, 구출
No one came to his *rescue*.
아무도 그를 구하러 오지 않았다.

**re•search** *research*
[risə́ːrtʃ 리서치]
명 (복수 **researches** [risə́ːrtʃiz 리서-치즈]) (학술적인) 조사, 연구
She is engaged in market *research*.
그녀는 시장 조사를 하고 있다.

A B C D E F G H I J K L M N O P Q R S T U V W X Y Z

**re•sem•ble** *resemble*
[rizémbl 리젬블]
타 (3단현 **resembles** [rizémblz 리젬블즈], 과거 · 과분 **resembled** [rizémbld 리젬블드], 현분 **resembling** [rizémbliŋ 리젬블링])
닮다, …와 비슷하다 (동 look like)
He *resembles* his father in character.
그는 성격이 아버지를 닮았다.

**re•serve** *reserve*
[rizə́ːrv 리저-브]
타 (3단현 **reserves** [rizə́ːrvz 리저-브즈], 과거 · 과분 **reserved** [rizə́ːrvd 리저-브드], 현분 **reserving** [rizə́ːrviŋ 리저-빙])
❶ 남겨 두다, 마련하다; 비축하다

You must *reserve* money for the future. 너는 장래를 위해서 돈을 비축해 두어야 한다.
❷ (좌석 · 방 따위를) 예약하다
These seats are *reserved*.
이 좌석들은 예약되어 있다.
❸ 유보하다, 미루다
—명 (복수 **reserves** [rizə́ːrvz 리저-브즈]) 비축, 예비; 보류; 예비금
I have some money in *reserve*.
나는 약간의 비상금을 갖고 있다.

**res•i•dence** *residence*
[rézədəns 레저던스]
명 (복수 **residences** [rézədənsiz 레저던시즈]) 주거, 주택; 거주, 주재

an official *residence* 공관, 관저
Her *residence* is near a lake.
그녀의 주택은 호수 근처에 있다.

**res•i•dent** *resident*
[rézədənt 레저던트]
명 (복수 **residents** [rézədənts 레저던츠]) 거주자, 체류자
He is a *resident* of Chicago.
그는 시카고의 주민이다.

**re•sist** *resist*
[rizíst 리지스트]
타 (3단현 **resists** [rizísts 리지스츠], 과거 · 과분 **resisted** [rizístid 리지스티드], 현분 **resisting** [rizístiŋ

리지스팅])
❶ 반항하다, 저항하다
They *resisted* the enemy.
그들은 적에게 대항했다.

❷ 《보통 부정문에서》 참다, 견디다, 억누르다
I could not *resist* laughing.
웃지 않고는 배길 수 없었다.

**re•sist•ance** *resistance*
[rizíst(ə)ns 리지스턴스]
명 저항, 반항, 레지스탕스
The murderer offered no *resistance* to the policeman.
살인범은 경찰에 아무런 저항도 하지 않았다.

**res•o•lu•tion** *resolution*
[rèzəlúːʃən 레절루-션]
명 (복수 **resolutions** [rèzəlúːʃənz 레절루-션즈]) 결심, 결의; 해결
What's your New Year's *resolution*?
너의 새해의 결심은 무엇이냐?

**re•solve** *resolve*
[rizάlv 리잘브]
타 (3단현 **resolves** [rizάlvz 리잘브즈], 과거 · 과분 **resolved** [rizάlvd 리잘브드], 현분 **resolving** [rizάlviŋ 리잘빙])
❶ 결심[결정]하다 (동 determine)
I *resolved* to study harder.
나는 더 열심히 공부하기로 결심했다.

❷ (문제를) 해결하다, 분석[분해]하다
His explanation *resolved* all my doubts. 그의 해명이 나의 의문을 모두 해결해 주었다.

**re•source** *resource*
[ríːsɔːrs 리-소-스]
명 (복수 **resources** [ríːsɔːrsiz 리-소-시즈]) 《보통 복수형으로》 자원; 재원
These districts are rich in natural *resources*.
이 지역은 천연자원이 풍부하다.

**re•spect** *respect*
[rispékt 리스펙트]
타 (3단현 **respects** [rispékts 리스펙츠], 과거 · 과분 **respected** [rispéktid 리스펙티드], 현분 **respecting** [rispéktiŋ 리스펙팅])
존경하다, 존중하다 (반 despise 경멸

하다)

I *respect* him as my senior.
나는 그를 선배로서 존경한다.

—명 (복수 **respects** [rispékts 리스펙츠]) ❶ 존경, 존중

I have a great *respect* for my parents.
나는 부모님을 대단히 존경한다.

❷ 《복수형으로》 문안, 안부

Send my *respects* to her.
그녀에게 안부 전해 주세요.

❸ 점, 사항

Our plan was successful in every *respect*. 우리 계획은 모든 점에서 성공적이었다.

숙어 ***with respect to*** …에 관하여
***without respect to*** …을 무시하고

## re•spec•tive *respective*

[rispéktiv 리스펙티브]

형 각각의, 각자의

They went to their *respective* rooms.
그들은 각자 자기 방으로 갔다.

## re•spec•tive•ly *respectively*

[rispéktivli 리스펙티블리]

부 각각, 각자

## re•spond *respond*

[rispάnd 리스판드]

자 (3단현 **responds** [rispάndz 리스판즈], 과거 · 과분 **responded** [rispάndid 리스판디드], 현분 **responding** [rispάndiŋ 리스판딩])
대답하다, 응답하다; 반응하다 《to》 (동 answer)

He *responded to* the question quickly.
그는 그 질문에 재빨리 대답했다.

## re•sponse *response*

[rispάns 리스판스]

명 (복수 **responses** [rispάnsiz 리스판시즈]) 응답, 반응

## re•spon•si•bil•i•ty *responsibility*

[rispὰnsəbíləti 리스판서빌러티]

명 (복수 **responsibilities** [rispὰnsəbílətiz 리스판서빌러티즈])
책임(감), 의무

He has a strong sense of *responsibility*. 그는 책임감이 강하다.

## re•spon•si•ble *responsible*

[rispάnsəbl 리스판서블]

형 ❶ 책임있는, 책임을 다하는 《for》

Who is *responsible for* the failure? 누가 실패에 대해 책임을 져야 합니까?

❷ 신뢰할 수 있는

He is a *responsible* man.

A B C D E F G H I J K L M N O P Q R S T U V W X Y Z

그는 신뢰할 수 있는 사람이다.

**⁂rest** *rest*
[rést 레스트]
자 (3단현 **rests** [résts 레스츠], 과거 · 과분 **rested** [réstid 레스티드], 현분 **resting** [réstiŋ 레스팅])
❶ 쉬다, 휴식하다 (반 work 일하다)
I *rested* for an hour.
나는 한 시간 동안 쉬었다.
❷ 의지하다, 기대다; 달려 있다《on, upon》 (동 rely, depend)
Success *rests on* your efforts.
성공은 너의 노력에 달려 있다.

— 명 (복수 **rests** [résts 레스츠])
❶ 휴식; 안정
He wants to take a little *rest*.
그는 좀 쉬고 싶어한다.

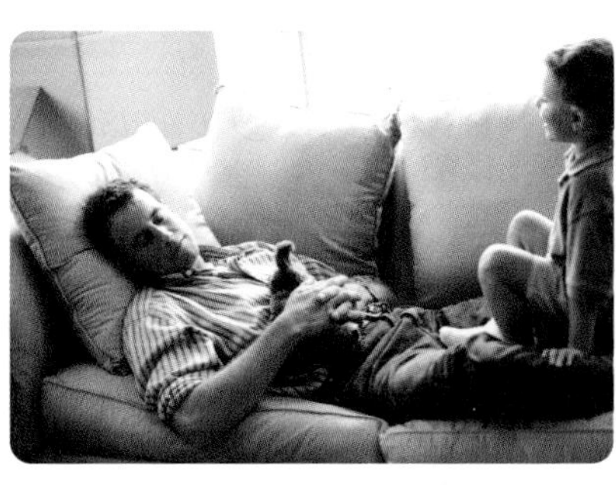

## Restaurant 식당

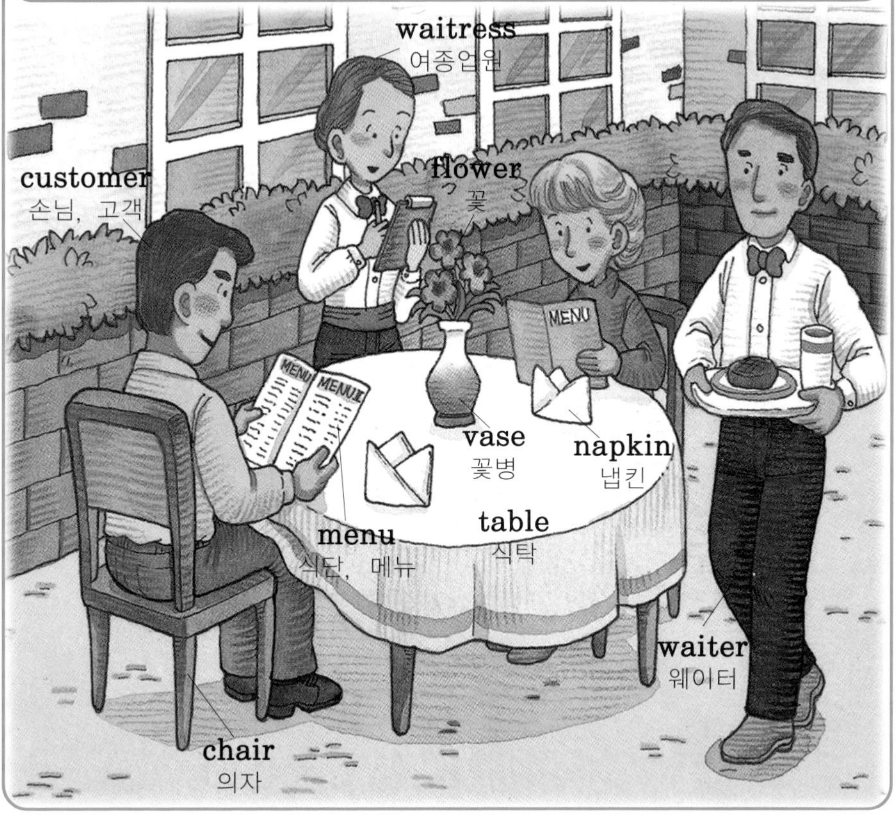
waitress
여종업원
customer
손님, 고객
flower
꽃
MENU
vase
꽃병
napkin
냅킨
table
식탁
menu
식단, 메뉴
waiter
웨이터
chair
의자

a b c d e f g h i j k l m n o p q r s t u v w x y z

❷ 《the를 붙여》 나머지, 잔여
*The rest* of the money is still in my pocket.
나머지 돈은 아직 내 주머니에 있다.
숙어 ***at rest*** 휴식하여; 안심하여

**res•tau•rant** *restaurant*
[réstərənt 레스터런트]
명 (복수 **restaurants** [réstərənts 레스터런츠]) 음식점, 식당, 레스토랑
This is our favorite *restaurant*.
이곳은 우리 단골 음식점이다.

**rest•ful** *restful*
[réstfəl 레스트펄]
형 평온함을 주는; 조용한, 평온한
It was quite *restful*.
주위는 아주 평온했다.

**rest•less** *restless*
[réstlis 레스틀리스]
형 침착하지 못한, 들뜬; 불안한
He was *restless* from pain.
그는 고통으로 안절부절했다.

**re•store** *restore*
[ristɔ́:r 리스토-]
타 (3단현 **restores** [ristɔ́:rz 리스토-즈], 과거 · 과분 **restored** [ristɔ́:rd 리스토-드], 현분 **restoring** [ristɔ́:riŋ 리스토-링])
(원상태로) 되돌리다, 복귀〔회복〕시키다.
He is *restored* to health.
그는 건강을 회복했다.

**re•strict** *restrict*
[ristríkt 리스트릭트]
타 (3단현 **restricts** [ristríkts 리스트릭츠], 과거 · 과분 **restricted** [ristríktid 리스트릭티드], 현분 **restricting** [ristríktiŋ 리스트릭팅])
제한하다, 한정하다
The speed is *restricted* to 35 miles an hour here. 여기서는 속도가 시속 35마일로 제한되어 있다.

**rest room** *rest room*
[rést rù:m 레스트룸-]
명 (화장실을 갖춘) 휴게실; (역 · 극장 따위의) 화장실
May I go to the *rest room*?
화장실에 가도 될까요?

***re•sult** *result*
[rizʌ́lt 리절트]
명 (복수 **results** [rizʌ́lts 리절츠])
결과, 성과 (반 cause 원인); (시험 · 경기의) 성적
His efforts were without *result*.
그의 노력은 헛수고였다.
What was the *result* of the test? 시험 결과는 어땠니?

숙어 ***as a result of*** …의 결과로서
He ruined his health *as a result of* heavy drinking. 과음의 결과로서 그는 건강을 해쳤다.
***in the result*** 결국
— 자 (3단현 **results** [rizʌ́lts 리절츠], 과거 · 과분 **resulted** [rizʌ́ltid 리절티드], 현분 **resulting** [rizʌ́ltiŋ 리절팅])
❶ (결과로서) 생기다 ((from))
Accidents often *result from* carelessness.
사고는 종종 부주의로 인해 생긴다.

❷ …이 되다, …으로 끝나다 ((in))
His hard work *resulted in* a slight sickness.
과로 끝에 그는 가벼운 병에 걸렸다.

## re•tain *retain*
[ritéin 리테인]
타 (3단현 **retains** [ritéinz 리테인즈], 과거 · 과분 **retained** [ritéind 리테인드], 현분 **retaining** [ritéiniŋ 리테이닝])
지니다, 보유하다, 유지하다
He tried to *retain* his pride.
그는 자존심을 지키려 애썼다.

## re•tire *retire*
[ritáiər 리타이어]
자 (3단현 **retires** [ritáiərz 리타이어즈], 과거 · 과분 **retired** [ritáiərd 리타이어드], 현분 **retiring** [ritái(ə)riŋ 리타이(어)링])
❶ 물러가다, 퇴각하다
Tom *retired* to his room.
톰은 자기 방으로 물러갔다.
❷ 은퇴하다, 퇴직하다 ((from))
My father *retired from* his business this spring.
아버지는 올 봄에 퇴직하셨다.

## **re•turn *return*
[ritə́ːrn 리턴–]
동 (3단현 **returns** [ritə́ːrnz 리턴–즈], 과거 · 과분 **returned** [ritə́ːrnd 리턴–드], 현분 **returning** [ritə́ːrniŋ 리터–닝])
— 자 되돌아오다, 돌아가다
He has just *returned* from his trip. 그는 막 여행에서 돌아왔다.
— 타 되돌려 주다, 반환하다; 갚다

When do I have to *return* the book? 내가 그 책을 언제 반납해야

만 합니까?

— 명 (복수 **returns** [ritə́ːrnz 리턴–즈]) 되돌아오기, 귀환; 반환

We are waiting for his *return*.
우리는 그가 돌아오기를 기다리고 있다.

숙어 ***in return*** (***for***) (…의) 사례로, 대가로

## re•veal *reveal*

[rivíːl 리빌–]

타 (3단현 **reveals** [rivíːlz 리빌–즈], 과거 · 과분 **revealed** [rivíːld 리빌–드], 현분 **revealing** [rivíːliŋ 리빌–링])

드러내다, 밝히다, 나타내다 (동 show)

He *revealed* the secret to us.
그는 우리에게 비밀을 털어놓았다.

## re•venge *revenge*

[rivéndʒ 리벤지]

명 《a와 복수형 안 씀》 복수, 보복

I took my *revenge* on him.
나는 그에게 복수했다.

— 타 (3단현 **revenges** [rivéndʒiz 리벤지즈], 과거 · 과분 **revenged** [rivéndʒd 리벤지드], 현분 **revenging** [rivéndʒiŋ 리벤징])

《**be revenged**; **revenge** oneself로》 복수하다, 원한을 갚다

He *revenged* his father.
그는 아버지의 원한을 갚았다.

## re•verse *reverse*

[rivə́ːrs 리버–스]

명 (복수 **reverses** [rivə́ːrsiz 리버–시즈]) 반대, 역

— 형 반대의, 역의; 거꾸로의

in the *reverse* order 역순으로

— 타 (3단현 **reverses** [rivə́ːrsiz 리버–시즈], 과거 · 과분 **reversed** [rivə́ːrst 리버–스트], 현분 **reversing** [rivə́ːrsiŋ 리버–싱])

거꾸로 하다, 반대로 하다; 뒤집다

I *reversed* my jacket before washing it. 나는 재킷을 세탁하기 전에 뒤집었다.

## re•view *review*

[rivjúː 리뷰–]

타 (3단현 **reviews** [rivjúːz 리뷰–즈], 과거 · 과분 **reviewed** [rivjúːd 리뷰–드], 현분 **reviewing** [rivjúːiŋ 리뷰–잉])

❶ 복습하다, 재검토하다

We *reviewed* our lessons for the test. 우리는 시험에 대비해서 학과를 복습했다.

❷ 비평하다, 평론하다

Her recent books were favorably *reviewed*.
그녀의 최신작들은 호평을 받았다.

— 명 (복수 **reviews** [rivjúːz 리뷰–즈]) ❶ 복습; 재검토

*review* exercises 복습 문제

❷ 비평, 평론
a book *review* 서평

**rev•o•lu•tion** *revolution*
[rèvəlúːʃən 레벌루-션]
명 (복수 **revolutions** [rèvəlúːʃənz 레벌루-션즈]) ❶ 혁명, 대개혁
the Industrial *Revolution*
산업 혁명
❷ 회전; (천체의) 공전

**re•volve** *revolve*
[rivɑ́lv 리발브]
자타 (3단현 **revolves** [rivɑ́lvz 리발브즈], 과거 · 과분 **revolved** [rivɑ́lvd 리발브드], 현분 **revolving** [rivɑ́lviŋ 리발빙])
회전하다, 돌다; 공전하다 (동 turn)
The moon *revolves* around the earth.
달은 지구의 주위를 공전한다.

**re•ward** *reward*
[riwɔ́ːrd 리워-드]
명 (복수 **rewards** [riwɔ́ːrdz 리워-즈]) 보상, 대가; 사례금, 보수
A $10 *reward* was given to the driver. 10달러의 사례금이 그 운전자에게 주어졌다.

— 타 (3단현 **rewards** [riwɔ́ːrdz 리워-즈], 과거 · 과분 **rewarded** [riwɔ́ːrdid 리워-디드], 현분 **rewarding** [riwɔ́ːrding 리워-딩])
(…에게) 보답하다, 사례하다
I want to *reward* him for his services.
나는 그의 봉사에 보답하고 싶다.

**rhi•noc•er•os** *rhinoceros*
[rainɑ́s(ə)rəs 라이나서러스]
명 (복수 **rhinoceroses** [rainɑ́sər(ə)siz 라이나서러시즈])
〖동물〗 코뿔소, 무소

*Rhinoceroses* live in Africa.
코뿔소는 아프리카에 산다.

**rhythm** *rhythm*
[ríðm 리듬]
명 율동, 리듬; 운율
We danced in quick *rhythm*.
우리는 빠른 리듬으로 춤을 추었다.

**rib** *rib*
[ríb 리브]

명 (복수 **ribs** [ríbz 리브즈])
늑골, 갈비뼈
He fell and broke a *rib.*
그는 넘어져서 늑골이 부러졌다.

## *rib•bon *ribbon*

[ríbən 리번]
명 (복수 **ribbons** [ríbənz 리번즈])
리본, 끈, 띠
Her present was tied with pretty *ribbons.* 그녀의 선물은 예쁜 리본으로 매어져 있었다.

## **rice *rice*

[ráis 라이스]
명 쌀(밥); 〖식물〗 벼

We had a good〔poor〕 *rice* crop this year.
금년은 쌀이 풍작〔흉작〕이다.

## **rich *rich*

[rítʃ 리치]
형 (비교급 **richer** [rítʃər 리처], 최상급 **richest** [rítʃist 리치스트])
❶ 부자의, 부유한 (동 wealthy, 반 poor 가난한)
Her father is a *rich* business-man.
그녀의 아버지는 부유한 사업가다.

The *rich* are not always happy.
부자가 항상 행복한 것은 아니다.
✎ 'the+rich'는 rich people(부자들)의 뜻
❷ 풍부한, 넉넉한; (토지가) 비옥한
*rich* soil 비옥한 땅
This region is *rich* in oil.
이 지역에는 석유가 풍부하다.
❸ 화려한, 값비싼; 훌륭한
She wants *rich* jewels.
그녀는 값비싼 보석을 원한다.

## rid *rid*

[ríd 리드]
타 (3단현 **rids** [rídz 리즈], 과거 · 과분 **rid** [ríd 리드], 또는 **ridded** [rídid 리디드], 현분 **ridding** [rídiŋ 리딩])
제거하다, 없애다 《of》
I *ridded* the garden *of* weeds.
나는 정원에서 잡초를 제거했다.
숙어 ***get rid of*** …을 제거하다
How can I *get rid of* my cold?
어떻게 하면 감기가 나을까?

**rid•dle** *riddle*
[rídl 리들]
명 (복수 **riddles** [rídlz 리들즈])
수수께끼; 알아맞히기
Let me ask you a *riddle*.
내가 수수께끼를 하나 낼게.

****ride** *ride*
[ráid 라이드]
타자 (3단현 **rides** [ráidz 라이즈], 과거 **rode** [róud 로우드], 과분 **ridden** [rídn 리든], 현분 **riding** [ráidiŋ 라이딩])
(탈것을) 타다; 타고 가다; 말을 타다
Can you *ride* a bicycle?
너는 자전거를 탈 수 있니?
Susie is learning how to *ride*.
수지는 승마를 배우고 있다.
They *rode* a cable car to the mountainside.
그들은 산중턱까지 케이블카를 탔다.

—명 (복수 **rides** [ráidz 라이즈])
탐; 타고 감; 승마
Let's go for a *ride* on a horse.
말을 타러 가자.
I'll give you a *ride* to the station. 너를 역까지 태워다 주겠다.

**rid•er** *rider*
[ráidər 라이더]
명 (복수 **riders** [ráidərz 라이더즈])
타는 사람, 기수
She is a good *rider*.
그녀는 훌륭한 기수이다.

****right** *right*
[ráit 라이트]
형 ❶ 옳은, 올바른; 정확한
You're *right* to say so.
네가 그렇게 말하는 것은 옳다.
Let me know the *right* answer.
올바른 답을 가르쳐 주십시오.
My watch is *right*.
나의 시계는 정확하다.
❷ 오른쪽의 (반 left 왼쪽의)
Hold up your *right* hand.
오른손을 들어라.

Take a *right* turn at the next crossroads.
다음 사거리에서 우회전하세요.
❸ 적당한, 적절한, 알맞은 (동 fit)

She is the *right* person for the job. 그녀는 그 일에 적임자다.

숙어 ***all right*** 아주 좋은, 만족스러운
Everything is *all right*.
모든 것이 만족스럽다.

—부 ❶ 옳게; 정확하게, 알맞게
Did you guess *right*?
정확하게 알아맞혔느냐?

❷ 오른쪽으로, 우측으로
He turned *right*.
그는 오른쪽으로 돌았다.

❸ 꼭, 바로, 당장
I'll be *right* back. 곧 돌아갈게.

숙어 ***right and left*** 좌우에
***right away*** 〔***off***〕 즉시, 곧바로
I'll bring your soup *right away*.
곧 수프를 갖다 드리겠습니다.

***right now*** 지금 바로
Let's start *right now*.
지금 바로 출발하자.

—명 (복수 **rights** [ráits 라이츠])
❶ 정의, 옳은 것, 공정
*right* and wrong 선과 악

❷ 오른쪽(반 left 왼쪽), 우측
Keep to the *right*
우측 통행 《게시문》

❸ 권리
We have no *right* to stop him.
우리에게는 그를 막을 권리가 없다.

숙어 ***by right(s)*** 올바르게, 정당하게

---

## *ring[1] *ring*

[ríŋ 링]

명 (복수 **rings** [ríŋz 링즈])

❶ 반지, 바퀴, 고리

a wedding *ring* 결혼 반지
She is always wearing a *ring* on her finger. 그녀는 언제나 손가락에 반지를 끼고 있다.

❷ (원형의) 경기장; 경마장, 권투장

---

## ⁑ring[2] *ring*

[ríŋ 링]

동 (3단현 **rings** [ríŋz 링즈], 과거 **rang** [rǽŋ 랭], 과거 · 과분 **rung** [rʌ́ŋ 렁], 현분 **ringing** [ríŋiŋ 링잉])

—자 (초인종 · 종 따위가) 울리다; 울려퍼지다
The church bells are *ringing*.
교회 종이 울리고 있다.

The telephone *rang* many times. 전화가 여러 번 울렸다.

—타 ❶ (초인종 따위를) 울리다

Tom *rang* the doorbell.
톰은 초인종을 울렸다.
❷ 《영》 (…에게) 전화를 걸다 (《미》 call)
I'll *ring* you back later.
나중에 다시 전화하겠습니다.
—명 (복수 **rings** [ríŋz 링즈])
울리는 소리; 《**a ring**으로》 전화 걸기
Give me *a ring* tomorrow.
내일 전화해 줘요.

## rink *rink*
[ríŋk 링크]
명 스케이트 링크, 실내 스케이트장
They enjoyed skating in the ice *rink*. 그들은 스케이트장에서 스케이트를 즐겼다.

## *ripe *ripe*
[ráip 라이프]
형 (비교급 **riper** [ráipər 라이퍼], 최상급 **ripest** [ráipist 라이피스트])
(과일이) 익은 (반 raw 설익은); (곡식이) 여문; (기회가) 무르익은
These cherries are well *ripe*.
이 버찌는 잘 익었다.

The grain was fully *ripe* in the fields.
들판에 곡식이 무르익어 있었다.

## **rise *rise*
[ráiz 라이즈]
자 (3단현 **rises** [ráiziz 라이지즈], 과거형 **rose** [róuz 로우즈], 과분 **risen** [rízn 리즌], 현분 **rising** [ráiziŋ 라이징])
❶ 오르다; 떠오르다 (반 set 지다)
The curtain *rises*. 막이 오른다.

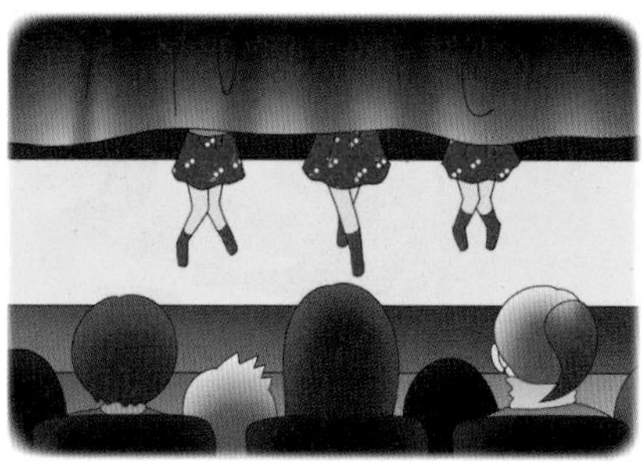

The sun *rises* in the east.
태양은 동쪽에서 떠오른다.
❷ 일어서다; 일어나다
He *rose* from his chair.
그는 의자에서 일어났다.
I *rise* at six in the morning.
나는 아침 6시에 일어난다.
❸ (양이) 증가하다; (가격이) 오르다; (바람이) 세지다
Prices are *rising*.
물가가 오르고 있다.
❹ 치솟다, 솟아오르다
The tower *rises* above the other buildings. 그 탑은 다른 건물들 위로 우뚝 솟아 있다.
—명 상승; 증가
a 5% pay rise, 5% 임금 인상

## *ris•en *risen*
[rízn 리즌]
자 rise(일어나다)의 과거분사

## risk *risk*
[rísk 리스크]
명 (복수 **risks** [rísks 리스크스])
위험; 모험 (동 danger)

A B C D E F G H I J K L M N O P Q R S T U V W X Y Z

숙어 ***at the risk of*** …을 무릅쓰고, …을 내걸고

He saved the old man *at the risk of* his life. 그는 자기 목숨을 걸고 노인을 구했다.

***take*〔*run*〕 *a risk*** …의 위험을 무릅쓰다

## ri•val *rival*

[ráiv(ə)l 라이벌]

명 (복수 **rivals** [ráiv(ə)lz 라이벌즈])

라이벌, 경쟁자, 경쟁 상대

a *rival* company 경쟁 회사

## ⁑riv•er *river*

[rívər 리버]

명 (복수 **rivers** [rívərz 리버즈])

강 (관 stream 시내, brook 개울)

He fell into the *river*.
그는 강물에 빠졌다.

I like fishing in the *river*.
나는 강에서 낚시하기를 좋아한다.

어법 the+강 이름

강 이름에는 the를 붙인다. 미국에서는 River를 강 이름 뒤에, 영국에서는 강 이름 앞에 붙이나 흔히 생략한다: the Mississippi (River) 미시시피 강 / the (River) Thames 템스 강.

## riv•er•side *riverside*

[rívərsàid 리버사이드]

명 강가, 강변

the *Riverside* Hotel 강변 호텔

They walked along the *riverside*. 그들은 강가를 따라 걸었다.

## ⁑road *road*

[róud 로우드]

명 (복수 **roads** [róudz 로우즈])

길, 도로; 수단, 방법

a main *road* 간선 도로

Don't play on the *road*.
도로에서 놀지 마라.

There is no royal *road* to learning.
《속담》 학문에는 왕도가 없다.

참고 road, street, path, way

**road**는 차가 다니는 큰 길로, 보통 도시와 도시, 마을과 마을처럼 떨어

져 있는 지역을 연결하는 도로를 말한다. **street**는 건물이나 상점 따위가 늘어선 시내의 길을 가리킨다. **path**는 들이나 공원 따위의 차가 다니지 않는 작은 길을 가리킨다. **way**는 도로라기보다는 추상적인 뜻의 「길」이나 어떤 장소에서 다른 장소로 가는 「통로」를 가리킨다.

## road•side *roadside*

[róudsaid 로우드사이드]

명 길가, 노변

We took a rest by the *roadside*.
우리는 길가에서 잠시 쉬었다.

—형 길가의, 노변의

## roar *roar*

[rɔ́ːr 로-]

자 (3단현 **roars** [rɔ́ːrz 로-즈], 과거 · 과분 **roared** [rɔ́ːrd 로-드], 현분 **roaring** [rɔ́ːriŋ 로-링])

포효하다, 으르렁거리다

The lion *roared* in the cage.
사자가 우리 안에서 으르렁거렸다.

—명 (복수 **roars** [rɔ́ːrz 로-즈])
으르렁거림, 포효; 노호

## roast *roast*

[róust 로우스트]

타자 (3단현 **roasts** [róusts 로우스츠], 과거 · 과분 **roasted** [róustid 로우스티드], 현분 **roasting** [róustiŋ 로우스팅])

굽다, 구워지다; 볶다, 볶아지다

The chicken is *roasting* well.
닭고기가 잘 구워지고 있다.

—명 굽기; 볶기; 불고기

—형 구운; 볶은

*roast* beef 불고기

## rob *rob*

[rɑ́b 라브]

타 (3단현 **robs** [rɑ́bz 라브즈], 과거 · 과분 **robbed** [rɑ́bd 라브드], 현분 **robbing** [rɑ́biŋ 라빙])

빼앗다, 강탈하다, 탈취하다 ((of))

He *robbed* her *of* her bag.
그는 그녀의 손가방을 강탈하였다.

I was *robbed of* my watch.
나는 시계를 빼앗겼다.

## rob•ber *robber*

[rɑ́bər 라버]

명 (복수 **robbers** [rɑ́bərz 라버즈])
(특히 폭력을 쓰는) 도둑, 강도
a bank *robber* 은행 강도

**rob•in** *robin*
[rɑ́bin 라빈]
명 (복수 **robins** [rɑ́binz 라빈즈])
〖조류〗 울새, 로빈

**ro•bot** *robot*
[róubɑt 로우밧]
명 (복수 **robots** [róubɑts 로우바츠])
로봇, 인조인간

industrial *robots* 산업용 로봇

⁑**rock**[1] *rock*
[rɑ́k 락]
명 (복수 **rocks** [rɑ́ks 락스])
바위, 암석; 암벽
A *rock* fell on the road.
바위가 길 위에 떨어졌다.
The ship hit the *rocks* and started to sink. 배는 암초에 부딪쳐 가라앉기 시작했다.

**rock**[2] *rock*
[rɑ́k 락]
타자 (3단현 **rocks** [rɑ́ks 락스], 과거 · 과분 **rocked** [rɑ́kt 락트], 현분 **rocking** [rɑ́kiŋ 라킹])
가볍게 흔들다; 진동하다
She *rocked* her baby to sleep.
그녀는 아기를 흔들어서 재웠다.

**rock•et** *rocket*
[rɑ́kit 라킷]
명 (복수 **rockets** [rɑ́kits 라키츠])
로켓

a space *rocket* 우주 로켓
The *rocket* was launched.
로켓이 발사되었다.

**rod** *rod*
[rɑ́d 라드]
명 (복수 **rods** [rɑ́dz 라즈])
막대; 회초리; 낚싯대

a fishing *rod* 낚싯대
Spare the *rod* and spoil the

child.
《속담》 매를 아끼면 아이를 버린다.

***rode** *rode*
[róud 로우드]
타자 ride(타다)의 과거

**role** *role*
[róul 로울]
명 (복수 **roles** [róulz 로울즈])
(극의) 역; 역할, 임무
He played the *role* of the king.
그는 왕의 배역을 연기했다.

***roll** *roll*
[róul 로울]
동 (3단현 **rolls** [róulz 로울즈], 과거·과분 **rolled** [róuld 로울드], 현분 **rolling** [róuliŋ 로울링])
—타 ❶ 굴리다, 굴려 가다
He *rolled* the tire to the car.
그는 타이어를 차 있는 데로 굴려 갔다.

❷ 말다, 동글게 감다
She *rolled* the wool into a ball.
그녀는 털실을 공처럼 감았다.
—자 ❶ 구르다, 굴러가다
A coin *rolled* in under the desk.
동전이 책상 밑으로 굴러 들어갔다.
❷ (파도가) 넘실거리다; (차가) 달리다
The wave *rolled* against the rock. 파도가 몰려와 바위를 쳤다.
—명 (복수 **rolls** [róulz 로울즈])
❶ 두루마리; (필름) 롤

a *roll* of film 필름 한 롤
The paper was in a *roll*.
그 종이는 두루마리로 되어 있었다.
❷ 명단, 출석부
Now, I will call the *roll*.
자, 출석을 부르겠습니다.

**roll•er skate** *roller skate*
[róulər skèit 로울러스케이트]
명 《복수형으로》 롤러 스케이트 (신발)

***Ro•man** *Roman*
[róumən 로우먼]
형 로마의, 로마 사람의
the *Roman* Empire 로마 제국
—명 (복수 **Romans** [róumənz 로우먼즈]) 로마 사람
When in Rome, do as the *Romans* do. 《속담》 로마에서는 로마 사람이 하는 대로 해라.

**ro•man•tic** *romantic*
[roumǽntik 로우맨틱]
형 낭만적인; 공상적인, 비현실적인
She dreams a *romantic* love.
그녀는 낭만적인 사랑을 꿈꾼다.

*__Rome__ *Rome*
[róum 로움]
명 로마; (고대) 로마 제국

*Rome* was not built in a day.
《속담》 로마는 하루 아침에 이루어지지 않았다.

*__roof__ *roof*
[rú:f 루-프]
명 (복수 **roofs** [rú:fs 루-프스])
지붕; 천장
The *roof* of our house is red.
우리 집 지붕은 빨간색이다.

⁂**room** *room*
[rú:m 룸-]
명 (복수 **rooms** [rú:mz 룸-즈])
❶ 방, 호실
a dining〔living〕 *room* 식당〔거실〕
My *room* is larger than hers.
내 방은 그녀의 방보다 크다.

❷ 《a와 복수형 안 씀》 여지, 공간, 장소
There is no *room* for doubt.
의문의 여지가 없다.

**roost•er** *rooster*
[rú:stər 루-스터]
명 (복수 **roosters** [rú:stərz 루-스터즈]) 〖조류〗 《미》 수탉 (동 cock, 반 hen 암탉)

*__root__ *root*
[rú:t 루-트]
명 (복수 **roots** [rú:ts 루-츠])
❶ (식물의) 뿌리
This plant has deep *roots*.
이 식물은 뿌리가 깊다.
❷ 《보통 the를 붙여》 근원, 근본

The love of money is *the root* of all evil.
금전욕은 모든 악의 근원이다.

❸ (수학의) 근

**rope** *rope*
[róup 로우프]
명 (복수 **ropes** [róups 로우프스])
새끼, 밧줄, 끈, 로프

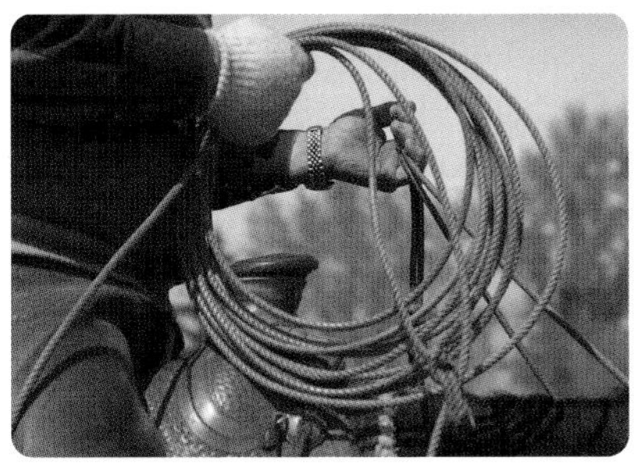

a piece of *rope* 한 가닥의 로프

***rose**[1] *rose*
[rouz 로우즈]
자 rise(일어나다)의 과거

****rose**[2] *rose*
[róuz 로우즈]
명 (복수 **roses** [róuziz 로우지즈])
〖식물〗 장미(꽃)

This *rose* smells very sweet.
이 장미는 매우 향기롭다.

**ros•y** *rosy*
[róuzi 로우지]
형 (비교급 **rosier** [róuziər 로우지어], 최상급 **rosiest** [róuziist 로우지이스트])

❶ 장밋빛의; 불그레한; 유망한
Little children have *rosy* cheeks. 아이들 뺨이 발그레하다.

❷ (장래가) 밝은, 유망한
a *rosy* future 밝은 미래

**rot** *rot*
[rát 랏]
자 타 (3단현 **rots** [ráts 라츠], 과거 · 과분 **rotted** [rátid 라티드], 현분 **rotting** [rátiŋ 라팅])
썩다; 썩히다

Sugar *rots* your teeth.
설탕은 이를 썩게 한다.

**rot•ten** *rotten*
[rátn 라튼]
형 썩은, 부패한

These apples will soon become *rotten*. 이 사과들은 곧 썩을 것이다.

**rough** *rough*
[rʌ́f 러프]
형 (비교급 **rougher** [rʌ́fər 러퍼],

최상급 **roughest** [rʌ́fist 러피스트])
❶ 거칠거칠한, 울퉁불퉁한
a *rough* ground 울퉁불퉁한 땅
❷ (날씨가) 거친; 난폭한, 버릇없는
The planes couldn't fly because of the *rough* weather.
거친 날씨로 비행기가 뜰 수 없었다.

*rough* manners 난폭한 태도
❸ 대강의, 대개의
Let me know your *rough* idea.
네 생각을 대강 들려 다오.

**round** *round*
[ráund 라운드]
형 (비교급 **rounder** [ráundər 라운더], 최상급 **roundest** [ráundist 라운디스트])
❶ 둥근, 둥그스름한, 원형의

The earth is *round*.
지구는 둥글다.

❷ 한 바퀴 도는, 일주의
I want to make a *round* trip of Europe.
나는 유럽을 일주 여행하고 싶다.
❸ 대략의, 대체적인
500 as a *round* figure
대략적인 수치로 500
— 명 (복수 **rounds** [ráundz 라운즈]) ❶ 원, 고리 (동 circle)
We danced in a *round*.
우리는 원을 그리며 춤췄다.
❷ 순회, 일주, 회진
The doctor is making his *rounds* now. 그 의사는 지금 회진 중이다.
❸ (게임 · 경기의) 1회, 한판, 라운드
He was knocked down in the first *round*.
그는 첫 라운드에서 다운되었다.

— 부 ❶ 돌아서, 빙 돌아
all year *round* 1년 내내
Summer will soon come *round*.
여름이 곧 돌아올 것이다.
❷ 둘레에, 주위에
A crowd soon gathered *round*.
관중이 곧 주위에 모였다.

참고 round와 around
**round**는 운동의 뜻이 강하고 **around**는 정지의 뜻이 강하다.
미국에서는 전치사 · 부사로는 around를 쓰는 것이 보통이다:
The earth moves *round* the

sun. 지구는 태양의 둘레를 돈다 / We sat *around* the fire. 우리는 모닥불 주위에 둘러 앉았다.

—전 ❶ …의 주위에, …을 빙 둘러서
Do you live *round* here?
이 부근에 사세요?
❷ …을 돌아서
The car went *round* the corner.
자동차는 모퉁이를 돌아서 갔다.
❸ …의 여기저기
I showed him *round* the town.
나는 그에게 시내를 여기저기 안내했다.

❹ …동안 내내
I was busy *round* the day.
나는 온종일 바빴다.

**route** *route*
[rú:t 루-트]
명 (복수 **routes** [rú:ts 루-츠])
길; 노선; 경로, 항로
an air *route* 항공로
What's the best *route* to Hongkong? 홍콩까지 가장 좋은 노선은 무엇입니까?

**rou•tine** *routine*
[ru:tí:n 루-틴-]
명 틀에 박힌 일, 일상사
My daily *routine* starts at 7.
나의 일상사는 7시에 시작한다.

***row**[1] *row*
[róu 로우]
명 (복수 **rows** [róuz 로우즈])
열, 줄 (동 line)
We sat in the second *row*.
우리는 둘째 줄에 앉았다.

숙어 ***in a row*** 일렬로; 연속적으로
The students are standing in a *row*. 학생들은 한 줄로 서 있다.

***row**[2] *row*
[róu 로우]
타자 (3단현 **rows** [róuz 로우즈], 과거 · 과분 **rowed** [róud 로우드], 현분 **rowing** [róuiŋ 로우잉])
(배를) 젓다, 저어 나르다
He is *rowing* a boat.
그는 보트를 젓고 있다.
—명 노젓기; 뱃놀이

Let's go for a *row* on the lake.
호수에 보트를 타러 갑시다.

**roy•al** *royal*
[rɔ́i(ə)l 로이얼]
형 왕의; 왕실의; 위엄 있는
a *royal* palace 왕궁
The *royal* family live in a large castle. 그 왕족은 큰 성에 산다.

**rub** *rub*
[rʌ́b 러브]
타자 (3단현 **rubs** [rʌ́bz 러브즈], 과거 · 과분 **rubbed** [rʌ́bd 러브드], 현분 **rubbing** [rʌ́biŋ 러빙])
문지르다, 닦다; 마찰하다
She *rubbed* the floor with a brush. 그녀는 솔로 마루를 문질렀다.

***rub•ber** *rubber*
[rʌ́bər 러버]
명 (복수 **rubbers** [rʌ́bərz 러버즈])
고무; 고무 지우개

a *rubber* ball〔band〕 고무 공〔밴드〕
The gloves are made of *rubber*. 그 장갑은 고무로 만들어졌다.

***rude** *rude*
[rú:d 루-드]
형 (비교급 **ruder** [rú:dər 루-더], 최상급 **rudest** [rú:dist 루-디스트])
무례한, 버릇없는 (반 polite 예의 바른); 거친
Don't be so *rude* to your mother. 어머니에게 그렇게 버릇없이 굴지 마라.

**rude•ly** *rudely*
[rú:dli 루-들리]
부 버릇없이, 무례하게; 거칠게
He behaved *rudely*.
그는 버릇없이 굴었다.

**rug** *rug*
[rʌ́g 러그]
명 (복수 **rugs** [rʌ́gz 러그즈])
융단, 양탄자, 깔개; 《영》 무릎 덮개

The floor is covered with *a rug*. 마루는 융단이 깔려 있다.

**ru•in** *ruin*
[rú(:)in 루(-)인]
명 (복수 **ruins** [rú(:)inz 루(-)인즈])
파멸; 파산; 《복수형으로》 폐허, 유적
We visited the *ruins* of ancient

Rome. 우리는 고대 로마의 유적을 방문했다.

숙어 ***in ruins*** 폐허가 되어

—타 (3단현 **ruins** [rú(ː)inz 루(-)인즈], 과거·과분 **ruined** [rú(ː)ind 루(-)인드], 현분 **ruining** [rú(ː)iniŋ 루(-)이닝])

파괴하다; 망치다; 몰락시키다

The rain *ruined* our holiday.
비가 우리의 휴가를 망쳤다.

---

## *rule *rule*

[rúːl 룰-]

명 (복수 **rules** [rúːlz 룰-즈])

❶ 규칙, 법칙, 규범

We should obey the traffic *rules*.
우리는 교통 규칙을 지켜야 한다.

❷ 《a와 복수형 안 씀》 통치, 지배

The country was under the *rule* of Britain.
그 나라는 영국의 지배하에 있었다.

❸ 습관, 관례

It is my *rule* to have a bath every day.
매일 목욕하는 것이 나의 습관이다.

숙어 ***as a rule*** 대체로, 일반적으로

*As a rule*, we have a lot of rain in July.
대체로 7월에는 비가 많이 온다.

***make it a rule to*** *do* …하기로 하고 있다.

I *make it a rule to* read for an hour before breakfast.
나는 조반 전에 한 시간 동안 독서하기로 하고 있다.

—타자 (3단현 **rules** [rúːlz 룰-즈], 과거·과분 **ruled** [rúːld 룰-드], 현분 **ruling** [rúːliŋ 룰-링])

통치하다, 지배하다; 관리하다

The king *ruled* his country wisely.
왕은 그 나라를 현명하게 통치했다.

---

## rul•er *ruler*

[rúːlər 룰-러]

명 (복수 **rulers** [rúːlərz 룰-러즈])

❶ 통치자, 지배자

a *ruler* of the country
그 나라의 통치자

❷ (길이를 재는) 자

---

## ru•mo(u)r *rumo(u)r*

[rúːmər 루-머]

명 (복수 **rumo(u)rs** [rú:mərz 루-머즈]) 소문, 풍문, 세평

There is a *rumor* that he will soon resign his post. 그가 곧 사직할 것이라는 소문이 있다.

****run** *run*

[rʌ́n 런]

동 (3단현 **runs** [rʌ́nz 런즈], 과거 **ran** [rǽn 랜], 과분 **run** [rʌ́n 런], 현분 **running** [rʌ́niŋ 러닝])

—자 ❶ 달리다; 뛰다

I had to *run* to catch the bus.
나는 버스를 타기 위해 뛰어야 했다.

I can *run* faster than he.
나는 그보다 빨리 달릴 수 있다.

❷ (차 · 배 따위가) 다니다, 운행하다.

The buses *run* every fifteen minutes here.
여기서는 버스가 15분마다 다닌다.

❸ (물 · 피 · 강 따위가) 흐르다

Blood was *running* from his left arm.
그의 왼팔에서 피가 흐르고 있었다.

The river *runs* through the city.
그 강은 그 도시를 관통해서 흐른다.

❹ 작동하다, (기계가) 돌아가다

Does the engine *run* well?
기계가 잘 돌아가느냐?

❺ (도로가) 통하다; 이어지다

The road *runs* to London.
그 길은 런던으로 통한다.

—타 ❶ (어떤 거리를) 달리다; 달리게 하다

We *ran* three kilometers.
우리는 3킬로미터를 달렸다.

❷ (기계를) 움직이다; 운전하다

Do you know how to *run* the machine? 너는 그 기계를 작동하는 법을 아느냐?

❸ 경영하다, 운영하다, 관리하다

She *runs* a drugstore.
그녀는 약국을 운영한다.

A B C D E F G H I J K L M N O P Q R S T U V W X Y Z

❹ 운반하다, 차로 태워다 주다
I'll *run* you to the station.
역까지 태워다 드리겠습니다.

숙어 ***run across*** 우연히 만나다
I *ran across* our teacher at the post office. 나는 우체국에서 선생님을 우연히 만났다.

***run after*** …을 뒤쫓다, 추구하다
A cat is *running after* a mouse.
고양이가 생쥐를 뒤쫓고 있다.

***run away*** 도망치다, 달아나다
He *ran away* without looking back.
그는 뒤도 안 돌아보고 달아났다.

***run for*** …에 입후보하다
He *ran for* President.
그는 대통령에 입후보했다.

***run out of*** …을 다 써 버리다
We've *run out of* sugar.
우리는 설탕을 다 써 버렸다.

***run over*** (액체가) 넘치다; (차 따위가) …을 치다
A child was *run over* by a taxi.
아이가 택시에 치였다.

—명 (복수 **runs** [rʌ́nz 런즈])
❶ 달리기, 주행; 경주
Let's have a 100-meter *run*.
100미터 경주를 하자.
❷ 주행 거리
We had a *run* of 10 miles.
우리는 10마일을 달렸다.
❸ 《**a run**으로》 연속; (연극 · 영화의) 연속 공연〔상영〕
The movie had *a* long *run*.
영화는 장기 상영되었다.
❹ 〖야구〗 득점
a two-*run* homer 2점 홈런

숙어 ***in the long run*** 결국에는
*In the long run* she won the first prize.
결국 그녀가 1등상을 탔다.

## *rung — *rung*
[rʌ́ŋ 렁]
자타 ring(울리다)의 과거분사

## run•ner — *runner*
[rʌ́nər 러너]
명 (복수 **runners** [rʌ́nərz 러너즈])
달리는 사람; 경주자; 〖야구〗 주자
He is a very fast *runner*.
그는 매우 빨리 달리는 사람이다.

## ru•ral — *rural*
[rú(ə)rəl 루(어)럴]
형 시골의, 농촌의, 전원의
I prefer *rural* life to town life.
나는 도회지 생활보다 전원 생활이 좋다.

## *rush — *rush*
[rʌ́ʃ 러시]
타자 (3단현 **rushes** [rʌ́ʃiz 러시즈], 과거 · 과분 **rushed** [rʌ́ʃt 러시트],

현분 **rushing** [rʌ́ʃiŋ 러싱])
돌진하다; 서두르다; 달려들다
He *rushed* out of the house.
그는 집에서 뛰어나갔다.

*Rush* the work in a week.
일주일 내에 그 일을 끝마쳐라.
— 명 (복수 **rushes** [rʌ́ʃiz 러시즈])
돌진; 쇄도; 분주함; 혼잡
There was a great *rush* of girls into the theater. 소녀들이 엄청나게 극장으로 몰려들었다.

## rush hour *rush hour*
[rʌ́ʃ àuər 러시아우어]
명 러시아워, 혼잡 시간

The crowds in the *rush hours* are terrible.
러시아워의 혼잡은 지독하다.

## Rus•sia *Russia*
[rʌ́ʃə 러셔]
명 ❶ (현재의) 러시아 연방 《수도는 모스크바(Moscow)》
❷ (러시아 혁명 이전의) 러시아 제국

## Rus•sian *Russian*
[rʌ́ʃən 러션]
명 (복수 **Russians** [rʌ́ʃənz 러션즈]) 러시아 사람; 《관사 없이》 러시아어
*Russians* are very good at singing. 러시아 사람들은 노래를 매우 잘 부른다.
— 형 러시아의; 러시아 사람의; 러시아어의
He learned the *Russian* language. 그는 러시아어를 배웠다.

## rust *rust*
[rʌ́st 러스트]
명 (금속의) 녹; 녹 비슷한 것
The tin roof was covered with *rust*. 양철 지붕은 녹슬어 있었다.
— 타 자 (3단현 **rusts** [rʌ́sts 러스츠], 과거 · 과분 **rusted** [rʌ́stid 러스티드], 현분 **rusting** [rʌ́stiŋ 러스팅])
녹슬다, (머리가) 둔해지다, 둔하게 하다
His skill has *rusted*.
그의 솜씨가 무디어졌다.
Moisture *rusts* iron.
습기는 쇠를 녹슬게 한다.

## rye *rye*
[rái 라이]
명 『식물』 《a와 복수형 안 씀》 호밀

**S, s** *S, s*
[és 에스]
명 (복수 **S's, s's** [ésiz 에시즈])
에스 《알파벳의 열아홉 번째 글자》

**$** *$*
[dɑ́lər(z) 달러(즈)]
dollar(달러)의 화폐 단위 기호
$7, 7달러《seven dollars로 읽음》
$10.50, 10달러 50센트《ten dollars fifty cents로 읽음》

**sack** *sack*
[sǽk 색]
명 (복수 **sacks** [sǽks 색스])
부대, 자루; 한 자루의 분량
We bought a *sack* of potatoes at the market. 우리는 시장에서 감자 한 자루를 샀다.

**sac•ri•fice** *sacrifice*
[sǽkrəfàis 새크러파이스]
명 (복수 **sacrifices** [sǽkrəfàisiz 새크러파이시즈]) 희생; 희생적인 행동
— 타 (3단현 **sacrifices** [sǽkrəfàisiz 새크러파이시즈], 과거 · 과분 **sacrificed** [sǽkrəfàist 새크러파이스트], 현분 **sacrificing** [sǽkrəfàisiŋ 새크러파이싱])
희생시키다; 제물로 바치다
He *sacrificed* his life to save the boy. 그는 그 소년을 구하기 위해 자기 목숨을 바쳤다.

***sad** *sad*
[sǽd 새드]
형 (비교급 **sadder** [sǽdər 새더], 최상급 **saddest** [sǽdist 새디스트])
슬픈 (반 glad 기쁜)
It was a *sad* song.
그것은 슬픈 노래였다.
He gave me a *sad* look. 그는 나에게 슬픈 표정을 지어 보였다.

**sad•dle** *saddle*
[sǽdl 새들]

A B C D E F G H I J K L M N O P Q R S T U V W X Y Z

명 (복수 **saddles** [sǽdlz 새들즈])
(말 · 자전거 따위의) 안장
He put the *saddle* on the horse's back. 그는 말 등에 안장을 얹었다.

**sad•ly** *sadly*
[sǽdli 새들리]
부 슬프게, 슬픈 듯이, 애처롭게

***safe** *safe*
[séif 세이프]
형 (비교급 **safer** [séifər 세이퍼], 최상급 **safest** [séifist 세이피스트])
❶ 안전한 (반 dangerous 위험한)
It is *safe* to swim here.
여기서 수영하면 안전하다.

❷ 《come, arrive, return 따위의 보어로 쓰여》 무사한
The ship returned *safe*.
그 배는 무사히 돌아왔다.
❸ 〖야구〗 세이프
— 명 (복수 **safes** [séifs 세이프스]) 금고
Keep the money in the *safe*.
돈을 금고 속에 보관하여라.

***safe•ly** *safely*
[séifli 세이플리]
부 안전하게, 무사히
He always drive *safely*.
그는 항상 안전하게 운전한다.

**safe•ty** *safety*
[séifti 세이프티]
명 (복수 **safeties** [séiftiz 세이프티즈]) 안전, 무사 (반 danger 위험)
*Safety* First 안전 제일 《게시문》
They all arrived in *safety*.
그들은 모두 무사히 도착했다.

**safe•ty belt** *safety belt*
[séifti bèlt 세이프티벨트]
명 (자동차 · 비행기의) 안전 벨트 (동 seat belt)
Please fasten your *safety belt*.
안전벨트를 매십시오 《안내 방송》.

**Sa•ha•ra** *Sahara*
[səhɛ́(ə)rə 서헤(어)러]
명 《the를 붙여》 사하라 사막 《아프리카 북부에 있는 세계 최대의 사막》

***said** *said*
[séd 세드]
타자 say(말하다)의 과거 · 과거분사

***sail** *sail*
[séil 세일]
명 (복수 **sails** [séilz 세일즈])
❶ 돛, 돛단배
The ship had a white *sail*.
그 배는 흰 돛을 달았다.
❷ 항해, 배를 몰기
two months' *sail*, 2개월의 항해

숙어 ***set sail*** 출항하다
The ship *set sail* for New York yesterday.
그 배는 어제 뉴욕을 향해 출항했다.
— 자타 (3단현 **sails** [séilz 세일즈], 과거 · 과분 **sailed** [séild 세일드], 현분 **sailing** [séiliŋ 세일링])
항해하다, 출항하다

His yacht *sailed* across the Pacific. 그의 요트는 태평양을 횡단하여 항해했다.
When does the ship *sail*?
그 배는 언제 출항합니까?

## *sail•or *sailor*
[séilər 세일러]
명 (복수 **sailors** [séilərz 세일러즈])
❶ 선원, 뱃사람 (㊐ seaman)
He became a *sailor*.
그는 선원이 되었다.
❷ (해군) 수병 (㊇ soldier (육군) 사병)

## saint *saint*
[séint 세인트]
명 (복수 **saints** [séints 세인츠])
성인, 성자 《가톨릭교에서 Saint의 칭호를 받은 사람; ㊕ St.》
*St.* John 성 요한

## Saint Val•en•tine's Day
*Saint Valentine's Day*
[sèint vǽləntainz dèi 세인트 밸런타인즈 데이]
명 성 발렌타인 축일 《2월 14일》

참고 3세기 로마의 기독교 순교자 발렌타인을 기념하는 날. 사랑의 표시로 편지 · 카드 · 선물 따위를 친한 사람에게 보내는 풍습이 유래됨.

## sake *sake*
[séik 세이크]
명 《다음의 숙어로만 쓰임》
숙어 ***for God's sake*** 제발, 부디
Help me *for God's sake*!
제발 도와 주세요.
***for the sake of*** …을 위하여
They work *for the sake of* peace.
그들은 평화를 위해서 일한다.

## sal•ad *salad*
[sǽləd 샐러드]
명 (복수 **salads** [sǽlədz 샐러즈])
샐러드 《생야채나 과일에 냉육류를 섞어 만든 요리》

Mother made a *salad* for lunch.
어머니는 점심용 샐러드를 만들었다.

## sal•a•ry *salary*
[sǽl(ə)ri 샐러리]
명 (복수 **salaries** [sǽl(ə)riz 샐러리즈]) 급료, 봉급
a monthly *salary* 월급

He lives on his *salary*.
그는 급료만으로 생활한다.
✎ wage가 시간급 · 일당 · 주급 등 단기간 단위로 지급되는 데 반하여, salary는 월급 · 연봉 등 정기적으로 지급되며, pay는 일반적인 급료를 말함.

**sale** *sale*
[séil 세일]
명 (복수 **sales** [séilz 세일즈])
❶ 판매; 《복수형으로》 매상액
a bargain *sale* 염가 대매출
❷ 특매, 바겐세일
When does the Christmas *sale* start? 크리스마스 세일은 언제 시작하지?
숙어 ***for sale*** 팔려고 내놓은
House *For Sale* 팔 집

***on sale*** 판매 중인, 특매 중인
They have new cars *on sale*.
그들은 신형 차를 판매 중이다.

**sales·girl** *salesgirl*
[séilzgə:rl 세일즈걸-]
명 (복수 **salesgirls** [séilzgə:rlz 세일즈걸-즈]) 《미》 여점원

**sales·man** *salesman*
[séilzmən 세일즈먼]
명 (복수 **salesmen** [séilzmən 세일즈먼]) (남자) 점원, 판매원; 《미》 세일즈맨, 외판원
The *salesmen* of that store are kind to customers. 저 상점의 점원들은 고객들에게 친절하다.

**salm·on** *salmon*
[sǽmən 새먼]
☺ 1은 발음하지 않음.
명 (복수 **salmon** [sǽmən 새먼], 또는 **salmons** [sǽmənz 새먼즈])
〖어류〗 연어

⁑**salt** *salt*
[sɔ́:lt 솔-트]
명 《a와 복수형 안 씀》 소금, 식염
Put *salt* on your eggs.
계란에 소금을 치시오.
Could you please pass the *salt*? 소금 좀 건네주시렵니까?

— 형 소금의; 짭짤한, 소금에 절인
*salt* water 소금물, 바닷물
*salt* breezes 바닷바람

****same** *same*
[séim 세임]
형 《보통 the를 붙여》 같은, 동일한 (반 different 다른)
We go to *the same* school.
우리는 같은 학교에 다닌다.
They wore *the same* dress.
그들은 같은 드레스를 입었다.

They are (of) the *same* age.
그들은 동갑이다.
숙어 ***at the same time*** 동시에
They left *at the same time.*
그들은 동시에 출발했다.
***the same ~ as...*** …와 같은 종류의 ~
This is *the same* knife *as* I have. 이것은 내가 갖고 있는 것과 같은 종류의 칼이다.
***the same ~ that...*** …와 동일한 ~
This is *the same* watch *that* I lost. 이것은 내가 잃어버린 것과 똑같은 시계다.
— 대 《보통 the를 붙여》 같은 사람〔일 · 물건〕
Those books are quite *the same.*
이 책들은 꼭 같은 것이다.
숙어 ***all the same***(= ***just the same***) 완전히 같은, 어느 쪽이든 상관없는
***The same to you!*** 마찬가지로 《"A happy new year!"라든가 "Merry Christmas!"의 인사말에 대한 대답》

**sam•ple** *sample*
[sǽmpl 샘플]
명 (복수 **samples** [sǽmplz 샘플즈]) 견본, 표본 (동 example)
Show me another *sample.*
다른 견본을 보여 주세요.

***sand** *sand*
[sǽnd 샌드]
명 (복수 **sands** [sǽndz 샌즈]) 모래; 《복수형으로》 모래밭
You need *sand* to make concrete. 콘크리트를 만들려면 모래가 필요하다.
The girls were playing on the *sands.*
소녀들은 모래밭에서 놀고 있었다.

**san•dal** *sandal*
[sǽndl 샌들]
명 (복수 **sandals** [sǽndlz 샌들즈]) 《보통 복수형으로》 샌들
a pair of *sandals* 샌들 한 켤레

***sand•wich** *sandwich*
[sǽn(d)witʃ 샌(드)위치]
명 (복수 **sandwiches** [sǽn(d)witʃiz 샌(드)위치즈]) 샌드위치
He likes ham *sandwiches.*
그는 햄샌드위치를 좋아한다.

**San Fran•cis•co** *San Francisco*
[sæ̀n frənsískou 샌프런시스코우]
명 샌프란시스코 《미국 캘리포니아 주 서부에 있는 항구 도시》

*__sang__ *sang*
[sǽŋ 생]
타자 sing(노래하다)의 과거

**sank** *sank*
[sǽŋk 생크]
동 sink의 과거

*__San•ta Claus__ *Santa Claus*
[sǽntəklɔ̀ːz 샌터클로-즈]
명 산타클로스
*Santa Claus* comes on Christmas Eve with presents for children. 산타클로스는 크리스마스 전야에 아이들의 선물을 가지고 온다.

*__sat__ *sat*
[sǽt 샛]
자 sit(앉다)의 과거 · 과거분사

**sat•el•lite** *satellite*
[sǽtəlàit 새털라이트]
명 (복수 **satellites** [sǽtəlàits 새털라이츠]) (천체의) 위성; 인공위성

an artificial *satellite* 인공위성
The moon is the Earth's *satellite*. 달은 지구의 위성이다.

**sat•is•fac•tion** *satisfaction*
[sæ̀tisfǽkʃən 새티스팩션]
명 《a와 복수형 안 씀》 만족(감); 충족
He finds *satisfaction* in his job. 그는 자기 일에서 만족을 찾는다.

**sat•is•fac•to•ry**
*satisfactory*
[sæ̀tisfǽktəri 새티스팩터리]

형 만족한; 충분한
His answer is not *satisfactory* to me. 그의 답변은 나에게는 만족스럽지 못하다.

***sat•is•fy** *satisfy*
[sǽtisfài 새티스파이]
타자 (3단현 **satisfies** [sǽtisfàiz 새티스파이즈], 과거 · 과분 **satisfied** [sǽtisfàid 새티스파이드], 현분 **satisfying** [sǽtisfàiiŋ 새티스파이잉])
❶ 만족시키다, 충족시키다
Are you *satisfied* now?
이제 만족하니?
❷ 《**be satisfied with**로》 …에 만족하고 있다
I *am satisfied with* the results.
나는 그 결과에 만족하고 있다.

**⁑Sat•ur•day** *Saturday*
[sǽtərdèi 새터데이]
명 토요일 (약 Sat.)
She plays tennis on *Saturday*.
그녀는 토요일에 테니스를 친다.

**sauce** *sauce*
[sɔ́:s 소-스]
명 《a와 복수형 안 씀》 소스, 양념
tomato *sauce* 토마토 소스

**sau•cer** *saucer*
[sɔ́:sər 소-서]
명 (복수 **saucers** [sɔ́:sərz 소-서즈]) (찻잔 따위의) 받침 접시
a cup and *saucer*
받침 접시 딸린 찻잔

**sau•sage** *sausage*
[sɔ́:sidʒ 소-시지]
명 (복수 **sausages** [sɔ́:sidʒiz 소-시지즈]) 소시지, 순대
Would you prefer *sausage* with your eggs?
계란 요리에 소시지를 곁들일까요?

**⁑save** *save*
[séiv 세이브]
타자 (3단현 **saves** [séivz 세이브즈], 과거 · 과분 **saved** [séivd 세이브드], 현분 **saving** [séiviŋ 세이빙])
❶ 구하다, 구조하다
The firemen *saved* the woman

from the burning house. 소방수들은 불타는 집에서 부인을 구했다.

❷ 저축하다, 모으다
I'm *saving* money for the trip.
여행을 위해 돈을 저축하고 있다.
❸ (시간 · 비용 · 수고 따위를) 절약하다, 덜다 (반 waste 낭비하다)
Let's *save* time.
시간을 절약합시다.

**saw¹** *saw*
[sɔ́ː 소-]
타자 see(보다)의 과거

**saw²** *saw*
[sɔ́ː 소-]
명 (복수 **saws** [sɔ́ːz 소-즈]) 톱
a double-edged *saw* 양날톱
How do you use this *saw*?
이 톱을 어떻게 사용하지?

**⁑say** *say*
[séi 세이]
타 자 (3단현 **says** [séz 세즈]), 과거 · 과분 **said** [séd 세드], 현분 **saying** [séiiŋ 세이잉])
❶ 말하다 (동 speak)
Please *say* it again.
다시 한 번 말해 주십시오.
He *said*, "I want to be a doctor." 그는 「나는 의사가 되고 싶습니다」라고 말했다.

I have something to *say* to you. 당신에게 할 말이 좀 있습니다.

어법 say, speak, tell, talk
**say**는 자기 생각을 말로 나타내는 것, **speak**는 「말한다」는 행위에 중점을 둔 것, **tell**은 이야기의 내용을 보고하거나 말로 전하는 것, **talk**는 이야기하여 들려 주거나 상대와 대담하는 것.

❷ (편지 · 신문 등에) 쓰여 있다, 나와 있다
The paper *says* that there was a flood in Taiwan. 타이완에 홍수가 났다고 신문에 나와 있다.
숙어 ***I say*** 《영》 이봐, 어이
*I say*, Ted, who is that boy?
이봐 테드, 저 소년은 누구지?
***It is said that...*** (=***They say that...***) …라는 소문이다, …라고 한다.
*It is said* 〔*They say*〕 *that* the child is birght.
그 아이는 총명하다고 한다.
***say to oneself*** 중얼거리다; (마음 속으로) 생각하다
"I'll go at once.", he *said to himself*.
「금방 갈게」라고 그는 중얼거렸다.
***that is*** (***to say***) 즉, 다시 말하면
He left Seoul four days ago,

*that is to say*, on April 21.
그는 4일 전에, 즉 4월 21일에 서울을 떠났다.

***to say nothing of*** …은 말할 것도 없고

***What do you say to...?*** …은 어떻습니까?
*What do you say to* going for a swim? 수영하러 가는 건 어때?

## say•ing *saying*
[séiiŋ 세이잉]
명 (복수 **sayings** [séiiŋz 세이잉즈])
❶ 말하기, 말하는 것
❷ 격언, 속담 (동 proverb)
"There is no smoke without fire." is a *saying*. 「아니 땐 굴뚝에 연기나랴」는 속담이다.

## scale¹ *scale*
[skéil 스케일]
명 (복수 **scales** [skéilz 스케일즈])
❶ 《보통 복수형으로》 저울, 천칭; (계량기의) 눈금
He weighed the meat on the *scales*. 그는 저울에 고기를 달았다.

❷ 규모; 비율, (지도의) 축척
a map drawn to a *scale* of 1:50,000 축척 5만분의 1의 지도

## scale² *scale*
[skéil 스케일]
명 (복수 **scales** [skéilz 스케일즈])
비늘; 얇은 조각
the *scales* of a snake 뱀의 비늘

## *scarce•ly *scarcely*
[skέərsli 스케어슬리]
부 ❶ 간신히; 겨우, 고작
He *scarcely* caught the last bus. 그는 간신히 마지막 버스를 잡아탔다.

❷ 거의 …않다 (동 hardly, seldom)
We had *scarcely* anything to eat.
우리는 거의 아무것도 먹지 못했다.
숙어 ***scarcely ... when* 〔*before*〕** …하자마자
He had *scarcely* gone out *when* it began to rain. 그가 외출하자마자 비가 오기 시작했다.

## scare *scare*
[skέər 스케어]
타자 (3단현 **scares** [skέərz 스케어즈], 과거 · 과분 **scared** [skέərd 스케어드], 현분 **scaring** [skέəriŋ 스케어링])
위협하다, 겁나게 하다; 놀라다
You *scared* me.
너는 나를 놀라게 했어.

## scare•crow *scarecrow*
[skέərkròu 스케어크로우]

A B C D E F G H I J K L M N O P Q R S T U V W X Y Z

명 (복수 **scarecrows** [skέərkròuz 스케어크로우즈]) 허수아비

**scarf** *scarf*
[skɑ́:rf 스카-프]
명 (복수 **scarfs** [skɑ́:rfs 스카-프스] 또는 **scarves** [skɑ́:rvz 스카-브즈]) 스카프, 목도리

She tied a *scarf* around her neck and went out. 그녀는 목에다 스카프를 매고 외출했다.

**scar•let** *scarlet*
[skɑ́:rlit 스칼-릿]
명 《a와 복수형 안 씀》 주홍색
— 형 주홍색[빛]의
She is wearing a *scarlet* blouse. 그녀는 주홍색 블라우스를 입고 있다.

**scat•ter** *scatter*
[skǽtər 스캐터]
동 (3단현 **scatters** [skǽtərz 스캐터즈], 과거 · 과분 **scattered** [skǽtərd 스캐터드], 현분 **scattering** [skǽtəriŋ 스캐터링])
— 타 뿌리다, 살포하다
He *scattered* seed on the field. 그는 밭에다 씨를 뿌렸다.
— 자 흩어지다

*__scene__ *scene*
[sí:n 신-]
명 (복수 **scenes** [sí:nz 신-즈])
❶ (이야기 · 극의) 장면, 무대; 장(場)
The *scene* of the story is London. 그 이야기의 무대는 런던이다.

Act Ⅲ, *Scene* 1 of 'Hamlet' 「햄릿」의 제3막, 제1장 《act three, scene one이라고 읽음》
❷ 광경, 경치 (관 scenery 경치)
The sunrise is a beautiful *scene*. 해돋이는 아름다운 광경이다.
❸ (사건의) 현장
This is the *scene* of a terrible battle.
이것이 끔찍한 전투의 현장이다.

**scen•er•y** *scenery*
[sí:nəri 시-너리]

명 《a와 복수형 안 씀》 (자연의) 경치, 풍경

We could enjoy the mountain *scenery*.
우리는 산의 경치를 즐길 수 있었다.

**scent** *scent*
[sént 센트]
명 (복수 **scents** [sénts 센츠])
향기; 냄새
the sweet *scent* of roses
장미의 감미로운 향기

**sched•ule** *schedule*
[skédʒuːl 스케줄-]
명 (복수 **schedules** [skédʒuːlz 스케줄-즈]) ❶ 일정, 예정, 스케줄
I have a very busy *schedule*.
나는 스케줄이 매우 바쁘다.
❷ 시간표 (동 timetable)

a train *schedule* 열차 시각표
숙어 ***on schedule*** 예정대로

— 타 (3단현 **schedules** [skédʒuːlz 스케줄-즈], 과거 · 과분 **scheduled** [skédʒuːld 스케줄-드], 현분 **scheduling** [skédʒuːliŋ 스케줄-링])
《**be scheduled to** do로》 …할 예정이다
My father *is scheduled to* leave for London at six. 아버지는 6시에 런던으로 출발할 예정이다.

**schol•ar** *scholar*
[skɑ́lər 스칼러]
명 (복수 **scholars** [skɑ́lərz 스칼러즈]) 학자
My grandfather was a history *scholar*. 할아버지는 역사학자였다.

**schol•ar•ship** *scholarship*
[skɑ́lərʃìp 스칼러십]
명 (복수 **scholarships** [skɑ́lərʃìps 스칼러십스]) 학식, 학문; 장학금
He received a *scholarship*.
그는 장학금을 받았다.

⁑**school** *school*
[skúːl 스쿨-]
명 (복수 **schools** [skúːlz 스쿨-즈])
❶ 《관사를 붙여》 (건물로서의) 학교
a junior high *school* 중학교
The *school* stands near the church. 학교는 교회 근처에 있다.
❷ 《관사 없이》 수업

*School* begins at 8:30.
수업은 8시 30분에 시작한다.
There will be no *school* tomorrow. 내일은 수업이 없다.
I go to *school* by bicycle.
나는 자전거로 통학한다.

❸ 《**the** (**whole**) **school**로; 단수 취급》 전교생
*The whole school* was delighted by the news.
전교생이 그 소식을 듣고 기뻐했다.

숙어 ***after school*** 방과 후
We played baseball *after school*.
우리는 방과 후에 야구를 했다.

***in school*** 재학 중
Our children are still *in school*.
우리집 아이들은 아직 재학 중이다.

***leave school*** 졸업하다; 퇴학하다
We *left school* last year.
우리는 작년에 졸업했다.

## *school·boy *schoolboy*

[skúːlbɔ̀i 스쿨-보이]
명 (복수 **schoolboys** [skúːlbɔ̀iz 스쿨-보이즈]) (초등·중학교의) 남학생
Tom goes to elementary school. He is a *schoolboy*. 톰은 초등학교에 다닌다. 그는 남학생이다.

## school bus *school bus*

[skúːl bʌ̀s 스쿨-버스]
명 학교[스쿨] 버스

He goes to school by *school bus*. 그는 스쿨 버스로 통학한다.

## *school·girl *schoolgirl*

[skúːlgə̀ːrl 스쿨-걸-]
명 (복수 **schoolgirls** [skúːlgə̀ːrlz 스쿨-걸-즈]) (초등·중학교의) 여학생
Jane is a *schoolgirl*.
제인은 여학생이다.

## *school·house *schoolhouse*

[skúːlhàus 스쿨-하우스]
명 (복수 **schoolhouses** [skúːlhàuziz 스쿨-하우지즈]) (특히 초등학교의) 교사(校舍)

## *school·ing *schooling*

[skúːliŋ 스쿨-링]
명 《a와 복수형 안 씀》 학교 교육

He had no *schooling*.
그는 학교 교육을 받지 못했다.

**school•room** *schoolroom*
[skú:lrù(:)m 스쿨-룸(-)]
명 (복수 **schoolrooms** [skú:lrù(:)mz 스쿨-룸(-)즈]) 교실; 공부방
There was nobody in the *schoolroom*. 교실에는 아무도 없었다.

***sci•ence** *science*
[sáiəns 사이언스]
명 《a와 복수형 안 씀》 과학; (자연계) 학문; 《복수형으로》 과학 과목
natural *science* 자연 과학
*science* fiction 공상 (과학) 소설
Biology, chemistry, and physics are *sciences*.
생물, 화학, 물리학은 과학 과목이다.

**sci•en•tif•ic** *scientific*
[sàiəntífik 사이언티픽]
형 과학의, 과학적인
The microscope is a *scientific* instrument. 현미경은 과학 기기다.

***sci•en•tist** *scientist*
[sáiəntist 사이언티스트]
명 (복수 **scientists** [sáiəntists 사이언티스츠]) 과학자
I want to be a great *scientist*.
나는 위대한 과학자가 되고 싶다.

**scis•sors** *scissors*
[sízərz 시저즈]
명 《항상 복수형으로》 가위
two pairs of *scissors*
가위 두 자루

Where are my *scissors*?
내 가위는 어디에 있지?

***scold** *scold*
[skóuld 스코울드]
타자 (3단현 **scolds** [skóuldz 스코울즈], 과거 · 과분 **scolded** [skóuldid 스코울디드], 현분 **scolding** [skóul-diŋ 스코울딩])
꾸짖다; 잔소리하다; 욕하다
The teacher *scolded* him for being late. 선생님은 그가 지각한 것을 꾸짖었다.
My mother *scolded* me for my carelessness.
어머니는 나의 부주의를 꾸짖었다.

**scoop** *scoop*
[skúːp 스쿠-프]
명 (복수 **scoops** [skúːps 스쿠-프스])
국자, 큰 숟가락; (국자로) 한 번 뜬 양

*__score__ *score*
[skɔ́ːr 스코-]
명 (복수 **scores** [skɔ́ːrz 스코-즈])
(경기의) 득점, 스코어
Our team won the match by the *score* of 5 to 3.
우리 팀이 5대 3으로 시합을 이겼다.

— 타자 (3단현 **scores** [skɔ́ːrz 스코-즈], 과거 · 과분 **scored** [skɔ́ːrd 스코-드], 현분 **scoring** [skɔ́ːriŋ 스코-링])
득점하다; (점수를) 기록하다
Dave *scored* twenty points in the basketball game. 데이브는 농구 시합에서 20점을 득점했다.

**Scot•land** *Scotland*
[skɑ́tlənd 스카틀런드]
명 스코틀랜드 《대(大)브리튼(Great Britain)의 북부 지방으로 주도는 에딘버러(Edinburgh)》

**scout** *scout*
[skáut 스카우트]
명 (복수 **scouts** [skáuts 스카우츠])
❶ 소년[소녀] 단원
a Boy〔Girl〕 *Scout*
보이〔걸〕 스카우트
❷ 정찰(병)

**scrap** *scrap*
[skrǽp 스크랩]
명 (복수 **scraps** [skrǽps 스크랩스])
❶ 조각, 부스러기; 폐품
❷ 《복수형으로》 (신문 · 잡지에서) 오려낸 것, 스크랩

**scratch** *scratch*
[skrǽtʃ 스크래치]
타자 (3단현 **scratches** [skrǽtʃiz 스크래치즈], 과거 · 과분 **scratched** [skrǽtʃt 스크래치트], 현분 **scratching** [skrǽtʃiŋ 스크래칭])
할퀴다, 생채기를 내다
The cat *scratched* me.
고양이가 나를 할퀴었다.

— 명 (복수 **scratches** [skrǽtʃiz 스크래치즈]) 긁힌 자국, 생채기

There is a *scratch* on the car door. 차 도어에 긁힌 자국이 있다.

**scream** *scream*
[skríːm 스크림-]
타자 (3단현 **screams** [skríːmz 스크림-즈], 과거 · 과분 **screamed** [skríːmd 스크림-드], 현분 **screaming** [skríːmiŋ 스크리-밍])
소리치다, 비명을 지르다
I *screamed* to him for help.
나는 그에게 도와달라고 소리쳤다.

—명 (복수 **screams** [skríːmz 스크림-즈]) 비명 (소리); 절규
He heard a woman's *scream*.
그는 여자의 비명 소리를 들었다.

**screen** *screen*
[skríːn 스크린-]
명 (복수 **screens** [skríːnz 스크린-즈])
❶ 가리개; 방충망
❷ 스크린, 화면; 《the를 붙여》 영화

They are watching a television *screen*.
그들은 텔레비전 화면을 보고 있다.

**screw** *screw*
[skrúː 스크루-]
명 (복수 **screws** [skrúːz 스크루-즈])
나사; 나사못
Turn the *screw* to the right.
나사를 오른쪽으로 돌려라.

**sculp•ture** *sculpture*
[skʌ́lptʃər 스컬프처]
명 (복수 **sculptures** [skʌ́lptʃərz 스컬프처즈]) 조각; 조각품

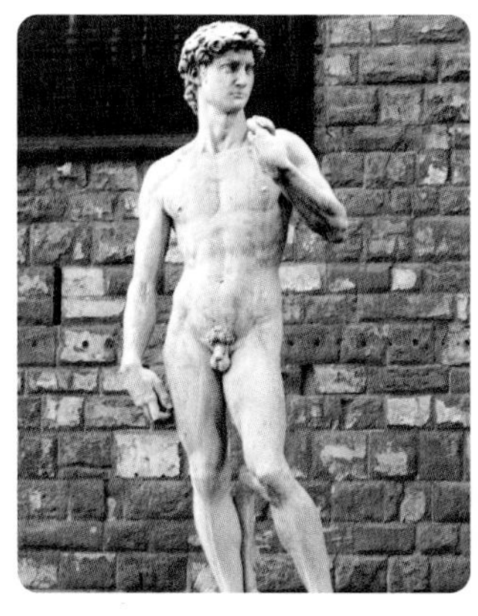

She studies *sculpture* in art school. 그녀는 미술 학교에서 조각을 공부한다.

⁑**sea** *sea*
[síː 시-]
명 (복수 **seas** [síːz 시-즈])
❶ 《the를 붙여》 바다 (반 land 육지, 관 ocean 대양)
He swam in the *sea* for an hour. 그는 한 시간 동안 바다에서 헤엄쳤다.
In summer we go to the *sea*.
여름철이면 우리는 바다로 간다.

a b c d e f g h i j k l m n o p q r s t u v w x y z

# Sea 바다

sea gull
갈매기

whale
고래

seal
물개

dolphin
돌고래

jellyfish
해파리

shark
상어

sea horse
해마

squid
오징어

shell
조개껍질

shrimp
새우

crab
게

starfish
불가사리

clam
대합조개

❷ (어떤 상태의) 바다, 파도
a calm *sea* 잔잔한 바다
❸《대문자로 고유명사에 쓰여》 …해
the Red *Sea* 홍해
숙어 ***at sea*** 해상에(서), 항해 중에
The ship is *at sea.*
그 배는 항해 중이다.
***by sea*** 배로, 해상으로
She traveled *by sea.*
그녀는 배로 여행했다.
***go to sea*** 출항하다, 선원이 되다
He *went to sea* at nineteen.
그는 19세에 선원이 되었다.

## sea•food *seafood*

[sí:fu:d 시-푸-드]
명 해산물, 해산 식품 《조개 · 생선류》
a *seafood* restaurant
해산물 음식점

## sea gull *sea gull*

[sí: gʌ̀l 시-걸]
명 (복수 **sea gulls** [sí: gʌ̀lz 시-걸즈]) 〖조류〗 갈매기

## seal¹ *seal*

[sí:l 실-]
명 (복수 **seals** [sí:lz 실-즈])
도장, 옥새; 봉함; 실, 장식 우표
—타 (3단현 **seals** [sí:lz 실-즈], 과거 · 과분 **sealed** [sí:ld 실-드], 현분 **sealing** [sí:liŋ 실-링])
도장을 찍다, 조인하다
They signed and *sealed* the treaty. 그들은 조약에 서명 조인했다.

## seal² *seal*

[sí:l 실-]
명 (복수 **seals** [sí:lz 실-즈])
〖동물〗 바다표범, 물개

A *seal* is an animal that lives near the sea. 바다표범은 바다 가까이서 사는 동물이다.

A B C D E F G H I J K L M N O P Q R S T U V W X Y Z

**sea•man** *seaman*
[síːmən 시-먼]
명 (복수 **seamen** [síːmen 시-멘]) 선원, 뱃사람 (동 sailor)
He became a good *seaman*.
그는 능숙한 선원이 되었다.

**sea•port** *seaport*
[síːpɔ̀ːrt 시-포-트]
명 (복수 **seaports** [síːpɔ̀ːrts 시-포-츠]) 항구, 항구 도시

San Francisco is an important *seaport*. 샌프란시스코는 중요한 항구 도시이다.

**search** *search*
[sə́ːrtʃ 서-치]
타자 (3단현 **searches** [sə́ːrtʃiz 서-치즈], 과거 · 과분 **searched** [sə́ːrtʃt 서-치트], 현분 **searching** [sə́ːrtʃiŋ 서-칭])
찾다, 수색하다 《for》

They are *searching for* the lost child. 그들은 미아를 찾고 있다.
The police *searched* his house.
경찰은 그의 집을 수색했다.
—명 (복수 **searches** [sə́ːrtʃiz 서-치즈]) 수색, 조사; 추구
숙어 ***in search of*** …을 찾아서
I walked around the park *in search of* a toilet. 나는 화장실을 찾으려고 공원을 걸어 돌아다녔다.

**sea•shell** *seashell*
[síːʃèl 시-셸]
명 (복수 **seashells** [síːʃèlz 시-셸즈]) 조개, 조가비

They collected pretty *seashells*.
그들은 예쁜 조가비들을 수집했다.

**sea•shore** *seashore*
[síːʃɔ̀ːr 시-쇼-]
명 《a와 복수형 안 씀》 해안, 바닷가 (동 beach)
They built a cottage on the *seashore*.
그들은 바닷가에 별장을 지었다.

**sea•sick** *seasick*
[síːsik 시-식]
형 뱃멀미가 난, 뱃멀미의
She got *seasick*.
그녀는 뱃멀미를 하였다.

**sea•side** *seaside*
[sí:said 시-사이드]
명 해변, 해안

We go to the *seaside* for our summer vacation. 우리는 여름 방학에는 바닷가로 간다.

---

**⁑sea•son** *season*
[sí:zn 시-즌]
명 (복수 **seasons** [sí:znz 시-즌즈])
❶ 계절, 철
The four *seasons* are spring, summer, fall, and winter.
4계절은 봄, 여름, 가을, 겨울이다.
❷ (특정의) 시기, 시즌
the baseball *season* 야구 시즌
the rainy *season* 장마철
숙어 ***in season*** 제철인, 성수기인

## Season 계절

spring 봄

summer 여름

autumn 가을

winter 겨울

a b c d e f g h i j k l m n o p q r s t u v w x y z

Apples are *in season* now.
사과는 지금이 제철이다.

***out of season*** 제철이 아닌

Oysters are *out of season* now.
이제 굴은 철이 지났다.

—[타][자] (3단현 **seasons** [síːznz 시–즌즈], 과거 · 과분 **seasoned** [síːznd 시–즌드], 현분 **seasoning** [síːzniŋ 시–즈닝])
맛을 내다, 양념하다 《with》

Mother *seasoned* the steak *with* salt and pepper. 어머니는 소금과 후추로 스테이크의 맛을 냈다.

## *seat *seat*

[síːt 시–트]

[명] (복수 **seats** [síːts 시–츠])
좌석, 자리

I gave my *seat* to the old woman.
나는 노부인에게 자리를 양보했다.

—[타] (3단현 **seats** [síːts 시–츠], 과거 · 과분 **seated** [síːtid 시–티드], 현분 **seating** [síːtiŋ 시–팅])
앉히다, 앉게 하다

She *seated* her guests around the table.
그녀는 손님들을 식탁에 둘러앉혔다.

## seat belt *seat belt*

[síːt bèlt 시–트벨트]

[명] 좌석 벨트 (㊐ safety belt)

Please fasten your *seat belt* during landing. (비행기가) 착륙하는 동안 좌석 벨트를 매 주십시오.

## **sec•ond[1] *second*

[sékənd 세컨드]

[형] ❶ 《the를 붙여》 제2의, 두 번째의; 2등의

*the second* floor
《미》 2층, 《영》 3층

February is *the second* month of the year.
2월은 1년 중 두 번째 달이다.

He was *the second* in the race.
그는 경주에서 2등을 했다.

❷ 《**a second**로》 다른, 또 하나의

He tried the test *a second* time.
그는 다시 한 번 테스트를 받아 보았다.

—[부] 두 번째로; 2등으로

He came *second* in the marathon race. 그는 마라톤 경주에서 2등으로 들어왔다.

—[명] 《the를 붙여》 제2; 두 번째; 2일

*the second* of April, 4월 2일

He was *the second* in the line.
그는 두 번째 줄에 있었다.

## *sec•ond[2] *second*

[sékənd 세컨드]

[명] (복수 **seconds** [sékəndz 세컨즈])

❶ 초 (㊀ minute 분, hour 시)

There are sixty *seconds* in a minute.

1분은 60초이다.
❷ 순간, 잠깐 (㊌ moment)
Wait a *second*! 잠깐 기다려!

**sec•ond•ar•y** *secondary*
[sékəndèri 세컨데리]
형 ❶ 제2의, 두 번째의; 덜 중요한
❷ 중등 교육의 (㊉ elementary, primary 초등 교육의)
He entered a *secondary* school in 2009. 그는 2009년에 중등학교에 입학했다.

**sec•ond•hand** *secondhand*
[sékənhǽnd 세컨드핸드]
형 중고의, 중고품 매매의
a *secondhand* car 중고차

***se•cret** *secret*
[síːkrit 시-크릿]
명 (복수 **secrets** [síːkrits 시-크리츠])
❶ 비밀

We must keep this *secret*.
우리는 이 비밀을 지켜야 한다.
This is a *secret* between you and me.
이것은 너와 나만의 비밀이다.
❷ 《the를 붙여》 비결
*the secret* of good health
건강의 비결
숙어 ***in secret*** 비밀리에, 남몰래
We made plans *in secret*.
우리는 남몰래 계획을 세웠다.
—형 비밀의
There was a *secret* passage.
거기에 비밀 통로가 있었다.

**sec•re•tar•y** *secretary*
[sékrətèri 세크러테리]
명 (복수 **secretaries** [sékrətèriz 세크러테리즈]) 비서, 서기
She is the president's *secretary*. 그녀는 사장의 비서다.

**sec•tion** *section*
[sékʃən 섹션]
명 (복수 **sections** [sékʃənz 섹션즈])
❶ 부분, 구분
Dad cut the apple into four *sections*.
아빠는 사과를 네 부분으로 잘랐다.
❷ 구역; (신문의) 난; (책의) 절

He reads the sports *section* of the paper.

a b c d e f g h i j k l m n o p q r s t u v w x y z

그는 신문의 스포츠란을 읽는다.

**se•cure** *secure*
[sikjúər 시큐어]
형 (비교급 **securer** [sikjúərər 시큐어러], 최상급 **securest** [sikjúərist 시큐어리스트])
❶ 안전한, 안심이 되는
This is a *secure* place.
이곳은 안전한 장소이다.
❷ 확실한, 확신하는 (동 sure)
Our victory is *secure* now.
우리의 승리는 이제 확실하다.
—타 (3단현 **secures** [sikjúərz 시큐어즈], 과거 · 과분 **secured** [sikjúərd 시큐어드], 현분 **securing** [sikjú(ə)riŋ 시큐(어)링])
❶ 단단히 잠그다; 안전하게 하다
❷ 확보하다; 입수하다
He *secured* her a good seat for the concert. 그는 그녀에게 음악회의 좋은 자리를 확보해 주었다.

**se•cu•ri•ty** *security*
[sikjú(ə)rəti 시큐(어)러티]
명 《a와 복수형 안 씀》
안전; 안심 (동 safety)
I feel *security* in the policeman's presence. 나는 경찰관이 나타나서 안심이 된다.
❷ 보증; 《복수형으로》 유가증권

**see** *see*
[síː 시-]
동 (3단현 **sees** [síːz 시-즈], 과거 **saw** [sɔ́ː 소-], 과분 **seen** [síːn 신-], 현분 **seeing** [síːiŋ 시-잉])
—타 ❶ 보다; (…이) 보이다
I *saw* some birds in the tree.
나는 나무에 새 몇 마리가 있는 것을 보았다.
Can you *see* that tower?
저 탑이 보이니?

**어법** see, look at, watch
**see**에는 「(보려고 하지 않았는데도) 보이다」「주의하여 보다, 관찰하다」의 양쪽의 의미로 쓰인다. **look at**은 「(보려는 의사가 있어서) 주의하여 보다」, **watch**는 look at의 의미에 가깝지만, 「다소 시간이 걸려 주로 움직이는 것을 보다」의 경우에 쓰인다.

❷ 《**see**+목적어+동사의 원형으로》 …이 ~하는 것을 보다; 《**see**+목적어+**~ing**형으로》 …이 ~하고 있는 것을 보다
I *saw* him *open* the door.
나는 그가 문을 여는 것을 보았다.
I *saw* birds *flying*.
나는 새가 날고 있는 것을 보았다.
❸ 만나다; 위문하다; (의사의) 진찰을 받다

I'm glad to *see* you.
당신을 만나서 반갑습니다.
She often came to *see* the sick boy. 그녀는 종종 병든 아이를 위문하러 왔다.
❹ 알다, 이해하다
Do you *see* this meaning?
이 의미를 알겠습니까?

I *see* the problem differently.
나는 그 문제를 달리 생각하는데요.
❺ 전송하다, 바래다 주다
I will *see* you home after the party. 파티가 끝난 후 집까지 바래다 드리겠습니다.

❻ 조사하다, 확인하다
I will *see* if it is true.
그것이 사실인지 조사해 봐야겠다.
—자 ❶ 보다, 보이다
We *see* with our eyes.
우리는 눈으로 본다.
❷ 알다, 이해하다
Do you *see*? 알겠어?

숙어 ***I see*** 알겠습니다, 그렇군요
***Let me see.*** 자 글쎄 《말이 막혀 생각할 때 쓰임》
*Let me see*, where did I put my key?
글쎄, 열쇠를 어디에 두었더라.
***see (a person) off*** …을 전송하다
I *saw* my friend *off*.
나는 친구를 배웅했다.
***See you later.***(=***See you again.***)
다시 또 만나자 《헤어질 때의 인사》
***you see*** 아시다시피, 어때요
I can't see you tomorrow. I'm going away, *you see*.
내일은 만나뵙지 못합니다. 아시다시피, 난 떠나니까요.

## seed *seed*

[síːd 시-드]
명 (복수 **seeds** [síːdz 시-즈])
씨앗, 종자
He sowed *seeds* in the field.
그는 밭에다 씨를 뿌렸다.

## seek *seek*

[síːk 시-크]
타자 (3단현 **seeks** [síːks 시-크스], 과거 · 과분 **sought** [sɔ́ːt 소-트], 현분 **seeking** [síːkiŋ 시-킹])
❶ 찾다; 구하다
He is *seeking* a new job.
그는 새 일자리를 찾고 있다.

❷ 《seek to do로》 …하려고 애쓰다
Let's *seek to* persuade him.
그를 설득하도록 해 보자.

***seem** *seem*
[síːm 심-]
자 (3단현 **seems** [síːmz 심-즈], 과거 · 과분 **seemed** [síːmd 심-드], 현분 **seeming** [síːmiŋ 시-밍])
❶ …으로 보이다, …인 것 같다, …처럼 생각되다
She *seems* (to be) happy.
그녀는 행복해 보인다.
He *seemed* to be a kind man.
그는 친절한 사람 같았다.
❷ 《it을 주어로》 …인〔한〕 것 같다
*It seems* likely to rain.
비가 올 것 같다.
*It seems* that she likes music.
그녀는 음악을 좋아하는 것 같다.

***seen** *seen*
[síːn 신-]
타자 see(보다)의 과거분사

**see•saw** *seesaw*
[síːsɔ̀ː 시-소-]
명 (복수 **seesaws** [síːsɔ̀ːz 시-소-즈]) 시소판; 《a와 복수형 안 씀》 시소놀이
There is a *seesaw* in the playground. 놀이터에 시소가 있다.

**seize** *seize*
[síːz 시-즈]
동 (3단현 **seizes** [síːziz 시-지즈], 과거 · 과분 **seized** [síːzd 시-즈드], 현분 **seizing** [síːziŋ 시-징])
❶ (힘주어) 붙잡다, 쥐다
He *seized* her by the arm.
그는 그녀의 팔을 붙잡았다.

❷ (갑자기 병 · 공포 따위가) 덮치다
Heart attack *seized* her.
심장마비가 그녀를 덮쳤다.

***sel•dom** *seldom*
[séldəm 셀덤]
부 좀처럼 …않다, …하는 것은 드물다
She *seldom* goes out alone at night.
그녀는 밤에 외출하는 일이 드물다.

***se•lect** *select*
[səlékt 설렉트]

타 (3단현 **selects** [səlékts 설렉츠], 과거 · 과분 **selected** [səléktid 설렉티드], 현분 **selecting** [səléktiŋ 설렉팅])
고르다, 선택하다 (동 choose)
Nancy *selected* a red dress to wear to the party. 낸시는 파티에 입고 갈 빨간 드레스를 골랐다.

## se•lec•tion *selection*
[səlékʃən 설렉션]
명 (복수 **selections** [səlékʃənz 설렉션즈]) 선택 (동 choice); 고른 것

## self *self*
[sélf 셀프]
명 (복수 **selves** [sélvz 셀브즈])
자기, 자신; 그 자체
I know my own *self* best.
나는 나 자신을 가장 잘 안다.

## self•ish *selfish*
[sélfiʃ 셀피시]
형 이기적인, 자기 마음대로의
He is very *selfish*.
그는 아주 이기적이다.

## self-serv•ice *self-service*
[sélfsə́:rvis 셀프서-비스]
명형 (식당 · 매점 등의) 자급식(의), 셀프서비스(의)
He buys some gas at a *self-service* gas station. 그는 셀프서비스 주유소에서 가솔린을 산다.

## **sell *sell*
[sél 셀]
동 (3단현 **sells** [sélz 셀즈], 과거 · 과분 **sold** [sóuld 소울드], 현분 **selling** [séliŋ 셀링])
—타 팔다 (반 buy 사다)
Dick *sold* his car to me.
딕은 나에게 그의 차를 팔았다.

—자 팔리다
This dictionary *sells* well.
이 사전은 잘 팔린다.
숙어 ***sell out*** (상품이) 다 팔리다, 매진되다
The tickets are *sold out*.
표는 매진되었다.

## sell•er *seller*
[sélər 셀러]
명 (복수 **sellers** [sélərz 셀러즈])

A B C D E F G H I J K L M N O P Q R S T U V W X Y Z

❶ 파는 사람 (반 buyer 구매자)
❷ 팔리는 물건
This book is a best *seller*.
이 책은 베스트 셀러이다.

## se•mes•ter *semester*

[siméstər 시메스터]
명 (복수 **semesters** [siméstərz 시메스터즈])
(1년 2학기제 대학의) 한 학기
the first *semester* 제1학기

## sem•i•co•lon *semicolon*

[sémikòulən 세미코울런]
명 (복수 **semicolons** [sémikòulənz 세미코울런즈]) 세미콜론 ((;))

**참고 semicolon의 사용 방법**
쉼표(comma)와 마침표(period)의 중간 구두점으로, 두 개의 어휘가 서로 대조될 때 또는 뒤의 말이 앞의 말을 설명할 때 쓰인다.

## **send *send*

[sénd 센드]
타 자 (3단현 **sends** [séndz 센즈], 과거 · 과분 **sent** [sént 센트], 현분 **sending** [séndiŋ 센딩])
❶ (물건 · 편지 따위를) 보내다

They *send* magazines by airmail. 그들은 항공 우편으로 잡지를 보낸다.
❷ (사람을) 가게 하다, 파견하다
Several soldiers were *sent* to help him. 몇 명의 군인이 그를 도우려고 파견되었다.
숙어 ***send back*** 되돌려 보내다
*Send* these books *back*.
이 책들을 돌려보내시오.
***send for*** …을 부르러 보내다
Please *send for* the doctor.
의사를 부르러 보내 주시오.
***send out*** 발송하다; (빛 · 향기를) 내다
The sun *sends out* heat and light. 태양은 열과 빛을 낸다.

## *sen•ior *senior*

[síːnjər 시-니어]
형 손위의, 선배의 (반 junior 손아래의)
She is three years *senior* to me.
그녀는 나보다 세살 위다.

— 명 (복수 **seniors** [síːnjərz 시-니어즈]) 연장자, 선배 (반 junior 후배)
He is my *senior* by five years.
그는 내 5년 선배이다.

## sen•ior high school

*senior high school*
[síːnjər hái skùːl 시-니어하이스쿨]
명 고등학교
My brother goes to a *senior high school*.
나의 형은 고등학교에 다니고 있다.

**sen•sa•tion** *sensation*
[senséiʃən 센세이션]
명 (복수 **sensations** [senséiʃənz 센세이션즈]) ❶ 감각, 지각; 느낌
He lost all *sensation* of feeling in the cold. 그는 추위 속에서 모든 감각을 잃어버렸다.
❷ 센세이션, 대단한 평판
The discovery caused a great *sensation*. 그 발견은 커다란 센세이션을 일으켰다.

***sense** *sense*
[séns 센스]
명 (복수 **senses** [sénsiz 센시즈])
❶ 감각; 센스, 느낌
a sixth *sense* 육감, 직감
She has a wonderful *sense* of humor. 그녀에게는 훌륭한 유머 감각이 있다.
❷ 의미, 뜻 (동 meaning)
The word 'run' has many different *senses*. 「run」이라는 단어는 여러 가지 다른 의미를 갖고 있다.
❸ 분별(력), 판단력, 사려
common *sense* 상식
He is a man of *sense*.
그는 분별 있는 사람이다.
❹ 《one's **senses**로》 제정신, 의식
He has lost *his senses*.
그는 의식을 잃었다.

숙어 ***in a sense*** 어떤 의미에서는
You are right *in a sense*.
어떤 의미에서 당신은 옳습니다.
***make sense of*** …을 이해하다
Can you *make sense of* this passage?
이 구절을 이해할 수 있습니까?

***sent** *sent*
[sént 센트]
타 send(보내다)의 과거 · 과거분사

***sen•tence** *sentence*
[séntəns 센턴스]
명 (복수 **sentences** [séntənsiz 센턴시즈]) ❶ 〖문법〗 문장, 문
This is a very long *sentence*.
이것은 매우 긴 문장이다.
❷ 〖법률〗 판결, 선고 (동 judgment)
He received a death *sentence*.
그는 사형 판결을 받았다.

**sen•timent** *sentiment*
[séntəmənt 센터먼트]
명 감정; 감상; 의견
She is full of *sentiment*.
그녀는 다정다감한 사람이다.

***Se•oul** *Seoul*
[sóul 서울]
명 서울 《대한 민국(the Republic of Korea)의 수도》

✎ 서울 사람[시민]은 Seoulite [sóulait 서울라이트]로 씀.

**sep•a•rate** *separate*
[sépərèit 세퍼레이트]
☺ -ate는 동사일 때는 [eit]로, 명사일 때는 [it]로 발음함.
타자 (3단현 **separates** [sépərèits 세퍼레이츠], 과거 · 과분 **separated** [sépərèitid 세퍼레이티드], 현분 **separating** [sépərèitiŋ 세퍼레이팅])
❶ 분리하다; 갈라놓다
The river *separates* the two villages. 그 강은 두 마을 사이를 가른다.
❷ 헤어지다; 떨어지다
They *separated* and went home.
그들은 헤어져서 집으로 갔다.

— 형 [sép(ə)rit 세퍼릿] 분리된; 따로따로의
The children have *separate* rooms. 아이들은 각자의 방이 있다.

⁂**Sep•tem•ber** *September*
[septémbər 셉템버]
명 9월 (약 Sept.)
School begins in *September*.
학교 수업이 9월에 시작된다.

**se•ries** *series*
[sí(ə)ri:z 시(어)리-즈]
명 《단수 · 복수 동형》
(같은 것의) 연속; 연재물, 시리즈
a TV drama *series*
텔레비전 연속극
We won a *series* of victories.
우리는 연속해서 승리를 거두었다.

**se•ri•ous** *serious*
[sí(ə)riəs 시(어)리어스]
형 (비교급 **more serious**, 최상급 **most serious**)
❶ 진지한, 진정한, 정말인
a *serious* conversation
진지한 대화
Are you joking or *serious*?
농담이니 진담이니?

❷ 중대한, 심각한
This is a *serious* problem.
이것은 중대한 문제이다.

**se•ri•ous•ly** *seriously*
[sí(ə)riəsli 시(어)리어슬리]
부 진지하게; 중대하게, 심하게
Don't take it so *seriously*.

그걸 너무 심각하게 받아들이지 마라.

**ser•pent** *serpent*
[sə́:rp(ə)nt 서-펀트]
명 (복수 **serpents** [sə́:rp(ə)nts 서-펀츠]) 〖동물〗 (독 있는 큰) 뱀
✎ 성서에서 이브를 유혹한 뱀

***serv•ant** *servant*
[sə́:rv(ə)nt 서-번트]
명 (복수 **servants** [sə́:rv(ə)nts 서-번츠]) ❶ 하인, 종복; 고용인
They have two *servants*.
그들은 두 명의 하인을 부린다.
❷ 공무원, 관리
Policemen are public *servants*.
경찰관은 공무원이다.

***serve** *serve*
[sə́:rv 서-브]
타자 (3단현 **serves** [sə́:rvz 서-브즈], 과거 · 과분 **served** [sə́:rvd 서-브드], 현분 **serving** [sə́:rviŋ 서-빙])
❶ 일하다, 근무하다; 봉사하다
He *served* two years in the army. 그는 육군에서 2년간 복무했다.
She *served* the sick people.
그녀는 병든 사람들을 돌보아 주었다.
❷ (손님에게) 시중들다, (음식을) 차리다, 내다

The waiter *served* us quickly.
웨이터는 재빨리 우리의 시중을 들어 주었다.
Dinner is *served* at six.
저녁 식사는 6시에 나온다.
❸ (…에) 도움이 되다, 소용되다
This sofa can *serve* as a bed.
이 소파는 침대로 사용할 수 있다.
❹ 〖스포츠〗 (공을) 서브하다
John *served* first in our tennis match.
존은 테니스 시합에서 먼저 서브했다.
—명 (복수 **serves** [sə́:rvz 서-브즈]) 〖스포츠〗 서브

***ser•vice** *service*
[sə́:rvis 서-비스]
명 (복수 **services** [sə́:rvisiz 서-비시즈]) ❶ (손님에 대한) 서비스, 접대
The *service* in that restaurant was very good.
저 식당의 서비스는 매우 좋았다.

❷ 봉사, 공헌; (공공) 근무
He is in the government *service*. 그는 공무원으로 근무하고 있다.
❸ (공공) 사업; (교통) 편; (수도 · 가스 · 전화 따위의) 공급
water *service* 수도 공급
There is a bus *service* every five minutes.
5분마다 버스편이 있다.
❹ 의식, 식; (교회) 예배
a marriage *service* 결혼식
❺ (테니스 따위의) 서브 넣기

His *service* is strong.
그의 서브는 강하다.

## ses•a•me *sesame*

[sésəmi 세서미]
마지막 e는 [i]로 발음함.
명 『식물』 참깨
Open *sesame*!
열려라 참깨! (「아라비안 나이트」의 동굴의 문을 열 때 외웠던 주문)

## ⁑set *set*

[sét 셋]
동 (3단현 **sets** [séts 세츠], 과거 · 과분 **set** [sét 셋], 현분 **setting** [sétiŋ 세팅])
—타 ❶ 놓다, 두다; 앉히다
He *set* the vase on the table.
그는 꽃병을 탁자 위에 놓았다.

She *set* her baby on a seat.
그녀는 아기를 자리에 앉혔다.
❷ (식탁을) 차리다; (기계를) 맞추다
She *set* the table for six.
그녀는 6인분의 식탁을 차렸다.
He *set* the alarm clock for 5.
그는 자명종 시계를 5시로 맞췄다.
❸ (일시 · 가격 등을) 정하다, 매기다
We have *set* a date for the wedding.
우리는 결혼식 날짜를 정했다.
We *set* the price at $750.
우리는 가격을 750달러로 매겼다.
❹ 《**set ... to** do로》 …에게 ~시키다
They *set* their dogs *to* watch the sheep. 그들은 개들에게 양떼를 지키게 했다.
❺ 《형용사 · 분사 등을 목적보어로》 (어떤 상태가) 되게 하다
He *set* the machine *going*.
그는 기계를 움직이게 했다.
—자 (해 · 달이) 지다, 저물다 (반 rise 뜨다)
The sun *sets* in the west.
해는 서쪽으로 진다.

숙어 ***set about*** 착수하다 (동 begin)
He *set about* the work.
그는 그 일에 착수했다.
***set aside*** 떼어 두다, 챙겨 두다
She *set aside* the cake.
그녀는 케이크를 떼어 두었다.
***set ... free*** 놓아 주다, 석방하다
She *set* the bird *free*.
그녀는 새를 놓아주었다.
***set in*** 시작되다
The rainy season has *set in*.
장마철이 시작되었다.
***set off*** 〔***out***〕 발사하다; 출발하다
They *set off* the rocket.
그들은 로켓을 발사했다.
They *set out* for London.
그들은 런던으로 출발했다.
***set up*** 세우다, (천막을) 치다
Let's *set up* a tent here.
이곳에 텐트를 치자.

—명 (복수 **sets** [séts 세츠])
❶ (기구의) 한 벌
Mother bought a *set* of dishes.
어머니는 접시 한 벌을 샀다.

❷ (영화 · 무대의) 세트, 장치
❸ (테니스 · 배구 시합 따위의) 세트

**set•ting** *setting*
[sétiŋ 세팅]
명 (복수 **settings** [sétiŋz 세팅즈])
❶ (해 · 달의) 지기, 저묾
❷ (이야기의) 배경; 무대 (설정)
The *setting* for the movie is a village in Ohio. 그 영화의 배경은 오하이오 주의 마을이다.

***set•tle** *settle*
[sétl 세틀]
동 (3단현 **settles** [sétlz 세틀즈], 과거 · 과분 **settled** [sétld 세틀드], 현분 **settling** [sétliŋ 세틀링])
—타 ❶ 놓다, 앉히다; 설치하다

He *settled* himself in the armchair. 그는 안락의자에 앉았다.
❷ 이주시키다, 정주시키다
He *settled* his family in the country.
그는 가족을 시골에 정주시켰다.
❸ 결정하다; 해결하다
We *settled* the price.
우리는 값을 정했다.
The matter is all *settled*.
그 문제는 모두 해결되었다.
—자 ❶ (날씨 · 기분 등이) 가라앉다, 진정되다
The storm has *settled* at last.
마침내 폭풍우가 가라앉았다.
❷ 이주〔정착〕하다
They *settled* in Australia.
그들은 오스트레일리아에 이주했다.

**set•tle•ment** *settlement*
[sétlmənt 세틀먼트]
명 (복수 **settlements** [sétlmənts 세틀먼츠]) ❶ 정착, 이민; 식민지
the *settlement* of the American West 미국 서부로의 이민
❷ 해결; 화해

**⁑sev•en** *seven*
[sévən 세번]
명 7; 일곱 살; 7시; 7개〔명〕
Bill is *seven*. 빌은 일곱 살이다.
—형 7의; 7개〔명〕의; 일곱 살의

There are *seven* days in a week.
1주일은 7일이다.

**⁑sev•en•teen** *seventeen*
[sévəntíːn 세번틴-]
명 17; 열일곱 살; 17개〔명〕
—형 17의; 17개〔명〕의; 열일곱 살의
I'm *seventeen* years old.
나는 열일곱 살이다.

**sev•en•teenth** *seventeenth*
[sèvəntíːnθ 세번틴-스]
명 《보통 the를 붙여》 제17, 17번째; (달의) 17일 (약 17th); 17분의 1
He was born on May *seventeenth*. 그는 5월 17일에 태어났다.
—형 《보통 the를 붙여》 제17의, 17번째의; 17분의 1의
Today is my *seventeenth* birthday.
오늘은 나의 열일곱 번째 생일이다.

**⁑sev•enth** *seventh*
[sévənθ 세번스]
명 (복수 **sevenths** [sévənθs 세번스스])
❶ 《보통 the를 붙여》 제7, 7번째; (달의) 7일 (약 7th)
*the seventh* of July, 7월 7일
❷ 7분의 1
—형 《보통 the를 붙여》 제7의, 7번째의; 7분의 1의
Saturday is *the seventh* day of the week. 토요일은 일주일의 일곱 번째 날이다.

**sev•en•ti•eth** *seventieth*
[sévəntiiθ 세번티이스]
명 《보통 the를 붙여》 제70, 70번째 (약 70th); 70분의 1의
—형 《보통 the를 붙여》 제70의, 70번째의

**⁑sev•en•ty** *seventy*
[sévənti 세번티]
명 (복수 **seventies** [sévəntiz 세번티즈]) ❶ 70; 70살; 70개〔명〕
❷ 《**one's seventies**로》 (나이의) 70대; 《**the seventies**로》 70년대
—형 70의; 70개〔명〕의; 70살의
The tower was about *seventy* feet high.
그 탑은 높이가 약 70피트였다.

***sev•er•al** *several*
[sév(ə)rəl 세버럴]
형 몇몇의, 몇 개〔명〕의 (동 some)
Here are *several* fish.
여기에 몇 마리의 물고기가 있다.

*Several* people left the room.
몇 사람이 방을 나갔다.
—대 몇 개〔명〕
*Several* of the windows were open. 몇 개의 창문이 열려 있었다.

✎ several은 3개 이상을 가리킴.

## se•vere *severe*
[sivíər 시비어]
형 (비교급 **severer** [siví(ə)rər 시비(어)러] 또는 **more severe**, 최상급 **severest** [sivíəɹist 시비(어)리스트] 또는 **most severe**)
❶ (아픔 · 기후 따위가) 심한, 혹독한
I had a *severe* headache.
나는 심한 두통을 앓았다.

❷ 엄한, 엄격한
He is too *severe* on his son.
그는 아들에게 지나치게 엄격하다.

## sew *sew*
[sóu 소우]
타 자 (3단현 **sews** [sóuz 소우즈], 과거 **sewed** [sóud 소우드], 과분 **sewed** 또는 **sewn** [sóun 소운], 현분 **sewing** [sóuiŋ 소우잉])
꿰매다, 깁다; 바느질하다

She is *sewing* the buttons on the coat. 그녀는 코트에 단추를 꿰매어 달고 있다.

## sew•ing ma•chine
*sewing machine*
[sóuiŋ məʃìːn 소우잉머신-]
명 재봉틀
Ann has learned how to handle a *sewing machine*.
앤은 재봉틀 다루는 법을 배웠다.

## sex *sex*
[séks 섹스]
명 (복수 **sexes** [séksiz 섹시즈])
성, 성별
the male *sex* 남성
the female *sex* 여성

## *shade *shade*
[ʃéid 셰이드]
명 (복수 **shades** [ʃéidz 셰이즈])
❶ 그늘, 응달 (반 sun 양지)

They rested in the *shade* of a large tree.
그들은 큰 나무의 그늘에서 쉬었다.
❷ 차양; (창문) 블라인드, (전등) 갓
the *shade* of a lamp 전등갓
He pulled down the window *shade*.
그는 창문 블라인드를 내렸다.
— 타 (3단현 **shades** [ʃéidz 셰이

즈], 과거 · 과분 **shaded** [ʃéidid 셰이디드], 현분 **shading** [ʃéidiŋ 셰이딩])
빛을 가리다, 그늘지게 하다
The trees *shaded* the sidewalk.
나무들이 보도를 그늘지게 했다.

***shad•ow** *shadow*
[ʃǽdou 섀도우]
명 (복수 **shadows** [ʃǽdouz 섀도우즈]) 그림자 (㊀ shade 그늘)

the *shadow* of a man
사람의 그림자
The tower casts a long *shadow*.
탑은 기다란 그림자를 던지고 있다.

어법 shadow와 shade
**shadow**는 사람이나 물체가 빛을 받아서 생기는 윤곽이 뚜렷한 그림자. **shade**는 빛을 가로막아서 생기는 어두운 부분으로 윤곽이 뚜렷하지 않은 그늘.

***shake** *shake*
[ʃéik 셰이크]
동 (3단현 **shakes** [ʃéiks 셰이크스], 과거 **shook** [ʃúk 슉], 과분 **shaken** [ʃéikən 셰이컨], 현분 **shaking** [ʃéikiŋ 셰이킹])
—타 흔들다, 뒤흔들다
Don't *shake* the apple tree.
사과나무를 흔들지 마라.
—자 흔들리다; (추위 · 공포로) 떨다
The trees *shook* in the wind.
나무들이 바람에 흔들렸다.
She was *shaking* with fear.
그녀는 공포로 떨고 있었다.
숙어 ***shake hands*** (***with***) (…와) 악수하다
We *shook hands* and said good-by. 우리는 악수하고 헤어졌다.

***shake one's head*** 고개를 가로젓다 《거절 · 부정의 표시》
He *shook his head*.
그는 고개를 가로저었다.

**Shake•speare** *Shakespeare*
[ʃéikspiər 셰익스피어]
명 **William ~**, 윌리엄 셰익스피어 (1564– 1616)

참고 영국의 대극작가 · 시인으로서 총 36편의 극을 썼는데 그 중 햄

릿(Hamlet), 오셀로(Othello), 맥베스(Macbeth), 리어왕(King Lear)의 4대 비극은 유명하다.

**⁑shall** *shall*
[《약》 ʃəl 설; 《강》 ʃǽl 섈]
조 (과거형 **should** [《약》 ʃəd 셔드; 《강》 ʃúd 슈드]
❶ 《**I** 〔**We**〕 **shall...**로 단순미래를 나타내어》 …일〔할〕 것이다, …이겠지요
*I shall* be thirteen next month.
나는 다음 달에 열세 살이 된다.
*I shall* be happy to see you.
당신을 만나게 되면 기쁘겠지요.

어법 **shall과 will**
단순미래를 나타내는 경우 미국의 구어에서는 shall은 거의 쓰지 않고 will이 쓰인다. 단 문어에서는 미국에서도 shall을 쓰는 일이 있다. 또한 shall not의 축약형인 shan't는 영국의 구어에서는 쓰이지만, 미국에서는 거의 쓰이지 않는다.

❷ 《**Shall I** 〔**We**〕**...?**로 상대방의 의향을 물어》 …일〔할〕까요?
*Shall* I go with you?
함께 갈까요?

❸ 《**You** 〔**He**, **She**〕 **shall...**로 말하는 사람의 의지를 나타내어》 …하게 하다, …시키다
If you are a good boy, *you shall* have a toy tomorrow.
착하게 굴면, 내일 장난감을 사주겠다.
❹ 《**I** 〔**We**〕 **shall...**로 말하는 사람의 강한 의지를 나타내어》 …할 작정이다, 반드시 …하다
We *shall* overcome.
우리는 반드시 극복해 낼 것이다.
❺ 《**Let's..., shall we?**로》 …할까요?
*Let's* play tennis, *shall we*?
테니스를 칠까요?

***shal•low** *shallow*
[ʃǽlou 섈로우]
형 (비교급 **shallower** [ʃǽlouə*r* 섈로우어], 최상급 **shallowest** [ʃǽlouist 섈로우이스트])
얕은 (반 deep 깊은)

The water in the pond is *shallow*. 연못의 물은 얕다.

A B C D E F G H I J K L M N O P Q R S T U V W X Y Z

**shame** *shame*
[ʃéim 셰임]
명 ❶ 수치심, 부끄러움
She blushed with *shame*.
그녀는 부끄러워서 얼굴을 붉혔다.
❷ 《**a shame**으로》 치욕스러운 것〔사람〕, 불명예
He is *a shame* to our school.
그는 우리 학교의 불명예다.

***shape** *shape*
[ʃéip 셰이프]
명 (복수 **shapes** [ʃéips 셰이프스]) 모양, 꼴, 형상; 모습

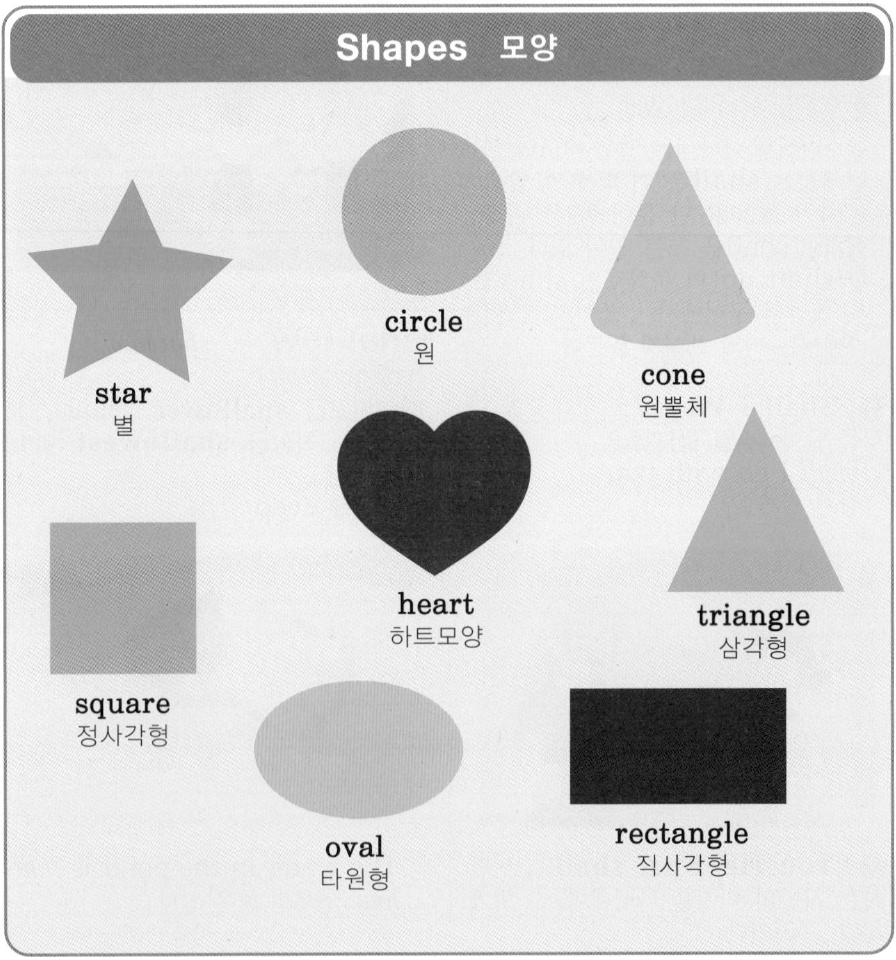

**Shapes 모양**

star
별

circle
원

cone
원뿔체

heart
하트모양

triangle
삼각형

square
정사각형

oval
타원형

rectangle
직사각형

That building has a strange *shape*. 저 빌딩은 모양이 이상하다.
— 타자 (3단현 **shapes** [ʃéips 셰이프스], 과거·과분 **shaped** [ʃéipt 셰이프트], 현분 **shaping** [ʃéipiŋ 셰이핑])
모양을 만들다; 형태를 취하다
Italy is *shaped* like a boot.
이탈리아는 장화 모양을 하고 있다.

## share *share*

[ʃɛ́ər 셰어]
명 (복수 **shares** [ʃɛ́ərz 셰어즈])
몫, 할당, 분담
He took his *share* of the expenses. 그는 비용을 분담했다.
— 타 (3단현 **shares** [ʃɛ́ərz 셰어즈], 과거·과분 **shared** [ʃɛ́ərd 셰어드], 현분 **sharing** [ʃɛ́əriŋ 셰(어)링])
❶ 나누다, 분배하다
*Share* the candies among you three.
캔디를 너희들 셋이서 나누어라.
❷ 함께 사용하다; 공유하다
I *share* a room with him.
나는 그와 방을 함께 사용한다.

## shark *shark*

[ʃɑ́ːrk 샤-크]
명 (복수 **sharks** [ʃɑ́ːrks 샤-크스])
〖어류〗 상어

## *sharp *sharp*

[ʃɑ́ːrp 샤-프]
형부 (비교급 **sharper** [ʃɑ́ːrpər 샤-퍼], 최상급 **sharpest** [ʃɑ́ːrpist 샤-피스트])
— 형 ❶ (칼 따위가) 날카로운, 뾰족한
That knife has a *sharp* blade.
저 칼은 날카로운 날을 갖고 있다.
❷ (길 따위가) 급커브의, 가파른
The road ahead has a *sharp* curve. 앞쪽 도로에 급커브가 있다.
❸ (감각이) 예민한; (윤곽이) 또렷한
A dog has a *sharp* sense of smell.
개는 예민한 후각을 갖고 있다.
❹ (아픔·슬픔 따위가) 격심한, 모진
I felt a *sharp* pain in my head.
나는 머리에 심한 통증을 느꼈다.

— 부 (시간이) 정확히, 꼭
He came at ten *sharp*.
그는 정확히 10시에 왔다.
— 명 (복수 **sharps** [ʃɑ́ːrps 샤프스])
〖음악〗 샤프, 반올림표 《#》

## sharp•en *sharpen*

[ʃɑ́ːrp(ə)n 샤-펀]
타자 (3단현 **sharpens** [ʃɑ́ːrp(ə)nz 샤-펀즈], 과거·과분 **sharpened** [ʃɑ́ːrp(ə)nd 샤-펀드], 현분 **sharpening** [ʃɑ́ːrp(ə)niŋ 샤-퍼닝])
뾰족하게 하다, 예리하게 갈다
I *sharpened* a pencil.

A B C D E F G H I J K L M N O P Q R S T U V W X Y Z

나는 연필을 뾰족하게 깎았다.

**shave** *shave*
[ʃéiv 셰이브]
타자 (3단현 **shaves** [ʃéivz 셰이브즈], 과거 **shaved** [ʃéivd 셰이브드], 과분 **shaved** 또는 **shaven** [ʃéivn 셰이븐], 현분 **shaving** [ʃéiviŋ 셰이빙])
면도하다, (털을) 깎다
He *shaves* himself every morning. 그는 매일 아침 면도를 한다.

**shawl** *shawl*
[ʃɔ́:l 숄-]
명 (복수 **shawls** [ʃɔ́:lz 숄-즈])
숄, 어깨걸이

She wears her *shawl* on the shoulder.
그녀는 숄을 어깨에 걸치고 있다.

⁑**she** *she*
[《약》 ʃi 시; 《강》 ʃí: 시-]
대 (복수 **they** [ðéi 데이], 소유격 · 목적격 **her** [hə́r 허])
그녀는, 그녀가 《3인칭 여성 단수 주격의 인칭대명사》
"Who is *she*?" "*She* is Jane."
「그녀는 누구지요?」「그녀는 제인입니다.」
*She* is playing chess.
그녀는 체스를 두고 있다.

she의 변화형

| 격 \ 수 | 단수 | 복수 |
|---|---|---|
| 주 격 | she (그녀는) | they (그들은〔이〕) |
| 소유격 | her (그녀의) | their (그들의) |
| 목적격 | her (그녀를) | them (그들을〔에게〕) |

**she'd** *she'd*
[ʃí:d 시-드]
she had, she would의 축약형

***sheep** *sheep*
[ʃí:p 시-프]
명 (복수 **sheep** [ʃí:p 시-프]) 《단수 · 복수 동형》 〖동물〗 양

a flock of *sheep* 양떼
Many *sheep* are feeding in the field. 많은 양들이 들판에서 풀

을 뜨고 있다.
✎ 새끼양은 lamb, 양고기는 mutton, 양의 울음소리는 baa

***sheet** *sheet*
[ʃíːt 시-트]
명 (복수 **sheets** [ʃíːts 시-츠])
❶ 시트, 홑이불

She put clean *sheets* on the bed. 그녀는 침대에 깨끗한 시트를 깔았다.
❷ (종이처럼 얇은 것의) 한 장
a *sheet* of paper 종이 한 장
two *sheets* of glass 유리 두 장

**shelf** *shelf*
[ʃélf 셸프]
명 (복수 **shelves** [ʃélvz 셸브즈])
선반, 시렁
He put the books on the *shelf*.
그는 선반에다 책을 올려놓았다.

**shell** *shell*
[ʃél 셸]
명 (복수 **shells** [ʃélz 셸즈])
❶ 조가비; (달걀 · 호두 따위의) 껍질; (게 · 거북의) 등딱지

They gathered *shells* on the beach. 그들은 바닷가에서 조가비를 채집했다.
❷ (총탄 · 포탄의) 탄피

**she'll** *she'll*
[ʃíːl 실-]
she will, she shall의 축약형

**shel•ter** *shelter*
[ʃéltər 셸터]
명 (복수 **shelters** [ʃéltərz 셸터즈])
피난처, 은신처; 《a와 복수형 안 씀》 피난, 보호
a *shelter* from the wind
바람막이
—타자 (3단현 **shelters** [ʃéltərz 셸터즈], 과거 · 과분 **sheltered** [ʃéltərd 셸터드], 현분 **sheltering** [ʃéltəriŋ 셸터링])
보호하다; 숨다, 피하다
He *sheltered* her from danger.
그는 위험으로부터 그녀를 보호해 주었다.
I *sheltered* in the tent from the rain.
나는 텐트 속에서 비를 피했다.

**shep•herd** *shepherd*
[ʃépərd 셰퍼드]
ph는 [p]로 발음함.
명 (복수 **shepherds** [ʃépərdz 셰퍼즈]) 양치기, 목동
A good *shepherd* keeps an eye on his sheep. 훌륭한 양치기는 양에게서 눈을 안 뗀다.

**she's** *she's*
[ʃíːz 시-즈]
she is, she has의 축약형

**shh** *shh*
[ʃ 쉬]
감 쉬, 조용히

**shield** *shield*
[ʃíːld 실-드]
명 (복수 **shields** [ʃíːldz 실-즈]) 방패; 보호물
The soldier protected his body with a *shield*. 그 병사는 방패로 자기 몸을 보호했다.

**shift** *shift*
[ʃíft 시프트]
타자 (3단현 **shifts** [ʃífts 시프츠], 과거 · 과분 **shifted** [ʃíftid 시프티드], 현분 **shifting** [ʃíftiŋ 시프팅])
옮기다, 이동하다; 바뀌다
The wind *shifted* from north to west. 바람 방향이 북쪽에서 서쪽으로 바뀌었다.
She *shifted* the chair to the next room.
그녀는 의자를 옆방으로 옮겼다.

***shine** *shine*
[ʃáin 샤인]
동 (3단현 **shines** [ʃáinz 샤인즈], 과거 · 과분 자에서는 **shone** [ʃóun 쇼운], 타에서는 **shined** [ʃáind 샤인드], 현분 **shining** [ʃáiniŋ 샤이닝])
— 자 빛나다, 비추다
The stars *shine* at the night sky. 밤하늘에 별들이 빛나고 있다.

— 타 (신발 · 그릇 따위를) 닦다, 윤내다
He *shined* his shoes well.
그는 구두를 번쩍이도록 닦았다.
— 명 (날씨가) 맑음; 빛남; 광택
숙어 ***rain or shine*** 비가 오든 날이 개든

*Rain or shine*, we will go. 비가 오든 날이 개든 우리는 갈 겁니다.

**shin•y** *shiny*
[ʃáini 샤이니]
형 (비교급 **shinier** [ʃáiniər 샤이니어], 최상급 **shiniest** [ʃáiniist 샤이니이스트])
빛나는; 번쩍이는, 반들반들한
Her shoes were *shiny*.
그녀의 구두는 광택이 났다.

**⁑ship** *ship*
[ʃíp 십]
명 (복수 **ships** [ʃíps 십스])
(규모가 큰) 배, 선박

The *ship* sailed for Britain.
배는 영국을 향해 출항했다.
We went on board the *ship*.
우리는 그 배에 탔다.
숙어 ***by ship*** 배로, 해로로
He went to America *by ship*.
그는 배편으로 미국에 갔다.

참고 ship와 boat
**ship**은 원양 항해용의 대형 선박이나 군함을 가리킨다. **boat**는 보통 노로 젓는 작은 배나 소형 선박을 가리키지만, 구어에서는 ship의 뜻으로 쓰이기도 한다.

**⁑shirt** *shirt*
[ʃə́ːrt 셔-트]
명 (복수 **shirts** [ʃə́ːrts 셔-츠])
(보통 남성용) 셔츠, 와이셔츠

He wears a *shirt* and tie for work. 그는 일할 때는 셔츠를 입고 넥타이를 맨다.
✎ 속옷용 셔츠는 undershirt라 하여 shirt와 구별하여 씀.

**shiv•er** *shiver*
[ʃívər 시버]
자 (3단현 **shivers** [ʃívərz 시버즈], 과거 · 과분 **shivered** [ʃívərd 시버드], 현분 **shivering** [ʃívəriŋ 시버링])
(추위 · 공포로) 떨다, 몸서리치다
Bill *shivered* in the cold room.
빌은 추운 방에서 떨고 있었다.

**shock** *shock*
[ʃák 샥]
명 (복수 **shocks** [ʃáks 샥스])
❶ (충돌 · 폭발에 의한) 충격, 쇼크
❷ 충격(적인 일); (정신적인) 쇼크
The news was a *shock* to us all. 그 소식은 우리 모두에게 큰 충격이었다.
— 타 (3단현 **shocks** [ʃáks 샥스], 과거 · 과분 **shocked** [ʃákt 샥트], 현분 **shocking** [ʃákiŋ 샤킹])
충격을 주다; 깜짝 놀라게 하다
We were *shocked* by our dog's

death.
우리 집 개가 죽어서 충격을 받았다.

**shoe** *shoe*
[ʃúː 슈-]
명 (복수 **shoes** [ʃúːz 슈-즈])
《보통 복수형으로》 구두, 신발, 단화
(관 boot 부츠, 장화)

Put on〔Take off〕 your *shoes*.
신발을 신어라〔벗어라〕.
He wants to buy a pair of new *shoes*. 그는 새 신발 한 켤레를 사고 싶어한다.

***shone** *shone*
[ʃóun 쇼운]
자타 shine(빛나다)의 과거 · 과거분사

***shook** *shook*
[ʃúk 슉]
자타 shake(흔들다)의 과거

***shoot** *shoot*
[ʃúːt 슈-트]
동 (3단현 **shoots** [ʃúːts 슈-츠], 과거 · 과분 **shot** [ʃát 샷], 현분 **shooting** [ʃúːtiŋ 슈-팅])
— 타 ❶ (총을) 발사하다, (화살을) 쏘다
Hunters *shoot* deer with guns.
사냥꾼들은 총으로 사슴을 쏘아 잡았다.
❷ (골에 공을) 던지다, 슛하다
It is his turn to *shoot* the basketball. 그가 농구공을 슛할 차례다.

— 자 사격하다; (겨냥하여) 쏘다 《at》
John *shot at* a bird.
존은 새를 겨냥하여 쏘았다.
— 명 (복수 **shoots** [ʃúːts 슈-츠])
사격, 발사; 새싹, 어린 가지

**shop** *shop*
[ʃáp 샵]
명 (복수 **shops** [ʃáps 샵스])
❶ 《영》 가게, 상점, 소매점(《미》 store)
a gift *shop* 선물 가게

She keeps a small *shop*.
그녀는 작은 가게를 경영한다.
❷ 작업장, 일터, 공장
a beauty *shop* 미장원
Dad took the broken radio to the repair *shop*. 아빠는 부서진 라디오를 수리소로 가져갔다.
— 자 (3단현 **shops** [ʃάps 샵스], 과거 · 과분 **shopped** [ʃάpt 샵트], 현분 **shopping** [ʃάpiŋ 샤핑])
물건을 사다, 쇼핑하다
She went downtown to *shop*.
그녀는 시내로 물건 사러 갔다.

**shop•keep•er** *shopkeeper*
[ʃάpki:pər 샵키-퍼]
명 (복수 **shopkeepers** [ʃάpki:pərz 샵키-퍼즈]) 《영》 가게 주인, 소매 상인 (《미》 storekeepr)

*__shop•ping__ *shopping*
[ʃάpiŋ 샤핑]
명 《a와 복수형 안 씀》 쇼핑, 장보기

Did you go *shopping* today?
오늘 쇼핑하러 갔습니까?

**shop•ping cen•ter**
*shopping center*
[ʃάpiŋ sèntər 샤핑센터]
명 (특히 대형) 상점가, 쇼핑 센터
The *shopping center* is near my home.
그 상점가는 내 집 근처에 있다.

*__shore__ *shore*
[ʃɔ́:r 쇼-]
명 (복수 **shores** [ʃɔ́:rz 쇼-즈])
❶ (바다 · 호수 · 강의) 물가, 해안
We walked along the *shore*.
우리는 물가를 따라 걸었다.
❷ (바다에 대하여) 육지 (동 land)

The sailors were glad to be back on *shore*. 선원들은 다시 상륙하게 되어 기뻤다.

어법 shore, beach, coast, seaside

**shore**는 해안, 호숫가, 강가를 나타내는 일반적인 말. **beach**는 모래나 자갈로 덮인 바닷가로 특히 썰물 때의 널따란 해변. **coast**는 대양에 면한 해안. **seaside**는 사람들이 많이 찾는 피서지로서의 해변.

**__short__ *short*
[ʃɔ́:rt 쇼-트]
형 (비교급 **shorter** [ʃɔ́:rtər 쇼-터], 최상급 **shortest** [ʃɔ́:rtist 쇼-티스트])
❶ (길이 · 시간이) 짧은 (반 long 긴)
He went on a *short* trip.
그는 짧은 여행을 떠났다.
The nights are getting *shorter*.
밤이 점점 짧아지고 있다.

❷ 키가 작은 (반 tall 키가 큰)
I am *shorter* than you.
나는 너보다 키가 더 작다.

❸ 충분치 않은, 부족한
They are *short* of food.
그들은 식료품이 부족하다.
—부 급히, 갑자기
The car stopped *short*.
차가 급정거를 했다.
—명 (복수 **shorts** [ʃɔ́:rts 쇼-츠]) 《복수형으로》 짧은 바지; 〖야구〗 유격수
숙어 ***for short*** 생략하여, 줄여서
Abraham is called 'Ave' *for short*. 에이브러햄을 줄여서 「에이브」라고 부른다.
***in short*** 요컨대, 즉
*In short*, I like her.
요컨대 나는 그녀를 좋아한다.

## short•age *shortage*

[ʃɔ́:rtidʒ 쇼-티지]
명 (복수 **shortages** [ʃɔ́:rtidʒiz 쇼-티지즈]) 부족, 결핍
a housing *shortage* 주택난
There was a water *shortage* last summer.
작년 여름에는 물이 부족했다.

## shot *shot*

[ʃát 샷]
명 (복수 **shots** [ʃáts 샤츠])
❶ 총성; 발포, 발사
Did you hear a *shot*?
총성을 들었니?

❷ 포탄, 탄환; 사정거리
The ship was out of *shot*.
그 배는 사정거리 밖에 있었다.

## *should *should*

[《약》 ʃəd 셔드; 《강》 ʃúd 슈드]
조 《shall의 과거형》
❶ 《간접화법에서 「시제의 일치」로 shall이 should가 되어》 …일〔할〕 것이다 (《미》 would)
I told her that I *should* be back soon. 나는 그녀에게 곧 돌아올 것이라고 말했다.
✎ 직접화법으로 바꾸면, I said to her, "I shall be back soon."이 됨.
❷ 《주어의 의무 · 당연함을 나타내어》 …해야 한다; 《어떤 것을 권하여》 …하는 편이 좋다
You *should* be more careful.
너는 더 조심해야 한다.

You *should* stay home now.
너는 지금 집에 있는 편이 좋다.

❸ 《**It is**+형용사+**that ... should ~**로》 …이 ~하다니《형용사가 감정적인 단어》; …이 ~하는 것은《형용사가 이성적인 단어》

*It is strange that* you *should* fail. 네가 실패하다니 이상하다.
*It is natural that* he *should* get angry.
그가 화를 내는 것은 당연하다.

❹ 《주절의 동사가 결정 · 의향 따위를 나타내는 경우의 종속절에서》

It was decided that he (*should*) go for the doctor at once.
그는 곧 의사의 진찰을 받기로 했다.

❺ 《가정법의 주절에서》 …일[할] 것이다

If I were you, I *should* not do that. 내가 너라면, 그런 것은 하지 않을 것이다.
If we had started at five, we *should* have caught the train.
우리가 5시에 출발했더라면, 열차 시간에 맞추었을 것이다.

❻ 《**if ... should**로 강한 가정을 나타내어》 만일 …한다면, 가령 …일지라도

*If* I *should* fail, I would never try again. 만일 실패한다면, 두번 다시 하지 않겠다.

❼ 《why, who, how 등과 함께 강한 의문을 나타내어》 도대체

*How should* he know it?
도대체 어떻게 그가 그걸 알고 있지?

숙어 ***I should like to*** (《미》 =***I would like to***) …하고 싶다

*I should like to* go there.
나는 거기에 가고 싶다.

---

## *shoul•der *shoulder*

[ʃóuldər 쇼울더]

명 (복수 **shoulders** [ʃóuldərz 쇼울더즈]) 어깨

He carried a heavy bag on his *shoulder*. 그는 어깨에 무거운 가방을 메고 운반했다.

---

## should•n't *shouldn't*

[ʃúdnt 슈든트]

should not의 축약형

---

## **shout *shout*

[ʃáut 샤우트]

타자 (3단현 **shouts** [ʃáuts 샤우츠], 과거 · 과분 **shouted** [ʃáutid 샤우티드], 현분 **shouting** [ʃáutiŋ 샤우팅]) 외치다 (동 cry); 큰 소리로 부르다

Don't *shout* at children.
아이들에게 고함치지 마라.
He *shouted* my name.
그는 내 이름을 큰 소리로 불렀다.

— 명 (복수 **shouts** [ʃáuts 샤우츠]) 외침, 고함; 환호성

He gave a *shout* for help.
그는 도와달라고 소리쳤다.

**shov•el** *shovel*
[ʃʌ́vl 셔블]
명 (복수 **shovels** [ʃʌ́vlz 셔블즈])
삽, 가래
a coal *shovel* 석탄 푸는 삽

****show** *show*
[ʃóu 쇼우]
타자 (3단현 **shows** [ʃóuz 쇼우즈], 과거 **showed** [ʃóud 쇼우드], 과분 **showed** 또는 **shown** [ʃóun 쇼운], 현분 **showing** [ʃóuiŋ 쇼우잉])
❶ 보여 주다; 보이다
*Show* me your notebook.
너의 노트를 나에게 보여 주렴.
She *showed* her photo album to me. 그녀는 나에게 자기 사진첩을 보여 주었다.

❷ 안내하다; (길 따위를) 가르쳐 주다
Please *show* me the way to the station. 정거장으로 가는 길을 가르쳐 주십시오.
✎show me라고 하면 정거장까지 동행해 달라는 뜻으로 들리므로, 말로 가르쳐 달라고 할 때는 tell me를 씀.
❸ (감정 · 모습을) 드러내다, 나타내다
Anger *showed* in his face.
노여움이 그의 얼굴에 드러났다.
He *showed* himself at the party. 그는 파티에 나왔다.
❹ (연극 · 영화를) 상연〔상영〕하다; 전시〔출품〕하다
The movie will *show* for a week.
그 영화는 일주일간 상영될 것이다.
— 명 (복수 **shows** [ʃóuz 쇼우즈])
전시회, 전람회; 구경거리, 쇼
a TV quiz *show* 텔레비전 퀴즈 쇼
Are you going to the motor *show*? 자동차 전시회에 갈거니?

***show•er** *shower*
[ʃáuər 샤우어]
명 (복수 **showers** [ʃáuərz 샤우어즈])
❶ 소나기
I was caught in a *shower*.
나는 소나기를 만났다.

❷ 샤워(목욕)
I have a *shower* every morning. 나는 매일 아침 샤워를 한다.

**shown** *shown*
[ʃóun 쇼운]

타 show(보이다)의 과거분사

## show win•dow

*show window*

[ʃóu wìndou 쇼우윈도우]

명 쇼윈도우, 상품 진열창

Clothes are displayed in the *show window*.

쇼윈도 안에 옷들이 진열되어 있다.

## shrug *shrug*

[ʃrʌ́g 슈러그]

자타 (3단현 **shrugs** [ʃrʌ́gz 슈러그즈], 과거 · 과분 **shrugged** [ʃrʌ́gd 슈러그드], 현분 **shrugging** [ʃrʌ́giŋ 슈러깅])

(어깨를) 으쓱하다 ((무관심 · 경멸 · 의문 등을 나타내는 몸짓))

He *shrugged* his shoulders.

그는 어깨를 으쓱했다.

## *shut *shut*

[ʃʌ́t 셧]

동 (3단현 **shuts** [ʃʌ́ts 셔츠], 과거 · 과분 **shut** [ʃʌ́t 셧], 현분 **shutting** [ʃʌ́tiŋ 셔팅])

—타 ❶ (문을) 닫다, (책을) 덮다, (눈을) 감다 (동 close, 반 open 열다)

*Shut* your books.

책을 덮으세요.

Please *shut* the door after you.

들어오고 나서 문을 닫아라.

❷ 가두다, 가로막다

They *shut* the cat in the room.

그들은 방에 고양이를 가두었다.

—자 닫히다

The gate *shut* with a bang.

쾅 소리와 함께 대문이 닫혔다.

숙어 ***shut off*** (수도 · 전기를) 잠그다; (전등 · 라디오를) 끄다

*Shut off* the radio.

라디오를 꺼라.

***shut out*** 가로막다, 보이지 않게 하다

*Shut out* the sunlight.

햇빛이 들지 않게 해라.

***shut up*** ⓐ 감금하다; (가게를) 닫다 ⓑ 침묵시키다; 입을 다물다

*Shut up!* (=Be silent!) 입 닥쳐!

## shut•ter *shutter*

[ʃʌ́tər 셔터]

명 (복수 **shutters** [ʃʌ́tərz 셔터즈]) 덧문, 셔터; (카메라의) 셔터

## shut•tle *shuttle*

[ʃʌ́tl 셔틀]

명 (복수 **shuttles** [ʃʌ́tlz 셔틀즈]) 왕복 버스; 우주 왕복선

a space *shuttle* 우주 왕복선

## shy *shy*

[ʃái 샤이]

형 (비교급 **shier** 또는 **shyer** [ʃáiər 샤이어], 최상급 **shiest** 또는 **shyest**

A B C D E F G H I J K L M N O P Q R S T U V W X Y Z

[ʃáiist 샤이이스트])
수줍어하는; 소심한; 겁 많은
She gave me a *shy* smile. 그녀는 나에게 수줍은 미소를 지어 보였다.

**⁑sick** *sick*
[sík 식]
형 (비교급 **sicker** [síkər 시커], 최상급 **sickest** [síkist 시키스트])
❶ 아픈, 병난 (동 ill)
He was *sick* in bed yesterday.
그는 어제 앓아 누웠다.

❷ 《영》 메스꺼운, 토할 것 같은
I feel *sick*. I think it was that fish I ate. 속이 메스꺼워. 내가 먹은 생선 탓인가 봐.
❸ 진저리나는, 짜증스런 《of》
I am *sick of* the rain.
비에는 진저리가 난다.

**sick•ness** *sickness*
[síknəs 시크너스]
명 《a와 복수형 안 씀》
병 (동 illness); 메스꺼움
Three boys were absent because of *sickness*.
세 아이가 병 때문에 결석했다.

***side** *side*
[sáid 사이드]
명 (복수 **sides** [sáidz 사이즈])
❶ 쪽, 측, 면
the back *side* 뒷면
His house is on the south *side* of the river.
그의 집은 강의 남쪽에 있다.
❷ (사물의) 면, 양상
He studied it from all *sides*.
그는 모든 면에서 그것을 연구했다.
❸ 가장자리, 옆
We walked by the river *side*.
우리는 강가를 걸었다.
❹ (사람 · 동물의) 옆구리
I have a pain in the left *side*.
나는 왼쪽 옆구리가 아프다.
숙어 ***by the side of*** …옆에, …가까이에
I sat *by the side of* the road.
나는 길가에 앉았다.
***from side to side*** 좌우로
The ship rolled *from side to side*. 그 배는 좌우로 흔들렸다.
***side by side*** 나란히, 병행하여
They walked *side by side*.
그들은 나란히 걸었다.

—형 측면의, 옆의
a *side* door 옆문
a *side* job 부업

**side•walk** *sidewalk*
[sáidwɔ̀ːk 사이드워-크]
명 (복수 **sidewalks** [sáidwɔ̀ːks 사이드워-크스]) 《미》 (포장된) 보도, 인도 (《영》 pavement)

The *sidewalk* was crowded with people.
보도는 사람들로 붐볐다.

## sigh *sigh*

[sái 사이]
gh는 발음하지 않음.
명 (복수 **sighs** [sáiz 사이즈])
한숨, 탄식
— 자 타 (3단현 **sighs** [sáiz 사이즈], 과거 · 과분 **sighed** [sáid 사이드], 현분 **sighing** [sáiiŋ 사이잉])
한숨 쉬다; 탄식하다
She *sighed* with relief.
그녀는 안도의 한숨을 내쉬었다.

## *sight *sight*

[sáit 사이트]
명 (복수 **sights** [sáits 사이츠])
❶ 《a와 복수형 안 씀》 시력; 시야
He has bad *sight*.
그는 시력이 나쁘다.

The plane was soon out of *sight*. 비행기는 곧 시야에서 사라졌다.
❷ 광경 (동 view), 풍경
a sad *sight* 슬픈 광경
The sunset was a beautiful *sight*. 석양은 아름다운 풍경이었다.
❸ 《복수형으로》 명소
Grand Canyon is one of the *sights* of the world. 그랜드캐년은 세계의 명소 중의 하나이다.
숙어 ***at first sight*** 첫눈에, 한번 보고
He understood it *at first sight*.
그는 첫눈에 그것을 알아보았다.
***at the sight of*** …을 보고
***catch*〔*lose*〕 *sight of*** …을 찾아내다[놓치다]
I *caught sight of* the boy in the park. 나는 그 소년을 공원에서 찾아냈다.
***come in sight*** 시야에 들어오다
An island *came in sight*.
섬 하나가 시야에 들어왔다.
***out of sight*** 보이지 않게 되어
The airplane is now *out of sight*.
비행기는 이제 보이지 않는다.

## sight•see•ing *sightseeing*

[sáitsìːiŋ 사이트싱-]
명 《a와 복수형 안 씀》 관광, 구경
We did *sightseeing* in Hawaii.
우리는 하와이에서 관광을 했다.

—형 구경의, 관광의
a *sightseeing* bus 관광 버스

*sign *sign*
[sáin 사인]
명 (복수 **signs** [sáinz 사인즈])
❶ 신호, 손짓, 몸짓
He made a *sign* to come quick-ly. 그는 빨리 오라는 신호를 했다.

❷ 부호, 표지; 간판, 게시
a plus *sign* 플러스 부호((+))
road *signs* 도로 표지

❸ 징조, 기미
There is no *sign* of rain.
비올 기미는 없다.
—타자 (3단현 **signs** [sáinz 사인즈], 과거·과분 **signed** [sáind 사인드], 현분 **signing** [sáiniŋ 사이닝])
❶ 신호하다
The policeman *signed* to us to stop.
경관은 우리에게 멈추라고 신호했다.
❷ 서명하다, 사인하다
Could you *sign* here, please?
여기에 서명해 주시겠습니까?

*sig•nal *signal*
[sígnəl 시그널]
명 (복수 **signals** [sígnəlz 시그널즈])
신호, 암호, 시그널

a traffic *signal* 교통 신호
A red light is a stop *signal*.
빨간 불빛은 정지 신호다.
—타 (3단현 **signals** [sígnəlz 시그널즈], 과거·과분 **signal(l)ed** [sígnəld 시그널드], 현분 **signal(l)ing** [sígnəliŋ 시그널링])
신호하다, 신호로 알리다
He *signaled* me to enter.
그는 나에게 들어오라고 신호했다.

sig•na•ture *signature*
[sígnətʃər 시그너처]
명 (복수 **signatures** [sígnətʃərz

시그너처즈]) 서명, 사인
May I have your *signature*?
서명 좀 해주시겠습니까?

**sign•board** *signboard*
[sáinbɔ̀:rd 사인보-드]
명 (복수 **signboards** [sáinbɔ̀:rdz 사인보-즈]) 간판; 게시판
Here is a store *signboard*.
여기에 가게 간판이 있다.

**sig•nif•i•cance** *significance*
[signífikəns 시그니피컨스]
명 ❶ 의미, 뜻 (동 meaning)
❷ 중요성 (동 importance)
This is a matter of *significance*.
이것은 중대 사건이다.

**sig•nif•i•cant** *significant*
[signífikənt 시그니피컨트]
형 ❶ 중요한, 뜻깊은
It was a *significant* decision.
그것은 중요한 결정이었다.
❷ 《**be significant of**로》 …을 의미하는, …을 나타내는
Silence *is significant of* approval. 침묵은 찬성을 의미한다.

***si•lence** *silence*
[sáiləns 사일런스]
명 (복수 **silences** [sáilənsiz 사일런시즈])
❶ 《a와 복수형 안 씀》 침묵, 무언
*Silence* is gold.
《속담》 침묵은 금이다.
❷ 고요함, 정적
I like the *silence* of the country. 나는 시골의 고요함을 좋아한다.

***si•lent** *silent*
[sáilənt 사일런트]
형 (비교급 **more silent**, 최상급 **most silent**)
❶ 침묵의, 말없는; 조용한, 고요한 (동 quiet, still)
Be *silent*, please.
조용히 해다오.

He kept *silent* for some time.
그는 한동안 침묵을 지켰다.
❷ 〖문법〗 발음되지 않는, 묵음의
a *silent* letter
발음되지 않는 문자 《sign의 g, know의 k 따위》

**si•lent•ly** *silently*
[sáiləntli 사일런틀리]
부 조용히, 고요하게

***silk** *silk*
[sílk 실크]
명 (복수 **silks** [sílks 실크스])
명주(실, 천); 《복수형으로》 비단옷
We bought ten yards of *silk*.
우리는 10야드의 비단을 샀다.

***sil•ly** *silly*
[síli 실리]
형 (비교급 **sillier** [síliər 실리어], 최상급 **silliest** [síliist 실리이스트])
어리석은; 바보 같은 (동 foolish);
Don't be *silly*!
어리석게 굴지 마!
You were *silly* to buy it.
그걸 사다니 너는 바보 같았구나.

***sil•ver** *silver*
[sílvər 실버]
명 《a와 복수형 안 씀》 은
This spoon is made of *silver*.
이 수저는 은으로 만들어져 있다.
—형 은의; 은빛의
a *silver* necklace 은 목걸이

**sim•i•lar** *similar*
[símələr 시멀러]
형 비슷한, 닮은
The sisters look very *similar*.
그 자매는 아주 비슷해 보인다.

숙어 ***be similar to*** …와 비슷한
It *is similar to* mine.
그것은 내 것과 비슷하다.

***sim•ple** *simple*
[símpl 심플]
형 (비교급 **simpler** [símplər 심플러], 최상급 **simplest** [símplist 심플리스트])
❶ 간단한, 단순한; 쉬운
I drew a *simple* map.
나는 간단한 지도를 그렸다.
This job is quite *simple*.
이 일은 매우 쉽다.
❷ 검소한, 소박한 (동 plain)
The food was *simple* but delicious.
그 음식은 소박했지만 맛있었다.
❸ 순진한, 천진한
He is as *simple* as a child.
그는 아이처럼 순진하다.

**sim•ply** *simply*
[símpli 심플리]
부 ❶ 간단하게; 검소하게
Could you explain it more *simply*?
좀 더 간단히 설명할 수 있겠습니까?
❷ 그저, 다만 (동 merely)

**sin** *sin*
[sín 신]
명 (복수 **sins** [sínz 신즈])
(도덕적 · 종교적인) 죄
Don't commit a *sin*.
죄를 짓지 말아라.
✎ 법률상의 죄는 crime

**⁑since** *since*
[síns 신스]
전 …이래로, …부터 줄곧
I have lived here *since* 1980.
나는 1980년 이래 이곳에서 살고 있다.
It has been raining *since* last Sunday. 지난 일요일부터 줄곧 비가 내리고 있다.

—접 ❶ …한 이래로, …한 이후부터
It has been five years *since* I saw you last. (=Five years have passed *since* I saw you last.) 너를 마지막으로 만난 이래 5년이 지났다.
❷ …이므로, …하니까 (동 because)
*Since* I feel sick, I can't go with you. 속이 메스꺼워서 너와 함께 갈 수가 없다.
—부 그 후 (죽)
I have never seen him *since*.
그 후 죽 그를 만나지 못했다.
숙어 ***ever since*** 그 후부터 줄곧
They got married in 2000 and have lived happily *ever since*.
그들은 2000년에 결혼하여 그 후부터 줄곧 행복하게 살고 있다.

**sin•cere** *sincere*
[sinsíə*r* 신시어]
형 (비교급 **sincerer** [sinsí(ə)rə*r* 신시(어)러] 또는 **more sincere**, 최상급 **sincerest** [sinsí(ə)rist 신시(어)리스트] 또는 **most sincere**)
성실한, 정직한; 진지한, 진실한
He seems to be *sincere*.
그는 성실해 보인다.
I wrote him a *sincere* letter of thanks. 나는 그에게 정중한 감사의 편지를 썼다.

***sin•cere•ly** *sincerely*
[sinsíə*r*li 신시얼리]
부 충심으로, 진정으로
숙어 ***Sincerely yours*** (=***Yours sincerely***) 경구 《편지의 맺음말》

**⁑sing** *sing*
[síŋ 싱]
타자 (3단현 **sings** [síŋz 싱즈], 과거 **sang** [sǽŋ 생], 과분 **sung** [sʌ́ŋ 성], 현분 **singing** [síŋiŋ 싱잉])
노래하다; (새가) 지저귀다
She *sings* very well.
그녀는 노래를 매우 잘 부른다.
Let's *sing* English songs.
영어 노래를 부르자.

Many birds are *singing* in the trees. 많은 새들이 숲 속에서 지저귀고 있다.

**sing•er** *singer*
[síŋər 싱어]
명 (복수 **signers** [síŋərz 싱어즈])
가수, 노래 부르는 사람
She is a *singer* in a jazz band.
그녀는 재즈 악단의 가수이다.

**sing•ing** *singing*
[síŋiŋ 싱잉]
명 (복수 **singings** [síŋiŋz 싱잉즈])
노래(하기); (새가) 지저귀는 소리
—타자 sing(노래하다)의 현재분사
*singing* birds 지저귀는 새들

***sin•gle** *single*
[síŋgl 싱글]
형 ① 단 하나의 (동 only one)
He did not say a *single* word.
그는 단 한마디 말도 하지 않았다.
② 1인용의
a *single* bed, 1인용 침대
She asked for a *single* room.
그녀는 1인용 방을 달라고 했다.
③ 독신의, 미혼의
My older brother is *single*.
나의 형은 독신이다.
④ 《영》 (차표 따위가) 편도의 (반 return 왕복의)
a *single* ticket 편도 차표
—명 (복수 **singles** [síŋglz 싱글즈])
〖야구〗 싱글 히트, 단타; 《복수형으로; 단수 취급》 〖테니스〗 단식 경기

**sin•gu•lar** *singular*
[síŋgjulər 싱귤러]
형 ① 독특한; 뛰어난, 비범한
She is a woman of *singular* beauty. 그녀는 뛰어난 미녀이다.
② 〖문법〗 단수의 (반 plural 복수의)

***sink** *sink*
[síŋk 싱크]
자 (3단현 **sinks** [síŋks 싱크스], 과거 **sank** [sǽŋk 생크], 과분 **sunk** [sʌ́ŋk 성크], 현분 **sinking** [síŋkiŋ 싱킹])
① (해 · 달이) 지다
The sun *sank* below the horizon. 태양이 지평선 아래로 졌다.
② (배가) 가라앉다, 침몰하다

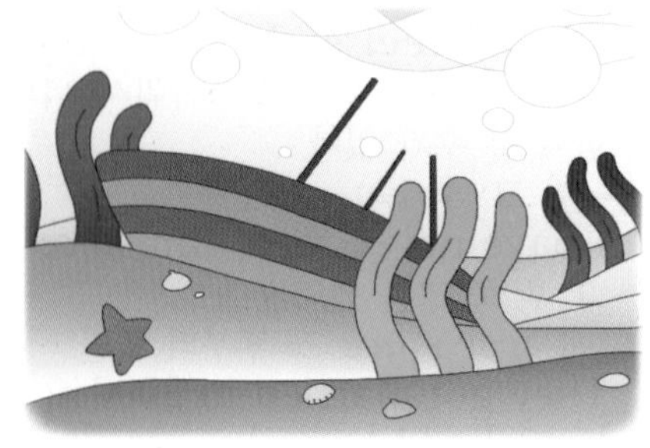

The ship *sank* to the bottom of the sea. 그 배는 바다 밑바닥으로 가라앉았다.
—명 (부엌의) 개수대, 싱크

**⁑sir** *sir*
[《약》 sər 서; 《강》 sə́ːr 서-]
명 (복수 **sirs** [sə́(ː)rz 서(-)즈])
❶ 《손위 남자에 대한 경칭으로서》 선생님, 씨, 귀하
How do you do, *sir*?
안녕하십니까?

May I help you, *sir*?
무얼 도와 드릴까요?
✎ 굳이 번역할 필요가 없으며, 여성에 대한 경칭은 ma'am[mǽm]을 씀.
❷ 《**Sir**로》 …경(卿)
*Sir* Winston Churchil
윈스턴 처칠 경
✎ 영국에서 준남작(baronet) 또는 나이트(knight) 작위에 붙이는 존칭.

**si•ren** *siren*
[sáirən 사이런]
명 (복수 **sirens** [sáirənz 사이런즈])
❶ 사이렌, 경적
Ambulances have *sirens*.
앰블런스는 사이렌을 달고 있다.
❷ 〖그리스 신화〗 사이렌 《바다의 요정으로 뱃사람들을 아름다운 목소리로 유혹하여 배를 난파시켰다고 함》

**⁑sis•ter** *sister*
[sístər 시스터]
명 (복수 **sisters** [sístərz 시스터즈])
❶ 여자 형제, 자매 (반 brother 남자 형제)
an elder〔older〕 *sister* 누나
Helen is my younger *sister*.
헬렌은 나의 누이동생이다.

He has two *sisters*.
그는 2명의 여자 형제가 있다.
❷ 《**Sister**로》 〖가톨릭〗 수녀, 시스터
*Sister* Teresa 테레사 수녀

**⁑sit** *sit*
[sít 싯]
자 (3단현 **sits** [síts 시츠], 과거 · 과분 **sat** [sǽt 샛], 현분 **sitting** [sítiŋ 시팅])
❶ 앉다, 착석하다 (반 stand 일어서다)
*Sit* down, please.
자 앉으세요.

We *sat* talking for a while.
우리는 잠시 앉아서 이야기했다.

어법 sit on과 sit in

팔걸이가 없는 bench, stool 따위에 앉을 때는 **sit on**, 팔걸이가 있는 easy chair, armchair에 앉을 때는 흔히 **sit in**을 쓴다: He is *sitting on* the bench. 그는 벤치에 앉아 있다 / He is *sitting in* the armchair. 그는 안락의자에 앉아 있다.

❷ (새가) 나뭇가지에 앉다, 알을 품다
A bird is *sitting* on a branch.
새가 나뭇가지에 앉아 있다.

The hen is *sitting*.
암탉이 알을 품고 있다.

숙어 ***sit up*** (자지 않고) 일어나 있다
I *sat up* till twelve last night.
나는 어젯밤 12시까지 자지 않고 있었다.

**site** *site*
[sáit 사이트]
명 (복수 **sites** [sáits 사이츠])
부지, 용지; 위치, 장소 (동 place)
a building *site* 건축 부지

**sit·ting room** *sitting room*
[sítiŋ ru(:)m 시팅룸(–)]
명 《영》 거실 (《미》 living room)

**sit·u·a·tion** *situation*
[sìtʃuéiʃən 시추에이션]
명 (복수 **situations** [sìtʃuéiʃənz 시추에이션즈])
❶ 위치, 장소
The store is in an ideal *situation*. 그 상점은 좋은 장소에 있다.
❷ 입장, 처지; 정세
the international *situation*
국제 정세
I'm in a difficult *situation*.
나는 어려운 처지에 있다.

**⁑six** *six*
[síks 식스]
명 6; 여섯 살; 6시; 6개〔명〕
I get up at *six*.
나는 6시에 일어난다.

—형 6의; 6개〔명〕의; 여섯 살의
*six* classes 6시간 수업

**⁑six•teen** *sixteen*
[sìkstíːn 식스틴-]
명 16; 열여섯 살; 16개〔명〕
I'll be *sixteen* next year.
내년에 나는 열여섯 살이 된다.
—형 16의; 16개〔명〕의; 열여섯 살의

**six•teenth** *sixteenth*
[sìkstíːnθ 식스틴-스]
명 (복수 **sixteenths** [sìkstíːnθs 식스틴-스스]) ❶《보통 the를 붙여》 제16, 16번째; (달의) 16일 《약 16th》
Today is November *sixteenth*.
오늘은 11월 16일이다.
❷ 16분의 1
—형《보통 the를 붙여》 제16의, 16번째의; 16분의 1의

***sixth** *sixth*
[síksθ 식스스]
명 (복수 **sixths** [síksθs 식스스스])
❶《보통 the를 붙여》 제6, 6번째; (달의) 6일 《약 6th》
Sam was born on March *sixth*.
샘은 3월 6일에 태어났다.
❷ 6분의 1
five sixths, 6분의 5
—형《보통 the를 붙여》 제6의, 6번째의; 6분의 1의

**six•ti•eth** *sixtieth*
[síkstiiθ 식스티이스]
명 (복수 **sixtieths** [síkstiiθs 식스티이스스])
《보통 the를 붙여》 제60, 60번째 (약 60th); 60분의 1
—형《보통 the를 붙여》 제60의, 60번째의; 60분의 1의
Today is my grandmother's *sixtieth* birthday.
오늘은 할머니의 60회 생신이다.

**⁑six•ty** *sixty*
[síksti 식스티]
명 (복수 **sixties** [síkstiz 식스티즈])
❶ 60; 60살; 60개〔명〕
❷《one's **sixties**로》 (나이의) 60대; 《**the sixties**로》 (각 세기의) 60년대 《the 60s 또는 the 60's로도 씀》
He is in *his sixties*.
그는 60대이다.
—형 60의; 60개〔명〕의; 60살의
One hour has *sixty* minutes.
1시간은 60분이다.

***size** *size*
[sáiz 사이즈]
명 (복수 **sizes** [sáiziz 사이지즈])
크기, 사이즈; 치수
a large〔small〕 *size*
큰〔작은〕 치수
What's your shoe *size*?
당신의 신발 사이즈는 얼마지요?
He took the *size* of my waist.
그는 내 허리 치수를 잿다.

**⁑skate** *skate*
[skéit 스케이트]
명 (복수 **skates** [skéits 스케이츠])
《보통 복수형으로》 스케이트(화)
My father bought me a pair of *skates*. 아버지는 나에게 스케이트 한 켤레를 사 주었다.
—자 (3단현 **skates** [skéits 스케이

츠], 과거 · 과분 **skated** [skéitid 스케이티드], 현분 **skating** [skéitiŋ 스케이팅])
스케이트를 타다

She can *skate* very well.
그녀는 스케이트를 아주 잘 탄다.
Let's go *skating* on the lake.
호수에 스케이트를 타러 갑시다.

**skate•board** *skateboard*
[skéitbɔ̀ːrd 스케이트보-드]
명 (복수 **skateboards** [skéitbɔ̀ːrdz 스케이트보-즈])
스케이트보드 《롤러 스케이트 위에 판자를 댄 것》

**skat•er** *skater*
[skéitər 스케이터]
명 (복수 **skaters** [skéitərz 스케이터즈]) 스케이트를 타는 사람

**skat•ing** *skating*
[skéitiŋ 스케이팅]
자 skate(스케이트를 타다)의 현재분사
—명 스케이팅, 스케이트 타기

**sketch** *sketch*
[skétʃ 스케치]
명 (복수 **sketches** [skétʃiz 스케치즈]) 스케치, 사생화; 약도; 개략
—타자 (3단현 **sketches** [skétʃiz 스케치즈], 과거 · 과분 **sketched** [skétʃt 스케치트], 현분 **sketching** [skétʃiŋ 스케칭])
스케치하다; 사생하다
I *sketched* the lake.
나는 호수를 스케치했다.

**sketch•book** *sketchbook*
[skétʃbùk 스케치북]
명 (복수 **sketchbooks** [skétʃbùks 스케치북스]) 스케치북

***ski** *ski*
[skíː 스키-]
명 (복수 **skis** [skíːz 스키-즈])
《보통 복수형으로》 스키
I'm happy when I'm on *skis*.
나는 스키를 탈 때면 즐겁다.

—자 (3단현 **skis** [skíːz 스키-즈], 과거 · 과분 **skied** [skíːd 스키-드], 현분 **skiing** [skíːiŋ 스키-잉])
스키를 타다
He *skied* down the mountain.
그는 스키를 타고 산을 내려갔다.

**ski•ing** *skiing*
[skíːiŋ 스키-잉]
자 ski(스키를 타다)의 현재분사
—명 스키 타기, 스키 경기
I like *skiing* very much.

나는 스키 타기를 아주 좋아한다.

**skill** *skill*
[skíl 스킬]
명 《a와 복수형 안 씀》 기능, 솜씨; 소질
She shows great *skill* in figure skating. 그녀는 피겨스케이팅에 대단한 소질을 보이고 있다.

**skil(l)•ful** *skil(l)ful*
[skílfəl 스킬펄]
형 숙련된, 능숙한, 솜씨 좋은
Lucy is *skillful* in〔at〕 cooking.
루시는 요리 솜씨가 좋다.

***skin** *skin*
[skín 스킨]
명 (복수 **skins** [skínz 스킨즈])
❶ (사람의) 피부
Babies have soft *skin*.
아기들은 피부가 부드럽다.
❷ (짐승의) 가죽; (과일) 껍질

This apple has a red *skin*.
이 사과는 껍질이 빨간색이다.

**skip** *skip*
[skíp 스킵]
자타 (3단현 **skips** [skíps 스킵스], 과거 · 과분 **skipped** [skípt 스킵트], 현분 **skipping** [skípiŋ 스키핑])
❶ 가볍게 뛰다; 뛰어넘다
The children *skipped* down the path. 아이들이 오솔길을 깡충깡충 뛰면서 내려갔다.

❷ 건너뛰어 …하다, 거르다
He *skipped* lunch.
그는 점심을 걸렀다.

**skirt** *skirt*
[skə́ːrt 스커-트]
명 (복수 **skirts** [skə́ːrts 스커-츠])
❶ 스커트, 치마
She looks nice in the *skirt*.
그녀는 스커트 차림이 잘 어울린다.

A B C D E F G H I J K L M N O P Q R S T U V W X Y Z

❷ 《보통 복수형으로》 (마을 · 숲의) 변두리, 가장자리
He lives on the *skirts* of the town.
그는 시의 변두리에 살고 있다.

**⁑sky** *sky*
[skái 스카이]
명 (복수 **skies** [skáiz 스카이즈])
❶ 《the를 붙여》 하늘

a clear *sky* 맑은 하늘
The rocket flew high up into *the sky*.
로켓이 하늘 높이 날아 올랐다.
❷ 《복수형으로》 날씨, 기후
cloud *skies* 흐린 날씨

**sky·lark** *skylark*
[skáilɑ̀ːrk 스카이라-크]
명 (복수 **skylarks** [skáilɑ̀ːrks 스카이라-크스]) 〖조류〗 종달새

**sky·line** *skyline*
[skáilàin 스카이라인]
명 (복수 **skylines** [skáilàinz 스카이라인즈]) 지평선, (건물 · 산 따위를 배경으로 한 하늘의) 윤곽, 스카이라인

***sky·scrap·er** *skyscraper*
[skáiskrèipər 스카이스크레이퍼]
명 (복수 **skyscrapers** [skáiskrèipərz 스카이스크레이퍼즈])
(초)고층 빌딩, 마천루
The street is lined with *skyscrapers*. 그 거리에는 초고층 빌딩들이 늘어서 있다.

**slacks** *slacks*
[slǽks 슬랙스]
명 《복수형으로》 느슨한 바지

**slam** *slam*
[slǽm 슬램]
타자 (3단현 **slams** [slǽmz 슬램즈], 과거 · 과분 **slammed** [slǽmd 슬램드], 현분 **slamming** [slǽmiŋ 슬래밍])
(문 따위를) 쾅 닫다; 탕 닫히다
I heard the front door *slam*.
나는 현관문이 쾅하며 닫히는 소리를 들었다.

**slave** *slave*
[sléiv 슬레이브]
명 (복수 **slaves** [sléivz 슬레이브즈]) 노예
Before the Civil War, American Negroes were sold as *slaves*. 남북전쟁 전에, 미국 흑인들은 노예로서 팔렸다.

**sled** *sled*
[sled 슬레드]
명 (복수 **sleds** [sledz 슬레즈])

《미》 (작은) 썰매

## **sleep** *sleep*

[slíːp 슬리-프]
자타 (3단현 **sleeps** [slíːps 슬리-프스], 과거 · 과분 **slept** [slépt 슬렙트], 현분 **sleeping** [slíːpiŋ 슬리-핑])
잠자다 (반 wake 깨다, 깨우다)
I *sleep* for eight hours a day.
나는 하루에 여덟 시간 잔다.
Did you *sleep* well last night?
어젯밤엔 잘 잤니?
— 명 수면, 잠
She fell into a deep *sleep*.
그녀는 깊은 잠에 빠졌다.

숙어 ***go to sleep*** 잠들다, 잠자리에 들다
Soon the man *went to sleep*.
그 남자는 곧 잠들었다.
***put ... to sleep*** …을 재우다
She has *put* the baby *to sleep*.
그녀는 아기를 막 재웠다.

## ***sleep·y** *sleepy*

[slíːpi 슬리-피]
형 (비교급 **sleepier** [slíːpiə*r* 슬리-피어], 최상급 **sleepiest** [slíːpiist 슬리-피스트])
졸리는, 졸리는 듯한
I feel very *sleepy*.
난 너무 졸려.

## **sleeve** *sleeve*

[slíːv 슬리-브]
명 (복수 **sleeves** [slíːvz 슬리-브즈])
소매; 소맷자락
Someone pulled her by the *sleeve*.
누군가가 그녀의 소매를 잡아당겼다.

## **sleigh** *sleigh*

[sléi 슬레이]
명 (복수 **sleighs** [sléiz 슬레이즈])
(말이 끄는 승용) 썰매

## ***slept** *slept*

[slépt 슬렙트]
자타 sleep(자다)의 과거 · 과거분사

## **slice** *slice*

[sláis 슬라이스]
명 (복수 **slices** [sláisiz 슬라이시즈])
(얇은) 조각, (베어 낸) 한 조각
two *slices* of bread 빵 두 조각

A B C D E F G H I J K L M N O P Q R S T U V W X Y Z

Cut the lemon into *slices*.
레몬을 얇게 썰어 주세요.

**slide** *slide*
[sláid 슬라이드]
자 (3단현 **slides** [sláidz 슬라이즈], 과거·과분 **slid** [slíd 슬리드], 현분 **sliding** [sláidiŋ 슬라이딩])
미끄러지다; 살그머니 움직이다
The boys are *sliding* on ice.
소년들이 얼음을 지치고 있다.
He *slid* into the room.
그는 살그머니 방 안으로 들어갔다.
—명 미끄러지기; 미끄럼틀
The boy played on the *slide*.
그 아이는 미끄럼틀에서 놀았다.

**slight** *slight*
[sláit 슬라이트]
형 (비교급 **slighter** [sláitər 슬라이터], 최상급 **slightest** [sláitist 슬라이티스트])
약간의, 가벼운; 사소한
I have a *slight* headache.
나는 가벼운 두통이 난다.
It is a *slight* mistake.
그건 사소한 잘못이다.

**slight•ly** *slightly*
[sláitli 슬라이틀리]
부 조금, 약간; 가볍게
I'm *slightly* older than she is.
나는 그녀보다 약간 나이가 많다.

**slip** *slip*
[slíp 슬립]
동 (3단현 **slips** [slíps 슬립스], 과거·과분 **slipped** [slípt 슬립트], 현분 **slipping** [slípiŋ 슬리핑])
—자 ❶ 미끄러지다, 미끄러져 넘어지다
I *slipped* on the ice.
나는 얼음 위에서 미끄러졌다.

❷ 살그머니 들어가다〔나오다〕
He *slipped* out of the room.
그는 방에서 살그머니 빠져나갔다.
—타 미끄러지게 하다; 살짝 넣다〔꺼내다〕
She *slipped* the letter into an envelope. 그녀는 봉투에다 편지를 살짝 집어넣었다.
—명 (복수 **slips** [slíps 슬립스])
❶ 미끄러지기; (무의식적인) 잘못, 실수
It was a *slip* of the tongue.
그것은 잘못 말한 것이었다.

❷ (여성용) 슬립, 속옷

**slip•per** *slipper*
[slípər 슬리퍼]
명 (복수 **slippers** [slípərz 슬리퍼즈]) 《복수형으로》 (실내용) 슬리퍼, 덧신

*Slippers* are worn indoors.
슬리퍼는 실내에서 신는다.

**slip•per•y** *slippery*
[slípəri 슬리퍼리]
형 미끄러운
The roads are wet and *slippery*. 길이 젖어서 미끄럽다.

**slo•gan** *slogan*
[slóugən 슬로우건]
명 (복수 **slogans** [slóugənz 슬로우건즈]) 표어, 슬로건
'Safety First' is our *slogan*.
「안전 제일」이 우리의 슬로건이다.

**slope** *slope*
[slóup 슬로우프]
명 (복수 **slopes** [slóups 슬로우프스]) 비탈, 경사(면, 도)
The girl skied down the *slope*.
그 소녀는 스키를 타고 비탈을 내려갔다.

***slow** *slow*
[slóu 슬로우]
형 (비교급 **slower** [slóuər 슬로우어], 최상급 **slowest** [slóuist 슬로우이스트])
❶ (움직임이) 굼뜬, 더딘, 느린 (반 fast, quick 빠른)
The tortoise is too *slow*.
거북은 너무 느리다.

He is a *slow* walker.
그는 발걸음이 느리다.
❷ 기억력이 나쁜, 둔한
He is *slow* at learning English.
그는 영어 학습이 더디다.
❸ (시계가) 늦게 가는 (반 fast (시계가) 더 가는)
This clock is ten minutes *slow*.
이 시계는 10분 늦게 간다.
—부 느리게, 더디게, 천천히
Drive *Slow*!
서행하시오 《게시문》.
How *slow* the time passes!
시간이 정말 더디 가는구나!

****slow•ly** *slowly*
[slóuli 슬로울리]
부 느리게, 천천히
Please speak more *slowly*.
좀더 천천히 말해 주세요.

****small** *small*
[smɔ́:l 스몰-]
형 (비교급 **smaller** [smɔ́:lər 스몰-러], 최상급 **smallest** [smɔ́:list 스

몰-리스트])
❶ 작은 (반 big, large 큰)
That boy is *small* for his age.
저 소년은 나이에 비해 작다.

어법 small과 little
**small**은 단순히 모양이 「작은」의 뜻으로 쓰이지만, **little**은 「작은」 이외에 「귀여운」, 「시시한」 따위의 감정이 담겨 있기도 하다: a *small* girl 체구가 작은 소녀 / a *little* girl 작고 귀여운 소녀

❷ (수량이) 적은, 약간의; 소규모의
She earns a *small* income.
그녀는 벌이가 적다.
❸ 사소한, 변변치 않은
He made *small* mistakes.
그는 사소한 잘못을 저질렀다.

## smart *smart*

[smɑ́ːrt 스마-트]
형 (비교급 **smarter** [smɑ́ːrtər 스마-터], 최상급 **smartest** [smɑ́ːrtist 스마-티스트])
❶ 영리한, 현명한; 재치 있는
Alice is a *smart* girl.
앨리스는 영리한 소녀이다.
❷ 멋진, 맵시 있는; 단정한
Betty is wearing a *smart* dress.
베티는 멋진 드레스를 입고 있다.

## *smell *smell*

[smél 스멜]
동 (3단현 **smells** [smélz 스멜즈], 과거 · 과분 **smelt** [smélt 스멜트] 또는 **smelled** [sméld 스멜드], 현분 **smelling** [sméliŋ 스멜링])
— 자 냄새〔향기〕가 나다; 냄새를 맡다
This perfume *smells* like roses.
이 향수는 장미 같은 향기가 난다.
We *smell* with our nose.
우리는 코로 냄새를 맡는다.

— 타 (…을) 냄새 맡다
I *smell* something burning.
무언가 타는 냄새가 난다.
— 명 (복수 **smells** [smélz 스멜즈])
❶ 《a와 복수형 안 씀》 후각
❷ 냄새, 향기
a nice *smell* 좋은 냄새
I hate the *smell* of gas.
나는 가스 냄새를 싫어한다.

## **smile *smile*

[smáil 스마일]
자 (3단현 **smiles** [smáilz 스마일즈], 과거 · 과분 **smiled** [smáild 스마일드], 현분 **smiling** [smáiliŋ 스마일링])
미소짓다, 방긋 웃다 《at》
He *smiled* happily.
그는 행복하게 미소지었다.

The baby *smiled at* me.
아기가 나를 보고 방긋 웃었다.

✎ 소리내어 웃는 것은 laugh
— 명 (복수 **smiles** [smáilz 스마일즈]) 미소
She came in with a *smile*.
그녀는 미소지으며 들어왔다.

**smog** *smog*
[smág 스마그]
명 (복수 **smogs** [smágz 스마그즈]) 스모그, 연무
✎ smoke(연기)와 fog(안개)를 합쳐서 만든 말

***smoke** *smoke*
[smóuk 스모우크]
명 (복수 **smokes** [smóuks 스모우크스]) ❶ 《a와 복수형 안 씀》 연기

There's no *smoke* without fire.
《속담》 아니 땐 굴뚝에 연기 날까?
❷ 흡연; 담배 한 대 (피우기)
— 타자 (3단현 **smokes** [smóuks 스모우크스], 과거 · 과분 **smoked** [smóukt 스모우크트], 현분 **smoking** [smóukiŋ 스모우킹])
❶ 연기나다, 연기나게 하다
The stove *smokes* badly.
스토브에서 연기가 심하게 난다.
❷ 담배를 피우다
Dad *smokes* pipe.
아빠는 파이프 담배를 피우신다.

**smok•ing** *smoking*
[smóukiŋ 스모우킹]
명 흡연; 연기를 냄
No *smoking*! 금연! 《게시문》

**smooth** *smooth*
[smúːð 스무-드]
형 (비교급 **smoother** [smúːðər 스무-더], 최상급 **smoothest** [smúːðist 스무-디스트])
❶ (감촉이) 매끄러운; (길이) 평탄한
a *smooth* road 평탄한 도로
Silk feels *smooth*.
비단은 감촉이 매끄럽다.
❷ (수면이) 잔잔한; (일이) 순조로운
a *smooth* sea 잔잔한 바다

**snack** *snack*
[snǽk 스낵]
명 (복수 **snacks** [snǽks 스낵스]) 간식, 스낵

A B C D E F G H I J K L M N O P Q R S T U V W X Y Z

**snail** *snail*
[snéil 스네일]
명 (복수 **snails** [snéilz 스네일즈])
〖동물〗 달팽이

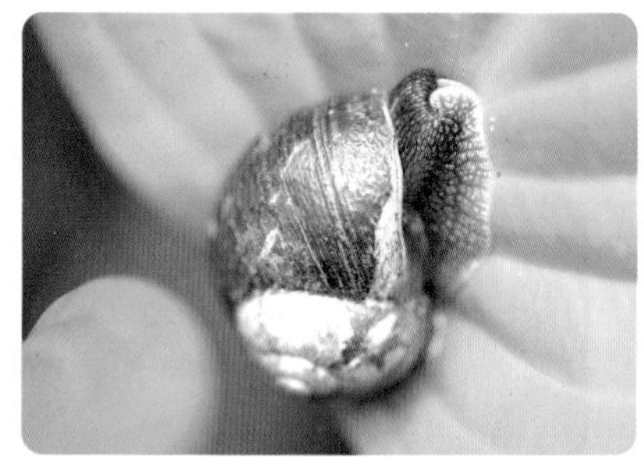

**snake** *snake*
[snéik 스네이크]
명 (복수 **snakes** [snéiks 스네이크스])
〖동물〗 뱀 (㊀ serpent 큰 뱀)
a poisonous *snake* 독사
Jack got bitten by a *snake*.
잭은 뱀에게 물렸다.

**snap** *snap*
[snǽp 스냅]
자 (3단현 **snaps** [snǽps 스냅스], 과거 · 과분 **snapped** [snǽpt 스냅트], 현분 **snapping** [snǽpiŋ 스내핑])
탕 닫히다; 뚝 부러지다
The branch *snapped* off.
나뭇가지가 뚝 부러졌다.
— 명 (복수 **snaps** [snǽps 스냅스])
뚝 부러짐, 탁 소리; 스냅 사진

⁑**snow** *snow*
[snóu 스노우]
명 《a와 복수형 안 씀》 눈

It looks like *snow*.
눈이 올 것 같다.
There was a heavy *snow* last night. 어젯밤에 큰눈이 내렸다.
✎ a와 복수형을 안 쓰지만 a heavy snow처럼 형용사가 끼어들면 a를 씀.
— 자 (3단현 **snows** [snóuz 스노우즈], 과거 · 과분 **snowed** [snóud 스노우드], 현분 **snowing** [snóuiŋ 스노우잉])
《it을 주어로 하여》 눈이 오다
*It* bagan to *snow*.
눈이 내리기 시작했다.
*It* is *snowing* hard.
눈이 많이 내리고 있다.

**snow•ball** *snowball*
[snóubɔ̀:l 스노우볼-]
명 (복수 **snowballs** [snóubɔ̀:lz 스노우볼-즈]) (눈싸움용) 눈뭉치
Children like a *snowball* fight.
아이들은 눈싸움을 좋아한다.

***snow•man** *snowman*
[snóumæ̀n 스노우맨]
명 (복수 **snowmen** [snóumèn 스

노우멘]) 눈사람
The kids made a *snowman*.
아이들이 눈사람을 만들었다.

**snow·y** *snowy*
[snóui 스노우이]
형 (비교급 **snowier** [snóuiər 스노우이어], 최상급 **snowiest** [snóuist 스노우이스트])
눈이 내리는, 눈이 쌓인, 눈이 많은
It was *snowy* yesterday.
어제는 눈이 내렸다.

**⁑so** *so*
[sóu 소우]
부 ❶ 그렇게, 그 정도로
Don't speak *so* loudly.
그렇게 큰 소리로 말하지 마라.
Why did you get up *so* early.
왜 그렇게 빨리 일어났지?
❷ 대단히, 몹시 (동 very)
I am *so* tired. 난 몹시 지쳐 있다.

I'm *so* glad to see you.
당신을 만나서 대단히 기쁩니다.
❸《대명사적으로 쓰여》 그와 같이, 그러하게
Oh, is that *so*? 아, 그런가?
I don't thinks *so*.
나는 그렇게 생각하지 않는다.
If *so*, start at once.
만약 그렇다면, 당장 출발해라.
❹ 정말로, 바로 그대로
"He is honest." "*So* he is."
「그는 정직합니다.」「정말 그래요.」
❺ …도 또한 (동 also)
"I'm a junior high school boy." "*So* am I."
「난 중학생이야.」「나도 그래.」
숙어 ***and so on*** (= ***and so forth***) 따위, 등등
I like basketball, soccer, tennis, *and so on*. 나는 농구, 축구, 테니스 따위를 좋아한다.
***not so ... as ~*** ~만큼 …않다
I am *not so* tall *as* he.
나는 그만큼 키가 크지 않다.

***... or so*** …쯤, …정도
She is fifteen *or so*.
그녀는 열다섯 살쯤 된다.
***so as to do*** …하도록, …하기 위하여
Get up early *so as to* catch the first train.
첫 열차에 타도록 일찍 일어나거라.
***so far*** 지금까지는

a b c d e f g h i j k l m n o p q r s t u v w x y z

***so far as*** …하는 한
*So far as* I know, he cannot speak German. 내가 아는 한, 그는 독일어를 말할 줄 모른다.
***So long!*** 안녕 《Good-bye! 보다 허물없는 인사》
***so long as*** …하는 한, …까지는
*So long as* I live, I will help you. 내가 살아 있는 한, 너를 돕겠다.
***so … that ~*** 대단히 …하므로 ~
He ran *so* fast *that* I couldn't follow him. 그는 너무 빨리 달려서 따라갈 수가 없었다.
***so that … may*〔*can*〕** *do* …이 ~할 수 있도록, …하기 위해서
Work hard *so that* you *may* finish it before noon. 정오 전에 그 일을 마치도록 열심히 해라.
***so to speak*** (=***so to say***) 말하자면, 이를테면
He is, *so to speak*, a walking dictionary.
그는, 이를테면 걸어다니는 사전이다.
—접 그래서, 그러므로
I had a headache, *so* I went to bed earlier. 나는 두통이 나서 일찍 잠자리에 들었다.

## *soap *soap*
[sóup 소우프]
명 (복수 **soaps** [sóups 소우프스]) 《a와 복수형 안 씀》 비누

a cake of *soap* 비누 한 개
He washed his hands with *soap*. 그는 비누로 손을 씻었다.

## sob *sob*
[sɑ́b 사브]
자 (3단현 **sobs** [sɑ́bz 사브즈], 과거·과분 **sobbed** [sɑ́bd 사브드], 현분 **sobbing** [sɑ́biŋ 사빙])
흐느껴 울다
The boy was *sobbing* in the corner. 그 소년은 구석에서 흐느껴 울고 있었다.

—명 (복수 **sobs** [sɑ́bz 사브즈]) 흐느껴 우는 소리; 흐느껴 울기

## soc·cer *soccer*
[sɑ́kər 사커]
명 〖스포츠〗 축구

*Soccer* is played by two teams of eleven players each.
축구는 각 11명의 선수가 두 팀으로

나뉘어 경기한다.
✎ football은 미식 축구

***so•cial** *social*
[sóuʃəl 소우셜]
형 ❶ 사회의, 사회적인
Man is a *social* animal.
인간은 사회적 동물이다.
❷ 사교적인, 교제를 좋아하는
She has too little *social* life.
그녀는 사교 생활을 거의 하지 않는다.

***so•ci•e•ty** *society*
[səsáiəti 서사이어티]
명 (복수 **societies** [səsáiətiz 서사이어티즈])
❶ 《a와 복수형 안 씀》 사회, 공동체
human *society* 인간 사회
Every *society* has its own rules.
모든 사회는 그 자체의 규칙을 갖고 있다.
❷ 클럽, 협회, 단체
a film *society* 영화 협회

**⁑sock** *sock*
[sák 삭]
명 (복수 **socks** [sáks 삭스])
《보통 복수형으로》 짧은 양말 (관 stocking 긴 양말)

three pairs of white *socks*
흰 양말 세 켤레

**so•fa** *sofa*
[sóufə 소우퍼]
명 (복수 **sofas** [sóufəz 소우퍼즈])
소파, 긴 안락 의자

They are sitting on the *sofa*.
그들은 소파에 앉아 있다.

***soft** *soft*
[sɔ́ːft 소-프트]
형 (비교급 **softer** [sɔ́ːftər 소-프터], 최상급 **softest** [sɔ́ːftist 소-프티스트])
❶ 부드러운, 말랑한 (반 hard 딱딱한)
a *soft* cushion 푹신한 방석
❷ 매끄러운, 보들보들한 (반 rough 거친)
A baby has *soft* skin.
아기는 보드라운 살결을 갖고 있다.
❸ 온화한, 상냥한 (동 gentle)

a *soft* breeze 산들바람
She has a *soft* voice.
그녀의 음성은 상냥하다.

A B C D E F G H I J K L M N O P Q R S T U V W X Y Z

**soft•ball** *softball*
[sɔ́(ː)ftbɔ̀ːl 소(–)프트볼–]
명 『스포츠』 소프트볼 《야구 비슷한 경기》

**soft•ly** *softly*
[sɔ́ːftli 소–프틀리]
부 부드럽게, 온화하게
She smiled *softly*.
그녀는 부드럽게 미소지었다.

**soft•ware** *software*
[sɔ́ːftwὲər 소–프트웨어]
명 『컴퓨터』 소프트웨어 (반 hardware 하드웨어)

**soil** *soil*
[sɔ́il 소일]
명 《a와 복수형 안 씀》 흙, 땅, 토양 (동 earth)

poor〔rich〕 *soil* 척박한〔기름진〕 땅

**so•lar** *solar*
[sóulər 소울러]
형 태양의 (반 lunar 달의)
the *solar* system 태양계
*solar* energy 태양 에너지

***sold** *sold*
[sóuld 소울드]
타자 sell(팔다)의 과거 · 과거분사

***sol•dier** *soldier*
[sóuldʒər 소울저]
명 (복수 **soldiers** [sóuldʒərz 소울저즈]) 군인; (주로) 육군 병사 (반 sailor 해군 수병)
He was a brave *soldier*.
그는 용감한 군인이었다.

**sole** *sole*
[sóul 소울]
형 유일한, 단독의 (동 only)
the *sole* survivor 유일한 생존자

**sol•id** *solid*
[sάlid 살리드]
형 (비교급 **solider** [sάlidər 살리더], 최상급 **solidest** [sάlidist 살리디스트])
❶ 고체의, 단단한
Water becomes *solid* when it freezes. 물이 얼면 고체가 된다.
❷ 튼튼한, 견실한
This chair is still *soild*.
이 의자는 아직도 튼튼하다.
—명 (복수 **solids** [sάlidz 살리즈]) 고체 (관 liquid 액체, gas 기체)

**sol•i•tar•y** *solitary*
[sάlətèri 살러테리]
형 ❶ 고독한, 외로운 (동 lonely)
He lives a *solitary* life.
그는 외로운 생활을 하고 있다.

❷ 외딴, 쓸쓸한

There is a *solitary* house by the beach.
바닷가에 외딴 집 한 채가 있다.

**so•lu•tion** *solution*
[səlúːʃən 설루-션]
명 (복수 **solutions** [səlúːʃənz 설루-션즈]) ❶ 해결(책); 해답

We found the *solution* to the puzzle. 우리는 그 수수께끼의 해답을 찾았다.

❷ 용해; 용액

**solve** *solve*
[sálv 살브]
타 (3단현 **solves** [sálvz 살브즈], 과거 · 과분 **solved** [sálvd 살브드], 현분 **solving** [sálviŋ 살빙])
(문제 따위를) 해결하다, 풀다

She *solved* all the math problem correctly. 그녀는 모든 수학 문제를 정확히 풀었다.

**some** *some*
[《약》 s(ə)m 섬; 《강》 sʌ́m 섬]
형 ❶ 《복수 명사 · 물질 명사에 붙여》 다소의, 몇개〔사람〕의; 얼마간의

There are *some* books on the desk. 책상 위에 몇 권의 책이 있다.
Put *some* milk in my coffee.
내 커피에 밀크를 좀 넣어 주세요.
Do you have *some* money?
너는 돈을 좀 갖고 있니?

❷ 《단수 명사에 붙여》 어떤, 무언가의, 누군가의

He is talking with *some* woman.
그는 어떤 여인과 이야기하고 있다.

I heard *some* sweet melody.
나는 무언가 달콤한 멜로디를 들었다.

❸ 《복수 명사 · 물질 명사에 붙여》 어떤 일부의, 그 중 일부의

*Some* students play baseball and *some* (students) play soccer. 어떤 학생들은 야구를 하고 있고, 어떤 학생들은 축구를 하고 있다.

✎ 두번째 students를 생략하면 some은 대명사가 됨.

❹ 약, 대략 (동 about)

We walked *some* five miles.
우리는 약 5마일을 걸었다.

❺ 상당한, 대단한

Jane is *some* pianist.
제인은 대단한 피아니스트다.

**어법 some과 any의 사용법**

(1) **some**은 그다지 많지 않은 불확정의 수 · 양을 나타낸다: *some* pencils 몇 자루의 연필 / *some* milk 약간의 우유.
(2) some은 부정문 · 의문문 · 조건문에서는 **any**가 된다: I don't have *any* pencils. 나는 연필을 갖고 있지 않다 / Do you need *any* money? 돈이 좀 필요하니?
(3) 의문문이라도 아무에게 …을 권할 때, 또는 yes라는 대답이 예상될 때는 **some**을 쓴다: Will you have *some* coffee? 커피 좀 드시겠습니까?

숙어 ***for some time*** 얼마 동안, 잠시
I talked to her *for some time*.
나는 잠시 그녀와 이야기했다.

***some day*** (장래의) 언젠가, 어느 날
I want to learn Spanish *some day*. 나는 언젠가 스페인어를 배우고 싶다.
***some... others ~*** 《대조적으로 쓰여》 …도 있고, ~도 있다.
*Some* people are kind, and *others* are not. 친절한 사람도 있고 그렇지 않은 사람도 있다.
***some time*** 언젠가, 그동안; 한동안
*Some time* later Jimmy began to cry.
한참 후에 지미는 울기 시작했다.

—대 ❶ 《수 · 양에 쓰여》 얼마간의 것, 다소의 것
If you have any money, lend me *some*. 혹시 돈을 갖고 계시면, 나에게 좀 빌려 주세요.
❷ 《복수의 의미로 쓰여》 어떤 사람들, 어떤 것
*Some* say it is true. 어떤 사람들은 그것이 사실이라고 말한다.
—부 《수사와 함께》 대체로, 약
It is *some* thirty miles.
약 30마일이다.

## some•bod•y *somebody*

[sʌ́mbɑ̀di 섬바디]
대 누군가, 어떤 사람 (동 someone)
There's *somebody* at the door.
문간에 누군가가 있다.

✎ 보통 somebody는 긍정문에, anybody는 의문문 · 부정문에 쓰임.
숙어 ***somebody else*** 누군가 다른 사람
This is *sombody else*'s hat.
이건 누군가의 모자이다.

## some•day *someday*

[sʌ́mdèi 섬데이]
부 (장래의) 언젠가, 후일
Come to see me *someday*.
언젠가 나를 만나러 오세요.

**some•how** *somehow*
[sʌ́mhàu 섬하우]
부 어떻게 해서든지; 어쩐 일인지
I will finish this work *somehow*. 어떻게 해서든지 이 일을 끝마치겠다.
*Somehow* I don't like him.
웬일인지 나는 그가 싫다.

**⁑some•one** *someone*
[sʌ́mwʌ̀n 섬원]
대 누군가 (동 somebody)
*Someone* left the front door wide open. 누군가가 현관문을 활짝 열어 놓고 나갔다.
✎ 보통 someone은 긍정문에 쓰이고 의문문 · 부정문에서는 anyone이 쓰임.

**⁑some•thing** *something*
[sʌ́mθiŋ 섬싱]
대 《단수 취급》 어떤 것〔일〕, 무언가
Say *something* in English.
영어로 무언가 말해 보세요.
I want to eat *something* good.
무언가 맛있는 것을 먹고 싶다.
Give me *something* to drink.
뭐든 마실 것을 주세요.

✎ something을 수식하는 형용사 및 to 부정사는 something의 뒤에 옴. anything, nothing도 마찬가지.
숙어 ***something like*** 다소 …을 닮은, …와 비슷한
She looks *something like* her mother.
그녀는 다소 어머니와 닮아 보인다.
***something of*** 어느 정도는, 다소는
There is *something of* truth in his words. 그의 말에는 어느 정도 진실이 담겨 있다.

**some•time** *sometime*
[sʌ́mtàim 섬타임]
부 언젠가, 머지않아
Come and see me *sometime*.
언젠가 저를 만나러 오세요.

**⁑some•times** *sometimes*
[sʌ́mtàimz 섬타임즈]
부 때때로, 가끔 (동 now and then)
We *sometimes* go to his house.
우리는 때때로 그의 집에 간다.
She is *sometimes* late for school.
그녀는 가끔 학교에 지각한다.

✎ sometimes의 위치는 일반 동사의 앞, be동사 · 조동사의 뒤에 옴.

**some•what** *somewhat*
[sʌ́m(h)wɑ̀t 섬홧, 섬왓]
부 어느 정도, 약간, 얼마간
She was *somewhat* tired.
그녀는 약간 피곤했다.

***some•where** *somewhere*
[sʌ́m(h)wɛ̀ər 섬훼어, 섬웨어]

A B C D E F G H I J K L M N O P Q R S T U V W X Y Z

부 어딘가에, 어디론가
He lives *somewhere* near here.
그는 이 근처 어딘가에 살고 있다.

***son** *son*
[sʌ́n 선]
명 (복수 **sons** [sʌ́nz 선즈])
아들 (반 daughter 딸)
This is my oldest *son*.
이 아이가 내 장남입니다.
She has two *sons*.
그녀에게는 아들 둘이 있다.

**so•na•ta** *sonata*
[sənɑ́ːtə 서나-터]
명 (복수 **sonatas** [sənɑ́ːtəz 서나-터즈]) 〖음악〗 소나타

***song** *song*
[sɔ́ːŋ 송-]
명 (복수 **songs** [sɔ́ːŋz 송-즈])
❶ 노래, 가곡

a popular *song* 유행가
We sang a merry *song*.
우리는 즐거운 노래를 불렀다.
❷ (벌레 · 새의) 우는 소리, 지저귐
Birds are singing their *songs*.
새들이 지저귀고 있다.

**son-in-law** *son-in-law*
[sʌ́ninlɔ̀ː 선인로-]
명 (복수 **sons-in-law** [sʌ́nzinlɔ̀ː 선즈인로-]) 사위; 양자

***soon** *soon*
[súːn 순-]
부 (비교급 **sooner** [súːnər 수-너], 최상급 **soonest** [súːnist 수-니스트])
❶ 곧, 금방, 머지않아
He will *soon* be back.
그는 곧 돌아올 것이다.
I hope to see you *soon*.
머지않아 만나 뵙기를 바랍니다.
❷ 빨리, 일찍 (동 early)
The *sooner*, the better.
빠르면 빠를수록 좋다.
The guests arrived too *soon*.
손님들이 너무 빨리 도착했다.
숙어 ***as soon as*** …하자마자
*As soon as* she saw me, she began to cry. 그녀는 나를 보자마자 울기 시작했다.

***as soon as possible***(=***as soon as*** *one* ***can***) 가능한 한 빨리

Come *as soon as possible.*
가능한 한 빨리 오세요.

***no sooner ... than ~*** …하자마자 곧 ~하다
*No sooner* had he arrived *than* he fell sick.
그는 도착하자마자 곧 병에 걸렸다.

***sooner or later*** 조만간에
I must buy the book *sooner or later*. 나는 조만간에 그 책을 사지 않으면 안 된다.

**sore** *sore*
[sɔ́ːr 소–]
형 (비교급 **sorer** [sɔ́ːrər 소–러], 최상급 **sorest** [sɔ́ːrist 소–리스트])
❶ (몸이) 아픈, 쑤시는
I'm *sore* from hiking all day.
온종일 하이킹을 했더니 몸이 쑤신다.

❷ (마음이) 괴로운, 쓰라린
His heart was *sore* at the loss of his son.
아들을 잃고 그의 가슴은 쓰라렸다.

**sor•row** *sorrow*
[sɑ́rou 사로우]
명 (복수 **sorrows** [sɑ́rouz 사로우즈])
❶ 《a와 복수형 안 씀》 슬픔, 비탄 (반 joy 기쁨)
I felt *sorrow* for the death of my friend.
나는 친구의 죽음에 슬픔을 느꼈다.

❷ 《복수형으로》 슬픈 일, 불행
Life has many *sorrows*.
인생에는 많은 슬픈 일이 있다.

**sor•row•ful** *sorrowful*
[sɑ́ro(u)fəl 사로(우)펄]
형 슬퍼하는, 비탄에 빠진 (동 sad)
a *sorrowful* look 슬픈 표정

⁑**sor•ry** *sorry*
[sɑ́ri 사리]
형 (비교급 **sorrier** [sɑ́riər 사리어], 최상급 **sorriest** [sɑ́riist 사리이스트])
❶ 가엾게〔불쌍히〕 여기는, 딱한
She was *sorry* for the sick child.
그녀는 앓는 아이를 가엾게 여겼다.
I'm *sorry* to hear that.
그것 참 안됐습니다.
❷ 미안한, 유감스러운

I'm *sorry* to trouble you.
폐를 끼쳐서 죄송합니다.
I'm *sorry*, I cannot go to the

party. 유감스럽게도 파티에 참석 못했습니다.

참고 I am sorry. 「미안합니다」 사과할 때 쓴다. 사과를 받으면 That's all right. (괜찮습니다.) 또는 Don't worry about it.(괘념치 마세요.) 따위와 같이 말한다. 미국에서는 상대방의 몸을 스치거나 하여 가볍게 사과할 때에는 Excuse me.라고 하며, 영국에서는 간단히 Sorry.라고 한다.

## *sort *sort*

[sɔ́ːrt 소-트]

명 (복수 **sorts** [sɔ́ːrts 소-츠])

종류, 부류 (동 kind)

What *sort* of TV program do you like best? 어떤 종류의 TV프로그램을 가장 좋아하십니까?

숙어 ***a sort of*** 일종의

This is *a sort of* mushroom.
이것은 일종의 버섯이다.

***all sorts of*** 모든 종류의

They sell *all sorts of* flowers.
그들은 모든 종류의 꽃을 판다.

## SOS *SOS*

[ésòués 에스오우에스]

명 (복수 **SOS's** [ésòuésiz 에스오우에시즈]) 조난 신호; 에스오우에스 《조난당했을 때 구조를 요청하는 국제 무선 신호》

## sought *sought*

[sɔ́ːt 소-트]

타 seek(찾다)의 과거 · 과거분사

## soul *soul*

[sóul 소울]

명 (복수 **souls** [sóulz 소울즈])

❶ 영혼; 정신, 마음 (반 body 육체)

He put his *soul* into his work.
그는 자기 일에 정신을 집중했다.

❷ 사람, 인간

## **sound[1] *sound*

[sáund 사운드]

명 (복수 **sounds** [sáundz 사운즈])

소리, 음(音)

There was no *sound*.
아무런 소리도 나지 않았다.

We heard a strange *sound*.
우리는 이상한 소리를 들었다.

— 자 타 (3단현 **sounds** [sáundz 사운즈], 과거 · 과분 **sounded** [sáundid 사운디드], 현분 **sounding** [sáundiŋ 사운딩])

❶ 소리나다; (소리를) 울리다

The buzzer *sounded* on the door. 문에서 부저 소리가 났다.

The driver *sounded* the horn.
그 운전자는 경적을 울렸다.

❷ (…처럼) 들리다; (…으로) 여겨지다
That *sounds* like a good idea.
그건 좋은 아이디어처럼 들린다.

***sound²** *sound*
[sáund 사운드]
형 (비교급 **sounder** [sáundər 사운더], 최상급 **sondest** [sáundist 사운디스트])
❶ 건전한; 건강한 (동 healthy)
A *sound* mind in a sound body.
《속담》 건강한 신체에 건전한 정신(이 깃든다).
❷ 완전한; (수면이) 충분한
I had a *sound* sleep last night.
나는 어젯밤에 푹 잤다.

***soup** *soup*
[sú:p 수-프]
명 (복수 **soups** [sú:ps 수-프스])
수프
cream〔vegetable〕 *soup*
크림[야채] 수프
We eat *soup* with a spoon.
우리는 스푼으로 수프를 먹는다.

**sour** *sour*
[sáuər 사우어]
형 (비교급 **sourer** [sáu(ə)rər 사우(어)러], 최상급 **sourest** [sáu(ə)rist 사우(어)리스트])
(맛이) 새콤한, 신 (관 sweet 달콤한)
Lemons and green apples are *sour*. 레몬과 풋사과는 맛이 시다.

**source** *source*
[sɔ́:rs 소-스]
명 (복수 **sources** [sɔ́:rsiz 소-시즈])
원천, 출처; 원인
a news *source* 뉴스의 출처
a *source* of anxiety 걱정의 원인

**⁑south** *south*
[sáuθ 사우스]
명 《the를 붙여》 남쪽, 남부 (반 north 북쪽)
Our house faces to *the south*.
우리 집은 남향이다.
He lives in *the south* of England. 그는 영국 남부에 살고 있다.
숙어 ***the South*** 미국의 남부 지방
He comes from *the South*.
그는 미국 남부 출신이다.
— 부 남쪽으로, 남쪽에

The birds are flying *south*.
새들은 남쪽으로 날아가고 있다.
—형 남쪽의, 남쪽으로부터의, 남향의
a *south* window 남향의 창
A *south* wind was blowing.
남풍이 불고 있었다.

**south•east** *southeast*
[sàuθí:st 사우시-스트]
명 남동쪽 (약 SE)
—부 남동쪽으로
—형 남동쪽의
*Southeast* Asia 동남아시아

***south•ern** *southern*
[sʌ́ðərn 서던]
ou는 [ʌ]로 발음함.
형 남쪽의, 남부의 (반 northern 북쪽의)
She lives in the *southern* part of the town.
그녀는 도시의 남쪽에 살고 있다.
숙어 ***the Southern States*** 《미》 남부 여러 주

**South Pole** *South Pole*
[sáuθ póul 사우스포울]
명 《the를 붙여》 남극 (반 North Pole 북극)

**south•west** *southwest*
[sàuθwést 사우스웨스트]
명 《the를 붙여》 남서쪽; 남서 지방
—형 남서쪽의
a *southwest* wind 남서풍
—부 남서쪽으로〔에서〕

**sou•ve•nir** *souvenir*
[sù:vəníər 수-버니어]
명 (복수 **souvenirs** [sù:vəníərz 수-버니어즈]) 기념품, 선물
a *souvenir* shop 기념품 가게

They took a *souvenir* picture.
그들은 기념 사진을 찍었다.

**sow** *sow*
[sóu 소우]
타 (3단현 **sows** [sóuz 소우즈], 과거 **sowed** [sóud 소우드], 과분 **sown** [sóun 소운] 또는 **sowed** 현분 **sowing** [sóuiŋ 소우잉])
(씨를) 뿌리다, 파종하다
He *sowed* wheat in the field.
그는 밭에 밀을 파종했다.

**space** *space*
[spéis 스페이스]
명 (복수 **spaces** [spéisiz 스페이시즈]) ❶ 우주; 공간
time and *space* 시간과 공간
We have entered the *spce* age.
우리는 우주 시대에 들어섰다.
❷ 장소; 여지 (동 room), 빈 자리
We looked for a parking *space*.

## Space 우주

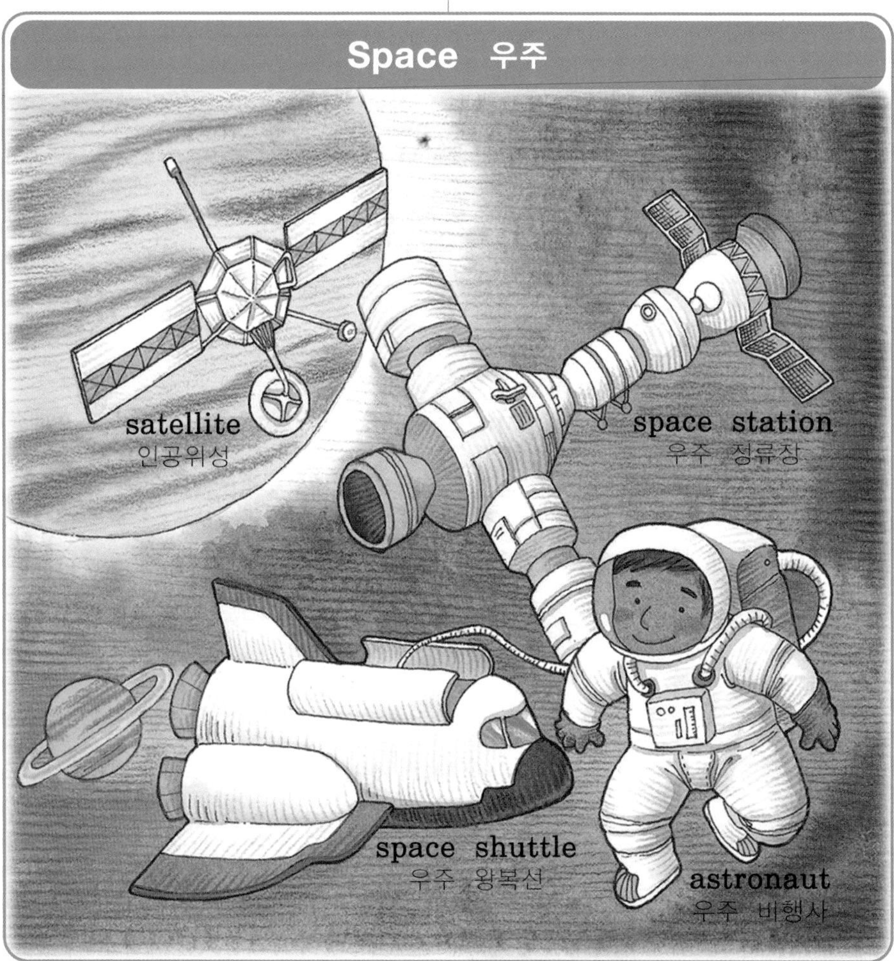


우리는 주차할 장소를 찾았다.

❸ (물체 사이의) 간격, 거리

There is not enough *space* between the cars.

차간 거리가 충분하지 않다.

**space•man** *spaceman*

[spéismən 스페이스먼]

명 (복수 **spacemen** [spéismen 스페이스멘])

우주인; 우주 비행사 (동 astronaut)

**space•ship** *spaceship*

[spéisʃìp 스페이스십]

명 (복수 **spaceships** [spéisʃìps 스페이스십스]) 우주선

**space shut•tle** *space shuttle*

[spéis ʃʌ̀tl 스페이스셔틀]

명 우주 왕복선

**space sta•tion** *space station*

[spéis steiʃən 스페이스스테이션]

a b c d e f g h i j k l m n o p q r s t u v w x y z

명 우주 정거장

**space•suit** *spacesuit*
[spéissùːt 스페이스수-트]
명 (복수 **spacesuits** [spéissùːts 스페이스수-츠]) 우주복

**spade** *spade*
[spéid 스페이드]
명 (복수 **spades** [spéidz 스페이즈])
❶ 삽; 가래
❷ (트럼프의) 스페이드
✎ 트럼프에는 스페이드 외에 club, diamond, heart가 있음.

**spa•ghet•ti** *spaghetti*
[spəgéti 스퍼게티]
명 《a와 복수형 안 씀》 스파게티 《이탈리아식 국수 요리》

***Spain** *Spain*
[spéin 스페인]
명 스페인 《유럽 남서부에 있는 공화국; 수도는 마드리드(Madrid)》

**span** *span*
[spǽn 스팬]
명 (복수 **spans** [spǽnz 스팬즈])
❶ 한뼘 《엄지와 새끼손가락을 편 사이의 길이로 보통 23cm》
❷ 지름, 전체의 길이
❸ 기간 (동 period); 짧은 시간
the *span* of his life 그의 일생

***Span•ish** *Spanish*
[spǽniʃ 스패니시]
명 스페인 말; 《the를 붙여》 스페인 사람 (전체)
*Spanish* is taught in this school.
이 학교에서는 스페인어를 가르친다.
— 형 스페인의, 스페인 사람〔말〕의

**spare** *spare*
[spέər 스페어]
타 (3단현 **spares** [spέərz 스페어즈], 과거 · 과분 **spared** [spέərd 스페어드], 현분 **sparing** [spέ(ə)riŋ 스페(어)링])
❶ (노력 · 돈 따위를) 아끼다, 절약하다
*Spare* the rod and spoil the child.
《속담》 매를 아끼면 아이를 망친다.
❷ (시간을) 할애하다, (돈을) 나눠 주다
I have no time to *spare* this evening. 오늘 저녁에는 시간이 없다.
❸ 용서하다, 놓아 주다
*Spare* me! (=*Spare* my life!)
목숨만은 살려 주시오.

— 형 (비교급 **sparer** [spέ(ə)rər 스페(어)러], 최상급 **sparest** [spέ(ə)rist 스페(어)리스트])
여분의, 예비의
*spare* money 여분의 돈
We have a *spare* tire in the trunk.

차 트렁크에 예비 타이어가 있다.

**spar·row** *sparrow*
[spǽrou 스패로우]
명 (복수 **sparrows** [spǽrouz 스패로우즈]) 〚조류〛 참새

**‡speak** *speak*
[spíːk 스피-크]
동 (3단현 **speaks** [spíːks 스피-크스], 과거 **spoke** [spóuk 스포우크], 과분 **spoken** [spóukən 스포우컨], 현분 **speaking** [spíːkiŋ 스피-킹])
—자 ❶ 말하다, 이야기하다
The baby cannot *speak* yet.
아기는 아직 말할 줄 모른다.

May I *speak* to Helen?
헬렌 좀 부탁합니다 《전화에서》.
*Speak* more slowly.
좀더 천천히 말해 주세요.
❷ 연설하다
He *spoke* on friendship at the meeting. 그는 그 모임에서 우정에 관하여 연설했다.
—타 (…을) 말하다, (언어를) 구사하다
Do you *speak* English?
영어를 할 줄 압니까?
숙어 ***generally speaking*** 일반적으로 말해서
*Generally speaking*, children love adventure. 일반적으로 말해서, 아이들은 모험을 좋아한다.
***not to speak of*** …은 말할 것도 없고
He has been to Europe, *not to speak of* America.
그는 미국은 말할 것도 없고 유럽에도 간 적이 있다.
***so to speak*** 이른바, 말하자면
He is, *so to speak*, a bookworm.
그는 말하자면 책벌레다.

***speak about*** …에 대해 말하다
I'll *speak about* it later.
그것에 관해서는 나중에 말하겠다.
***speak ill of*** …을 흉보다, 욕하다
Never *speak ill of* others.
절대로 남의 흉을 보지 마라.
***speak of*** …에 관해 말하다
Who are you *speaking of*?
누구에 관해 말하고 있는거니?
***speak to*** …에게 말을 걸다, …와 이야기하다
I'll *speak to* him about the expenses. 나는 그와 비용에 관해

이야기하겠다.

***speak well of*** …을 칭찬하다, …을 좋게 말하다

Everybody that knows him *speaks well*. 그를 아는 사람은 누구나 그를 좋게 이야기한다.

***strictly speaking*** 엄밀히 말하면

**speak·er** *speaker*
[spíːkər 스피-커]
명 (복수 **speakers** [spíːkərz 스피-커즈]) ❶ 이야기[말]하는 사람, 연설자
Who is the next *speaker*?
다음 연설자는 누구지요?
❷ 스피커, 확성기 (동 loudspeaker)

**spear** *spear*
[spíər 스피어]
명 (복수 **spears** [spíərz 스피어즈]) 창, 작살 (관 shield 방패)
I caught a fish with a *spear*.
나는 작살로 고기를 잡았다.

***spe·cial** *special*
[spéʃəl 스페셜]
형 ❶ 특별한, 특수한 (반 general 일반적인)
I have a special interest in golf. 나는 골프에 각별한 흥미를 갖고 있다.
❷ 임시의, (특별히) 설정한
We took a *special* train.
우리는 임시 열차를 탔다.

**spe·cial·ly** *specially*
[spéʃəli 스페셜리]
부 특별히 (동 especially)

**spec·ta·cle** *spectacle*
[spéktəkl 스펙터클]
명 (복수 **spectacles** [spéktəklz 스펙터클즈])
❶ 광경, 장관; (큰) 구경거리
The sunset was a magnificent *spectacle*. 석양은 장관이었다.
❷ 《복수형으로》 안경 (동 glasses)
a pair of *spectacles* 안경 1개

**spec·ta·tor** *spectator*
[spékteitər 스펙테이터]
명 (복수 **spectators** [spékteitərz 스펙테이터즈]) 구경꾼, 관객

***speech** *speech*
[spíːtʃ 스피-치]
명 (복수 **speeches** [spíːtʃiz 스피-치즈]) ❶ 연설; 이야기, 담화
He made an amusing *speech* at the party. 그는 파티에서 재미있는 담화를 했다.

❷ 말투, 말씨
His *speech* was not clear.
그의 말투는 분명치가 않았다.
❸ 말하기; 언어, 말

freedom of *speech* 언론의 자유
Animals do not have the power of *speech*.
동물은 말하는 능력이 없다.

***speed** *speed*
[spí:d 스피-드]
명 속도, 속력
They ran at full *speed*.
그들은 전속력으로 달렸다.

He drove at the *speed* of 100 kilometers an hour. 그는 시속 100킬로미터로 차를 운전했다.
— 자타 (3단현 **speeds** [spí:dz 스피-즈], 과거 · 과분 **speeded** [spí:did 스피-디드] 또는 **sped** [spéd 스페드], 현분 **speeding** [spí:diŋ 스피-딩])
질주하다; 속도를 내다 《up》
The train will soon *speed up*.
열차가 곧 속도를 낼 것이다.

**speed•y** *speedy*
[spí:di 스피-디]
형 (비교급 **speedier** [spí:diər 스피-디어], 최상급 **speedest** [spí:diist 스피-디이스트])
신속한, 재빠른 (동 fast, quick)
a *speedy* answer 즉답
She is a *speedy* worker.
그녀는 일을 빨리 한다.

***spell** *spell*
[spél 스펠]
타 (3단현 **spells** [spélz 스펠즈], 과거 · 과분 **spelled** [spéld 스펠드] 또는 **spelt** [spélt 스펠트], 현분 **spelling** [spéliŋ 스펠링])
(낱말의) 철자를 쓰다
This child can *spell* his name right. 이 아이는 자기 이름을 바르게 철자할 수 있다.
How do you *spell* 'church'?
「교회」는 어떻게 철자합니까?

***spell•ing** *spelling*
[spéliŋ 스펠링]
명 (복수 **spellings** [spéliŋz 스펠링즈])
철자(법)
His composition is full of *spelling* mistakes. 그의 작문은 철자법이 틀린 데가 많다.

***spelt** *spelt*
[spelt 스펠트]
동 spell의 과거 · 과거분사

***spend** *spend*
[spénd 스펜드]
타 (3단현 **spends** [spéndz 스펜즈], 과거 · 과분 **spent** [spént 스펜트], 현분 **spending** [spéndiŋ 스펜딩])
❶ (돈을) 쓰다; (노력을) 들이다
She *spends* a lot of money on

clothes.
그녀는 옷에다 많은 돈을 쓴다.

❷ (때를) 보내다, 지내다
We *spent* the weekend in the country.
우리는 시골에서 주말을 보냈다.

***spent** *spent*
[spént 스펜트]
타 spend(소비하다)의 과거 · 과거분사

**sphere** *sphere*
[sfíər 스피어]
명 (복수 **spheres** [sfíərz 스피어즈])
구(球), 천체; 지구의(地球儀)
The earth is a *sphere*.
지구는 둥근 모양을 하고 있다.

**spice** *spice*
[spáis 스파이스]
명 (복수 **spices** [spáisiz 스파이시즈])
양념, 조미료; 향신료
I use a lot of *spices* in my cooking. 나는 요리에 많은 양념을 쓴다.

**spi•der** *spider*
[spáidər 스파이더]
명 (복수 **spiders** [spáidərz 스파이더즈]) 〖곤충〗 거미

a *spider*('s) web 거미집

**spill** *spill*
[spíl 스필]
타자 (3단현 **spills** [spílz 스필즈], 과거 · 과분 **spilt** [spílt 스필트] 또는 **spilled** [spíld 스필드], 현분 **spilling** [spíliŋ 스필링])
(액체 따위를) 엎지르다, 흘리다
He *spilled* water on the floor.
그는 마루에 물을 흘렸다.

It is no use crying over *spilt* milk. 《속담》 엎지른 우유를 두고

울어 봐야 아무 소용없다.

**spin** *spin*
[spín 스핀]
타자 (3단현 **spins** [spínz 스핀즈], 과거 · 과분 **spun** [spʌ́n 스펀], 현분 **spinning** [spíniŋ 스피닝])
❶ (실을) 잣다; (거미가) 줄을 치다
Wool is *spun* into thread.
양털은 실로 자아진다.
The spider is *spinning* a web.
거미가 거미집을 짓고 있다.
❷ (팽이를) 돌리다; 현기증이 나다
The child *spun* the top.
아이가 팽이를 돌렸다.

**spin•ach** *spinach*
[spínitʃ 스피니치]
명 《a와 복수형 안 씀》 〖식물〗 시금치

*__spir•it__ *spirit*
[spírit 스피릿]
명 (복수 **spirits** [spírits 스피리츠])
❶ 정신, 마음; 영혼
body and *spirit* 육체와 정신
He didn't believe in *spirits*.
그는 영혼이 있다는 것을 믿지 않았다.

❷ 《복수형으로》 기분, 원기, 활기
She is in high *spirits*.
그녀는 기분이 좋다.
❸ (정신면에서 본) 사람, 인물
He is a noble *spirit*.
그는 고귀한 인물이다.
❹ 기백, 용기; 기질
The team has a fighting *spirit*.
그 팀은 투지를 갖고 있다.

**spir•i•tu•al** *spiritual*
[spíritʃuəl 스피리추얼]
형 정신의, 영적인
He was our *spiritual* leader.
그는 우리의 정신적 지도자였다.

**spit** *spit*
[spít 스핏]
타자 (3단현 **spits** [spíts 스피츠], 과거 · 과분 **spat** [spǽt 스팻], 현분 **spitting** [spítiŋ 스피팅])
침을 뱉다, (음식물을) 뱉다
No *spitting*.
침을 뱉지 마시오 《게시문》.

**spite** *spite*
[spáit 스파이트]

명 《주로 다음 숙어로만 쓰임》
숙어 ***in spite of*** …에도 불구하고
They came to school *in spite of* the heavy rain. 그들은 폭우에도 불구하고 학교에 왔다.

**splash** *splash*
[splǽʃ 스플래시]
타자 (3단현 **splashes** [splǽʃiz 스플래시즈], 과거 · 과분 **splashed** [splǽʃt 스플래시트], 현분 **splashing** [splǽʃiŋ 스플래싱])
❶ (물 · 흙탕물을) 튀기다, 튀다
The motorcar *splashed* mud on her coat. 자동차가 그녀의 코트에 흙탕물을 튀겼다.

❷ 물방울을 튀기며 …하다, 텀벙 뛰어들다
I *splashed* into the water.
나는 물속에 텀벙 뛰어들었다.
—명 (복수 **splashes** [splǽʃiz 스플래시즈])
(물을) 튀기기; 텀벙〔첨벙〕 하는 소리
with a *splash* 텀벙 하고

***splen•did** *splendid*
[spléndid 스플렌디드]
형 (비교급 **more splendid**, 최상급 **most splendid**)
멋진, 훌륭한, 근사한 (동 wonderful)
He lived in a *splendid* castle.
그는 멋진 성에서 살았다.
We had a *splendid* vacation.
우리는 근사한 휴가를 보냈다.

**split** *split*
[splít 스플릿]
타자 (3단현 **splits** [splíts 스플리츠], 과거 · 과분 **split** [splít 스플릿], 현분 **splitting** [splítiŋ 스플리팅])
(천 따위를) 찢다, (목재 따위를) 쪼개다, 가르다; 쪼개지다
He *split* some logs with an ax.
그는 도끼로 통나무를 쪼갰다.

**spoil** *spoil*
[spɔ́il 스포일]
타자 (3단현 **spoils** [spɔ́ilz 스포일즈], 과거 · 과분 **spoiled** [spɔ́ild 스포일드] 또는 **spoilt** [spɔ́ilt 스포일트], 현분 **spoiling** [spɔ́iliŋ 스포일링])
❶ 망쳐 놓다, 못 쓰게 되다
The rain *spoiled* our picnic.
비가 와서 피크닉을 망쳐 버렸다.

A B C D E F G H I J K L M N O P Q R S T U V W X Y Z

The food *spoiled*.
그 음식은 상했다.
❷ (아이를) 버릇없이 기르다
Spare the rod and *spoil* the child.
《속담》 매를 아끼면 자식을 망친다.

***spoke** *spoke*
[spóuk 스포우크]
타자 speak(이야기하다)의 과거

***spo•ken** *spoken*
[spóuk(ə)n 스포우컨]
타자 speak(이야기하다)의 과거분사
**—**형 말로 하는, 구어의
*spoken* English 구어체 영어

**sponge** *sponge*
[spʌ́ndʒ 스펀지]
명 (복수 **sponges** [spʌ́ndʒiz 스펀지즈]) (세척에 사용하는) 스펀지, 해면
Wipe the surface with a *sponge*.
표면을 스폰지로 닦아라.

****spoon** *spoon*
[spúːn 스푼-]
명 (복수 **spoons** [spúːnz 스푼-즈]) 숟가락, 스푼
a tea〔soup, dessert〕*spoon* 차〔수프, 디저트〕스푼
We eat foods with a *spoon*.
우리는 숟가락으로 음식을 먹는다.

**spoon•ful** *spoonful*
[spúːnfəl 스푼-펄]
명 (복수 **spoonfuls** [spúːnfəlz 스푼-펄즈]) 한 숟가락; 숟가락 하나 가득
Give me two *spoonfuls* of sugar. 설탕 두 숟가락 주세요.

****sport** *sport*
[spɔ́ːrt 스포-트]
명 (복수 **sports** [spɔ́ːrts 스포-츠])
❶ 스포츠, 운동, 경기
What *sports* do you like?
어떤 스포츠를 좋아합니까?
My favorite *sport* is basketball. 내가 좋아하는 운동은 농구다.

❷ 《복수형으로》 운동회
the school *sports* 학교 운동회

## Sports 스포츠

badminton
배드민턴
boxing
권투
basketball
농구
baseball
야구
surfing
서핑
swimming
수영
skiing
스키
soccer
축구
volleyball
배구
tennis
테니스
football
미식축구
golf
골프
bowling
볼링

**sports•man** *sportsman*
[spɔ́ːrtsmən 스포-츠먼]
명 (복수 **sportsmen** [spɔ́ːrtsmen 스포-츠멘]) 운동가, 스포츠맨
✎ 순수한 운동선수는 athlete이라고 함.

*__sports•man•ship__ *sportsmanship*
[spɔ́ːrtsmənʃip 스포-츠먼십]
명 《a와 복수형 안 씀》 스포츠맨십, 운동가[경기] 정신

**spot** *spot*
[spɑ́t 스팟]
명 (복수 **spots** [spɑ́ts 스파츠])
❶ 반점; 얼룩, 오점
My dog is white with black *spots*. 나의 개는 흰 바탕에 검은 반점이 있다.

❷ 장소, 지점
This is a good fishing *spot*.
이곳은 좋은 낚시터이다.
숙어 ***on the spot*** 즉석에서
I accepted the job *on the spot*.
나는 즉석에서 그 일을 승낙했다.

**sprang** *sprang*
[sprǽŋ 스프랭]
동 spring(뛰다)의 과거

**spray** *spray*
[spréi 스프레이]
명 (복수 **sprays** [spréiz 스프레이즈]) 물보라; 분무기
a *spray* for insects 살충용 분무기
— 타 (3단현 **sprays** [spréiz 스프레이즈], 과거 · 과분 **sprayed** [spréid 스프레이드], 현분 **spraying** [spréiiŋ 스프레이잉])
(향수 · 살충제를) 뿌리다
She *sprayed* a little perfume on her wrists. 그녀는 손목에다 향수를 약간 뿌렸다.

*__spread__ *spread*
[spréd 스프레드]
동 (3단현 **spreads** [sprédz 스프레즈], 과거 · 과분 **spread** [spréd 스프레드], 현분 **spreading** [sprédiŋ 스프레딩])
— 타 ❶ 펴다, 펼치다
She *spread* the cloth over the table.
그녀는 식탁 위에 식탁보를 펼쳤다.

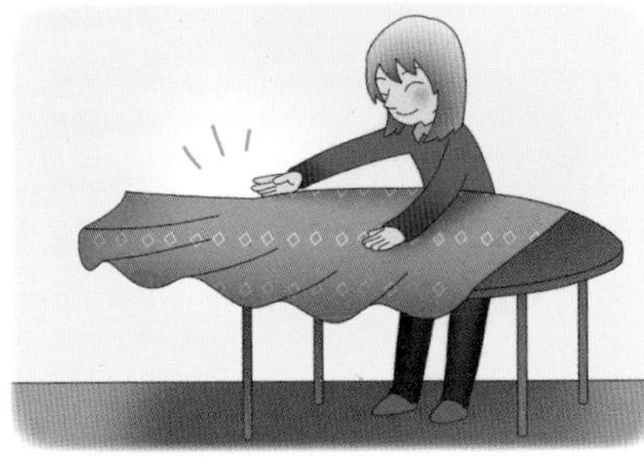

❷ (버터 · 잼을) 펴서 얇게 바르다
He *spread* butter on his bread.
그는 빵에다 버터를 발랐다.
— 자 ❶ 펼쳐지다, 번지다
Fire *spread* through the town.
화재가 시가지로 번졌다.
❷ (소문 따위가) 퍼지다
The rumor *spread* rapidly.
그 소문은 재빨리 퍼졌다.

A B C D E F G H I J K L M N O P Q R S T U V W X Y Z

**⁑spring** *spring*
[spríŋ 스프링]
명 (복수 **springs** [spríŋz 스프링즈])
❶ 봄

*Spring* has come. 봄이 왔다.
❷ 샘; 광천
a hot *spring* 온천
There is a little *spring* by the hillside.
언덕배기에 조그만 샘이 하나 있다.
❸ 용수철, 태엽

This toy works by a *spring*.
이 장난감은 용수철로 움직인다.
❹ 튀어오름, 도약
—자 (3단현 **springs** [spríŋz 스프링즈], 과거 **sprang** [sprǽŋ 스프랭] 또는 **sprung** [sprʌ́ŋ 스프렁], 과분 **sprung**, 현분 **springing** [spríŋiŋ 스프링잉])
❶ 튀어오르다, 뛰다 (동 leap, jump)
The cat *sprang* onto the sofa.
고양이가 소파로 뛰어올랐다.
❷ (물이) 솟아나다; (바람이) 일다
Water suddenly *sprang* up.
물이 갑자기 분출했다.

**spring·time** *springtime*
[spríŋtàim 스프링타임]
타 봄, 봄철

**sprin·kle** *sprinkle*
[spríŋkl 스프링클]
타 (3단현 **sprinkles** [spríŋklz 스프링클즈], 과거 · 과분 **sprinkled** [spríŋkld 스프링클드], 현분 **sprinkling** [spríŋkliŋ 스프링클링])
(물 · 가루 따위를) 끼얹다, 흩뿌리다 (동 scatter)
He *sprinkled* salt on the potatoes. 그는 감자에 소금을 뿌렸다.
She *sprinkled* the flowers with water. 그녀는 꽃에다 물을 주었다.

**sprung** *sprung*
[sprʌ́ŋ 스프렁]
명 spring(뛰다)의 과거 · 과거 분사

**spun** *spun*
[spʌ́n 스펀]
타자 spin(실을 잣다)의 과거 · 과거분사

**spy** *spy*
[spái 스파이]
명 (복수 **spies** [spáiz 스파이즈])
간첩, 스파이

He was arrested as a *spy*.
그는 간첩으로서 체포되었다.

---

***square** *square*
[skwɛ́ər 스퀘어]
명 ❶ 정사각형
Draw a *square* on the paper.
종이에 정사각형을 그려라.
❷ (도시의) 광장
That *square* is in Rome City.
그 광장은 로마 시에 있다.

❸ 〖수학〗 제곱, 평방
The *square* of 3 is 9.
3의 제곱은 9이다.
— 형 (비교급 **squarer** [skwɛ́(ə)rər 스퀘(어)러], 최상급 **squarest** [skwɛ́(ə)rist 스퀘(어)리스트])
❶ 정사각형의
A handkerchief is usually *square*. 손수건은 보통 사각형이다.
❷ 〖수학〗 제곱의
This room is 120 *square* feet.
이 방은 120제곱 피트이다.

---

**squir•rel** *squirrel*
[skwə́ːr(ə)l 스쿼럴]
명 (복수 **squirrels** [skwə́ːr(ə)lz 스쿼럴즈]) 〖동물〗 다람쥐

*Squirrels* eat nuts.
다람쥐는 견과류를 먹는다.

---

**St.** *St.*
[seint 세인트, 《약》 snt 슨트]
❶ 성(聖)… 《Saint의 약어》
*St.* Mark 성 마가
❷ …가(街) 《street의 약어》
The school is on Lincoln *St.*
그 학교는 링컨가에 있다.

---

**sta•ble** *stable*
[stéibl 스테이블]
명 (복수 **stables** [stéiblz 스테이블즈]) 마구간
There is a white horse in the *stable*. 마구간에 백마가 한 마리 있다.

---

**sta•di•um** *stadium*
[stéidiəm 스테이디엄]
명 (복수 **stadiums** [stéidiəmz 스테이디엄즈]) 경기장, 스타디움

A B C D E F G H I J K L M N O P Q R S T U V W X Y Z

a baseball *stadium* 야구 경기장
We went to the football *stadium* on Saturday. 우리는 토요일에 축구 스타디움에 갔다.

**staff** *staff*
[stǽf 스태프]
명 (복수 **staffs** [stǽfs 스태프스])
❶ 막대기, 지팡이; 장대, 깃대
❷《집합적》 직원, 부원
the school's teaching *staff*
그 학교의 교직원

*__stage__ *stage*
[stéidʒ 스테이지]
명 (복수 **stages** [stéidʒiz 스테이지즈])
❶ 무대, 스테이지

a star of *stage* and screen
무대와 은막의 스타
❷ 단계; 시기
Our project is in its final *stages*.
우리의 계획은 최종 단계에 있다.

숙어 ***go on the stage*** 배우가 되다
He wanted to *go on the stage*.
그는 배우가 되고 싶어했다.

**stain** *stain*
[stéin 스테인]
타 (3단현 **stains** [stéinz 스테인즈], 과거 · 과분 **stained** [stéind 스테인드], 현분 **staining** [stéiniŋ 스테이닝])
(…을) 더럽히다; (…에) 얼룩지게 하다
The coffee *stained* his shirt brown. 그의 셔츠는 커피가 묻어 갈색으로 얼룩졌다.

— 명 (복수 **stains** [stéinz 스테인즈])
더럼, 얼룩, 오점
a coffee *stain* on the tablecloth
식탁보의 커피 얼룩

**stair** *stair*
[stέər 스테어]
stare (응시하다)와 발음이 같음.
명 (복수 **stairs** [stέərz 스테어즈])
(계단의) 한 단; 《복수형으로》 계단
We climbed the *stairs* to the attic.
우리는 층계로 다락방에 올라갔다.

**stair•case** *staircase*
[stέərkeis 스테어케이스]
명 (복수 **staircases** [stέərkeisiz 스테어케이시즈])
(주위의 벽 · 난간을 포함한) 계단

She went up the *staircase*.
그녀는 계단을 올라갔다.

**stalk** *stalk*
[stɔ́ːk 스토-크]
l은 발음하지 않음.
명 (복수 **stalks** [stɔ́ːks 스토-크스])
(식물의) 줄기, 대
a bean *stalk* 콩줄기

***stamp** *stamp*
[stǽmp 스탬프]
명 (복수 **stamps** [stǽmps 스탬프스])
❶ 우표, 인지
Some people collect *stamps*.
어떤 사람들은 우표를 모은다.

❷ 도장, 인장, 스탬프
He put a *stamp* on a postcard.
그는 우편엽서에 스탬프를 찍었다.

—타 (3단현 **stamps** [stǽmps 스탬프스], 과거 · 과분 **stamped** [stǽmpt 스탬프트], 현분 **stamping** [stǽmpiŋ 스탬핑])
❶ 우표〔인지〕를 붙이다
Don't forget to *stamp* the letter.
편지에 우표 붙이는 것을 잊지 마라.
❷ 날인하다, 스탬프를 찍다

**⁑stand** *stand*
[stǽnd 스탠드]
동 (3단현 **stands** [stǽndz 스탠즈], 과거 · 과분 **stood** [stúd 스투드], 현분 **standing** [stǽndiŋ 스탠딩])
—자 ❶ 서다, 서 있다; 일어서다 ((up))
(반 sit 앉다)
He is *standing* by the window.
그는 창 곁에 서 있다.

Our school *stands* on the hill.
우리 학교는 언덕 위에 서 있다.
Everybody *stood up* when he came in.
그가 들어오자 모두 일어섰다.
❷ (온도 · 높이가) …이다; (어떤 상태에) 있다
The thermometer *stands* at 30°.
온도계는 30도를 가리키고 있다.
The door *stood* open.
문은 열려 있었다.
—타 ❶ 세우다, 세워 두다
*Stand* it against the wall.
그것을 벽에 기대어 세워 놓아라.

A B C D E F G H I J K L M N O P Q R S T U V W X Y Z

❷ 참다, 견디다
I cannot *stand* the headache.
나는 두통을 견딜 수가 없다.
숙어 ***stand away*** 떨어져 있다
*Stand away* from the cage.
(짐승) 우리에서 떨어져 있어라.
***stand by*** …에 편들다
They *stood by* the mayor.
그들은 시장 편을 들었다.
***stand for*** …을 나타내다, 상징하다
What does UN *stand for*?
UN이란 말은 무엇을 의미합니까?
***stand in*** (***for***) (…의) 대역을 하다
—명 (복수 **stands** [stǽndz 스탠즈])
❶ (경기장 · 홀 따위의) 관람석, 스탠드
The *stands* are full.
관람석은 만원이다.
❷ 매점, 노점; …대, …걸이
a newspaper *stand* 신문 판매대
a street *stand* 노점

## *stan•dard *standard*
[stǽndərd 스탠더드]
형 표준의, 기준의
*standard* time 표준시
He speaks *standard* English.
그는 표준 영어를 말한다.
—명 (복수 **standards** [stǽndərdz 스탠더즈]) 표준, 기준, 수준
a high *standard* of living
높은 생활수준

## ⁑star *star*
[stάːr 스타-]
명 (복수 **stars** [stάːrz 스타-즈])
❶ 별 (관 planet 행성)

a falling *star* 유성
The *stars* are shining in the sky. 하늘에 별들이 빛나고 있다.
❷ (영화 · 스포츠 따위의) 스타, 인기인
She is a famous movie *star*.
그녀는 유명한 영화배우이다.
숙어 ***the Stars and Stripes*** 성조기 《미국의 국기》

## stare *stare*
[stέər 스테어]
타자 (3단현 **stares** [stέərz 스테어즈], 과거 · 과분 **stared** [stέərd 스테어드], 현분 **staring** [stέ(ə)riŋ 스테(어)링])
응시하다, 빤히 쳐다보다
Everybody *stared* at his hat.
모두들 그의 모자를 빤히 쳐다보았다.

He *stared* her in the face.
그는 그녀의 얼굴을 응시했다.

**⁑start** *start*
[stɑ́ːrt 스타-트]
동 (3단현 **starts** [stɑ́ːrts 스타-츠], 과거 · 과분 **started** [stɑ́ːrtid 스타-티드], 현분 **starting** [stɑ́ːrtiŋ 스타-팅])
— 자 ❶ 출발하다, 떠나다 (반 arrive 도착하다)
We will *start* soon.
우리는 곧 출발할 것이다.

I *start* for school before seven.
나는 7시 전에 학교로 떠난다.

어법 start와 leave
「출발하다」의 뜻으로는 leave 쪽이 더 많이 쓰인다. 「…을 향하여 출발하다」라는 뜻으로는 전치사 for를 써서 leave[start] *for* London(런던을 향하여 출발하다)라고 표현한다. 「…을 출발하다」라고 할 때는 leave New York 또는 start from New York이라고 한다.

❷ 시작하다 (동 begin); 일어나다, 발생하다
School *starts* at eight o'clock.
수업은 8시에 시작한다.
The fire *started* in the kitchen.
화재는 부엌에서 일어났다.

— 타 ❶ 시작하다; 《**start to** do; **start ~ing**으로》
They *started* their work.
그들은 일을 시작했다.
They *started to* dance.
그들은 춤추기 시작했다.
It *started* rain*ing*.
비가 오기 시작했다.
❷ (기계를) 움직이다; (화재를) 일으키다
He *started* the engine.
그는 엔진을 걸었다.
Who *started* the fire?
누가 불을 냈습니까?
— 명 (복수 **starts** [stɑ́ːrts 스타-츠])
출발; 시작, 개시 (반 arrival 도착)
Let's get ready for the *start*.
출발 준비를 합시다.

**star•tle** *startle*
[stɑ́ːrtl 스타-틀]
타 자 (3단현 **startles** [stɑ́ːrtlz 스타-틀즈], 과거 · 과분 **startled** [stɑ́ːrtld 스타-틀드], 현분 **startling** [stɑ́ːrtliŋ 스타-틀링])
깜작 놀라게 하다; 깜짝 놀라다
She *was startled at* the sight.
그녀는 그 광경을 보고 깜짝 놀랐다.

**starve** *starve*
[stɑ́ːrv 스타-브]
자 타 (3단현 **starves** [stɑ́ːrvz 스타-브즈], 과거 · 과분 **starved** [stɑ́ːrvd

스타–브드], 현분 **starving** [stɑ́ːrviŋ 스타–빙])
허기지다, 굶어 죽다; 굶주리게 하다
I'm very *starving*.
몹시 배가 고프다.
They were *starved* to death.
그들은 굶어 죽었다.

## *state *state*

[stéit 스테이트]
명 (복수 **states** [stéits 스테이츠])
❶ (미국의) 주; 《때로 **the State**로》 나라, 국가; 《**the States**로》 미국
He fought for *the State*.
그는 나라를 위해 싸웠다.
There are fifty *states* in *the* United *States*.
미국에는 50개 주가 있다.
❷ 《단수형으로》 상태, 사정
the *state* of the world 세계 정세
He is in a poor *state* of health.
그는 건강 상태가 좋지 않다.
— 타 (3단현 **states** [stéits 스테이츠], 과거 · 과분 **stated** [stéitid 스테이티드], 현분 **stating** [stéitiŋ 스테이팅])
말하다, 진술하다
He *stated* his opinion.
그는 그의 의견을 진술했다.

## state•ment *statement*

[stéitmənt 스테이트먼트]
명 (복수 **statements** [stéitmənts 스테이트먼츠]) 성명(서); 진술
a joint *statement* 공동 성명
He made a false *statement*.
그는 허위 진술을 했다.

## states•man *statesman*

[stéitsmən 스테이츠먼]
명 (복수 **statesmen** [stéitsmən 스테이츠먼]) 정치가 (동 politician)
George Washington was a great American *statesman*. 조지 워싱턴은 위대한 미국 정치가였다.

## **sta•tion *station*

[stéiʃən 스테이션]
명 (복수 **stations** [stéiʃənz 스테이션즈])
❶ 역, 정거장

Seoul *station* 서울역
I went to the *station* to see her off. 나는 그녀를 전송하기 위해 정거장에 갔다.
✎ 역 이름에는 the를 붙이지 않음.
❷ (관청의) 서(署), 국(局), 본부
a radio〔TV〕 *station*
라디오〔TV〕 방송국
a fire *station* 소방서
There is a police *station* on the next block.
다음 구역에 경찰서가 있다.

**sta•tion•er•y** *stationery*
[stéiʃ(ə)nèri 스테이셔네리]
명 《집합적》 문방구
a *stationery* shop 문구점

**stat•ue** *statue*
[stǽtʃuː 스태추-]
명 (복수 **statues** [stǽtʃuːz 스태추-즈]) 조각상, 상(像)

There are some *statues* in the park. 공원에 몇 개의 상이 있다.
숙어 ***the Statue of Liberty*** 자유의 여신상 《뉴욕만 리버티 섬에 있으며, 미국 건국 100주년을 기념하기 위해 1886년 프랑스가 기증한 것》

**stay** *stay*
[stéi 스테이]
자 (3단현 **stays** [stéiz 스테이즈], 과거 · 과분 **stayed** [stéid 스테이드], 현분 **staying** [stéiiŋ 스테이잉])
❶ 머무르다, 체류하다, 묵다
You must *stay* at home.
너는 집에 있어야 한다.
I'm *staying* at a hotel.
나는 호텔에 체류 중이다.

❷ 《보어를 수반하여》 …인 채로 있다
Tom's mother *stays* young.
톰의 어머니는 항상 젊으시다.
숙어 ***stay away (from)*** (…에서) 떨어져 있다, (…에) 가까이 가지 않다
*Stay away from* these animals.
이 동물들에게 가까이 가지 마시오.
***stay up*** (자지 않고) 일어나 있다.
They *stayed up* till midnight.
그들은 한밤중까지 자지 않았다.
***stay with*** (손님으로서) …집에 머물다
I am *staying with* my aunt.
나는 숙모님 댁에 묵고 있다.
—명 (복수 **stays** [stéiz 스테이즈]) 머무름, 체류
Did you enjoy your *stay* in Rome? 로마 체류는 즐거웠습니까?

**stead•i•ly** *steadily*
[stédili 스테딜리]
부 착실하게, 견실하게

**stead•y** *steady*
[stédi 스테디]
형 (비교급 **steadier** [stédiər 스테디어], 최상급 **steadiest** [stédiist 스테디이스트])
❶ 확고한; 안정된; 착실한

a *steady* job 안정된 직업
He is making *steady* progress.
그는 착실한 진보를 하고 있다.
❷ 변함없는, 꾸준한, 일정한
He usually drive his car at a *steady* speed. 그는 항상 일정한 속도로 차를 운전한다.

**steak** *steak*
[stéik 스테이크]
명 (복수 **steakes** [stéiks 스테이크스]) 스테이크 (동 beefsteak)
"How would you like your *steak*?" "Medium, please."
「스테이크를 어떻게 구워 드릴까요?」
「중간 것으로 해 주십시오.」
✎ 스테이크는 굽기에 따라 rare(설익힌 것), medium(중간쯤 구운 것), well-done(충분히 익힌 것)이 있음.

***steal** *steal*
[stí:l 스틸-]
타자 (3단현 **steals** [stí:lz 스틸-즈], 과거 **stole** [stóul 스토울], 과분 **stolen** [stóulən 스토울런], 현분 **stealing** [stí:liŋ 스틸-링])
❶ 훔치다, 도둑질하다
Someone *stole* my money.
누군가가 내 돈을 훔쳐 갔다.

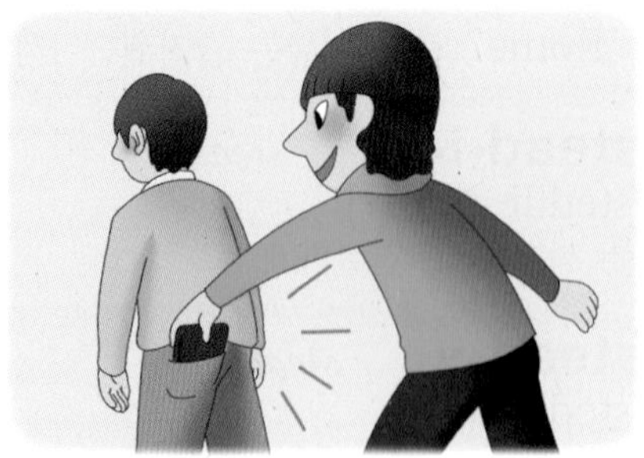

I had my purse *stolen*.
나는 지갑을 도난당했다.
❷ 살며시〔남몰래〕 …하다
He *stole* quietly into his bedroom. 그는 살며시 침실로 들어갔다.

**steam** *steam*
[stí:m 스팀-]
명 《a와 복수형 안 씀》 증기, 김
This room is heated by *steam*.
이 방은 증기로 난방된다.
— 자 (3단현 **steams** [stí:mz 스팀-즈], 과거 · 과분 **steamed** [stí:md 스팀-드], 현분 **steaming** [stí:miŋ 스티-밍])
김을 내다; 증기로 움직이다
The potatoes are *steaming*.
감자에서 김이 나고 있다.

**steam•er** *steamer*
[stí:mər 스티-머]
명 (복수 **steamers** [stí:mərz 스티-머즈]) 기선 (동 steamship)

They went to Canada by *steamer*.

그들은 기선을 타고 캐나다에 갔다.

## steam•ship *steamship*
[stíːmʃìp 스팀-십]
명 (복수 **steamships** [stíːmʃìps 스팀-십스]) (대형) 기선, 상선

## *steel *steel*
[stíːl 스틸-]
명 《a와 복수형 안 씀》 강철
special *steel* 특수 강철
*Steel* is used to make machines.
강철은 기계를 만드는 데 사용된다.

## *steep *steep*
[stíːp 스티-프]
형 (비교급 **steeper** [stíːpər 스티-퍼], 최상급 **steepest** [stíːpist 스티-피스트])
(비탈이) 가파른, 험한
a *steep* roof 경사가 급한 지붕
We climbed the *steep* slope.
우리는 가파른 비탈을 올라갔다.

## stem *stem*
[stém 스템]
명 (복수 **stems** [stémz 스템즈])
(식물의) 줄기, 대; (도구의) 자루
the *stem* of pipe 파이프 자루
The tulip has a long *stem*.
튤립은 긴 꽃대를 갖고 있다.

## ⁑step *step*
[stép 스텝]
명 (복수 **steps** [stéps 스텝스])
❶ 발걸음, 한 걸음; 걸음걸이, 보조
He took a *step* forward.
그는 한 걸음 앞으로 내딛었다.

❷ 발소리; 발자국
I heard *steps* coming near.
나는 발소리가 가까워지고 있는 것을 들었다.
❸ (계단의) 단; 《**the steps**로》 층계
She went down *the steps*.
그녀는 층계를 내려갔다.
❹ 수단, 조치
We took *steps* to prevent an accident.
우리는 사고를 예방할 조치를 취했다
숙어 ***keep step with*** …와 보조를 맞추다
***Mind*〔*Watch*〕 *your step!***
발 밑을 조심하세요!

***step by step*** 한 걸음 한 걸음, 꾸준히

Your English is improving *step by step*.
너의 영어는 꾸준히 향상하고 있다.
**—**자 (3단현 **steps** [stéps 스텝스], 과거 · 과분 **stepped** [stépt 스텝트], 현분 **stepping** [stépiŋ 스테핑]) 걷다, 걸음을 옮기다 (㊍ walk)
*Step* this way. 이리로 오세요.
숙어 ***step aside*** 옆으로 비켜서다
*Step aside* and let her by. 그녀가 지나가도록 옆으로 비켜서 주세요.

**ster•e•o** *stereo*
[stériou 스테리오우]
명 (복수 **stereos** [stériouz 스테리오우즈]) 입체 음향 (장치); 스테레오
She listened to an opera on a *stereo*.
그녀는 스테레오로 오페라를 들었다.

**stew** *stew*
[stjú: 스튜-]
명 《a와 복수형 안 씀》 스튜 《고기와 야채를 국물이 있게 푹 끓인 요리》

**stew•ard** *steward*
[stjú:ərd 스튜-어드]
명 (복수 **stewards** [stjú:ərdz 스튜-어즈]) (여객기 · 기선 따위의) 남자 승무원, 스튜어드 (㊎ stewardess 여승무원)

**stew•ard•ess** *stewardess*
[stjú:ərdis 스튜-어디스]
명 (복수 **stewardesses** [stjú:ərdisiz 스튜-어디시즈]) (여객기 · 기선 따위의) 여승무원, 스튜어디스 (㊎ steward 남자 승무원)

***stick** *stick*
[stík 스틱]
명 (복수 **sticks** [stíks 스틱스])
❶ 막대기; 《복수형으로》 (땔감으로서) 나뭇가지
He struck the dog with a *stick*.
그는 막대기로 개를 때렸다.
❷ 지팡이, 단장
My grandfather cannot walk without a *stick*. 할아버지는 지팡이 없이는 못 걸으신다.

**—**타자 (3단현 **sticks** [stíks 스틱스], 과거 · 과분 **stuck** [stʌ́k 스턱], 현분 **sticking** [stíkiŋ 스티킹])
❶ (…을) 찌르다; 찔리다
He *stuck* his fork into pork.
그는 돼지고기에다 포크를 찔렀다.
A thorn *stuck* into my finger.
손가락을 가시에 찔렸다.
❷ (풀 따위로) 붙이다; 들러붙다
They *stuck* posters on the wall.
그들은 벽에 포스터를 붙였다.
숙어 ***stick out*** 내밀다; 튀어나오다
***stick to*** …을 고수하다, …에 충실하다
*Stick to* your promise.

너의 약속을 지켜라.

## stick·y *sticky*

[stíki 스티키]

형 (비교급 **stickier** [stíkiər 스티키어], 최상급 **stickiest** [stíkiist 스티키이스트])

끈적거리는, 달라붙는

This candy is very *sticky*.
이 캔디는 몹시 끈적거린다.

## stiff *stiff*

[stíf 스티프]

형 (비교급 **stiffer** [stífər 스티퍼], 최상급 **stiffest** [stífist 스티피스트])

❶ 빳빳한, 딱딱한; (몸이) 굳은

a *stiff* brush (털이) 빳빳한 솔
My hands are *stiff* with cold.
내 손은 추위로 곱아 있다.

❷ (태도가) 딱딱한, 어색한

a *stiff* smile 어색한 미소

## **still¹ *still*

[stíl 스틸]

부 ❶ 아직도, 지금도 여전히

She is *still* asleep.
그녀는 아직도 자고 있다.

The lights are *still* on.
등불은 지금도 여전히 켜져 있다.

**어법 still과 yet**

**still**은 긍정문에서 「아직도 …인」의 의미로, 동작이나 상태가 현재 또는 그때까지 계속되고 있는 것을 나타낸다. **yet**은 주로 부정문에서 「아직도 …하지 않은」, 또한 의문문에서 「벌써 …했습니까」라고 묻는 경우에 쓰인다: It's *still* dark. 날이 아직도 어둡다 / He has not arrived *yet*. 그는 아직도 도착하지 않았다.

❷ 《비교급과 함께》 더 한층, 훨씬 더

It will become *still* colder next month. 다음 달이 되면 더한층 추워질 것이다.

❸ 《접속사처럼 쓰여》 그런데도, 그럼에도 불구하고

He was very tired, but *still* he went on working. 그는 매우 피곤했지만, 그런데도 일을 계속했다.

## **still² *still*

[stíl 스틸]

형 (비교급 **stiller** [stílər 스틸러], 최상급 **stillest** [stílist 스틸리스트])

❶ 조용한, 고요한 (동 quiet, silent); 잔잔한 (동 calm)

The night was very *still*.
밤은 매우 고요했다.

❷ 정지한, 가만히 있는

Stand *still*! I want to take your picture. 가만히 있어요! 사진을 찍을 테니까.

a b c d e f g h i j k l m n o p q r s t u v w x y z

A B C D E F G H I J K L M N O P Q R **S** T U V W X Y Z

**sting** *sting*
[stíŋ 스팅]
타자 (3단현 **stings** [stíŋz 스팅즈], 과거 · 과분 **stung** [stʌ́ŋ 스텅], 현분 **stinging** [stíŋiŋ 스팅잉])
(벌 따위가) 쏘다, 찌르다
A bee *stung* me on the neck.
벌이 내 목을 쏘았다.

—명 (복수 **stings** [stíŋz 스팅즈])
(벌 · 식물의) 침, 가시; 쏘인 상처

**stir** *stir*
[stə́ːr 스터-]
타 (3단현 **stirs** [stə́ːrz 스터-즈], 과거 · 과분 **stirred** [stə́ːrd 스터-드], 현분 **stirring** [stə́ːriŋ 스터-링])
❶ 휘젓다, 뒤섞다

*Stir* your coffee with a spoon.
스푼으로 커피를 저으시오.

❷ 가볍게 움직이다, 살랑거리게 하다
The wind *stirs* the leaves.
바람이 나뭇잎을 살랑거리게 한다.
❸ 감동시키다, 흥분시키다
They were *stirred* by her speech.
그들은 그녀의 연설에 감동했다.

**stock** *stock*
[stɑ́k 스탁]
명 (복수 **stocks** [stɑ́ks 스탁스])
❶ 저장, 축적 (동 store); 재고(품)
We have a large *stock* of goods.
우리에게는 재고 상품이 많다.

❷ 《집합적》 가축 (동 livestock)
Cows, horses, and sheep are *stock*. 소, 말, 양은 가축이다.
❸ 주식, 증권 (동 share)
*Stocks* are going up.
주식이 오르고 있다.
숙어 ***out of stock*** 다 팔려, 품절되어
That model is *out of stock* now.
그 모델은 지금 품절입니다.

***stock•ing** *stocking*
[stɑ́kiŋ 스타킹]
명 (복수 **stockings** [stɑ́kiŋz 스타킹즈]) 《복수형으로》 긴 양말 (관 socks 짧은 양말)
She bought three pairs of *stockings*.
그녀는 스타킹 세 켤레를 샀다.

***stole** *stole*
[stóul 스토울]
타자 steal(훔치다)의 과거

***sto•len** *stolen*
[stóulən 스토울런]
동 steal(훔치다)의 과거분사

***stom•ach** *stomach*
[stʌ́mək 스터먹]
맨 뒤의 –ch가 k로 발음됨.
명 (복수 **stomachs** [stʌ́məks 스터먹스]) 위; 배, 복부
He has a weak *stomach*.
그는 위가 약하다.

**stom•ach•ache**
*stomachache*
[stʌ́məkèik 스터먹에이크]
명 복통, 배앓이
I have a *stomachache* today.
오늘은 배가 아프다.

***stone** *stone*
[stóun 스토운]
명 (복수 **stones** [stóunz 스토운즈])
❶ 돌, 돌멩이; 석재 (관 rock 바위)
the *Stone* Age 석기 시대
Don't throw a *stone* at the dog. 개한테 돌을 던지지 마라.
The bridge is made of *stone*.
그 다리는 석재로 만들어져 있다.
❷ 《앞에 **precious**를 붙여》 보석

***stood** *stood*
[stud 스투드]
동 stand(서다)의 과거 · 과거분사

**stool** *stool*
[stúːl 스툴–]
명 (복수 **stools** [stúːlz 스툴–즈]) (등받이가 없는) 의자, 걸상

****stop** *stop*
[stάp 스탑]
동 (3단현 **stops** [stάps 스탑스], 과거 · 과분 **stopped** [stάpt 스탑트], 현분 **stopping** [stάpiŋ 스타핑])
—타 ❶ (…을) 멈추다, 세우다
He *stopped* the car in the park.
그는 공원에서 차를 멈추었다.
❷ 그만두다; 그치다, 중지하다
He *stopped* smoking.
그는 담배를 끊었다.

a b c d e f g h i j k l m n o p q r s t u v w x y z

—자 ❶ 멈추다, 멈추어 서다; 그치다
This train *stops* at every station. 이 열차는 역마다 멈추어 선다.
❷ 숙박하다, 체류하다, 묵다
I *stopped* at a hotel.
나는 호텔에 숙박했다.

어법 stop+~ing와 stop+to do
**stop ~ing**(동명사)는 「…하는 것을 그만두다」, **stop to** do(부정사)는 「…하기 위해 멈춰서다」: He *stopped* talk*ing*. 그는 이야기를 중단했다 / He *stopped to* talk. 그는 이야기하기 위해 멈춰섰다.

숙어 ***stop in*** 들르다 (동 drop in)
He *stopped in* at a bookstore.
그는 서점에 들렀다.
***stop over*** 도중하차하다
He *stopped over* at Suwon.
그는 수원에서 도중하차했다.
—명 (복수 **stops** [stάps 스탑스])
❶ 정지, 정차, 멈춤
The car came to a sudden *stop*.
자동차는 급정거했다.
❷ (버스 따위의) 정류장

Get off at the next *stop*.
다음 정류장에서 내리시오.
❸ 구두점, 마침표 (동 period)
a full *stop* 마침표

# **store** *store*
[stɔ́ːr 스토-]
명 (복수 **stores** [stɔ́ːrz 스토-즈])
❶ 《미》 가게, 상점 (《영》 shop)
a food *store* 식료품점
Mary works in a *store*.
메리는 상점에서 일한다.

❷ 저장, 비축 (동 stock)
We have a good *store* of food.
우리는 충분한 식료품을 저장하고 있다.
—타 (3단현 **stores** [stɔ́ːrz 스토-즈], 과거 · 과분 **stored** [stɔ́ːrd 스토-드], 현분 **storing** [stɔ́ːriŋ 스토-링])
비축하다, 저장하다
Squirrels *store* nuts for the winter. 다람쥐들은 겨울철에 대비하여 견과류를 저장한다.

# **store•keep•er** *storekeeper*
[stɔ́ːrkìːpər 스토-키-퍼]
명 (복수 **storekeepers** [stɔ́ːrkìːpərz 스토-키-퍼즈])
《미》 가게 주인 (《영》 shopkeeper)
Mr. Grey is a *storekeeper*.
그레이 씨는 가게 주인이다.

# **store•room** *storeroom*
[stɔ́ːrrù(ː)m 스토-룸(-)]
명 (복수 **storerooms** [stɔ́ːrrù(ː)m 스토-룸(-)즈])

(물건을 넣어 두는) 저장실, 창고방

**sto•ried** *storied*
[stɔ́:rid 스토-리드]
명 …층의
a three-*storied* house, 3층집

**stork** *stork*
[stɔ́:rk 스토-크]
명 (복수 **storks** [stɔ́:rks 스토-크스])
〖조류〗 황새

***storm** *storm*
[stɔ́:rm 스톰-]
명 (복수 **storms** [stɔ́:rmz 스톰-즈])
폭풍우, 큰 비
A heavy *storm* is coming up.
큰 폭풍우가 다가오고 있다.
We were caught in a *storm*.
우리는 폭풍우를 만났다.

**storm•y** *stormy*
[stɔ́:rmi 스토-미]
형 (비교급 **stormier** [stɔ́:rmiər 스토-미어], 최상급 **stormiest** [stɔ́:rmiist 스토-미이스트])
폭풍(우)의; 험한 날씨의
We had *stormy* weather all day. 온종일 날씨가 험악했다.

**⁑sto•ry¹** *story*
[stɔ́:ri 스토-리]
명 (복수 **stories** [stɔ́:riz 스토-리즈])
이야기, 동화; 소설
a love *story* 연애 소설
My aunt told the *story* of her childhood. 아주머니는 어린 시절의 이야기를 들려 주었다.
The girl's favorite *story* was Cinderella. 소녀들이 좋아하는 동화는 「신데렐라」였다.

***sto•ry², 《영》 sto•rey**
*story, storey*
[stɔ́:ri 스토-리]
명 (복수 **stories**, 《영》 **storeys** [stɔ́:riz 스토-리즈]) (건물의) 층

a two-*story* house, 2층집
That office building has twenty-five *stories*.
저 회사 건물은 25층이다.

***sto•ry•book** *storybook*
[stɔ́:ribùk 스토-리북]
명 (복수 **storybooks** [stɔ́:ribùks 스토-리북스])
(어린이를 위한) 이야기책, 동화책

**stove** *stove*
[stóuv 스토우브]
명 (복수 **stoves** [stóuvz 스토우브즈])
(난방 · 요리용) 난로, 화덕
an oil *stove* 석유난로
Mrs. Brown cooks on a gas

*stove*. 브라운 부인은 가스 화덕에서 요리한다.

*straight  *straight*
[stréit 스트레이트]
형 (비교급 **straighter** [stréitər 스트레이터], 최상급 **straightest** [stréitist 스트레이티스트])
❶ 똑바른, 곧은 (반 curved 굽은)
Jane drew a *straight* line.
제인은 직선을 그었다.

❷ 솔직한, 정직한 (동 honest)
She gave a *straight* answer to the question. 그녀는 질문에 솔직한 답변을 해주었다.
—부 ❶ 곧장, 똑바로
Go *straight* along this street.
이 길을 따라 곧장 가시오.
❷ 솔직하게, 정직하게

*strange  *strange*
[stréindʒ 스트레인지]
형 (비교급 **stranger** [stréindʒər 스트레인저], 최상급 **strangest** [stréindʒist 스트레인지스트])
❶ 낯선, 생소한, 미지의
A *strange* car was parked outside my house.
낯선 차가 집 바깥에 정차해 있었다.
❷ 이상한, 기묘한
It was a *strange* sight.
그것은 기묘한 광경이었다.

A *strange* thing happened to me. 이상한 일이 나한테 일어났다.
숙어 ***strange to say*** 이상하게도
*Strange to say*, she didn't know the news. 이상하게도 그녀는 그 소식을 몰랐다.

*strang•er  *stranger*
[stréindʒər 스트레인저]
명 (복수 **strangers** [stréindʒərz 스트레인저즈]) 모르는 사람, 낯선 사람, 이방인
My dog barks at a *stranger*.
나의 개는 낯선 사람을 보면 짖는다.
I am quite a *stranger* here.
나는 이 근처를 전혀 모른다.

*straw  *straw*
[strɔ́: 스트로-]
명 (복수 **straws** [strɔ́:z 스트로-즈])
❶ 밀짚, 지푸라기
a *straw* hat 밀짚모자
A drowning man will catch at a *straw*. 《속담》 물에 빠진 사람은 지푸라기라도 잡으려 한다.
❷ (주스용) 빨대, 스트로
He drank milk through a *straw*. 그는 스트로로 우유를 마셨다.

**straw•ber•ry**  *strawberry*
[strɔ́:bèri 스트로-베리]
명 (복수 **strawberries** [strɔ́:bèriz

A B C D E F G H I J K L M N O P Q R S T U V W X Y Z

스트로-베리즈]) 〖식물〗 딸기
*strawberry* jam 딸기잼

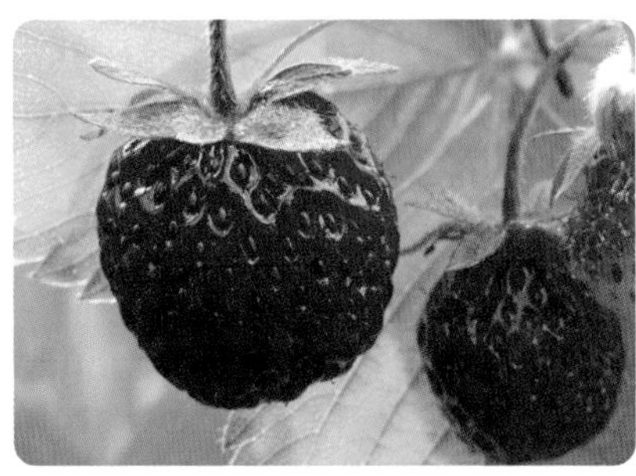

***stream** *stream*
[strí:m 스트림-]
명 (복수 **streams** [strí:mz 스트림-즈]) ❶ 시내, 개울 (관 brook 개천)
We walked along a clear *stream*.
우리는 맑은 개울을 따라 걸었다.
❷ (액체 · 빛 · 물체 등의) 흐름

**⁑street** *street*
[strí:t 스트리-트]
명 (복수 **streets** [strí:ts 스트리-츠])
❶ (길가에 집이 있는) 거리, 가로

**Street 거리**

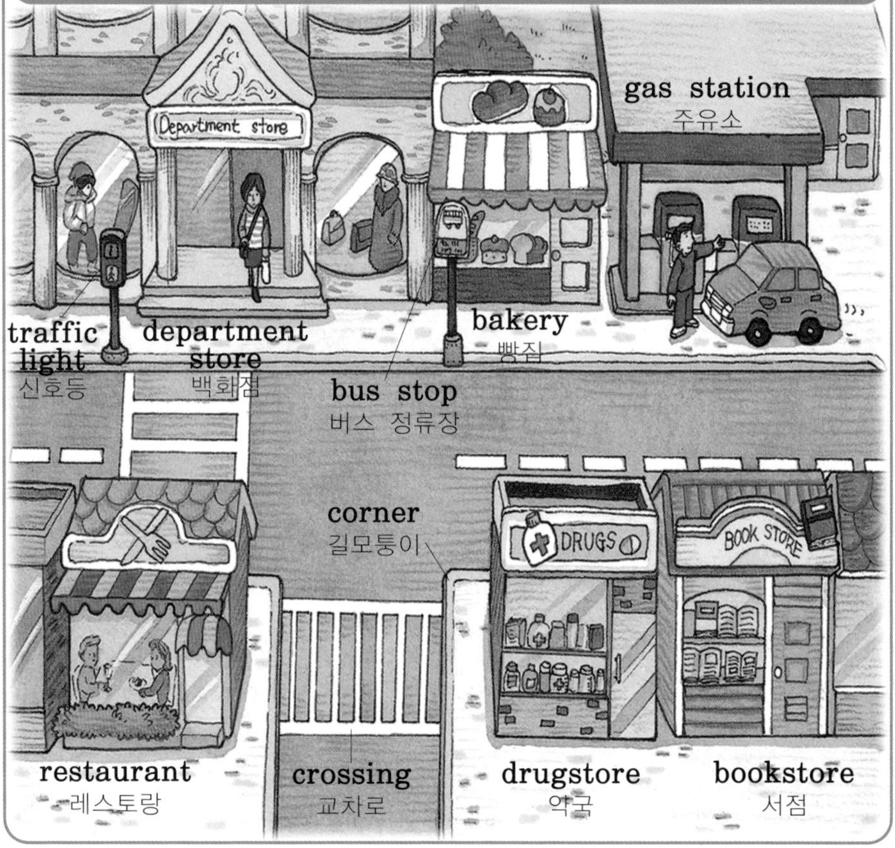
Department store
DRUGS
BOOK STORE
gas station
주유소
traffic light
신호등
department store
백화점
bakery
빵집
bus stop
버스 정류장
corner
길모퉁이
restaurant
레스토랑
crossing
교차로
drugstore
약국
bookstore
서점

a b c d e f g h i j k l m n o p q r s t u v w x y z

I met him on the *street*.
나는 거리에서 그를 만났다.
Be careful when you cross the *street*.
거리를 횡단할 때는 조심해라.

❷ 《**Street**로》 …가, …로
Wall *Street* (뉴욕의) 월가
We live on Second *Street* in this city. 우리는 이 도시의 2번가에 살고 있다.

## street•car *streetcar*

[strí:tkɑ̀:r 스트리-트카-]
명 (복수 **streetcars** [strí:tkɑ̀:rz 스트리-트카-즈])
《미》 시내 전차 (《영》 tramcar).
We took a *streetcar*.
우리는 시내 전차를 탔다.

## strength *strength*

[stréŋ(k)θ 스트렝(크)스]
명 《a와 복수형 안 씀》 (정신적 · 육체적인) 힘; 내구력, 강도
the *strength* of will 의지력
An elephant has huge *strength*.
코끼리는 엄청난 힘을 갖고 있다.

## stress *stress*

[strés 스트레스]
명 (복수 **stresses** [strésiz 스트레시즈]) ❶ 『언어』 강세, 악센트
❷ 긴장, 압박감, 스트레스
She is suffering from *stress*.
그녀는 스트레스로 고통받고 있다.
—타 (3단현 **stresses** [strésiz 스트레시즈], 과거 · 과분 **stressed** [strest 스트레스트], 현분 **stressing** [strésiŋ 스트레싱])

## stretch *stretch*

[strétʃ 스트레치]
타자 (3단현 **stretches** [strétʃiz 스트레치즈], 과거 · 과분 **stretched** [strétʃt 스트레치트], 현분 **stretching** [strétʃiŋ 스트레칭])
❶ (손발을) 뻗다, 펴다; 기지개를 켜다
He *stretched* out to reach the book.
그는 책을 집으려고 팔을 뻗었다.
He *stretched* his arms and yawned.
그는 기지개를 켜면서 하품했다.

❷ (토지 따위가) 뻗어 있다, 펼쳐져 있다
The desert *stretched* for hundreds of miles.
사막이 수백 마일 펼쳐졌다.
—명 (복수 **stretches** [strétʃiz 스트레치즈]) 뻗침, 연속; 범위
a *stretch* of road 한 줄기의 길
There is a long *stretch* of white beach. 백사장이 길게 뻗어 있다.

## strict *strict*

[stríkt 스트릭트]

형 (비교급 **stricter** [stríktər 스트릭터], 최상급 **strictest** [stríktist 스트릭티스트])
엄한, 엄격한; 정확한
a *strict* teacher 엄한 선생님
That school has *strict* rules.
저 학교는 규율이 엄격하다.

## *strike *strike*

[stráik 스트라이크]
타자 (3단현 **strikes** [stráiks 스트라이크스], 과거 · 과분 **struck** [strʌ́k 스트럭], 현분 **striking** [stráikiŋ 스트라이킹])
❶ 때리다, 치다
He *struck* me on the head.
그는 내 머리를 때렸다.

*Strike* the iron while it is hot.
《속담》 쇠는 달구어졌을 때 쳐라 《기회를 놓치지 마라》.
❷ 부딪치다, 충돌하다
The ship *struck* on the rocks.
그 배는 바위에 부딪쳤다.
❸ (시계 · 종이) 시간을 알리다
The clock is *striking* ten.
시계가 10시를 치고 있다.
❹ (생각 따위가) 떠오르다
A good idea has *struck* me.
좋은 생각이 떠올랐다.
❺ 파업하다, 스트라이크하다
The workers *struck* for higher pay. 근로자들이 임금 인상을 요구하는 파업을 했다.
— 명 (복수 **strikes** [stráiks 스트라이크스]) ❶ 치기, 때리기; 〖야구〗 스트라이크 (반 ball 볼)
The count is one ball and two *strikes*.
카운트는 투 스트라이크 원 볼이다.
❷ 파업, 스트라이크
The workers are on *strike*.
근로자들은 파업 중이다.

## *string *string*

[stríŋ 스트링]
명 (복수 **strings** [stríŋz 스트링즈])
❶ 줄, 끈, 실
She tied the box with a *string*.
그녀는 끈으로 상자를 묶었다.

❷ (활 · 악기의) 줄, 현; 《**the strings** 로》 현악기
My guitar has six *strings* on it.
나의 기타는 현이 6개다.

## strip¹ *strip*

[stríp 스트립]
타자 (3단현 **strips** [stríps 스트립스], 과거 · 과분 **stripped** [strípt 스트립트], 현분 **stripping** [strípiŋ 스트리핑])
(껍질 · 옷 등을) 벗기다; 벗다
He *stripped* the skin from a banana. 그는 바나나 껍질을 벗겼다.

**strip**[2] *strip*
[stríp 스트립]
타자 (복수 **strips** [stríps 스트립스])
❶ (천 · 나무 따위의) 길고 가느다란 조각
a *strip* of cloth
길고 가느다란 천 조각
❷ (신문 · 잡지의) 연속 만화

**stripe** *stripe*
[stráip 스트라이프]
명 (복수 **stripes** [stráips 스트라입스]) 줄, 줄무늬
Tom's shirt has blue *stripes*.
톰의 셔츠는 파란 줄무늬가 있다.

**stroke** *stroke*
[stróuk 스트로우크]
명 (복수 **strokes** [stróuks 스트로우크스]) ❶ 일격, 타격
Tom knocked him down with one *stroke*.
톰은 일격에 그를 쓰러뜨렸다.
❷ (보트의) 한 번 젓기, (수영에서 손발을) 한 번 놀리기

**strong** *strong*
[strɔ́ːŋ 스트롱-]
형 (비교급 **stronger** [strɔ́ːŋgər 스트롱-거], 최상급 **strongest** [strɔ́ːŋgist 스트롱-기스트])
❶ 힘센, 강한, 튼튼한 (반 weak 약한)

He has *strong* arms.
그는 팔 힘이 세다.
Milk will make your bones *strong*. 우유는 뼈를 튼튼하게 해준다.
❷ 거센, 강력한, 굳건한
Street trees fell down in a *strong* wind.
가로수가 강풍에 쓰러졌다.
❸ 자신있는, 잘하는
She is *strong* in English.
그녀는 영어를 잘한다.
❹ (맛이) 진한, (냄새 · 빛 따위가) 강렬한
The coffee is too *strong*.
커피 맛이 너무 진하다.

***struck** *struck*
[strʌ́k 스트럭]
타자 strike(치다)의 과거 · 과거분사

**struc•ture** *structure*
[strʌ́ktʃər 스트럭처]
명 (복수 **structures** [strʌ́ktʃərz 스트럭처즈]) ❶ 구조, 구성
the *structure* of the human body 인체의 구조
the *structure* of a novel
소설의 구성
❷ 구조물, 건축물 (동 building)
This is a stone *structure*.
이것은 석조 건축물이다.

**strug•gle** *struggle*
[strʌ́gl 스트러글]
자 (3단현 **stuggles** [strʌ́glz 스트러글즈], 과거 · 과분 **struggled** [strʌ́gld 스트러글드], 현분 **struggling** [strʌ́gliŋ 스트러글링])
❶ 몸부림치다, 버둥거리다; 맞서 싸우다
The bird *struggled* to fly.
새는 날려고 버둥거렸다.
The policeman *struggled* with the bank robber.
경관은 은행 강도와 맞서 싸웠다.

❷ 노력하다, 애쓰다; 힘겹게 나아가다
He *struggled* for a living.
그는 생계를 꾸려 가려고 애썼다.
— 명 (복수 **struggles** [strʌ́glz 스트러글즈]) 몸부림, 애씀, 투쟁
Life is a *struggle*.
인생이란 하나의 투쟁이다.

***stuck** *stuck*
[stʌ́k 스턱]
타자 stick(찌르다)의 과거 · 과거분사

⁑**stu•dent** *student*
[st(j)ú:dnt 스튜-든트]
명 (복수 **students** [st(j)ú:dnts 스튜-든츠]) 학생, 생도
My elder brother is a *student* in college. 나의 형은 대학생이다.
I am a high school *student*.
나는 고등학생이다.

참고 **student**는 영국에서는 대학생을 가리키고, 미국에서는 중학생을 가리킨다. **pupil**은 영국에서는 초 · 중 · 고의 생도를 가리키지만, 미국에서는 초등학생을 가리킨다.

**stu•di•o** *studio*
[st(j)ú:diòu 스튜-디오우]
명 (복수 **studios** [st(j)ú:diòuz 스튜-디오우즈])
(화가 · 사진 작가의) 작업실, 스튜디오; (라디오 · TV의) 방송실, 녹음실
a television *studio*, TV 방송실
a photo *studio* 사진관

⁑**stud•y** *study*
[stʌ́di 스터디]
타자 (3단현 **studies** [stʌ́diz 스터디즈], 과거 · 과분 **studied** [stʌ́did 스터디드], 현분 **studying** [stʌ́diiŋ 스터디잉])
❶ 공부하다, 연구하다
I am *studying* English.
나는 영어를 공부하고 있다.
She *studies* American history.
그녀는 미국 역사를 연구하고 있다.
❷ 조사하다
Let us *study* the train timetable.
열차 시각표를 조사해 보자.
— 명 (복수 **studies** [stʌ́diz 스터디

즈]) ❶ 공부; 《종종 복수형으로》 연구
She is fond of *study*.
그녀는 공부를 좋아한다.

He continued his *studies*.
그는 연구를 계속했다.
❷ 서재, 연구실
Jim has a *study* on the second floor.
짐은 2층에 서재를 갖고 있다.

**stuff** *stuff*
[stʌ́f 스터프]
명 《a와 복수형 안 씀》 재료, 물질; (막연히) 물건
What is this *stuff*?
이 재료는 무엇이지요?
—타 (3단현 **stuffs** [stʌ́fs 스터프스], 과거 · 과분 **stuffed** [stʌ́ft 스터프트], 현분 **stuffing** [stʌ́fiŋ 스터핑]) 채워 넣다; 속을 메우다

She *stuffed* her bear with cotton. 그녀는 곰인형 속에 솜을 채워 넣었다.

**stung** *stung*
[stʌ́ŋ 스텅]
형 sting(찌르다)의 과거 · 과거분사

**stu•pid** *stupid*
[st(j)ú:pid 스튜-피드]
형 (비교급 **stupider** [st(j)ú:pidər 스튜-피더], 최상급 **stupidest** [st(j)ú:pidist 스튜-피디스트])
❶ 어리석은, 바보 같은 (동 foolish)
How could you be so *stupid*?
어쩌면 넌 그렇게 어리석지?
❷ 시시한, 따분한
a *stupid* book 따분한 책

***style** *style*
[stáil 스타일]
명 (복수 **styles** [stáilz 스타일즈])
❶ (복장 따위의) 유행, 형, 스타일
This dress is in the latest *style*.
이 드레스는 최신 유행이다.

❷ (예술 · 건축 따위의) 양식, 형식, 풍
The house was built in the Spanish *style*.
그 집은 스페인 양식으로 지어졌다.
❸ 문체
She has a *style* of her own.
그녀에게는 독특한 문체가 있다.
숙어 ***in style*** 유행하여
Black is *in style* now.

검정색이 지금 유행하고 있다.
***out of style*** 유행이 끝나〔뒤져〕
This type of jacket will soon go *out of style*. 이런 타입의 재킷은 곧 유행이 끝날 것이다.

***sub•ject** *subject*
[sʌ́bdʒikt 서브직트]
명 (복수 **subjects** [sʌ́bdʒikts 서브직츠]) ❶ 학과, 과목
Which *subject* do you like best? 어떤 과목을 가장 좋아합니까?

❷ 주제, 제목
What is the *subject* of the poem? 이 시의 주제는 뭐지요?
❸ 〖문법〗 주어 (㉶ object 목적어)

**sub•ma•rine** *submarine*
[sʌ́bmərìːn 서브머린-]
명 (복수 **submarines** [sʌ́bmərìːnz 서브머린-즈]) 잠수함
Some *submarines* use atomic energy as fuel. 어떤 잠수함은 원자력을 연료로 사용한다.

**sub•stance** *substance*
[sʌ́bstəns 섭스턴스]
명 (복수 **substances** [sʌ́bstənsiz 섭스턴시즈]) ❶ 물질, 물체
solid *substance* 고체
❷ 《a와 복수형 안 씀》 본질; 요지
the *substance* of religion
종교의 본질
Tell the *substance* of the story. 그 이야기의 요지를 말하여라.

***sub•urb** *suburb*
[sʌ́bəːrb 서버-브]
명 (복수 **suburbs** [sʌ́bəːrbz 서버-브즈]) 교외, 근교; 《**the suburbs**로》 교외 주거지
He lives in *the suburbs* of New York. 그는 뉴욕의 교외에 산다.

***sub•way** *subway*
[sʌ́bwèi 서브웨이]
명 (복수 **subways** [sʌ́bwèiz 서브웨이즈]) 《미》 지하철; 《영》 지하도

He goes to his office by *subway*.
그는 지하철을 타고 회사에 다닌다.
✎ 미국의 지하철은 subway, 영국의 지하철은 underground 또는 the tube라고 함.

***suc•ceed** *succeed*
[səksíːd 석시-드]
자 (3단현 **succeeds** [səksíːdz 석시-즈], 과거 · 과분 **succeeded** [səksíːdid 석시-디드], 현분 **succeeding** [səksíːdiŋ 석시-딩]) 
❶ 성공하다 (㉯ fail 실패하다)
He *succeeded* as a musician.
그는 음악가로서 성공했다.

❷ 계승하다, 잇다 《to》
He *succeeded to* his father's business.
그는 아버지의 사업을 물려받았다.

❸ 뒤따르다, 이어지다
The wind died away, and the calm *succeeded*.
바람이 잦아들자 고요가 이어졌다.

---

***suc•cess** *success*
[səksés 석세스]
명 (복수 **successes** [səksésiz 석세시즈]) 성공 (반 failure 실패); 성공한 것〔사람〕
I wish you *success* in the exam.
시험에 성공하기를 빕니다.
Her concert was a great *success*. 그녀의 콘서트는 대성공이었다.

---

**suc•cess•ful** *successful*
[səksésfəl 석세스펄]
형 성공한
My uncle is a *successful* lawyer.
나의 숙부는 성공한 변호사이다.

---

****such** *such*
[《약》 sətʃ 서치; 《강》 sʌ́tʃ 서치]
형 《비교급 · 최상급 없음》
❶ 《**such**+(**a**+)명사로》 그와 같은, 그런, 이런
I can't answer *such a* question. 그런 질문에는 답변할 수 없다.
How can he say *such* things?
어떻게 그가 그런 말을 할 수 있지?

❷ 《**such**+(**a**+)형용사+명사로》 이렇게〔그렇게〕 …한; 대단히 …한
It was *such a* beautiful sunset.
그것은 참으로 아름다운 석양이었다.
He has *such a* nice camera.
그는 대단히 좋은 카메라를 갖고 있다.

❸ 굉장한, 지독한
She is *such* a beauty.
그녀는 굉장한 미인이다.
You are *such* a liar.
너는 지독한 거짓말쟁이야.

숙어 ***such as*** 예컨대 …와 같은
They keep some pets, *such as* cats and rabbits.
그들은 예컨대 고양이와 토끼 같은 애완동물을 기른다.

***such ... as ~*** ~와 같은 …
I'm not interested in *such* a book *as* this. 나는 이와 같은 책에

는 흥미가 없다.

***such ... as to** do* …하는 것 같은 ~, …할 만큼 ~

I am not *such* a fool *as to* believe it.
나는 그걸 믿을 만큼 바보가 아니다.

***such ... that ~*** 대단히 …해서 ~이다

It was *such* a lovely day *that* everybody wanted to go outside. 매우 화창한 날이었으므로 모두들 바깥에 나가고 싶어했다.

✎ such ... as ~나 such ... that ~에서는 such 뒤에 명사가 옴. 형용사 또는 부사가 올 때는 so ... as ~나 so ... that ~가 됨.

—대 그런 것〔사람〕, 이와 같은 것〔사람〕

*Such* is life. 인생이란 그런거야.
*Such* are the results.
그 결과는 이와 같다.

숙어 ***and such*** 등등, 따위

## sud•den *sudden*

[sʌ́dn 서든]

형 갑작스러운, 불시의, 뜻밖의

a *sudden* change 갑작스런 변화
His *sudden* death was a great shock to us all. 그의 갑작스런 죽음은 우리 모두에게 큰 충격이었다.

—명 《다음 숙어로만 쓰임》

숙어 ***all of a sudden*** 갑자기, 돌연히 (동 suddenly)

*All of a sudden* the light went out. 갑자기 전등이 꺼졌다.

## *sud•den•ly *suddenly*

[sʌ́dnli 서든리]

부 갑자기, 불현듯

He stopped the car *suddenly*.
그는 갑자기 차를 멈췄다.

## *suf•fer *suffer*

[sʌ́fər 서퍼]

동 (3단현 **suffers** [sʌ́fərz 서퍼즈], 과거 · 과분 **suffered** [sʌ́fərd 서퍼드], 현분 **suffering** [sʌ́f(ə)riŋ 서퍼링])

—타 ❶ (고통 · 손해를) 받다, 당하다

He *suffered* pain in his ear.
그는 귀의 통증으로 고생했다.
They *suffered* a great loss.
그들은 큰 손해를 입었다.

❷ 《보통 부정문에서》 (…을) 참다, 견디다

The roses cannot *suffer* winter cold. 장미는 겨울의 추위를 견디지 못한다.

—자 《보통 **suffer from**으로》 괴로워하다, 고생하다; 병들다.

I often *suffer from* a toothache.
나는 종종 치통을 앓는다.

## suf•fi•cient *sufficient*

[səfíʃənt 서피션트]

형 충분한, 넉넉한 (동 enough)
There is *sufficient* food for ten people.
10명이 먹을 충분한 음식이 있다.

---

***sug•ar** *sugar*
[ʃúgər 슈거]
명 《보통 a와 복수형 안 씀》 **설탕**
a lump of *sugar* 각설탕 하나
How much *sugar* shall I put in your coffee?
커피에 설탕을 얼마나 탈까요?

---

**sug•gest** *suggest*
[sə(g)dʒést 서(그)제스트]
타 (3단현 **suggests** [sə(g)dʒésts 서(그)제스츠], 과거 · 과분 **suggested** [sə(g)dʒéstid 서(그)제스티드], 현분 **suggesting** [sə(g)dʒéstiŋ 서(그)제스팅])
❶ 제안하다, (…라고) 말을 꺼내다
He *suggested* a different plan.
그는 다른 계획을 제안했다.
❷ 암시하다, 연상시키다
Her smile *suggests* that she is happy. 그녀의 미소는 그녀가 행복하다는 것을 암시한다.

---

**sug•ges•tion** *suggestion*
[sə(g)dʒéstʃən 서(그)제스천]
명 (복수 **suggestions** [sə(g)dʒéstʃənz 서(그)제스천즈]) 제안; 암시
Do you have any *suggestion*?
무언가 제안할 것이 있습니까?

---

***suit** *suit*
[sú:t 수-트]
명 (복수 **suits** [sú:ts 수-츠])
(같은 복지로 된 한 벌의) **양복**

a *suit* of clothes 남성복 한 벌

**참고** **suit**는 「맞춤복 한 벌」로 신사복의 경우는 coat(상의), waistcoat(조끼), trousers(바지) 3개가 한 벌이며, 여성복은 coat와 skirt로 구색을 맞춘다. 여성복인 **dress**는 원피스로서 정장으로 입기도 한다.

— 타 (3단현 **suits** [sú:ts 수-츠], 과거 · 과분 **suited** [sú:tid 수-티드], 현분 **suiting** [sú:tiŋ 수-팅])
❶ **편리하다,** 형편에 맞다
The first up-train *suits* me.
첫번째 상행 열차가 나한테 편리하다.
❷ (…에) **적합하다**《for, to》; 어울리다
She is not *suited for* this job.
그녀는 이 일에 적합하지 않다.
A green hat *suits* her very well.
초록색 모자가 그녀에게 아주 잘 어울린다.

**suit•a•ble** *suitable*
[sú:təbl 수-터블]
형 적합한, 알맞은 《for, to》
This curtain is *suitable for* summer. 이 커튼은 여름철에 알맞다.

**suit•case** *suitcase*
[sú:tkèis 수-트케이스]
명 (복수 **suitcases** [sú:tkèisiz 수-트케이시즈]) 여행 가방, 수트케이스
I carry a *suitcase* on trips.
나는 여행할 때 수트케이스를 갖고 다닌다.

***sum** *sum*
[sʌ́m 섬]
명 (복수 **sums** [sʌ́mz 섬즈])
❶ 《the를 붙여》 합계, 총계
*The sum* of 3 and 8 is 11.
3과 8의 합계는 11이다.

❷ 금액, 액수
A hundred dollars is a large *sum* of money.
100달러는 큰 액수의 돈이다.
❸ 《복수형으로》 산수의 계산(문제)
He is not good at *sums*.
그는 계산에 서투르다.

**sum•ma•rize** *summarize*
[sʌ́mərὰiz 서머라이즈]
타 (3단현 **summarizes** [sʌ́mərὰiziz 서머라이지즈], 과거 · 과분 **summarized** [sʌ́mərὰizd 서머라이즈드], 현분 **summarizing** [sʌ́mərὰiziŋ 서머라이징])
요약하여 말하다, 요약하다
Please *summarize* the report.
그 보고서를 요약해 주세요.

⁑**sum•mer** *summer*
[sʌ́mər 서머]
명 여름, 여름철
in early *summer* 초여름에
He went to Hawaii last *summer*. 그는 지난 여름 하와이에 갔다.

—형 여름의, 여름철의
*Summer* vacation begins next week.
여름 방학은 다음 주에 시작한다.

**sum•mit** *summit*
[sʌ́mit 서밋]
명 (복수 **summits** [sʌ́mits 서미츠])
❶ (산 따위의) 정상, 꼭대기 (동 top)

a b c d e f g h i j k l m n o p q r s t u v w x y z

We climbed to the *summit* of the mountain.
우리는 그 산의 정상에 올라갔다.
❷ (선진국) 수뇌 (회담)

**⁑sun** *sun*
[sʌ́n 선]
명 《the를 붙여》 ❶ 태양, 해
*the* rising *sun* 아침 해
*The sun* rises in the east and sets in the west.
태양은 동쪽에서 떠서 서쪽으로 진다.
❷ 햇빛; 양지
They are bathing in the *sun*.
그들은 일광욕을 하고 있다.

**⁑Sun•day** *Sunday*
[sʌ́ndèi 선데이]
명 (복수 **Sundays** [sʌ́ndèiz 선데이즈]) 일요일 (약 Sun.)
next *Sunday* 다음 주 일요일
We go to church on *Sunday(s)*.
우리는 일요일에 교회에 간다.

Let's go swimming on *Sunday*. 일요일에 수영하러 가자.

**sun•flow•er** *sunflower*
[sʌ́nflàuər 선플라우어]
명 (복수 **sunflowers** [sʌ́nflàuərz 선플라우어즈]) 〖식물〗 해바라기

The *sunflower* turns towards the sun. 해바라기는 해를 향한다.

***sung** *sung*
[sʌ́ŋ 성]
타자 sing(노래하다)의 과거분사

**sun•glass•es** *sunglasses*
[sʌ́nglæ̀siz 선글래시즈]
명 《복수형으로》 색안경, 선글라스

In summer beaches, nearly everyone wears *sunglasses*.
여름철 해변에서는 거의 모든 사람이 선글라스를 쓴다.

*__sunk__ *sunk*
[sʌ́nk 성크]
동 sink(가라앉다)의 과거분사

**sun•light** *sunlight*
[sʌ́nlàit 선라이트]
명 일광, 햇빛

*__sun•ny__ *sunny*
[sʌ́ni 서니]
형 (비교급 **sunnier** [sʌ́niər 서니어], 최상급 **sunniest** [sʌ́niist 서니이스트])
양지바른; (날씨가) 화창한
We sat on the *sunny* porch.
우리는 양지바른 현관에 앉아 있었다.

*__sun•rise__ *sunrise*
[sʌ́nràiz 선라이즈]
명 (복수 **sunrises** [sʌ́nràiziz 선라이지즈]) 일출, 해돋이; 새벽녘

The birds started singing at *sunrise*. 새들은 해가 뜨자 지저귀기 시작했다.

*__sun•set__ *sunset*
[sʌ́nsèt 선셋]
명 (복수 **sunsets** [sʌ́nsèts 선세츠]) 일몰; 해질녘
They stopped work at *sunset*.
그들은 해질녘에 작업을 멈추었다.

*__sun•shine__ *sunshine*
[sʌ́nʃàin 선샤인]
명 일광, 햇볕; 양지
After rain comes *sunshine*.
《속담》 비 온 뒤에 화창한 날이 온다 《나쁜 일 뒤에 좋은 일이 찾아온다》.

**su•per** *super*
[súpər 수-퍼]
형 최고의; 훌륭한, 멋진
We had a *super* time.
우리는 멋진 시간을 보냈다.

**su•per•man** *superman*
[sú:pərmæ̀n 수-퍼맨]
명 (복수 **supermen** [sú:pərmæ̀n 수-퍼맨즈]) 초인, 슈퍼맨

**su•pe•ri•or** *superior*
[supí(ə)riər 수피(어)리어]
형 ❶ (품질 · 소질이) 우수한, 뛰어난, 나은 (반 inferior 열등한, 하급의) 《to》
His car is much *superior to* ours.
그의 차는 우리 차보다 훨씬 낫다.

✎ superior 다음의 비교되는 것 앞에 than이 아니라 to를 씀. 따라서 superior than이라고 하면 틀림.
❷ 상급의, 상위의
The soldier saluted his *superior* officer.
그 사병은 상관에게 경례했다.

**su•per•mar•ket** *supermarket*
[sú:pərmɑ̀:rkit 수-퍼마-킷]
명 (복수 **supermarkets** [sú:pər-mɑ̀:rkits 수-퍼마-키츠])
슈퍼마켓 ((대형 식품 · 잡화점))

They went shopping at the *supermarket*.
그들은 슈퍼마켓으로 쇼핑하러 갔다.

**su•per•sti•tion** *superstition*
[sù:pərstíʃən 수-퍼스티션]
명 (복수 **superstitions** [sù:pərstíʃənz 수-퍼스티션즈])
미신, 미신적 행위〔관습〕

That's just a *superstition*.
그것은 단지 미신일 뿐이다.

⁑**sup•per** *supper*
[sʌ́pər 서퍼]
명 (복수 **suppers** [sʌ́pərz 서퍼즈])
《a와 복수형 안 씀》 저녁 식사, 야식

We have *supper* at seven.
우리는 7시에 저녁 식사를 한다.
What did you have for *supper*? 저녁 식사에 뭘 드셨습니까?

참고 (1) 아침 식사는 breakfast, 점심은 lunch, 특히 점심에 dinner를 먹으면 저녁 식사는 약식의 supper가 된다.
(2) supper에는 대개 a와 복수형이 붙지 않지만 식사의 내용을 말할 때는 예외이다: I want a light *supper*. 나는 가벼운 저녁 식사를 먹고 싶다.

***sup•ply** *supply*
[səplái 서플라이]
타 (3단현 **supplies** [səpláiz 서플라이즈], 과거 · 과분 **supplied** [səpláid 서플라이드], 현분 **supplying** [səpláiiŋ 서플라이잉])
(필요 · 부족한 것을) 공급하다, 주다 (동 provide)

Cows *supply* us with milk.
젖소는 우리에게 우유를 공급한다.

We *supplied* him with money.
우리는 그에게 돈을 대주었다.

—명 (복수 **supplies** [səpláiz 서플라이즈])
❶ 공급, 보급 (반 demand 수요)
The typhoon cut off the *sup-*

*ply* of electricity.
태풍으로 전기 공급이 끊어졌다.

❷ 《복수형으로》 생활 필수품, 군수품
We have bought the *supplies* for our camping trip.
우리는 캠핑 여행용 필수품을 샀다.

---

## *sup•port *support*

[səpɔ́ːrt 서포-트]

타 (3단현 **supports** [səpɔ́ːrts 서포-츠], 과거 · 과분 **supported** [səpɔ́ːrtid 서포-티드], 현분 **supporting** [səpɔ́ːrtiŋ 서포-팅])

❶ 지탱하다, 떠받치다
The old man *supported* himself with a cane.
그 노인은 지팡이로 몸을 지탱했다.

❷ 지지하다, 후원하다
I'll *support* you as much as I can.
가능한 한 당신을 후원하겠습니다.

❸ (가족을) 부양하다
Jane's mother *supports* her family.
제인의 어머니는 가족을 부양한다.

— 명 《a와 복수형 안 씀》 지지; 후원; 부양
We need your *support*. 우리는 당신의 지지를 필요로 합니다.

---

## *sup•pose *suppose*

[səpóuz 서포우즈]

타 (3단현 **supposes** [səpóuziz 서포우지즈], 과거 · 과분 **supposed** [səpóuzd 서포우즈드], 현분 **supposing** [səpóuziŋ 서포우징])

❶ (…라고) 생각하다, 추측하다
I *suppose* (that) he will come.
그가 올거라고 생각한다.

❷ 《명령형으로》 …하면 어떨까요
*Suppose* we meet at the station. 우리가 역에서 만나기로 하면 어떨까요.

❸ 《명령형 · 현재분사형으로》 만약 …한다면 (동 if)
*Suppose* he saw you now, what would he say?
만약 그가 지금 당신을 만났다면, 그는 뭐라고 할까요?
*Supposing* she can't come, who will do the work?
만약 그녀가 오지 않는다면, 누가 그 일을 할까요?

숙어 ***be supposed to** do* …하기로 되어 있다
He *is supposed to* come by five.
그는 5시까지 오기로 되어 있다.

---

## ⁑sure *sure*

[ʃúər 슈어]

형 (비교급 **surer** [ʃú(ə)rər 슈(어)러], 최상급 **surest** [ʃú(ə)rist 슈(어)리스트])

❶ 《보어로 쓰여》 확신하는, 틀림없는

a b c d e f g h i j k l m n o p q r s t u v w x y z

A B C D E F G H I J K L M N O P Q R S T U V W X Y Z

I am *sure* of his victory. 나는 그가 승리할 것이라고 확신한다.

I feel *sure* I've met you before. 전에 당신을 만났던 게 틀림없어요.

❷ 확실한, 믿을 수 있는
Those black clouds are a *sure* sign it's going to rain. 저 먹구름은 비가 올 확실한 징조다.

❸ 《**be sure to** do로》 반드시〔꼭〕 …하다
He *is sure to* win. 그는 반드시 이긴다.

숙어 ***make sure*** (***of***) (…을) 확인하다
I *made sure of* her arrival. 나는 그녀의 도착을 확인했다.

***to be sure*** 《보통 but을 수반하여》 분명히, 과연
*To be sure* he is not bright, *but* he is honest. 분명히 그는 영리하지 않지만, 정직하다

— 부 확실히, 물론 (동 surely)
"Will you help me?" "*Sure*." 「나를 도와주겠니?」「물론이지.」

숙어 ***sure enough*** 생각한 대로, 틀림없이

---

### *sure•ly *surely*
[ʃúərli 슈얼리]
부 ❶ 《문장 전체를 수식하여》 확실히, 틀림없이 (동 certainly)
*Surely* you are mistaken. 틀림없이 넌 잘못한 거야.

❷ 《대답으로서》 아무렴, 물론
"Will you wait for me for a moment?" "*Surely*!" 「잠시 기다려 주겠니?」「물론이지!」

---

### sur•face *surface*
[sə́ːrfəs 서-퍼스]
😊 a는 [ə]로 발음함.
명 (복수 **surfaces** [sə́ːrfəsiz 서-퍼시즈]) 표면, 외면, 겉보기
The astronauts explored the *surface* of the moon. 우주인들은 달 표면을 탐험했다.

The problem seemed difficult on the *surface*. 겉보기에 그 문제는 어려워 보였다.

---

### surf•ing *surfing*
[sə́ːrfiŋ 서-핑]
명 〖스포츠〗 《a와 복수형 안 씀》 서핑, 파도 타기

He enjoyed *surfing* in the sea.
그는 바다에서 서핑을 즐겼다.

**sur•geon** *surgeon*
[sə́ːrdʒən 서-전]
명 (복수 **surgeons** [sə́ːrdʒənz 서-전즈])
외과 의사 (관 physician 내과 의사)
The *surgeon* operated on my broken leg. 그 외과 의사가 내 부러진 다리를 수술했다.

**sur•name** *surname*
[sə́ːrneim 서네임]
명 (복수 **surname** [sə́ːrneimz 서네임즈]) 성 (동 family name)

***sur•prise** *surprise*
[sərpráiz 서프라이즈]
타 (3단현 **surprises** [sərpráiziz 서프라이지즈], 과거 · 과분 **surprised** [sərpráizd 서프라이즈드], 현분 **surprising** [sərpráiziŋ 서프라이징])
❶ (깜짝) 놀라게 하다
The result *surprised* me.
그 결과가 나를 놀라게 했다.

❷ 《**be surprised at**; **be surprised to** do로》 놀라다
I *was surprised at* the news.
나는 그 소식에 놀랐다.
He *was surprised to* hear it.
그는 그것을 듣고 놀랐다.
—명 (복수 **surprises** [sərpráiziz 서프라이지즈]) ❶ 놀라움, 경악
Her face showed *surprise*.
그녀의 얼굴은 놀라움을 나타내었다.
❷ 깜짝 놀라게 하는 것〔사건〕
I have a *surprise* for you.
너를 깜짝 놀라게 할 일이 있다.
숙어 ***in surprise*** 놀라서
We jumped up *in surprise*.
우리는 놀라서 펄쩍 뛰었다.

*to one's* ***surprise*** 놀랍게도
*To my surprise*, I found my dog dead. 놀랍게도, 나의 개가 죽은 것을 알았다.

**sur•pris•ing** *surprising*
[sərpráiziŋ 서프라이징]
형 놀랄 만한; 뜻밖의
That is a *surprising* event.
그것은 뜻밖의 사건이다.

***sur•round** *surround*
[səráund 서라운드]
타 (3단현 **surrounds** [səráundz 서라운즈], 과거 · 과분 **surrounded** [səráundid 서라운디드], 현분 **surrounding** [səráundiŋ 서라운딩])
에워싸다, 둘러싸다
The house is *surrounded* by trees. 그 집은 나무로 둘러싸여 있다.

They *surrounded* the actress.
그들은 그 여배우를 에워쌌다.

**sur•vey** *survey*
[sərvéi 서베이]
명 (복수 **surveys** [sərvéiz 서베이즈])
전망; 조사; 측량
a market *survey* 시장 조사
—타 (3단현 **surveys** [sərvéiz 서베이즈], 과거 · 과분 **surveyed** [sərvéid 서베이드], 현분 **surveying** [sərvéiiŋ 서베이잉])
❶ 건너다보다, 전망하다
We *surveyed* the view from the top of a hill. 우리는 언덕 꼭대기에서 경치를 바라보았다.
❷ 조사하다, 검토하다; 측량하다

He *surveyed* the ground for the new building. 그는 새로 지을 건물의 부지를 측량했다.

**sur•viv•al** *survival*
[sərváivəl 서바이벌]
명 (복수 **survivals** [sərváivəlz 서바이벌즈]) 살아남기, 생존(자), 존속
the fight for *survival*
생존을 위한 투쟁

**sur•vive** *survive*
[sərváiv 서바이브]
타자 (3단현 **survives** [sərváivz 서바이브즈], 과거 · 과분 **survived** [sərváivd 서바이브드], 현분 **surviving** [sərváiviŋ 서바이빙])
…보다 오래 살다, 살아남다; 잔존하다
He *survived* his sons.
그는 아들들보다 오래 살았다.
That custom still *survives*.
그 풍습은 아직도 남아 있다.

**sus•pect** *suspect*
[səspékt 서스펙트]
타 (3단현 **suspects** [səspékts 서스펙츠], 과거 · 과분 **suspected** [səspéktid 서스펙티드], 현분 **suspecting** [səspéktiŋ 서스펙팅])
❶ 의심하다, 수상쩍게 여기다
I *suspect* him to be a thief.
나는 그를 도둑이라고 의심한다.
❷ 《**supect that...**으로》 …아닌가 하고 생각하다

I *suspect* that he is a liar.
나는 그가 거짓말쟁이가 아닐까 하고 생각한다.
— 명 (복수 **suspects** [səspékts 서스펙츠]) (범죄) 용의자

## *swal•low[1] *swallow*

[swálou 스왈로우]
명 (복수 **swallows** [swálouz 스왈로우즈]) 〚조류〛 제비
*Swallows* come every spring.
봄철마다 제비가 찾아온다.

## swal•low[2] *swallow*

[swálou 스왈로우]
타 (3단현 **swallows** [swálouz 스왈로우즈], 과거 · 과분 **swallowed** [swáloud 스왈로우드], 현분 **swallowing** [swálouiŋ 스왈로우잉])
삼키다, 들이켜다
The snake *swallowed* the frog whole. 뱀이 개구리를 통째로 삼켰다.

## swam *swam*

[swǽm 스왬]
명 swim(헤엄치다)의 과거

## *swan *swan*

[swán 스완]
명 (복수 **swans** [swánz 스완즈]) 〚조류〛 백조

## swarm *swarm*

[swɔ́ːrm 스웜-]
명 (곤충 따위의) 무리, 떼; 군중
a *swarm* of bees 벌떼
— 자 (3단현 **swarms** [swɔ́ːrmz 스웜-즈], 과거 · 과분 **swarmed** [swɔ́ːrmd 스웜-드], 현분 **swarming** [swɔ́ːrmiŋ 스워-밍])
무리짓다, (…으로) 우글거리다
The river *swarmed* with crocodiles. 그 강은 악어들로 우글거렸다.

## swear *swear*

[swέər 스웨어]
타 자 (3단현 **swears** [swέərz 스웨어즈], 과거 **swore** [swɔ́ːr 스워-], 과분 **sworn** [swɔ́ːrn 스원-], 현분 **swearing** [swέ(ə)riŋ 스웨(어)링])
맹세하다, 선서하다
He *swore* to tell the truth.
그는 진실을 말할 것을 선서했다.

## sweat *sweat*

[swét 스웻]
☺ ea는 [e]로 발음함.
명 《a와 복수형 안 씀》 땀
He wiped the *sweat* from his brow. 그는 이마의 땀을 닦았다.
— 자 (3단현 **sweats** [swéts 스웨츠], 과거 · 과분 **sweat** [swét 스웻], 현분 **sweating** [swétiŋ 스웨팅])
땀 흘리다, 땀나다

A B C D E F G H I J K L M N O P Q R S T U V W X Y Z

You will not succeed without *sweating*.
땀 흘리지 않으면 성공하지 못한다.

***sweat•er** *sweater*
[swétər 스웨터]
명 (복수 **sweaters** [swétərz 스웨터즈]) 스웨터
He bought a *sweater* for his grandmother.
그는 할머니를 위해 스웨터를 샀다.

***sweep** *sweep*
[swíːp 스위–프]
타자 (3단현 **sweeps** [swíːps 스위–프스], 과거 · 과분 **swept** [swépt 스웹트], 현분 **sweeping** [swíːpiŋ 스위–핑])
❶ (비로) 쓸다, 청소하다

Kate is *sweeping* the floor.
케이트는 마루를 쓸고 있다.
❷ 휩쓸려가다, 떠내려가다
The bridge was *swept* away in the flood.
다리가 홍수에 떠내려갔다.
—명 (복수 **sweeps** [swíːps 스위–프스]) 쓸기, 청소

**⁑sweet** *sweet*
[swíːt 스위–트]
형 (비교급 **sweeter** [swíːtər 스위–터], 최상급 **sweetest** [swíːtist 스위–티스트])
❶ (맛이) 단, 달콤한 (관 bitter 쓴, sour 신)
Most children like *sweet* things.
대부분의 아이들은 단 것을 좋아한다.

❷ (냄새가) 향기로운; (목소리가) 감미로운
This flower smells *sweet*.
이 꽃은 향기로운 냄새가 난다.
She has a *sweet* voice. 그녀는 감미로운 목소리를 갖고 있다.
❸ 친절한, 상냥한
It is really *sweet* of you to come.
참으로 친절하게도 와 주셨군요.
❹ 귀여운, 예쁜; 기분 좋은
That puppy is very *sweet*.
저 강아지는 매우 귀엽다.
—명 (복수 **sweets** [swíːts 스위–츠]) 단 것, 사탕 과자 (동 candy)
I am fond of *sweets*.
나는 사탕을 좋아한다.

**sweet po•ta•to** *sweet potato*
[swíːt pətèitou 스위-트퍼테이토우]
〚식물〛 고구마

**swell** *swell*
[swél 스웰]
자타 (3단현 **swells** [swélz 스웰즈], 과거 **swelled** [swéld 스웰드], 과분 **swelled** [swéld 스웰드] 또는 **swollen** [swóulən 스월런], 현분 **swelling** [swéliŋ 스웰링])
❶ 부풀다, 붇다; 부풀리다
Her injured finger *swelled*.
그녀의 다친 손가락이 부었다.

❷ 불어나다, 늘어나다; 늘리다
The river *swelled* with the rain. 강이 비로 불어났다.
❸ (가슴이) 뿌듯하다, 벅차다
Her heart *swelled* with joy.
그녀의 가슴은 기쁨으로 벅찼다.

**swept** *swept*
[swépt 스웹트]
타 sweep(쓸다)의 과거 · 과거분사

**swift** *swift*
[swíft 스위프트]
형 (비교급 **swifter** [swíftər 스위프터], 최상급 **swiftest** [swíftist 스위프티스트])
날쌘, 재빠른 (동 quick, fast, 반 slow 느린)
The cowboy has a *swift* horse.
그 목동은 날쌘 말을 갖고 있다.

**swift•ly** *swiftly*
[swíftli 스위프틀리]
부 재빨리, 신속하게
Time goes very *swiftly*.
시간은 아주 빠르게 지나간다.

⁑**swim** *swim*
[swím 스윔]
명 수영, 헤엄
We went for a *swim* in the lake.
우리는 호수로 수영하러 갔다.
—자 (3단현 **swims** [swímz 스윔즈], 과거 **swam** [swǽm 스왬], 과분 **swum** [swʌ́m 스웜], 현분 **swimming** [swímiŋ 스위밍])
수영하다, 헤엄치다

He *swims* well.
그는 수영을 잘한다.

Dolphins *swim* in the ocean.
돌고래들이 대양에서 헤엄친다.

**swim•mer** *swimmer*
[swímər 스위머]
명 (복수 **swimmers** [swímərz 스위머즈]) 수영 선수, 헤엄치는 사람
He is a good *swimmer*.
그는 뛰어난 수영 선수다.

*** swim•ming** *swimming*
[swímiŋ 스위밍]
명 수영, 헤엄치기
He likes *swimming*.
그는 수영을 좋아한다.
He belongs to the *swimming* club. 그는 수영 클럽에 들어 있다.

참고 **수영의 종류**

| | |
|---|---|
| 크롤, 자유형 | **crawl**, **freestyle** |
| 평영 | **breaststroke** |
| 배영 | **backstroke** |
| 접영 | **butterfly** |

**swing** *swing*
[swíŋ 스윙]
자타 (3단현 **swings** [swíŋz 스윙즈], 과거 · 과분 **swung** [swʌ́ŋ 스웡], 현분 **swinging** [swíŋiŋ 스윙잉])
❶ 흔들리다; 흔들다, 휘두르다
Don't let your legs *swing*.
다리를 흔들지 마라.
Charlie *swung* the baseball bat. 찰리는 야구 방망이를 휘둘렀다.
❷ 회전하다, 빙 돌다〔돌리다〕
His car *swung* around the corner.
그의 차는 모퉁이를 빙 돌았다.
—명 ❶ 흔들리기; 휘두르기
a *swing* of golf club
골프 클럽의 스윙
❷ 그네(타기)

They played on the *swings* in the playground.
그들은 놀이터에서 그네타기를 했다.

**Swiss** *Swiss*
[swís 스위스]
형 스위스의, 스위스 사람의
a *Swiss* watch 스위스제 시계
—명 (복수 **Swiss** [swís 스위스]) 《the를 붙여》 스위스 사람 (전체)

*** switch** *switch*
[swítʃ 스위치]
명 (복수 **switches** [swítʃiz 스위치즈]) 〖전기〗 스위치
Turn on〔off〕 the light *switch*, please.
전등 스위치를 켜〔꺼〕 주세요.
—타자 (3단현 **switches** [swítʃiz 스위치즈], 과거 · 과분 **switched** [swítʃt 스위치트], 현분 **switching**

A B C D E F G H I J K L M N O P Q R S T U V W X Y Z

[swítʃiŋ 스위칭])
《**switch on**〔**off**〕로》 전원을 켜다〔끄다〕
He *switched* the radio *on*〔*off*〕.
그는 라디오의 스위치를 켰다〔껐다〕.

## Switz•er•land *Switzerland*
[swítsərlənd 스위처런드]
명 스위스 《유럽 중부의 영세 중립국; 수도는 베른(Bern)》

The Alps is in *Switzerland*.
알프스 산맥은 스위스에 있다.

## swol•len *swollen*
[swóul(ə)n 스워울런]
자타 swell(부풀다)의 과거분사

## sword *sword*
[sɔ́ːrd 소-드]
w는 발음하지 않음.
명 (복수 **swords** [sɔ́ːrdz 소-즈]) 검, 칼; 《the를 붙여》 무력

Knights used *swords* to fight their enemies. 기사들은 적과 싸우는 데 검을 사용했다.

## swore *swore*
[swɔ́ːr 스워-]
타자 swear(맹세하다)의 과거

## sworn *sworn*
[swɔ́ːrn 스원-]
타자 swear(맹세하다)의 과거분사

## swum *swum*
[swʌ́m 스웜]
타자 swim(헤엄치다)의 과거분사

## swung *swung*
[swʌ́ŋ 스웡]
타자 swing(흔들리다)의 과거 · 과거분사

## syl•la•ble *syllable*
[síləbl 실러블]
명 (복수 **syllables** [síləblz 실러블즈]) 음절

## sym•bol *symbol*
[símbəl 심벌]
명 (복수 **symbols** [símbəlz 심벌즈])
❶ 상징, 심벌
The dove is the *symbol* of peace. 비둘기는 평화의 상징이다.

a b c d e f g h i j k l m n o p q r s t u v w x y z

❷ 기호, 부호
The mark + is the *symbol* for addition. +표는 덧셈 기호이다.
chemical *symbol* 화학 기호

**sym•pa•thy** *sympathy*
[símpəθi 심퍼시]
명 《a와 복수형 안 씀》
❶ 동정(심), 연민

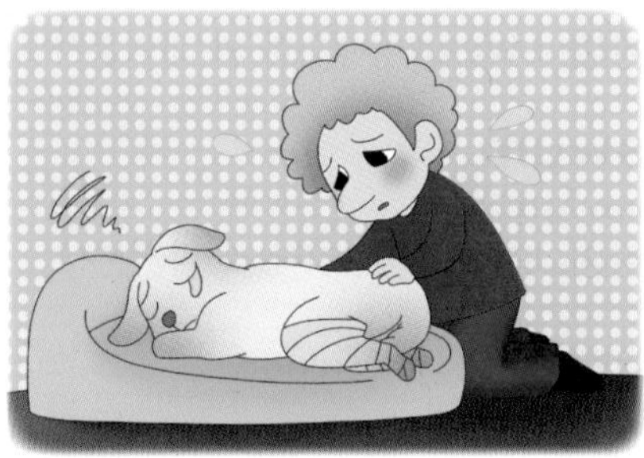

He had *sympathy* for the hurt dog. 그는 다친 개를 불쌍히 여겼다.

❷ 공감, 동감

**sym•phony** *symphony*
[símfəni 심퍼니]
명 (복수 **symphonies** [símfəniz 심퍼니즈]) 『음악』 교향곡, 심포니
I love the *symphonies* of Mozart.
나는 모차르트의 교향곡을 좋아한다.

*__sys•tem__ *system*
[sístəm 시스텀]
명 (복수 **systems** [sístəmz 시스텀즈]) ❶ 제도; 체계; 조직
the *system* of education
교육 제도
a *system* of grammar 문법 체계
❷ 방법, 방식 (동 method)
He taught English with a new *system*. 그는 새로운 방식으로 영어를 가르쳤다.

**T, t** *T, t*
[tíː 티-]
명 (복수 **T's, t's** [tíːz 티-즈])
티 《알파벳의 스무 번째 글자》

**⁑ta•ble** *table*
[téibl 테이블]
명 (복수 **tables** [téiblz 테이블즈])
❶ 식탁, 테이블, 탁자 (관 desk 책상)
There is a vase on the *table.*
테이블 위에 꽃병이 있다.

The *table* in the dining room can seat eight people.
식당의 식탁은 8명이 앉을 수 있다.
❷ 표, 목록, 일람표 (동 list)
a *table* of contents (책의) 목차
숙어 ***set the table*** 식탁을 차리다
She *set the table* for breakfast.
그녀는 아침 식탁을 차렸다.
***at table*** 식탁에 앉아, 식사 중인
They are *at table.*
그들은 식사 중이다.

**ta•ble•cloth** *tablecloth*
[téiblklɔ̀(ː)θ 테이블클로(-)스]
명 (복수 **tablecloths** [téiblklɔ̀(ː)θz 테이블클로(-)스즈]) 식탁보, 상보
A white *tablecloth* was spread on the table.
흰 식탁보가 식탁 위에 펼쳐졌다.

**ta•ble ten•nis** *table tennis*
[téibl tènis 테이블테니스]
명 《a와 복수형 안 씀》 탁구, 핑퐁 (동 ping-pong)

Let's play *table tennis.*
우리 탁구 치자.

**tag** *tag*
[tǽg 태그]
명 (복수 **tags** [tǽgz 태그즈])
꼬리표, 표찰; 가격표
A price *tag* tells how much something cost. 가격표는 어떤 물건의 값이 얼마인가를 표시한다.

## *tail *tail*

[téil 테일]

명 (복수 **tails** [téilz 테일즈])
(동물의) 꼬리 (반 head 머리); (사물의) 끝부분

the *tail* of a parade
행렬의 끝부분

Don't pull the dog's *tail*.
개의 꼬리를 잡아당기지 마라.

## tai·lor *tailor*

[téilər 테일러]

명 (복수 **tailors** [téilərz 테일러즈])
재단사, 재봉사; (주문 받아 옷을 만드는) 양복점

a *tailor* shop 양복점

## ⁑take *take*

[téik 테이크]

타 (3단현 **takes** [téiks 테이크스], 과거 **took** [túk 툭], 과분 **taken** [téikən 테이컨], 현분 **taking** [téikiŋ 테이킹])

❶ (손으로) 잡다, 쥐다, 집다

I *took* her by the hand.
나는 그녀의 손을 잡았다.

He *took* a pen in his hand.
그는 펜을 손에 쥐었다.

❷ (사람을) 데리고 가다; (물건을) 가지고 가다

He *took* us to the zoo.
그는 우리를 동물원에 데리고 갔다.

*Take* an umbrella with you.
우산을 갖고 가거라.

❸ 먹다, 마시다 (동 have)

I *take* breakfast at seven.
나는 7시에 아침 식사를 한다.

Will you *take* tea?
차를 마시겠습니까?

✎ 「먹는다」의 뜻으로 《구어》에서는 have를 많이 쓰지만 약을 「복용하다」의 뜻으로는 take를 씀.

❹ (사진을) 찍다; 적어 두다, 기록하다

He *took* a lot of pictures there.
그는 저기에서 사진을 많이 찍었다.

I *took* down her address in my notebook. 나는 노트북에다 그녀의 주소를 써 놓았다.

❺ (물건을) 고르다; (길을) 잡다

*Take* any number from one to ten. 1에서 10까지 사이에서 어느 수를 고르시오.

We *took* the shortest way home. 우리는 집으로 가는 가장 가까운 길을 잡았다.

❻ 《보통 it을 주어로 하여》 (시간이) 걸리다, 필요로 하다

*It takes* me about 10 minutes to walk to the station. 역까지 걸어가는 데 10분가량 걸린다.

❼ (탈것을) 타다; (자리에) 앉다

He *took* a taxi. 그는 택시를 탔다.

Please *take* your seats.
자리에 앉아 주십시오.

❽ 《보통 **take**+**a**+명사로》 (어떤 행위를) 하다
I *take a bath* every day.
나는 매일 목욕을 한다.
I *take a walk* every morning.
나는 매일 아침 산보를 한다.

❾ (…을) 손에 넣다, 얻다 (동 get); (…을) 사다
He *took* the first prize.
그는 1등상을 탔다.
I'll *take* this T-shirt.
이 티셔츠를 사겠어요.

❿ (신문 · 잡지 따위를) 구독하다; (집을) 빌리다
I *take* some newspapers.
나는 몇 가지 신문을 구독한다.
I *took* the house for a year.
나는 그 집을 1년간 빌렸다.

⓫ (병에) 걸리다
Be careful not to *take* cold.
감기에 걸리지 않도록 주의해라.

⓬ (…을) …라고 생각하다, 간주하다 《as》
He *took* it *as* a joke.
그는 그것을 농담으로 받아들였다.

⓭ (글 따위를) 인용하다; (수를) 빼다
This quotation was *taken* from Shakespeare. 이 인용문은 셰익스피어에서 따온 것이다.

숙어 ***take after*** 닮다
He *took after* his uncle.
그는 삼촌을 닮았다.

***take away*** (…을) 치워버리다, 가져가다, 데려가다
Please *take* this box *away*.
이 상자를 치우세요.

***take back*** 취소하다; 되가져가다
I'll *take back* my remark.
내가 한 말을 취소하겠소.

***take care*** 조심하다, 주의하다
*Take care* not to catch a cold.
감기 걸리지 않도록 조심해라.

***take care of*** 돌보다, 간호하다
She *takes care of* her little brother.
그녀는 어린 남동생을 돌보아 준다.

***take ... for ~*** …을 ~으로 잘못 알다; …을 ~으로 생각하다
I *took* him *for* his elder brother. 나는 그를 그의 형으로 오인했다.

***Take it easy!*** 진정해라!, 서두르지 마라!

***take off*** ⓐ (옷 따위를) 벗다
He *took off* his uniform.

그는 유니폼을 벗었다.
ⓑ (비행기가) 이륙하다
The plane *took off* on time.
그 비행기는 정시에 이륙했다.
***take out*** ⓐ (…에서) 꺼내다 《of》
Jim *took* an apple *out of* his pocket. 짐은 호주머니에서 사과 한 개를 꺼냈다.
ⓑ 데리고 나가다
He *took* me *out* for a walk.
그는 나를 데리고 산보하러 나갔다.
***take over*** 이어받다, 인계받다
He will *take over* the business.
그가 그 사업을 인계받을 것이다.
***take part in*** …에 참가하다
We'll *take part in* the meeting.
우리는 그 모임에 참가할 것이다.
***take place*** ⓐ 일어나다
A fire *took place* in the town.
시가지에서 화재가 일어났다.
ⓑ 열리다, 개최하다
The game will *take place* next month.
그 시합은 다음 달 개최될 것이다.
***take up*** ⓐ 집어들다
I *took up* the receiver.
나는 전화 수화기를 집어들었다.
ⓑ (시간 · 장소를) 차지하다
This table *takes up* too much room. 이 테이블은 너무 많은 자리를 차지한다.

## *tak•en *taken*
[téikən 테이컨]
타 take의 과거분사

## tale *tale*
[téil 테일]
명 (복수 **tales** [téilz 테일즈])
(사실 또는 꾸며낸) 이야기 (동 story)
fairy *tales* 동화
He told us a *tale* of adventure. 그는 우리에게 모험 이야기를 들려주었다.

## tal•ent *talent*
[tǽlənt 탤런트]
명 (복수 **talents** [tǽlənts 탤런츠])
❶ (타고난) 재능, 재주 (동 ability)
She has a *talent* for painting.
그녀는 그림 그리는 데 재능이 있다.

❷ 재능 있는 사람, 인재; 《미》 연예인, 탤런트
He is looking for new *talent*.
그는 새로운 인재를 찾고 있다.

참고 우리가 말하는 「탤런트」는 주로 예능인을 가리키지만, 영어에서는 폭넓게 「재능이 뛰어난 사람」을 가리킨다. 따라서 singer, actor, painter 등 분야별 명칭으로 불러야 하며, 「TV 탤런트」도 TV star 나 TV entertainer라고 해야 옳다.

## ⁑talk *talk*
[tɔ́ːk 토-크]
l은 발음하지 않음.
타자 (3단현 **talks** [tɔ́ːks 토-크스], 과거 · 과분 **talked** [tɔ́ːkt 토-크트], 현분 **talking** [tɔ́ːkiŋ 토-킹])
❶ 이야기하다, 말하다
They were *talking* in the living room.

그들은 거실에서 이야기하고 있었다.
He *talked* to a foreigner.
그는 외국인에게 말을 걸었다.

❷ 상담하다, (…을) 논하다
Jane *talked* with the doctor about her headache. 제인은 의사선생님과 두통에 대하여 상담했다.

숙어 ***talk about*〔*of*〕** …에 대하여 이야기하다
They are *talking about* football. 그들은 축구에 관해 이야기하고 있다.

***talk back* (*to*)** (…에게) 말대꾸하다
He often *talks back to* his teacher.
그는 종종 선생님께 말대꾸한다.

***talk over*** …에 대해 의논하다
Let's *talk* it *over* later.
그 일은 다음에 의논하자.

***talk to oneself*** 혼잣말을 하다
He often *talks to himself*.
그는 종종 혼잣말을 한다.

— 명 (복수 **talks** [tɔ́ːks 토-크스])
❶ 이야기, 담화; (짧은) 연설
I had a *talk* with him for an hour.
나는 그와 한 시간 동안 이야기했다.
❷ 의논, 상담

## **tall** *tall*

[tɔ́ːl 톨-]
형 (비교급 **taller** [tɔ́ːlər 톨-러], 최상급 **tallest** [tɔ́ːlist 톨-리스트])
키가 큰 (동 high, 반 short 작은); 키가 …인; (건물 등이) 높은
He is a *tall* boy.
그는 키가 큰 소년이다.
Jack is *taller* than Tom.
잭은 톰보다 키가 더 크다.

Who is the *tallest*?
누가 키가 가장 크지?

참고 **tall과 high의 사용법**
**tall**은 사람이나 식물처럼 길쭉한 것에 쓰고, **high**는 산이나 건물처럼 덩치가 크고 높은 것에 쓴다: a *tall* man 키가 큰 사람 / a *high* mountain 높은 산

## **tame** *tame*

[téim 테임]
형 (비교급 **tamer** [téimər 테이머], 최상급 **tamest** [téimist 테이미스트])
길들인, 유순한 (반 wild 야생의)
A rabbit is a *tame* animal.
토끼는 유순한 동물이다.

— 타 (3단현 **tames** [téimz 테임즈], 과거 · 과분 **tamed** [téimd 테임드], 현분 **taming** [téimiŋ 테이밍])
길들이다
It is difficult to *tame* a lion.
사자를 길들이기는 어렵다.

## tank *tank*
[tǽŋk 탱크]
명 (복수 **tanks** [tǽŋks 탱크스])
❶ (액체 · 가스 등을 담는) 탱크
a hot water *tank* 온수 탱크
❷ (군대) 전차, 탱크

## tap *tap*
[tǽp 탭]
타자 (3단현 **taps** [tǽps 탭스], 과거 · 과분 **tapped** [tǽpt 탭트], 현분 **tapping** [tǽpiŋ 태핑])
가볍게 톡톡 두드리다〔치다〕
I *tapped* her on the back.
나는 그녀의 등을 톡톡 쳤다.
They *tapped* on the drum.
그들은 북을 톡톡 두드렸다.

## tape *tape*
[téip 테이프]
명 (복수 **tapes** [téips 테이프스])
❶ (길고 가느다란) 테이프, 끈; 줄자

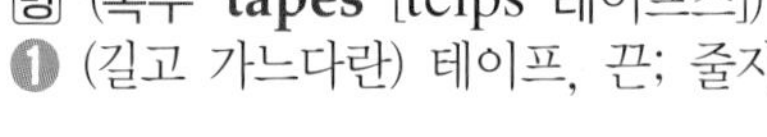

*tape* measure 줄자
❷ (녹음 · 녹화용의) 테이프

## tape re•cord•er *tape recorder*
[téip rikɔ́ːrdər 테이프리코-더]
명 (복수 **tape recorders** [téip rikɔ́ːrdərz 테이프리코-더즈])
녹음기, 테이프 리코더

He turned on the *tape recorder*.
그는 테이프 리코더를 켰다.

## tar•get *target*
[tɑ́ːrgit 타-깃]
명 (복수 **targets** [tɑ́ːrgits 타-기츠])
❶ (화살 · 총탄의) 과녁, 표적; 목표

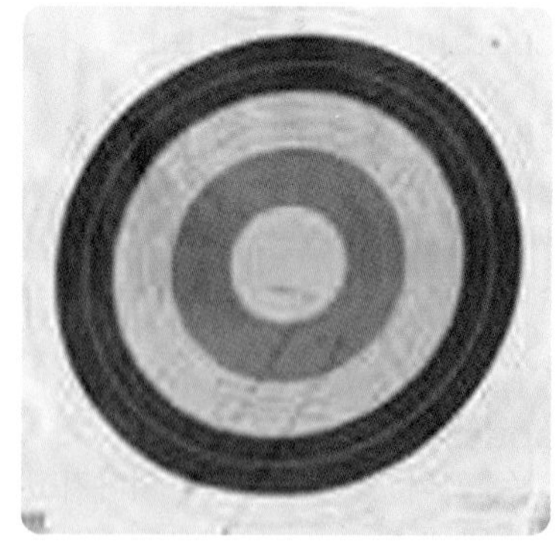

The arrow hit the *target*.
화살은 과녁을 맞혔다.
❷ (웃음거리 · 비난 따위의) 대상

**task** *task*
[tǽsk 태스크]
명 (복수 **tasks** [tǽsks 태스크스])
(의무적으로 부과되는) 작업, 일
It is a difficult *task*.
그것은 어려운 일이다.
My *task* is to sweep the yard.
내가 해야 할 작업은 마당을 쓰는 것이다.

***taste** *taste*
[téist 테이스트]
명 (복수 **tastes** [téists 테이스츠])
❶ 맛, 풍미
I like the *taste* of this coffee.
나는 이 커피맛이 마음에 든다.
❷ (…에 대한) 취미, 취향 《for》
I have a *taste for* music.
나는 음악에 취미를 갖고 있다.
— 타자 (3단현 **tastes** [téists 테이스츠], 과거 · 과분 **tasted** [téistid 테이스티드], 현분 **tasting** [téistiŋ 테이스팅])
❶ 맛보다, 시식〔시음〕하다
She is *tasting* the soup.
그녀는 수프 맛을 보고 있다.
❷ (…의) 맛이 나다 《of》
This soup *tastes of* corn.
이 수프는 옥수수 맛이 난다.

***taught** *taught*
[tɔ́ːt 토-트]
타자 teach(가르치다)의 과거 · 과거분사

***tax** *tax*
[tǽks 택스]
명 (복수 **taxes** [tǽksiz 택시즈])
세금, 세(稅)
an incom *tax* 소득세
He paid $500 in *taxes*.
그는 세금으로 5백 달러를 냈다.

***tax•i** *taxi*
[tǽksi 택시]
명 (복수 **taxi(e)s** [tǽksiz 택시즈])
택시

Let's go by *taxi*. 택시로 가자.
I'll take a *taxi* to the airport.
공항까지 택시를 타고 가겠다.

**⁑tea** *tea*
[tíː 티-]
명 (복수 **teas** [tíːz 티-즈])
❶ 차, 홍차
green〔black〕 tea 녹〔홍〕차
Will you have a cup of *tea*?
차 한 잔 하시겠습니까?
✎ tea는 셀 수 없는 물질 명사이므로 a cup of tea, two cups of tea로 개수를 나타내지만, 카페 따위에서 주문할 때는 "Two teas and three coffees"라고 해도 된다.
❷ 《영》 오후의 다과

It's time for *tea*.
차 마실 시간이다.

참고 영국에서는 오후 3시 반부터 5시경까지의 사이에 홍차를 마시면서 샌드위치나 비스킷을 먹는데, 이를 afternoon tea라고도 한다.

**teach** *teach*
[tíːtʃ 티-치]
타 자 (3단현 **teaches** [tíːtʃiz 티-치즈], 과거·과분 **taught** [tɔ́ːt 토-트], 현분 **teaching** [tíːtʃiŋ 티-칭])
(…에게 …을) 가르치다 (반 learn 배우다); 교사를 하다
Mr. Jones *teaches* history.
존스 선생님은 역사를 가르친다.

My brother *taught* me how to play baseball. 형이 나에게 야구하는 방법을 가르쳐 주었다.
He *teaches* at a primary school.
그는 초등학교 교사이다.

**teach·er** *teacher*
[tíːtʃər 티-처]
명 (복수 **teachers** [tíːtʃərz 티-처즈])
선생님, 교사

Miss Green is an English *teacher*.
그린 선생님은 영어 교사이다.
✎ 선생님을 부를 때는 Teacher Green이라고 하지 않고, Mr.〔Mrs., Miss〕 Green이라고 부름.

**teach·ing** *teaching*
[tíːtʃiŋ 티-칭]
명 가르침, 교수(敎授)
English *teaching* 영어 교수

**team** *team*
[tíːm 팀-]
명 (복수 **teams** [tíːmz 팀-즈])
(스포츠의) 팀, (작업 따위의) 조 (동 group)

He belongs to the football *team.* 그는 축구팀에 소속되어 있다.

**team•work** *teamwork*
[tí:mwə̀:rk 팀-워-크]
명 《a와 복수형 안 씀》 협동 작업, 단체 행동, 팀워크

***tear**[1] *tear*
[tíər 티어]
명 (복수 **tears** [tíərz 티어즈])
《보통 복수형으로》 눈물
Her eyes were filled with *tears.*
그녀의 눈에 눈물이 가득 고였다.
She burst〔broke〕 into *tears.*
그녀는 갑자기 울음을 터뜨렸다.

숙어 ***in tears*** 눈물을 글썽이며
He read the letter *in tears.* 그는 눈물을 글썽이며 편지를 읽었다.

**tear**[2] *tear*
[tɛ́ər 테어]
타 자 (3단현 **tears** [tɛ́ərz 테어즈], 과거 **tore** [tɔ́:r 토-], 과분 **torn** [tɔ́:rn 톤-], 현분 **tearing** [tɛ́(ə)riŋ 테(어)링])
찢다, 잡아째다; 찢어지다, 째지다
He *tore* the picture to pieces.
그는 사진을 산산조각으로 찢었다.
This cloth *tears* easily.
이 천은 잘 찢어진다.

**tease** *tease*
[tí:z 티-즈]
타 (3단현 **teases** [tí:ziz 티-지즈], 과거 · 과분 **teased** [tí:zd 티-즈드], 현분 **teasing** [tí:ziŋ 티-징])
놀려대다, 짓궂게 괴롭히다
They *teased* me because I was fat. 내가 뚱뚱하다고 그들은 나를 놀렸다.

**tea•spoon** *teaspoon*
[tí:spù:n 티-스푼-]
명 (복수 **teaspoons** [tí:spù:nz 티-스푼-즈]) 찻숟가락, 티스푼

**tech•ni•cal** *technical*
[téknikəl 테크니컬]
형 기술적인; 공업의; 전문의
*technical* terms 전문 용어
My brother goes to a *technical* school.
나의 형은 실업계 학교에 다닌다.

**tech•nique** *technique*
[tekní:k 테크니-크]
명 (복수 **techniques** [tekní:ks 테크니-크스]) (과학 · 예술 · 스포츠 등의 전문) 기술, 기교, 기법
Her *technique* in ice skating is great. 그녀의 아이스스케이팅 기법은 대단하다.

A B C D E F G H I J K L M N O P Q R S T U V W X Y Z

**tech•nol•o•gy** *technology*
[teknɑ́lədʒi 테크날러지]
명 과학[공업] 기술

the growth of *technology*
과학 기술의 발달

**teen•ag•er** *teenager*
[tíːnèidʒər 틴-에이저]
명 (복수 **teenagers** [tíːnèidʒərz 틴-에이저즈])
10대 청소년, 틴에이저
✎ 어미에 -teen이 붙는 13세(thirteen)에서 19세(nineteen)까지의 소년 · 소녀를 가리킴.

His music is very popular with *teenagers*. 그의 음악은 10대 청소년에게 매우 인기 있다.

***teeth** *teeth*
[tíːθ 티-스]
명 tooth(이)의 복수

***tel•e•gram** *telegram*
[téləgræ̀m 텔러그램]
명 (복수 **telegrams** [téləgræ̀mz 텔러그램즈]) 전보, 전신
I sent him a *telegram*.
나는 그에게 전보를 쳤다.

**tel•e•graph** *telegraph*
[téləgræ̀f 텔러그래프]
명 (복수 **telegraphs** [téləgræ̀fs 텔러그래프스]) 전보; 전신
a *telegraph* office 전신국
— 타 (3단현 **telegraphs** [téləgræ̀fs 텔러그래프스], 과거 · 과분 **telegraphed** [téləgræ̀ft 텔러그래프트], 현분 **telegraphing** [téləgræ̀fiŋ 텔러그래핑])
전보로 알리다, 타전하다
I *telegraphed* him for help.
나는 그에게 도와 달라고 전보를 쳤다.

****tel•e•phone** *telephone*
[téləfòun 텔러포운]
명 (복수 **telephones** [téləfòunz 텔러포운즈]) 전화; 전화기 (약 tel.)

The *telephone* is ringing.
전화벨이 울리고 있다.
May I use your *telephone*?

전화 좀 써도 될까요?
You are wanted on the *telephone*. 당신한테 전화왔습니다.
Please call Mr. Brown to the *telephone*. 브라운씨 좀 바꿔 주세요.
What's your *telephone* number? 당신 전화번호가 몇 번이지요?
—타자 (3단현 **telephones** [téləfòunz 텔러포운즈], 과거 · 과분 **telephoned** [téləfòund 텔러포운드], 현분 **telephoning** [téləfòuniŋ 텔러포우닝])
전화를 걸다; 전화로 이야기하다
I'll *telephone* tomorrow.
내일 전화할게.
Please *telephone* me tomorrow. 내일 나한테 전화해 줘.

## tel•e•scope *telescope*
[téləskòup 텔러스코우프]
명 (복수 **telescopes** [téləskòups 텔러스코우프스]) 망원경

## ⁑tel•e•vi•sion *television*
[téləvìʒən 텔러비전]
명 (복수 **televisions** [téləvìʒənz 텔러비전즈]) 텔레비전 (방송), 텔레비전 수상기 (약 TV)
Please turn on〔off〕 the *television*. 텔레비전을 켜〔꺼〕 주세요.
I watched the baseball game on *television*. 나는 야구 시합을 텔레비전으로 보았다.
What's on *television* tonight? 오늘밤 TV에서 무슨 프로를 하니?

## ⁑tell *tell*
[tél 텔]
타자 (3단현 **tells** [télz 텔즈], 과거 · 과분 **told** [tóuld 토울드], 현분 **telling** [téliŋ 텔링])
❶ 이야기하다, 말하다 (동 say)
He often *tells* of his boyhood. 그는 종종 소년 시절의 이야기를 한다.

Please don't *tell* anyone.
아무에게도 말하지 말아 줘.
He *told* me (that) he wanted to be a doctor. 그는 나에게 의사가 되고 싶다고 말했다.
❷ 알려 주다, 가르쳐 주다
I'll *tell* you a secret.
너에게 비밀을 알려 주마.
Please *tell* me the way to the station. 정거장으로 가는 길을 가르쳐 주세요.
❸ 《**tell ... to** do로》 (…에게) …하라고 말하다〔명하다〕
I *told* him *to* study hard. 나는 그에게 열심히 공부하라고 했다.
❹ 《보통 **can**과 함께》 분간〔식별〕하다; 알다
Who *can tell* what will happen next? 다음에 무엇이 일어날지 누가 알겠는가?

a b c d e f g h i j k l m n o p q r s t u v w x y z

숙어 ***I (can) tell you*** 정말이지
I saw him there, *I tell you.* 정말이지, 거기서 그를 보았다니까.
***tell ... from ~*** (…와 ~을) 구별하다
I can't *tell* you *from* your brother. 나는 너와 너의 형을 구별하지 못한다.
***tell of*** …에 관해서
***to tell the truth*** 사실을 말하자면
*To tell the truth*, he is under sixteen. 사실을 말하자면, 그는 16세도 안 되었어.

**tem•per** *temper*
[témpər 템퍼]
명 (복수 **tempers** [témpərz 템퍼즈])
기질, 성질; 기분
She has a hot〔quick〕*temper.* 그녀는 성미가 급하다.
He is in a good *temper* today. 그는 오늘 기분이 좋다.
숙어 ***lose one's temper*** 화를 내다

**tem•per•a•ture**
*temperature*
[témp(ə)rətʃər 템퍼러처]
명 (복수 **temperatures** [témp(ə)rətʃərz 템퍼러처즈])
❶ 기온, 온도
the average *temperature* in London 런던의 평균 기온
❷ 체온; 열

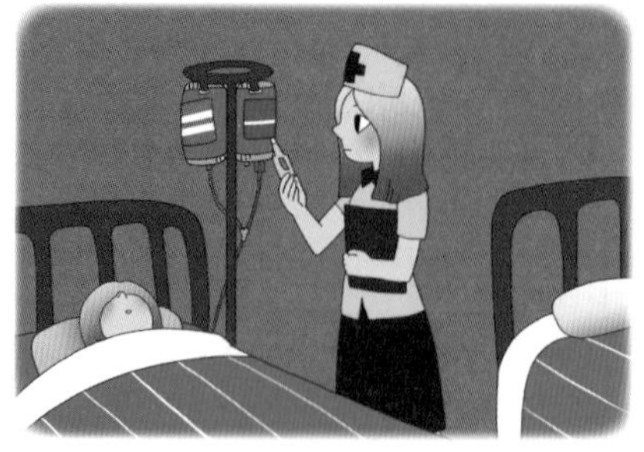

The nurse took my *temperature.* 간호사가 내 체온을 쟀다.

**tem•ple** *temple*
[témpl 템플]
명 (복수 **temples** [témplz 템플즈])
사원, 신전, 절

a Buddhist *temple* (불교의) 절
In Greece we saw the ancient *temple.* 그리스에서 우리는 고대의 사원을 보았다.

**tem•po•rar•y** *temporary*
[témpərèri 템퍼레리]
형 임시의; 한때의, 일시적인 (반 permanent 영구적인)
a *temporary* job 임시 직업

**tempt** *tempt*
[témpt 템프트]
타 (3단현 **tempts** [témpts 템프츠], 과거 · 과분 **tempted** [témptid 템프티드], 현분 **tempting** [témptiŋ 템프팅])
유혹하다; 부추기다, 꼬드기다
He *tempted* me to go to the movies. 그는 영화 보러 가자고 나를 부추겼다.

**temp•ta•tion** *temptation*
[tem(p)téiʃən 템(프)테이션]
명 (복수 **temptations** [tem(p)téi-

ʃənz 템(프)테이션즈]) 유혹, 유혹물

**⁑ten** *ten*
[tén 텐]
명 (복수 **tens** [ténz 텐즈])
10; 열 명〔개〕, 10시〔살〕
Please count from one to *ten*.
1에서 10까지 세시오.
We started at *ten*.
우리는 10시에 출발했다.
숙어 ***ten to one*** 십중팔구
*Ten to one*, she will come.
십중팔구 그녀는 올 것이다.
— 형 열〔10〕의; 열 살의; 열 명〔개〕의
Here are *ten* apples.
여기 사과가 10개 있다.
It is *ten* years since I left school.
학교를 졸업한 지도 10년이 된다.

**tend** *tend*
[ténd 텐드]
자 (3단현 **tends** [téndz 텐즈], 과거 · 과분 **tended** [téndid 텐디드], 현분 **tending** [téndiŋ 텐딩])
《**tend to** do로》 …하는 경향이 있다, …하기 쉽다
She *tends to* speak too fast.
그녀는 빨리 말하는 경향이 있다.
He *tends to* get angry at little things.
그는 하찮은 일에도 화를 잘 낸다.

**ten•den•cy** *tendency*
[téndənsi 텐던시]
명 (복수 **tendencies** [téndənsiz 텐던시즈]) 경향, 성향; 버릇
Traffic accidents have a *tendency* to increase.
교통 사고가 증가하는 경향이 있다.

**ten•der** *tender*
[téndər 텐더]
형 (비교급 **tenderer** [téndərər 텐더러], 최상급 **tenderest** [téndərist 텐더리스트])
❶ 부드러운, 무른, 연한
This steak is very *tender*.
이 스테이크는 아주 연하다.
❷ (성격이) 상냥한, 다정한
He has a *tender* heart.
그는 상냥한 마음을 갖고 있다.

**⁑ten•nis** *tennis*
[ténis 테니스]
명 〖스포츠〗 테니스

He is a good *tennis* player.
그는 훌륭한 테니스 선수다.

**tense** *tense*
[téns 텐스]
명 (복수 **tenses** [ténsiz 텐시즈])
〖문법〗 (동사의) 시제(時制)
the present *tense* 현재 시제
the past *tense* 과거 시제

the perfect *tense* 완료 시제

***tent** *tent*
[tént 텐트]
명 (복수 **tents** [ténts 텐츠])
텐트, 천막

Let's pitch a *tent* here.
여기에다 텐트를 치자.
We spent the night in a *tent*.
우리는 그날 밤을 텐트에서 보냈다.

***tenth** *tenth*
[ténθ 텐스]
명 (복수 **tenths** [tén(θ)s 텐(스)스])
❶ 《보통 the를 붙여》 제10, 열 번째; (달의) 10일 (약 10th)
I was born on *the tenth* of March. 나는 3월 10일에 태어났다.
❷ 10분의 1 (one tenth)
seven *tenths*, 10분의 7 《복수형에 주의》
— 형 제10의; 열 번째의; 10분의 1의

***term** *term*
[tə́ːrm 텀-]
명 (복수 **terms** [tə́ːrmz 텀-즈])
❶ 학기; 기간, 기한
The spring *term* has begun.
봄학기가 시작되었다.
The President's *term* of office is five years.
대통령의 임기는 5년이다.
❷ 전문 용어, 학술어
medical *terms* 의학 용어
❸ 《복수형으로》 (대인) 관계, 사이
I am on good *terms* with her.
나는 그녀와 사이가 좋다.

**ter•mi•nal** *terminal*
[tə́ːrmənəl 터-머널]
형 말기의; 종점의; 학기(말)의
a *terminal* examination
학기말 시험
— 명 (복수 **terminals** [tə́ːrmənəlz 터-머널즈]) (철도 · 장거리 버스의) 종점, 종착역
The bus *terminal* is on the city's west side. 버스 터미널은 그 도시의 서쪽에 있다.

**ter•race** *terrace*
[térəs 테러스]
명 (복수 **terraces** [térəsiz 테러시즈])
테라스 《휴식이나 간단한 식사를 위한 공간》, 베란다
The house has a *terrace* behind it. 그 집은 집 뒤에 테라스가 있다.

**ter•ri•ble** *terrible*
[térəbl 테러블]
형 ❶ 무서운, 끔찍한
a *terrible* accident 끔찍한 사고
I had a *terrible* dream last night.
나는 어젯밤 무서운 꿈을 꾸었다.

❷ 지독한, 심한
a *terrible* cold 지독한 감기
The heat is *terrible* here.
이 곳의 더위는 지독하다.

**ter•ri•to•ry** *territory*
[térətɔ̀ːri 테러토-리]
명 (복수 **territories** [térətɔ̀ːriz 테러토-리즈])
❶ (한 나라의) 영토; (광대한) 지역
This land was German *territory*. 이 땅은 독일의 영토였다.
❷ (학문 · 활동의) 영역, 분야
the *territory* of physics
물리학의 분야

**ter•ror** *terror*
[térər 테러]
명 (복수 **terrors** [térərz 테러즈])
❶ 공포, 두려움 (동 fear)
The boy ran away in *terror*.
그 소년은 무서워서 도망치기 시작했다.

❷ 공포의 대상, 무서운 것[사람]

***test** *test*
[tést 테스트]
명 (복수 **tests** [tésts 테스츠])
시험 (동 examination); 검사, 테스트
a blood *test* 혈액 검사
We had a *test* in math today.
우리는 오늘 수학 시험을 보았다.

He succeeded in the *test*.
그는 시험에 합격했다.
—타 (3단현 **tests** [tésts 테스츠], 과거 · 과분 **tested** [téstid 테스티드], 현분 **testing** [téstiŋ 테스팅])
검사하다; 시험치다; 검진하다
They *tested* the new engine.
그들은 새 엔진을 테스트했다.
I had my eyesight *tested*.
나는 시력 검사를 받았다.

**text** *text*
[tékst 텍스트]
명 (복수 **texts** [téksts 텍스츠])
❶ (주석 · 삽화 등에 대하여) 본문
This book has 200 pages of *text*. 이 책은 본문이 200페이지이다.
❷ (요약 · 번역 등에 대하여) 원문, 원전
the original *text* of the Koran
코란의 원전

***text•book** *textbook*
[téks(t)bùk 텍스(트)북]
명 (복수 **textbooks** [téks(t)bùks 텍스(트)북스])
교과서, 교재 (약 text)
Open your *textbook* to page 34. 교과서 34페이지를 펼치세요.

***Thames** *Thames*
[témz 템즈]
h는 발음하지 않음.

a b c d e f g h i j k l m n o p q r s t u v w x y z

명 《the를 붙여》 템스 강 《영국의 수도 런던을 관통하는 길이 258km의 강》

## ⁑than *than*

[《약》 ðən 던; 《강》 ðǽn 댄]

접 ❶ 《형용사 · 부사의 비교급+**than**으로》 …보다, …이상으로

He is taller *than* I (am).
그는 나보다 키가 크다 《구어에서는 than me라고도 함》

I like winter better *than* summer. 나는 여름보다 겨울이 좋다.

참고 아래 두 문장의 차이점

(1) I know you better *than he*. 그(가 너를 알고 있는 것)보다 내가 너를 더 잘 알고 있다.

✎ than he는 than he knows you의 생략된 형태.

(2) I know you better *than him*. 나는 그(를 알고 있는 것)보다 너를 더 잘 알고 있다.

✎ than him은 than I know him의 생략된 형태.

❷ 《**other**, **else** 따위+**than**으로》 …이외에는, …밖에는

I have no *other* friend *than* you. 나는 너 외에는 친구가 없다.

I have no *other* dictionary *than* this. 나는 이것밖에는 (다른) 사전이 없다.

❸ 《**rather than**으로》 …하느니 보다 오히려, …할 바에는 (차라리)

I would *rather* study *than* play.
나는 놀기보다 공부하는 편이 좋다.

## ⁑thank *thank*

[θǽŋk 생크]

타 (3단현 **thanks** [θǽŋks 생크스], 과거 · 과분 **thanked** [θǽŋkt 생크트], 현분 **thanking** [θǽŋkiŋ 생킹]) (…에) 감사하다, 사의를 표하다 《for》

*Thank* you very much.
대단히 감사합니다.

*Thank* you *for* coming.
와 주셔서 감사합니다.

*Thank* God! (=*Thank* Heaven!)
참으로 고마운 일이야.

No, *thank* you. 아니 괜찮습니다 《정중하게 거절하는 말》

참고 "Thank you."는 "I thank you."의 주어 I가 생략된 표

현. 영미인은 사소한 일에도 Thank you.라고 말하는 것이 습관화되어 있다. 이에 대한 대답은 You're welcome.이나 Not at all.이 흔히 쓰인다.

— 명 (복수 **thanks** [θǽŋks 생크스]) 《복수형으로》 감사, 사례
a letter of *thanks*
감사의 편지
*Thanks* a lot! 참으로 감사합니다.
No, *thanks*. 아니, 천만에요.

숙어 ***give thanks to*** …에게 감사드리다
He *gave thanks to* God.
그는 하느님께 감사드렸다.
***thanks to*** …의 덕분으로
*Thanks to* your help, I succeeded. 당신이 도와준 덕분으로, 나는 성공했습니다.

## thank•ful *thankful*

[θǽŋkfəl 생크펄]
형 감사히 여기는, 고마워하는 《for, that》
I am *thankful for* my good health.
감사하게도 나는 몸이 건강하다.
I'm *thankful that* he has come in time.
그가 시간에 맞춰 와 주어서 고맙다.

## *Thanks•giving Day *Thanksgiving Day*

[θæ̀ŋksgíviŋ dèi 생크스기빙데이]
명 《미》 추수 감사절 《11월의 넷째 목요일로 크리스마스 다음으로 중요하게 여기는 축제일, 이 날 칠면조 고기와 호박 파이를 먹는 풍습이 있음》

## **that *that*

[《약》 ðət 덧; 《강》 ðǽt 댓]
대 A 《지시대명사》
❶ 저것, 그것; 저〔그〕사람 《this는 가까이 있는 것〔사람〕을 가리키고, that은 약간 떨어져 있는 것〔사람〕을 가리킴》
*That* is a bus for the zoo.
저것은 동물원으로 가는 버스다.
Who is *that*? 저 분은 누구시죠?

Which do you like better, this or *that*? 이것과 저것 중에서 어느 쪽이 더 마음에 드십니까?
❷ 《앞서 말한 것을 가리켜》 그것, 그 일〔말〕
"My sister is ill in bed."
"*That's* too bad."
「내 누이는 앓아 누워 있습니다.」「그것 참 안됐군요.」
He became a doctor after *that*.
그 후로 그는 의사가 되었다.
I'm glad to hear *that*.
그 말을 들으니 기쁩니다.
❸ 《같은 명사의 되풀이를 피하여》 (…의) 그것

The taste of this fruit is like *that* of an apple.
이 과일의 맛은 사과 맛과 비슷하다.
✎ 위의 that은 taste의 반복을 피하기 위하여 쓴 것.

숙어 ***and that*** 게다가, 더구나 《that은 앞의 문장을 받음》
We went there, *and that* very often. 우리는 거기에 갔다, 게다가 아주 자주.

***that is* (*to say*)** 즉, 다시 말하자면
Next Sunday, *that is* (*to say*), the tenth of April, is my birthday. 다음 일요일, 즉 4월 10일은 내 생일이다.

B 《관계대명사》 [ðət 덧]

❶ …하는 바의 (것〔사람〕)《우리 말로는 번역하지 않는 편이 좋음》
The girl *that* has a violin is Mr. Johnson's daughter.
바이올린을 갖고 있는 그 소녀가 존슨 씨의 딸이다.
This is the bat (*that*) I bought yesterday.
이것은 내가 어제 샀던 배트이다.

어법 **(1) 관계대명사로서의 that**
that은 선행사가 「사람」이거나 「사람 이외의 것」에 두루 쓰인다. 또 선행사에 최상급의 형용사나 한정의 의미가 강한 말(all, every, the only, the first 등)이 붙는 경우에는 that을 주로 쓴다: This is the *tallest* tower *that* I have ever seen. 이것은 내가 여지껏 보아 온 중에서 가장 높은 탑이다 / He is *the only* boy *that* can speak German in my class. 그는 우리 반에서 독일어를 할 줄 아는 유일한 소년이다.

**(2) that의 생략**
관계대명사인 that은 주격과 목적격이 있는데, 주격의 that은 생략할 수 없지만, 목적격의 that은 생략하는 일이 많다. 위의 예문에서 The girl *that* has a violin의 that은 has의 주어(즉 주격)이므로 생략할 수가 없다. the bat (*that*) I bought yesterday의 that은 bought의 목적어(즉 목적격)이므로 생략할 수 있다.

❷ 《**It is ... that ~**으로 강조문에 쓰여》 ~인〔하는〕 것은 …이다
*It is* Helen *that* is playing the violin. 바이올린을 켜고 있는 것은 헬렌이다.

*It was* yesterday *that* I went to the museum.
내가 박물관에 간 것은 어제였다.
✎ that 앞의 어구 Helen과 yester-

day가 강조됨.

**—** 형 (복수 **those** [ðóuz 도우즈]) 《지시형용사》 저, 그 (반 this 이)

Do you know *that* girl?
저 소녀를 아십니까?
What is *that* flower?
그 꽃은 무엇이지요?

✎「당신의 저 책」이라고 할 때 your that book이라고 하지 않고 *that* book for yours라고 해야 옳음.

**—** 부 《지시부사》 [ðæt 댓]
《구어》 그만큼, 그렇게

I can't walk *that* far.
나는 그렇게 멀리 걸을 수가 없다.

**—** 접 ❶《명사절을 이끌어》 …라는 것

I think (*that*) he will come soon.
그가 곧 올 것이라고 생각한다.
I know (*that*) he is kind.
나는 그가 친절하다는 것을 안다.
He says (*that*) he likes tennis.
그는 테니스를 좋아한다고 말한다.

✎ 이 경우의 that은 구어에서 생략하는 일이 많음.

❷《**It ... that ~**으로》 ~라는 것은 …이다

*It* is certain *that* he was there.
그가 거기에 있었다는 것은 확실하다.
*It* is natural *that* you should say so.
네가 그렇게 말하는 것도 당연하다.

✎ It은 가주어로 that 이하를 가리킴. 이 경우의 that은 생략할 수 없음.

❸《명사+**that ...**으로》 …라고 하는 ~

Nobody knows *the fact that* he is a spy. 그가 간첩이라는 사실은 아무도 모른다.

✎ that 이하는 앞에 나오는 명사와 동격임.

❹《(**so**) **that ... may ~** (=**in order that ... may ~**로》 …이 ~하기 위하여, …이 ~하도록

He works hard (*so*) *that* he *may* pass the examination.
그는 시험에 합격하기 위하여 열심히 공부한다.

❺《**so ... that ~**; **such ... that ~**으로》 매우 …하므로 ~하다

He was *so* tired *that* he could not walk further. 그는 너무 피곤했으므로 더 이상 걸을 수가 없었다.
He is *such* a bright boy *that* all his friends love him.
그는 매우 영리한 소년이므로 모든 친구들이 그를 좋아한다.

✎ so의 다음에는 형용사 · 부사, such 다음에는 명사가 옴.

❻《원인 · 이유를 나타내는 절을 이끌어》 …이므로, …때문에

I'm glad *that* he has succeeded in business.
그가 사업에 성공했으므로 기쁘다.
I'm sorry *that* I must leave here tomorrow. 내일 이 곳을 떠나야만 되어서 유감이다.

숙어 ***now that*** …이므로, …이니까
I want to work *now that* I am well again.
다시 건강해졌으니까 일하고 싶다.
***so that*** 그러므로, 그래서
I am tired, *so that* I want to sleep. 피곤하다, 그래서 자고 싶다.

## thatch *thatch*
[θætʃ 새치]
명 (복수 **thatches** [θǽtʃiz 새치즈])
초가 지붕; 지붕 이는 짚

They put *thatch* on the roof.
그들은 지붕을 짚으로 이었다.

## that'll *that'll*
[ðǽtl 대틀]
that will의 축약형

## that's *that's*
[ðǽts 대츠]
that is, that has의 축약형

## ⁂the *the*
[《약》 (자음 앞) ðə 더, (모음 앞) ði 디; 《강》 ðíː 디-]
관 《정관사》
✎ 명사 앞에 붙여 「저」 「그」 등의 의미를 나타내지만 굳이 우리말로 번역할 필요는 없음.
❶ 《앞서 말한 것, 서로 무엇인지 아는 것을 가리키는 명사 앞에 붙여》
I have a cat. *The* cat is very pretty. 나에게는 고양이 한 마리가 있다. 그 고양이는 아주 예쁘다 《앞서 말한 고양이의 경우》.
Shut *the* door.
그 문을 닫아라 《상대방이 어떤 문인지 아는 경우》.

Show me *the* picture in your hand. 손에 든 사진을 저에게 보여주세요 《in your hand라는 어구로 어떤 사진인지 확실한 경우》.

어법 **the와 a, an**
**the**는 특정한 사물을 가리키는 명사 앞에 붙이지만, **a**나 **an**은 「하나의」 「어떤」과 같이 불특정 명사 앞에 붙임: I want to buy *a* watch. 나는 시계를 사고 싶다 / I want to buy *the* watch in the showcase. 나는 진열창 안에 있는 그 시계를 사고 싶다.

❷ 《천체 · 방위 따위, 또는 이 세상에 하나밖에 없는 것에 붙여》
*the* sun 태양
*the* moon 달 《단 *a* new moon 초승달》
*the* sky 하늘 《단 *a* cloudy sky 흐린 하늘》
*the* Bible 성경
*the* world 세계
*The* sun rises in *the* east.

해는 동쪽에서 뜬다.
❸《강 · 바다 · 배 · 신문 · 잡지 · 공공건물 · 산맥 따위의 고유 명사 앞에 붙여》
*the* Thames 템스 강
*the* Pacific Ocean 태평양
*the* Mayflower 메이플라워 호
*the* Times 타임스 지
*the* White House 백악관
*the* Rockies 록키 산맥
We climbed *the* Alps last summer. 우리는 작년 여름 알프스에 올라갔다.

**참고 the가 붙지 않는 경우**
공공건물이라도 the가 붙지 않는 것이 있다.
Seoul station (서울역), London Bridge (런던교), Harvard University (하버드 대학교)
호수 · 산 · 공원 · 가로 따위는 대체로 the가 붙지 않는다.
Lake Michigan (미시간 호수), Mt. Everest (에베레스트산), Hyde Park (하이드파크)
복수의 고유명사에는 the가 붙는다.
the United States (미합중국)

❹《형용사의 최상급 · 서수 앞에 붙여》
He is *the* oldest of the three.
그는 세 사람 중에서 나이가 가장 많다.
*the* fourth Sunday in May, 5월의 4번째 일요일

❺《**the**＋**단수 명사**로 종류를 대표하여》…라는 것
*The* dog is a faithful animal.
개란 충직한 동물이다.
❻《**the**＋**형용사**로 복수 명사나 추상명사를 나타내어》…사람들, …라는 것
*The* poor need government help. 가난한 사람들은 정부의 도움을 필요로 한다.
She has an eye for *the* beautiful. 그녀는 미(美)에 대한 안목이 있다.
❼《**the**＋**복수 고유 명사**로 국민 · 가족을 나타내어》
*The Browns* are going to visit Korea. 브라운 집안 사람들은 한국을 방문할 예정이다.
❽《악기 · 도구 등의 앞에 붙여》
She plays *the* piano.
그녀는 피아노를 친다.
He is listening to *the* radio.
그는 라디오를 듣고 있다.
✎ 텔레비전은 watch television (텔레비전을 보다)처럼 the를 붙이지 않음.
❾《단위를 나타내는 명사 앞에 붙여》
Sugar is sold by *the* pound.
설탕은 파운드 단위로 팔린다.
They work by *the* day.
그들은 일일 노동자이다.

❿《숙어로서》
in *the* morning 아침에
in *the* dark 어둠 속에
—부 ❶《비교급 앞에 붙여》 그만큼,

A B C D E F G H I J K L M N O P Q R S T U V W X Y Z

점점 더

The street became all *the* noisier at night. 밤이 되면 그 거리는 점점 더 시끄러워진다.

❷《**the**+비교급, **the**+비교급으로》…하면 할수록

*The more* money we get, *the more* we want. 돈을 더 많이 가질수록 더 많이 갖고 싶어진다.

***the•a•ter,** 《영》 **-tre**

*theater -tre*

[θíːətər 시-어터]

명 (복수 **theaters** [θíːətərz 시-어터즈]) 극장; 영화관

a movie *theater* 영화관

I went to the *theater* last night. 나는 어젯밤 극장에 갔다.

***their** *their*

[《약》 ðər 더; 《강》 ðέər 데어]

대 《they의 소유격》 그들의, 그것들의

*their* hometown 그들의 고향

*Their* house is the white one. 그들의 집은 하얀 집이다.

***theirs** *theirs*

[ðέərz 데어즈]

대 《they의 소유대명사》 그들의 것, 그것들의 것

The balloons are *theirs*. 그 풍선들은 그들의 것이다.

***them** *them*

[《약》 ðəm 덤; 《강》 ðém 뎀]

대 《they의 목적격》 그들, 그것들

I have two dogs. I give *them* food everyday.

나는 개 두 마리를 기르는데, 매일 그들에게 먹이를 준다.

**theme** *theme*

[θíːm 심-]

명 (복수 **themes** [θíːmz 심-즈]) 주제, 제목, 논지; 테마

What is the *theme* in that movie?

그 영화의 주제는 무엇입니까?

***them•selves** *themselves*

[ðəmsélvz 덤셀브즈]

대 ❶《강조 용법》그들 자신, 그들 스스로

They *themselves* mended their car. 그들은 자기들 손으로 차를 수

리했다.
❷《재귀 용법》 그들 자신을[에게]
They were ashamed of *themselves*.
그들은 그들 자신을 부끄러워했다.
숙어 ***by themselves*** 그들 단독으로
***for themselves*** 그들만의 힘으로

**⁑then** *then*
[ðen 덴]
부 ❶《문장 앞이나 문장 끝에 두어》 그럼, 그러면, 그렇다면
*Then* do you mean I am lying?
그렇다면 내가 거짓말을 하고 있다는 거냐?
Good night, *then*. 그럼 잘 자.
❷《시간적 순서를 나타내어》 그러고 나서, 그 다음에
Take a bath and *then* go to bed.
목욕을 하고 나서 잠자리에 들어라.
❸《과거 · 미래의 특정한 때를 가리켜》 그 때에, 그 당시에, 그 무렵
I was a child *then*.
그 당시 나는 아이였다.

숙어 (*every*) ***now and then*** 가끔, 때때로
I write to him *now and then*.
나는 가끔 그에게 편지를 쓴다.
***from then on*** 앞으로는, 그 이후로는
*From then on*, he studied harder. 그 이후로는 그는 더욱 열심히 공부했다.
***just then*** 바로 그 때
***well then*** 그렇다면, 그러면
If you want to go, *well then*, go. 가고 싶다면 가거라.
— 명 《a와 복수형 안 씀》《전치사 from, since, until, by 등의 목적어로서》 그때
He will be back *by then*.
그때까지 그는 돌아올 것이다.
I haven't seen him *since then*.
그때 이래 죽 그를 만나지 못했다.

**the•o•ry** *theory*
[θíːəri 시-어리]
명 (복수 **theories** [θíːəriz 시-어리즈]) 이론, 학설
Your plan is good in *theory*.
이론상 너의 계획은 훌륭하다.

**⁑there** *there*
[ðέər 데어]
부 ❶《**There is**[**are**]**...**로》 …이 있다
*There is* a vase on the table.
탁자 위에 꽃병이 있다.
*There are* some dogs under the tree.
나무 밑에 몇 마리의 개가 있다.

어법 **(1) 단순히 존재를 나타냄**
There is[are] ...는 단순히 「있다」는 존재를 나타낼 뿐으로 「거기에」라

고 하는 장소의 의미는 없다. 따라서 꼭 「거기에」라는 뜻으로 말하고 싶을 때는 별도로 장소를 나타내는 어구를 덧붙이지 않으면 안 된다: There is a book *there* on the desk. 거기 책상 위에 책이 있다.

**(2) there와 단수 · 복수의 표현**

물건이 하나 있으면 There is ...라고 하고, 두 개 이상 있으면 There are ...라고 한다. 단, 두 개 이상이더라도 단수명사가 선두에 있으면 There is ...가 된다: *There is* a pen and some books on the desk. 책상 위에 펜 하나와 몇 권의 책이 있다.

❷ 거기에, 거기에서, 거기로 (㉤ here 여기에)

Put it *there*, not here. 그것을 여기가 아니라 거기에 놓아라.

What are you doing *there*?
너 거기서 뭐하고 있니?

❸ 《there에 be동사 이외의 동사가 이어지는 경우》

Once *there* lived an old woman.
옛날에 한 늙은 부인이 살았다.

*There* came to the park a little boy. 한 어린 소년이 공원에 왔다.

✎ 이 경우의 there는 우리말로 번역할 필요가 없음.

❹ 《감탄사적으로 쓰여 상대방의 주의를 끌 때》 이봐, 자, 야

*There* she comes!
이봐 그녀가 온다!

*There*, *there*, don't cry.
자, 자, 울지 마라.

숙어 ***here and there*** 여기저기에서, 이곳저곳에서

I saw beautiful flowers *here and there*. 나는 여기저기에서 아름다운 꽃을 보았다.

***over there*** 저기에, 저쪽에

Who is the man standing *over there*?
저기에 서 있는 남자는 누구지?

***There is no ~ing*** …할 수가 없다

*There is no* tell*ing* what may happen.
무슨 일이 일어날지 알 수가 없다.

---

***there•fore** *therefore*
[ðέərfɔ̀ːr 데어포-]

부 따라서, 그러므로

He was poor and *therefore* could not buy it. 그는 가난하기 때문에 그것을 살 수 없었다.

---

**there'll** *there'll*
[ðéil 데일]

there will, there shall의 축약형

---

**there's** *there's*
[ðέərz 데어즈]

there is, there has의 축약형

**ther•mom•e•ter** *thermometer*
[θərmάmitər 서마미터]
명 (복수 **thermometers** [θərmά-mitərz 서마미터즈]) 온도계, 체온계
The nurse checked his temperature with a *thermometer*.
간호사는 체온계로 그의 체온을 쟀다.

****these** *these*
[ðíːz 디-즈]
대 《this의 복수》 이것들 (반 those 저것들)
*These* are pumpkins for Halloween.
이것들은 핼로윈을 위한 호박들이다.

—형 《this의 복수》 이것들의
*These* apples arrived yesterday. 이 사과들은 어제 도착했다.
숙어 ***these days*** 요즈음
He is very busy *these days*.
그는 요즈음 매우 바쁘다.

****they** *they*
[ðei 데이]
대 《he, she, it의 복수》
❶ 《주격》 그들은〔이〕, 그녀들은〔이〕, 그것들은〔이〕
*They* went rafting.
그들은 래프팅하러 갔다.

Put back the books where *they* were. 책들을 원래 있던 자리로 되돌려놓아라.
❷ (일반적으로) 사람들, 세상 사람들
*They* speak English in Canada. 캐나다에서는 영어를 말한다.
숙어 ***They say*** (***that***) …라고 한다
*They say* (*that*) this summer will be very hot. 금년 여름은 매우 더울 것이라고 한다.

**they'd** *they'd*
[ðeid 데이드]
they had, they would의 축약형

**they'll** *they'll*
[ðeil 데일]
they will, they shall의 축약형

**they're** *they're*
[ðeiər 데이어]
they are의 축약형

**they've** *they've*
[ðeiv 데이브]
they have의 축약형

***thick** *thick*
[θík 식]
형 (비교급 **thicker** [θíkər 시커], 최상급 **thickest** [θíkist 시키스트])
❶ 두꺼운 (반 thin 얇은); 두께가 …인

a *thick* book 두꺼운 책
The ice is an inch *thick*.
그 얼음은 두께가 1인치다.
❷ 굵은 (반 thin 가는)
a *thick* line 굵은 선
She has *thick* legs.
그녀는 다리가 굵다.
❸ 진한, 짙은; 탁한; 무성한
a *thick* soup 진한 수프
He has a *thick* voice.
그의 음성은 탁하다.
There is a field *thick* with wild flowers.
야생화가 무성한 들판이 있다.

## thief *thief*

[θíːf 시-프]
명 (복수 **thieves** [θíːvz 시-브즈])
도둑, 좀도둑 (관 robber 강도)
A *thief* stole my camera.
도둑이 내 카메라를 훔쳤다.

## thigh *thigh*

[θái 사이]
명 (복수 **thighs** [θáiz 사이즈])
허벅지, 넓적다리
He felt a pain in his *thigh*.
그는 허벅지에 통증을 느꼈다.

## *thin *thin*

[θín 신]
형 (비교급 **thinner** [θínər 시너], 최상급 **thinnest** [θínist 시니스트])
❶ 얇은 (반 thick 두꺼운)

*thin* paper 얇은 종이
Cut the bread into *thin* slices.
빵을 얇은 조각으로 잘라라.
❷ 가는 (반 thick 굵은); 야윈 (반 fat 살찐)
a *thin* piece of string 가는 끈
She has a *thin* neck.
그녀는 목이 가늘다.
❸ (액체 · 기체가) 묽은; (털이) 성긴
*thin* soup 묽은 수프
Father's hair is *thin*.
아버지는 머리숱이 적다.

## **thing *thing*

[θíŋ 싱]
명 (복수 **things** [θíŋz 싱즈])
❶ (일반적으로) 물건, 것; 일
Here is a list of *things* for you to buy. 여기 당신이 사야 할 물건의 목록이 있습니다.

We have a lot of *things* to do.
우리는 할 일이 많다.

❷《복수형으로》 사정, 사태
*Things* are going better now.
사태는 이제 호전되어 가고 있다.

❸《**one's things**로》 소지품, 도구
school *things* 학용품
I have to pack *my things*.
내 소지품을 꾸려야 한다.

숙어 ***for one thing ...*** (***for another ~***) 우선 첫째로 … (다른 한편으로 ~)
*For one thing* she is kind; *for another* she is bright.
우선 첫째로 그녀는 친절하고, 다른 한 편으로 영리하다.

***one thing, ... another*** …와 ~은 별개의 것이다
Teaching is *one thing*, and learning is *another*. 가르치는 것과 배우는 것은 별개의 문제다.

---

## **think** *think*

[θíŋk 싱크]

동 (3단현 **thinks** [θíŋks 싱크스], 과거 · 과분 **thought** [θɔ́ːt 소-트], 현분 **thinking** [θíŋkiŋ 싱킹])

— 타 ❶ (…을) 생각하다, …라고 생각하다

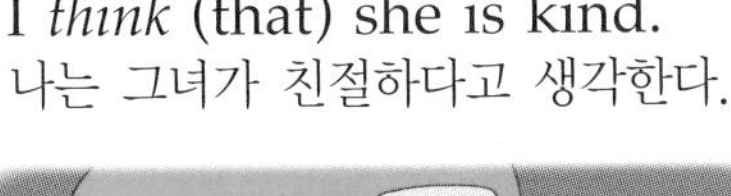

I *think* (that) she is kind.
나는 그녀가 친절하다고 생각한다.

Do you *think* her (to be) happy?
그녀가 행복하다고 생각합니까?

I don't *think* he will come. 나는 그가 오지 않을 거라고 생각한다.
✎ 부정어 not의 위치에 주의. I *think* he will *not* come.이라고 하지 않고, I *don't think* he will come.이라고 함. 부정어를 되도록 빨리 말하려는 영어 표현의 습관 때문임.

Who do you *think* he is?
그가 누구라고 생각합니까?
✎ do you think는 의문사 다음에 옴. 반대로 do you know는 의문사 앞에 옴: *Do you know who* he is? 그가 누군지 알겠습니까?

❷《보통 부정문 · 의문문에서》 …을 예상하다 (동 expect)
I never *thought* that I would pass the examination. 내가 시험에 합격하리라고 상상조차 못했다.

— 자 생각하다
*Think* carefully before you act. 행동하기 전에 신중히 생각해라.

숙어 ***think about*** …에 관하여 생각하다
I'll *think about* it.
그것에 관하여 생각해 보겠습니다.

***think of*** …에 관해서 생각하다; …을 생각해 내다
She *thought of* it first. 그녀가 제일 먼저 그것을 생각해 냈다.

***think out*** 생각해내다
He *thought out* a good plan.
그는 좋은 계획을 생각해 냈다.

A B C D E F G H I J K L M N O P Q R S T U V W X Y Z

***think over*** 깊이〔잘〕 생각해 보다
*Think over* what I've said.
내가 한 말을 깊이 생각해 봐라.

**‡third** *third*
[θə́ːrd 서-드]
명 (복수 **thirds** [θə́ːrdz 서-즈])
❶ 《the를 붙여》 제3, 세 번째; (달의) 3일 (약 3rd)
*the third* floor 《미》 3층
❷ 《**a** 〔**one**〕 **third**로》 3분의 1
I ate a *third* of the cake.
나는 케이크의 3분의 1을 먹었다.

✎ 「3분의 2」는 two thirds로 third가 복수가 됨.
❸ 〖야구〗 3루
— 형 3번째의; 3분의 1의
a *third* baseman 〖야구〗 3루수
He is a *third* year student.
그는 3학년생이다.

**thirst** *thirst*
[θə́ːrst 서-스트]
명 ❶ 갈증, 목마름
He almost died of *thirst*. 그는 목이 말라 거의 죽을 지경이었다.
❷ (…에 대한) 갈망, 열망 《for, after》
She has a *thirst for* knowledge.
그녀는 지식에 대한 열망을 갖고 있다.

***thirst·y** *thirsty*
[θə́ːrsti 서-스티]
형 (비교급 **thirstier** [θə́ːrstiər 서-스티어], 최상급 **thirstiest** [θə́ːrstiist 서-스티이스트])
❶ 목마른; 메마른, 건조한
the *thirsty* season 건기
I felt *thirsty* after my run.
나는 달리고 난 후에 목이 말랐다.

❷ 열망하는, 갈망하는 《for, after》
He was *thirsty for* power.
그는 권력을 열망했다.

**‡thir·teen** *thirteen*
[θəːrtíːn 서-틴-]
명 (복수 **thirteens** [θəːrtíːnz 서-틴-즈]) 13; 13살; 《복수 취급》 13개〔명〕
Six and seven make *thirteen*.
6에 7을 더하면 13이 된다.
— 형 13의; 13살의; 13명〔개〕의
There are *thirteen* eggs in the basket.
바구니 속에 13개의 달걀이 있다.

**thir•teenth** *thirteenth*
[θə̀ːrtíːnθ 서-틴-스]
명 (복수 **thirteenths** [θə̀ːrtíːnθs 서-틴-스스]) ❶《the를 붙여》 제13, 13번째; (달의) 13일 (㊀ 13th)
Today is Friday the *thirteenth*. 오늘은 13일의 금요일이다.
✎ 서양인은 13을 불길한 숫자로 여김.
❷ 13분의 1
three-*thirteenths* 13분의 3
—형《the를 붙여》 13의; 13분의 1의

***thir•ti•eth** *thirtieth*
[θə́ːrtiiθ 서-티이스]
명 (복수 **thirtieths** [θə́ːrtiiθs 서-티이스스]) 《the를 붙여》 제30, 30번째; (달의) 30일 (㊀ 30th); 30분의 1
—형 제30의; 30분의 1의

****thir•ty** *thirty*
[θə́ːrti 서-티]
형 30의; 30살의; 30명〔개, 세〕의
There are *thirty* students in my class.
우리 반에는 30명의 학생들이 있다.
—명 (복수 **thirties** [θə́ːrtiz 서-티즈]) ❶ 30; 30분; 30살; 《복수 취급》 30개〔명〕
I usually get up at six *thirty*.
나는 보통 6시 30분에 일어난다.

❷《one's **thirties**로》 (나이의) 30대; 《**the thirties**로》 30년대
My mother is still in her *thirties*. 나의 어머니는 아직 30대이다.

****this** *this*
[ðís 디스]
대 (복수 **these** [ðíːz 디-즈])
《지시대명사》
❶ 이것, 이 물건, 이 사람 《that에 비하여 가까운 것을 가리킴》
What is *this*? 이것은 무엇이지?
*This* is a map. 이것은 지도이다.

Alice, *this* is Tom. 앨리스, 이 사람은 톰이야 《사람을 소개할 때》.

참고 This is he 〔she〕. 「(전화에서) **접니다.**」
전화에서 상대방이 찾는 사람이 자기일 때 하는 말이다.
This is ... (speaking). (저는 … 입니다)이나 Who's this? (누구시지요?)는 전화에서 흔히 쓰는 말인데 this는 말하는 사람 자신도 가리키고 상대방도 가리킨다.
A: Hello. Is Jenny at home? 「여보세요. 제니 집에 있습니까?」
B: *This is she*. Who's this, please? 「전데요. 실례지만 누구시죠?」
A: Hi, this is Bobby (speaking). 「아, 나 보비야.」

❷ 오늘, 지금, 현재, 이번

A B C D E F G H I J K L M N O P Q R S T U V W X Y Z

*This* is my birthday.
오늘은 나의 생일이다.
*This* is an atomic age.
지금은 원자력 시대이다.
숙어 ***after this*** 앞으로는, 이후에는
*After this* I will study hard.
앞으로는 열심히 공부하겠습니다.
**—**형 (복수 **these** [ðíːz 디-즈])
《지시형용사》
❶ 이; 이쪽의 (반 that 저, 저쪽의)
*This* doll is mine.
이 인형은 내 것이다.

Come *this* way, please.
이쪽으로 오세요.
❷ 현재의, 지금의, 이번의
*this* month〔week, year〕
이 달〔주, 해〕
I met him *this* afternoon.
오늘 오후에 그를 만났다.
He will succeed *this* time.
이번에는 그가 성공할 것이다.
숙어 ***by this time*** 지금쯤, 이때까지는
She must be in Paris *by this time*. 그녀는 지금쯤 틀림없이 파리에 있을 것이다.
***this day week*** 지난 주의 오늘, 내주의 오늘
He was in London *this day week*.
지난 주의 오늘 그는 런던에 있었다.
***this day month*** 지난 달의 오늘, 내달의 오늘
I will leave for America *this day month*. 내달의 오늘 나는 미국으로 떠날 것이다.

## thorn *thorn*

[θɔ́ːrn 손-]
명 (복수 **thorns** [θɔ́ːrnz 손-즈])
(식물의) 가시
Roses have *thorns*.
《속담》 장미에는 가시가 있다.

## thor•ough *thorough*

[θə́ːrou 서-로우]
☺ gh는 발음하지 않음.
형 완전한, 철저한
The police made a *thorough* search of the house. 경찰은 그 집에 대해 철저한 수색을 했다.

## *those *those*

[ðóuz 도우즈]
대 《that의 복수》
❶ 저것들, 그것들 (반 these 이것들)
*Those* are my friends.
저 아이들은 내 친구들이다.

❷ 《앞에 나온 복수 명사의 반복을 피하기 위해서》 (…의) 그것들
I like American movies better than *those* of Korea. 나는 한국 영화보다 미국 영화가 좋다.
❸ 《**those who**로》 (…하는) 사람들

Heavens help *those* who help themselves. 《속담》 하늘은 스스로 돕는 자를 돕는다.
— 형 《that의 복수》 저것들의, 그것들의 (반 these 이것들의)
Look at *those* pictures on the wall. 벽에 걸린 저 그림들을 보시오.
숙어 ***in those days*** 그 무렵에는, 그 당시는
This song was very popular *in those days*. 이 노래는 그 당시 아주 인기가 있었다.

## **though

*though*

[ðou 도우]

접 ❶ …하지만, …임에도 불구하고 (동 although)
*Though* I failed, I will try again. 비록 실패했지만, 나는 다시 해보겠다.

He is happy *though* he is poor. 그는 가난함에도 불구하고 행복하다.
✎ though 이하의 절은 단축시킬 수 있음: *Though* (he is) young, he is brave. 젊기는 하지만, 그는 용감하다.
❷ 《종종 **even though**로》 비록 …일지라도 (동 even if)
*Even though* you do not like it, you must do it. 비록 좋아하지 않더라도, 너는 그것을 해야 한다.
숙어 ***as though*** 마치 …인 것처럼
He talks *as though* he were a doctor.
그는 마치 의사인 것처럼 말한다.
✎ as though의 뒤에는 과거형이 오며 be동사는 항상 were를 씀. 내용은 현재를 말하고 있지만, 동사는 과거형을 쓰므로 이런 용법을 「가정법 과거」라고 함.
— 부 《보통 문장 끝에 두어》 그렇지만, 역시
It was expensive, *though*.
그렇지만, 값은 비쌌다.

## *thought

*thought*

[θɔ́ːt 소-트]

명 (복수 **thoughts** [θɔ́ːts 소-츠])
❶ 생각, 사고(思考); 사상
Korean *thought* 한국의 사상
I've just had an interesting *thought*.
방금 재미있는 생각이 떠올랐다.

❷ 의향, 의견; 착상
Tell your *thoughts* to me.
너의 의견을 나에게 말해 다오.

## thought•ful

*thoughtful*

[θɔ́ːtfəl 소-트펄]

형 ❶ 생각이 깊은, 심사숙고하는
He suddenly became *thoughtful*. 그는 문득 깊은 생각에 잠기기 시작했다.
❷ 인정 많은, 친절한
Mother is *thoughtful* of others.

어머니는 남에게 인정이 많다.

**⁑thou•sand** *thousand*
[θáuznd 사우즌드]
명 (복수 **thousands** [θáuzndz 사우즌즈]) ❶ 1,000, 천 명〔개〕
two〔three〕 *thousand*, 2〔3〕천
ten *thousand* 1만
a〔one〕 hundred *thousand*, 10만
❷ 《**thousands of**로》 몇 천이라는, 다수의
*Thousands of* people are working here. 몇천 명이라는 사람들이 이 곳에서 일하고 있다.
숙어 ***by the thousand*** 천 단위로
Bricks are sold *by the thousand*. 벽돌은 천 개 단위로 팔린다.
—형 천의; 《a thousand로》 다수의, 수많은
two *thousand* dollars, 2천 달러
*A thousand* thanks for your kind letter. 당신의 친절한 편지에 한없는 감사를 드립니다.

**thread** *thread*
[θréd 스레드]
명 (복수 **threads** [θrédz 스레즈])
❶ (string보다 가는) 실, 꼰실
a needle and *thread* 실꿴 바늘

❷ (실처럼) 가느다란 것
*threads* of light 빛줄기

**threat** *threat*
[θrét 스렛]
명 (복수 **threats** [θréts 스레츠])
❶ 위협, 협박
He repeated his *threat* of killing me. 그는 계속 나를 죽이겠다고 협박했다.
❷ (나쁜) 징조, 기미 《of》
There is a *threat of* rain in the air. 공기 속에 비올 기미가 있다.

**threat•en** *threaten*
[θrétn 스레튼]
타 (3단현 **threatens** [θrétnz 스레튼즈], 과거 · 과분 **threatened** [θrétnd 스레튼드], 현분 **threatening** [θrétniŋ 스레트닝])
(…을) 위협하다, 협박하다
He *threatened* me with gun.
그는 총으로 나를 위협했다.

**⁑three** *three*
[θríː 스리-]
명 (복수 **threes** [θríːz 스리-즈])
3; 세 살; 3시; 3명〔개〕
Bill is a child of *three*.
빌은 세 살난 아이이다.
We went to the park at *three*.
우리는 3시에 공원에 갔다.
—형 3의; 세 살의; 3명〔개〕의
There are *three* pencils on the desk.

책상 위에 연필 세 자루가 있다.

**thrill** *thrill*
[θríl 스릴]
명 (복수 **thrills** [θrílz 스릴즈])
(공포 · 흥분으로 느끼는) 전율, 스릴
The movie is full of *thrills.*
그 영화는 스릴로 가득 찼다.

— 타자 (3단현 **thrills** [θrílz 스릴즈], 과거 · 과분 **thrilled** [θríld 스릴드], 현분 **thrilling** [θríliŋ 스릴링])
전율을 느끼게 하다, 흥분시키다
The story *thrilled* her.
그 이야기는 그녀를 오싹하게 했다.

**throat** *throat*
[θróut 스로우트]
명 (복수 **throats** [θróuts 스로우츠])
목구멍, 식도

He has a sore *throat.*
그는 목이 아프다.

**throne** *throne*
[θróun 스로운]
명 (복수 **thrones** [θróunz 스로운즈])
왕좌; 《the를 붙여》 왕위
The young prince came to *the throne.*
그 젊은 왕자는 왕위에 올랐다.

**through** *through*
[θruː 스루–]
전 ❶ (…을) 지나서, 관통하여; 통하여
The train ran *through* the tunnel. 기차는 터널을 지나 빠져나갔다.
He looked through the window. 그는 창문으로 내다보았다.

❷ 《장소 · 시간을 나타내어》 두루, 도처에; 줄곧, …동안 내내
He traveled all *through* the world. 그는 세계 곳곳을 여행했다.
I stayed there *through* the summer.
나는 여름 내내 그 곳에 머물렀다.
❸ 《수단 · 원인을 나타내어》 …에 의하여; …때문에
We learn a lot of things *through* books. 우리는 책을 통하여 많은 것을 배운다.
He fell ill *through* overwork.
그는 과로 때문에 병이 났다.

a b c d e f g h i j k l m n o p q r s t u v w x y z

❹《경과를 나타내어》 …의 처음부터 끝까지; (…에서) …까지
She read *through* the novel in one day.
그녀는 하루에 그 소설을 다 읽었다.
He was in London from May 8 *through* June 3. 그는 5월 8일부터 6월 3일까지 런던에 있었다.
—부 ❶ 통하여, 처음부터 끝까지
Did you read the book *through*? 그 책을 다 읽었니?
❷ 줄곧, (…까지) 죽
This train goes *through* to Paris.
이 열차는 파리까지 직통한다.
❸ 완전히, 온통
You are wet *through*, aren't you? 너 비에 흠뻑 젖었잖니?

—형 직통의, 직행의
Is there a *through* train from New York to Chicago? 뉴욕에서 시카고까지 직행 열차가 있습니까?

## through•out *throughout*

[θruːáut 스루-아웃]
전 ❶《시간을 나타내어》 …동안 내내, 줄곧
*throughout* the year 일년 내내
We stayed there *throughout* the summer vacation. 우리는 여름 방학 내내 그 곳에 머물렀다.
❷《장소를 나타내어》 도처에, 온통
The house was painted pink *throughout*.
그 집은 온통 분홍색으로 칠해졌다.
—부 모조리; 시종일관, 철저히
This necklace is gold *throughout*. 이 목걸이는 전체가 금이다.

## ⁑throw *throw*

[θróu 스로우]
타 (3단현 **throws** [θróuz 스로우즈], 과거 **threw** [θrúː 스루-], 과분 **thrown** [θróun 스로운], 현분 **throwing** [θróuiŋ 스로우잉])
❶ 던지다, 내던지다
He *threw* a stone at the dog.
그는 개에게 돌을 던졌다.

❷ (빛 · 그림자 · 시선을) 던지다
The mountain *threw* its shadow over the fields.
그 산은 들판에다 그림자를 던졌다.
She *threw* him an angry look.
그녀는 그에게 화난 표정을 지었다.
숙어 ***throw away*** 내버리다
He *threw away* the trash.
그는 쓰레기를 내버렸다.
***throw off*** 벗어던지다
She *threw off* her dress.
그녀는 드레스를 벗어던졌다.
***throw out*** 내팽개치다, 버리다
He *threw out* his broken pen.
그는 부러진 펜을 내팽개쳤다.
—명 (복수 **throws** [θróuz 스로우즈]) 던짐; 투구〔송구〕

That was a powerful *throw*.
그것은 강력한 투구였다.

숙어 ***at a stone's throw*** 돌을 던지면 닿을 거리에, 가까운 곳에
The bus stop is *at a stone's throw* from the hotel. 버스 정류장은 호텔에서 가까운 곳에 있다.

***thrown** *thrown*
[θróun 스로운]
타자 throw(던지다)의 과거분사

**thumb** *thumb*
[θʌ́m 섬]
명 (복수 **thumbs** [θʌ́mz 섬즈]) 엄지손가락 (관 big toe 엄지발가락)

a *thumb* and four fingers
엄지와 네 손가락

숙어 ***Tumb(s) down!*** 안 돼!, 반대다! 《반대의 표시》
***Tumb(s) up!*** 좋다!, 잘했다!, 찬성이다! 《만족 · 동의의 표시》

***thun•der** *thunder*
[θʌ́ndər 선더]
명 (복수 **thunders** [θʌ́ndərz 선더즈]) 우레, 천둥 (관 lightning 번개)
I heard *thunder* in the distance. 나는 멀리서 울리는 우레 소리를 들었다.

— 자타 (3단현 **thunders** [θʌ́ndərz 선더즈], 과거 · 과분 **thundered** [θʌ́ndərd 선더드], 현분 **thundering** [θʌ́ndəriŋ 선더링])
《it을 주어로》 천둥치다; (천둥 같은) 큰 소리를 내다.
*It thundered* last night.
간밤에 천둥이 쳤다.

**thun•der•storm**
*thunderstorm*
[θʌ́ndərstɔ̀ːrm 선더스톰-]
명 (복수 **thunderstorms** [θʌ́ndərstɔ̀ːrmz 선더스톰-즈])
(심한) 뇌우

****Thurs•day** *Thursday*
[θə́ːrzdèi 서-즈데이]
명 (복수 **Thursdays** [θə́ːrzdèiz 서-즈데이즈]) 목요일 (약 Thur(s).)
We have five lessons on

*Thursday.*
목요일에는 수업이 다섯 과목 있다.

**thus** *thus*
[ðʌ́s 더스]
부 ❶ 이와 같이, 이렇게
God spoke *thus.*
하나님은 이와 같이 말씀하셨다.
❷ 이리하여, 이런 까닭에, 그래서 (㊍ therefore)
It's late, and *thus* you must go. 늦었으니 너는 가야 한다.

***tick·et** *ticket*
[tíkit 티킷]
명 (복수 **tickets** [tíkits 티키츠])
❶ 표, 승차권, 입장권
a one-way *ticket* 편도표
a round-trip *ticket* 왕복표
a *ticket* for a concert
음악회 입장권
One *ticket* to New York, please.
뉴욕까지 승차권 한 장 주십시오.

❷ (교통 위반) 딱지; (상품 · 하물의) 정찰, 꼬리표
a parking *ticket* 주차 위반 딱지

**tide** *tide*
[táid 타이드]
명 (복수 **tides** [táidz 타이즈])
조류(潮流), 조수의 간만
against the *tide* 조류를 거슬러
high〔low〕 *tide* 밀물〔썰물〕

**ti·dy** *tidy*
[táidi 타이디]
형 (비교급 **tidier** [táidiər 타이디어], 최상급 **tidiest** [táidiist 타이디이스트])
단정한, 깔끔한; 잘 정돈된
a *tidy* room 잘 정돈된 방
She is a very *tidy* person.
그녀는 매우 단정한 사람이다.

***tie** *tie*
[tái 타이]
타자 (3단현 **ties** [táiz 타이즈], 과거 · 과분 **tied** [táid 타이드], 현분 **tying** [táiiŋ 타이잉])
❶ 묶다, 매다; 묶이다
He *tied* up the baggage.
그는 짐꾸러미를 묶었다.
Mary *tied* her hair with a ribbon. 메리는 머리에다 리본을 맸다.
❷ 구속하다, 속박하다
I am *tied* to my work.
나는 일에 매어 있다.
❸ (경기 따위에서) 동점이 되다
The two teams *tied.*
그 두 팀은 동점이 되었다.
—명 (복수 **ties** [táiz 타이즈])
❶ 넥타이 (㊍ necktie)
He wears a green *tie.*
그는 초록색 넥타이를 매고 있다.

❷ (경기의) 동점, 무승부
The baseball game ended in a *tie*. 야구 시합은 무승부로 끝났다.

***ti·ger** *tiger*
[táigər 타이거]
명 (복수 **tigers** [táigərz 타이거즈])
〖동물〗 호랑이, 범

You can see *tigers* in a zoo.
너는 동물원에서 호랑이를 볼 수 있다.

**tight** *tight*
[táit 타이트]
gh는 발음하지 않음.
형 (비교급 **tighter** [táitər 타이터], 최상급 **tightest** [táitist 타이티스트])
❶ (끈 따위가) 단단히 맨, 팽팽한 (반 loose 느슨한)
a *tight* knot 단단히 맨 매듭
Keep a *tight* hold on this rope.
이 밧줄을 팽팽히 당기시오.
❷ (신발 · 옷 따위가) 꼭 끼는, 죄는
My shoes feel *tight*.
신발이 꼭 끼는 느낌이다.

**tightly** *tightly*
[táitli 타이틀리]
부 단단히, 팽팽하게

**tile** *tile*
[táil 타일]
명 (복수 **tiles** [táilz 타일즈])
(지붕의) 기와; (바닥에 까는) 타일
a roof of *tile* 기와를 인 지붕

**⁑till** *till*
[《약》 t(i)l 틸; 《강》 tíl 틸]
전 《시간을 나타내어》 (계속해서) …까지 (동 until)
Let's wait *till* five o'clock.
5시까지 기다리자.

I will stay here *till* tomorrow.
나는 내일까지 여기서 머무를 것이다.
— 접 ❶ (…할 때) 까지 죽; 《앞에 콤마가 있을 때》 (…하여) 마침내
Wait here *till* your mother comes back. 네 엄마가 돌아올 때까지 여기서 기다려라.
We walked on in the rain, *till* we came to a small village.
우리는 빗속을 걸어서, 마침내 조그만 마을에 왔다.
❷ 《**not ... till** ~로》 …하여 비로소 ~하다
We do *not* know the value of health *till* we lose it. 우리는 건강을 잃고서야 비로소 그 가치를 안다.

어법 till, by, until
**till**은 「…까지 죽」이라는 뜻으로, 동작이나 상태가 어느 때까지 계속하는 것을 나타내고, **by**는 「…까지에는」의 뜻으로 동작이나 상태가 어느 때까지 완료하는 것을 나타낸다. 또

**until**은 till과 똑같이 「…까지 죽」 이라는 뜻으로 미국에서는 till보다 until을 많이 쓴다.

---

**⁑time** *time*
[táim 타임]
명 (복수 **times** [táimz 타임즈])
❶ 《a와 복수형 안 씀》 (한 시점의) 시각, (시계가 가리키는) 시간
“What *time* is it?”
“It’s half past two.”
「몇 시입니까?」
「2시 반입니다.」

It’s *time* to go home.
집에 갈 시간이다.
❷ 《a와 복수형 안 씀》 (공간에 대하여) 시간; …하는 시간, 세월

**Time 시간**

| | | |
|---|---|---|
| one o’clock<br>1시 | one five<br>1시 5분 | one fifteen<br>(quarter past one)<br>1시 15분 |
| one thirty<br>(half past one)<br>1시 30분 | one forty-five<br>(quarter to two)<br>1시 45분 | one fifty-five<br>(five to two)<br>1시 55분 |

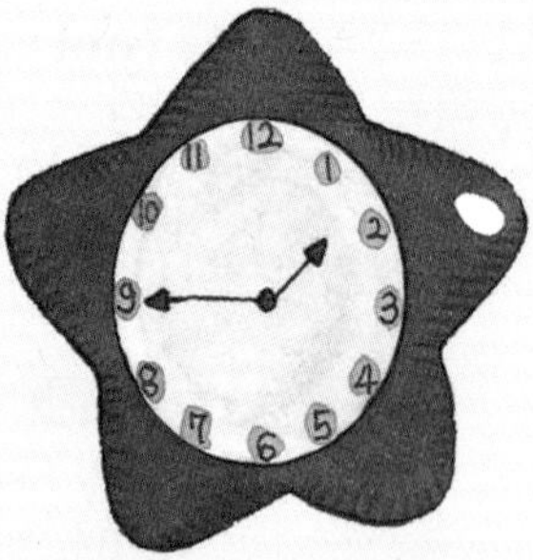

*Time* is money.
《속담》 시간은 돈이다.
*Time* and tide wait for no man. 《속담》 세월은 사람을 기다려 주지 않는다.
*Time* flies like an arrow.
《속담》 세월은 화살처럼 날아간다.
She has no *time* to write a letter. 그녀는 편지 쓸 시간이 없다.

❸ (어느) 때, 쯤, 무렵
at Christmas *time*
크리스마스 무렵
at the *time* of the accident
그 사고 당시

❹ (일정한) 기간, 동안; 시기, 기회
I haven't seen him for a long *time*.
나는 오랜 동안 그를 만나지 못했다.
There is a *time* for everything.
모든 일에는 시기가 있는 법이다.

❺ 《보통 복수형으로》 시대; 정세, 형편
His ideas were ahead of the *times*.
그의 생각은 시대에 앞서 있었다.
*Times* have changed.
정세는 바뀌었다.

❻ 《보통 복수형으로》 …회, …번
I have read this novel three *times*.
나는 이 소설을 세 번이나 읽었다.

❼ 《복수형으로》 …배(倍), 곱하기
This is three *times* as large as that. 이것은 저것보다 3배는 크다.
Four *times* two is eight.
2 곱하기 4는 8 《2×4=8》.

숙어 ***after a time*** 한참 후에야
I met her *after a time*.
나는 한참 후에야 그녀를 만났다.

***all the time*** 늘, 언제나
He is busy *all the time*.
그는 늘 바쁘다.

***at a time*** 동시에, 한번에
We can't do two things *at a time*. 우리는 한번에 두 가지 일을 할 수 없다.

**(*at*) *any time*** 언제라도, 아무때나
Come to see me *at any time*.
언제라도 저를 만나러 오세요.

***at that time*** 그때, 그 당시

***at the same time*** 동시에
They stood up *at the same time*. 그들은 동시에 일어섰다.

***at this time of*** …의 이때쯤
We have a lot of snow *at this time of* the year.
1년 중 이때쯤이면 눈이 많이 온다.

***at times*** 때때로, 가끔
We have a heavy snow *at times*. 때때로 큰 눈이 온다.

***by this time*** 지금쯤, 이때까지
He will have finished it *by this time*. 그는 지금쯤 그것을 끝마쳤을 것이다.

***for a time*** 한동안, 당분간
He kept silent *for a time*.
그는 한동안 침묵을 지켰다.

***for the first time*** 처음으로
We came here *for the first time*.
우리는 처음으로 이곳에 왔다.

✎ 'for the last time'은 「마지막으로」의 뜻

***for the time being*** 당분간
I am staying at home *for the time being*.

나는 당분간 집에 머물고 있다.

***from time to time*** 때때로, 가끔

We go fishing *from time to time.* 우리는 가끔 낚시하러 간다.

***have a good time*** 재미있게 지내다

We *had a good time* playing a game. 우리는 놀이를 하며 즐거운 시간을 보냈다.

***in time*** 때맞추어, 제시간에

I was just *in time* for the train. 나는 간신히 열차 시간에 맞추었다.

✎「지각하여」는 'behind time': He is often *behind time.* 그는 종종 지각한다.

***keep good time*** 시간이 정확하다

This watch *keeps good time.* 이 시계는 시간이 정확하다.

***on time*** 정각에, 예정 시간대로

The train arrived *on time.* 열차는 예정된 시간에 도착했다.

***once upon a time*** 옛날에

*Once upon a time* there lived a pretty princess. 옛날 옛적에 한 예쁜 공주님이 살았다.

***some time*** 언젠가

I want to go to America *some time.* 나는 언젠가 미국에 가고 싶다.

***Time is up.*** 시간이 다 되었다.

## time•ly *timely*

[táimli 타임리]

형 (비교급 **timelier** [táimliər 타임리어], 최상급 **timeliest** [táimliist 타임리이스트])

때에 알맞은, 시기 적절한

a *timely* hit (야구의) 적시타

## time•ta•ble *timetable*

[táimtèibl 타임테이블]

명 (복수 **timetables** [táimtèiblz 타임테이블즈]) (계획 등의) 예정표; (운송 기관 · 학교 등의) 시간표

## tim•id *timid*

[tímid 티미드]

형 (비교급 **timider** [tímidər 티미더], 최상급 **timidest** [tímidist 티미디스트])

겁 많은, 수줍어하는, 소심한

He is *timid* as a rabbit. 그는 몹시 겁이 많다.

## tin *tin*

[tín 틴]

명 (복수 **tins** [tínz 틴즈])
❶ 《a와 복수형 안 씀》 주석, 양철
This kettle is made of *tin*.
이 주전자는 주석으로 만든 것이다.
❷ 《영》 통조림 (《미》 can)
— 타 (3단현 **tins** [tínz 틴즈], 과거 · 과분 **tined** [tínd 틴드], 현분 **tining** [tíninf 티닝])
《영》 통조림으로 하다 (《미》 can).
*tinned* food 《영》 통조림 식품

## *ti•ny *tiny*
[táini 타이니]
형 (비교급 **tinier** [táiniər 타이니어], 최상급 **tiniest** [táiniist 타이니이스트])
조그마한, 몹시 작은 (동 very small)
Babies are *tiny* when they are first born. 아기들은 처음 태어났을 때 아주 작다.

## tip¹ *tip*
[típ 팁]
명 (복수 **tips** [típs 팁스])
끝; 꼭대기, 정점
The *tip* of a needle is very sharp. 바늘 끝은 매우 날카롭다.

## tip² *tip*
[típ 팁]
명 (복수 **tips** [típs 팁스])
사례금, 팁
He gave the waiter a large *tip*.
그는 웨이터에게 팁을 듬뿍 주었다.

— 타 (3단현 **tips** [típs 팁스], 과거 · 과분 **tipped** [típt 팁트], 현분 **tipping** [típiŋ 티핑])
팁을 주다, 사례하다
Don't forget to *tip* the driver.
운전사에게 팁을 주는 것을 잊지 마라.

## tire¹ *tire*
[táiər 타이어]
타자 (3단현 **tires** [táiərz 타이어즈], 과거 · 과분 **tired** [táiərd 타이어드], 현분 **tiring** [tái(ə)riŋ 타이(어)링])
❶ 지치게 하다, 피곤해지다
Such a long walk will *tire* the children. 그렇게 오래 걷게 하면 아이들을 지치게 할 것이다.
❷ 싫증나게 하다, 물리다

They never *tire* of reading. 그들은 절대로 독서에 물리지 않는다.

A B C D E F G H I J K L M N O P Q R S T U V W X Y Z

***tire², ⟪영⟫ tyre** *tire tyre*
[táiər 타이어]
명 (복수 **tires** [táiərz 타이어즈])
(고무제) 타이어, 바퀴
He had a flat *tire* on the way.
그는 도중에 타이어가 구멍났다.

**⁑tired** *tired*
[táiərd 타이어드]
형 (비교급 **more tired**, 최상급 **most tired**)
❶ 지친, 피곤한 ⟪from⟫
I am very *tired from* the long drive. 오래도록 운전을 했더니 난 매우 지쳐 있다.

❷ 싫증난, 물린 ⟪of⟫
He is *tired of* his toys.
그는 장난감에 싫증이 났다.

**tis•sue** *tissue*
[tíʃuː 티슈–]
명 (복수 **tissues** [tíʃuːz 티슈–즈])
❶ (근육 등의) 조직
❷ 티슈, 휴지
a box of *tissues* 티슈 한 상자

**ti•tle** *title*
[táitl 타이틀]
명 (복수 **titles** [táitlz 타이틀즈])
❶ (책 · 문예물 따위의) 제목, 표제
I don't know the *title* of the book. 나는 그 책의 제목을 모른다.
❷ (Mr., Dr., Lord 따위의) 칭호, 직함
'Doctor', 'Mrs.', and 'General' are all *titles*.
의사, 여사, 장군은 모두 칭호다.
❸ (경기의) 선수권, 타이틀
a *title* match 선수권 시합

**⁑to** *to*
[⟪약⟫ tu 투; (문장이나 절 끝) tuː 투–; ⟪강⟫ túː 투–]
전 ❶ ⟪행선지⟫ …에, …으로
They walk *to* school.
그들은 걸어서 학교에 간다.
We go *to* church on Sunday.
우리는 일요일에 교회에 간다.

He's flying *to* London.
그는 런던으로 비행하고 있다.
❷ ⟪방향⟫ …쪽에, …방향으로
Turn *to* the right.
우측 방향으로 도세요.
Canada is *to* the north of the

United States.
캐나다는 미국의 북쪽에 있다.

❸ 《범위 · 정도》 …까지
The rumor is true *to* some extent. 그 소문은 어느 정도까지는 사실이다.
They work from Monday *to* Friday. 그들은 월요일에서 금요일까지 일한다.

❹ 《시각》 (…시 …분) 전
It is a quarter *to* ten.
10시 15분 전이다.

❺ 《결과 · 상태》 …한 바로는, …으로 되기까지, …하여 ~이 되다
*To* my surprise he got a lot of money.
놀랍게도 그는 큰돈을 거머쥐었다.
She broke a dish *to* pieces.
그녀는 산산조각으로 접시를 깨뜨렸다.
She sang her child *to* sleep.
그녀는 노래를 불러 아이를 재웠다.

❻ 《목적》 …을 위하여, …하려고
Drink *to* your health!
당신의 건강을 위하여 건배!

They sat down *to* dinner. 그들은 만찬을 들려고 자리에 앉았다.

❼ 《대상 · 관계 · 소속》 …에 대하여, …에게, …에
A Happy New Year *to* you.
당신께 행복한 새해가 되기를.
He is no relation *to* me.
그는 나와 아무런 관계도 없다.
I belong *to* the swimming club.
나는 수영부에 속해 있다.

❽ 《조화 · 일치》 …에 맞추어
She sang *to* the piano.
그녀는 피아노에 맞추어 노래불렀다.

❾ 《비교》 …에 비하여, …대 …, …보다
They lost the game by 5 *to* 3.
그들은 시합을 5대 3으로 졌다.
I prefer tea *to* coffee.
나는 커피보다 홍차를 좋아한다.

❿ 《「**to**+동사의 원형」으로 부정사를 만들어》
(1) 《명사적 용법》 …하는 것, …하기
It is interesting *to* study English. 영어를 공부하는 것은 재미있다.
I like *to* swim.
나는 수영하기를 좋아한다.
(2) 《형용사적 용법》 …할, …하기 위한
I have nothing *to* do today.
오늘은 아무것도 할 일이 없다.
Give me something *to* drink.
나에게 뭔가 마실 것 좀 주세요.
(3) 《부사적 용법》 …하기 위하여, …하려고; …하여서
I went *to* the station *to* see him. 그를 마중하려고 역에 갔다.
I'm glad *to* see you.
당신을 만나게 되어 기쁩니다 《원인》.
He took the examination only *to* fail. 그는 시험을 봤으나 떨어졌다 《결과》.
(4) 《의문사+**to** do의 용법》

I don't know *how to* swim.
나는 수영하는 법을 모른다.
She told me *where to* go. 그녀는 나에게 어디에 가는 지를 물었다.

(5) 《독립 용법》
*To tell the truth*, I am a doctor. 사실을 말하자면, 나는 의사다.

(6) 《**be**+**to** do의 용법》 …해야 한다, …할 작정이다, …할 수 있다.
You *are to* knock before you come in.
들어오기 전에 노크를 해야 한다.

I *am to* meet her at the station. 역에서 그녀를 만날 작정이다.

(7) 《「**to**+동사의 원형」의 동사를 생략하여》
You may go if you want *to*.
네가 원한다면 가도 좋다.
✎ 맨 끝의 to는 to go의 go가 생략된 것.

숙어 ***be going to** do* …할 예정이다, …하려 하고 있다.
I *am going to* study English this evening. 나는 오늘 저녁 영어를 공부할 작정이다.

***enough to** do* …하기에 충분한
He is rich *enough to* buy the house. 그는 그 집을 사기에 충분할 만큼 부유하다.

***have to** do* …하지 않으면 안 된다
You *have to* finish it tomorrow. 너는 그것을 내일까지 끝마치지 않으면 안 된다.
✎ have to = must. 단 must에는 과거형이 없으며 이것의 과거형은 had to: He *had to* work. 그는 일하지 않으면 안 되었다.

***too … to ~*** 너무 …하므로 ~할 수 없다
The stone is *too* heavy for me *to* move. 그 돌은 너무 무거워서 나로서는 움직일 수 없다.

**toast** *toast*
[tóust 토우스트]
명 《a와 복수형 안 씀》 토스트, 구운 빵

I ate two slices of *toast* for breakfast. 나는 아침 식사로 토스트 두 조각을 먹었다.

—타 (3단현 **toasts** [tóusts 토우스츠], 과거 · 과분 **toasted** [tóustid 토우스티드], 현분 **toasting** [tóustiŋ 토우스팅])
(빵 따위를) 굽다 (동 bake)
I *toasted* the bread.

A B C D E F G H I J K L M N O P Q R S T U V W X Y Z

나는 빵을 구웠다.

**toaster** *toaster*
[tóustər 토우스터]
명 빵굽는 사람[기구], 토스터

**to•bac•co** *tobacco*
[təbǽkou 터배코우]
명 (복수 **tobacco(e)s** [təbǽkouz 터배코우즈]) (썬) 담배
He smoked *tobacco* in his pipe.
그는 파이프 담배를 피웠다.
✎「종이에 만 담배」는 cigarette, 「잎을 만 담배」는 cigar

****to•day** *today*
[tudéi 투데이]
명 《a와 복수형 안 씀》
❶ 오늘, 금일
*Today* is Monday.
오늘은 월요일이다.
Show me *today*'s paper.
오늘 신문을 보여 주세요.

**참고 오늘을 기준으로 한 때의 변화**
next year (내년)
next month (내월)
next week (내주)
after three days (3일 후)
the day after tomorrow (모레)
tomorrow (내일)
**today** (오늘)
yesterday (어제)
the day before yesterday (그제)
three days ago (3일 전)
last week (지난 주)
last month (지난 달)
last year (작년)

❷ 현대, 오늘날
*Today* is the space age.
현대는 우주 시대이다.
—부 ❶ 오늘은
It is Saturday *today*.
오늘은 토요일이다.
❷ 현재는, 오늘날은
English is spoken all over the world *today*. 오늘날 영어는 전 세계적으로 쓰인다.

***toe** *toe*
[tóu 토우]
명 (복수 **toes** [tóuz 토우즈])
발가락, 발끝; (구두 · 양말의) 앞부리

a big[great] *toe* 엄지 발가락
a little *toe* 새끼 발가락
She stood up on her *toes*.
그녀는 발끝으로 섰다.

****to•geth•er** *together*
[tugéðər 투게더]
부 ❶ 함께, 같이 (반 alone 혼자)

They are all playing *together*.
그들은 모두 함께 놀고 있다.
Please come *together*.
같이 오세요.
❷ 동시에, 일제히
They all arrived *together*.
그들은 모두 동시에 도착했다.
All the guns were fired *together*. 모든 대포들이 일제히 발사됐다.
숙어 ***all together*** 모두 함께
Read after me *all together*.
나를 따라서 모두 함께 읽으세요.
***put ... together*** …을 한데 묶다, 한데 모으다.
He put the broken pieces *together*.
그는 그 파편을 거두어 모았다.
***together with*** …와 함께, …와 같이
He sent some flowers *together with* a card.
그는 카드와 함께 꽃을 보냈다.

**toi•let** *toilet*
[tɔ́ilət 토일럿]
명 (복수 **toilets** [tɔ́iləts 토일러츠])
화장실; 세면장, 욕실
*toilet* paper 화장지
Father is in the *toilet*.
아버지는 화장실에 계신다.

**to•ken** *token*
[tóukn 토우큰]
명 (복수 **tokens** [tóuknz 토우큰즈])
❶ 표시, 상징, 증표 (동 mark)
A lily is a *token* of purity.
백합은 순결의 상징이다.
❷ 대용 화폐, 토큰

***told** *told*
[tóuld 토울드]
타자 tell(말하다)의 과거 · 과거분사

**toll•gate** *tollgate*
[tóulgèit 토울게이트]
명 (복수 **tollgates** [tóulgèits 토울게이츠])
(고속도로) 통행료 징수소, 톨게이트
We stopped at the *tollgates* and paid. 우리는 톨게이트에서 멈춰서 요금을 지불했다.

***to•ma•to** *tomato*
[təméitou 터메이토우]
명 (복수 **tomatoes** [təméitouz 터메이토우즈]) 〖식물〗 토마토

*Tomatoes* have a lot of vitamin C. 토마토에는 비타민 C가 많다.

**tomb** *tomb*
[tú:m 툼-]
b는 발음하지 않음.
명 (복수 **tombs** [tú:mz 툼-즈])
무덤, 묘지
We visit our grandpa's *tomb*

every year. 우리는 매년 할아버지의 묘소를 찾아간다.

**to·mor·row** *tomorrow*
[tumárou 투마로우]
명 《a와 복수형 안 씀》 ❶ 내일 (관 today 오늘, yesterday 어제)
See you *tomorrow*. 내일 만나자.
It's my birthday *tomorrow*. 내일은 내 생일이다.
❷ 장래, 미래 (동 future)
a bright *tomorrow* 밝은 미래
the world of *tomorrow* 미래의 세계
숙어 ***the day after tomorrow*** 모레
Please wait until *the day after tomorrow*. 모레까지 기다려 주세요.
— 부 내일은[에]
Let's meet here *tomorrow*. 내일 여기서 만나자.

**ton** *ton*
[tʌ́n 턴]
명 (복수 **tons** [tʌ́nz 턴즈], **ton** [tʌ́n 턴]) 〖단위〗 톤 《무게의 단위; 미터법으로는 1,000kg》
a five-*ton* truck, 5톤 트럭

**tone** *tone*
[tóun 토운]
명 (복수 **tones** [tóunz 토운즈])
❶ 음조, 가락; 색조
This violin has a beautiful *tone*. 이 바이올린은 아름다운 음조를 갖고 있다.
❷ 어조, 논조
He spoke in an angry *tone*. 그는 성난 어조로 말했다.

**tongue** *tongue*
[tʌ́ŋ 텅]
ue는 발음하지 않음.
명 (복수 **tongues** [tʌ́ŋz 텅즈])
❶ 혀
The boy put out his *tongue*. 그 소년은 혀를 내밀었다.

❷ 언어 (동 language)
Spanish is her native *tongue*. 스페인어는 그녀의 모국어다.

**to·night** *tonight*
[tunáit 투나이트]
명 《a와 복수형 안 씀》 오늘밤

a b c d e f g h i j k l m n o p q r s t u v w x y z

*Tonight* is Christmas Eve.
오늘밤은 크리스마스 이브다.
—부 오늘밤에, 오늘밤은
Please call me *tonight*.
오늘밤 저에게 전화해 주세요.

**too** *too*
[túː 투–]
부 ❶《문장 전체를 수식하여》 …도 또한, 게다가, 역시 (동 also)
She is beautiful, and kind, *too*.
그녀는 아름다운 데다가 친절하다.
He can swim, and I can, *too*.
그는 헤엄칠 줄 알고, 나 역시 할 수 있다.
✎ 부정문에서는 too 대신 either를 씀: If you don't go, I will not, *either*. 당신이 가지 않는다면 나 역시 가지 않겠다.
❷《형용사 · 부사를 수식하여》 너무, 지나치게
Don't eat *too* much.
과식하지 마라.
It is *too* hot today.
오늘은 너무 덥다.
❸《구어》 대단히, 매우 (동 very)
I am *too* glad.
나는 대단히 기쁘다.

**Tools 연장**

[숙어] ***can not ... too ~*** 아무리 …해도 지나치지 않다

You *cannot* be *too* careful of your health. 아무리 건강에 주의해도 지나치지 않다.

***too ... to ~*** 너무 …하므로 ~할 수 없다

I was *too* surprised *to* speak.
나는 너무 놀라서 말을 할 수 없었다.

✎ too ... to ~는 so ... that ... cannot의 구문으로 바꿔 쓸 수 있음: I was *so* surprised *that* I *could not* speak.

---

## *took *took*

[túk 툭]

[타] take(가지고 가다)의 과거

---

## tool *tool*

[tú:l 툴-]

[명] (복수 **tools** [tú:lz 툴-즈]) 연장, 도구, 공구

A hammer, a saw, and a driver are *tools*.
망치, 톱, 드라이버는 연장이다.

---

## *tooth *tooth*

[tú:θ 투-스]

[명] (복수 **teeth** [tí:θ 티-스]) 이빨, 치아

I had a *tooth* pulled out.
나는 이를 하나 뺐다.

I have two decayed *teeth*.
나는 충치가 두 개 있다.

I brush my *teeth* after each meal.
나는 식사 후에는 매번 이를 닦는다.

---

## tooth•ache *toothache*

[tú:θèik 투-세이크]

[명] (복수 **toothaches** [tú:θèiks 투-세이크스]) 치통

I have a *toothache*.
나는 치통이 있다.

---

## tooth•brush *toothbrush*

[tú:θbrʌ̀ʃ 투-스브러시]

[명] (복수 **toothbrushes** [tú:θbrʌ̀ʃiz 투-스브러시즈]) 칫솔

---

## tooth•paste *toothpaste*

[tú:θpèist 투-스페이스트]

[명] 《a와 복수형 안 씀》 (크림형) 치약

Tom bought some *toothpaste*.
톰은 치약을 샀다.

---

## **top[1] *top*

[táp 탑]

[명] (복수 **tops** [táps 탑스])

❶ 꼭대기, 정상

the *top* of a tree 나무 꼭대기

We walked up to the *top* of the hill. 우리는 언덕 꼭대기로 걸어 올라갔다.

A B C D E F G H I J K L M N O P Q R S T U V W X Y Z

❷ 겉면, 표면; 상단
Wipe the *top* of the table.
탁자 표면을 닦아라.
He wrote his own address at the *top* of the letter. 그는 편지 상단에다 자기 주소를 썼다.
❸ 상위, 수위 (반 bottom 하위)
Jane is at the *top* of her class.
제인은 반에서 1등이다.
❹ 극도, 절정, 최고
He ran at the *top* of his speed.
그는 전속력으로 달렸다.
숙어 ***at the top of one's voice***
목청껏
I cried *at the top of my voice*.
나는 목청껏 소리질렀다.
***from top to toe*** 머리끝에서 발끝까지, 모조리
***on (the) top of*** …의 꼭대기에
—형 맨 꼭대기의; 최고의; 수석의
The pet shop is on the *top* floor.
애완동물 가게는 맨 꼭대기층에 있다.
The car ran at *top* speed.
그 차는 전속력으로 달렸다.

## top²
*top*
[tɑ́p 탑]
명 (복수 **tops** [tɑ́ps 탑스])
팽이 (동 spinning top)

The child is spinning a *top*.
그 아이는 팽이를 돌리고 있다.

## top•ic
*topic*
[tɑ́pik 타픽]
명 (복수 **topics** [tɑ́piks 타픽스])
화제, 논제, 토픽
Today's *topic* in class was the game of baseball. 반에서 오늘의 화제는 야구 시합이었다.

## torch
*torch*
[tɔ́ːrtʃ 토-치]
명 (복수 **torches** [tɔ́ːrtʃiz 토-치즈])
횃불; 회중전등
The runner carried the *torch* into the Olympic stadium.
그 주자는 횃불을 올림픽 스타디움으로 운반했다.

## tore
*tore*
[tɔ́ːr 토-]
자 tear²(찢다)의 과거

## torn
*torn*
[tɔ́ːrn 톤-]
자 tear²(찢다)의 과거분사

## tor•toise
*tortoise*
[tɔ́ːrtəs 토-터스]
oi는 [ə]로 발음함.
명 (복수 **tortoises** [tɔ́ːrtəsiz 토-터시즈]) (육지 · 민물에 사는) 거북이 (관 turtle 바다거북)
One day a *tortoise* ran a race

with a hare. 어느 날 거북이는 토끼와 달리기 시합을 했다.

**toss** *toss*
[tɔ́ːs 토-스]
타 자 (3단현 **tosses** [tɔ́ːsiz 토-시즈], 과거 · 과분 **tossed** [tɔ́ːst 토-스트], 현분 **tossing** [tɔ́ːsiŋ 토-싱])
❶ 가볍게 던지다, 팽개치다

He *tossed* a discus to me.
그는 나에게 원반을 던졌다.
He *tossed* his bag aside.
그는 가방을 옆으로 팽개쳤다.
❷ 동전을 던져서 정하다 《up》
Let's *toss up* for the seat.
그 자리에 앉는 것을 동전을 던져 정하자.
❸ (위아래로) 흔들다, 흔들리다; (몸을) 뒤척거리다
The ship was *tossed* by the waves. 배는 파도에 흔들렸다.

**to·tal** *total*
[tóutl 토우틀]
형 ❶ 전체의, 총계의
How much is the *total* amount?
총액은 얼마입니까?

❷ 완전한, 전적인
He was in *total* ignorance of it. 그는 그것을 전혀 모르고 있었다.
—명 (복수 **totals** [tóutlz 토우틀즈])
총계, 합계 (동 sum)
The cost reached a *total* of $250. 비용은 합계 250달러에 달했다.

***touch** *touch*
[tʌ́tʃ 터치]
타 자 (3단현 **touches** [tʌ́tʃiz 터치즈], 과거 · 과분 **touched** [tʌ́tʃt 터치트], 현분 **touching** [tʌ́tʃiŋ 터칭])
❶ 손대다, 만지다
Don't *touch* these books.
이 책들에 손대지 마시오.
❷ 감동시키다 (동 move)
I was deeply *touched* by her story. 나는 그녀의 이야기에 깊이 감동했다.
❸ 《보통 부정문에서》 (음식을) 먹다
He didn't *touch* his food for three days. 그는 3일 동안이나 음식을 먹지 않았다.

— 명 (복수 **touches** [tʌ́tʃiz 터치즈])
❶ 만지기; 감촉, 촉감
The cloth has a soft *touch*.
그 천은 감촉이 부드럽다.
❷ 《**a touch of**로》 (약간의) 기미, 징조
I have *a* slight *touch of* cold.
나는 가벼운 감기 기미가 있다.

숙어 ***get in touch with*** …와 연락하다, 접촉하다

## tough *tough*

[tʌ́f 터프]
gh는 [f]로 발음함.
형 (비교급 **tougher** [tʌ́fər 터퍼], 최상급 **toughest** [tʌ́fist 터피스트])
❶ (물건이) 단단한, (고기가) 질긴
This steak is too *tough*.
이 고기는 너무 질기다.
❷ (사람이) 튼튼한, 억센, 난폭한
Street gangs act *tough*.
거리의 폭력배들은 난폭하게 군다.
❸ 힘든, 고된, 어려운
Training to be a doctor is *tough*.
의사로서 훈련을 쌓는 일은 힘들다.

## tour *tour*

[túər 투어]
명 (복수 **tours** [túərz 투어즈])
여행, 유람 (동 travel)
a sightseeing *tour* 관광 여행
She went on a *tour* in Europe.
그녀는 유럽 여행을 떠났다.

— 타자 (3단현 **tours** [túərz 투어즈], 과거 · 과분 **toured** [túərd 투어드], 현분 **touring** [tú(ə)riŋ 투(어)링])
여행하다, 유람하다
We *toured* Europe by train.
우리는 기차로 유럽 여행을 했다.

## tour•ist *tourist*

[tú(ə)rist 투(어)리스트]
명 (복수 **tourists** [tú(ə)rists 투(어)리스츠]) 여행객, 관광객

A party of *tourists* arrived in bus. 관광단이 버스로 도착했다.

## ⁑to•ward(s) *toward(s)*

[t(w)ɔ́ːrd(z) 트워-드(즈)]
전 ❶ 《방향》 …쪽으로, …으로 향하여
He was walking *toward* the river.
그는 강 쪽으로 걸어가고 있었다.
✎ towards는 주로 영국에서, toward는 주로 미국에서 쓰임.

**어법** toward, to, for

**toward**는 「…쪽으로」, 「…을 향하여」의 뜻으로 어떤 방향을 향하여 가는 것을 나타낸다. **to**는 방향에도 쓰이지만 대체로 「도착 지점」을 의미한다. **for**는 「…을 향하여」의 뜻으로 목적지를 나타낸다: He ran *toward* his house. 그는 집 쪽으로 달려갔다 / He went *to* London. 그는 런던에 갔다 / Is this train *for* Mokpo? 이 열차는 목포행입니까?

❷ 《경향 · 대상》 …에 대하여
She is friendly *toward* the poor.
그녀는 가난한 사람들에 대하여 우호적이다.
❸ 《시간의 접근》 …가까이; …무렵, 쯤
He will be back *toward* noon.
그는 정오쯤에 돌아올 것입니다.

***tow•el** *towel*
[táu(ə)l 타월]
명 (복수 **towels** [táu(ə)lz 타월즈])
수건, 타월
a dish *towel* 행주
I dried my body on a *towel*.
나는 수건으로 몸을 닦았다.

***tow•er** *tower*
[táuər 타워]
명 (복수 **towers** [táuərz 타워즈])
탑, 망루
a control *tower* (공항의) 관제탑
We saw the Leaning *Tower* of Pissa.
우리는 피사의 사탑을 보았다.

**⁑town** *town*
[táun 타운]
명 (복수 **towns** [táunz 타운즈])
❶ 읍, 도회지 《village보다 크고 city보다 작은 행정 구역을 가리킴》

I live in a small *town* in America. 나는 미국의 조그만 읍에서 산다.
❷ 《the를 붙여》 (읍의) 주민
*The* whole *town* went to see the circus. 읍 사람들은 모두 서커스를 보러 갔다.
❸ 《관사 없이》 (도시의) 번화가, 중심지 (동 downtown)

a b c d e f g h i j k l m n o p q r s t u v w x y z

She went into *town* to buy a dress.
그녀는 옷을 사러 번화가에 갔다.

***toy** *toy*
[tɔ́i 토이]
명 (복수 **toys** [tɔ́iz 토이즈]) 장난감

a *toy* car 장난감 자동차
Children like to play with *toys*.
아이들은 장난감을 가지고 노는 것을 좋아한다.

***toy·shop** *toyshop*
[tɔ́iʃɑ̀p 토이샵]
명 (복수 **toyshops** [tɔ́iʃɑ̀ps 토이샵스]) 장난감 가게

**trace** *trace*
[tréis 트레이스]
명 (복수 **traces** [tréisiz 트레이시즈])
❶ (사람 · 동물 등의) 지나간 자국, 발자취, 흔적 (동 track)
There were many *traces* of footprints on the snow. 눈 위에는 많은 발자국의 흔적들이 있었다.
❷ 《**a trace of**로》 소량, 아주 조금
He showed *a trace of* fear.
그는 약간 두려운 기색을 보였다.
—타 (3단현 **traces** [tréisiz 트레이시즈], 과거 · 과분 **traced** [tréist 트레이스트], 현분 **tracing** [tréisiŋ 트레이싱])
❶ (자취를 따라) 추적하다
The hunter *traced* the deer through the forest. 사냥꾼은 숲을 헤치며 사슴을 뒤쫓았다.
❷ (선을) 긋다, (도면을) 본떠 그리다

**track** *track*
[trǽk 트랙]
명 (복수 **tracks** [trǽks 트랙스])
❶ 자국, 흔적 (동 trace)
We found the tire *tracks* on the road. 우리는 도로에서 타이어 자국을 발견했다.
❷ 《미》 선로 (동 rail)
railroad *tracks* 철도 선로
❸ (육상 경기의) 경주로; 트랙 경기
The horses raced around the *track*. 말들은 트랙을 따라 경주했다.
❹ (밟아 다진) 작은 길, 오솔길
a mountain *track* 산길

**trac·tor** *tractor*
[trǽktər 트랙터]
명 (복수 **tractors** [trǽktərz 트랙터즈]) 트랙터, 견인차

The farmer uses a *tractor* for spring plowing. 농부는 봄에 밭갈이를 하는 데 트랙터를 사용한다.

***trade** *trade*
[tréid 트레이드]
명 (복수 **trades** [tréidz 트레이즈])

❶ 거래, 장사, 무역
We do a lot of *trade* with China.
우리는 중국과 많은 무역을 한다.
❷ 직업, 일 (동 occupation)
He is a building engineer by *trade*. 그의 직업은 건축 기사이다.

—타자 (3단현 **trades** [tréidz 트레이즈], 과거·과분 **traded** [tréidid 트레이디드], 현분 **trading** [tréidiŋ 트레이딩])
❶ 장사하다 《in》; 거래하다, 무역하다 《with》
We *trade in* furniture.
우리는 가구 장사를 한다.

Our country *trades with* Canada. 우리 나라는 캐나다와 무역한다.
❷ 교환하다, 바꾸다
He *traded* seats with his sister.
그는 누이와 자리를 바꾸었다.

**trade•mark** *trademark*
[tréidmɑ̀:rk 트레이드마-크]
명 (복수 **trademarks** [tréidmɑ̀:rks 트레이드마-크스])
(등록) 상표, 트레이드 마크
ESSENCE is a *trademark* of our publishing company.
「엣센스」는 우리 출판사의 상표이다.

***tra•di•tion** *tradition*
[trədíʃən 트러디션]
명 (복수 **traditions** [trədíʃənz 트러디션즈]) ❶ 전통, 관습, 관례

We try to keep up the Korean *traditions*. 우리는 한국의 전통을 지키려고 노력한다.
❷ (입으로 전해지는) 전설
*Tradition* has it that the king was killed here. 전설에 의하면 왕은 이곳에서 살해당했다고 한다.

**tra•di•tion•al** *traditional*
[trədíʃ(ə)nəl 트러디셔널]
형 전통적인, 전래의
Turkey is the *traditional* Thanksgiving dinner. 칠면조는 전통적인 추수 감사절 만찬 음식이다.

**traf•fic** *traffic*
[trǽfik 트래픽]
명 《a와 복수형 안 씀》 (차·사람의) 교통, 왕래; 교통량

a *traffic* accident 교통 사고
a *traffic* signal 교통 신호
There is a lot of *traffic* on this road. 이 도로는 교통량이 많다.

**trag•e•dy** *tragedy*
[trǽdʒədi 트래저디]
명 (복수 **tragedies** [trǽdʒədiz 트래저디즈]) 비극 (반 comedy 희극); 비참한 사건〔이야기〕
Shakespeare's 'Hamlet' is a very famous *tragedy*. 셰익스피어의 「햄릿」은 매우 유명한 비극이다.

**trail** *trail*
[tréil 트레일]
명 (복수 **trails** [tréilz 트레일즈])
❶ 흔적, 자취, 자국
The hunters followed the bear's *trail*.
사냥꾼들은 곰의 자취를 뒤쫓아 갔다.
❷ (숲속의) 오솔길, 작은 길
—타자 (3단현 **trails** [tréilz 트레일즈], 과거 · 과분 **trailed** [tréild 트레일드], 현분 **trailing** [tréiliŋ 트레일링])
❶ (질질) 끌다; 끌리다
Her long dress *trailed* along the floor. 그녀의 긴 드레스가 마루 위로 끌렸다.
❷ 추적하다, 뒤따라가다
The police *trailed* the robber with dogs. 경찰은 개를 데리고 도둑을 추적했다.

**⁑train** *train*
[tréin 트레인]
명 (복수 **trains** [tréinz 트레인즈])
❶ 열차, 기차

a down 〔an up〕 *train*
하행〔상행〕 열차
an express *train* 급행 열차
the 6:30 *train*, 6시 30분 열차
《the six thirty train이라고 읽음》
They got on 〔off〕 the *train*.
그들은 그 열차를 탔다〔내렸다〕.
I missed the last *train*.
나는 막차를 놓쳤다.
❷ (사람 · 차 따위의) 긴 열, 행렬
a long *train* of cars
차의 긴 행렬
숙어 ***by train*** 기차로
It's better to go *by train*.
기차로 가는 것이 더 좋겠지요.

—타자 (3단현 **trains** [tréinz 트레인즈], 과거 · 과분 **trained** [tréind 트레인드], 현분 **training** [tréiniŋ 트레이닝])
훈련시키다〔받다〕, 연습하다; 양성하다
He is *training* for the boat race.
그는 보트 경주의 훈련을 하고 있다.

**train•er** *trainer*
[tréinər 트레이너]
명 (복수 **trainers** [tréinərz 트레이너즈]) (스포츠) 훈련자, 지도자; (야생동물) 조련사
He is a race horse *trainer*.
그는 경주마 조련사다.

**train•ing** *training*
[tréiniŋ 트레이닝]
명 훈련, 연습, 트레이닝
The swimmer went into *training*. 그 수영선수는 훈련에 들어갔다.

She had *training* as a nurse.
그녀는 간호사로서 훈련을 받았다.

**tram•car** *tramcar*
[trǽmkὰːr 트램카–]
명 (복수 **tramcars** [trǽmkὰːrz 트램카–즈])
《영》 시가 전차 (《미》 streetcar)
I go to school by *tramcar*.
나는 전차로 통학한다.

**trans•fer** *transfer*
[trænsfə́ːr 트랜스퍼–]
타자 (3단현 **transfers** [trænsfə́ːrz 트랜스퍼–즈], 과거 · 과분 **transferred** [trænsfə́ːrd 트랜스퍼–드], 현분 **transferring** [trænsfə́ːrriŋ 트랜스퍼–링])
❶ 옮기다; 전근〔전학〕하다
He *transferred* to another school. 그는 다른 학교로 전학했다.
❷ (탈것을) 갈아타다, 환승하다
You must *transfer* at the next station to another train.
너는 다음 정거장에서 다른 열차로 갈아타야 한다.

**trans•late** *translate*
[trænsléit 트랜슬레이트]
타 (3단현 **translates** [trænsléits 트랜슬레이츠], 과거 · 과분 **translated** [trænsléitid 트랜슬레이티드], 현분 **translating** [trænsléitiŋ 트랜슬레이팅])
번역하다, (다른 언어로) 바꾸다 《into》
He *translated* the English story *into* Korean. 그는 영어 소설을 한국어로 번역했다.

**trans•la•tion** *translation*
[trænsléiʃən 트랜슬레이션]
명 (복수 **translations** [trænsléiʃənz 트랜슬레이션즈]) 번역, 해석; 번역본

a Korean *translation* of 'Hamlet' 「햄릿」의 한국어 번역서

**trans•port** *transport*
[trænspɔ́ːrt 트랜스포-트]
타 (3단현 **transports** [trænspɔ́ːrts 트랜스포-츠], 과거 · 과분 **transported** [trænspɔ́ːrtid 트랜스포-티드], 현분 **transporting** [trænspɔ́ːrtiŋ 트랜스포-팅])
운송[수송]하다, 실어 나르다 (동 carry)
The goods are *transported* by ship. 그 상품은 배로 수송된다.

## Transportation 교통 수단

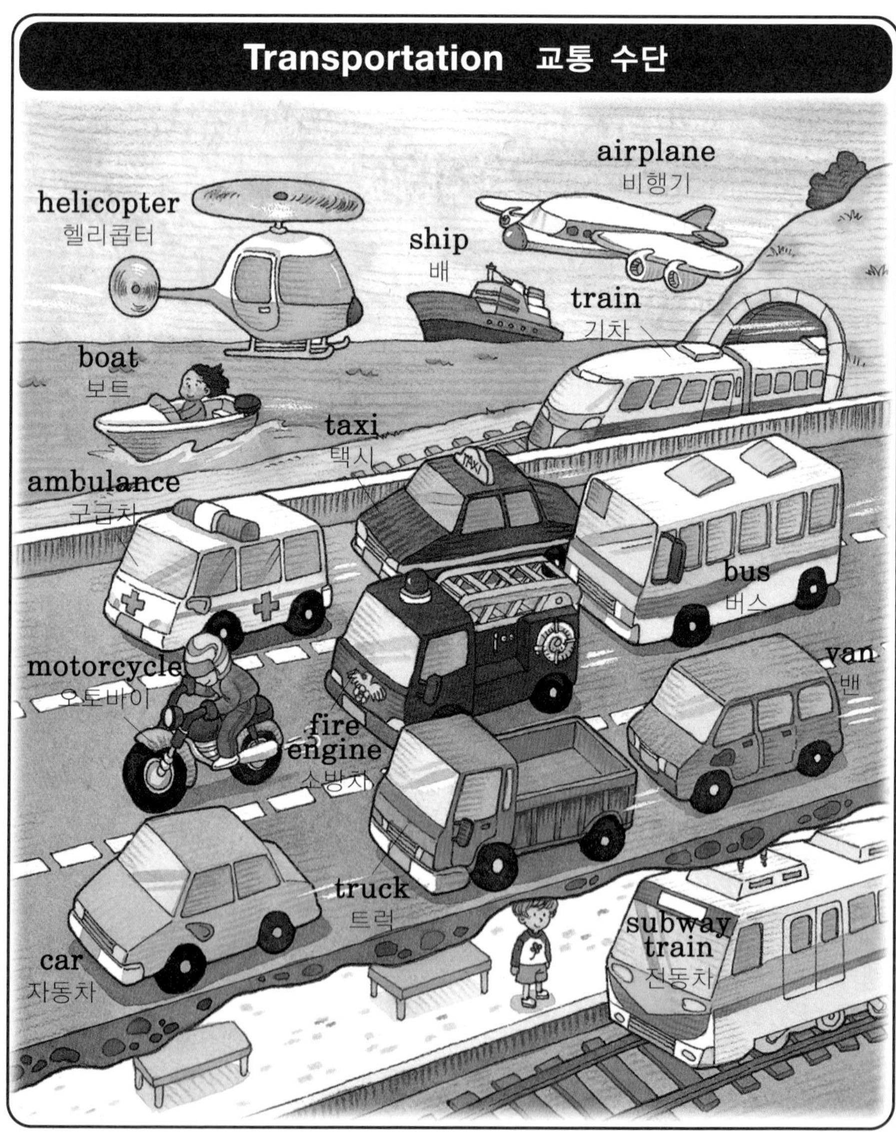


A B C D E F G H I J K L M N O P Q R S T U V W X Y Z

**trans•por•ta•tion** *transportation*
[trӕnspərtéiʃən 트랜스퍼테이션]
명 수송, 운송; 운송 기관〔수단〕
*Transportation* by air is quick but expensive. 항공 수송은 빠르지만 비용이 많이 든다.

**trap** *trap*
[trǽp 트랩]
명 (복수 **traps** [trǽps 트랩스])
덫, 함정; 계략
We set a *trap* for mice. 우리는 생쥐를 잡으려고 덫을 놓았다.
—타 (3단현 **traps** [trǽps 트랩스], 과거 · 과분 **trapped** [trǽpt 트랩트], 현분 **trapping** [trǽpiŋ 트래핑])
덫으로 잡다; 함정에 빠뜨리다

We *trapped* a rabbit.
우리는 덫으로 토끼를 잡았다.

**trash** *trash*
[trǽʃ 트래시]
명 쓰레기; 폐물
a *trash* can 쓰레기통
In this town, *trash* is collected once a week. 이 지역에서는 일주일에 한 번 쓰레기가 수거된다.

**trav•el** *travel*
[trǽvəl 트래벌]
자 (3단현 **travels** [trǽvəlz 트래벌즈], 과거 · 과분 **travel(l)ed** [trǽvəld 트래벌드], 현분 **travel(l)ing** [trǽv(ə)liŋ 트래벌링])
❶ (특히 외국으로) 여행하다
I want to *travel* all over Europe. 나는 유럽 전 지역을 여행하고 싶다.
❷ (기차 따위가) 달리다; (빛 · 소리가) 전해지다
The train *travels* along rails. 열차는 레일을 따라 달린다.

Light *travels* faster than sound.
빛은 소리보다 더 빨리 전달된다.
—명 (복수 **travels** [trǽvəlz 트래벌즈]) 《보통 복수형으로》 여행; 여행기
Did you enjoy your *travels* in America?
미국 여행은 즐거웠습니까?

어법 travel, tour, trip, journey
**travel**은 보통 외국으로 멀리 떠나는 여행. **tour**는 시찰 또는 관광 여행. **trip**은 사업이나 유람의 짧은 여행. **journey**는 장기간에 걸친 여행.

**trav•el•(l)er** *travel(l)er*
[trǽv(ə)lər 트래벌러]
명 (복수 **travel(l)ers** [trǽv(ə)lərz 트래벌러즈]) 여행자, 길손, 나그네
a *traveler*'s check 여행자 수표 《여행자가 외국에서 쓸 수 있도록 은

행이 발행한 수표)

The scenery attracts *travelers*.
그 경치는 여행자들을 끌어모은다.

## tray *tray*

[tréi 트레이]

명 (복수 **trays** [tréiz 트레이즈])
쟁반, 접시

Waiters carried food on large *trays*. 웨이터들은 큰 쟁반에 담은 음식을 날랐다.

## trea•sure *treasure*

[tréʒər 트레저]

명 (복수 **treasures** [tréʒərz 트레저즈]) ❶ 보물, 보화; 귀중품

They are looking for buried *treasure*.
그들은 묻혀 있는 보물을 찾고 있다.

❷ 소중한 사람〔것〕

Tom is a *treasure* to our school.
톰은 우리 학교의 보배 같은 사람이다.

—타 (3단현 **treasures** [tréʒərz 트레저즈], 과거·과분 **treasured** [tréʒərd 트레저드], 현분 **treasuring** [tréʒəriŋ 트레저링])
소중히 여기다, 잘 간직하다

## treat *treat*

[tríːt 트리-트]

타자 (3단현 **treats** [tríːts 트리-츠], 과거·과분 **treated** [tríːtid 트리-티드], 현분 **treating** [tríːtiŋ 트리-팅])

❶ 다루다, 대하다; …으로 간주하다.

We must *treat* animals kindly.
우리는 동물을 친절히 다뤄야 한다.

❷ 치료하다

The doctor *treated* her burned hand. 의사는 그녀의 불에 덴 손을 치료해 주었다.

❸ 대접하다, 한턱내다

She *treated* me to a nice meal.
그녀는 나에게 맛있는 식사를 대접해 주었다.

## treat•ment *treatment*

[tríːtmənt 트리-트먼트]

명 대우, 취급; 치료, 치료법

emergency medical *treatment*
응급 치료

## trea•ty *treaty*

[tríːti 트리-티]

명 (복수 **treaties** [tríːtiz 트리-티즈])

조약, 협정
a peace *treaty* 평화 조약

**⁑tree** *tree*
[tríː 트리-]
명 (복수 **trees** [tríːz 트리-즈])
나무, 수목
an apple tree 사과나무
Birds are singing in the *trees*.
새들이 나무에서 지저귀고 있다.
We took a rest under a *tree*.
우리는 나무 밑에서 쉬었다.

✎ tree는 서 있는 나무, wood는 목재, bush는 관목, log는 통나무

***trem•ble** *tremble*
[trémbl 트렘블]
자 (3단현 **trembles** [trémblz 트렘블즈], 과거 · 과분 **trembled** [trémbld 트렘블드], 현분 **trembling** [trémbliŋ 트렘블링])
❶ (추위 · 공포 따위로) 떨다 ((with))

He was *trembling with* fear.
그는 무서워서 떨고 있었다.
❷ (물체가) 흔들리다, (음성이) 떨리다
The leaves *trembled* in the wind. 나뭇잎이 바람에 흔들렸다.
The building *trembled* from the explosion.
폭발로 건물이 흔들렸다.
—명 (복수 **trembles** [trémblz 트렘블즈]) 떨림, 흔들림

**tre•men•dous** *tremendous*
[triméndəs 트리멘더스]
형 ❶ 거대한 (동 huge); 엄청난
He has a *tremendous* amount of money.
그는 엄청난 돈을 갖고 있다.

❷ 무시무시한, 끔찍한
It was a *tremendous* scene.
그것은 무시무시한 광경이었다.

**trend** *trend*
[trénd 트렌드]
명 (복수 **trends** [tréndz 트렌즈])
경향, 동향; 유행
the *trend* of public opinion
여론의 동향

**tri•al** *trial*
[tráiəl 트라이얼]
명 (복수 **trials** [tráiəlz 트라이얼즈])
❶ 시험, 시도

His *trial* flight was successful.
그의 시험 비행은 성공적이었다.
❷ 시련, 고난
Life is full of *trials*.
인생은 시련으로 가득 차 있다.
❸ 재판, 공판

**tri•an•gle** *triangle*
[tráiæŋgl 트라이앵글]
명 (복수 **triangles** [tráiæŋglz 트라이앵글즈]) 삼각형; 〖악기〗 트라이앵글; 《미》 삼각자
a regular *triangle* 정삼각형

**tribe** *tribe*
[tráib 트라이브]
명 (복수 **tribes** [tráibz 트라이브즈]) 종족, 부족; (동물 · 식물의) 종류
There are many *tribes* of American Indians. 아메리카 인디언은 여러 부족이 있다.

***trick** *trick*
[trík 트릭]
명 (복수 **tricks** [tríks 트릭스])
❶ 술책, 속임수
Her illness was a *trick* to call him back. 그녀의 병은 그를 되돌아오게 하려는 속임수였다.

❷ 마술, 요술; 재주
card *tricks* 트럼프카드 요술
❸ (짓궂은) 장난
I found out his *trick*.
나는 그의 장난을 알아차렸다.

**tri•fle** *trifle*
[tráifl 트라이플]
명 (복수 **trifles** [tráiflz 트라이플즈]) 하찮은〔쓸모없는〕 것〔일〕
Don't worry about *trifles*.
하찮은 일을 가지고 걱정하지 마라.

**trim** *trim*
[trím 트림]
형 (비교급 **trimmer** [trímər 트리머], 최상급 **trimmest** [trímist 트리미스트])
말쑥한, 정돈이 잘된 (동 neat)
The room is *trim*.
그 방은 정돈이 잘 되어 있다.
—타 (3단현 **trims** [trímz 트림즈], 과거 · 과분 **trimmed** [trímd 트림드], 현분 **trimming** [trímiŋ 트리밍])
❶ 손질하다, 다듬다

The gardener *trimmed* the hedge.
정원사는 생울타리를 다듬었다.
❷ 꾸미다, 장식하다 (동 decorate)
We *trimmed* a Christmas tree.
우리는 크리스마스 트리를 장식했다.

## *trip *trip*
[tríp 트립]
명 (복수 **trips** [tríps 트립스])
(비교적 단기간의) 여행
a school *trip* 수학 여행
He has just returned from a weekend *trip*. 그는 주말 여행을 하고 방금 돌아왔다.

숙어 ***go on a trip*** 여행을 떠나다
We are *going on a trip*.
우리는 여행을 떠날 참이다.
***make*〔*take*〕 *a trip to*** …으로 여행하다
I want to *make a trip to* London. 나는 런던으로 여행가고 싶다.

## tri•umph *triumph*
[tráiəmf 트라이엄프]
명 (복수 **triumphs** [tráiəmfs 트라이엄프스]) 승리 (동 victory); 대성공
They gave a shout of *triumph*.
그들은 승리의 함성을 질렀다.
숙어 ***in triumph*** 의기양양하여
They returned home *in triumph*. 그들은 의기양양하게 귀향했다.

—자 (3단현 **triumphs** [tráiəmfs 트라이엄프스], 과거 · 과분 **triumphed** [tráiəmft 트라이엄프트], 현분 **triumphing** [tráiəmfiŋ 트라이엄핑])
(…에게) 이기다, 승리를 거두다 《over》
Our soldiers *triumphed over* the enemy.
우리 병사들은 적군을 이겼다.

## troop *troop*
[trú:p 트루-프]
명 (복수 **troops** [trú:ps 트루-프스])
❶ (사람 · 물건 · 짐승의) 무리, 떼
A *troop* of monkeys look for food in the grass. 한 무리의 원숭이가 풀밭에서 먹이를 찾고 있다.
❷ 《보통 복수형으로》 군대, 병력

## tro•phy *trophy*
[tróufi 트로우피]
명 (복수 **trophies** [tróufiz 트로우피즈]) 우승컵, 트로피, (입상) 기념품

She held the *trophy* up high.
그녀는 트로피를 높이 쳐들었다.

## trop•i•cal *tropical*
[trápikəl 트라피컬]
형 열대 지방의; 열대산의
*tropical* fish 열대어

Mangos are *tropical* fruits.
망고는 열대과일이다.

**trot** *trot*
[trát 트랏]
자 (3단현 **trots** [tráts 트라츠], 과거 · 과분 **trotted** [trátid 트라티드], 현분 **trotting** [trátiŋ 트라팅])
(말이) 속보로 달리다, (사람이) 잰걸음으로 걷다
The horse *trotted* away.
말은 속보로 달려갔다.

***trou•ble** *trouble*
[trʌ́bl 트러블]
명 (복수 **troubles** [trʌ́blz 트러블즈])
❶ 근심(되는 일), 걱정(거리); 곤란
What's your *trouble*?
무슨 곤란한 일이라도 있습니까?

❷ 귀찮음, 성가심; 폐, 수고
I gave her so much *trouble*.
나는 그녀에게 큰 폐를 끼쳤다.
❸ 《보통 복수형으로》 다툼; 분규, 분쟁
labor *troubles* 노동 쟁의
There were *troubles* between the neighbors.
이웃끼리 다툼이 있었다.
❹ (몸의) 병, 장애; (기계의) 고장
engine *trouble* 엔진 고장
She suffered from heart *trouble*. 그녀는 심장병으로 고통받았다.
숙어 ***in trouble*** 곤경에 처한
He is *in trouble* about it.
그는 그 일로 곤란에 빠져 있다.
— 타 (3단현 **troubles** [trʌ́blz 트러블즈], 과거 · 과분 **troubled** [trʌ́bld 트러블드], 현분 **troubling** [trʌ́bliŋ 트러블링])
❶ 폐를 끼치다, 번거롭게 하다
I'm sorry to *trouble* you.
폐를 끼쳐서 미안합니다.
❷ 괴롭히다, 걱정시키다
His angry look *troubled* his mother. 그의 화난 표정을 보고 어머니는 걱정하셨다.
숙어 ***May I trouble you for...?***
죄송하지만 …해 주지 않겠습니까?
*May I trouble you for* the sugar?
죄송하지만 설탕 좀 집어 주시지 않겠습니까?

***trou•sers** *trousers*
[tráuzərz 트라우저즈]
명 《항상 복수형으로》 바지

two pairs of *trousers* 바지 두 벌
He bought a new pair of *trousers*. 그는 새 바지 한 벌을 샀다.

## trout *trout*

[tráut 트라우트]
명 《단수·복수 동형》 『어류』 송어
*Trout* are usually found in fresh water.
송어는 보통 민물에서 발견된다.

## *truck *truck*

[trʌ́k 트럭]
명 (복수 **trucks** [trʌ́ks 트럭스])
❶ 트럭, 화물 자동차

a fire *truck* 소방차
The goods were taken to the harbor by *truck*. 물품은 트럭에 실려 항구까지 운반되었다.
❷ 《영》 (철도의) 무개 화차

## ⁑true *true*

[trúː 트루-]
형 (비교급 **truer** [trúːər 트루-어], 최상급 **truest** [trúːist 트루-이스트])
❶ 진실한; 정말인, 사실의
Is the news *true*?
그 소식은 사실입니까?
❷ 성실한, 충실한
a *true* friend 성실한 친구
You must be *true* to your word.
너는 네가 한 말을 충실히 지켜야 한다.

숙어 ***come true*** 실현되다
My dream *came true*.
나의 꿈은 실현되었다.
***It is true (that)*** …이라는 것은 사실이다
*It is true (that)* he visited China.
그가 중국을 방문했던 것은 사실이다.

## tru•ly *truly*

[trúːli 트룰-리]
부 ❶ 참으로, 정말로, 진실로
She *truly* loved him.
그녀는 진심으로 그를 사랑했다.
❷ 정직하게, 충실히
He served his country *truly*.
그는 나라에 충실히 봉사했다.
숙어 ***Yours truly*** (=***Truly yours***)
경구(敬具) 《상업·통신문의 맺음말》

## trum•pet *trumpet*

[trʌ́mpit 트럼핏]
명 (복수 **trumpets** [trʌ́mpits 트럼피츠]) 『악기』 나팔, 트럼펫

Steve plays the *trumpet* in the school band. 스티브는 학교 밴드에서 트럼펫을 분다.

## *trunk *trunk*

[trʌ́ŋk 트렁크]
명 (복수 **trunks** [trʌ́ŋks 트렁크스])
❶ 나무 줄기〔둥치〕
The branches grow out from

the *trunk*. 나뭇가지는 나무줄기에서 나와 자란다.

❷ (신체의) 몸통; 동체
❸ (여행) 가방, (자동차) 트렁크
We put the groceries in the *trunk* of the car. 우리는 식료품들을 자동차 트렁크에 넣었다.
❹ (코끼리의) 코

**trust** *trust*
[trʌ́st 트러스트]
명 신용, 신뢰
I have complete *trust* in him.
나는 그를 전적으로 신뢰한다.
숙어 ***on trust*** 외상[신용] 판매로
—타 (3단현 **trusts** [trʌ́sts 트러스츠], 과거 · 과분 **trusted** [trʌ́stid 트러스티드], 현분 **trusting** [trʌ́stiŋ 트러스팅])
❶ 믿다, 신뢰하다 (동 believe)
I *trust* her to keep a secret.
나는 그녀가 비밀을 지킬 것이라고 믿는다.
❷ 맡기다, 위탁하다 《to, with》
I *trusted* my money *to* him.
나는 그에게 돈을 맡겼다.

***truth** *truth*
[trú:θ 트루-스]
명 (복수 **truths** [trú:ðz 트루-드즈])
❶ 진실, 진상, 사실
Do you think he was telling the *truth*? 당신은 그가 진실을 말하고 있었다고 생각합니까?
❷ 진리, 증명된 사실
*truths* of nature 자연의 진리
❸ 성실성; 정직
I doubt her *truth*.
나는 그녀의 성실성을 의심한다.
숙어 ***to tell the truth*** 사실을 말하자면
*To tell the truth*, I like her. 사실을 말하자면, 나는 그녀를 좋아한다.

****try** *try*
[trái 트라이]
타자 (3단현 **tries** [tráiz 트라이즈], 과거 · 과분 **tried** [tráid 트라이드], 현분 **trying** [tráiiŋ 트라이잉])
❶ 해보다; 노력하다; 《**try+~ing**로》 시험삼아 …하다
*Try* it again. 다시 해보세요.
*Try* your best in everything.
모든 일에 최선을 다해라.
He *tried* driv*ing* the car.
그는 시험 삼아 그 차를 운전했다.
❷ 《**try to** do로》 …하려고 노력하다 [애쓰다]
*Try to* come early.
일찍 오도록 하세요.
She *tried* not *to* break the dishes. 그녀는 접시들을 깨뜨리지 않으려고 애썼다.

숙어 ***try and*** …하도록 노력하다

*Try and* get up early in the morning. 아침에 일찍 일어나려고 노력해 보아라.

***try on*** 입어 보다, 써 보다, 신어 보다

She *tried on* her new dress.
그녀는 새 드레스를 입어 보았다.

*Try* the hat *on*.
그 모자를 써 보세요.

—명 (복수 **tries** [tráiz 트라이즈])
시도, 해보기

I'll do another *try*.
다시 한번 시도해 보겠다.

## tub *tub*

[tʌ́b 터브]
명 (복수 **tubs** [tʌ́bz 터브즈])
통, 물통

## tube *tube*

[t(j)ú:b 튜-브]
명 (복수 **tubes** [t(j)ú:bz 튜-브즈])
❶ 관, 튜브

a glass *tube* 유리관
a test *tube* 시험관

❷ 《영》 (주로 런던의) 지하철 (《미》 subway)

I got the *tube* to Oxford Village. 나는 옥스퍼드 빌리지까지 지하철을 탔다.

## **Tues•day *Tuesday*

[t(j)ú:zdèi 튜-즈데이]
명 (복수 **Tuesdays** [t(j)ú:zdèiz 튜-즈데이즈]) 화요일 (약 Tues.)

*Tuesday* is the day after Monday. 화요일은 월요일의 다음 날이다.

## tug *tug*

[tʌ́g 터그]
타자 (3단현 **tugs** [tʌ́gz 터그즈], 과거 · 과분 **tugged** [tʌ́gd 터그드], 현분 **tugging** [tʌ́giŋ 터깅])
세게 끌어당기다, 예인하다

Don't *tug* so hard.
그렇게 세게 잡아당기지 마라.

The horses *tugged* the heavy wagon.
말들은 무거운 짐수레를 끌었다.

숙어 ***tug of war*** 줄다리기

## *tu•lip *tulip*

[t(j)ú:lip 튤-립]
명 (복수 **tulips** [t(j)ú:lips 튤-립스])
〖식물〗 튤립

I like *tulips* better than roses.
나는 장미보다 튤립을 더 좋아한다.

## tum•ble *tumble*

[tʌ́mbl 텀블]
자타 (3단현 **tumbles** [tʌ́mblz 텀블즈], 과거 · 과분 **tumbled** [tʌ́mbld 텀블드], 현분 **tumbling** [tʌ́mbliŋ 텀블링])
굴러 떨어지다《down》; (걸려) 넘어지

다 《over》

He *tumbled down* the stairs.
그는 계단에서 굴러 떨어졌다.

He *tumbled over* a stone.
그는 돌에 걸려 넘어졌다.

**tu•na** *tuna*
[t(j)úːnə 튜-너]
명 (복수 **tunas** [t(j)úːnəz 튜-너즈])
〖어류〗 참치, 다랑어

I had a *tuna* sandwich for lunch. 나는 점심으로 참치 샌드위치를 먹었다.

**tune** *tune*
[t(j)úːn 튠-]
명 (복수 **tunes** [t(j)úːnz 튠-즈])
❶ (노래의) 곡조, 가락

He played a *tune* on the guitar. 그는 기타로 한 곡조 쳤다.

❷ (올바른) 음조, 선율

The piano is out of *tune*.
그 피아노는 선율이 맞지 않는다.

— 타 자 (3단현 **tunes** [t(j)úːnz 튠-즈], 과거 · 과분 **tuned** [t(j)úːnd 튠-드], 현분 **tuning** [t(j)úːniŋ 튜-닝])
(악기를) 조율하다, (가락을) 맞추다 《up》

The orchestra *tuned up* before it played. 그 관현악단은 연주하기 전에 악기를 조율했다.

숙어 ***tune in*** (라디오 · 텔레비전의) 주파수를 맞추다, 조절하다

He *tuned* in to BBC.
그는 BBC에 주파수를 맞추었다.

***tun•nel** *tunnel*
[tʌ́nl 터늘]
명 (복수 **tunnels** [tʌ́nlz 터늘즈])
굴, 터널

The train has passed through a *tunnel*. 기차는 터널을 빠져나왔다.
The bus is going through a *tunnel*. 버스는 터널을 통과 중이다.

***tur•key** *turkey*
[tə́ːrki 터-키]
명 (복수 **turkeys** [tə́ːrkiz 터-키즈])
〖조류〗 칠면조 (고기)

We eat roast *turkey* on Thanksgiving Day.
우리는 추수감사절에 구운 칠면조 고기를 먹는다.

**⁑turn** *turn*
[tə́ːrn 턴-]
동 (3단현 **turns** [tə́ːrnz 턴-즈], 과거 · 과분 **turned** [tə́ːrnd 턴-드], 현분 **turning** [tə́ːrniŋ 터-닝])
—타 ❶ 돌리다, 회전시키다
Jim *turned* the handle to the right.
짐은 손잡이를 오른쪽으로 돌렸다.
❷ (모퉁이를) 돌다; (방향 · 위치를) 바꾸다; (…쪽으로) 향하다 ⟪to⟫
We *turned* the corner *to* the left.
우리는 모퉁이를 왼쪽으로 돌았다.

❸ (안과 밖을) 뒤집다; (책장을) 넘기다
Tom *turned* his socks inside out. 톰은 그의 양말을 뒤집었다.
*Turn* the page over.
페이지를 넘기시오.
❹ (…으로) 바꾸다, 번역하다 ⟪into⟫
Heat *turns* water *into* steam.
열은 물을 증기로 바꾼다.
—자 ❶ 돌다, 회전하다
The earth *turns* around the sun. 지구는 태양의 주위를 돈다.
❷ 구르다, 몸을 뒤척이다
John sometimes *turned* in bed.
존은 가끔 잠자리에서 몸을 뒤척였다.
❸ (…쪽으로) 돌다, 방향을 바꾸다 ⟪to⟫
*Turn to* the right at the next corner.
다음 모퉁이에서 오른쪽으로 도시오.
❹ 바뀌다, …으로 되다
Alice *turned* pale to hear the news. 앨리스는 그 소식을 듣고 안색이 창백하게 바뀌었다.
숙어 ***turn aside*** 옆으로 비켜서다
She saw a car coming, and *turned aside*. 그녀는 차가 오는 것을 보고, 옆으로 비켜섰다.
***turn away*** ⓐ 쫓아 버리다
He *turned away* the salesman.
그는 외판원을 쫓아 버렸다.

ⓑ 얼굴을 돌리다, 외면하다
She *turned away* from me.
그녀는 나를 외면했다.
***turn back*** 되돌아보다; 되돌아오다
She never *turned back*.
그녀는 한 번도 되돌아보지 않았다.
***turn off*** (전기 · 라디오 등을) 끄다
Please *turn off* the light.
전등을 끄시오.

***turn on*** (전기 · 라디오 등을) 켜다
*turn on* a radio 라디오를 켜다

***turn out*** (결과가) …으로 판명되다
It *turned out* (to be) true.
그것은 사실로 판명되었다.
***turun over*** 넘기다, 뒤집다
She is *turning over* the pages of her book.
그녀는 책장을 넘기고 있다.
***turn round*** 회전하다; 뒤돌아서다
The earth *turns round* from west to east. 지구는 서에서 동으로 회전하고 있다.
— 명 (복수 **turns** [tə́ːrnz 턴-즈])
❶ 돌기, 회전
The car made a *turn* to the left. 차는 좌회전했다.
❷ (굽은) 모퉁이
Take the first *turn* to the right.
첫번째 모퉁이에서 오른쪽으로 도시오.
❸ 순번, 차례
Wait till it is your *turn*.
너의 차례가 올 때까지 기다려라.
숙어 ***by turns*** 번갈아, 교대로
We drove the car *by turns*.
우리는 교대로 운전했다.
***in turn*** 차례대로
Come into the room *in turn*.
차례대로 방으로 들어오시오.

## turn•ing *turning*
[tə́ːrniŋ 터-닝]
명 (복수 **turnings** [tə́ːrniŋz 터-닝즈]) 회전, 전환; 모퉁이
Take the second *turning* to the right. 두 번째 모퉁이에서 오른쪽으로 도시오.

## tur•tle *turtle*
[tə́ːrtl 터-틀]
명 (복수 **turtles** [tə́ːrtlz 터-틀즈])
〖동물〗 (바다)거북
A *turtle* can pull its head and legs inside its shell.
거북은 머리와 다리를 등껍데기 속으로 집어넣을 수 있다.

## tu•tor *tutor*
[t(j)úːtər 튜-터]
명 (복수 **tutors** [t(j)úːtərz 튜-터즈])
가정교사
He studied Spanish under a *tutor*. 그는 가정교사 밑에서 스페인어를 공부했다.

## TV *TV*
[tíːvíː 티-비-]
명 (복수 **TVs** [tíːvíːz 티-비-즈])
텔레비전 《television의 약어》

## *twelfth *twelfth*
[twélfθ 트웰프스]
명 (복수 **twelfths** [twélfθs 트웰프스스]) ❶ 《보통 the를 붙여》 제 12; 12번째; (달의) 12일 《약 12th》
the *twelfth* of October

10월 12일
❷ 12분의 1
five *twelfths*, 12분의 5
—형 《보통 the를 붙여》 제12의, 12번째의; 12분의 1의
the *twelfth* century, 12세기

## ⁑twelve *twelve*

[twélv 트웰브]
명 (복수 **twelves** [twélvz 트웰브즈]) 12; 열두 살; 12시; 《복수 취급》 12개〔명〕
at *twelve* noon 〔midnight〕 낮〔밤〕 12시에
—형 12의; 12개〔명〕의; 열두 살의
A year has *twelve* months.
1년에는 12개월이 있다.

## *twen·ti·eth *twentieth*

[twéntiiθ 트웬티이스]
명 (복수 **twentieths** [twéntiiθs 트웬티이스스]) ❶ 《보통 the를 붙여》 제20, 20번째; (달의) 20일 (약 20th)
the *twentieth* of May, 5월 20일
❷ 20분의 1
—형 《보통 the를 붙여》 제20의, 20번째의; 20분의 1의

## ⁑twen·ty *twenty*

[twénti 트웬티]
명 (복수 **twenties** [twéntiz 트웬티즈])
❶ 20; 20살; 《복수 취급》 20개〔명〕
That child can count from one to *twenty*.
그 아이는 1부터 20까지 셀 수 있다.
❷ 《**one's twenties**로》 (나이의) 20대; 《**the twenties**로》 20년대
He is in his early *twenties*.
그는 20대 초반이다.
—형 《보통 the를 붙여》 20의; 20개〔명〕의; 20살의
She came to Korea *twenty* years ago. 그녀는 20년 전에 한국에 왔다.

## ⁑twice *twice*

[twáis 트와이스]
부 두 번, 2회; 2배 (동 two times)
I clean my teeth *twice* a day.
나는 하루에 두 번 이를 닦는다.

Your room is *twice* as large as mine.
네 방은 내 방보다 2배나 크다.
*Twice* two is four.
2의 2배는 4이다.

참고 「한 번」은 once, 「두 번〔배〕」은 twice라고 하며, 「세 번〔배〕」 이상은 three times, four times처럼 수사를 써서 표현한다. 「두 번〔배〕」을 two times라고는 하지 않는다.

**twig** *twig*
[twíg 트위그]
명 (복수 **twigs** [twígz 트위그즈])
(나무의) 작은 가지, 잔가지 (㊎ branch 가지, bough 큰 가지)
The birds built a nest of *twigs* high up in the tree.
새들은 나무의 높은 곳에 잔가지로 둥지를 지었다.

**twi•light** *twilight*
[twáilàit 트와일라이트]
명 《a와 복수형 안 씀》 황혼, 땅거미

The *twilight* came on.
땅거미가 지기 시작했다.

**twin** *twin*
[twín 트윈]
명 (복수 **twins** [twínz 트윈즈])
쌍둥이(의 한 사람)
Tom and Jack are *twins*.
톰과 잭은 쌍둥이다.
—형 쌍둥이의, 쌍〔짝〕을 이루는
She gave birth to *twin* girls.
그녀는 쌍둥이 딸을 낳았다.

***twin•kle** *twinkle*
[twíŋkl 트윙클]
자 (3단현 **twinkles** [twíŋklz 트윙클즈], 과거 · 과분 **twinkled** [twíŋkld 트윙클드], 현분 **twinkling** [twíŋkliŋ 트윙클링])
(별 따위가) 반짝이다, 깜박이다, 빛나다
Stars *twinkle* in the sky at night.
별들이 밤하늘에 반짝이고 있다.
His eyes *twinkled* with joy.
그의 눈이 기쁨으로 빛났다.

**twist** *twist*
[twíst 트위스트]
타자 (3단현 **twists** [twísts 트위스츠], 과거 · 과분 **twisted** [twístid 트위스티드], 현분 **twisting** [twístiŋ 트위스팅])
❶ (실 따위를) 꼬다, 꼬이다; 엮다
She *twisted* the thread into a string.
그녀는 실을 꼬아 끈을 만들었다.
❷ (몸 따위를) 비틀다, 뒤틀리다
He *twisted* my arm.
그는 내 팔을 비틀었다.

❸ 휘감다; 구불구불 나아가다
—명 (복수 **twists** [twísts 트위스츠]) 꼬임, 뒤틀림; (도로의) 커브

**⁑two** *two*
[tú: 투-]
명 (복수 **twos** [tú:z 투-즈])
2; 두 살; 2시; 《복수 취급》 2개〔명〕
*Two* were absent today.
오늘 두 사람이 결석했다.
Nancy, I'll call you at *two*.
낸시, 2시에 전화할게.
—형 2의; 2개〔명〕의; 두 살의

I have *two* sisters.
나에게는 두 자매가 있다.

***type** *type*
[táip 타이프]
명 (복수 **types** [táips 타이프스])
❶ 형, 타입, 양식
He has a sports car of the latest *type*.
그는 최신형 스포츠카를 갖고 있다.

❷ 전형, 견본
He is a *type* of English gentleman. 그는 전형적인 영국 신사다.
❸ 《집합적》 활자
This book is printed in large *type*.
이 책은 큰 활자로 인쇄되어 있다.

— 타자 (3단현 **types** [táips 타이프스], 과거·과분 **typed** [táipt 타이프트], 현분 **typing** [táipiŋ 타이핑]) 타자기로 치다, 활자화하다
Would you *type* this letter for me? 이 편지 좀 타자기로 쳐 주시겠습니까?

**type·writ·er** *typewriter*
[táipràitər 타이프라이터]
명 (복수 **typewriters** [táipràitərz 타이프라이터즈]) 타자기
This *typewriter* is old.
이 타자기는 오래 된 것이다.

**ty·phoon** *typhoon*
[taifúːn 타이푼-]
명 (복수 **typhoons** [taifúːnz 타이푼-즈]) 태풍
Two *typhoons* visited our country last year. 지난해 우리 나라에 두 개의 태풍이 지나갔다.

**typ·i·cal** *typical*
[típikəl 티피컬]
형 전형적인; 특유의
It's a *typical* Korean dog.
그것은 전형적인 한국의 개다.

***typ·ist** *typist*
[táipist 타이피스트]
명 (복수 **typists** [táipists 타이피스츠]) 타이피스트, 타자수

**tyre** *tyre*
[táiər 타이어]
명 《영》 타이어 (《미》 tire)

a b c d e f g h i j k l m n o p q r s t u v w x y z

**U, u** *U, u*
[júː 유-]
명 (복수 **U's, u's** [júːz 유-즈])
유 ((알파벳의 스물한 번째 글자))

**UFO** *UFO*
[júːefóu 유-에포우]
명 (복수 **UFO's, UFOs** [júːefóuz 유-에포우즈])
미확인 비행 물체, 비행접시 ((an Unidentified Flying Object의 약어))
Have you ever seen a *UFO*?
미확인 비행 물체를 본 적이 있습니까?
✎ 미국 공군에 의해 만들어진 말로서, 모양이 접시처럼 생겼다고 하여 flying saucer (비행 접시)라고도 함.

***ug•ly** *ugly*
[ʌ́gli 어글리]
형 (비교급 **uglier** [ʌ́gliər 어글리어], 최상급 **ugliest** [ʌ́gliist 어글리이스트])
❶ 추한, 보기 흉한 (반 beautiful 아름다운)

The witch was old and *ugly*.
마녀는 늙고 추했다.
❷ 불쾌한, 싫은
an *ugly* story 불쾌한 이야기

**U.K., UK** *U.K., UK*
[júːkéi 유-케이]
영국 ((the United Kingdom의 약어))

**ul•ti•mate** *ultimate*
[ʌ́ltəmət 얼터멋]
형 최후의, 궁극의, 근본적인
*ultimate* principles 근본 원리

***um•brel•la** *umbrella*
[ʌmbrélə 엄브렐러]
명 (복수 **umbrellas** [ʌmbréləz 엄브렐러즈]) 우산

Take an *umbrella* with you.
우산을 가지고 가거라.

**UN, U.N.** *UN, U.N.*
[júːén 유-엔]

국제 연합, 유엔 ((the *U*nited *N*ations의 약어; 1945년에 결성되었으며, 본부는 New York에 있음))

**un·a·ble** *unable*
[ʌ̀néibl 언에이블]
형 …할 수 없는 ((to)) (반 able …할 수 있는)
The baby was *unable to* walk yet. 그 아기는 아직 걷지 못했다.

He will *be unable to* attend the meeting tomorrow.
그는 내일 모임에 참석 못 할 것이다.

**un·cer·tain** *uncertain*
[ʌ̀nsə́ːrtn 언서-튼]
형 불확실한, 미정의; 확신이 서지 않는 ((of, about))
The date of the meeting is still *uncertain.*
모임의 날짜는 아직 미정이다.
He is *uncertain of* his success.
그는 성공할지 확신이 서지 않는다.

**⁑un·cle** *uncle*
[ʌ́ŋkl 엉클]
명 (복수 **uncles** [ʌ́ŋklz 엉클즈])
삼촌, 아저씨 (관 aunt 숙모)
My *uncle* came to see me.
아저씨께서 나를 찾아오셨다.

**⁑un·der** *under*
[ʌ̀ndər 언더]
전 ❶ ((장소 · 위치에 대하여)) …밑에, …아래 (반 over …위에)
The dog is *under* the table.
강아지가 테이블 밑에 있다.

The village is *under* a hill.
마을은 언덕 아래에 있다.
❷ ((나이 · 가격에 대하여)) …이하의, …미만의
Children *under* five are free.
5세 이하의 어린이는 무료입니다.
We don't sell it *under* 30 dol-

A B C D E F G H I J K L M N O P Q R S T U V W X Y Z

lars. 30달러 이하로는 그것을 팔지 못합니다.

❸ 《수술 · 수리에 대하여》 …을 받고, …중

He is *under* a doctor.
그는 의사에게 치료를 받고 있다.
The car is now *under* repair.
그 차는 지금 수리 중이다.

❹ (지배 · 감독 · 보호) …아래, …의 치하에

England *under* Queen Elizabeth II
엘리자베스 2세 여왕 치세하의 영국
He studied *under* a great scientist. 그는 위대한 과학자 밑에서 공부했다.

**un•der•ground** *underground*
[ʌ́ndərgràund 언더그라운드]
명 (복수 **undergrounds** [ʌ́ndərgràundz 언더그라운즈])
《영》 지하철 (동 tube)

We went there by *underground*.
우리는 지하철로 거기에 갔다.

**—** 형 지하의
an *underground* cellar 지하실
an *underground* passage 지하도

***un•der•line** *underline*
[ʌ̀ndərláin 언더라인]
명 (복수 **underlines** [ʌ̀ndərláinz 언더라인즈]) 밑줄, 언더라인
**—** 타 (3단현 **underlines** [ʌ̀ndərláinz 언더라인즈], 과거 · 과분 **underlined** [ʌ̀ndərláind 언더라인드], 현분 **underlining** [ʌ̀ndərláiniŋ 언더라이닝])
밑줄을 긋다
He *underlined* all the difficult words in red. 그는 어려운 낱말에는 모두 빨간색으로 밑줄을 쳤다.

**un•der•shirt** *undershirt*
[ʌ́ndərʃə̀ːrt 언더셔-트]
명 (복수 **undershirts** [ʌ́ndərʃə̀ːrts 언더셔-츠])
속옷, 내의 (동 underwear)
John is wearing a *undershirt* under his coat. 존은 그의 코트 속에 내의를 입고 있다.

****un•der•stand** *understand*
[ʌ̀ndərstǽnd 언더스탠드]
타 (3단현 **understands** [ʌ̀ndərstǽndz 언더스탠즈], 과거 · 과분 **understood** [ʌ̀ndərstúd 언더스투드], 현분 **understanding** [ʌ̀ndərstǽndiŋ 언더스탠딩])

❶ 이해하다, 알다
He *understands* English.
그는 영어를 안다.
Do you *understand* me?
내 말을 이해하겠니?

❷《understand that로》 …라고 생각하다〔알고 있다〕
We *understand* that you will leave tomorrow. 우리는 당신이 내일 떠날거라고 알고 있다.
숙어 ***make oneself understood*** 자기의 생각을 남에게 이해시키다

**un•der•stand•ing** *understanding*
[ʌ̀ndərstǽndiŋ 언더스탠딩]
명 이해, 분별; 이해심
There is deep *understanding* between them.
그들 사이에는 깊은 이해심이 있다.

***un•der•stood** *understood*
[ʌ̀ndərstúd 언더스투드]
동 understand의 과거 · 과거분사

**un•der•take** *undertake*
[ʌ̀ndərtéik 언더테이크]
타 (3단현 **undertakes** [ʌ̀ndərtéiks 언더테이크스], 과거 **undertook** [ʌ̀ndərtúk 언더툭], 과분 **undertaken** [ʌ̀ndərtéikən 언더테이컨], 현분 **undertaking** [ʌ̀ndərtéikŋ 언더테이킹])
❶ (일을) 시작하다, 착수하다
❷ (일 등을) 떠맡다; 약속〔단언〕하다
She *undertook* to do the work.
그녀는 그 일을 하겠다고 약속했다.

**un•der•wear** *underwear*
[ʌ́ndərwὲər 언더웨어]
명《an과 복수형 안 씀》《집합적》속옷류, 내의류

**un•eas•y** *uneasy*
[ʌníːzi 언이-지]
형 (비교급 **uneasier** [ʌníːziər 언이-지어], 최상급 **uneasiest** [ʌníːziist 언이-지이스트])
불안한, 근심스러운 (동 anxious)
She felt *uneasy* about her future. 그녀는 자신의 장래에 대하여 불안을 느꼈다.

**UNESCO** *UNESCO*
[juːnéskou 유-네스코우]
명 유네스코

참고 the *U*nited *N*ations *E*ducational, *S*cientific, and *C*ultural *O*rganization(국제 연합 교육 · 과학 · 문화 기구)의 약어. 각국의 협력으로 세계 평화에 이바지하려는 국제 연합 전문 기구 중의 하나. 1946년에 창설됨.

**un•ex•pect•ed** *unexpected*
[ʌ̀nikspéktid 언익스펙티드]
형 (비교급 **more unexpected**, 최

상급 **most unexpected**)
불의의, 뜻밖의, 예기치 않은
He met with an *unexpected* accident.
그는 예기치 않은 사고를 당했다.

**un•fair** *unfair*
[ʌnfέər 언페어]
형 (비교급 **more unfair**, 최상급 **most unfair**)
불공평한, 옳지 않은, 부정한
All the players protested against the *unfair* decision.
선수들은 모두 불공평한 판정에 항의했다.

**un•fa•mil•iar** *unfamiliar*
[ʌ̀nfəmíljər 언퍼밀여]
형 (비교급 **more unfamiliar**, 최상급 **most unfamiliar**)
낯선; 잘 모르는, 익숙지 않은
This plant is quite *unfamiliar* to me.
이 식물은 나에게 매우 낯선 것이다.

**un•for•tu•nate** *unfortunate*
[ʌnfɔ́ːrtʃ(u)nət 언포-추너트]
형 (비교급 **more unfortunate**, 최상급 **most unfortunate**)
불행한, 운 나쁜, 불운한
It was *unfortunate* that he had an accident on his way home.
그는 귀가 도중에 운이 나쁘게도 사고를 당했다.

**un•for•tu•nate•ly** *unfortunately*
[ʌ̀nfɔ́ːrtʃ(u)nətli 언포-추너틀리]
부 불행하게도, 공교롭게도
*Unfortunately*, I had no money with me.
공교롭게도 나에게는 돈이 없었다.

**un•friend•ly** *unfriendly*
[ʌnfréndli 언프렌들리]
형 (비교급 **unfriendlier** [ʌnfréndliər 언프렌들리어], 최상급 **unfriendliest** [ʌnfréndliist 언프렌들리이스트])
불친절한; 사이가 나쁜
The *unfriendly* waiter made our meal unpleasant.
불친절한 웨이터가 우리의 식사를 불쾌하게 했다.

*__un•hap•py__ *unhappy*
[ʌnhǽpi 언해피]
형 (비교급 **unhappier** [ʌnhǽpiər 언해피어], 최상급 **unhappiest** [ʌnhǽpiist 언해피이스트])
❶ 불행한, 비참한 (반 happy 행복한)

She led an *unhappy* childhood.
그녀는 불행한 어린 시절을 보냈다.
❷ 유감스러운, 언짢은

I'm *unhappy* that you cannot come. 네가 올 수 없다니 유감이다.

***un·health·y** *unhealthy*
[ʌnhélθi 언헬시]
형 건강하지 못한, 건강에 해로운
He looks pale and *unhealthy*.
그는 창백하고 건강이 좋지 않아 보인다.

**u·ni·form** *uniform*
[júːnəfɔ̀ːrm 유-너폼-]
명 (복수 **uniforms** [júːnəfɔ̀ːrmz 유-너폼-즈]) 제복, 유니폼

Police officers, firefighters, and nurses wear *uniforms*.
경찰관, 소방관, 그리고 간호사들은 제복을 입는다.

**u·nion** *union*
[júːnjən 유-니언]
명 (복수 **unions** [júːnjənz 유-니언즈]) ❶ 결합, 합병, 단결
*Union* is strength.
단결은 힘이다.
❷ 연합, 연맹; 조합
the European *Union*
유럽 연합《EU》
a labor *union* 노동조합

**Un·ion Jack** *Union Jack*
[júːnjən dʒǽk 유-니언잭]
명 《the를 붙여》 영국 국기
This flag is *the Union Jack*.
이 깃발은 영국 국기이다.

**u·nique** *unique*
[juːníːk 유-니-크]
형 독특한, 비길 데 없는; 유일한 (동 only)
He is a very *unique* person.
그는 매우 독특한 사람이다.

These are wildflowers *unique* to the Alps. 이것들은 알프스 지방에만 있는 유일한 야생화다.

**u·nit** *unit*
[júːnit 유-닛]
명 (복수 **units** [júːnits 유-니츠]) (구성 · 계량) 단위; (학과의) 단원
The basic *unit* of society is the family.
사회의 기본 단위는 가족이다.
The meter is the *unit* of length.
미터는 길이의 단위이다.

***u·nite** *unite*
[juːnáit 유-나이트]
타자 (3단현 **unites** [juːnáits 유-나이츠], 과거 · 과분 **united** [juːnáitid 유-나이티드], 현분 **uniting** [juːnáitiŋ 유-나이팅])
결합하다, 단결하다; 협력하다
The two families were *united*

by marriage.
두 가족은 결혼에 의해 결합되었다.

Oil and water will not *unite*.
기름과 물은 합쳐지지 않는다.

**u•nit•ed** · *united*
[juːnáitid 유-나이티드]
형 결합된, 단결된, 일치한
a *united* effort 공동의 노력

**U•nit•ed King•dom**
*United Kingdom*
[juːnáitid-kíŋdəm 유-나이티드킹덤]
명 《the를 붙여》 영국 연합 왕국 (약 U.K.) 《수도는 런던(London); 공식 명칭은 the United Kingdom of Great Britain and Northern Ireland》

**U•nit•ed Na•tions**
*United Nations*
[juːnáitid-néiʃənz 유-나이티드네이션즈]
명 《the를 붙여》 국제 연합, 유엔 (약 UN, U.N.)

***U•nit•ed States**
*United States*
[juːnáitid-stéits 유-나이티드스테이츠]
명 《the를 붙여》 아메리카 합중국, 미국

참고 정식으로는 the United States of America이지만 of America를 생략하고 the United States라고 흔히 말한다. 이보다 간단하게 the States라고만 할 수도 있다. 또, 이를 약하여 U.S.A. 또는 U.S.라고 한다. 수도는 Washington D.C.[wáʃiŋtən díːsiː]. 면적은 우리나라의 약 43배이며 50개의 독립된 주로 구성되어 있다.

**u•ni•ver•sal** *universal*
[jùːnəvə́ːrsl 유-너버-슬]
형 우주의, 보편적인, 세계적인
We want a *universal* peace.
우리는 전 세계적인 평화를 원한다.

**u•ni•verse** *universe*
[júːnəvə̀ːrs 유-너버-스]
명 (복수 **universes** [júːnəvə̀ːrsiz

유-너버-시즈])
《the를 붙여》 우주, 전 세계

Did God make *the universe*?
하느님이 우주를 창조하였는가?

***u•ni•ver•si•ty** *university*
[jùːnəvə́ːrsəti 유-너버-서티]
명 (복수 **universities** [jùːnəvə́ːrsətiz 유-너버-서티즈])
종합 대학교 (관 college 단과 대학)
Oxford〔Harvard〕*University*
옥스퍼드〔하버드〕 대학
My sister is a *university* student. 나의 누나는 대학생이다.

**un•kind** *unkind*
[ʌnkáind 언카인드]
형 (비교급 **unkinder** [ʌnkáindər 언카인더], 최상급 **unkindest** [ʌnkáindist 언카인디스트])
불친절한, 쌀쌀맞은 (반 kind 친절한)
She was *unkind* to him at the party. 그녀는 파티에서 그를 쌀쌀맞게 대했다.

**un•known** *unknown*
[ʌnnóun 언노운]
형 미지의, 알려지지 않은
an *unknown* island 미지의 섬
The writer was *unknown* to us. 그 작가는 우리에게 알려지지 않았다.

***un•less** *unless*
[ənlés 언레스]
접 만일 …하지 않으면, …하지 않는 한 (동 if ... not)
You will be late *unless* you hurry up
서두르지 않으면 늦을 것이다.

Don't come *unless* I tell you to. 내가 너에게 말하지 않는 한 오지 마라.

A B C D E F G H I J K L M N O P Q R S T U V W X Y Z

**un•like** *unlike*
[ʌnláik 언라이크]
형 똑같지 않은, 다른 (동 different)
She is very *unlike* her mother.
그녀는 어머니와 아주 다르다.
— 전 …와 닮지 않고, …와 달리
*Unlike* his father, he was tall.
그의 아버지와 달리 그는 키가 컸다.

**un•luck•y** *unlucky*
[ʌnlʌ́ki 언러키]
형 불운한, 재수 없는
Some people believe that thirteen is an *unlucky* number.
어떤 사람은 13을 불운한 숫자라고 믿는다.

**un•pleas•ant** *unpleasant*
[ʌnpléznt 언플레즌트]
형 불쾌한, 싫은; 무례한
This cough medicine has an *unpleasant* taste.
이 감기약은 역겨운 맛이 난다.

**un•tie** *untie*
[ʌntái 언타이]
타 (3단현 **unties** [ʌntáiz 언타이즈], 과거 · 과분 **untied** [ʌntáid 언타이드], 현분 **untying** [ʌntáiiŋ 언타이잉])
풀다, 끄르다; (풀어서) 놓아주다
The children *untied* the parcel at once.
아이들은 즉시 소포를 풀었다.

Tom *untied* his dog.
톰은 개를 풀어 주었다.

**⁎un•til** *until*
[əntíl 언틸]
전 ❶ 《시간의 계속》 …까지 (죽)
Wait here *until* five.
5시까지 여기서 기다려라.
I stayed there *until* noon.
정오까지 나는 거기에 머물렀다.

❷ 《**It is not until ... that** ~으로》 …이 되어서야 비로소 ~하다
*It was not until* late in the evening *that* we noticed it. 저녁 늦게야 비로소 우리는 그것을 알았다.

**어법** until과 by
**until**과 **till**은 「…까지 (줄곧)」이란 뜻으로 동작 · 상태의 계속되는 기간을 나타내는 데 반해 **by**는 동작 · 상태가 완료되는 시점을 나타낸다: I will finish it *by* tomorrow. 나는 내일까지 그것을 끝마치겠다.

—접 ❶ …하기까지
Please wait *until* I come back.
내가 돌아올 때까지 기다려다오.
❷ 《앞에 콤마가 있는 경우》 (…하여) 마침내
He worked hard every day, *until* he got sick. 그는 매일 열심히 일하여, 마침내 병에 걸렸다.

**un•u•su•al** *unusual*
[ʌnjú:ʒuəl 언유-주얼]
형 예사롭지 않은, 이례적인, 보기 드문
It is *unusual* for him to be absent.
그가 결석한 것은 이례적인 일이다.

**⁑up** *up*
[ʌ́p 업]
부 ❶ 위로, 위쪽에 (반 down 아래로)
The sun is high *up* in the sky.
해가 하늘 높이 솟아 있다.

I climbed *up* to the top of the tower. 나는 탑 꼭대기로 올라갔다.
❷ (잠자리에서) 일어나, (자리에서) 일어서
I get *up* at six in the morning.
나는 아침 6시에 일어난다.
I helped the old man *up*.
나는 그 노인을 도와 일으켜 세웠다.
❸ (장소 · 인물에) 다가가, …쪽으로
We went *up* to the door.
우리는 문으로 다가갔다.
The policeman walked *up* to the man.
경관은 그 남자 쪽으로 걸어갔다.
❹ 모조리, 완전히; 끝나서
He ate *up* all the food.
그는 음식을 모조리 먹어치웠다.
❺ (정도 · 속도 등이) 올라, 높아져
His motorcycle speeded *up*.
그의 오토바이는 속력을 높였다.
숙어 ***up and down*** 위아래로, 여기저기로
He moved his head *up and down*. 그는 고개를 끄덕거렸다.
***up to*** …까지
The water came *up to* my knees. 물은 내 무릎까지 찼다.
—전 ❶ …의 위로[에]
They rowed *up* the river.
그들은 강 상류로 노를 저어갔다.

❷ (길을) 따라서 (동 along)
Go straight *up* this street.
이 길을 따라 곧바로 가시오.
—형 상행의, 올라가는
an *up* train 상행 열차
an *up* escalator
올라가는 에스컬레이터

A B C D E F G H I J K L M N O P Q R S T U V W X Y Z

***up•on** *upon*
[əpán 어판]
전 …위에〔위로〕 (동 on)
A cat is lying *upon* the bed.
고양이가 침대 위에 누워 있다.

숙어 ***once upon a time*** 옛날옛적에

**up•per** *upper*
[ʌ́pər 어퍼]
형 (위치 · 지위 따위가) 더 위쪽의 (반 lower 더 아래쪽의)
the *upper* lip 윗입술
Put the book on the *upper* shelf.
그 책을 더 위쪽 선반에 두어라.

**up•set** *upset*
[ʌpsét 업셋]
타 (3단현 **upsets** [ʌpséts 업세츠], 과거 · 과분 **upset** [ʌpsét 업셋], 현분 **upsetting** [ʌpsétiŋ 업세팅])
❶ 뒤엎다, 전복시키다
The boat was *upset* by the waves. 보트는 파도에 전복되었다.
❷ (마음을) 어지럽히다, 당황하게 하다
She was *upset* by the accident.
그 사고를 당하여 그녀는 갈팡질팡했다.
❸ (계획 따위를) 망치다
The rain *upset* our plans for a picnic.
비가 와서 소풍 계획을 망쳤다.

**up•side** *upside*
[ʌ́psàid 업사이드]
명 위쪽, 상부 《주로 다음 숙어로 쓰임》
숙어 ***upside down*** ⓐ 《부사적》 거꾸로, 뒤집혀
He turned the box *upside down.* 그는 상자를 뒤집어 놓았다.
ⓑ 《형용사적》 혼란스러운, 뒤죽박죽인

***up•stairs** *upstairs*
[ʌ́pstέərz 업스테어즈]
부 위층〔2층〕으로〔에서〕 (반 downstairs 아래층으로)
Let's go *upstairs.*
2층에 올라갑시다.

The bedroom is *upstairs.*
침실은 위층〔2층〕에 있다.
―형 위층〔2층〕의
an *upstairs* room 위층 방
―명 위층〔2층〕
She came down from *upstairs.*
그녀는 2층에서 내려왔다.

**up-to-date** *up-to-date*
[ʌ́ptədéit 업터데이트]
형 최신(식)의, 현대적인
She always wears the most *up-to-date* clothes. 그녀는 항상 가장 최신식 의상을 입는다.

**up•ward** *upward*
[ʌ́pwərd 업워드]

부 위쪽으로, 위를 향하여 (반 downward 아래쪽으로)

He looked *upward* at the sky. 그는 하늘을 쳐다보았다.

—형 위를 향한; 상승하는

There was an *upward* path to the hilltop. 언덕 꼭대기로 올라가는 오솔길이 하나 있었다.

**ur•ban** *urban*

[ə́:rbən 어–번]

형 도시의, 도회지의; 도시에 사는

*urban* life 도시 생활

Most people live in *urban* areas. 대부분의 사람들이 도시 지역에서 산다.

**urge** *urge*

[ə́:rdʒ 어–지]

타 자 (3단현 **urges** [ə́:rdʒiz 어–지즈], 과거 · 과분 **urged** [ə́:rdʒd 어–지드], 현분 **urging** [ə́:rdʒiŋ 어–징]) 재촉하다; 끈질기게 권하다, 조르다

We are *urged* to study English. 우리는 영어를 공부하라고 끈질기게 권고받았다.

**ur•gent** *urgent*

[ə́:rdʒənt 어–전트]

형 (비교급 **more urgent**, 최상급 **most urgent**)

절박한, 긴급을 요하는

I went home on *urgent* business.

나는 급한 일로 집에 갔다.

****us** *us*

[《약》 əs 어스; 《강》 ʌ́s 어스]

대 《we의 목적격》 우리를, 우리에게

My father took *us* to the zoo. 아버지는 우리를 동물원에 데리고 갔다.

Mother baked *us* a cake. 어머니는 우리에게 케이크를 구워 주셨다.

Will you come with *us*?

우리와 함께 가지 않겠습니까?

**U.S., US** *U.S., US*

[jú:ès 유–에스]

아메리카합중국, 미국 《the United States의 약어》

**U.S.A., USA**

*U.S.A., USA*

[jú:èséi 유–에스에이]

미합중국, 미국 《United States of America의 약어》

****use** *use*
[júːz 유-즈]
-se는 [z]로 발음함.
타 (3단현 **uses** [júːziz 유-지즈], 과거 · 과분 **used** [júːzd 유-즈드], 현분 **using** [júːziŋ 유-징])
사용하다, 쓰다
We *use* a knife to cut meat.
우리는 고기를 자르는 데 칼을 사용한다.
Who is *using* my dictionary?
누가 내 사전을 사용하고 있지?
May I *use* your telephone?
당신 전화 좀 써도 됩니까?

숙어 ***use ... for*** …을 ~으로서 쓰다
He *used* the cloth *for* a flag.
그는 천을 깃발로 썼다.
***use up*** 다 써 버리다
I *used up* all the money.
나는 돈을 다 써 버렸다.
—명 [júːs 유-스] (복수 **uses** [júːsiz 유-시즈]) ❶ 《a와 복수형 안 씀》 사용, 사용법, 이용
Put it back in the box after *use*. 사용한 후에 그것을 상자에 넣으시오.
I learned the *use* of a computer. 나는 컴퓨터의 사용법을 배웠다.
❷ 쓸모, 효용; 용도
This knife has lots of *uses*.
이 나이프는 여러 가지 용도가 있다.
숙어 ***be of great use*** 크게 쓸모 있다
This dictionary wll *be of great use* to you. 이 사전은 너에게 크게 쓸모가 있을 것이다.
***be of little use*** 거의 쓸모없다
Such a thing *is of little use*.
그런 것은 거의 쓸모없다.
***be out of use*** 쓰이지 않다, 필요없게 되다
These maps *are out of use* now.
이런 지도들은 요즈음 쓰이지 않는다.
***It is (of) no use ~ing*** …해도 소용없다
*It is (of) no use* talk*ing* with them any longer. 더 이상 그들과 이야기해 보았자 소용없다.
***make use of*** …을 이용하다
Anybody can *make use of* the reading room.
누구나 독서실을 이용할 수 있다.

**used¹** *used*
[júːzd 유-즈드]
타 use의 과거 · 과거분사
—형 중고의, 써서 낡은
a *used* car 중고차

***used²** *used*
[júːst 유-스트]
형 《**be**〔**get**〕 **used to**로》 …에 익숙한
I'*m used to* cold weather.
나는 추운 기후에 익숙해져 있다.
He *got used to* our customs.
그는 우리의 풍습에 익숙해져 있었다.

어법 used to ~ing
**used to**의 다음에는 반드시 명사나 ~ing꼴의 동명사가 온다. 왜냐하면

이 경우의 to는 부정사가 아니라 전치사이기 때문이다: She was *used to* run*ing* fast. 그녀는 빨리 달리는 데 익숙해졌다.

— 자 《**to**+동사의 원형을 수반하여》 항상 …하곤 했다, 전에는 …이었다 《지금은 아님》

I *used to* swim with my friends in the river.
나는 친구들과 함께 강에서 헤엄을 치곤 했다.

She is not as happy as she *used to* be (happy).
그녀는 이전처럼 행복하지 않다.

**어법** used to와 would

**used to**는 과거의 규칙적인 습관을 나타내는 일이 많고, **would**는 과거의 불규칙적인 습관을 나타내는 일이 많다. **would**는 종종 때를 나타내는 부사와 함께 쓰인다: He *would* often call on me. 그는 곧잘 나를 찾아오곤 했다.

## **use•ful** *useful

[jú:sfəl 유-스펄]

형 (비교급 **more useful**, 최상급 **most useful**)
쓸모있는, 유익한 (반 useless 쓸모없는)

A horse is a *useful* animal.
말은 쓸모 있는 동물이다.

This is a *useful* dictionary for young students. 이것은 어린 학생들에게 유익한 사전이다.

## use•less *useless*

[jú:slis 유-슬리스]

형 쓸모없는, 무익한 (반 useful 쓸모 있는)

It's *useless* to give him advice.
그에게 충고해 보았자 쓸데없다.

## *u•su•al *usual*

[jú:ʒuəl 유-주얼]

형 늘 있는, 일상적인, 평소의

Rain is *usual* here in summer.
여름철에 이곳에는 늘 비가 온다.
Let's meet again at the *usual* place.
평소의 장소에서 다시 만나자.

숙어 ***as usual*** 여느 때처럼

a b c d e f g h i j k l m n o p q r s t u v w x y z

A B C D E F G H I J K L M N O P Q R S T U V W X Y Z

*As usual* he took a bath before supper. 여느 때처럼 그는 저녁 식사 전에 목욕을 했다.

***than usual*** 여느 때보다

He got up earlier *than usual*. 그는 여느 때보다 더 일찍 일어났다.

**⁑u•su•al•ly** *usually*

[jú:ʒuəli 유-주얼리]

부 보통, 대체로, 일상적으로

They *usually* go to the supermarket on Friday. 그들은 보통 금요일에 슈퍼마켓에 간다.

I am *usually* at home at weekend.
나는 주말에 대체로 집에 있다.

**ut•ter[1]** *utter*

[ʌ́tər 어터]

형 전적인, 완전한, 단호한

an *utter* darkness 완전한 어둠

He is an *utter* stranger to me. 그는 나에게는 전혀 낯선 사람이다.

**ut•ter[2]** *utter*

[ʌ́tər 어터]

타 (3단현 **utters** [ʌ́tərz 어터즈], 과거 · 과분 **uttered** [ʌ́tərd 어터드], 현분 **uttering** [ʌ́təriŋ 어터링])
(신음 소리 따위를) 내다; 말로 표현하다

She *uttered* a cry of terror. 그녀는 공포의 비명을 질렀다.

He could not *utter* a word.
그는 한 마디도 말할 수 없었다.

**V, v** *V, v*
[víː 비-]
명 (복수 **V's**, **v's** [víːz 비-즈])
비 《알파벳의 스물두 번째 글자》

**va•cant** *vacant*
[véikənt 베이컨트]
형 공허한; (장소 · 집 따위가) 빈, 비어 있는 (동 empty)
a *vacant* mind 공허한 마음
Is this seat *vacant*?
이 자리는 비어 있습니까?

****va•ca•tion** *vacation*
[veikéiʃən 베이케이션]
명 (복수 **vacations** [veikéiʃənz 베이케이션즈])
휴가; 《영》 휴일 (동 holiday)
the Christmas *vacation*
크리스마스 휴가
We had our *vacation* on the beach.
우리는 바닷가에서 휴가를 보냈다.

Summer *vacation* starts next Friday. 여름 휴가가 다음 금요일에 시작한다.

**vac•u•um** *vacuum*
[vǽkjuəm 배큐엄]
명 진공(부분); 공허(감)
a *vacuum* cleaner 진공청소기

**vague** *vague*
[véig 베이그]
형 (비교급 **vaguer** [véigər 베이거], 최상급 **vaguest** [véigist 베이기스트])
❶ (물체가) 분명치 않은, 희미한
I saw a *vague* form in the fog.
나는 안개 속에서 희미한 형체를 보았다.
❷ 애매한, 막연한, 어렴풋한

**vain** *vain*
[véin 베인]
형 (비교급 **vainer** [véinər 베이너], 최상급 **vainest** [véinist 베이니스트])

쓸데없는, 헛된 (동 useless)
He made a *vain* attempt to run away.
그는 도망치려고 했으나 허사였다.

숙어 ***in vain*** 헛되이, 쓸데없이
She waited *in vain* for her friends.
그녀는 헛되이 친구들을 기다렸다.

## val•id *valid*

[vǽlid 밸리드]
형 근거가 확실한, 타당한, 유효한
That is a *valid* reason.
그것이 타당한 이유이다.

## val•ley *valley*

[vǽli 밸리]
명 (복수 **valleys** [vǽliz 밸리즈])
골짜기, 계곡

*Valleys* often have rivers flowing through them. 골짜기 사이로는 흔히 강물이 흐른다.

## val•u•a•ble *valuable*

[vǽljuəbl 밸류어블]
형 (비교급 **more valuable**, 최상급 **most valuable**)
값비싼; 귀중한, 중요한
a *valuable* diamond
값비싼 다이아몬드

Your help has been very *valuable*. 당신의 도움은 퍽 귀중했습니다.
—명 (복수 **valuables** [vǽljuəblz 밸류어블즈]) 《복수형으로》 귀중품
Please keep the *valuables* in the safe.
귀중품은 금고 안에 보관하시오.

## val•ue *value*

[vǽljuː 밸류-]
명 (복수 **values** [vǽljuːz 밸류-즈])
가치; 값, 가격
He does not know the *value* of health.
그는 건강의 가치를 모른다.
숙어 ***of value*** 가치 있는, 귀중한
This data is *of* great *value*.
이 자료는 대단히 귀중하다.
—타 (3단현 **values** [vǽljuːz 밸류-즈], 과거 · 과분 **valued** [vǽljuːd 밸류-드], 현분 **valuing** [vǽljuːiŋ

밸류-잉])
(…을) 평가하다; 소중히 여기다
How do you *value* him as a teacher? 교사로서의 그를 어떻게 평가하십니까?

**valve** *valve*
[vǽlv 밸브]
명 (복수 **valves** [vǽlvz 밸브즈])
밸브, 판; 진공관

**van•ish** *vanish*
[vǽniʃ 배니시]
자 (3단현 **vanishes** [vǽniʃiz 배니시즈], 과거 · 과분 **vanished** [vǽniʃt 배니시트], 현분 **vanishing** [vǽniʃiŋ 배니싱])
(시야에서) 사라지다; 없어지다, 소실되다 (동 disappear)
The ship *vanished* from my sight. 배가 내 시야에서 사라졌다.

**va•po(u)r** *vapo(u)r*
[véipə*r* 베이퍼]
명 수증기, 김
A cloud is a mass of *vapor* in the sky. 구름이란 하늘에 떠 있는 수증기 덩어리이다.

**va•ri•e•ty** *variety*
[vəráiəti 버라이어티]
명 (복수 **varieties** [vəráiətiz 버라이어티즈])
❶ 《a와 복수형 안 씀》 변화, 다양성
❷ 《**a variety of**로》 종류, 가지각색
The box contains *a variety of* toys. 상자에는 가지각색 장난감이 들어 있다.

***var•i•ous** *various*
[vɛ́(ə)riəs 베(어)리어스]
형 여러 가지의, 가지각색의, 다양한
The autumn leaves have *various* colors. 가을의 나뭇잎들은 여러 가지 색깔을 띠고 있다.

**var•y** *vary*
[vɛ́(ə)ri 베(어)리]
자타 (3단현 **varies** [vɛ́(ə)riz 베(어)리즈], 과거 · 과분 **varied** [vɛ́(ə)rid 베(어)리드], 현분 **varying** [vɛ́(ə)riiŋ 베(어)리잉])
(여러 가지로) 변하다, 바꾸다 (동 change); 다르다 (동 differ)
Opinions *vary* from person to person. 의견은 사람마다 다르다.
She *varied* her hair style.
그녀는 머리 스타일을 바꾸었다.

***vase** *vase*
[véis 베이스]
명 (복수 **vases** [véisiz 베이시즈])
꽃병

She put some flowers in the *vase*.
그녀는 꽃병에 몇 송이 꽃을 꽂았다.

**vast** *vast*
[vǽst 배스트]
형 (비교급 **vaster** [vǽstər 배스터], 최상급 **vastest** [vǽstist 배스티스트])
(넓이 · 크기가) 광활한, 거대한; (수 · 양이) 막대한
The *vast* plains stretch for 600 miles. 광활한 평원이 6백 마일이나 뻗어 있다.

***veg•e•ta•ble*** *vegetable*
[védʒtəbl 베지터블]
명 (복수 **vegetables** [védʒtəblz 베지터블즈])
❶《보통 복수형으로》야채, 채소

Carrots, spinach, potatoes, and lettuce are *vegetables*.
당근, 시금치, 감자, 상추는 야채다.
He is fond of green *vegetables*. 그는 푸른 잎 채소를 좋아한다.
❷ (동물에 대하여) 식물 (동 plant)

**ve•hi•cle** *vehicle*
[víː(h)ikl 비-히클, 비-이클]
명 (복수 **vehicles** [víː(h)iklz 비-히클즈, 비-이클즈])
(특히 육상의) 탈것, 차량
a motor *vehicle* 자동차

Cars, bicycles and trucks are *vehicles*.
차, 자전거, 트럭은 교통수단이다.

**veil** *veil*
[véil 베일]
명 (복수 **veils** [véilz 베일즈])
베일, 면사포
She wore a *veil* made of silk.
그녀는 실크로 만든 베일을 썼다.

— 타 (3단현 **veils** [véilz 베일즈], 과거 · 과분 **veild** [véild 베일드], 현분 **veiling** [véiliŋ 베일링])
가리다, 덮다, 숨기다
Clouds *veiled* the moon.
구름이 달을 가렸다.

**vel•vet** *velvet*
[vélvit 벨빗]
명《a와 복수형 안 씀》벨벳, 우단
green *velvet* 초록색 벨벳

## Vegetables 야채

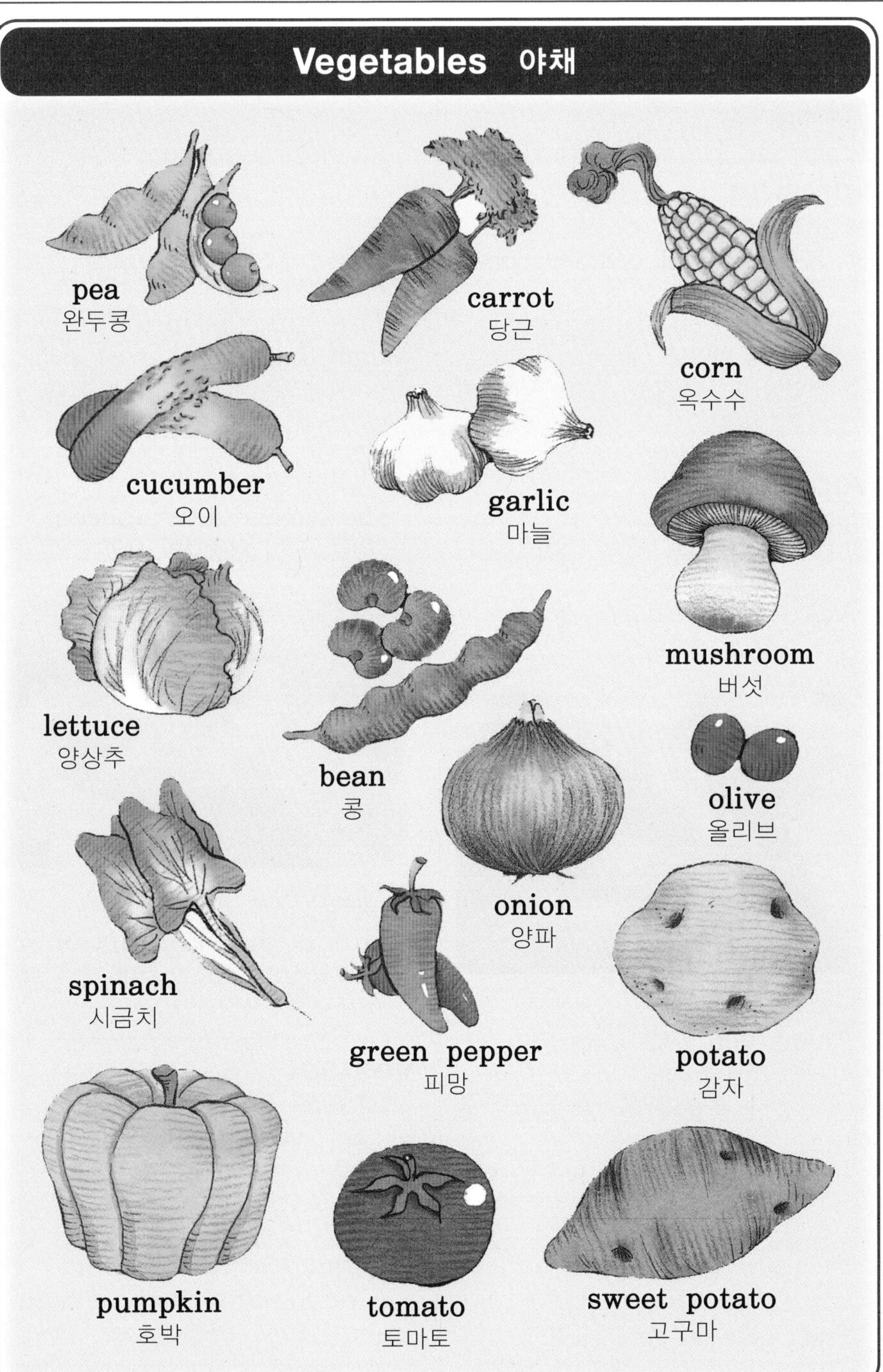

**verb** *verb*
[və́ːrb 버–브]
명 〖문법〗 동사 (약 v.) 《사물의 동작이나 작용을 나타내는 품사》

**ver•sion** *version*
[və́ːrʒən 버–전]
명 (복수 **versions** [və́ːrʒənz 버–전즈]) ❶ …판; 변형
a new *version* of the Bible
성경의 새 번역판
❷ (개인적 또는 특수한 입장에서의) 해석, 의견, 설명

**ver•y** *very*
[véri 베리]
부 ❶ 대단히, 매우, 아주, 몹시
ⓐ 《형용사를 수식하여》
We are *very happy*.
우리는 매우 행복하다.

ⓑ 《부사를 수식하여》
Thank you *very much*.
대단히 감사합니다.
ⓒ 《형용사 용법의 과거분사를 수식하여》
He was *very surprised* to see me. 그는 나를 보더니 몹시 놀랐다.
❷ 《부정문에서》 그다지〔별로〕 (…않다)
He is*n't very* kind.
그는 그다지 친절하지 않다.
She ca*n't* ski *very* well.
그녀는 스키를 별로 잘 타지 못한다.

어법 very와 much

**very**는 형용사 · 부사의 원급을 강조하여 「매우」란 뜻을 나타내고, **much**는 형용사 · 부사의 비교급 · 최상급을 강조하여 「훨씬」이란 뜻을 나타낸다.
This cake is *very* big.
이 케이크는 매우 크다.
This cake is much *bigger* than that one.
이 케이크는 저것보다 훨씬 크다.

—형 《명사 앞에 쓰여 그 명사를 강조》
❶ 진짜의, 참다운
She seemed a *very* queen.
그녀는 진짜 여왕같이 보였다.

❷ 바로 그, 꼭 그
This is the *very* dictionary that I wanted. 이것이 내가 원했던 바로 그 사전이다.

**ves•sel** *vessel*
[vésl 베슬]
명 (복수 **vessels** [véslz 베슬즈])
❶ 그릇, 용기
Vases, cups, and bowls are *vessels*. 꽃병, 컵, 사발은 그릇들이다.
❷ (대형의) 선박, 배 (동 ship)
A rescue *vessel* arrived soon.
구조선이 곧 도착했다.

**vest** *vest*
[vést 베스트]
명 (복수 **vests** [vésts 베스츠]) 《미》 베스트, 조끼

**vet•er•an** *veteran*
[vétərən 베터런]
명 (복수 **veterans** [vétərənz 베터런즈]) 고참, 베테랑; 《미》 퇴역 군인

**vi•a** *via*
[váiə 바이어]
전 …에 의하여; …을 경유하여
*via* airmail 항공 우편으로
He went to New York *via* Alaska. 그는 알래스카를 경유하여 뉴욕에 갔다.

**vic•tim** *victim*
[víktəm 빅텀]
명 (복수 **victims** [víktəmz 빅텀즈]) 희생자, 피해자
*victims* of war 전쟁의 희생자들

**vic•to•ry** *victory*
[víktəri 빅터리]
명 (복수 **victories** [víktəriz 빅터리즈]) 승리

She led her basketball team to *victory*. 그녀는 그녀의 농구 팀을 승리로 이끌었다.
We will win a *victory* over the enemy. 우리는 적에게 승리할 것이다.

**vid•e•o** *video*
[vídiòu 비디오우]
명 (복수 **videos** [vídiòuz 비디오우즈]) 비디오 (리코더); (TV) 영상
a *video* game 비디오 게임
Would you like to see the *video*? 비디오 보는 것을 좋아하니?

***view** *view*
[vjúː 뷰-]
명 (복수 **views** [vjúːz 뷰-즈])
❶ 전망, 경치, 풍경
The *view* from the hilltop was beautiful. 언덕 꼭대기에서 보이는 경치는 아름다웠다.

어법 view, sight, scene
**view**는 어떤 장소에서 보이는 경치, 전망을 말한다. **sight**는 보는 사람의 관심을 끄는 광경. **scene**은 한눈에 바라다 보이는 상징적인 경치, 장면을 말한다.

❷ 시계(視界), 시야
His car went out of our *view*. 그의 차는 우리의 시야에서 사라졌다.
❸ 생각, 의견, 견해
What is your *view* on the matter? 그 문제에 대한 당신의 견해는 무엇입니까?

숙어 ***in view of*** …이 보이는 곳에
We came *in view of* the tower.
우리는 탑이 보이는 곳에 왔다.
***with a view to*** …의 목적으로

**vig•o(u)r** *vigo(u)r*
[vígər 비거]
명 《a와 복수형 안 씀》 활력, 원기

****vil•lage** *village*
[vílidʒ 빌리지]
명 (복수 **villages** [vílidʒiz 빌리지즈])
(시골) 마을, 촌락; 《the를 붙여》 마을 사람
a fishing〔farming〕 *village*
어촌〔농촌〕
They live in a small *village* in Switzerland. 그들은 스위스의 조그만 마을에서 산다.

**vil•lag•er** *villager*
[vílidʒər 빌리저]
명 (복수 **villagers** [vílidʒərz 빌리저즈]) 마을 사람, 촌민

**vine** *vine*
[váin 바인]
명 (복수 **vines** [váinz 바인즈])
〖식물〗 포도나무; 《일반적》 덩굴 (식물)
*Vines* cover the hills in wine country. 포도주 산지에서는 포도나무들이 언덕을 뒤덮고 있다.

**vi•o•la** *viola*
[vióulə 비오울러]
명 (복수 **violas** [vióuləz 비오울러즈])
〖악기〗 비올라 《바이올린보다 약간 크고 첼로보다는 작은 4현 악기》

**vi•o•late** *violate*
[váiəlèit 바이얼레이트]
타 (3단현 **violates** [váiəlèits 바이얼레이츠], 과거 · 과분 **violated** [váiəlèitid 바이얼레이티드], 현분 **violating** [váiəlèitiŋ 바이얼레이팅])
(규칙을) 어기다; 침해〔방해〕하다
The driver *violated* the law.
그 운전자는 법률을 위반했다.

**vi•o•lence** *violence*
[váiələns 바이얼런스]
명 《a와 복수형 안 씀》 폭력, 난폭; 격렬함, 맹렬함

***vi•o•lent** *violent*
[váiələnt 바이얼런트]
형 격렬한, 난폭한
Boxing is a *violent* sport.
권투는 격렬한 운동이다.

***vi•o•let** *violet*
[váiəlit 바이얼릿]
명 (복수 **violets** [váiəlits 바이얼리츠]) ❶ 〖식물〗 제비꽃, 오랑캐꽃

Many *violets* grow wild.
많은 제비꽃들이 야생으로 자란다.

❷ 《a와 복수형 안 씀》 보라색
—형 보라색의
a *violet* dress 보라색 드레스

***vi•o•lin** *violin*
[vàiəlín 바이얼린]
악센트가 마지막 음절에 있는 것에 주의할 것
명 (복수 **violins** [vàiəlínz 바이얼린즈]) 〖악기〗 바이올린

Can you play the *violin*? 당신은 바이올린을 연주할 수 있습니까?
I take a *violin* lesson everyday.
나는 매일 바이올린 레슨을 받는다.

**vi•o•lin•ist** *violinist*
[vàiəlínist 바이얼리니스트]
명 (복수 **violinists** [vàiəlínists 바이얼리니스츠]) 바이올린 연주자, 바이올리니스트
She is a famous *violinist*.
그녀는 유명한 바이올리니스트다.

**VIP, V.I.P.** *VIP, V.I.P.*
[víːaipíː 비-아이피-]
명 (복수 **VIPs** [víːaipíːz 비-아이피-즈]) 귀빈, 거물 《*V*ery *I*mportant *P*erson의 약어》

**vir•tue** *virtue*
[vəːrtʃuː 버-추-]
명 (복수 **virtues** [vəːrtʃuːz 버-추-즈]) 미덕, 덕행; 장점 (동 merit)
Kindness is a *virtue*.
친절은 미덕이다.

Small cars have many *virtues*.
소형차는 많은 장점들을 갖고 있다.

**vis•i•ble** *visible*
[vízəbl 비저블]
형 눈에 보이는; 명백한
A lighthouse became *visible* in the distance.
멀리 등대가 보이기 시작했다.

**vi•sion** *vision*
[víʒən 비전]
명 《a와 복수형 안 씀》
❶ 통찰력, 선견지명, 비전
He is a person of great *vision*.
그는 통찰력이 뛰어난 사람이다.

a b c d e f g h i j k l m n o p q r s t u v w x y z

❷ 시력, 시각 (동 sight)
Old men have poor *vision*.
노인들은 시력이 약하다.
❸ 몽상, 환상

**⁑vis•it** *visit*
[vízit 비짓]
타자 (3단현 **visits** [vízits 비지츠], 과거 · 과분 **visited** [vízitid 비지티드], 현분 **visiting** [víziti ŋ 비지팅])
❶ (사람 · 장소 등을) 방문하다, 찾아가다; ⦅미⦆ 체류하다
He *visited* his aunt yesterday.
그는 어제 숙모님을 방문했다.

He is *visiting* in London.
그는 런던에 체류 중이다.
❷ (재난이) 덮치다; (환자를) 위문하다
I'm going to *visit* a sick friend.
나는 병든 친구를 위문할 참이다.
—명 (복수 **visits** [vízits 비지츠])
방문, 문안; 구경
This is my first *visit* to Hawaii.
하와이는 처음 구경한다.
숙어 ***pay a visit to*** …을 방문하다

***vis•i•tor** *visitor*
[vízitər 비지터]
명 (복수 **visitors** [vízitərz 비지터즈]) 방문객, 내객; 관광객
Disneyland is always full of *visitors*. 디즈니랜드는 항상 관광객들로 붐빈다.

**vis•u•al** *visual*
[víʒuəl 비주얼]
형 시각의; 눈에 보이는
the *visual* organ 시각 기관

**vi•tal** *vital*
[váitl 바이틀]
형 ❶ 지극히 중요한, 없어서는 안 될
Water is *vital* to life.
물은 살아가는 데 지극히 중요하다.

❷ 생명의, 생명에 관계된, 치명적인
The heart is a *vital* organ.
심장은 생명에 관계된 기관이다.

**vi•ta•min** *vitamin*
[váitəmin 바이터민]
명 (복수 **vitamins** [váitəminz 바이터민즈]) 비타민

**vi•va** *viva*
[víːvə 비-버]

A B C D E F G H I J K L M N O P Q R S T U V W X Y Z

감 만세!
They cried, "*Viva!*"
그들은 「만세!」하고 외쳤다.

**viv•id** *vivid*
[vívid 비비드]
형 (비교급 **vivider** [vívidər 비비더], 최상급 **vividest** [vívidist 비비디스트])
생생한; 발랄한; (색깔이) 선명한
the *vivid* yellow 선명한 노란색

**vo•cab•u•lar•y** *vocabulary*
[vo(u)kǽbjulèri 보(우)캐뷸레리]
명 (복수 **vocabularies** [vo(u)kǽb-julèriz 보(우)캐뷸레리즈])
어휘, 낱말

**vo•cal** *vocal*
[vóukəl 보우컬]
형 목소리의, 음성에 관한
*vocal* organs 발성 기관

**vo•ca•tion•al** *vocational*
[vo(u)kéiʃən(ə)l 보(우)케이셔늘〔널〕]
형 직업의, 직업에 관한
a *vocational* school 직업 학교

***voice** *voice*
[vɔ́is 보이스]
명 (복수 **voices** [vɔ́isiz 보이시즈])
❶ 목소리, 음성

She sings in a sweet *voice*.
그녀는 고운 목소리로 노래한다.
❷ 〖문법〗 태(態)
active *voice* 능동태
passive *voice* 수동태

**vol•ca•no** *volcano*
[vɑlkéinou 발케이노우]
명 (복수 **volcano(e)s** [vɑlkéinouz 발케이노우즈]) 화산

an active *volcano* 활화산

***vol•ley•ball** *volleyball*
[vɑ́libɔ̀:l 발리볼-]
명 〖스포츠〗《a와 복수형 안 씀》 배구
I played *volleyball* with my friends after school. 나는 방과 후에 친구들과 배구를 했다.

**vol•ume** *volume*
[vάljum 발륨]
명 (복수 **volumes** [vάljumz 발륨즈]) ❶ 책; (책의) 권
a novel in five *volumes*
전 5권으로 된 소설
❷《a와 복수형 안 씀》 음량, 볼륨; 부피, 용량
Please turn down the *volume* on the TV set.
텔레비전의 볼륨을 낮춰 주세요.
What is the *volume* of this box? 이 상자의 부피는 얼마입니까?
❸《보통 복수형으로》 다량, 많음
Rain falls in *volumes* in the region.
그 지역에는 비가 많이 내린다.

**vol•un•tar•y** *voluntary*
[vάləntèri 발런테리]
형 자발적인, 자원한
We need *voluntary* workers.
우리는 자원할 일꾼들이 필요하다.

**vol•un•teer** *volunteer*
[vὰləntíər 발런티어]
명 (복수 **volunteers** [vὰləntíərz 발런티어즈]) 지원자, 자원 봉사자
She works as a *volunteer* at the hospital. 그녀는 병원에서 자원 봉사자로 일한다.

***vote** *vote*
[vóut 보우트]
타자 (3단현 **votes** [vóuts 보우츠], 과거 · 과분 **voted** [vóutid 보우티드], 현분 **voting** [vóutiŋ 보우팅])
투표하다, 투표로 결정하다
Did you *vote* for Obama in the last election. 지난번 선거에서 오바마에게 투표했습니까?
— 명 (복수 **votes** [vóuts 보우츠])
투표, 표결; 투표권
We choosed the chairman by *vote*. 우리는 투표로 의장을 선출했다.

***voy•age** *voyage*
[vɔ́iidʒ 보이이지]
명 (복수 **voyages** [vɔ́iidʒiz 보이이지즈]) (선박 · 비행기의) 항해, 항행

He is on a *voyage* to Hawaii.
그는 하와이로 항해 중이다.
— 자 (3단현 **voyages** [vɔ́iidʒiz 보이이지즈], 과거 · 과분 **voyaged** [vɔ́iidʒid 보이이지드], 현분 **voyaging** [vɔ́iidʒiŋ 보이이징])
항해〔항행〕하다; 여행하다
He *voyaged* around the world in a yacht. 그는 요트를 타고 세계 일주 항해를 했다.

**W, w** *W, w*
[dʌ́blju: 더블류-]
명 (복수 **W's**, **w's** [dʌ́blju:z 더블류-즈])
더블유 《알파벳의 스물세 번째 글자》

**wag** *wag*
[wǽg 왜그]
타자 (3단현 **wags** [wǽgz 왜그즈], 과거 · 과분 **wagged** [wǽgd 왜그드], 현분 **wagging** [wǽgiŋ 왜깅])
(꼬리 따위를) 흔들다, 흔들리다
The dog *wagged* its tail when it saw me.
그 개는 나를 보자 꼬리를 흔들었다.

**wage** *wage*
[wéidʒ 웨이지]
명 (복수 **wages** [wéidʒiz 웨이지즈])
《종종 복수형으로》 임금, 급료
His *wages* are $120 a week.
그의 임금은 주급 120달러이다.

**wag·(g)on** *waggon*
[wǽgən 왜건]
명 (복수 **wag(g)ons** [wǽgənz 왜건즈])
❶ (4륜) 짐마차; (덮개 없는) 화물차
He takes his fruit to market by *wagon*. 그는 과일을 짐차로 시장에 싣고 간다.
❷ (음식을 식탁으로 나르는) 왜건 (㊐ dinner wagon)

**wail** *wail*
[wéil 웨일]
자타 (3단현 **wails** [wéilz 웨일즈], 과거 · 과분 **wailed** [wéild 웨일드], 현분 **wailing** [wéiliŋ 웨일링])
(슬픔 · 고통으로) 울부짖다; 구슬픈 소리를 내다
The sick child *wailed* with pain.
앓는 아이가 아파서 울부짖었다.

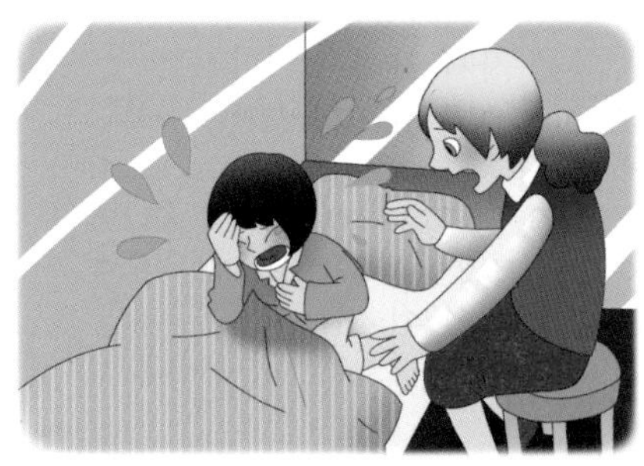

—명 (복수 **wails** [wéilz 웨일즈])
울부짖는 소리, 통곡

A B C D E F G H I J K L M N O P Q R S T U V W X Y Z

**waist** *waist*
[wéist 웨이스트]
명 (복수 **waists** [wéists 웨이스츠])
(몸의) 허리; (옷의) 허리 (치수)
She has a narrow *waist*.
그녀는 허리가 가늘다.

****wait** *wait*
[wéit 웨이트]
자타 (3단현 **waits** [wéits 웨이츠], 과거 · 과분 **waited** [wéitid 웨이티드], 현분 **waiting** [wéitiŋ 웨이팅])
❶ 기다리다; 《**wait for** 〔**to** do〕로》 …을〔…하기를〕 기다리다
*Wait* a minute, please.
잠깐 기다려 주세요.
We are *waiting for* the bus.
우리는 버스를 기다리고 있다.

❷ (기회 · 차례를) 대기하다
Tom was *waiting* his turn.
톰은 자기 차례를 기다리고 있었다.
숙어 ***keep ... waiting*** …을 기다리게 하다
I'm sorry to have *kept* you *waiting* so long. 너무 오래 기다리게 해서 죄송합니다.
***wait on*** 시중들다, 접대하다; (손윗사람을) 섬기다
She always *waits on* her old mother. 그녀는 항상 늙은 어머니의 시중을 든다.

**wait•er** *waiter*
[wéitər 웨이터]
명 (복수 **waiters** [wéitərz 웨이터즈])
(레스토랑 · 호텔의) 급사, 웨이터 (관 waitress 여자 급사)
He works as a *waiter* in a hotel restaurant. 그는 호텔 레스토랑에서 웨이터로 일한다.

**wait•ing room**
*waiting room*
[wéitiŋ rù(:)m 웨이팅룸(-)]
명 (역 · 병원 따위의) 대합실, 대기실
The *waiting room* in the train station was crowded.
역 대합실은 사람들로 붐볐다.

**wait•ress** *waitress*
[wéitrəs 웨이트러스]
명 (복수 **waitresses** [wéitrəsiz 웨이트러시즈]) 웨이트리스, 여자 급사

**wake** *wake*
[wéik 웨이크]
동 (3단현 **wakes** [wéiks 웨이크스], 과거 **waked** [wéikt 웨이크트], 또는 **woke** [wóuk 워크], 과분 **waked** [wéikt 웨이크트], 또는 **woken** [wóukən 워컨], 현분 **waking** [wéikiŋ 웨이킹])
—자 잠깨다, (잠자리에서) 일어나다
Has the baby *waked* yet?
아기는 벌써 깨었니?
Suddenly he *woke* from sleep.
갑자기 그는 잠에서 깨어났다.

—타 (잠을) 깨우다 《up》
Please *wake* me *up* at six.
6시에 나를 깨워 주세요.
The noise *wake* me *up*.
그 시끄러운 소리에 나는 잠이 깨었다.

**⁑walk** *walk*
[wɔ́:k 워-크]
l은 발음하지 않음.
자 (3단현 **walks** [wɔ́:ks 워-크스], 과거 · 과분 **walked** [wɔ́:kt 워-크트], 현분 **walking** [wɔ́:kiŋ 워-킹])
걷다, 걸어가다; 산책하다
Peter *walks* to school.
피터는 걸어서 통학한다.
He *walks* in the park every day. 그는 매일 공원에서 산책한다.
—명 ❶ 걷기, 걷는 방식; 산책
We went out for a *walk* to the park.
우리는 공원으로 산보하러 나갔다.

❷ 걷는 거리
The school is ten minutes' *walk* from here.
학교는 여기서 도보로 10분 걸린다.
❸ 보도, 산책로
a *walk* along the river 강변로
숙어 ***take a walk*** 산책하다
Let's *take a walk* on the beach.
바닷가에 산보하러 가자.

**⁑wall** *wall*
[wɔ́:l 월-]
명 (복수 **walls** [wɔ́:lz 월-즈])
(건물의) 벽; (경계로서의) 담
He hung a picture on the *walls*. 그는 벽에 그림을 걸었다.

She built a stone *wall* around her garden. 그녀는 정원을 빙 둘러 돌담을 쌓았다.

A B C D E F G H I J K L M N O P Q R S T U V W X Y Z

**wal•let** *wallet*
[wɑ́lit 왈릿]
명 (복수 **wallets** [wɑ́lits 왈리츠])
(지폐를 넣는) 지갑

He had his *wallet* stolen.
그는 지갑을 도둑맞았다.

**wal•nut** *walnut*
[wɔ́ːlnʌ̀t 월-넛]
명 (복수 **walnuts** [wɔ́ːlnʌ̀ts 월-너츠]) 〖식물〗 호두(나무)

***wan•der** *wander*
[wɑ́ndər 완더]
자타 (3단현 **wanders** [wɑ́ndərz 완더즈], 과거 · 과분 **wandered** [wɑ́ndərd 완더드], 현분 **wandering** [wɑ́ndəriŋ 완더링])
헤매다, 어슬렁거리다, 돌아다니다
We *wandered* through the woods. 우리는 숲 속을 돌아다녔다.

**⁑want** *want*
[wɑ́nt 완트]
타 (3단현 **wants** [wɑ́nts 완츠], 과거 · 과분 **wanted** [wɑ́ntid 완티드], 현분 **wanting** [wɑ́ntiŋ 완팅])
❶ 원하다, 바라다
They *wanted* something to eat.
그들은 먹을 것을 원했다.
❷ 《**want to** do로》 …하고 싶다
She *wanted to* buy a camera.
그녀는 카메라를 사고 싶어했다.

❸ 《**want**+목적어(사람)+**to** do로》 (사람이) …해 주기를 바라다
I *want* you *to* come earlier. 나는 네가 좀더 일찍 와 주기를 바란다.
❹ 필요로 하다 (동 need); 찾고 있다
Babies *want* plenty of sleep.
아기들은 많은 잠을 필요로 한다.
Your teacher *wants* you.
선생님께서 너를 찾고 계신다.
❺ 부족하다; (…을) 갖고 있지 않다
He *wants* judgment.
그에게는 판단력이 없다.
—명 《a와 복수형 안 씀》 부족, 결핍; 필요; 빈곤, 가난
The old man lived in *want*.
그 노인은 가난하게 살았다.
숙어 ***for want of*** …이 없어서
***in want of*** …이 필요하여
They are *in want of* food.
그들에게는 식량이 필요하다.

**⁑war** *war*
[wɔ́ːr 워-]
명 (복수 **wars** [wɔ́ːrz 워-즈])
전쟁 (반 peace 평화)
He was killed in the *war*.
그는 전사했다.
숙어 ***be at war with*** …와 전쟁 중이다
They *are at war with* Israel.
그들은 이스라엘과 전쟁 중이다.

**⁑warm** *warm*
[wɔ́ːrm 웜-]
형 (비교급 **warmer** [wɔ́ːrmər 워-머], 최상급 **warmest** [wɔ́ːrmist 워-미스트])
❶ 따뜻한, 온난한, 더운 (반 cool 시원한)
I like *warm* spring days.
나는 따뜻한 봄날을 좋아한다.
❷ (마음씨가) 다정한, 인정 많은
Nancy has a *warm* heart.
낸시는 다정한 마음씨를 갖고 있다.
— 타자 (3단현 **warms** [wɔ́ːrmz 웜-즈], 과거 · 과분 **warmed** [wɔ́ːrmd 웜-드], 현분 **warming** [wɔ́ːrmiŋ 워-밍])
따뜻하게 하다, 따뜻해지다, 데우다
Will you *warm up* this milk?
이 우유를 데워 주시겠어요?
I *warmed* myself by the stove.
나는 스토브 옆에서 몸을 녹였다.

**warn** *warn*
[wɔ́ːrn 원-]
타 (3단현 **warns** [wɔ́ːrnz 원-즈], 과거 · 과분 **warned** [wɔ́ːrnd 원-드], 현분 **warning** [wɔ́ːrniŋ 워-닝])
경고하다, 주의를 주다; (미리) 알리다 《of, to do》
I *warned* him not *to* go near the cliff. 나는 그에게 절벽 가까이 가지 말라고 경고했다.

A dark cloud *warned* us *of* a storm. 먹구름이 폭풍우를 예고했다.

**warn•ing** *warning*
[wɔ́ːrniŋ 워-닝]
명 (복수 **warnings** [wɔ́ːrniŋz 워-닝즈]) 경고, 경계, 주의
*warnings* of a heavy rain
폭우의 예고

***was** *was*
[《약》 wəz 워즈; 《강》 wɑ́z 와즈]
자 《be 동사의 과거》
…이었다; (…에) 있었다
He *was* a doctor then.
그는 그 당시 의사였다.
She *was* in the kitchen.
그녀는 부엌에 있었다.
— 조 ❶ 《**was+~ing**로》 …하고 있었다 《과거진행형을 만듦》
I *was* watch*ing* television.
나는 텔레비전을 보고 있었다.

❷ 《**was**+과거분사로》 …되었다 《수동태 과거를 만듦》
She *was loved* by everybody.
그녀는 모든 사람에게 사랑받았다.

**⁑wash** *wash*
[wáʃ 와시]
타자 (3단현 **washes** [wáʃiz 와시즈], 과거 · 과분 **washed** [wáʃt 와시트], 현분 **washing** [wáʃiŋ 와싱])
❶ 씻다, 세탁〔세차〕하다
*Wash* your face. 세수해라.
They are *washing* the dishes.
그들은 접시를 닦고 있다.

❷ 씻어내다, 떠내려가다 《away》
The bridge was *washed away* by the flood.
다리가 홍수로 떠내려갔다.
숙어 ***wash one's hands*** 《완곡한 표현으로》 화장실에 가다
Where can I *wash* my *hands*, please? 화장실이 어디지요?

**wash•ing ma•chine**
*washing machine*
[wáʃiŋ məʃìːn 와싱머신]
명 세탁기

***Wash•ing•ton** *Washington*
[wáʃiŋtən 와싱턴]
명 ❶ **George Washington**, 조지 워싱턴(1732–1799): 독립한 미국의 초대 대통령(1789–97)

❷ 워싱턴 주 《미국 서북부 태평양 연안에 있는 주로서 주도는 올림피아(Olympia); 약 Wash.》
❸ 워싱턴 **D.C.** 《미국의 수도》
✎ D.C.는 *D*istrict of Columbia의 약어

**was•n't** *wasn't*
[wʌ́znt 워즌트]
was not의 축약형

***waste** *waste*
[wéist 웨이스트]
타자 (3단현 **wastes** [wéists 웨이스츠], 과거 · 과분 **wasted** [wéistid 웨이스티드], 현분 **wasting** [wéistiŋ 웨이스팅])
낭비〔허비〕하다; 황폐〔쇠퇴〕시키다

Don't *waste* your money.
돈을 낭비하지 마라.
The country was *wasted* by a long war. 그 나라는 오랜 전쟁으로 황폐되었다.

**—** 명 낭비, 허비; 《복수형으로》 쓰레기, 폐기물
It is a *waste* of time to play video games.
비디오 게임을 하는 건 시간 낭비다.

**—** 형 황폐한; 쓰레기〔폐품〕의
The land lay *waste*.
그 땅은 황폐한 채로 버려져 있었다.

**waste•bas•ket** *wastebasket*
[wéistbæ̀skit 웨이스트배스킷]
명 (복수 **wastebaskets** [wéistbæ̀skits 웨이스트배스키츠])
《미》 휴지통

****watch** *watch*
[wátʃ 와치]
명 (복수 **watches** [wátʃiz 와치즈])
❶ 손목시계, 회중시계
My *watch* keeps good time.
내 시계는 시간이 잘 맞는다.
My *watch* is 2 minutes fast 〔slow〕. 내 시계는 2분 빠르다〔느리다〕.
❷ 《보통 the를 붙여》 경계, 주의, 감시
Be on *the watch* for pickpockets. 소매치기를 조심하시오.

**—** 타 자 (3단현 **watches** [wátʃiz 와치즈], 과거 · 과분 **watched** [wátʃt 와치트], 현분 **watching** [wátʃiŋ 와칭])
❶ (주의해서) 보다, 지켜보다
We like to *watch* some cartoons on TV. 우리는 TV로 만화 보는 것을 좋아한다.

❷ 돌보다, 간호하다
I *watched* the baby today.
나는 오늘 아기를 돌봤다.
❸ 망보다, 감시하다
Will you *watch* my suitcase?
내 여행 가방 좀 봐 주겠니?

숙어 ***watch for*** …을 기다리다, 대기하다
He *watched for* another opportunity. 그는 다른 기회를 기다렸다.
***watch out*** 경계하다; 조심하다, 주의하다
***watch over*** …을 지키다, 망보다
This dog *watches over* my house. 이 개가 나의 집을 지켜 준다.

**watch•man** *watchman*
[wɑ́(ː)tʃmən 와(-)치먼]
명 (복수 **watchmen** [wɑ́(ː)tʃmen 와(-)치멘]) (건물의) 경비원, 야경원

****wa•ter** *water*
[wɔ́ːtər 워-터]
명 ❶ 《a와 복수형 안 씀》 물
*boiling* water 끓는 물
Give me a glass of *water*.
물 한 잔 주세요.
Plants, animals, and people need *water* to live. 식물, 동물, 사람은 살기 위해 물이 필요하다.
❷ 《the를 붙여》 수면, 물속
The boy jumped into *the water*.
그 소년은 물속으로 뛰어들었다.
❸ 《복수형으로》 강, 바다, 호수(의 물)
The *waters* of the lake look blue. 호수의 물은 푸르게 보인다.
—타 (3단현 **waters** [wɔ́ːtərz 워-터즈], 과거 · 과분 **watered** [wɔ́ːtərd 워-터드], 현분 **watering** [wɔ́ːtəriŋ 워-터링])
물을 뿌리다〔주다〕; (동물에게) 물을 먹이다

Please *water* the trees in the garden. 정원의 나무에 물을 주세요.

**wa•ter•fall** *waterfall*
[wɔ́ːtərfɔ̀ːl 워-터폴-]
명 (복수 **waterfalls** [wɔ́ːtərfɔ̀ːlz 워-터폴-즈]) 폭포
Niagara falls is a huge *waterfall* between U.S.A. and Canada. 나이아가라 폭포는 미국과 캐나다 사이에 있는 거대한 폭포다.

**wa•ter•mel•on** *watermelon*
[wɔ́ːtərmèlən 워-터멜런]
명 (복수 **watermelons** [wɔ́ːtərmèlənz 워-터멜런즈]) 〖식물〗 수박

*Watermelons* grow on vines.
수박은 덩굴에서 자란다.

**wa•ter•ski•ing** *waterskiing*
[wɔ́ːtərskìːiŋ 워-터스키-잉]
명 〖스포츠〗 수상 스키

***wave** *wave*
[wéiv 웨이브]

명 (복수 **waves** [wéivz 웨이브즈])
❶ 물결, 파도; (빛 · 소리 따위의) 파동
The *waves* washed the shore.
파도가 바닷가로 밀려왔다.

❷ 손을 흔들기
—타자 (3단현 **waves** [wéivz 웨이브즈], 과거 · 과분 **waved** [wéivd 웨이브드], 현분 **waving** [wéiviŋ 웨이빙])
(손을) 흔들다; (깃발이) 펄럭이다
She *waved* her hand to us.
그녀는 우리에게 손을 흔들었다.
The flag is *waving* in the wind.
깃발이 바람에 펄럭이고 있다.

**wax** *wax*
[wǽks 왝스]
명 《a와 복수형 안 씀》 밀랍, 왁스

**⁑way** *way*
[wéi 웨이]
명 (복수 **ways** [wéiz 웨이즈])
❶ (…으로 가는) 길, 도로, 통로

Tell me the *way* to the post office. 우체국으로 가는 길을 가르쳐 주십시오.
He took the wrong *way*.
그는 길을 잘못 들어섰다.

어법 **way, road, street, avenue**
**way**는 어떤 지점으로 가는 길, **road**는 마을과 마을을 연결하는 길, **street**는 양쪽에 건물이 줄지어 서 있는 가로, **avenue**는 가로수가 심어진 도시의 번화한 큰 길을 뜻한다.

❷ 방향, 통로 (동 direction)
One *Way* Only 일방통행 《게시문》
Come this *way*, please.
이쪽으로 오세요.

❸ 《복수형 안 씀》 거리, 노정
It is a long *way* to the school.
학교까지는 먼 거리다.
❹ 방법, 수단 (동 means)
This is the best *way* to study English. 이것이 영어를 공부하는 가장 좋은 방법이다.
❺ 점, 방면
She is different from him in many *ways*.
그녀는 많은 점에서 그와 다르다.
숙어 ***all the way*** (도중) 내내; 멀리
I was *all the way* with him.
나는 내내 그와 함께 있었다.

***by the way*** 그런데, 그건 그렇고
By the way, where is he?
그런데, 그는 어디 있는 거야?

***by way of*** …을 지나서, 경유하여
She went to Paris *by way of* Rome. 그녀는 로마를 경유하여 파리에 갔다.

***find** one's **way*** (…의) 길을 찾아내다

***give way*** 양보하다, 굴복하다
Don't *give way* to such demands. 그런 요구에 굴하지 마라.

***lose the way*** 길을 잃다
I *lost the way* on the mountain. 나는 산에서 길을 잃었다.

***make** one's **way*** 나아가다
We *made our way* along the river. 우리는 강을 따라 나아갔다.

***on the*〔*one's*〕*way* (to...)** (…으로 가는) 도중에
*On his way* back, he saw an old man. 돌아오는 길에 그는 한 노인을 만났다.

***under way*** 진행 중에

## ⁑we *we*

[《약》 wi 위; 《강》 wíː 위-]

대 《I의 복수》

❶ 《주격》 우리는, 우리가
*We* are very happy.
우리는 매우 행복하다.
*We* are all pupils.
우리는 모두 학생들입니다.

❷ 《막연히 일반 사람들을 가리켜》
*We* live in the atomic age.
우리는 원자력 시대에 살고 있다.

**we의 변화형**

| 격 \ 수 | 단수 | 복수 |
|---|---|---|
| 주격 | I<br>나는〔내가〕 | we<br>우리는〔가〕 |
| 소유격 | my<br>나의 | our<br>우리의 |
| 목적격 | me<br>나를〔에게〕 | us<br>우리를〔에게〕 |

## *weak *weak*

[wíːk 위-크]

week와 발음이 같음.

형 (비교급 **weaker** [wíːkər 위-커], 최상급 **weakest** [wíːkist 위-키스트])

❶ 약한, 힘없는 (반 strong 강한)
She replied in a *weak* voice.
그녀는 힘없는 목소리로 대답했다.
She was *weak* after her illness.
그녀는 병을 앓고 난 후에 약해졌다.

❷ (능력면에서) 뒤떨어지는, 서툰
Everybody has his *weak* point.
누구에게나 약점이 있다.
I am *weak* in math.
나는 수학에 서툴다.

## wealth *wealth*

[wélθ 웰스]

명 부, 재산 (동 rich)
He is a man of great *wealth*.
그는 굉장히 부유한 사람이다.

## wealth·y *wealthy*

[wélθi 웰시]

형 부유한, 풍족한, 풍부한
His father is *wealthy*.
그의 아버지는 부자다.

**weap•on** *weapon*
[wépən 웨펀]
명 (복수 **weapons** [wépənz 웨펀즈])
무기, 병기

nuclear weapons 핵무기

*__wear__ *wear*
[wέər 웨어]
동 (3단현 **wears** [wέərz 웨어즈], 과거 **wore** [wɔ́ːr 워–], 과분 **worn** [wɔ́ːrn 원–], 현분 **wearing** [wέ(ə)riŋ 웨(어)링])
—타 ❶ 입다, 쓰다, 신다

He *wears* blue jeans.
그는 블루진즈를 입고 있다.
She *wears* glasses.
그녀는 안경을 쓰고 있다.
He *wears* a straw hat.
그는 밀짚모자를 쓰고 있다.
❷ 써서 닳게 하다, 해지게 하다
My shoes are *worn out*.
내 구두는 다 닳았다.
—자 ❶ 오래 사용하다〔견디다〕
These shoes *wear* well.
이 구두는 오래 신는다.
❷ 닳아 떨어지다, 해지다
—명 의류, …복
children's *wear* 아동복

**wea•ry** *weary*
[wíəri 위어리]
형 (비교급 **wearier** [wíəriər 위어리어], 최상급 **weariest** [wíəriist 위어리이스트])
❶ 지친, 피로한 (동 tired)
❷ 싫증난, 지긋지긋한 《of》
He grew *weary of* reading.
그는 독서에 싫증이 났다.

**__weath•er__ *weather*
[wéðər 웨더]
명 《a와 복수형 안 씀》 날씨, 일기, 기상 (관 climate 기후)
The *weather* is nice today.
오늘은 날씨가 좋다.
How is the *weather* there?
그곳 날씨는 어떻습니까?
In nice *weather* I take a walk in the park. 날씨가 좋으면 나는 공원에서 산책을 한다.

어법 weather와 climate
**weather**는 어떤 특정한 때나 장소의 「날씨」를 뜻한다.

climate는 어떤 지방의 30년 이상에 걸친 날씨의 평균 기후를 말한다.

## weath•er•cock

*weathercock*
[wéðərkɑ̀k 웨더칵]
명 (복수 **weathercocks** [wéðər-kɑ̀ks 웨더칵스])
바람개비, 풍향계

### Weather 날씨

**cold**
추운

**hot**
더운

**warm**
따뜻한

**cool**
시원한

**cloudy**
흐린

**foggy**
안개가 낀

**sunny**
맑은

**rainy**
비가 오는

**snowy**
눈이 내리는

**windy**
바람이 부는

A B C D E F G H I J K L M N O P Q R S T U V W X Y Z

**weave** *weave*
[wíːv 위-브]
타자 (3단현 **weaves** [wíːvz 위-브즈], 과거 **wove** [wóuv 워우브], 과분 **woven** [wóuvn 워우븐] 또는 **wove** [wóuv 워우브], 현분 **weaving** [wíːviŋ 위-빙])
(바구니 · 직물 따위를) 짜다, 엮다
They *weave* thread into cloth.
그들은 실을 짜서 천을 만든다.

**web** *web*
[wéb 웹]
명 (복수 **webs** [wébz 웹즈])
거미줄〔집〕

**we'd** *we'd*
[wíːd 위-드]
we had, we would, we should 의 축약형

**wed•ding** *wedding*
[wédiŋ 웨딩]
명 (복수 **weddings** [wédiŋz 웨딩즈]) 결혼(식), 혼례 (동 marriage 결혼)
a *wedding* march 결혼 행진곡
He was invited to a *wedding*.
그는 결혼식에 초대되었다.

⁑**Wednes•day** *Wednesday*
[wénzdèi 웬즈데이]
명 (복수 **Wednesdays** [wénzdèiz 웬즈데이즈]) 수요일 (약 Wed.)
on *Wednesday* evening
수요일 저녁에

**weed** *weed*
[wíːd 위-드]
명 (복수 **weeds** [wíːdz 위-즈])
잡초
The playground was covered with *weeds*.
운동장은 잡초로 뒤덮여 있었다.

⁑**week** *week*
[wíːk 위-크]
weak와 발음이 같음.
명 (복수 **weeks** [wíːks 위-크스])
주, 일주일
this *week* 이번 주, 금주
What day of the *week* is it today? 오늘은 무슨 요일입니까?
He will arrive next *week*.
그는 다음 주에 도착할 것이다.
I was very busy last *week*.
지난주에는 매우 바빴다.

**week•day** *weekday*
[wí:kdèi 위-크데이]
명 (복수 **weekdays** [wí:kdèiz 위-크데이즈]) (주말을 제외한) 평일
He is busy on *weekdays*.
그는 평일에는 바쁘다.

**week•end** *weekend*
[wí:kènd 위-크엔드]
명 (복수 **weekends** [wí:kèndz 위-크엔즈]) 주말
The bank is closed on the *weekends*.
은행은 주말에 문을 닫는다.
We are going camping this *weekend*. 우리는 이번 주말에 캠핑 갈 작정이다.

**week•ly** *weekly*
[wí:kli 위-클리]

형 매주의, 주 1회의; 주간의
a *weekly* magazine 주간지
부 매주, 주 1회
— 명 (복수 **weeklies** [wíːkliz 위-클리즈]) 주간지, 주간 신문

## weep *weep*
[wíːp 위-프]
자타 (3단현 **weeps** [wíːps 위-프스], 과거 · 과분 **wept** [wept 웹트], 현분 **weeping** [wíːpiŋ 위-핑])
울다, 눈물을 흘리다
She *wept* at the news. 그 소식을 듣고 그녀는 눈물을 흘렸다.

## weigh *weigh*
[wéi 웨이]
타자 (3단현 **weighs** [wéiz 웨이즈], 과거 · 과분 **weighed** [wéid 웨이드], 현분 **weighing** [wéiiŋ 웨이잉])
(무게를) 달다; 무게가 …이다
The grocer *weighed* the tomatoes. 식료품 상인은 토마토의 무게를 달았다.
I *weigh* 45 kilograms.
나의 몸무게는 45킬로그램이다.

## weight *weight*
[wéit 웨이트]
wait와 발음이 같음.
명 《a와 복수형 안 씀》 무게, 중량; 체중
The *weight* of the box is three kilos. 그 상자의 무게는 3킬로이다.
He gained〔lost〕 a little *weight*. 그는 몸무게가 약간 늘었다〔줄었다〕.

## *wel•come *welcome*
[wélkəm 웰컴]
형 (비교급 **welcomer** [wélkəmər 웰커머], 최상급 **welcomest** [wélkəmist 웰커미스트])
❶ 환영받는; 반가운
a *welcome* guest 환영받는 손님
a *welcome* rain 단비
❷ 《**be welcome to** do로》 자유로이 …해도 좋다
You *are welcome to* use my bicycle. 내 자전거를 자유로이 사용해도 좋습니다.
숙어 ***You are welcome.***
《사례에 대한 응답으로서》 천만에요 (=《영》 Not at all.)
"Thank you very much." "*You are welcome.*"
「대단히 감사합니다.」「천만에요.」
— 타 (3단현 **welcomes** [wélkəmz 웰컴즈], 과거 · 과분 **welcomed** [wélkəmd 웰컴드], 현분 **welcoming** [wélkəmiŋ 웰커밍])
환영하다, 기꺼이 받아들이다
They *welcomed* him with flowers. 그들은 꽃을 들고 그를 환영했다.

— 감 잘 오셨습니다, 어서 오십시오
*Welcome*, boys!

애들아, 어서 오너라!
*Welcome* to Korea!
한국에 잘 오셨습니다!
**—** 명 (복수 **welcomes** [wélkəmz 웰컴즈]) 환영, 환대
She gave him a warm *welcome*. 그녀는 그를 따뜻이 맞이했다.

**wel•fare** *welfare*
[wélfὲər 웰페어]
명 《a와 복수형 안 씀》
복지; 행복, 번영
a *welfare* state 복지 국가
social *welfare* 사회 복지

**⁑well[1]** *well*
[wél 웰]
부 (비교급 **better** [bétər 베터], 최상급 **best** [bést 베스트])
❶ 잘, 훌륭하게 능숙하게 (반 badly 나쁘게, 서툴게)
I know him quite *well*.
나는 그를 잘 안다.
She plays the violin very *well*.
그녀는 바이올린을 매우 잘 켠다.

❷ 충분히, 완전히 (동 fully); 상당히
I slept *well* last night.
어젯밤에는 푹 잤다.
Did you eat *well*?
충분히 먹었니?
숙어 ***as well*** 게다가, …도 또한
Are you going to invite Steve *as well*?
스티브도 초대할 생각이니?
***...as well as ~*** ~뿐만 아니라 …도
She gave him money *as well as* food. 그녀는 그에게 음식뿐만 아니라 돈도 주었다.
***may as well*** …하는 편이 좋다
You *may as well* go now.
너는 지금 가는 편이 좋다.
***may well*** …하는 것도 당연하다
You *may well* be surprised.
네가 놀라는 것도 당연하다.
***speak well of*** …에 대해 좋게 말하다
She always *speaks well of* you.
그녀는 항상 너에 대해서 좋게 말한다.
**—** 형 (비교급 **better** [bétər 베터], 최상급 **best** [bést 베스트])
《명사 앞에서 안 씀》
❶ 건강한, 튼튼한 (반 ill, sick 병든, 아픈)
He will soon get *well*.
그는 곧 완쾌될 것이다.

I don't feel *well* today.
오늘은 몸이 좋지 않다.
❷ (형편이) 좋은, 더할 나위 없는
Everything is *well* with our family. 우리 가족은 탈 없이 잘 지내고 있습니다.
숙어 ***feel well*** 기분이 좋다
I'm *feeling* very *well* today.
오늘은 매우 기분이 좋다.

***go well*** (일이) 잘되어 가다
Everything *goes well.*
만사가 잘 되어 간다.
—감 자, 그런데; 어머, 저런
*Well*, let's go home.
자, 집에 가자.
*Well*, is that you? 어머, 너로구나?

***well²** *well*
[wél 웰]
명 (복수 **wells** [wélz 웰즈])
우물, 샘
an oil *well* 유정(油井)
We drew water from the *well.*
우리는 우물에서 물을 퍼올렸다.

**we'll** *we'll*
[wiːl 윌–]
we will, we shall의 축약형

**well-done** *well-done*
[wéldʌ́n 웰던]
형 (스테이크가) 잘 익혀진
I like my beefsteak *well-done.*
나는 비프스테이크를 잘 익힌 것을 좋아한다.

***well-known** *well-known*
[wélnóun 웰노운]
형 (비교급 **better-known** [bétər-nóun 베터노운], 최상급 **best-known** [béstnóun 베스트노운])
널리 알려진, 유명한 (동 famous)
She is a *well-known* television actress. 그녀는 유명한 TV 배우다.

***went** *went*
[wént 웬트]
자 go(가다)의 과거

***wept** *wept*
[wépt 웹트]
자타 weep(울다)의 과거 · 과거분사

***were** *were*
[《약》 wər 워; 《강》 wə́ːr 워–]
동 《be동사 are의 과거》
—자 ❶ …이었다; …에 있었다
We *were* happy. 우리는 행복했다.

They *were* in Japan last year.
그들은 작년에 일본에 있었다.
❷ 《현재의 사실에 반대되는 가정을 나타내어》
If I *were* you, I would not go

there.
내가 너라면, 거기 가지 않을 텐데.
✎ 이 경우 주어의 인칭에 관계 없이 were를 씀.
— 조 ❶ 《**were**+현재분사로》 …하고 있었다 《과거진행형》
They *were learning* English.
그들은 영어를 배우고 있었다.
❷ 《**were**+과거분사로》 …되었다 《수동태 과거》
These dolls *were made* in London.
이 인형들은 런던에서 만들어졌다.

**we're** *we're*
[wiːər 위-어]
we are의 축약형

***weren't** *weren't*
[wə́ːrnt 원-트]
were not의 축약형

**⁑west** *west*
[wést 웨스트]
명 ❶ 《보통 the를 붙여》 서, 서쪽 (반 east 동; 관 north 북, south 남)
The sun sets slowly in *the west*.
태양은 서서히 서쪽으로 지고 있다.

California is in *the west* of the United States.
캘리포니아는 미국의 서쪽에 있다.
❷ 《**the West**로》 서양, 구미; 《美》 서부 (지방) 《보통 미시시피 강으로부터 서쪽 지역을 가리킴》
the civilization of *the West* 서양 문명
He was one of the pioneers of *the West*.
그는 서부 개척자의 한 사람이었다.
— 형 서쪽의, 서쪽으로부터의
A *west* wind was blowing.
서풍이 불고 있었다.
— 부 서쪽에〔으로〕
Our car was running *west*.
우리 차는 서쪽으로 달리고 있었다.

***west•ern** *western*
[wéstərn 웨스턴]
형 ❶ 서(쪽)의, 서쪽에 있는, 서쪽으로부터의
We live in the *western* part of this city.
우리는 이 도시의 서쪽에 살고 있다.
❷ 《**Western**으로》 서양의, 서부의
*Western* music 서양 음악
— 명 (복수 **westerns** [wéstərnz 웨스턴즈]) 《**Western**으로》 서부극
The old *westerns* are still popular movies today. 옛 서부극은 오늘날도 여전히 인기 있는 영화다.

**West•min•ster Ab•bey**
*Westminster Abbey*
[wéstmìnstər ǽbi 웨스트민스터애비]

명 웨스트민스터 사원 《7세기에 건립된 고딕식 건축물로, 영국의 국왕 및 유명 인사들이 묻혀 있는 사원》

***wet** *wet*
[wét 웻]
형 (비교급 **wetter** [wétə*r* 웨터], 최상급 **wettest** [wétist 웨티스트])
❶ 젖은, 축축한 (반 dry 마른)
Her cheeks were *wet* with tears.
그녀의 뺨은 눈물로 젖어 있었다.
I'm *wet* in the rain.
나는 비에 젖었다.

❷ 비내리는, 비가 많은 (동 rainy)
June is a *wet* month in Korea.
6월은 한국에서 비가 많은 달이다.
숙어 ***wet to the skin*** 흠뻑 젖은

**we've** *we've*
[wiːv 위-브]
we have의 축약형

***whale** *whale*
[(h)wéil 훼일, 웨일]
명 (복수 **whales** [(h)wéilz 훼일즈])
〚동물〛 고래

****what** *what*
[(h)wát 홧, 왓]
대 ❶ 《의문대명사》 무엇, 어떤 것〔일〕; 얼마 (동 how much)
*What* is this? 이것은 무엇입니까?

*What* do you looking for?
무엇을 찾고 있습니까?
Tell me *what* has happened.
어떤 일이 일어났는지 말씀하세요.
I don't know *what* to do.
무엇을 해야 할지 모르겠다.
*What* is the price?
값은 얼마입니까?

A B C D E F G H I J K L M N O P Q R S T U V W X Y Z

어법 What is he?와 Who is he?

전자는 그 사람의 직업이나 신분을 묻는 말이다: "*What* is he?" "He is a teacher."「그의 직업은 무엇입니까?」「그는 교사입니다.」
후자는 그 사람의 이름이나 친족 관계를 묻는 말이다: "Who is he?" "He is Mr. Smith."「그는 누구입니까?」「그는 스미스 씨입니다.」

❷《관계대명사; 선행사를 포함하여》…하는 것〔일〕(동 that which)
That is *what* I said to him.
그것이 내가 그에게 한 말이다.
Do *what* you like.
네가 좋아하는 일을 해라.

숙어 ***What about ... ?*** …은〔하는 것은〕 어떻습니까?
*What about* a cup of tea?
차 한 잔 하는 건 어때요?

***What ... for?*** 무엇 때문에
*What* did you go there *for*?
무엇 때문에 거기에 갔었지?

***What if ... ?*** …이라고 하면 어쩌지?
*What if* I should fail again?
또다시 실패하면 난 어떻게 하지?

***what is called; what we*** 〔***you, they***〕 ***call*** 이른바, 소위
He is *what is called* a young gentleman.
그는 이른바 젊은 신사다.

—형 ❶《의문형용사》무슨, 어떤
*What* color is your car?
당신 차는 무슨 색깔입니까?
*What* book is she reading?
그녀는 어떤 책을 읽고 있습니까?

❷《관계형용사》(…하는 바의) 그〔저〕, (…하는) 만큼의, (…하는 것) 모두
You may take *what* picture you like. 네가 좋아하는 그림을 가져가도 좋다.
I gave him *what* money I had.
내가 가진 돈을 모두 그에게 주었다.

❸《감탄문에 쓰여》얼마나, 정말로
*What* a cute child!
얼마나 귀여운 아이인가!

*What* an exciting story this is!
이건 정말로 재미있는 이야기로군!
✎ 어순은 what+a〔an〕+형용사+명사+주어+동사

**what•ev•er** *whatever*
[(h)wɑ̀tévər 화테버, 와테버]

대 ❶ …하는〔인〕 것은 무엇이든
I'll give you *whatever* I have.
내가 가진 것은 무엇이든 너에게 주마.

❷ 어떤 일이 …이더라도
Come tomorrow, *whatever* happens.
어떤 일이 있더라도, 내일 오너라.

—형 ❶ 어떤 …이라도
*Whatever* weather it is, we will start at six. 어떤 날씨더라도, 우리는 6시에 출발한다.
❷《명사 · 대명사의 뒤에서 부정을 강조하여》 조금도, 전혀
I have *no* plans *whatever*.
나는 전혀 계획이 없다.

## what's *what's*
[(h)wɑ́ts 화츠, 와츠]
what is, what has의 축약형

## *wheat *wheat*
[(h)wíːt 휘-트, 위-트]
명 〚식물〛 밀 (관 barley 보리)
a field of *wheat* 밀밭

## wheel *wheel*
[(h)wíːl 휠-, 윌-]
명 (복수 **wheels** [(h)wíːlz 휠-즈, 윌-즈]) ❶ (수레 · 차의) 바퀴

Cars have four *wheels* and bicycles have two. 자동차는 바퀴가 4개이고 자전거는 2개이다.
❷《the를 붙여》 (자동차의) 핸들, (배의) 타륜
Here, you take *the wheel*.
자, 네가 핸들을 잡아라.
숙어 ***at the wheel*** 운전 중의〔에〕

## wheel•chair *wheelchair*
[(h)wíːltʃɛ̀ər 휠-체어, 윌-체어]
명 (복수 **wheelchairs** [(h)wíːltʃɛ̀ərz 휠〔윌〕-체어즈])
(환자나 노약자용의) 휠체어

## **when *when*
[(h)wén 휀, 웬]
부 ❶《의문부사》 언제
*When* is your birthday?
당신의 생일은 언제입니까?

I don't know *when* he will get back.
그가 언제 돌아올지 모릅니다.
❷《관계부사; 제한적 용법》 …할〔한〕 때
Monday is the day *when* I am busy. 월요일은 내가 바쁜 날이다.
Now is the time *when* we must study.
지금은 우리가 공부해야 할 때이다.
✎ 제한적 용법에서는 when 앞에 day, time 따위의 때를 나타내는 선행사가 옴.

❸ 《관계부사; 비제한적 용법》 그리고 그때 (㊂ and then)

I was about to go out, *when* he came to see me.
내가 외출하려고 하는데, 그때 그가 나를 만나러 왔다.

— 접 …할〔한〕 때에

I was out *when* he came.
그가 왔을 때 나는 외출하고 없었다.
We will eat *when* he comes back. 그가 돌아오면 식사할 겁니다.

**어법 when의 시제**

(1) 위의 예문 중 when he comes back과 같이 때를 나타내는 부사절에서는, 내용이 미래의 일이라도 현재 시제를 쓴다. 그러므로 미래 조동사 will, shall을 쓰지 않는다.
(2) 미래를 나타내는 명사절의 경우에는 보통 will, shall을 쓴다: I don't know *when* he will come. 그가 언제 올지 모른다.

— 대 《의문대명사》 언제 《전치사 뒤에 놓임》

Until *when* can you stay?
언제까지 머물 수 있습니까?

**when•ev•er** *whenever*
[(h)wènévər 훼네버, 웨네버]
접 …할 때는 언제든지, …할 때마다; 언제 …하더라도

Come *whenever* you wish.
오고 싶을 때는 언제든지 오세요.
You will find him home *whenever* you may call. 언제 방문하더라도 그는 집에 있을 겁니다.

**⁑where** *where*
[(h)wέər 훼어, 웨어]
부 ❶ 《의문부사》 어디에(서), 어디로

*Where* do you live?
어디에서 사십니까?
*Where* is he going?
그는 어디로 가고 있지요?
I don't know *where* to go.
나는 어디로 가야 할지 모른다.

❷ 《관계부사; 제한적 용법》 …하는 곳의 《where 앞에 장소를 나타내는 선행사가 옴》

Is that the village *where* he was born?
저것이 그가 태어난 마을입니까?

❸ 《관계부사; 비제한적 용법》 그리고 거기서 《보통 where 앞에 콤마를 찍음》

He went to London, *where* he stayed a week. 그는 런던에 갔는데, 거기에서 일주일 묵었다.

— 접 (…하는) 곳에〔으로〕

You can go *where* you like.
너는 좋아하는 곳으로 가면 된다.

— 대 《의문대명사》 어디, 어느 곳

"*Where* do you come from?"
"I come from California."
「당신은 어디 출신입니까?」
「캘리포니아 출신입니다.」

✎ Where는 전치사 from의 목적어

**where•as** *whereas*
[(h)wɛ(ə)rǽz 훼(어)래즈, 웨(어)래즈]
접 …인데 반하여, 그런데(도) (㊂ while)

He was in love with her,

*whereas* she disliked him.
그가 그녀를 사랑했는데도 그녀는 그를 싫어했다.

**where's** *where's*
[(h)wέərz 훼어즈, 웨어즈]
where is, where has의 축약형

**wher•ev•er** *wherever*
[(h)wέərévər 훼어레버, 웨어레버]
접 ❶ …하는 곳은 어디나[어디로든지]
*Wherever* I went, my dog followed me. 어디를 가든지 나의 개는 나를 따라왔다.

❷ 비록 어디에서 …하더라도
*Wherever* he is, he must be found. 그가 어디에 있든지, 찾아내지 않으면 안 된다.

***wheth•er** *whether*
[(h)wéðər 훼더, 웨더]
접 《종종 **whether(...) or not**의 꼴로》 …인지 어떤지 (동 if); …이든 아니든
I don't know *whether* he is coming (*or not*). 그가 오고 있는지 어떤지 나는 모른다.
*Whether* we like it *or not*, we have to do it.
우리가 그것을 좋아하든 싫어하든, 그 일을 하지 않으면 안 된다.

****which** *which*
[(h)wítʃ 휘치, 위치]
대 ❶ 《의문대명사》 어느 것, 어느 쪽 《사람에게도 쓰임》
*Which* is yours?
어느 것이 당신 것입니까?
*Which* do you like better, apple or orange? 사과와 오렌지 중 어느 쪽을 더 좋아합니까?

Tell me *which* of you did it.
너희들 중에 누가 그것을 했는지 말해 보렴.
❷ 《관계대명사; 제한적 용법》 …하는 바의 것[일]
This is a bus *which* goes to the park.
이것은 공원으로 가는 버스이다.
The book (*which*) he gave me is very interesting.
그가 나에게 준 책은 매우 재미있다.
The case in *which* she keeps her jewels is beautiful. (=The case (*which*) she keeps her jewels *in* is beautiful.) 그녀가 보석을 보관하는 케이스는 예쁘다.

**어법 관계대명사 which의 생략**
**which**는 선행사가 「사람 이외의 사물」일 때 쓰인다. which에는 주격과 목적격이 있는데, 주격의 which

a b c d e f g h i j k l m n o p q r s t u v w x y z

는 생략할 수 없지만, 목적격의 which는 생략할 수 있다. 위의 예문에서 This is a bus *which* goes to the park.의 which는 goes의 주어이므로 생략할 수 없다. The book (*which*) he gave me is very interesting.에서 which는 gave의 목적어이므로 생략할 수 있다. 세 번째 예문에서 which는 전치사 in의 목적어이므로 생략할 수 있지만 in which처럼 나란히 놓였을 때는 생략할 수 없다. 또 관계대명사 which는 **that**으로 대체할 수 있다.

❸ 《관계대명사; 비제한적 용법》 그리고 그것은〔을〕 《which의 앞에 콤마가 있는 것이 보통임》

I bought a video, *which* I will watch this evening.
나는 비디오를 하나 샀는데, 그것을 오늘 저녁에 볼 참이다.

—형 《의문형용사》 어느, 어느 쪽의

*Which* book is yours?
어느 책이 네 것이냐?

*Which* season do you like best?
어느 계절을 가장 좋아합니까?

**which·ev·er** *whichever*
[(h)witʃévər 휘체버, 위체버]
대 어느 것〔쪽〕이라도; 설령 어느 쪽이〔을〕 …하더라도

Take *whichever* you want. 어느 것이라도 네가 원하는 것을 가져라.

—형 어느 쪽의 …이라도; 어느 쪽의 …이〔을〕 ~하더라도

Buy *whichever* book you like.
어느 쪽이라도 네가 좋아하는 책을 사거라.

****while** *while*
[(h)wáil 화일, 와일]
접 ❶ (…하고 있는) 동안에; (…하는) 사이에

*While* I was sleeping, I had a strange dream. 나는 잠자는 동안, 이상한 꿈을 꾸었다.

What happened *while* I was out? 내가 외출한 사이에 무슨 일이 일어났지?

❷ 《보통 앞에 콤마를 찍어》 그런데 한편, 이에 반하여

Some people are rich, *while* others are poor.
어떤 사람들은 부유한 데 반해 다른 사람들은 가난하다.

—명 《**a while**로》 동안, 시간, 잠시

He started *a* short *while* ago.
그는 방금 전에 출발했다.

숙어 ***after a while*** 잠시 후에

She came back *after a while*.
그녀는 잠시 후에 돌아왔다.

***all the while*** 그동안 죽〔내내〕

***for a while*** 잠시 동안

We rested *for a while.*
우리는 잠시 동안 쉬었다.

***in a while*** 얼마 안 되어, 곧
He will be back *in a while.*
그는 곧 돌아올 것이다.

***once in a while*** 이따금

***worth while*** (…할) 가치가 있는

## whip *whip*

[(h)wíp 휩, 윕]
명 (복수 **whips** [(h)wíps 휩스, 윕스]) 채찍, 매; 채찍질
—타 (3단현 **whips** [(h)wíps 휩스, 윕스], 과거 · 과분 **whipped** [(h)wípt 휩트, 윕트], 현분 **whipping** [(h)wípiŋ 휘핑, 위핑])
(…을) 채찍질〔매질〕하다
They *whipped* the slaves.
그들은 노예들에게 채찍질했다.

## whis•ker *whisker*

[(h)wískər 휘스커, 위스커]
명 (복수 **whiskers** [(h)wískərz 휘스커즈, 위스커즈])
《복수형으로》 구레나룻 (관 beard 턱수염, mustache 콧수염)

My father grows *whiskers.*
아버지는 구레나룻을 기르신다.

## whis•per *whisper*

[(h)wíspər 휘스퍼, 위스퍼]
타자 (3단현 **whispers** [(h)wíspərz 휘스퍼즈, 위스퍼즈], 과거 · 과분 **whispered** [(h)wíspərd 휘스퍼드, 위스퍼드], 현분 **whispering** [(h)wíspəriŋ 휘스퍼링, 위스퍼링])
속삭이다, 귓속말하다
People *whisper* when they tell secrets. 사람들은 비밀을 이야기할 때 속삭인다.

—명 (복수 **whispers** [(h)wíspərz 휘스퍼즈, 위스퍼즈]) 속삭임, 귓속말
He talked in a *whisper.*
그는 귓속말로 이야기했다.

## whis•tle *whistle*

[(h)wísl 휘슬, 위슬]
명 (복수 **whistles** [(h)wíslz 휘슬즈, 위슬즈]) 휘파람; 호루라기; 경적
The traffic officer blew his *whistle.*
교통경찰관이 호루라기를 불었다.

—타자 (3단현 **whistles** [(h)wíslz 휘슬즈, 위슬즈], 과거 · 과분 **whistled**

[(h)wísld 휘슬드, 위슬드], 현분 **whistling** [(h)wísliŋ 휘슬링, 위슬링])
휘파람을〔호루라기를〕 불다
He *whistled* to his dog.
그는 자기 개에게 휘파람을 불었다.

## ⁑white *white*

[(h)wáit 화이트, 와이트]
형 (비교급 **whiter** [(h)wáitər 화이터, 와이터], 최상급 **whitest** [(h)wáitist 화이티스트, 와이티스트])
❶ 흰, 흰색의 (반 black 검은)
He has *white* hair. 그는 백발이다.
❷ 백인종의; (안색이) 창백한
*white* people 백인
Her face turned *white*.
그녀의 얼굴은 창백해졌다.
— 명 (복수 **whites** [(h)wáits 화이츠, 와이츠])
❶ 《a와 복수형 안 씀》 흰색, 흰옷
The bride was dressed in *white*.
신부는 흰 의상으로 단장되었다.

❷ (사물의) 흰 부분; 《복수형으로》 백인
the *white* of an egg 달걀의 흰자

## White House *White House*

[(h)wáit hàus 화이트하우스, 와이트하우스]
명 《the를 붙여》 백악관 《워싱턴 D.C.에 있는 대통령 관저》

## ⁑who *who*

[hú: 후-]
대 (소유격 **whose** [hú:z 후-즈], 목적격 **whom** [hú:m 훔-])
❶ 《의문대명사》 누구, 누가 《주격》; 누구를〔에게〕 《목적격》
"*Who* is he?" "He's Tom."
「그는 누구입니까?」「톰입니다.」
*Who* is speaking, please?
누구시지요? 《전화에서》

*Who* do you like best?
누구를 가장 좋아합니까?
❷ 《관계대명사; 제한적 용법》 …하는 (사람)
The girl *who* is playing the piano is my sister. 피아노를 치고 있는 소녀는 내 누이동생이다.
✎ 이 「제한적 용법」에서 선행사는 반드시 사람이어야 하며, who를 that으로 대체할 수 없음.
❸ 《관계대명사; 비제한적 용법》 그리

고 그 사람(들)은 《who 앞에 콤마》
He has three sons, *who* all work in the same factory.
그는 아들 셋을 두었는데, 그들 모두는 같은 공장에서 일한다.

**who•ev•er** *whoever*
[hù:évər 후-에버]
대 (소유격 **whosever** [hù:zévər 후-제버], 목적격 **whomever** [hù:m-évər 후-메버])
❶ (…하는 사람은) 누구든지 (동 anyone who)
*Whoever* wants it may take it.
원하는 사람은 누구든지 그것을 가져도 좋다.
❷ 누가 …하더라도
I won't stay here any longer, *whoever* asks. 누가 간청하더라도, 나는 더이상 여기에 머물지 않겠다.

***whole** *whole*
[hóul 호울]
형 ❶ 모든, 전부의; 꼬박…
His *whole* family went on a picnic.
그의 전 가족은 소풍을 갔다.

It rained (for) five *whole* days.
꼬박 5일 동안 비가 내렸다.
❷ 온전한, 흠집 없는
The glass fell, but it was *whole*.
유리잔이 떨어졌는데, (깨지지 않고) 온전했다.
—명 《보통 the를 붙여》 전부, 전체 (반 part 부분)
Please give me *the whole* of the profit.
그 이익의 전부를 저에게 주세요.
숙어 ***as a whole*** 전체로서
***on the whole*** 대체로, 요컨대
The food was, *on the whole*, satisfactory.
음식은 대체로 만족스러웠다.

**who'll** *who'll*
[hú:l 훌-]
who will의 축약형

**⁑whom** *whom*
[hú:m 훔-]
대 《who의 목적격》
❶ 《의문대명사》 누구에게, 누구를
*Whom* are you writing to?
누구에게 편지를 쓰고 있습니까?
I don't know *whom* to believe.
누구를 믿어야 할지 모르겠다.
❷ 《관계대명사; 제한적 용법》 …하는 (사람)
He is the man (*whom*) I met yesterday.
그는 내가 어제 만났던 사람이다.

Miss Smith is a nurse (*whom*) everyone likes. 스미스 양은 누구나 호감을 갖는 간호사다.

✎ whom의 선행사는 사람에 한정됨.

**어법 관계대명사 whom의 생략**

이 용법에서 목적격 관계대명사는 생략할 수 있는데, 그런 경우 **whom** 앞에 전치사가 있으면 그것을 동사 뒤로 옮겨 주어야 한다: The man *with whom* I went is my uncle. → The man I went *with* is my uncle. (나와 함께 갔던 사람이 나의 아저씨다.)

❸ 《관계대명사; 비제한적 용법》 그리고 그 사람을〔에게〕

He had a beautiful wife, *whom* he loved greatly.
그에게는 아름다운 아내가 있는데, 그는 그녀를 무척 사랑했다.

## who's *who's*

[hú:z 후-즈]

대 who is, who has의 축약형

## **whose *whose*

[hú:z 후-즈]

대 《who의 소유격 · 소유대명사》

❶ 《의문대명사》 누구의, 누구의 것

*Whose* hat is this?
이것은 누구의 모자입니까?

*Whose* is this pen?
이 펜은 누구의 것입니까?

❷ 《관계대명사; 제한적 용법》 《who, which, that의 소유격》 …하는 바의 (사람〔것〕) 《선행사는 사람 · 사물》

Is that the girl *whose* father is a doctor? 저 아이가 자기 아버지가 의사인 소녀입니까?

Look at that house *whose* roof is green.
저기 지붕이 초록색인 집을 보시오.

❸ 《관계대명사; 비제한적 용법》 그리고 그의 《whose 앞에 콤마가 있음》

My brother is a doctor, *whose* house we just passed.
나의 형은 의사인데, 우리가 방금 그의 집을 지나쳐 왔다.

## **why *why*

[(h)wái 화이, 와이]

부 ❶ 《의문부사》 왜, 어째서

*Why* do you think so?
왜 그렇게 생각하지?

*Why* did you go there?
어째서 거기에 갔었지?

❷ 《관계부사》 …하는 바의 (이유)

The reason (*why*) he refused is not clear.
그가 거절한 이유가 분명치 않다.

That is (the reason) *why* he was so tired. 그것이 그가 그렇게 지쳐 있었던 까닭이다.

✎ 선행사 the reason은 생략되는 경우가 많음. 또 거꾸로 the reason이

남고 why가 생략되는 일도 있음.
숙어 ***Why don't you ...?*** …하는 게 어떤가?
*Why don't you* come with us?
우리와 함께 가는 게 어때?
***Why not?*** 《질문에 대한 응답으로서》 물론이지, 아무렴
"May I go?" "*Why not*?"
「가도 좋습니까?」「아무렴.」
— 감 저런, 어이구, 뭐야
*Why*, the cage is empty!
저런, 새장이 비어 있군!

## wick•ed *wicked*

[wíkid 위키드]
형 (비교급 **wickeder** [wíkidər 위키더], 최상급 **wickedest** [wíkidist 위키디스트])
(도덕적으로) 나쁜, 사악한, 심술궂은
It is *wicked* to be cruel to an animal.
동물을 학대하는 것은 나쁜 짓이다.

## **wide *wide*

[wáid 와이드]
형 (비교급 **wider** [wáidər 와이더], 최상급 **widest** [wáidist 와이디스트])
❶ (폭이) 넓은 (반 narrow 좁은); 폭이[넓이가] …인
"How *wide* is this road?" "It's twenty meters *wide*." 「이 도로는 폭이 얼마인가?」「20미터이다.」

❷ 널따란, 광대한; (지식이) 광범위한
He has a *wide* knowledge of history. 그는 광범위한 역사 지식을 갖고 있다.
❸ (문 따위가) 활짝 열린
He looked out of the *wide* window.
그는 활짝 열린 문으로 내다보았다.
— 부 넓게, 활짝
His mouth is *wide* open.
그의 입은 넓게 벌려져 있다.

## wide•ly *widely*

[wáidli 와이들리]
부 널리, 광범위하게, 두루

## wid•ow *widow*

[wídou 위도우]
명 (복수 **widows** [wídouz 위도우즈]) 미망인, 과부

## width *width*

[wídθ 위드스]
명 ⟦단위⟧ 너비, 폭(동 breadth)
The *width* of the room is fifteen feet.
그 방의 넓이는 15피트이다.

## **wife *wife*

[wáif 와이프]
명 (복수 **wives** [wáivz 와이브즈]) 아내, 부인, 처 (관 husband 남편)

A B C D E F G H I J K L M N O P Q R S T U V W X Y Z

John and his *wife* 존 부처
I have a *wife* and children.
나에게는 처자가 있다.

***wild** *wild*
[wáild 와일드]
형 (비교급 **wilder** [wáildər 와일더], 최상급 **wildest** [wáildist 와일디스트])
❶ (동식물이) 야생의
*wild* animals 야생 동물

*Wild* flowers grew along the road. 야생화가 길을 따라 자랐다.
❷ 황량한, 사람이 살지 않는
the *wild* scenery of Alaska
알래스카의 황량한 풍경
❸ 거친, 사나운, 난폭한
the *wild* sea 거친 바다
He went *wild* with anger.
그는 화가 나서 난폭해졌다.

****will**[1] *will*
[《약》 (w)əl 월, 얼; 《강》 wíl 윌]
조 (과거 **would** [《약》 (w)əd 워드, 어드; 《강》 wúd 우드])
❶ 《단순한 미래를 나타내어》 …할[…일] 것이다
I *will* be fourteen years old next birthday.
다음 생일에 나는 열네 살이 된다.
*Will* he come to the party tomorrow?
그는 내일 파티에 올까요?
It *will* be nice tomorrow.
내일은 날씨가 좋을 것이다.
✎ 《영》에서는 단순미래의 1인칭에 will 대신 shall을 씀. 또한 will은 조동사이므로 뒤에 반드시 원형동사가 오며, be동사가 오는 경우에는 인칭·수에 관계없이 will be가 됨.
❷ 《주어의 의지를 나타내어》 …하겠다, …할 작정이다
We *will* never lie again.
우리는 절대로 거짓말하지 않겠다.
I *will* do my best in the race.
나는 달리기 시합에서 최선을 다할 작정이다.

**어법** will과 be going to do
의지를 나타내는 **will**은 주어가 1인칭(I, we)일 때 쓰이는 일이 많으며, 2인칭(you), 3인칭에서는 **be going to**가 쓰이는 일이 많다: He *is going to* be a doctor. 그는 의사가 되려고 한다.

❸ 《**will you ...?**으로 의뢰·권유를 나타내어》 …해 주지 않겠습니까?; …하지 않으시렵니까?
*Will you* open the window?
창문을 열어 주지 않겠습니까?
*Will you* have some more tea?
차를 좀더 드시지 않으시렵니까?
✎ Will you...?와 Would you...?

는 양쪽 다 의뢰를 나타내지만, Would you...?쪽이 더 정중한 표현임.

어법 **Will you...?에 대한 대답**

이러한 형태의 물음에는, All right.(좋습니다.) 또는 Yes, I will.(예, 그렇게 하지요.), I'm sorry I can't.(죄송하지만 안 되겠는데요.)라고 대답한다.

❹ 《주장 · 고집을 나타내어》 기어코 …하려고 하다

This door *will* not open.
이 문은 좀처럼 열리지 않는다.

❺ 《습성 · 습관을 나타내어》 곧잘 …하곤 하다, …하기 쉽다

She *will* often sit up all night.
그녀는 곧잘 밤샘을 하곤 한다.

❻ 《추측을 나타내어》 …일〔…할〕 것이다, …이겠지

It *will* be snowing there now.
지금쯤 그곳에는 눈이 올거야.

**will²** *will*
[wíl 윌]
명 《종종 **a will**로》 의지(력); 의도, 뜻

He has a strong〔weak〕 *will*.
그는 의지가 굳다〔약하다〕.

**will•ing** *willing*
[wíliŋ 윌링]
형 《**be willing to** do로》 기꺼이 …하는

I *am willing to* help you.
기꺼이 당신을 도와드리겠습니다.

**will•ing•ly** *willingly*
[wíliŋli 윌링리]
부 기꺼이, 자진해서

She swept the room *willingly*.
그녀는 자진해서 방을 청소했다.

***win** *win*
[wín 윈]
타자 (3단현 **wins** [wínz 윈즈], 과거 · 과분 **won** [wʌ́n 원], 현분 **winning** [wíniŋ 위닝])

❶ (싸움 · 시합에서) 승리하다, 이기다 (반 lose 지다)

He *will* win the 100 meters.
그는 100미터 경주에서 이길 것이다.
Our team *won* the game three to two.
우리 팀이 3대 2로 승리했다.

A
B
C
D
E
F
G
H
I
J
K
L
M
N
O
P
Q
R
S
T
U
V
W
X
Y
Z

❷ (명성 · 상 등을) 얻다, 획득하다
She *won* fame as a pianist. 그녀는 피아니스트로서 명성을 얻었다.
He *won* a gold medal at the Olympics.
그는 올림픽에서 금메달을 획득했다.

## *wind¹ *wind*

[wínd 윈드]
명 (복수 **winds** [wíndz 윈즈])
바람
a gentle *wind* 미풍
A cold *wind* blew from the north. 찬 바람이 북쪽에서 불어왔다.

The *wind* is strong today.
오늘은 바람이 세다.

## *wind² *wind*

[wáind 와인드]
타자 (3단현 **winds** [wáindz 와인즈], 과거 · 과분 **wound** [wáund 와운드] 또는 **winded** [wáinded 와운디드], 현분 **winding** [wáindiŋ 와인딩])
(시계 태엽 · 끈 등을) 감다; (길 · 강 등이) 구불거리다
He *wound* the clock today.
그는 오늘 시계 태엽을 감았다.
A river *winds* through the plain. 강물이 구불거리면서 평야를 흘러간다.

## wind•mill *windmill*

[wín(d)mìl 윈(드)밀]
명 (복수 **windmills** [wín(d)mìlz 윈(드)밀즈]) 풍차 (방앗간)

*Windmills* are used to grind grain.
풍차는 곡식을 빻는 데 사용된다.

## *win•dow *window*

[wíndou 윈도우]
명 (복수 **windows** [wíndouz 윈도우즈]) 창, 창문; 창유리
Shut〔Open〕 the *window*, please.
창문을 닫아〔열어〕 주시오.
She looked out〔of〕 the *window*.
그녀는 창밖을 내다보았다.

He broke the *window*.
그가 창유리를 깼다.

## wind•y *windy*

[wíndi 윈디]
형 (비교급 **windier** [wíndiə*r* 윈디

어], 최상급 **windiest** [wíndiist 윈디이스트])
바람 부는, 바람이 센
Outside it was cold and *windy*. 바깥은 춥고 바람이 불었다.

***wine** *wine*
[wáin 와인]
명 포도주, 술

white *wine* 백포도주
a glass of *wine* 포도주 한 잔

***wing** *wing*
[wíŋ 윙]
명 (복수 **wings** [wíŋz 윙즈])
(새 · 곤충 · 비행기의) 날개
The bird spread its *wings*. 새는 날개를 펼쳤다.

**wink** *wink*
[wíŋk 윙크]
자 (3단현 **winks** [wíŋks 윙크스], 과거 · 과분 **winked** [wíŋkt 윙크트], 현분 **winking** [wíŋkiŋ 윙킹])
(…에게) 윙크하다, 눈짓하다 ((at)); (빛이) 깜박이다
He *winked at* me across the table. 그는 식탁 너머에서 나에게 윙크했다.
A light was *winking* in the distance.
멀리서 불빛이 깜박이고 있었다.
—명 (복수 **winks** [wíŋks 윙크스])
눈짓, 윙크

**win•ner** *winner*
[wínər 위너]
명 (복수 **winners** [wínərz 위너즈])
승리자, 우승자; 수상자
John was the *winner* of the contest.
존이 콘테스트의 우승자였다.

He is a Nobel Prize *winner* for peace. 그는 노벨 평화상 수상자이다.

****win•ter** *winter*
[wíntər 윈터]
명 (복수 **winters** [wíntərz 윈터즈])
겨울
We had a lot of snow this *winter*. 금년 겨울에는 눈이 많이 왔다.

We go sled-riding in *winter*.
우리는 겨울에 썰매타러 간다.

***wipe** *wipe*
[wáip 와이프]
타 (3단현 **wipes** [wáips 와이프스], 과거 · 과분 **wiped** [wáipt 와이프트], 현분 **wiping** [wáipiŋ 와이핑]) 닦다, 훔치다
He *wiped* his hands with the towel. 그는 수건으로 손을 닦았다.
She *wiped* the table.
그녀는 식탁을 닦았다.

***wire** *wire*
[wáiər 와이어]
명 (복수 **wires** [wáiərz 와이어즈])
❶ 철사; 전선
a telephone *wire* 전화선
Sparrows sat on the *wire*.
참새들이 전선 위에 앉아 있었다.
❷ 전보, 전신
She sent me a *wire*.
그녀가 내게 전보를 보냈다.

Let me know the result by *wire*. 전보로 그 결과를 알려 주시오.

***wire•less** *wireless*
[wáiərlis 와이얼리스]
형 무선의, 무선 통신의
a *wireless* message 무선 전보
—명 무선 (통신), 무전; ((영)) 라디오
He received a *wireless*.
그는 무전을 받았다.

**wis•dom** *wisdom*
[wízdəm 위즈덤]
명 지혜, 현명함
He is an old man of great *wisdom*.
그는 아주 지혜로운 노인이다.

***wise** *wise*
[wáiz 와이즈]
형 (비교급 **wiser** [wáizər 와이저], 최상급 **wisest** [wáizist 와이지스트]) 현명한 지혜로운 (반 foolish 어리석은)
a *wise* decision 현명한 결정
I think we have made a *wise* choice. 우리는 현명한 선택을 했다고 생각한다.

**⁑wish** *wish*
[wíʃ 위시]

동 (3단현 **wishes** [wíʃiz 위시즈], 과거 · 과분 **wished** [wíʃt 위시트], 현분 **wishing** [wíʃiŋ 위싱])

—타 ❶ (아무를 위해 …을) 빌다, 기원하다, 바라다

I *wish* you a Happy New Year.
행복한 새해를 맞이하기를 빕니다.

We *wished* him good luck.
우리는 그의 행운을 기원했다.

❷《**wish to** do로》…하고 싶다

I *wish to* see him.
나는 그를 만나고 싶다.
I *wish to* go abroad next year.
나는 내년에 외국에 가고 싶다.

❸《**wish** a person **to** do로》(아무에게) …해 주기를 바라다

I *wish* you *to* come soon.
당신이 곧 와 주시기 바랍니다.

❹《가정법으로》…이라면 좋겠는데

I *wish* I *were* a princess.
내가 공주라면 좋을 텐데.
I *wish* I *could* swim.
내가 수영을 할 수 있으면 좋을 텐데.

어법 현재 사실과 반대되는 일을 말할 때는 I wish 뒤의 절에 과거형(be동사는 were, 구어에서는 was)을 쓰며, 과거 사실과 반대되는 일을 말할 때는 과거완료형을 쓴다: I *wish* I *had bought* the book. 그 책을 샀더라면 좋았을텐데.

—자《**wish for**로》바라다, 원하다

I *wish for* a new car.
나는 새 승용차가 갖고 싶다.
All the world *wishes for* peace.
전 세계가 평화를 원한다.

—명 (복수 **wishes** [wíʃiz 위시즈])

❶ 소원, 소망, 바람

I have no *wish* to be rich.
나는 부자가 되고 싶은 바람은 없다.

❷《보통 복수형으로》호의; (아무를 위한) 기원

Please send him my best *wishes*. 그에게 안부 전해 주십시오.

## wit *wit*

[wít 윗]

명 (복수 **wits** [wíts 위츠])

기지, 재치, 위트

He is full of *wit*.
그는 기지에 넘쳐 있다.

## witch *witch*

[wítʃ 위치]

명 (복수 **witches** [wítʃiz 위치즈])

마녀, 여자 마법사

The *witch* was flying on a broomstick.
마녀는 빗자루를 타고 날고 있었다.

## **with *with*

[《약》wið 위드; 《강》wíð 위드]

전 ❶《동반 · 동거 등을 나타내어》…

와 함께, …와 더불어

I went there *with* my friends.
나는 친구들과 함께 그곳에 갔다.

She is staying *with* her aunt.
그녀는 아주머니 댁에 머물고 있다.

❷《기구 · 수단 · 재료를 나타내어》 …으로, …을 써서

Cut it *with* your knife.
네 칼로 그것을 잘라라.

The fields were covered *with* snow. 들판은 눈으로 덮여 있었다.

❸《소지 · 소유 · 부속을 나타내어》 …을 갖고, 지니고

Take an umbrella *with* you.
우산을 갖고 가거라.

I have some money *with* me.
나는 돈을 좀 갖고 있다.

❹《상태를 나타내어》 …하면서, …한 채로

Don't speak *with* your mouth full. 입에 음식을 가득 넣은 채로 말하지 마라.

He was standing *with* his hands in his pockets. 그는 호주머니에 손을 넣고 서 있있다.

❺《교섭 · 거래를 나타내어》 …와

Did you talk over the matter *with* your teacher? 너는 그 문제에 관해 선생님과 의논해 보았니?

Korea trades *with* the United States. 한국은 미국과 무역을 한다.

❻《일치 · 상대를 나타내어》 …와, …을 상대로

I agree *with* you.
당신 의견에 동의합니다.

They fought *with* the German.
그들은 독일을 상대로 싸웠다.

❼《원인 · 이유를 나타내어》 …으로, … 때문에

He is in bed *with* a cold.
그는 감기로 누워 있다.

Her voice trembled *with* fear.
그녀의 음성은 두려움으로 떨렸다.

❽《입장 · 형편을 나타내어》 …에 관하여, …에 대하여

What is the matter *with* you?
어찌된 일입니까?

How are things *with* you?
형편은 어떻습니까?

❾《명사와 함께 부사구를 만들어》

She greeted me *with a smile*.
그녀는 미소지으며 나에게 인사했다.

He swam across the river *with ease*.
그는 쉽게 강을 헤엄쳐 건넜다.

숙어 ***with all*** …임에도 불구하고

*With all* his faults, I like him.
그의 결점에도 불구하고, 나는 그를 좋아한다.

---

**with·in** *within*

[wiðín 위딘]

전 (기간 · 거리 따위의) …이내에, …의 범위 안에

He will return *within* three hours.
그는 세 시간 이내에 돌아올 것이다.
He lives *within* three miles of London. 그는 런던의 3마일 이내에 살고 있다.
—부 안에, 내부에; 옥내에

****with•out** *without*
[wiðáut 위다웃]
전 ❶ …없이, …이 없으면 (반 with …와 함께)
He sat *without* a word.
그는 한 마디 말도 없이 앉아 있었다.
He went out *without* an overcoat. 그는 오버코트도 입지 않고 외출했다.

We can't live *without* water.
우리는 물이 없으면 살 수 없다.
❷ 《**without ~ing**으로》 …하지 않고
He went away *without* say*ing* good-bye. 그는 안녕이란 말도 하지 않고 떠나갔다.
숙어 ***do without*** …없이 지내다
We can do *without* your help.
우리는 당신의 도움 없이도 해낼 수 있다.
***not* 〔*never*〕 *... without ~ing*** … 하면 반드시 ~한다
They *never* meet *without* quarrel*ing*. 그들은 만나기만 하면 반드시 싸운다.
***without fail*** 반드시, 꼭
Come by six *without fail*.
6시까지 꼭 오세요.

***wives** *wives*
[wáivz 와이브즈]
명 wife(아내)의 복수

***woke** *woke*
[wóuk 워우크]
자타 wake(일어나다)의 과거

***wok•en** *woken*
[wóukn 워우큰]
자타 wake(일어나다)의 과거분사

***wolf** *wolf*
[wúlf 울프]
명 (복수 **wolves** [wúlvz 울브즈]) 〖동물〗 늑대, 이리

The *wolves* howled in the forest. 늑대들이 숲 속에서 짖어댔다.

****wom•an** *woman*
[wúmən 우먼]
명 (복수 **women** [wímin 위민]) 여자, 여성, 부인 (반 man 남자)
a single〔married〕 *woman*
독신〔기혼〕 여성
She is a *woman* sculptor.
그녀는 여류 조각가이다.

**wom•en** *women*
[wímin 위민]
명 woman(여성)의 복수

*__won__[1] *won*
[wʌ́n 원]
타자 win(이기다)의 과거 · 과거분사

**won**[2] *won*
[wɑ́n, wɔ́n 완, 원]
명 〚단위〛 원 《한국의 통화 단위》
I bought this shirt for ten thousand *won*.
나는 이 셔츠를 만 원에 샀다.

*__won•der__ *wonder*
[wʌ́ndər 원더]
동 (3단현 **wonders** [wʌ́ndərz 원더즈], 과거 · 과분 **wondered** [wʌ́ndərd 원더드], 현분 **wondering** [wʌ́ndəriŋ 원더링])
— 자 (…에) 놀라다, 이상하게 생각하다 《at, to do》
We *wondered at* his success.
우리는 그의 성공에 놀랐다.
I *wondered to* see him in my room. 나는 그가 내 방에 있는 것을 보고 이상하게 생각했다.
— 타 ❶ 《that절을 수반하여》 …에 놀라다; …을 이상하게 생각하다
I *wonder that* you did such a thing.
네가 그런 짓을 하다니 놀랍다.
❷ 《who, what, why, how, if, whether절을 수반하여》 …일까(하고 궁금히 생각하다)
I *wonder who* he is.
그는 누구일까 궁금하다.

I *wonder if* it will be fine tomorrow.
내일은 날씨가 좋을지 모르겠다.
— 명 (복수 **wonders** [wʌ́ndərz 원더즈]) ❶ 놀라움, 경이
I stared at him in *wonder*.
나는 놀라서 그를 응시했다.
❷ 놀랄 만한 것〔일〕, 불가사의
the Seven *Wonders* of the World 세계 7대 불가사의
It is a *wonder* (that) they are alive. 그들이 살아 있다는 것은 놀라운 일이다.

⁑**won•der•ful** *wonderful*
[wʌ́ndərfəl 원더펄]
형 ❶ 놀라운, 이상한
It was a *wonderful* discovery.
그것은 놀라운 발견이었다.
❷ 굉장한, 훌륭한, 대단한
How *wonderful* it is!
그것 참 멋지구나!
We had a *wonderful* time on the beach. 우리는 해변가에서 멋진 시간을 보냈다.

**won•der•ful•ly** *wonderfully*
[wʌ́ndərfuli 원더풀리]
부 놀랄 만큼, 굉장히, 훌륭하게

**won't** *won't*
[wóunt 원트]
will not의 축약형

⁑**wood** *wood*
[wúd 우드]
명 (복수 **woods** [wúdz 우즈])
❶ 나무, 목재; 장작
The chair is made of *wood*.
그 의자는 목재로 만들어져 있다.

He chopped some *wood*.
그는 장작을 팼다.
❷ 《복수형으로》 숲, 삼림
The children went into the *woods*. 아이들은 숲 속으로 들어갔다.

**wood•cut•ter** *woodcutter*
[wúdkʌ̀tər 우드커터]
명 (복수 **woodcutters** [wúdkʌ̀tərz 우드커터즈]) 나무꾼, 벌목꾼

**wood•en** *wooden*
[wúdn 우든]
형 나무의, 나무로 된, 목조의
a *wooden* house 목조 가옥

**wood•peck•er** *woodpecker*
[wúdpèkər 우드페커]
명 (복수 **woodpeckers** [wúdpèkərz 우드페커즈]) 〖조류〗 딱따구리

***wool** *wool*
[wúl 울]
명 양모, 털실; 모직물
My jacket is made of *wool*.

나의 재킷은 양모로 만들었다.

**wool•(l)en** *wool(l)en*
[wúln 울른]
형 양털로 만든; 모직의

****word** *word*
[wə́ːrd 워-드]
명 (복수 **words** [wə́ːrdz 워-즈])
❶ 낱말, 단어
How many English *words* do you know?
영어 단어를 얼마나 많이 압니까?
❷ 말; (짧은) 이야기
He is a man of few *words*.
그는 말수가 적은 사람이다.
❸ 《one's **word**로》 약속 (동 promise)
He always keeps *his word*.
그는 항상 약속을 지킨다.

숙어 ***in a word*** 한 마디로 말해서
***In other words*** 달리 말해서, 요컨대
*In other words*, He became a hero.
달리 말해서, 그는 영웅이 되었다.

***wore** *wore*
[wɔ́ːr 워-]
타자 wear(입다)의 과거

****work** *work*
[wə́ːrk 워-크]
명 (복수 **works** [wə́ːrks 워-크스])
❶ 일, 작업; 공부
I have a lot of *work* to do.
나는 할 일이 많다.
❷ 직업; 일자리, 직장
He is looking for *work*.
그는 일자리를 찾고 있다.
❸ 작품, 저작; 제작품
art *works* 미술〔예술〕품

This desk is my own *work*.
이 책상은 나의 제작품이다.
숙어 ***at work*** 일하고 있는, 작업 중인
They are *at work* now.
그들은 지금 작업 중이다.
***out of work*** 실직하여
He is *out of work* now.
그는 지금 실직 중이다.
—동 (3단현 **works** [wə́ːrks 워-크스], 과거 · 과분 **worked** [wə́ːrkt 워-크트], 현분 **working** [wə́ːrkiŋ 워-킹])
—자 ❶ 일하다, 근무하다; 공부하다

She *works* in an office.
그녀는 사무실에서 일한다.
He is *working* at history.
그는 역사 공부를 하고 있다.

❷ (기계가) 움직이다, 작동하다
This machine *works* well.
이 기계는 잘 작동한다.

❸ (계획 따위가) 잘 되다; (약 따위가) 잘 듣다
That medicine *works* for a headache.
저 약은 두통에 잘 듣다.

— 타 (사람을) 일시키다; (기계를) 작동시키다
Can you *work* this machine?
이 기계를 작동시킬 수 있습니까?

숙어 ***work out*** (문제를) 풀다; (일을) 성취하다
He *worked out* all the math problems.
그는 수학 문제를 전부 풀었다.

## work•er *worker*

[wə́ːrkər 워-커]
명 (복수 **workers** [wə́ːrkərz 워-커즈]) 일하는 사람, 노동자; 종업원

a factory *worker* 공장 노동자
a hotel *worker* 호텔 종업원

## work•man *workman*

[wə́ːrkmən 워-크먼]
명 (복수 **workmen** [wə́ːrkmən 워-크먼]) 직공, 공원

## ⁑world *world*

[wə́ːrld 월-드]
명 (복수 **worlds** [wə́ːrldz 월-즈])

❶ 《the를 붙여》 세계
He traveled around *the world*.
그는 세계 일주 여행을 했다.

❷ 《the를 붙여》 세상(일); 세상 사람들
You know nothing of *the world*.
너는 세상 일을 아무것도 모른다.

❸ 《the를 붙여》 …계(界), …의 세계
*the* animal *world* 동물계

## worm *worm*

[wə́ːrm 웜-]
명 (복수 **worms** [wə́ːrmz 웜-즈]) 벌레

The early bird catches the *worm*.
《속담》 일찍 일어나는 새가 벌레를 잡는다.

A B C D E F G H I J K L M N O P Q R S T U V W X Y Z

**worn** *worn*
[wɔ́ːrn 원-]
타자 wear(입다)의 과거분사

**⁑wor•ry** *worry*
[wə́ːrri 워-리]
자타 (3단현 **worries** [wə́ːrriz 워-리즈], 과거 · 과분 **worried** [wə́ːrrid 워-리드], 현분 **worrying** [wə́ːrriiŋ 워-리잉])
걱정하다, 괴로워하다; 걱정시키다, 난처하게 하다
Don't *worry* about such a thing. 그런 일로 걱정하지 마라.

He often *worries* his teacher with silly questions.
그는 어리석은 질문을 하여 선생님을 자주 난처하게 한다.
— 명 (복수 **worries** [wə́ːrriz 워-리즈]) 걱정, 근심; 걱정거리
She became sick with *worry*.
그녀는 걱정 때문에 병이 도졌다.

**worse** *worse*
[wə́ːrs 워-스]
형 《bad, ill(나쁜)의 비교급》 더 나쁜, (병이) 더 악화된 (반 better 더 좋은)
The patient is much *worse* this morning.
환자는 오늘 아침 훨씬 더 안 좋다.
숙어 ***and what is worse*** 더욱 나쁘게도
*And what is worse*, it began to rain. 더욱 나쁘게도, 비까지 내리기 시작했다.
— 부 《badly, ill(나쁘게)의 비교급》 더 나쁘게, 한층 심하게
It is blowing *worse* than before.
전보다 더욱 심하게 바람이 불고 있다.

**wor•ship** *worship*
[wə́ːrʃip 워-십]
타자 (3단현 **worships** [wə́ːrʃips 워-십스], 과거 · 과분 **worship(p)ed** [wə́ːrʃipt 워-십트], 현분 **worship(p)ing** [wə́ːrʃipiŋ 워-시핑])
숭배하다; 예배하다

They *worshipped* in church.
그들은 교회에서 예배를 드렸다.
— 명 예배; 숭배
the *worship* of God 신의 숭배

***worst** *worst*
[wə́ːrst 워-스트]
형 《bad, ill(나쁜)의 최상급》 가장 나쁜, 최악의 (반 best 가장 좋은)
That was the *worst* car accident.
그것은 최악의 자동차 사고였다.
— 부 《badly, ill(나쁘게)의 최상급》 가장 나쁘게〔심하게〕
He sang *worst* of all.
그는 모든 사람들 중에서 가장 노래를 못 불렀다.

**—** 명 《the를 붙여》 최악의 일〔사태〕
*The worst* has happened.
최악의 일이 벌어졌다.

숙어 ***at (the) worst*** 아무리 나빠도, 최악의 경우에도
*At worst*, you may not lose more than 100 dollars.
최악의 경우에도 너는 100달러 이상 손해 보지 않는다.

## worth *worth*

[wə́ːrθ 워-스]
형 ❶ 《worth 뒤에 금액을 나타내는 명사가 와서》 (…의) 가치가 있는
This camera is *worth* twenty dollars.
이 카메라는 20달러의 가치가 있다.

❷ 《**worth ~ing**으로》 …할 만한 가치가 있는
Paris is a city *worth* visit*ing*.
파리는 방문할 만한 가치가 있는 도시다.

**—** 명 《a와 복수형 안 씀》 가치; …어치
What is the *worth* of the diamond? 그 다이아몬드의 가치는 어느 정도입니까?
He bought a dollar's *worth* of stamps.
그는 1달러어치 우표를 샀다.

## worth•while *worthwhile*

[wə́ːrθ(h)wáil 워-스화일, 워-스와일]
형 (시간이나 돈을 들일) 가치가 있는
It is *worthwhile* seeing the movie.
그 영화는 볼 만한 가치가 있다.

## wor•thy *worthy*

[wə́ːrði 워-디]
형 (비교급 **worthier** [wə́ːrðiər 워디어], 최상급 **worthiest** [wə́ːrðiist 워-디이스트])
❶ 훌륭한, 존경할 만한
❷ …할 가치가 있는 《of》
His courage is *worthy of* praise.
그의 용기는 칭찬할 만하다.

## *would *would*

[《약》 (w)əd 워드, 어드; 《강》 wúd 우드]
조 《will의 과거》
❶ 《과거에 있어서의 미래를 나타내어》 …할 것이다, …할 작정이다

I thought that she *would* become a teacher. 나는 그녀가 선생님이 될 거라고 생각했다.
He said that he *would* do his best.
그는 최선을 다하겠다고 말했다.
✎ 주절의 동사(thought, said)가 과거이므로, that 이하의 종속절도 과거(would)가 됨.

❷ 《**Would you ...?**로》 …해 주지 않겠습니까?
*Would you* please shut the door? 문을 닫아 주지 않겠습니까?
✎ will you ...? 보다 더 정중한 부탁

❸ 《과거의 불규칙적인 습관을 나타내어》 곧잘 …하곤 했(었)다
He *would* often go fishing in the river. 그는 곧잘 강으로 낚시하러 가곤 했다.

**어법** would와 used to의 차이
둘 다 과거의 습관을 나타내지만, **would**는 과거의 불규칙적인 습관을 나타내며 종종 often, sometimes, always 등의 부사와 함께 쓰이는 일이 많다. 이에 반해 **used to**는 과거의 규칙적인 습관을 나타낸다.

❹ 《**would not**으로》 좀처럼 …하려고 하지 않다
She *would not* eat anything.
그녀는 아무것도 먹으려 하지 않았다.

❺ 《가정법 과거 · 과거완료에 쓰여》 …할 텐데; …했을 텐데
If I were you, I *would* never do so.
내가 너라면, 그렇게 하지 않을 텐데.
If I had known the news, I *would* have told it to you.
내가 그 소식을 알고 있었다면, 너에게 말해 주었을 텐데.

숙어 ***would like to** do* …하고 싶다
I *would like to* buy this watch.
이 손목시계를 사고 싶습니다.

***would rather ...* (*than ~*)** (~보다는) 차라리 …하고 싶다
I *would rather* stay here *than* go out. 밖에 나가기보다는 차라리 여기 있고 싶다.

## woul·dn't *wouldn't*
[wúdnt 우든트]
would not의 축약형

## *wound[1] *wound*
[wáund 와운드]
타자 wind(감다)의 과거 · 과거분사

## wound[2] *wound*
[wú:nd 운-드]
☺ wind(감다)의 과거형과 철자는 같지만 발음이 다름.
명 (복수 **wounds** [wú:ndz 운-즈])

부상, 상처
The *wound* is healing well.
상처는 잘 아물고 있다.
✎ wound는 흔히 전쟁에서 입은 부상, injury는 사고로 입은 부상을 말함.
— 타 (3단현 **wounds** [wúːndz 운-즈], 과거 · 과분 **wounded** [wúːndid 운-디드], 현분 **wounding** [wúːndiŋ 운-딩]
상처입히다, 부상시키다
He was *wounded* in the leg.
그는 다리를 부상당했다.

## wove *wove*
[wóuv 워우브]
타자 weave(짜다)의 과거

## wo•ven *woven*
[wóuvn 워우븐]
타자 weave(짜다)의 과거분사

## wow *wow*
[wáu 와우]
감 《놀라움 · 기쁨 · 고통 표시로》 야, 와
*Wow*, everything looks great!
야, 모든 게 근사해 보이네!

## wrap *wrap*
[rǽp 랩]
타 (3단현 **wraps** [rǽps 랩스], 과거 · 과분 **wrapped** [rǽpt 랩트] 또는 **wrapt** [rǽpt 랩트], 현분 **wrapping** [rǽpiŋ 래핑])
싸다, 포장하다; 감싸다
I *wrapped* the gift with colorful paper.
나는 색종이로 선물을 포장했다.

She *wrapped* a blanket around her baby.
그녀는 아기를 모포로 감쌌다.

## wreck *wreck*
[rék 렉]
명 (복수 **wrecks** [réks 렉스])
난파(선); (사고 후의) 잔해; 조난
the *wreck* of an airplane
(사고) 비행기의 잔해
— 타 (3단현 **wrecks** [réks 렉스], 과거 · 과분 **wrecked** [rékt 렉트], 현분 **wrecking** [rékiŋ 레킹])
난파시키다, 파괴하다
Both cars were *wrecked*.
자동차는 두 대 모두 파괴되었다.

The ship was *wrecked* in the storm.
그 배는 폭풍우 속에서 난파되었다.

**wres•tling** *wrestling*
[résliŋ 레슬링]
명 〖스포츠〗《a와 복수형 안 씀》 레슬링, 씨름

**wrist** *wrist*
[ríst 리스트]
명 (복수 **wrists** [rísts 리스츠]) 손목

a *wrist* watch 손목시계
I took him by the *wrist*.
나는 그의 손목을 잡았다.

****write** *write*
[ráit 라이트]
타자 (3단현 **writes** [ráits 라이츠], 과거 **wrote** [róut 로우트], 과분 **written** [rítn 리튼], 현분 **writing** [ráitiŋ 라이팅])
❶ (글을) 쓰다, 기입하다
*Write* your name here.
여기에 당신의 이름을 기입하시오.
Tom *writes* very well.
톰은 글씨를 아주 잘 쓴다.
❷ 편지를 쓰다, 편지로 전하다
I *write* a letter to my family every week.
나는 매주 가족에게 편지를 쓴다.

❸ (책을) 저술하다; (노래를) 작곡하다
He *wrote* a new book.
그는 새 책을 저술했다.
숙어 ***write down*** 적어 두다

***writ•er** *writer*
[ráitər 라이터]
명 (복수 **writers** [ráitərz 라이터즈]) 쓰는 사람, 필자; 작가
I want to be a *writer*.
나는 작가가 되고 싶다.

**writ•ing** *writing*
[ráitiŋ 라이팅]
명 (복수 **writings** [ráitiŋz 라이팅즈])
❶ 쓰기, 필적
❷ 《복수형으로》 작품, 저작
His *writings* are exciting.
그의 작품은 재미있다.

***writ•ten** *written*
[rítn 리튼]
타자 write(쓰다)의 과거분사

****wrong** *wrong*
[rɔ́:ŋ 롱-]
형 (비교급 **more wrong** 또는 **wronger** [rɔ́:ŋgər 롱-거], 최상급 **most wrong** 또는 **wrongest** [rɔ́:ŋgist 롱-기스트])
❶ (도덕적으로) 나쁜, 부정한 (반 right 올바른)

It is *wrong* (of you) to beat your brother.
네 동생을 때리는 것은 나쁜 일이다.

❷ 틀린, 잘못된
a *wrong* answer 틀린 대답
We got on the *wrong* train.
우리는 열차를 잘못 탔다.
❸ 고장난, 상태가 나쁜
Nothing is *wrong* with my car. 내 차는 고장난 데가 없다.
—부 나쁘게; 틀리게
I spelt the word wrong.
나는 그 단어의 철자를 틀리게 썼다.
—명 《a와 복수형 안 씀》 나쁜 짓, 부당한 행위; 악 (반 right 선)
right and *wrong* 선과 악
He never does *wrong*.
그는 나쁜 짓을 절대로 하지 않는다.

***wrong•ly** *wrongly*
[rɔ́ːŋli 롱리]
부 틀리게, 잘못; 부정하게
The letter is *wrongly* addressed.
그 편지는 주소가 틀리게 쓰여 있다.

***wrote** *wrote*
[róut 로우트]
타자 write(쓰다)의 과거

a b c d e f g h i j k l m n o p q r s t u v w x y z

A B C D E F G H I J K L M N O P Q R S T U V W X Y Z

**X, x** *X, x*
[éks 엑스]
명 (복수 X's, x's [éksiz 엑시즈])
엑스 《알파벳의 스물네 번째 글자》

**xe•rox, Xe•rox**
*xerox, Xerox*
[zí(:)raks 지(-)락스]
명 『상표명』 제록스 복사기; 제록스로 복사한 것
I made a *xerox* of my report.
나는 보고서의 복사본 한 장을 떴다.

**Xmas** *Xmas*
[krísməs 크리스머스]
명 크리스마스, 성탄절
Merry *Xmas*!
성탄을 축하합니다!

This year I will spend the *Xmas* with my family.
금년에는 크리스마스를 가족과 함께 보내려고 한다.
✎ X는 Chirst를 나타내는 그리스어의 첫 글자. 그래서 Christmas를 약하여 Xmas라고도 씀.

**X ray** *X ray*
[éksrèi 엑스레이]
명 ❶ 《복수형으로》 엑스선, 뢴트겐선
❷ 엑스선 사진; 엑스선 검사

**xy•lo•phone** *xylophone*
[záiləfòun 자일러포운]
명 『악기』 실로폰

He is playing the *xylophone*.
그는 실로폰을 연주하고 있다.

**Y, y** *Y, y*
[wái 와이]
명 (복수 **Y's, y's** [wáiz 와이즈])
와이 《알파벳의 스물다섯 번째 글자》

***yacht** *yacht*
[jάt 얏]
ch는 발음하지 않음.
명 (복수 **yachts** [jάts 야츠])
요트

They like *yacht* racing.
그들은 요트 경주를 좋아한다.

**Yan•kee** *Yankee*
[jǽŋki 앵키]
명 (복수 **Yankees** [jǽŋkiz 앵키즈])
양키, 미국인, 미국의 북부 사람

***yard¹** *yard*
[jά:rd 야-드]
명 (복수 **yards** [jά:rdz 야-즈])
안뜰, 마당
a front〔back〕*yard* 앞마당, 뒷마당
Tom is playing in the *yard*.
톰은 안뜰에서 놀고 있다.

**yard²** *yard*
[jά:rd 야-드]
명 (복수 **yards** [jά:rdz 야-즈])
『단위』 야드 《1yard는 3feet로 약 91.4cm》

**yawn** *yawn*
[jɔ́:n 욘-]
명 (복수 **yawns** [jɔ́:nz 욘-즈])
하품

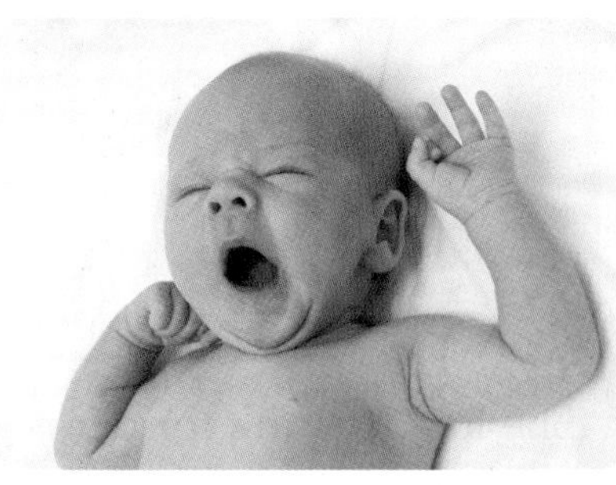

A B C D E F G H I J K L M N O P Q R S T U V W X Y Z

—자 (3단현 **yawns** [jɔ́ːnz 욘-즈], 과거 · 과분 **yawned** [jɔ́ːnd 욘-드], 현분 **yawning** [jɔ́ːniŋ 요-닝])
하품하다
The dog *yawned* and went to sleep. 개는 하품을 하더니 잠들었다.

## **year** *year*

[jíər 이어]
명 (복수 **years** [jíərz 이어즈])
❶ 년(年), 해
A happy new *year*!
새해 복 많이 받으십시오!
I am going to Europe this 〔next〕 *year*. 나는 금년〔내년〕에 유럽에 갈 작정이다.
I was in New York last *year*.
나는 작년에 뉴욕에 있었다.
Many people visit Korea every *year*. 많은 사람들이 매년 한국을 방문한다.
Jane will graduate the *year* after next. 제인은 내후년에 졸업한다.
He died three *years* ago.
그는 3년 전에 죽었다.
❷ 《**years old**로》 …세〔살〕; 《복수형으로》 나이, 연령
"How old are you?" "I'm seven years old."
「너는 몇 살이지?」「일곱 살입니다.」

She looks young for her *years*.
그녀는 나이에 비해 젊어 보인다.
❸ 학년, 연도
The new school *year* begins in September in America.
미국에서 새 학년은 9월에 시작한다.
숙어 ***all the year round*** 일년 내내
The top of the mountain is covered with snow *all the year round*. 그 산꼭대기는 일년 내내 눈으로 덮여 있다.

***every other year*** 일년 걸러
He goes there *every other year*.
그는 1년 걸러 거기에 간다.
***for years*** 몇 년 동안이나
He has lived here *for years*.
그는 몇 년 동안이나 여기에서 살았다.
***year after year***(=***year by year***; =***from year to year***) 해마다

## **year·ly** *yearly*

[jíərli 이얼리]
형 매년의; 연 1회의
a *yearly* event 연례 행사
—부 1년에 한 번; 매년, 해마다
I go to the dentist's *yearly*.
나는 1년에 한 번 치과에 간다.

## **yell** *yell*

[jél 옐]
자 (3단현 **yells** [jélz 옐즈], 과거 · 과분 **yelled** [jéld 옐드], 현분 **yelling** [jéliŋ 옐링])
큰 소리로 외치다, 고함치다

They *yelled* in excitement at the baseball game.
그들은 야구 시합에서 흥분하여 큰 소리로 외쳤다.

---

## **yel•low** *yellow*

[jélou 옐로우]

명 《a와 복수형 안 씀》 노랑, 황색

*Yellow* is a color easy to see.
노랑은 눈에 잘 띄는 색이다.

—형 (비교급 **yellower** [jélouər 옐로우어] 또는 **more yellow**, 최상급 **yellowest** [jélouist 옐로우이스트] 또는 **most yellow**)
노란, 황색의

*yellow* tulips 노란 튤립
The skins of bananas are *yellow*. 바나나 껍질은 노랗다.

---

## **yes** *yes*

[jés 예스]

부 《물음에 대답하여》 예, 그렇습니다 (반 no 아니오)

"Can you swim?" "*Yes*, I can."
「헤엄칠 줄 아니?」「그래, 칠 줄 알아.」
"Aren't you a student?" "*Yes*, I am." 「너 학생 아니지?」「아니오, 학생입니다.」

❶ 《부름 · 명령 따위에 답하여》 예
"Stand up, Tom." "*Yes*, sir."
「일어서라, 톰.」「예, 선생님.」

❷ 《동의를 나타내어》 그렇습니다, 그렇군요
"What a lovely baby!" "*Yes*, indeed." 「참으로 귀여운 아기로구나!」「정말로 그렇군요.」

---

## **yes•ter•day** *yesterday*

[jéstərdèi 예스터데이]

명 어제 (관 today 오늘, tomorrow 내일)

*Yesterday* was Sunday.
어제는 일요일이었다.

Where is *yesterday*'s newspaper? 어제 신문이 어디 있지?
He arrived the day before *yesterday*. 그는 그저께 도착했다.

—부 어제

It was rainy *yesterday*.
어제는 비가 왔다.

---

## **yet** *yet*

[jét 옛]

부 ❶ 《부정문에서》 아직 (…이 아니다,

…하지 않다)

The train has not arrived *yet*.
열차는 아직 도착하지 않았다.

I have not read the book *yet*.
나는 아직 그 책을 읽지 않았다.

❷ 《의문문에서》 벌써, 이미

Has the last bus left *yet*?
막차가 벌써 출발했습니까?

Has he come *yet*?
벌써 그가 왔습니까?

✎ 긍정문에는 yet이 아니라 already를 쓰는데, 의문문에 already를 쓰면 뜻밖의 놀라움을 나타냄: Has he come *already*? 그가 벌써 왔다구?

❸ 《긍정문에서》 아직도, 지금도

There is enough time *yet*.
아직도 시간은 충분히 있다.

[숙어] ***and yet*** 그런데도, 그럼에도

They were poor, *and yet* happy.
그들은 가난했는데도 행복했다.

***not yet*** 아직 …않다

We are *not yet* ready.
우리는 아직 준비가 되어 있지 않다.

—[접] 그런데도, 그래도 (㊐ and yet), 그럼에도 불구하고

He did his best, *yet* he failed.
그는 최선을 다했음에도 불구하고 실패했다.

---

**yield** *yield*
[jíːld 일-드]

[타][자] (3단현 **yields** [jíːldz 일-즈], 과거 · 과분 **yielded** [jíːldid 일-디드], 현분 **yielding** [jíːldiŋ 일-딩])

❶ 산출하다; 나오다, 낳다 (㊐ produce)

The land *yields* good crops.
그 땅은 농작물을 많이 산출한다.

❷ 양보하다; 항복하다, 굴복하다

We must not *yield* to violence.
우리는 폭력에 굴복해서는 안 된다.

---

**Y.M.C.A.** *Y.M.C.A.*
[wáiémsíéi 와이엠시에이]

기독교 청년회 《*Young Men's Christian Association*의 약어》

---

****you** *you*
[《약》 ju 유; 《강》 júː 유-]

[대] ❶ 《주격》 너는, 네가, 당신(들)은[이], 너희들은[이]

*You* are a student.
너는 학생이다.

*You* are good singers.
당신들은 훌륭한 가수들입니다.

❷ 《목적격》 너를〔에게〕, 너희들을〔에게〕, 당신(들)을〔에게〕

I will follow *you*.
나는 당신(들)을 따르겠습니다.

I'll give *you* this ball.
당신에게 이 공을 드리겠습니다.

❸ 《일반적》 사람은, 누구나

*You* must be kind to old people. 누구나 노인에게 친절히 대해야

한다.

**you'd** *you'd*
[juːd 유-드]
you would, you had의 축약형

***you'll** *you'll*
[juːl 율-]
you will, you shall의 축약형

***young** *young*
[jʌ́ŋ 영]
형 (비교급 **younger** [jʌ́ŋgər 영거], 최상급 **youngest** [jʌ́ŋgist 영기스트])
❶ 젊은, 어린; 연하의 (반 old 늙은, 연상의)
Who is that *young* man?
저 젊은 남자는 누구냐?
They are her *young* children.
그들은 그녀의 어린 자식들이다.

Tom is two years *younger* than I am.
톰은 나보다 두 살 아래이다.
❷ 초기의, 신흥의; 미숙한
The night is still *young*.
아직 초저녁이다.
Singapore is a *young* country.
싱가포르는 신흥 국가이다.
He is *young* at the work.
그는 그 일에 미숙하다.

***your** *your*
[《약》 jər 여; 《강》 júər 유어]
대 《you의 소유격》 너(희들)의, 당신(들)의
Is this *your* bag?
이것은 너의 가방이냐?
Wash *your* face and hands.
너의 얼굴과 손을 씻어라.

**you're** *you're*
[júər 유어]
you are의 축약형

***yours** *yours*
[júərz 유어즈]
대 《you의 소유대명사; 단수 · 복수 동형》 ❶ 당신의 것, 당신들의 것
My car is red, and *yours* is blue. 내 차는 빨간색이고, 당신 것은 파란색이다.
Are these rackets *yours*?
이 라켓들은 너희들 것이냐?
❷ 《편지의 맺음말로 쓰여》
*Yours* sincerely〔truly〕(=Sincerely〔Truly〕 yours) 경구 《상업 통신문에서 흔히 쓰이는 문구》

***your·self** *yourself*
[jərsélf 여셀프]
대 (복수 **yourselves** [jərsélvz 여셀브즈]) ❶ 《강조 용법》 너 자신(이), 당신 자신(이)

Do it *yourself*.
스스로 그것을 해라.

You must tell her *yourself*.
너 자신이 그녀에게 이야기하지 않으면 안 된다.

❷ 《재귀 용법》 너〔당신〕 자신을
Did you enjoy *yourself* yesterday? 어제는 즐거웠습니까?

숙어 ***by yourself*** 너 혼자서
Do you live *by yourself*?
당신 혼자서 사십니까?

***for yourself*** 혼자서; 혼자 힘으로
Finish it *for yourself*.
그것을 혼자 힘으로 끝내세요.

***help yourself*** (음식을) 마음껏 먹다
*Help yourself* to the cookies.
과자를 마음껏 드세요.

---

## *your·selves *yourselves*

[jərsélvz 여셀브즈]
대 yourself(너 자신)의 복수

---

## youth *youth*

[jú:θ 유-스]
명 (복수 **youths** [jú:θs 유-스스])
❶ 젊음, 청춘
She tries to keep her *youth*.
그녀는 젊음을 유지하려고 애쓴다.
❷ 젊은 시절, 청춘기
Her *youth* was spent in Europe.
그녀는 젊은 시절을 유럽에서 보냈다.

❸ 젊은 사람, 청년; 젊은이들
a *youth* of twenty, 20세의 청년
a promissing *youth*
전도유망한 청년

---

## *you've *you've*

[jú:v 유-브]
you have의 축약형

---

## Y.W.C.A. *Y.W.C.A.*

[wáidʌ́bljusí:éi 와이더블유시-에이]
기독교 여자 청년회《*Y*oung *W*omen's *C*hristian *A*ssociation의 약어》

**Z, z** *Z, z*
[zíː 지–]
명 (복수 **Z's, z's** [zíːz 지–즈])
지 《알파벳의 스물여섯 번째 글자》

**ze•bra** *zebra*
[zíːbrə 지–브러]
명 (복수 **zebras** [zíːbrəz 지–브러즈], **zebra** [zíːbrə 지–브러])
〖동물〗 얼룩말

A *zebra* is an African wild animal that has black and white stripes.
얼룩말은 검은색과 흰색 줄무늬가 있는 아프리카 야생 동물이다.

**ze•ro** *zero*
[zíːrou 지–로우]
명 (복수 **zeros, zeroes** [zíːrouz 지–로우즈])
영, 제로; 무(無)
It is five degrees below *zero*.
기온은 영하 5도이다.
The score was three to *zero*.
스코어는 3대 0이었다.

**zig•zag** *zigzag*
[zígzæ̀g 지그재그]
명 지그재그, Z자형
We took a *zigzag* path through the forest. 우리는 숲으로 난 구불구불한 길로 들어섰다.

**zip code** *zip code*
[zíp kòud 집코우드]
명 《미》 (5자리 숫자로 된) 우편 번호 (《영》 postcode)
The *zip code* of our office in New York is 10019.
뉴욕에 있는 우리 사무소의 우편 번호는 10019이다.

**zip•per** *zipper*
[zípər 지퍼]
명 (복수 **zippers** [zípərz 지퍼즈])
지퍼 (《영》 fastener)

*Zippers* are used to fasten clothing, bags, etc. 지퍼는 의류, 가방 따위를 채우는 데 쓰인다.

**zone** *zone*
[zóun 조운]
명 (복수 **zones** [zóunz 조운즈])
❶ 지대, 지역, 지구
a safety *zone* (도로상의) 안전 지대
Drive slowly in school *zone*.
학교 지대에서는 차를 천천히 몰아라.
❷ (기후 구분의) …대
the frigid *zone* 한대
These animals live in the tropical *zone*.
이 동물들은 열대에서 산다.

****zoo** *zoo*
[zú: 주-]
명 (복수 **zoos** [zú:z 주-즈])
동물원

We took our children to the *zoo*. 우리는 아이들을 동물원에 데리고 갔다.

# KOREAN-ENGLISH DICTIONARY

# 한영편

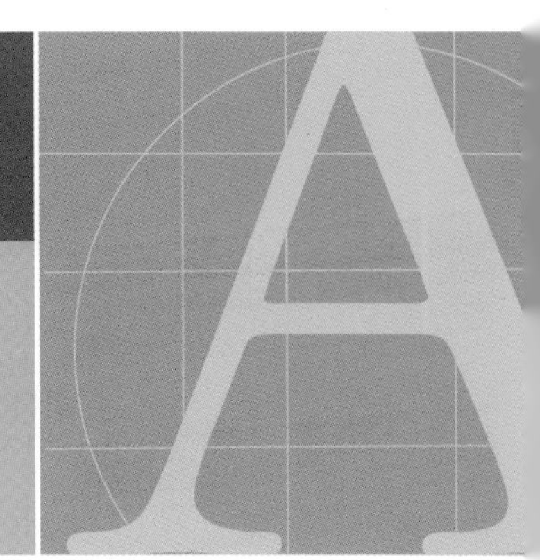

가게 a store, a shop.
가격 price. ¶ ~표 a price list.
가구 furniture. ¶ ~점 a furniture store 〔shop〕.
가까이 (near) at hand, close by. ¶ ~ 가다 approach; draw 〔come〕 near.
가깝다 《거리》 (be) near, close by; 《시간》 (be) near; 《관계》 (be) close, friendly.
가끔 now and then, occasionally, from time to time.
가난 poverty. **~하다** (be) poor.
가난뱅이 a poor man, the poor 《총칭》.
가늘다 (be) thin, slender. ¶ 가는 목소리 a thin voice / 가는 손 a slender hand.
가다 go, come. ¶ …을 타고 ~ go by 《*bus*》 / 걸어~ walk; go on foot.
가두다 shut in 〔up〕, lock in 〔up〕, confine.
가득 full, crowded. **~하다** be full 《*of*》.
가라앉다 sink, go down. ¶ 물 속으로 ~ sink under water.
가련하다 (be) poor, pitiful.
가로[1] a street, a road. ¶ ~수 street trees / ~등 a street lamp 〔light〕.
가로[2] ☞ 폭
가루 《분말》 powder; 《곡류의》 flour, meal.
가르다 《분할 · 분배》 divide 《*into*》, share, part.
가르치다 teach, educate.
가리키다 point to 〔at〕, indicate. ¶ 방향을 ~ point the direction.
가면 a mask.
가물거리다 flicker, glimmer.
가방 a bag, a suitcase, a trunk.
가볍다 《무게가》 (be) light, not heavy; 《경미》 (be) slight; 《수월》 (be) simple, light, easy. ¶ 가벼운 두통 a slight headache / 가벼운 일 an easy work.
가솔린 gasoline.
가수 a singer.
가스 gas. ¶ ~ 레인지 a gas range.
가슴 《가슴팍》 the breast; 《흉곽》 the chest; 《품》 the bosom.
가시 《장미 따위의》 a thorn. ¶ ~밭길 a thorny path.
가열하다 heat.
가운데 《복판》 the middle, the center; 《사이 · 속에》 between 《둘》; among 《셋 이상》.
가위 (a pair of) scissors.
가을 autumn, 《미》 fall.
가장 most. ¶ ~ 빨리 most rapidly / ~ 쉬운 방법 the easiest method.
가장자리 the edge.
가정(家庭) home, a family. ¶ ~ 생활 home life / ~ 방문 a home visit / ~ 환경 a home background.
가져가다 take 〔carry〕 away.
가져오다 bring (over), get, take 《*a thing*》 along. ¶ 물 한 컵 가져오너라. Get me a glass of water.
가족 a family. ¶ 6인 ~ a family of six / ~ 제도 the family system.
가죽 《살에 대하여》 skin; 《무두질한》 leather; 《모피》 a fur. ¶ ~ 장갑 leather gloves.
가지 a branch, 《작은 가지》 a twig. ¶ ~를 뻗다 spread branches.
가지다 have, hold, take.
가짜 《모조품》 an imitation.
가축 domestic animals.
가치 value, worth. ¶ ~ 있는 valu-

able; worthy / ~ 없는 worthless; of no value.
가파르다 (be) steep.
각기 each (one), every (one).
각도 an angle.
간격 a space, an interval.
간단한 brief, simple. ¶ 간단히 simply; briefly.
간섭하다 interfere.
간절하다 (be) earnest, eager. ¶ 간절한 부탁 an earnest request.
간접 indirectness. ¶ ~적인 indirect / ~적으로 indirectly.
간직하다 keep. ¶ 가슴속 깊이 간직해 두다 keep in *one's* heart.
간첩 a spy, a secret agent.
간편하다 (be) simple, easy.
간호 nursing, tending. **~하다** nurse; care for. ¶ ~사 a nurse / ~ 학교 a nurses' training school.
갈다 《바꾸다》 change, replace; 《칼을》 sharpen (a knife); 《맷돌로》 grind; 《밭을》 plow.
갈대 reed.
갈색 brown.
갈아입다 change clothes.
갈아타다 change cars 〔trains〕.
감각 sense, feeling. ¶ 색채 ~ the colo(u)r sense.
감기 a cold. ¶ 심한 ~ a bad cold / ~에 걸리다 catch 〔take〕 cold; have a cold 《상태》.
감동 impression. **~하다** be impressed, be moved. ¶ ~적인 impressive.
감사 thanks. **~하다** thank; be thankful. ¶ ~장 a letter of thanks / 대단히 ~합니다 Thank you very much.
감옥 a prison, a jail. ¶ ~살이 a prison life.
감자 a potato.
감정 feeling(s); (an) emotion. ¶ ~을 해치다 hurt 《*a person's*》 feelings.
감추다 hide, conceal.
감히 boldly. ¶ ~ 하다 dare to 《*do*》.
갑자기 suddenly.
값 《가격》 price, cost; 《가치》 value, worth. ¶ ~이 싸다〔비싸다〕 be low 〔high〕 in price.
강 a river.
강당 a (lecture) hall; an auditorium.
강아지 a puppy, a doggy.
강연 a lecture, an address, a speech. **~하다** (give a) lecture, address. ¶ 공개 ~ a public lecture.
강조 stress, emphasis. **~하다** stress, emphasize.
강하다 (be) strong, powerful. ¶ 강하게 하다 make strong.
같다 《동일》 be the same; 《동등》 (be) equal; 《같은 모양》 (be) similar, like, as.
같이 《같게》 like, as; 《함께》 together, with. ¶ ~ 살다 live together.
갚다 repay, pay back.
개 a dog.
개구리 a frog.
개다[1] 《접어서》 fold.
개다[2] 《날씨가》 clear (up); be fine.
개미 an ant.
개선 improvement. **~하다** improve, make 《*a thing*》 better.
개성 personality, individual character.
개울 a brook, a stream.
개인 an individual. ¶ ~의 individual, personal / ~용의 for individual use.
개최하다 hold 〔have〕 (a meeting), open (an exhibition).
개학 the beginning of school. **~하다** begin school, school begins.
거기 there, that place.
거닐다 take a walk, stroll.
거리(距離) 《원근의》 a distance.
거미 a spider.
거북 《육지에 사는》 a tortoise; 《바다에 사는》 a turtle.
거스름돈 change. ¶ ~을 주다〔받다〕

give 〔get〕 the change.
거실 a living room.
거역하다 disobey.
거울 a mirror.
거위 a goose 《복수 geese》.
거의 《대체로》 almost, nearly; 《부정적인 뜻으로》 little, hardly, scarcely. ¶ ~ 모든 사람들 *almost* all people / 나는 그녀를 ~ 만나지 않는다. I *hardly* see her.
거인 a giant.
거절하다 refuse, decline, reject.
거지 a beggar.
거짓말 a lie. **~하다** tell a lie.
거칠다 (be) coarse, rough.
거품 a bubble, foam.
걱정 worry. ☞ 근심
건강 health. **~하다** (be) well, healthy.
건너다 cross, go 〔pass〕 over, go 〔walk, run〕 across.
건물 a building. ¶ 목조〔석조〕 ~ a wooden 〔stone〕 building.
건축 《건조》 construction, building. **~하다** build, construct.
걷다 walk, go on foot.
걸다 《매달다》 hang, put up; 《전화를》 call 〔ring〕 《*a person*》 up, (tele)phone 《*a person*》, make a phone call 《*to*》; 《말을》 speak to 〔address〕 《*a person*》.
걸리다 《시간이》 take.
걸음 walking; a step. ¶ 첫~ the first step.
검다 (be) black, dark.
검사 an examination, a test. **~하다** inspect, examine, test.
겁쟁이 a coward.
겉 the surface. ☞ 표면
게 a crab
게시 a bulletin, a notice. ¶ ~판 a notice 〔bulletin〕 board.
게으름 idleness. ¶ ~뱅이 an idle fellow / ~ 피우다 be idle 〔lazy〕.
겨냥 an aim, aiming. **~하다** (take) aim 《*at*》.
겨울 winter. ¶ ~ 방학 the winter vacation.
격려 encouragement. **~하다** encourage, cheer up.
격언 a proverb.
견디다 bear, endure, put up with, stand.
견본 a sample.
결과 (a) result, an effect.
결국 finally, after all, in the end.
결론 a conclusion. ¶ ~짓다 conclude.
결석 absence. **~하다** be absent 《*from*》.
결승전 the finals, the final game 〔match〕.
결심 resolution; determination. **~하다** make up *one's* mind, be resolved, determine, decide 《*to*》.
결점 a fault; 《약점》 a weak point.
결정 (a) decision, (a) determination. **~하다** decide 《*to do*》.
결코 never.
결혼 marriage. **~하다** marry.
겸손 modesty. **~하다** (be) modest.
경계 a boundary, a border. ¶ ~선 a border line.
경고 (a) warning, (a) caution. **~하다** warn, give warning.
경기 a game, a match, a contest. **~하다** play a game 〔match〕 ¶ ~장 a ground.
경멸 contempt. **~하다** despise, look down on〔upon〕.
경보 an alarm, a warning.
경비(經費) expense. ¶ ~를 줄이다 cut (down) the expenses.
경비(警備) guard, defense. **~하다** defend, (keep) guard.
경솔하다 (be) thoughtless; careless.
경영 management. **~하다** manage. ¶ ~자 a manager.
경우 a case, an occasion.
경이 (a) wonder. ¶ ~적인 wonderful.

경쟁 competition. **~하다** compete.
경제 economy. ¶ ~ 개발 economic development / ~ 정책 an economic policy.
경주 a race. ¶ ~에 이기다〔지다〕 win 〔lose〕 a race.
경찰 the police (force). ¶ ~관 a policeman / ~서 a police station.
경치 scenery, a scene.
경험 (an) experience. **~하다** experience.
곁에 by, beside.
계급 《신분》 a class; 《직급》 (a) rank.
계단 steps, stairs, a staircase.
계란 an egg. ☞ 달걀
계산 counting, calculation. **~하다** count, calculate. ¶ ~서 a bill, an account.
계속하다 continue, go on with. ¶ 말을 ~ go on talking; continue to talk.
계절 a season.
계획 a plan. **~하다** plan, make a plan. ¶ ~을 실행하다 carry out a plan.
고기 《동물의》 meat; 《소의》 beef; 《돼지의》 pork; 《물고기의》 fish. ¶ ~잡이 fishing.
고단하다 (be) tired. ¶ 고단해 보이다 look tired.
고등의 high, higher, advanced. ¶ 고등 교육 higher education / 고등 학교 a (senior) high school.
고래 a whale.
고르다 choose, select. ¶ 골라내다 pick out; select.
고리 a ring, a link, a loop.
고맙다 (I) am thankful, (be) grateful, (It) is appreciated. ¶ 대단히 고맙습니다. Thank you very much.
고무 rubber. ¶ ~공 a rubber ball.
고백하다 confess.
고상하다 (be) noble.
고생 《고통 · 고난》 hardships, difficulties, sufferings; 《수고》 labor, pains. **~하다** have a hard time, struggle with difficulties.
고아 an orphan.
고아원 an orphanage.
고양이 a cat.
고요하다 (be) quiet, silent; still, calm.
고장(故障) a breakdown, a trouble. ¶ ~이 나다 get out of order; break down; go wrong.
고정하다 fix, settle.
고집하다 persist. ¶ 고집하는 insistent.
고치다 《치료》 cure; 《수리》 mend, repair, fix; 《정정》 reform, correct.
고통 pain, suffering. ¶ ~을 참다 endure the pain.
고함치다 shout, roar, yell.
고향 *one's* home〔hometown〕, *one's* native place. ¶ ~ 방문 home visits.
곡물 grain, corn, cereals.
곤란 difficulty, trouble. **~하다** (be) hard, difficult. ¶ ~을 겪다 be in difficulty / ~을 이겨내다 overcome difficulties.
곤충 an insect. ¶ ~ 채집 insect collecting.
곧 《즉시》 at once, right away, instantly; 《오래지 않아》 soon, before long, at once, immediately, directly.
곧다 《물건이》 (be) straight; 《마음이》 (be) honest.
곧장 directly, straight.
골 the goal. ¶ ~라인 a goal line / ~키퍼 a goal keeper.
골짜기 a valley.
곰 a bear.
곱하다 multiply.
곳 a place. ☞ 장소
공 a ball.
공간 space, room. ¶ 시간과 ~ time and space.
공격(하다) (an) attack.

공공의 public, common.
공급 supply. **~하다** supply, provide.
공기 air. ¶ ~ 오염 air pollution.
공동(생활)체 a community.
공립의 public. ¶ 공립 학교 a public school.
공부 study. **~하다** study. ¶ 시험 ~ study for an examination.
공산주의 communism.
공상 an idle fancy, a daydream. **~하다** fancy, (day)dream. ¶ ~ 과학 소설 science fiction 《약자 SF》.
공손하다 (be) polite, civil. ¶ 공손히 politely, civilly.
공식의 formal, official. ¶ 공식 방문 a formal 〔an official〕 visit.
공업 industry. ¶ ~의 industrial / ~ 지대 an industrial area / ~ 고등학교 a technical high school.
공원 a park. ¶ 국립 ~ a national park.
공장 a factory, a plant. ¶ ~에서 일하다 work at a factory.
공정하다 (be) fair, just. ¶ 공정한 거래 fair trade / 공정을 기하다 do full justice 《*to*》.
공주 a princess.
공중(公衆) the public. ¶ ~ 보건 public health / ~ 전화 a public telephone.
공중(空中) the air, the sky. ¶ ~에 in the air〔sky〕.
공항 an airport. ¶ 국제 ~ an international airport.
공해 pollution. ¶ 산업 ~ industrial pollution.
공휴일 a holiday.
과거 the past (days).
과녁 a target.
과목 a subject, a lesson.
과부 a widow.
과오 a fault 〔mistake〕, an error.
과일 fruit. ¶ ~ 가게 a fruit shop 〔store〕.
과자 cake, candy.

과학 science. ¶ ~적(으로) scientific / ~자 a scientist.
관(管) a tube, a pipe.
관객 the audience 《총칭》.
관계 relation, connection. **~하다** relate, be related 《*to*》, be connected 《*with*》.
관광 sightseeing. **~하다** go sightseeing, visit.
관대하다 (be) generous.
관람하다 see, view. ¶ 관람객 a visitor; an audience.
관리(管理) management, control. **~하다** manage, control. ¶ ~인 a manager / 생산 ~ production management.
관사(冠詞) an article.
관습 custom. ¶ ~적 customary; usual.
관심 concern, interest. ¶ …에 ~이 있다 be interested in.
관절 a joint.
관찰 observation. **~하다** observe.
괄호 parenthesis.
광경 a scene, a sight, a view.
광고 an ad, an advertisement. **~하다** advertise.
광선 (a ray of) light, a beam (of light).
광장 a (public) square, an open space.
괜찮다 《좋다》 (be) not (so) bad, good; 《상관없다》 do not care 〔mind〕.
괴로움 《어려움》 trouble; 《고통》 pain.
괴롭다 《고통》 (be) painful; 《곤란》 (be) hard, difficult.
괴롭히다 worry 〔trouble〕 《*a person*》; give 《*a person*》 pain.
괴물 a monster.
교과서 a textbook, a school book.
교단 the platform.
교문 a school gate.
교사(校舍) a schoolhouse, a school building.

교사(教師) a teacher.
교실 a classroom〔schoolroom〕.
교외 the suburbs, the outskirts. ¶ ~ 생활 a life in the suburbs.
교육 education. **~하다** educate.
교장 a principal.
교차로 crossroads, an intersection.
교통 traffic. ¶ ~ 규칙 traffic rules / ~ 사고 a traffic accident / ~ 신호 traffic signals / 이 지역은 ~이 복잡하다. The traffic is heavy in this section.
교향곡 a symphony.
교황 the Pope.
교회 a church.
교훈 《훈화》 a lesson; 《가르침》 teachings.
구(句) a phrase.
구걸하다 beg.
구경하다 see 《*a play*》; watch 《*a game*》; visit 《*a museum*》.
구두 《단화》 shoes; 《장화》 boots. ¶ 구둣방 a shoe shop〔store〕 / ~ 한 켤레 a pair of shoes.
구르다 roll (over).
구름 a cloud, the clouds 《총칭》. ¶ ~이 낀 cloudy.
구멍 a hole, an opening.
구부리다 bend; 《몸을》 stoop.
구석 a corner.
구월 September 《약자 Sep(t).》.
구입 buying, purchase. **~하다** buy, purchase, get.
구조(救助) rescue, relief. **~하다** rescue, relieve, save.
구조(構造) structure, construction, frame.
국 soup.
국가 a state, a nation, a country. ☞ 나라
국경 the frontier, the border. ¶ ~선 a border line.
국경일 a national holiday.
국기 the national flag.
국립(의) national, state. ¶ ~공원 a national 〔state〕 park / ~ 극장 a national theater.
국민 a nation, a people.
국방 national defense, the defense of a country.
국사 a national history.
국산 home 〔domestic〕 production; 《국산품》 a domestic 〔home〕 product.
국수 noodles.
국어 the national language, *one's* mother tongue.
국제(적) international. ¶ 국제 연합 the United Nations.
국적 (*one's*) nationality, 《미국의》 citizenship.
국회 《한국의》 the National Assembly; 《미국의》 Congress; 《영국의》 Parliament. ¶ ~ 의사당 the (National) Assembly Hall 《한국의》.
군대 an army, the military.
군인 a serviceman; 《육군》 a soldier; 《해군》 a sailor.
군함 a warship, a battleship.
굳다 《물체가》 (be) hard, solid; 《정신 · 태도가》 (be) firm, strong. ¶ 굳게 strongly; firmly.
굴뚝 a chimney.
굵다 (be) thick, big; 《목소리가》 (be) deep. ¶ 굵은 몽둥이 a big stick / 목소리가 ~ *one's* voice is deep.
굶다 starve, go hungry. ¶ 굶어 죽다 starve to death.
굽다 《고기를》 roast; 《빵을》 toast, bake; 《벽돌 · 숯 등을》 burn.
궁전 a (royal) palace. ¶ 버킹엄 ~ Buckingham Palace.
권리 a right.
권하다 《추천》 recommend; 《권고》 ask, advise; 《권유》 offer.
궤도 《천체의》 an orbit; 《철도의》 a line, a track.
귀 an ear. ¶ ~앓이 an earache / ~마개 earmuffs / ~가 먹다 become deaf.
귀머거리 a deaf (person), the deaf.
귀신 a ghost.

한영편

귀엽다 (be) lovely, pretty, sweet. ¶ 귀여운 소녀 a sweet 〔lovely〕 little girl.
귀중하다 (be) precious, valuable.
귀찮다 (be) troublesome, bothersome. ¶ 귀찮게 굴다 bother, annoy.
규모 a scale.
규칙 a rule, regulations. ¶ ~적(으로) regular(ly) / ~ 동사 a regular verb.
균형 balance. ¶ 균형잡힌 balanced.
그 that, the. ¶ ~날 that 〔the〕 day.
그것 it, that.
그곳 there, that place.
그냥 as it is, as it stands. ¶ ~ 두다 leave 《*a thing*》 as it is.
그녀 she. ¶ ~의〔를, 에게〕 her / ~ 자신 herself / ~의 것 hers.
그늘 shade. ¶ 나무 ~ the shade of a tree.
그들 they. ¶ ~의 their / ~을〔에게〕 them / ~ 자신 themselves / ~의 것 theirs.
그때 then, at that time.
그래서 so, then, and.
그러나 but, however.
그러므로 so, therefore.
그런데 by the way, but, however.
그렇게 so, like that.
그렇다 《그러하다》 be so, be like that; 《대답》 Yes, That's 〔You're〕 right. ¶ 그렇지 않으면 otherwise, (or) else; if not so.
그리고 and, then.
그리다 paint, describe, draw.
그리워하다 long for, miss.
그림 a picture, a painting. ¶ ~물감 paints; oil 〔water〕 colors / ~ 엽서 a picture (post)card.
그림자 a shadow.
그만두다 stop, cease, give up, quit. ¶ 사업을 ~ quit *one's* business.
그맘때 about 〔around〕 that time, (at) that time of day 〔night〕.
그물 a net.
그믐날 the end of the month. ¶ 섣달 ~ New Year's Eve.
그저께 the day before yesterday.
그치다 stop, end, cease.
그후 after that, since (then).
극복하다 overcome, get over.
극장 a theater, a cinema, a movie house.
근무 service, duty, work. ¶ ~ 성적 *one's* service record / 시간외 ~ overtime (work).
근심 anxiety, worry. **~하다** be anxious about.
글쎄 well, let me see.
글자 a letter, a character.
긁다 scratch.
금 gold.
금고 a safe.
금년 this year.
금발 golden hair, blond(e). ¶ ~ 미인 a blonde beauty.
금붕어 a goldfish.
금성 Venus.
금속 a metal. ¶ ~ 제품 metal goods.
금액 a sum (of money).
금요일 Friday.
금주 this week.
금지 prohibition, a ban. **~하다** forbid (*a person to do*); prohibit (*a person from*).
급료 pay, a salary, wages. ¶ ~일 a payday.
급우 a classmate.
급하다 《다급하다》 (be) urgent, pressing; 《성급하다》 impatient, hotheaded; 《위급하다》 (be) critical, dangerous; 《바쁘다》 (be) hurried, hasty.
급행 열차 an express train.
긍지 pride, dignity.
기 a flag.
기간 a period, a term.
기계(機械) a machine.

기관(器官) an organ.
기구 a balloon.
기금 a fund.
기꺼이 willingly, with pleasure.
기념 commemoration. **~하다** commemorate, honor the memory of. ¶ ~일 a memorial day / ~비 a monument.
기능 function.
기다 crawl, creep. ¶ 땅을 ~ crawl on the ground.
기다리다 wait, expect, look for.
기대 expectation, hope. **~하다** expect, look forward to.
기대다 lean on 〔against〕.
기도 (a) prayer. **~하다** pray.
기둥 a pillar, a post.
기록 a record. **~하다** record, write down. ¶ ~을 깨다 break a record.
기르다 《사람을》 bring up; 《가축을》 breed, keep, raise; 《재배》 grow.
기름 《액체의》 oil; 《지방》 fat, lard.
기린 a giraffe.
기묘한 queer, strange, curious.
기본 《기초》 a foundation, a basis; 《기준》 a standard.
기부 (a) donation, (a) contribution. **~하다** contribute, make a donation 《*to*》.
기분 feeling, mood. ¶ ~이 좋다 feel well 〔fine〕; be pleased.
기쁘다 (be) glad, delightful, happy, pleasant.
기쁨 joy, delight, pleasure.
기사(記事) an article, news.
기선 a steamer, a steamship.
기술(技術) an art, technique, skill. ¶ ~적인 technical.
기억 memory **~하다** memorize, remember.
기온 temperature.
기와 a (roof) tile. ¶ ~ 지붕 a tiled roof.
기울다 incline 《*to*》.
기원(祈願) a prayer. **~하다** pray.
기원(起源) origin, beginning.
기적 a miracle.
기절 fainting. **~하다** faint.
기준 a standard, a basis.
기지(基地) a base. ¶ 항공 ~ an air base.
기질 temper, nature.
기차 a train. ¶ ~로 by train.
기체 gas.
기초 the foundation, the base. ¶ ~ 공사 foundation works / ~부터 배우다 learn 《*English*》 from the beginning.
기침 a cough, coughing. **~하다** (have a) cough.
기타 a guitar.
기하(학) geometry.
기한 a term, a period, a time limit. ¶ ~부로 with a time limit.
기호 a mark, a sign.
기회 a chance, an opportunity.
기후 climate, weather.
길 《도로》 a road, a way, a path; 《방법》 a course, a means, a way 《*of doing*》.
길다 (be) long.
길들이다 《동물을》 tame, train. ¶ 원숭이를 ~ train a monkey.
길이 length.
깃[1] 《옷의》 a collar.
깃[2] 《조류의》 a feather.
깃대 a flagpole.
깊다 (be) deep.
깊이 depth.
까닭 《이유》 reason, why; 《원인》 a cause.
까마귀 a crow.
까지 《때》 till, until, by; 《장소》 (up) to, as far as. ¶ 아침부터 저녁~ from morning till night / 부산~ 가는 차표 a ticket to Pusan.
깨끗하다 (be) clean, cleanly, pure. ¶ 깨끗한 물 clean water / 깨끗이 cleanly / 방을 깨끗이 치우다 clean a room.
깨다[1] 《잠을》 wake up.
깨다[2] 《그릇 따위를》 break. ¶ 깨지다 be broken.
꺼내다 take out.

꺾다 snap, break.
껍질 a skin, a shell. ¶ 바나나~ a banana skin.
껴안다 embrace, hug.
꼬다 《새끼 따위를》 twist.
꼬리 a tail.
꼭 《단단하게》 tightly, firmly; 《정확하게》 exactly; 《틀림없이》 surely, certainly.
꼭대기 the top, the summit.
꽃 flower, a blossom; 《총칭》 bloom. ¶ ~피다 bloom; blossom / ~밭 a flower garden.
꽤 quite, pretty, fairly. ¶ ~ 좋다 be pretty good.
꾸짖다 scold.
꿀 honey.
꿇다 kneel (down), fall on *one's* knees.
꿈 dream. ¶ ~꾸다 (have a) dream.
꿰매다 sew.
끄다 《불을》 put out; blow out; 《전기 따위를》 turn off, switch off, put off.
끈끈하다 (be) sticky.
끌다 pull, draw.
끓이다 boil. ¶ 끓어서 넘다 boil over / 끓어 오르다 boil up.
끝 《첨단》 the point, the top; 《마지막》 an end, a close; 《한도》 the end. ¶ ~에서 ~까지 from end to end / ~이 나다 come to an end / ~없는 endless.

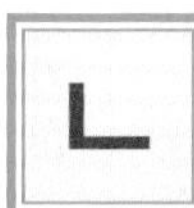

나 I. ¶ ~의 my / ~를〔에게〕 me / ~의 것 mine / ~ 자신 myself.
나가다 go out, get out.
나누다 divide, part.
나라 《국토》 a country, a land; 《국가》 a state, a nation.
나란히 in a row 〔line〕, side by side.
나르다 carry.
나머지 the rest, the remainder.
나무 《수목》 a tree; 《재목》 wood, lumber.
나방 a moth.
나비 a butterfly.
나쁘다 (be) bad, wrong. ¶ 나쁜 소년 a bad boy / 거짓말은 ~ It is wrong to tell a lie.
나이 age. ¶ ~를 먹다 grow old; become older.
나침반 a compass.
나타나다 appear, come out.
나타내다 show, express.
낙엽 fallen leaves. ¶ ~이 지다 fall; shed its leaves.
낙제 failure in an examination. **~하다** fail (in an examination).
낙타 a camel.
낙하산 a parachute.
낚다 fish.
낚시 《바늘》 a (fishing) hook; 《낚시질》 fishing. ¶ ~ 가다 go fishing / 낚싯줄 a fishing line / ~꾼 an angler.
난로 a stove, a heater. ¶ ~를 쬐다 warm *oneself* at a stove / 석유 ~ an oilstove / 전기 ~ an electric stove.
난방 heating. ¶ ~ 장치 a heating system.
난폭 violence. **~하다** (be) violent, rough. ¶ ~한 짓을 하다 do violence.
낟알 a grain, a corn.
날 a day. ¶ ~마다 every day; daily.
날개 a wing, the wings.
날다 fly.
날씨 the weather. ¶ ~가 좋으면 if it is fine …; if weather permits ….

날씬하다 (be) slender, slim.
날짜 a date.
날카롭다 《예민》 (be) sharp, keen, acute; 《끝이》 pointed.
낡다 (be) old, worn, be out of date. ¶ 낡은 옷 old 〔worn-out〕 clothes.
남극 the South Pole. ¶ ~ 대륙 the Antarctic Continent.
남다 remain, be left over.
남매 《둘》 a brother and a sister; 《여럿》 brothers and sisters.
남자 a man, a male, a boy. ¶ ~다운 manly / ~ 옷 men's wear.
남쪽 the south. ¶ ~ 나라 a southern country / ~으로 가다 go south.
남편 a husband.
납 lead 《기호 Pb》.
낫다 《병 따위가》 get well 〔better〕, recover 《*from*》; 《더 좋다》 (be) better 《*than*》. ¶ 병이 ~ recover from illness.
낭비(하다) waste.
낮 day, daytime.
낮다 (be) low.
낮잠 a nap, a siesta. ¶ ~ 자다 take a nap 〔siesta〕.
낮추다 lower, bring down.
낯설다 (be) unfamiliar, strange. ¶ 낯선 사람 a stranger.
낳다 《출산》 give birth to; lay.
내기 《도박》 betting, staking. **~하다** bet 《*on*》.
내년 next year.
내려가다 go down.
내리다 《높은 데서》 come 〔go〕 down; 《차에서》 get 〔step〕 off.
내버려두다 《그냥두다》 leave 《*a thing*》 as it is; leave 《*a person, a thing*》 alone.
내부 the inside, the interior.
내용 contents, substance.
내일 tomorrow.
냄비 《얕은》 a pan; 《깊은》 a pot. ¶ ~ 뚜껑 a pot lid.
냄새 smell. ¶ ~가 좋다〔나쁘다〕 smell sweet 〔bad〕 / ~를 맡다 smell 《*flowers*》
냉동 freezing. **~하다** freeze. ¶ ~ 식품 frozen food.
냉장고 a refrigerator.
너 《2인칭》 you; 《복수》 you. ¶ ~의 your / ~를〔에게〕 you / ~의 것 yours / ~ 자신 yourself / 너희들 자신 yourselves.
너무 too (much), ever so much. ¶ 그는 ~ 젊다. He is too young.
넋 a soul, a spirit. ¶ ~을 잃다 lose *one's* senses.
넓다 (be) broad, wide, large.
넓이 《폭》 width, breadth; 《면적》 area, extent.
넘기다 《인도》 hand (over), turn over.
넘치다 《범람》 overflow, flow 〔run〕 over.
넣다 put in 〔into〕. ¶ 주머니에 손을 ~ put *one's* hand in 〔into〕 *one's* pocket.
네거리 a crossroad, a cross.
네모 a square.
네(번)째 the fourth, No. 4.
넥타이 a necktie, a tie. ¶ ~를 매다 tie 〔put on〕 a necktie.
노 an oar, a paddle. ¶ ~를 젓다 pull an oar; row.
노동(하다) labor.
노랑(색의) yellow.
노래 a song, a chant. **~하다** sing (a song). ¶ ~를 잘하다 be a good singer.
노력 effort, endeavor. **~하다** make efforts, endeavor, strive.
노련하다 (be) experienced, skilled. ¶ 노련한 의사 an experienced doctor.
노예 a slave.
노인 an old man; 《총칭》 the old.
노크 a knock. **~하다** knock 《*at, on*》.
노트 a notebook. **~하다** note down.
노점 a street stall, a roadside stand, a booth.
노처녀 an old maid.

노총각 an old bachelor.
녹다 melt.
녹음(하다) record. ¶ ~기 a (tape) recorder.
논의 argument, discussion. **~하다** argue, discuss.
논쟁 a dispute.
놀다 《유희》 play; 《휴식》 (take) rest (*from*); 《유흥》 make merry, take *one's* pleasure; 《허송세월》 (be) idle; 《무직》 be out of work.
놀라다 be surprised at. ¶ 놀라게 하다 startle; surprise.
놀라움 《경이》 wonder; 《경악》 surprise, astonishment.
놀랍다 (be) wonderful, surprising.
놀리다 make fun of.
놀이 《유희》 play; 《경기》 a game.
농구 basketball. ¶ ~ 선수 a basketball player.
농담 a joke. **~하다** joke.
농도 thickness, density.
농부 a farmer.
농사 agriculture, farming. **~하다** 〔짓다〕 engage in agriculture, farm.
농업 agriculture, farming.
농작물 the crops.
농장 a farm.
농촌 a farm village, a rural community. ¶ ~의 rural.
높다 (be) high, tall.
높이 height.
높이다 raise.
놓다 put, place, lay.
놓치다 《쥔 것을》 miss *one's* hold (*of*); 《기회를》 miss; lose.
뇌 the brain.
누구 who. ¶ 누구의 whose / ~를 〔에게〕 whom.
누구나 everyone, everybody, anybody.
누나 *one's* older 〔elder〕 sister.
누르다 press (down).
누설하다 leak. ¶ 비밀을 ~ leak a secret.
눈[1] an eye. ¶ ~이 큰 big-eyed / ~ 깜짝할 사이에 in an instant / ~을 뜨다〔감다〕 open 〔close〕 *one's* eyes.
눈[2] 《내리는》 snow. ¶ ~을 맞다 get snowed on / ~이 오다 It snows; Snow falls.
눈금 a scale (mark).
눈꺼풀 an eyelid.
눈멀다 become blind, lose *one's* sight.
눈물 tears. ¶ ~을 흘리다 shed tears.
눈보라 a snowstorm.
눈사람 a snowman.
눈썹 an eyebrow.
눈치 ¶ ~ 보다 read 〔study〕 (*another's*) face / ~ 채다 become aware (*of*).
눕다 lie down, lay *oneself* down. ¶ 자리에 ~ lie in *one's* bed.
뉴스 news. ¶ ~ 방송 a newscast.
느끼다 feel. ¶ 고통〔공복〕을 ~ feel pain 〔hungry〕.
느낌 feeling.
느리다 (be) slow. ¶ 느리게 slowly.
느슨하다 (be) loose. ¶ 느슨하게 loose(ly) / 느슨해지다 loosen; become loose.
늑대 a wolf.
늘다 increase.
늙다 grow old, age. ¶ 늙은 old; aged.
능가하다 surpass, exceed.
능력 ability, capacity. ¶ ~있는 able; capable / …할 ~이 있다 be able to (*do*); be capable of (*doing*).
능률 efficiency. ¶ ~적 efficient.
능숙 skill. ¶ ~한 skilled; skillful.
늦다 (be) late. ¶ 늦게 late / 밤늦게(까지) (until) late at night.
늦추다 《긴장을》 loosen; 《속도를》 slow down; 《날짜·시간을》 extend, put off.
늦추위 late cold.
님 《남자》 Mister, Mr.; 《미혼 여자》 Miss; 《부인》 Mrs.

한영편

다달이 every month, monthly.
다람쥐 a squirrel.
다루다 treat, handle, deal with, manage. ¶ 다루기 힘든 hard to deal with.
다르다 (be) different from, differ from.
다리[1] 《사람 · 동물의》 a leg, a limb; 《물건의》 a leg.
다리[2] 《교량》 a bridge.
다리미 an iron. ¶ ~질하다 iron 《*clothes*》, do the ironing / 전기〔증기〕 ~ an electric 〔a steam〕 iron.
다발 a bundle, a bunch. ¶ 꽃 한 ~ a bunch of flowers.
다섯 five. ¶ ~(번)째 the fifth.
다스 a dozen. ¶ 3 ~ three dozen 《*pencils*》 / ~로 팔다 sell by the dozen.
다시 again, once more 〔again〕.
다음(의) next, following. ¶ ~날 the next 〔following〕 day / ~ 월요일 next Monday.
다이얼 a dial. ¶ ~을 돌리다 turn a dial / ~ 119번을 돌리다 dial 119.
다치다 get 〔be〕 hurt, be wounded 〔injured〕. ¶ 다리를 ~ get hurt in the leg.
다행하다 (be) lucky, fortunate, happy. ¶ 다행히 happily; fortunately; luckily.
닦다 《윤내다》 polish, shine; 《씻다》 clean, wash, brush; 《훔치다》 wipe. ¶ 구두를 ~ polish *one's* shoes / 이를 ~ brush 〔clean〕 *one's* teeth / 걸레로 ~ wipe 《*the floor*》 with a cloth.
단결 unity, union. **~하다** unite, stand together.
단단하다 (be) hard, solid, firm. ¶ 단단히 hard; solidly.
단맛 sweetness, a sweet taste. ¶ ~이 있다 have a sweet taste.
단순하다 (be) simple. ¶ 단순히 simply; merely.
단어 a word. ¶ ~집 a wordbook / 기본 ~ a basic word.
단위 a unit. ¶ 기본 ~ a standard unit.
단점 a weak point, a fault.
단지 a jar, a pot.
단체 a group, a party, a team. ¶ ~ 경기 a team event / ~ 생활 a group life / ~ 여행 a group tour.
단추 a button. ¶ 단춧구멍 a buttonhole / ~를 채우다 button (up) / ~를 끄르다 unbutton.
단편 a short piece, a sketch. ¶ ~ 소설〔영화〕 a short story 〔film〕.
단풍 《나무》 a maple (tree); 《잎》 red 〔yellow〕 leaves. ¶ ~들다 turn red 〔yellow〕.
닫다 shut, close. ¶ 문을 쾅 ~ bang the door.
달 《하늘의》 the moon; 《달력의》 a month. ¶ ~의 lunar.
달걀 an egg. ¶ ~ 모양의 egg-shaped / ~ 껍질 an eggshell / 반숙의 ~ a soft-boiled egg.
달다[1] 《맛이》 (be) sweet. ¶ 단 것 sweet things / 맛이 ~ taste sweet , have a sweet taste.
달다[2] 《무게를》 weigh. ¶ 저울로 ~ weigh 《*a thing*》 in the balance.
달러 a dollar 《기호 $》.
달력 a calendar.
달빛 moonlight.
달성 achievement. **~하다** accomplish, achieve.
닭 《암탉》 a hen; 《수탉》 a cock 〔rooster〕; 《병아리 · 육용의 닭》 a chicken. ¶ ~고기 chicken.

닮다 be alike, be 〔look〕 like(…). ¶ 그 쌍둥이는 서로 꼭 닮았다. The twins are very like.
닳다 wear 〔be worn〕 out; be rubbed off 〔down〕.
담 《벽돌 따위의》 a wall; 《울타리》 a fence.
담그다 《물에》 dip 《*in water*》.
담다 《그릇에》 put 《*a thing*》 in 〔into〕. ¶ (과일을) 광주리에 ~ put (fruits) into a basket.
담배 tobacco, a cigarette. ¶ ~를 피우다 smoke a cigarette.
담요 a blanket.
답 an answer, a reply. **~하다** answer 《*a question*》; give an answer 〔a reply〕.
답장 an answer; a reply. **~하다** answer 〔reply to〕 a letter.
당근 a carrot.
당기다 pull, draw.
당나귀 a donkey.
당선하다 be elected, win the prize. ¶ 1등에 ~ win the first prize.
당신 《2인칭》 you.
당연하다 (be) fair and proper, natural. ¶ 당연한 결과 a natural result.
당황하다 be confused, be upset. ¶ 당황케 하다 confuse; upset.
닻 an anchor.
대 (a) bamboo.
대개 generally, in general, usually.
대규모 a large scale. ¶ ~의 large-scale / ~로 on a large scale.
대기 the air, the atmosphere. ¶ ~ 오염 air pollution.
대낮 broad daylight, the daytime, midday. ¶ ~에 in the daytime.
대다 《손을》 touch, lay *one's* hand to; 《시간에》 arrive on time; 《공급》 supply 《*a thing*》 to; supply with 《*a thing*》; 《고백》 tell (the truth), confess.
대담하다 (be) bold.
대답 an answer. ☞ 답
대륙 a continent. ¶ ~적 continental.
대리석 marble.
대머리 《머리》 a bald head; 《사람》 a baldheaded person. ¶ 대머리의 bald.
대명사 a pronoun.
대문자 a capital (letter).
대부분 most 《*of*》, the major 〔greater〕 part 《*of*》; 《부사적으로》 mostly, largely.
대사 an ambassador. ¶ 주미 한국 ~ the Korean Ambassador to America.
대서양 the Atlantic (Ocean). ¶ ~의 Atlantic.
대신 《부사적》 instead of. **~하다** take the place of, take 《*a person's*》 place.
대장장이 a blacksmith.
대접 treatment, entertainment. **~하다** treat, entertain.
대조 (a) contrast, (a) comparison. **~하다** contrast〔compare〕 《*A with B*》.
대중 the masses. ¶ ~ 음악 popular music.
대체 《대체로》 generally, as a whole; 《도대체》 on the earth, in the world. ¶ ~적인 general.
대통령 the President.
대포 a gun.
대표 《행위》 representation; 《사람》 a representative. **~하다** represent, stand for.
대학 《종합》 a university; 《단과》 a college.
대화 (a) conversation, a dialogue. **~하다** talk〔speak〕 《*with a person*》.
댄스 a dance, dancing.
댐 a dam.
더듬다 《말을》 stammer.
더럽다 (be) dirty.
더위 the heat, hot weather.
더하다 add 《*to*》, add 〔sum〕 up. ¶ 3에 4를 ~ add 4 to 3.

**덕택** 《은혜》 favor; 《후원》 support. ¶ …의 ~으로 thanks to 《*a person*》; by *a person's* favor 〔help〕.
**던지다** throw, cast.
**덤** an extra.
**덥다** (be) hot.
**덧셈** addition. **~하다** add up figures.
**덩어리, 덩이** a lump, a mass. ¶ 얼음 ~ a lump of ice.
**덫** a trap.
**덮다** cover 《*with*》, put 《*a thing*》 on.
**데우다** warm, heat (up).
**도(度)** 《온도 · 각도》 a degree.
**도구** a tool, an instrument.
**도끼** an ax; 《손도끼》 a hatchet.
**도달** arrival. **~하다** arrive in 〔at〕; reach, get to.
**도덕** morality, morals. ¶ ~상〔적으로〕 morally.
**도둑** a thief; a robber.
**도랑** a ditch.
**도로** a road, a way, a roadway, a highway; 《가로》 a street.
**도망** escape. **~치다〔하다〕** run away. ¶ ~자 a runaway.
**도서관** a library.
**도시** a city, a town.
**도시락** a lunch box.
**도움** help, aid, assistance.
**도장** a seal; 《소인》 a stamp.
**도전** a challenge. **~하다** challenge 《*a person, a mountain*》.
**도착** arrival. **~하다** arrive 《*at, in*》, reach, get to.
**도토리** an acorn.
**도표** a graph, a chart.
**독립** independence. **~하다** become independent. ¶ (미국의) ~ 기념일 Independence Day / ~ 운동 an independence movement.
**독서** reading. **~하다** read books. ¶ ~를 즐기다 be fond of reading.
**독수리** an eagle.
**독약** a poison.
**독자** a reader.
**독창** a (vocal) solo. **~하다** sing 〔give〕 a solo.
**독특하다** (be) special, unique, peculiar.
**돈** money; 《현금》 cash. ¶ ~벌이 moneymaking / ~ 많은 사람 a rich man / ~을 벌다 make money.
**돌** a stone, 《조약돌》 a pebble.
**돌다** go round, turn. ¶ 오른쪽으로 ~ turn to the right / 지구는 태양의 주위를 돈다. The earth moves round the sun.
**돌려주다** return.
**돌보다** take care of, care for, look after.
**돌아가다〔오다〕** return, come 〔go〕 back.
**돌진** a rush, a dash. **~하다** rush, dash 《*at*》.
**돕다** help, assist, aid.
**동계** the winter season. ¶ ~ 올림픽 the Winter Olympic Games.
**동굴** a cavern, a cave.
**동그라미** a circle.
**동급생** a classmate.
**동기** a motive.
**동남** the southeast. ¶ ~의 southeastern / ~ 아시아 Southeast Asia.
**동네** 《마을》 a village; 《사는 근처》 the neighborhood. ¶ ~ 사람 a villager.
**동등** equality. **~하다** (be) equal.
**동맹** 《연맹》 a league; 《연합》 a union. **~하다** unite, combine.
**동물** an animal. ¶ ~원 a zoo.
**동반하다** go with, accompany, take 《*a person*》 with. ¶ 동반자 a companion.
**동북** the northeast. ¶ ~의 northeastern.
**동사** a verb.
**동산** a hill.
**동생** a (younger) brother 〔sister〕; *one's* little brother 〔sister〕.

동시 the same time. ¶ ~에 at the same time.
동안 《부사적》 for, during, while. ¶ 오랫 ~ for a long time / 잠깐 ~ for a little while.
동양 the East, the Orient. ¶ ~의 Eastern; Oriental.
동의 agreement. **~하다** agree 《*with a person, to a proposal*》.
동정 sympathy, pity. **~하다** sympathize 《*with*》, pity. ¶ ~심 a sympathetic feeling.
동쪽 the east. ¶ ~의 east; eastern.
돛 a sail.
돼지 a pig. ¶ ~ 고기 pork.
되다 become, get. ¶ 부자가 ~ become rich.
되풀이하다 repeat, do over again. ¶ 책을 되풀이하여 읽다 read a book all over again.
두껍다 (be) thick.
두뇌 brains, a head. ¶ 치밀한 ~ a close head.
두드리다 beat, strike, knock. ¶ 문을 ~ knock at the door.
두려움 fear, dread, terror.
두려워하다 be afraid of, fear, dread. ¶ 뱀을 ~ be afraid of snakes.
두 번 twice.
두통 a headache. ¶ ~이 나다 have a headache.
둑 a bank.
둔하다 (be) dull, stupid.
둘 two.
둘러싸다 surround, enclose.
둘레 ¶~에 round; around; about / ~ 3피트 three feet round.
둘째 the second, number two.
둥글다 (be) round. ¶ 둥근 얼굴 a round face / 둥글게 앉다 sit in a circle.
둥지 a nest.
뒤 《뒤쪽》 the back, the rear; 《시간적으로 뒤에》 later, after. ¶ ~에서 in the rear; at the back / ~로부터 from behind / 닷새 ~ five days later / ~를 위해 대비하다 provide for the future.
뒤떨어지다 fall 〔drop〕 behind, be backward 《*in*》. ¶ 경주에서 ~ fall behind in a race.
뒤쫓다 purse, chase, run after 《*a person*》.
드디어 at last, finally.
드라마 《연극》 a drama 〔play〕.
드러나다 be revealed, show itself.
드러내다 《나타내다》 show; 《노출시키다》 reveal, expose.
드물다 (be) rare, unusual, uncommon. ¶ 드물게 rarely; seldom.
듣다 《소리를》 hear; 《귀를 기울여》 listen to.
들 a field.
들다 《비용이》 cost; 《들어올리다》 raise, lift (up).
들리다 《소리가》 be heard; 《소문이》 be said 〔rumored〕.
들어가다 enter, go 〔get〕 in 〔into〕.
등 the back.
등교하다 attend 〔go to〕 school.
등대 a lighthouse.
등등 and so on, etc., and so forth.
등록 registration, entry. **~하다** register 《*a trademark*》, enter 《*in*》. ¶ ~금 a tuition (fee) 《수업료》.
등불 a light, a lamplight.
등뼈 the backbone.
등산 mountain climbing. **~하다** climb 〔ascend, go up〕 a mountain.
따뜻하다 (be) warm, mild.
따라서 《…에 따라》 according to; 《그러므로》 accordingly, therefore, so that. ¶ 관습에 ~ according to custom / 그녀는 매력적이었다. ~ 모두에게서 사랑을 받았다. She was very attractive and therefore she was loved by everyone.
따르다 go along with, follow,

한영편

accompany.
따옴표 quotation marks.
딸 a daughter.
딸기 a strawberry.
땀 sweat. ¶ ~을 흘리다 sweat.
땅 the earth, the ground, land.
때 time, hour; 《기회》 chance; 《시기》 time, season; 《경우》 case, occasion. ¶ 점심~ lunchtime / ~를 엿보다 watch for a chance / ~ 아닌 비 an unseasonable rain / 그런 ~에는 경찰을 불러라 In that case, call the police.
때때로 sometimes, occasionally, now and then, from time to time, at times.
때리다 strike, hit, beat.
때문에 because of, due to, owing to.
떠나다 start, leave, go away.
떠들다 make a noise.
떡 rice cake. ¶ 가래~ bar rice cake.
떨다 tremble, shake, shiver.
떨어뜨리다 drop, let fall.
떨어지다 《낙하》 fall, drop. 《실패》 fail (in).
떼 《무리》 a crowd, a group.
뗏목 a raft.
또 《또다시》 again, once more; 《또한》 too, also, as well; 《그 위에》 and, moreover.
또는 or.
또다시 again, once more.
뚜껑 《덮개》 a cover; 《솥 · 상자의》 a lid; 《병의》 a cap.
뚱뚱하다 (be) fat. ¶ 뚱뚱해지다 grow 〔get〕 fat; put on 〔gain〕 weight.
뛰다 《도약》 jump, leap, spring; 《달리다》 run.
뛰어나다 be superior 《*to*》; excel 《*in*》. ¶ 뛰어난 superior; eminent.
뜨개질 knitting. **~하다** knit.
뜨겁다 (be) hot.
뜨다 《물 · 하늘에》 float 《*on the water, in the air*》; 《해 · 달이》 rise, come up.
뜰 《정원》 a garden; 《울안》 a yard, a court.
띠 a belt. ¶ 머리~ a headband.

라디오 radio. ¶ ~를 틀다〔끄다〕 turn on 〔switch off〕 the radio / ~ 방송 radio broadcasting.
라켓 a racket; 《탁구의》 a bat.
라틴 Latin. ¶ ~어 Latin / ~ 민족 the Latin races.
램프 a lamp. ¶ 석유 ~ an oil lamp.
러시아워 the rush hour(s).
러키 lucky.
럭비 rugby.
레몬 a lemon. ¶ ~즙〔주스〕 lemon juice.
레이더 a radar. ¶ ~ 장치 a radar system.
레인코트 a raincoat.
레코드 《기록》 a record; 《축음기의》 a record, a disk. ¶ ~를 틀다 play a record.
…로 《원인 · 이유》 with, from, due to, because of, through; 《단위》 by; 《원료》 from, of; 《수단》 by, with, by means of; 《방향》 to, in, at, for, toward. ¶ 감기~ 누워 있다 be in bed with cold / 나쁜 날씨~ due to bad weather / 다스~ 팔다 sell by the dozen / 벽돌~ 지은 집 a house built of brick / 버스~ 가다 go by bus / 서울~ 향하다 leave for Seoul.
…로부터 from.
…로서 《자격》 as, for. ¶ 나~는 as

for me / 교사~ as a teacher.
렌즈 a lens.
로켓 a rocket. ¶ ~포 a rocket gun.
룸 a room. ¶ ~ 서비스 room service.
르네상스 Renaissance.
리더 《지도자》 a leader.
리듬 rhythm. ¶ ~에 맞추어 to the rhythm.
리본 a ribbon.
리셉션 a reception. ¶ ~을 열다 hold 〔give〕 a reception.
리스트 a list. ¶ ~에 올리다 put 《*a person*》 on the list.
리포트 a report; 《학교의》 a term paper.
링크 《스케이트장》 a rink.

마감 closing, finish. **~하다** close, finish, bring to a close. ¶ ~ 시간 the closing hour / 일을 ~하다 finish a job 〔work〕.
마개 a stopper, a cork, a plug. ¶ ~를 막다 cork, plug / ~를 뽑다 uncork / ~뽑이 a bottle opener.
마구간 a stable, 《미》 a barn. ¶ ~에 넣다 stable 《*a horse*》.
마귀 a devil, an evil spirit.
마녀 a witch.
마당 《뜰》 a garden; a yard; 《안뜰》 a court.
마디 《관절》 a joint; 《매듭 · 식물 따위의》 a knot.
마라톤 a marathon (race). ¶ ~ 선수 a marathoner.
마루 a floor.
마르다 dry, get dry.
마법사 a wizard.
마술 magic. ¶ ~사 a magician.
마시다 《액체를》 drink; 《기체를》 breathe in.
마을 a village. ¶ ~ 사람들 villagers; village people.
마음 《정신》 mind, spirit; 《심정》 heart, feeling.
마저 《남김없이》 all (together); 《까지도》 even, so far as.
마중하다 meet, come to meet. ¶ 낸시가 공항에서 나를 마중했다. Nancy met 〔came to meet〕 me at the airport.
마지막 the last, the end; 《형용사적》 last, final. ¶ ~으로 finally; at the end / ~까지 to the end 〔last〕.
마차 a carriage; 《짐마차》 a cart.
마치 as if, as though, just like. ¶ ~ 미친 사람 같다 look as if *one* were mad.
마침내 at last, in the end, finally. ¶ ~ 전쟁이 터지고 말았다. A war broke out at last.
마흔 forty.
막 《방금》 just (now). ¶ ~ 하려 하다 be about to 《*do*》.
막(幕) 《휘장》 a curtain; 《연극의》 an act.
만(灣) 《작은 만》 a bay; 《큰 만》 a gulf.
만나다 meet, see.
만년필 a fountain pen.
만들다 make; 《제조》 manufacture.
만세 cheers, hurrah. ¶ ~를 삼창하다 give three cheers.
만원 a full house; 《게시》 House full. 《만원》, Sold out. 《매진》.
만일 if, in case of, by any chance.
만족 satisfaction, contentment. **~하다** be satisfied〔pleased〕 《*with*》, be content 《*with*》. ¶ ~시키다 satisfy / 나는 지금의 생활

에 만족하고 있다. I am content with my present life.

**만지다** touch, feel. ¶ 만지지 마시오. 《게시》 Hands off.

**만큼** 《비교》 as 〔so〕 … as; 《정도》 so much that. ¶ 나는 너~ 키가 크다. I'm as tall as you. / 싫증이 날 ~ 먹었다. I have eaten it so much that I am sick of it.

**많은** 《수》 many; 《양》 much; 《수 · 양》 a lot of, plenty of.

**많이** much, lots, plenty.

**말**[1] 《낱말》 a word; 《언어》 a language, speech. ¶ 표준~ the standard language / 한 마디도 없이 떠나다 leave without a word.

**말**[2] 《동물》 a horse. ¶ ~을 타다 ride 〔mount〕 a horse / ~타고 가다 ride〔go on〕 horse back.

**말다** roll.

**말리다** 《건조》 dry, make 〔let〕 dry; 《만류》 stop ((*a person*)) from ((*doing*)).

**말썽** trouble. ¶ ~꾸러기 a troublemaker / ~을 일으키다 cause trouble.

**말하다** say, tell, speak. ¶ 한 마디로 말하자면 in short / 아무를 좋게〔나쁘게〕 ~ speak well〔ill〕 of *a person* / 영어를 ~ speak English / 너와 말할 시간이 없다. I have no time to talk with you.

**맑다** 《물이》 (be) clear, clean, pure; 《날씨가》 (be) fine, clear.

**맛** (a) taste, (a) flavor. ¶ ~을 보다 taste; try the flavor of / ~이 좋은 delicious, tasty, nice.

**망그러뜨리다** break down, damage, ruin.

**망설이다** hesitate, be at a loss.

**망아지** a pony.

**망원경** a telescope

**망치** a hammer.

**맞다**[1] 《정확함》 be right 〔correct〕; 《어울림》 become, match 〔harmonize〕 ((*with*)); 《적합》 fit, suit; 《적중》 hit, come true ((예상이)). ¶ 맞는 대답 a correct answer / 넥타이가 양복에 잘 ~ a tie matches a coat nicely / (몸에) 잘 맞는 옷 well fitting clothes / 꿈이 ~ a dream comes true.

**맞다**[2] 《영접》 meet, receive, greet; 《맞아들임》 take, invite. ¶ …를 따뜻이 ~ give ((*a person*)) a warm reception / 아내를 ~ take a wife.

**맞추다** 《짜맞춤》 put together; 《주문》 order. ¶ 양복을 ~ order a suit.

**맡다**[1] 《보관》 keep. ¶ 이 돈을 맡아 주시오. Please keep this money for me.

**맡다**[2] 《냄새를》 smell.

**매** a whip. ¶ ~를 때리다 whip, beat.

**매**(枚) a sheet 〔piece〕 of ((*paper*)).

**매-**(每) every, each. ¶ ~년 every year.

**매끄럽다** (be) smooth, slippery.

**매다** 《묶다》 bind, tie (up), fasten; 《목을》 hang *oneself*.

**매듭** a knot, a tie. ¶ ~을 맺다 〔풀다〕 make 〔untie〕 a knot.

**매력** (a) charm. ¶ ~ 있는 charming, attractive.

**매우** very (much), greatly, awfully. ¶ ~ 많은 돈 very much money / ~ 덥다 be very hot.

**매일** every day. ¶ ~ 아침 every morning.

**매장** a counter; 《점포》 a shop, a store.

**매주** every week, weekly.

**매체** a medium. ¶ 광고 ~ a medium of advertisement / 대중 ~ the mass media.

**매혹하다** fascinate, charm. ¶ 매혹적인 charming.

**맥박** pulse.

**맥주** beer.

**맵다** (be) hot, peppery. ¶ 국이 ~. The soup is hot.

**맹렬한** violent, furious.

**맹세하다** swear, give *one's* word

〔honor〕.
머리 《두부》 the head; 《머리털》 hair. ¶ ~가 아프다 have a headache / ~를 깎다 have 〔get〕 *one's* hair cut.
머무르다 stay, remain.
먹다 eat, have. ¶ 아침을 ~ eat 〔have〕 breakfast.
먹이 《양식》 food; 《사료》 feed.
먼지 dust. ¶ ~투성이의 dusty.
멀다 《시간 · 거리가》 (be) far 〔far off〕, faraway, distant; 《관계가》 (be) distant. ¶ 먼 거리 a long distance / 먼 옛날에 in the far off days / 먼 친척 a distant relative.
멀리 far away, at a distance. ¶ ~서 from a distance / ~하다 keep away 《*from*》.
멍청이 a fool, a stupid person.
멍청하다 (be) stupid, dull, thick-headed.
메달 a medal. ¶ 금~ 수상자 a gold medal winner; a gold medalist.
메뚜기 a grasshopper, a locust.
메스꺼움 nausea.
메아리 an echo. ¶ ~ 치다 echo; be echoed.
메우다 《빈 곳을》 fill up 〔in〕, stop up. ¶ 여백을 ~ fill space / 틈을 ~ make 〔stop〕 up a gap.
면도 shaving. **~하다** shave; get 〔have〕 a shave. ¶ 깨끗이 ~하다 shave *oneself* clean.
면허 a license. ¶ 운전 ~증 a driving license / ~를 따다〔얻다〕 take 〔obtain〕 a license.
면회 a meeting, an interview. **~하다** see, meet, interview.
명랑한 gay, merry, cheerful.
명령 an order, a command. **~하다** order, command. ¶ ~을 내리다 give an order / ~대로 하다 do as *one* is told.
명백하다 (be) clear, plain, obvious, apparent.
명부 a list of names.
명사 a noun.
명예 honor, credit.
명함 a (name) card.
몇 《얼마》 how many 《수》; how much 《양》; how far 《거리》; how long 《시간》. ¶ ~ 개 how many / ~ 살 how old / ~ 번 how often / ~ 시 what time, when.
몇몇 some, several, a few.
모국 *one's* mother country. ¶ ~어 *one's* mother 〔native〕 tongue.
모기 a mosquito. ¶ 모깃소리로 in a very faint voice / ~장 a mosquito net.
모닥불 a bonfire, an open-air fire.
모두 all; 《사물》 everything; 《사람》 everyone.
모든 all, every, whole. ¶ ~ 점에서 in all points; in every respect.
모래 sand. ¶ ~ 사장 a sandy beach / ~ 주머니 a sandbag.
모레 the day after tomorrow.
모르다 do not know, be ignorant 《*of*》, cannot tell, do not understand.
모방 (an) imitation, (a) copy. **~하다** imitate, copy, model 《*on, after*》.
모범 a model, an example, a pattern.
모습 《풍채》 an appearance, *one's* features; 《용모》 a face, a look.
모양 《생김새》 shape, form; 《자태》 (personal) appearance, figure.
모여들다 gather 〔flock〕 together, crowd in.
모욕 an insult, contempt.
모으다 gather, collect.
모음 a vowel.
모이다 《몰려들다》 come 〔get〕 together, gather 〔flock〕 (together); 《회동하다》 assemble.
모임 a meeting, a gathering.
모자 《테 없는》 cap; 《테 있는》 hat.
모퉁이 a corner. ¶ ~집 a house

at the corner.
모포 a blanket.
모피 a fur. ¶ ~ 코트 a fur overcoat.
모험 an adventure, a risk. **~하다** take a risk, adventure.
모형 a model. ¶ ~ 비행기 a model airplane.
목 a neck.
목걸이 a necklace.
목구멍 a throat.
목동 a shepherd boy; a cowboy.
목록 《상품 · 장서의》 a list, a catalog(ue).
목마르다 be 〔feel〕 thirsty.
목소리 a voice. ¶ 굵은 〔가는〕 ~ a deep 〔thin〕 voice / 높은 〔낮은〕 ~ a loud 〔low〕 voice.
목수 a carpenter.
목숨 life.
목요일 Thursday(약자 Thur(s).).
목욕 bathing, a bath. **~하다** bathe; take 〔have〕 a bath. ¶ ~실 a bathroom / ~통 a bathtub.
목장 a pasture, a meadow.
목재 wood; 《건축용》 timber, 《미》 lumber
목적 a purpose, an object, an end. ¶ ~을 이루다 attain *one's* object.
목표 a mark, a target, a goal, an object. ¶ ~에 달하다 reach 〔attain〕 the goal.
몸 《신체》 the body; 《건강》 health.
몸가짐 《품행》 behavior; conduct; 《태도》 an attitude.
몸짓 a gesture, (a) motion.
몹시 very (much), extremely, greatly.
못 a nail. ¶ ~을 박다〔빼다〕 drive in 〔pull out〕 a nail.
몽둥이 a stick, a club.
무겁다 《무게가》 (be) heavy; weighty; 《기분이》 (be, feel) heavy; 《병이》 (be) serious. ¶ 무거운 돌 a heavy stone / 마음이 ~ have a heavy heart / 어깨가 ~ have a heavy feeling in the shoulders / 무거운 병 a serious illness.
무게 weight.
무관심 indifference, unconcern. **~하다** (be) indifferent 《*to*》.
무너지다 fall 〔break〕 down, be destroyed.
무늬 a pattern, design. ¶ ~를 넣다 put on a pattern; pattern.
무대 the stage.
무덤 a grave, a tomb.
무디다 (be) dull. ¶ 무딘 칼날 a dull blade / 무딘 색깔 dull color / 머리가 무딘 소년 a dull boy.
무료로 free, for nothing.
무릎 a knee, a lap. ¶ ~을 꿇다 fall on *one's* knees.
무리 a group, a crowd.
무명 cotton.
무서움 fear, fright, terror. ¶ ~을 타다 be easily frightened / ~을 모르다 have no fear; be fearless.
무선 wireless (radio).
무섭다 《두렵다》 (be) fearful, terrible; 《사납다》 (be) fierce.
무시하다 ignore, disregard.
무엇 what, anything.
무역 trade, commerce. **~하다** trade 《*with*》, carry on commerce. ¶ ~ 회사 a trading firm 〔company〕.
무용 dancing, a dance. **~하다** dance. ¶ ~가 dancer / 민속 ~ a folk dance.
무익하다 (be) useless, be no good 〔use〕. ¶ 백해 ~ do more harm than good.
무지개 a rainbow. ¶ ~빛 rainbow color.
무질서 disorder. **~하다** (be) disordered.
무책임 irresponsibility. **~하다** (be) irresponsible. ¶ ~하게 irresponsibly / ~한 사람〔행동〕 an

irresponsible person 〔conduct〕.
묶다 bind, tie, fasten.
문 《집 안의》 a door; 《집 밖의》 a gate.
문득 suddenly, unexpectedly.
문명 civilization, 《문화》 culture.
문법 grammar.
문서 《서류》 a document, a paper.
문자 a letter, a character, an alphabet.
문장 a sentence.
문제 a question, a problem; a subject, 《화제》 a topic.
문지르다 rub, scrub, scrape. ¶ 문질러 없애다 rub off 〔out〕.
문학 literature.
문화 culture, civilization. ¶ ~적 cultural.
묻다 《질문하다》 inquire, question; 《매장하다》 bury; 《칠 따위가》 be stained 《*with*》.
물 water.
물가 prices.
물건 a thing; 《물품》 an article, goods. ¶ ~을 사러 가다 go shopping.
물고기 fish, a fish.
물다 《깨물다》 bite; 《입에》 put 〔hold〕 in *one's* mouth; 《벌레가》 bite, sting 《모기가》.
물들다 《빛깔이》 take color.
물러나다 withdraw, retire; resign.
물러서다 move 〔step〕 backward, step aside.
물려받다 take over.
물려주다 hand 〔turn, make〕 over.
물론 of course.
물리학 physics. ¶ ~자 a physicist.
물음 a question. ¶ ~표 question mark.
물질 matter, material. ¶ ~적인 원조 material aid 〔help〕.
뭉치다 《단결하다》 unite, hold together; 《덩이 짓다》 make a lump, mass; 《합치다》 unite, put together. ¶ 뭉치면 살고 흩어지면 죽는다. United we stand, divided we fall.
미개 being uncivilized. **~하다** (be) uncivilized.
미국 America, the United States (of America). ¶ ~인 an American.
미끄러지다 slide, slip, glide.
미래 future, the time to come. ¶ ~의 future; coming / ~의 계획을 세우다 form a plan for *one's* future.
미련하다 (be) stupid, senseless.
미루다 《연기》 postpone, put off, delay.
미리 beforehand, in advance, previously.
미사일 a missile. ¶ 지대공 ~ a surface-to-air missile.
미소 a smile. ¶ ~를 띄우고 with a smile; smiling(ly) / ~를 짓다 wear a smile 《*on one's face*》.
미술 art, the fine arts. ¶ ~가 an artist / ~관 an art museum 〔gallery〕.
미신 (a) superstition.
미안하다 (be) sorry, regrettable. ¶ 미안한 생각이 들다 feel sorry / 미안합니다만 Excuse me, but ….
미워하다 hate.
미인 a beauty, a beautiful woman 〔lady〕, a pretty girl.
미치다 《정신이》 go mad〔crazy〕; 《이르다》 reach, come (up) to. ¶ 미친 사람 a crazy guy 〔man〕 / 미치게 하다 make 〔drive〕 《*a person*》 mad 〔crazy〕 / 손이 미치는 〔미치지 않는〕 곳에 있다 be within 〔beyond〕 *one's* reach.
미터 a meter.
미풍 a breeze.
미화원 a janitor.
민속 무용 a folk dance.
민족 a race; a people; a nation. ¶ ~ 문화 national culture.
민주 democracy. ¶ ~적 democratic / ~화하다 democratize /

~주의 democracy.
믿다 《정말로》 believe, be convinced 《*of*》; 《사람을》 trust, credit. ¶ 믿을 수 있는 believable / 믿을 만한 reliable / 믿을 수 없는 incredible / 하느님을 ~ believe in God.

밀 wheat.
밀가루 flour.
밀다 push, thrust. ¶ 밀어내다 push out / 밀어젖히다 push aside.
밑 《바닥》 the bottom; 《아래》 the base, the foot.

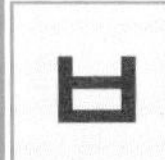

바구니 a basket. ¶ 장~ a shopping basket.
바깥 the outside, the outdoors; out-of-doors.
바꾸다 《교환》 change, exchange; 《변경》 change, alter, shift. ¶ 바꾸어 말하면 in other words.
바나나 a banana.
바느질 sewing, needlework. ~하다 sew, do needlework.
바늘 《바느질》 a needle; 《핀》 a pin; 《낚시의》 a hook; 《시계의》 a hand. ¶ ~귀 a needle's eye.
바다 the sea, the ocean 《대양》. ¶ 바닷가 the beach; the seashore.
바라다 expect, hope, want, wish, desire.
바라보다 see, look 《*at*》, watch; 《응시》 gaze 《*at, on*》.
바람 a wind, a breeze 《미풍》. ¶ ~이 있는〔없는〕 windy 〔windless〕 / ~이 일다. The wind rises.
바로 《옳게》 rightly, honestly; 《곧 · 곧장》 directly, straight. ¶ 집으로 ~ 가다 go straight home.
바르다 《붙이다》 paste; 《칠하다》 paint 《색을》, apply 《약을》.
바리케이드 a barricade. ¶ ~를 치다 set up a barricade; barricade 《*a place*》.
바보 a fool. ¶ ~ 같은 silly; foolish.
바쁘다 (be) busy. ¶ 시험 준비에 ~ be busy preparing for the examination.

바위 a rock.
바이올린 a violin. ¶ ~ 연주자 a violinist.
바지 (a pair of) trousers, 《미》 pants.
바치다 《드리다》 give, offer, present; 《노력 · 심신을》 devote, dedicate. ¶ 일생을 연구에 바치다 devote 〔dedicate〕 *one's* life to research.
바퀴 a wheel.
박다 《못을》 drive 〔strike〕 《*in*》; 《인쇄》 print; 《사진을》 take 《*a picture*》.
박물관 a museum.
박사 a doctor.
박수 hand clapping. ~하다 clap *one's* hands. ¶ ~ 갈채 cheers; applause.
박자 rhythm.
박쥐 a bat.
밖 the outside. ¶ ~의 outside; outdoor / ~으로 나가다 go out (of doors); go outside.
반(班) a class.
반(半) a half. ¶ 한 다스 ~ a dozen and a half / 세 시 ~ half past three.
반갑다 (be) glad, happy, delightful, pleased. ¶ 반가운 소식 glad 〔happy〕 news / 만나서 반갑습니다. I'm glad to see 〔meet〕 you.
반대 《반항 · 이의》 opposition, objection. ~하다 oppose, object 《*to*》, be against 〔opposed〕 《*to*》.

한영편

¶ 그는 이 계획에 반대한다. He is opposed 〔against〕 to this plan.
반도 a peninsula. ¶ 한~ the Korean Peninsula.
반드시 certainly, surely, without fail, by all means.
반복 repetition. **~하다** repeat. ¶ ~하여 말하다 say over again; repeat *oneself* / 역사는 반복한다. History repeats itself.
반사 reflection. **~하다** reflect.
반응 (a) reaction; 《반향》 a response; 《효과》 an effect. ¶ ~을 보이다 react 《*to*》; respond 《*to*》.
반점 a spot, a speck. ¶ ~이 있는 spotted; speckled.
반지 a ring. ¶ ~를 끼고 있다 wear a ring.
반짝거리다 shine, glitter, sparkle, twinkle 《별이》, glimmer 《깜박임》.
반항 resistance, opposition. **~하다** resist, oppose.
반환 return. **~하다** return, give back.
받다 receive, accept, have, get. ¶ 편지를 ~ receive a letter / 전화를 ~ answer the phone.
받아쓰기 (a) dictation. ¶ ~를 하다 write down; do dictation.
발 a foot; 《동물의》 a paw.
발가락 a toe.
발걸음 a step, a pace. ¶ ~을 재촉하다 quicken *one's* pace.
발견 (a) discovery. **~하다** discover, find (out), make a discovery. ¶ 누가 라듐을 발견했느냐? Who discovered radium?
발달 development, growth. **~하다** develop, grow. ¶ 도시의 ~ the growth of a city.
발뒤꿈치 the heel.
발레 a ballet.
발명 (an) invention. **~하다** invent. ¶ ~가 an inventor.
발목 an ankle.
발생 occurrence, outbreak. **~하다** occur, break out. ¶ 콜레라의 ~ an outbreak of cholera.
발음 pronunciation. **~하다** pronounce.
발자국 a footprint, a footstep.
발전 growth, development. **~하다** develop, grow. ¶ 공업의 ~ industrial growth.
발톱 《사람》 toenails; 《짐승》 a claw.
발표 announcement, publication, expression. **~하다** announce, express. ¶ 연구를 ~하다 《출판물로》 publish the results of *one's* research.
발행 《책의》 publication; issue. **~하다** issue, publish.
밝다[1] 《날이 새다》 dawn, break. ¶ 밝아오는 하늘 the dawning sky.
밝다[2] 《빛이》 (be) light, bright; 《귀·눈이》 (be) sharp, keen. ¶ 밝게 하다 lighten, light up / 귀가 ~ have a sharp ear.
밟다 tread 〔step〕 on.
밤[1] 《야간》 night, evening 《저녁》. ¶ ~에 at night; in the evening / ~늦게(까지) (till) late at night.
밤[2] 《열매》 a chestnut. ¶ ~나무 a chestnut tree.
밥 《쌀밥》 boiled 〔cooked〕 rice; 《식사》 a meal, food. ¶ ~을 짓다 cook 〔boil〕 rice / ~을 먹다 have a meal.
밧줄 a rope. ¶ ~을 당기다 draw 〔pull〕 the rope.
방 a room, a chamber.
방과 후 after school (hours).
방문 a visit, a call. **~하다** visit, call on 《*a person*》, call at 《*a house*》. ¶ ~을 받다 receive a call 〔visit〕.
방법 《방식》 a way, a method; 《수단》 a means. ¶ 최선의 ~ the best method 〔way〕.
방석 a cushion.
방송 broadcasting. **~하다** broadcast, put 〔send〕 《*the news*》 on the air. ¶ ~국 a broadcasting 〔radio, TV〕 station / ~실 a

한영편

(radio, TV) studio / ~을 듣다 listen to the radio broadcasting.

방어 defence. **~하다** defend.

방울 a bell. ¶ ~ 소리 the tinkling of a bell.

방학 school holiday, a vacation. **~하다** close the school, go on vacation.

방해하다 disturb, obstruct. ¶ 공부를 ~ disturb 《*a person*》 in his study / 교통을 ~ obstruct traffic.

방향 direction. ¶ ~ 감각 a sense of direction.

밭 a field, a farm. ¶ 옥수수~ a corn field.

배[1] 《과일》 a pear.

배[2] 《선박》 a ship, a boat, a vessel, a steamer 《기선》. ¶ ~를 타다 go 〔get〕 on board.

배[3] 《복부》 the stomach, the belly. ¶ ~가 고프다 be hungry / ~가 아프다 have a stomachache / ~가 부르다 have a full stomach.

배(倍) 《2배》 two times, double, twice; 《곱절》 … times. ¶ 값의 ~를 지불하다 pay double 〔twice〕 the price.

배경 a background. ¶ ~ 음악 background music.

배구 volleyball.

배낭 a backpack, a knapsack.

배달 delivery. **~하다** deliver. ¶ ~료 the delivery charge / ~원 a mailman 《우편》.

배반하다 betray.

배우 a player, an actor 《남성》, an actress 《여성》. ¶ 주연 ~ a leading actor 〔actress〕.

배우다 learn, study, be taught.

배추 a Chinese cabbage.

배탈 a stomach trouble 〔upset〕. ¶ ~이 나다 have a stomach upset 〔disorder〕.

백 a 〔one〕 hundred. ¶ 수 ~의 hundreds of.

백만 a 〔one〕 million. ¶ ~ 분의 일 one 〔a〕 millionth / ~ 장자 a millionaire.

백조 a swan.

백지 a (blank) sheet of paper, white paper.

백합 a lily.

백화점 a department store.

뱀 a snake, a serpent.

뱃멀미 seasickness.

뱃사람 a seaman, a sailor.

뱉다 spit (out) 《침 따위를》.

버드나무 a willow.

버릇 a habit. ¶ ~이 되다 become a habit 《*of*》 / ~을 고치다 get rid of a habit.

버리다 《내던지다》 throw away; 《포기하다》 abandon. ¶ 불필요한 물건을 ~ throw away useless things.

버스 a bus. ¶ ~ 노선 a bus route / ~ 요금〔정류장〕 a bus fare 〔stop〕 / 통근 ~ a commuter bus.

버찌 a cherry.

버터 butter. ¶ 빵에 ~를 바르다 butter *one's* bread; spread butter on bread.

버티다 《괴다》 support; 《견뎌내다》 endure, stand up 《*to*》, hold 《*out*》. ¶ 기둥으로 담을 ~ support a wall with a post / 모든 어려움을 버텨내다 endure all the hardships.

번갈아 by turns, one after another, in turn.

번개 (a flash of) lightning. ¶ ~처럼 as swiftly as lightning, in a flash / ~가 번쩍하다 lightning flashes.

번거롭다 (be) troublesome. ¶ 번거로운 일 a troublesome job.

번역 (a) translation. **~하다** translate. ¶ ~을 잘하다〔잘못하다〕 be a good 〔poor〕 translation / ~하는 사람 a translator.

번지다 spread.

번호 a number. ¶ ~를 매기다 number.

벌 a bee. ¶ ~에 쏘이다 be stung by a bee / ~떼 a swarm of bees.

벌(罰) punishment, penalty. ¶ ~을 주다 punish; impose a penalty.

벌금 a fine. ¶ ~을 물리다 fine; punish 《*a person*》 with a fine / ~을 물다 pay a fine; be fined.

벌다 《돈을》 earn, make 《*money*》. ¶ 힘들여 번 돈 hard-earned money / 돈을 잘 ~ make good money.

벌레 《곤충》 an insect; 《애벌레 따위》 a worm; 《나방 따위》 a moth. ¶ 책~ a bookworm 《독서광》.

벌써 already, yet 《의문문 · 부정문에》.

벌어지다 《사이가》 split, open; 《일 · 싸움 따위가》 happen, occur. ¶ 틈이 ~ a gap widens / 무슨 일이 벌어질 것 같다. Something is likely to happen.

벌집 a beehive, a honeycomb.

벌판 a field, a plain.

범람하다 overflow, run over, flood.

범위 an extent, a range, limits. ¶ ~ 내〔외〕에(서) within 〔beyond〕 the limits 《*of*》.

범인(犯人) a criminal.

범죄 a crime; 《행위》 a criminal act. ¶ ~의 criminal / ~를 저지르다 commit a crime.

법 《법률 · 법규》 a law, a rule; 《규정》 a regulation. ¶ ~에 어긋난 illegal / ~을 지키다 observe the law.

법원 a court of justice, a law court. ¶ 가정 ~ a Family Court.

법칙 a law, a rule. ¶ 자연 ~ a law of nature; a natural law.

벗다 take 〔pull〕 off. ¶ 모자를 ~ take off *one's* hat.

벙어리 《사람》 a dumb person, the dumb 《총칭》.

벚꽃 cherry blossoms 〔flowers〕.

베개 a pillow. ¶ 베갯잇 a pillowcase.

베끼다 copy.

베다 cut. ¶ 손가락을 ~ cut *one's* finger 《*on a knife*》.

베짱이 a grasshopper.

벨 a bell; 《초인종》 a doorbell. ¶ ~을 울리다〔누르다〕 ring 〔press, push〕 the bell.

벼 a rice plant. ¶ ~를 심다 plant rice / ~농사 rice farming.

벼락 a stroke of lightning.

벼랑 a cliff.

벼룩 a flea.

벽 a wall.

벽돌 (a) brick. ¶ ~을 굽다 burn bricks / ~공 a brickmaker 《굽는 사람》; a bricklayer 《쌓는 사람》.

벽지 wallpaper.

변경 change. **~하다** change. ¶ 날짜를 ~하다 change the date 《*of*》.

변명 an excuse, an explanation. **~하다** excuse 〔explain〕 *oneself*. ¶ 잘못을 ~하다 excuse *one's* mistake.

변소 a toilet, a water closet (room), a lavatory; a bathroom, a rest room. ¶ ~에 가다 go to wash *one's* hands.

변장 disguise. **~하다** disguise *oneself* 《*as a beggar*》, make up 《*as a woman*》.

변하다 change, become different. ¶ 변하기 쉬운 changeable.

변호사 a lawyer.

변화 (a) change. **~하다** change. ¶ 일기의 ~ a change in the weather.

별 a star; 《총칭》 the stars. ¶ ~ 같은 starlike; starry / ~이 반짝이다 the stars twinkle.

별명 another name, a nickname. ¶ ~을 붙이다 give 《*a person*》 a nickname.

병 a bottle. ¶ ~에 담은 in bottles; bottled / 병마개 a bottle

cap.

**병(病)** (an) illness, (a) sickness, a disease. ¶ ~에 걸리다 get 〔fall, be taken〕 ill / ~이 낫다 get well; recover from *one's* illness.

**병균** a germ.

**병아리** a chick, a chicken.

**병원** a hospital. ¶ ~에 입원하다〔입원시키다〕 go into 〔send 《*a person*》 to〕 hospital.

**병자** a patient, a sick person.

**보고** a report, information. **~하다** report, inform 《*a person of an event*》. ¶ ~서 a report.

**보기** an example, an instance.

**보내다** send, write 《편지를》. ¶ 보내는 사람 a sender / 편지를 ~ send 〔write〕 a letter / 심부름 ~ send 《*a person*》 on an errand / 의사를 부르러 ~ send for a doctor.

**보다** see, look at, behold, observe. ¶ 자세히 ~ peer 《*at*》 / 뚫어지게 ~ stare 〔gaze〕 《*at*》.

**…보다** than … ¶ …보다 낫다 be better than ….

**보랏빛** purple, violet.

**보류하다** reserve.

**보름** fifteen days, half a month. ¶ ~달 a full moon.

**보리** barley.

**보물** a treasure. ¶ ~섬 a treasure island.

**보살피다** look 〔see〕 after, take care of, care for.

**보석** a jewel, a gem. ¶ ~류 jewelry.

**보이다**[1] 《눈에》 see; 《사물이》 be seen 〔visible〕, catch sight of; 《… 같다》 seem, look (like). ¶ 슬퍼 ~ look sad.

**보이다**[2] 《보여 주다》 show, let 《*a person*》 see 〔look at〕.

**보자기** a (cloth) wrapper.

**보조** a step, a pace. ¶ ~를 맞추다 keep pace 〔step〕 with 《*a person*》.

**보조개** a dimple.

**보존하다** preserve, keep, maintain.

**보태다** 《더하다》 add; 《보충하다》 supply, make up 《*for*》.

**보통** 《부사적》 usually, commonly, generally, on the average. ¶ ~의 general; normal; common / ~ 사람 a common 〔an average〕 man.

**보트** a boat.

**보험** insurance. ¶ 생명〔화재〕 ~ life 〔fire〕 insurance.

**보호** protection. **~하다** protect. ¶ ~ 무역 protective trade / ~자 a protector; a patron.

**복(福)** good luck, fortune, happiness. ¶ ~이 많다〔있다〕 be fortunate; be in luck / 새해에 ~ 많이 받으십시오. Happy New Year!

**복권** a lottery ticket 〔card〕.

**복도** a corridor, a passage, a lobby 《극장 따위의》.

**복부** the abdomen, the belly.

**복사** reproduction; 《복사물》 a copy, a reproduction. **~하다** reproduce, copy.

**복숭아** a peach.

**복잡** complexity, complication. **~하다** (be) complicated, complex. ¶ ~한 문제 a complicated problem.

**복종** obedience. **~하다** obey 《*one's parents*》. ¶ ~하지 않다 disobey.

**복지** (public) welfare, wellbeing. ¶ ~ 국가 a welfare state / ~ 시설 welfare facilities.

**복통** a stomachache.

**본능** an instinct. ¶ ~적으로 instinctively.

**본받다** follow 《*a person's*》 example, model 《*after*》.

**본보기** 《모범》 an example, a model.

**볼** 《뺨》 a cheek; 《공》 a ball.

**볼링** bowling

볼일 business, an engagement. ¶ ~로 on business.
봄 spring. ¶ 이른 ~에 in the early spring.
봉급 a salary, pay, wages. ¶ ~이 많다 be well-paid.
봉사 service. **~하다** serve. ¶ 사회 ~ social 〔public〕 service.
봉숭아 a touch-me-not.
봉오리 a bud.
봉우리 a peak, a top, a summit.
봉투 an envelope, a paper bag 〔sack〕 《봉지》.
부(富) wealth, riches.
부근 neighborhood.
부글거리다 《끓어서》 simmer; 《거품이》 bubble up.
부끄러움 《창피》 shame; 《수줍음》 shyness, bashfulness. ¶ ~ 타다 be shy 〔bashful〕.
부끄럽다 《창피하다》 (be) shameful; 《수줍다》 (be) bashful, shy, abashed.
부닥치다 face, confront, encounter. ¶ 어려움에 ~ face a difficulty.
부대 a (military) unit, a corps, a force. ¶ 기동 ~ a task force / 전투 ~ a fighting unit.
부두 a pier, a wharf.
부드럽다 (be) soft, tender, gentle, mild. ¶ 부드러운 빛 a soft light / 감촉이 ~ feel soft.
부디 《꼭》 by all means; 《바라건대》 (if you) please.
부딪다 bump 〔knock, dash〕 《*against*》, bump 〔run, crash〕 into.
부러뜨리다 break.
부러워하다 envy, be envious of, feel envy 《*at*》. ¶ 그의 명성을 ~ feel envy at his fame.
부러지다 break, be broken.
부르다 《소리내어》 call, call out 《*to*》; 《노래를》 sing 《*a song*》; 《외치다》 cry, shout. ¶ 이름을 ~ call 《*a person*》 by name / 택시를 ~ call a taxi / 전화로 K를 ~ call K to the phone / 노래를 ~ sing a song / 만세를 ~ cry "Hurrah!"
부리 《새의》 a bill 《평평한》, a beak 《매 따위의》.
부모 *one's* parents. ¶ ~의 사랑 parental love.
부분 a part, a portion, a section. ¶ ~적인 partial / ~적으로 partially.
부서지다 break, be smashed. ¶ 부서지기 쉬운 fragile.
부수다 break, destroy, smash.
부시다 《눈이》 (be) dazzling, glaring.
부엉이 an owl.
부엌 a kitchen.
부유하다 (be) rich, wealthy.
부인 a wife, a married lady; 《경칭》 Mrs. 《*Kim*》, Madam.
부자 a rich man, 《총칭》 the rich.
부정(不正) injustice.
부정직 dishonesty. **~하다** (be) dishonest.
부정(否定)하다 deny.
부족 want, lack. **~하다** be short 《*of*》, be in want 《*of*》, be lacking 《*in*》. ¶ 물이 ~하다 be short of water.
부주의 carelessness. **~하다** be careless 《*in, about*》. ¶ ~하게 carelessly.
부지런하다 (be) diligent, industrious.
부채 a fan. ¶ ~질하다 fan *oneself*.
부처 Buddha.
부치다[1] 《힘에》 be beyond *one's* power.
부치다[2] 《편지를》 send, mail. ¶ 편지를 항공〔배〕편으로 ~ send a letter by air 〔ship〕.
부탁 (a) request, (a) favor. **~하다** request, ask, beg, ask a favor of. ¶ ~을 거절하다 decline 《*a person's*》 request / 네게 ~이 있다. I have a favor to ask of you.
부터 from. ¶ 친구로~ 온 편지 a letter from a friend / 세 시~ 다

섯 시까지 from three to five.
부풀다 《팽창》 get bulky, swell up.
부품 parts, accessories.
부피 volume, bulk, size.
북 a drum. ¶ ~을 치다 beat a drum.
북극 the North Pole. ¶ ~곰 a polar bear.
북두칠성 the Big Dipper.
북아메리카 North America.
북(쪽) the north. ¶ ~(쪽)의 north; northern.
분[1] 《시간 · 각도의》 a minute. ¶ 15 ~ a quarter, fifteen minutes.
분[2] 《화장용》 face powder.
분량 (a) quantity, an amount.
분류 a classification. **~하다** classify.
분명하다 (be) clear, distinct.
분배 distribution. **~하다** distribute, divide.
분수 a fountain.
분실 loss. **~하다** lose, miss. ¶ ~물 a lost 〔missing〕 article.
분야 a field, a division. ¶ 연구 ~ a field of study.
분위기 an atmosphere. ¶ 자유로운 ~를 만들다 create a free atmosphere.
분장 make-up. **~하다** put on make-up. ¶ ~실 a dressing room.
분필 (a piece of) chalk.
불 fire; 《등화》 a light. ¶ ~을 붙이다 set fire 《*to*》; light 《*a cigarette*》 / ~을 끄다 put out a fire; switch off the light / ~을 켜다 light a lamp; switch on the light.
불가능 impossibility. **~하다** (be) impossible.
불가사리 a starfish.
불가사의 a wonder, (a) mystery.
불교 Buddhism. ¶ ~도 a Buddhist.
불구하고 in spite of.
불꽃 blaze, flame; 《꽃불》 fireworks. ¶ ~이 튀다 spark / ~놀이 a fireworks display.
불다 blow. ¶ 바람이 세게 ~. It blows hard. / 촛불을 불어 끄다 blow out a candle / 트럼펫을 ~ blow on a trumpet.
불리 a disadvantage. **~하다** (be) disadvantageous, unfavorable.
불만 dissatisfaction, discontent. **~스럽다** (be) unsatisfactory, discontented.
불법 illegality. ¶ ~의 unlawful; illegal.
불분명하다 (be) vague, not clear.
불빛 light.
불쌍하다 (be) poor, pitiful.
불안 uneasiness, anxiety. **~하다** (be) uneasy, anxious.
불완전 imperfection, incompleteness.
불운 (a) misfortune, ill luck. **~하다** (be) unfortunate, unlucky.
불친절 unkindness. **~하다** (be) unkind, unfriendly.
불쾌 unpleasantness, displeasure, (a) discomfort. **~하다** feel unpleasant 〔uncomfortable〕.
불편 inconvenience. **~하다** (be) inconvenient.
불평 complaint, grumble. **~하다** complain, grumble.
불필요하다 (be) unnecessary, needless.
불행 unhappiness, misery, misfortune. **~하다** (be) unhappy, unlucky, unfortunate. ¶ ~히도 unfortunately.
붉다 (be) red. ¶ 붉은 뺨 red cheeks / 붉어지다 turn red; redden.
붐비다 (be) crowded. ¶ 붐비는 시간 the rush hour.
붓 a (writing) brush.
붕대 a bandage.
붙이다 attach 《*to*》, put 〔stick, fix〕 《*on*》. ¶ 우표를 ~ put a stamp

on / 꼬리표를 ~ attach a tag to 《*a parcel*》 / 게시판에 포스터를 ~ stick a poster on the billboard.
비[1] 《강우》 rain, a rain fall. ¶ ~가 오다. It rains.
비[2] 《청소용》 a broom.
비겁하다 (be) cowardly, mean. ¶ 비겁한 사람 a coward.
비결 a secret, a key 《*to*》, know-how. ¶ 행복의 ~ the secret of happiness.
비교 (a) comparison. **~하다** compare. ¶ 한 책을 다른 것과 ~하다 compare a book with another.
비극 a tragedy. ¶ ~적인 tragic / ~적인 사건 a tragic event.
비난 blame. **~하다** blame, accuse.
비누 (a cake of) soap. ¶ 세숫〔빨랫〕~ toilet 〔washing〕 soap.
비다 (be) empty, vacant. ¶ 빈 집 a vacant house.
비단 silk fabric, silks. ¶ ~결 같다 be soft as velvet.
비둘기 a dove, a pigeon.
비례 proportion.
비명 a scream, a shriek. ¶ ~을 지르다 scream; shriek.
비밀 a secret. ¶ ~의 장소 a secret place / ~로 하다 keep 《*a matter*》 secret / ~을 지키다 keep a secret / ~을 누설하다 let out 〔reveal〕 secrets.
비슷하다 (be) similar, like; 《서술적》 look like. ¶ 비슷한 이야기 a similar story.
비싸다 (be) expensive, costly, high. ¶ 비싼 옷 expensive clothes / 값이 너무 ~. The price is too high. *or* It is too expensive.
비옥하다 (be) fertile, rich.
비옷 a raincoat.
비용 expense(s), (a) cost. ¶ ~이 얼마나 드는가. How much does it cost 《*to do*》?
비우다 empty 《*a box*》, clear 《*a room*》.
비율 rate, proportion.
비참하다 (be) miserable.
비추다 《불빛을》 shine 〔flash〕, shed light 《*on, at*》. ¶ 그에게 등불을 ~ flash a lamp at him.
비키다 move out, step aside.
비타민 vitamin(e).
비탈 a slope.
비틀다 twist, wrench. ¶ 팔을 ~ wrench 〔twist〕 《*a person's*》 arm.
비판 (a) criticism, (a) comment. **~하다** criticize, comment 《*on*》.
비행 flying, a flight. **~하다** fly. ¶ 대서양을 ~하다 fly the Atlantic.
비행기 an airplane, a plane; 《총칭》 aircraft.
비행장 an airport; an airfield.
빈도 frequency.
빈번하다 (be) frequent.
빌다 《구걸 · 탄원》 beg, ask; 《기원》 pray 《*to*》, wish; 《사죄》 beg 《*a person's*》 pardon.
빌리다 《차용 · 임차》 borrow, rent, hire; 《대여 · 임대》 lend, hire out, rent.
빗 a comb. ¶ ~으로 머리를 빗다 comb *one's* hair.
빚 a debt, a loan. ¶ ~을 갚다 pay off debts; clear (up) *one's* debts.
빛 a light, a flash 《섬광》.
빛깔 (a) color. ¶ 밝은 ~로 그리다 paint in bright color.
빛나다 shine, glitter.
빠뜨리다 《누락시키다》 omit, miss; 《잃다》 lose, drop; 《물속에》 drop, throw into 《*a river*》.
빠르다 (be) fast, quick, swift.
빨강 red.
빨갛다 (be) red.
빨다 《세탁》 wash, do washing; 《입으로》 suck, sip.
빨대 a straw.
빨래 wash, washing, laundry. **~하다** wash, do washing. ¶ ~를 하다 do the laundry; wash clothes; do the wash.

빨리 fast, quickly, rapidly.
빵 bread.
빼다 minus.
빼앗다 take (by force), take 《*a thing*》 away from 《*a person*》. ¶ 남의 시계를 ~ take another's watch (by force).
빽빽하다 (be) dense, close.
뺨 a cheek.
뼈 a bone.
뼈대 《골격》 frame, build.
뽑다 《박힌 것을》 pull out; elect 《선출》.
뿌리 a root.
뿐 only, nothing but, merely. ¶ …뿐만 아니라 not only … but (also).
뿔 a horn.

사 four; 《제4》 the fourth. ¶ ~차원 the fourth dimension.
사각(四角) a square.
사건 an event 《큰》, an incident 《사소한》; 《소송》 a case. ¶ 1995년의 주된 ~ the chief events of 1995.
사고(事故) an accident. ¶ 교통 ~ a traffic accident / 작업 중에 ~를 당하다 have an accident at work.
사고(思考) thought, thinking, consideration. **~하다** think, consider. ¶ ~ 방식 a way of thinking.
사과 apple.
사과(謝過) an apology. **~하다** apologize.
사교 social intercourse [life]. ¶ ~적인 social / ~계 social circles.
사귀다 make friends 《*with*》, associate with.
사납다 《성질 등이》 (be) fierce, wild. ¶ 사나운 짐승 a fierce animal.
사냥 hunting. **~하다** hunt. ¶ ~꾼 a hunter / ~하러 가다 go hunting.
사다 buy, purchase.
사닥다리 a ladder.
사라지다 disappear, go out of sight. ¶ 어둠속으로 ~ disappear in the darkness.
사람 《인류》 mankind; 《개인》 a man, a person, a human being.
사랑 love. **~하다** love. ¶ ~스러운 소녀 a lovely girl / 그들은 서로 ~한다. The two love each other.
사로잡다 catch [capture] alive. ¶ 곰을 ~ catch a bear alive.
사립 ¶ ~의 private / ~ 학교 a private school.
사막 a desert.
사망 death. **~하다** die, pass away.
사무 office work, business. ¶ ~실 an office (room) / ~원 an office worker; a clerk / ~를 보다 do office work.
사상 thought, an idea. ¶ 건전한 ~ healthy thought / 진보 ~ a progressive idea.
사생 《행위》 sketching; 《작품》 a sketch. **~하다** sketch.
사슬 a chain.
사슴 a deer.
사실 a fact. ¶ ~상 in fact; actually; really.
사업 business, an enterprise. ¶ ~가 a businessman / ~을 경영하다 run a business.
사용 use. **~하다** use, make use of. ¶ ~법 (how to) use; directions (for use). / 한국에서는 식

사하는 데 젓가락을 ~한다. We use chopsticks to eat in Korea.

사월 April 《약자 Apr.》.

사이[1] 《간격》 an interval, a space; 《…사이에》 in, between 《둘 사이》, among 《셋 이상의 사이》; 《…하는 동안에》 during, while. ¶ 일정한 ~를 두고 at regular intervals / 너와 나 사이에 between you and I / move among the crowd 군중 사이를 돌아다니다 / 외출한 ~에 while *one* is out.

사이[2] 《관계》 relation(s), terms. ¶ ~가 좋다〔나쁘다〕 be on good 〔bad〕 terms 《*with*》 / 그와는 어떤 ~인가? What relation is he to you?

사이렌 a siren, a whistle.

사이즈 size. ¶ ~가 맞다〔안 맞다〕 be 〔be out of〕 *one's* size.

사자 a lion.

사전 a dictionary.

사정(事情) 《형편》 circumstances; 《상황》 the situation, the state of things.

사죄 an apology. **~하다** apologize.

사직 resignation. **~하다** resign.

사진 a picture, a photograph. ¶ ~을 찍다 take a picture.

사촌 a cousin. ¶ ~형 an elder cousin.

사치 luxury. ¶ ~스럽다 be luxurious.

사커 soccer.

사회(司會) chairmanship. **~하다** preside at 〔over〕 《*a meeting*》. ¶ ~자 the chairman.

사회(社會) society, the world 《세상》. ¶ ~적 social 《*status*》 / ~ 보장 제도 the social security system.

산 a mountain, a hill 《동산》.

산림 a forest.

산소 oxygen.

산수 arithmetic.

산업 industry. ¶ ~의 발달 industrial development / 국내 ~ the domestic industry.

산울림 echo.

산울타리 a hedge.

산책 a walk, a stroll. **~하다** take a walk, stroll. ¶ ~ 나가다 go (out) for a walk.

살 《몸의》 flesh; 《식육》 meat; 《근육》 muscle; 《나이》 age, years.

살갗 the skin.

살다 《생존》 live, be alive; 《생활》 live, get along, make a living; 《거주》 live, inhabit, dwell. ¶ 월급으로 ~ live on *one's* salary / 서울에서 ~ live in Seoul.

살리다 《목숨을》 save, spare 《*a person's*》 life; 《구조하다》 rescue.

살림 living, livelihood. **~하다** keep house, run a household. ¶ ~살이 housekeeping, household.

살인 murder. **~하다** commit murder, kill 《*a person*》.

살찌다 grow 〔get〕 fat, put on 〔gain〕 flesh.

살펴보다 look around 〔about〕; look into, examine, see.

삼각형 a triangle.

삼월 March 《약자 Mar.》.

삼촌 an uncle.

삼키다 swallow.

삽 a shovel, a scoop, a spade.

상 a prize, a reward.

상보 tablecloth.

상상 imagination. **~하다** imagine.

상세 details. **~하다** (be) detailed, full, minute, be in detail. ¶ ~히 in detail〔full〕 / ~히 보고하다 report in detail.

상식 common sense. ¶ ~이 있는 사람 a man of common sense.

상업 commerce, trade, business.

상연 presentation, performance. **~하다** put 《*a play*》 on the stage, present 《*a drama*》.

상의하다 consult 〔confer〕 《*with*》,

한영편

talk over 《*a matter with*》.
상인 a merchant, a shopkeeper.
상자 a box, a case.
상징 a symbol. **~하다** symbolize. ¶ ~적인 symbolic(al) / 국가의 ~ the symbol of the State.
상처 a wound, an injury; 《흉터》 a scar. ¶ ~가 남다 leave a scar.
상태 a condition, a situation.
상품(商品) goods; 《총칭》 merchandise. ¶ ~ 진열실 a showroom.
새 a bird.
새기다 《조각하다》 carve, engrave.
새롭다 (be) new, fresh 《신선》, up-to-date 《현대적인》. ¶ 새로운 사상 a new thought; up-to-date ideas / 새롭게 칠한 문 a newly painted gate.
새벽 dawn. ¶ ~에 at dawn.
새장 a birdcage. ¶ ~에 갇힌 새 a caged bird.
색 color.
색연필 a colored pencil.
색인 an index.
샌드위치 a sandwich.
샘 a spring, a fountain, a well.
생각 《사상》 (a) thought; 《관념》 an idea. **~하다** think 《*of, about*》, consider. ¶ 앞일을 ~하다 think of the future.
생기다 《발생》 happen, occur; 《얻다》 get, obtain. ¶ 무슨 일이 생겼느냐? Did anything happen? / 나는 돈이 좀 생겼다. I got some money.
생략 omission. **~하다** omit. ¶ 명단에서 그의 이름을 ~하다 omit his name from the list.
생명 life. ¶ ~을 걸고 at the risk of *one's* life.
생물 a living thing, a creature; 《총칭》 life. ¶ ~학 biology / ~학자 a biologist.
생산 production. **~하다** produce. ¶ ~물 a product; productions / ~자 a producer.
생선 (a) fish.
생일 a birthday.
생활 living, life. **~하다** live, lead a life, make a living.
서다 《기립》 stand (up); 《정지》 stop. ¶ 거울 앞에 ~ stand before a mirror / 차가 갑자기 섰다. A car stopped suddenly.
서두르다 hasten, make haste, rush. ¶ 발걸음을 ~ hasten *one's* pace / 일을 ~ speed up *one's* work.
서랍 a drawer.
서로 《두 사람이》 each other; 《셋 이상》 one another.
서류 documents, papers. ¶ ~가방 a brief case.
서른 thirty.
서리 frost. ¶ 된~ heavy frost.
서명 a signature. **~하다** sign *one's* name 《*to*》.
서양 the West.
서재 a study; a library.
서쪽 the west. ¶ ~으로 가다 go west 〔westward〕.
서커스 a circus.
서투르다 (be) unskillful, poor, awkward.
석유 petroleum, oil.
석탄 coal. ¶ ~을 캐다 mine coal.
섞다 mix, blend.
선(線) a line.
선거 (an) election. **~하다** elect. ¶ ~를 실시하다 hold an election.
선물 a gift, a present. ¶ ~을 보내다〔받다〕 send 〔receive〕 a gift.
선박 a vessel, a ship.
선반 a shelf.
선배 a senior, an elder.
선생 a teacher.
선수 a player. ¶ ~권 a championship.
선원 a seaman, a crew.
선장 a captain.
선택 choice, selection. **~하다** choose, select.
선풍기 an electric fan.

설계 a plan, a design. **~하다** plan, design, lay out. ¶ 그가 저 건물을 ~했다. He designed that building.
설교 preaching. **~하다** preach.
설날 the New Year's Day.
설립 establishment, foundation. **~하다** establish, found, set up.
설명 explanation. **~하다** explain, describe. ¶ 낱말의 뜻을 ~하다 explain the meaning of a word.
설탕 sugar.
섬 an island, an isle.
섬유 a fiber.
성(城) a castle.
성(姓) a family name, a surname.
성격 character, personality.
성경 the (Holy) Bible.
성공 (a) success. **~하다** success 《*in*》. ¶ 너의 ~을 빈다 I wish you success.
성나다 get angry, get mad 《*with, at*》.
성명(姓名) *one's* full name, a full name.
성실 sincerity, honesty. ¶ ~한 sincere, faithful, honest / ~하게 일하다 work faithfully.
성인 an adult.
성장 growth. **~하다** grow (up).
성적 results, record; 《점수》 marks. ¶ 학기말 시험에서 좋은 ~을 올리다 〔얻다〕 get 〔obtain〕 good results in the finals.
성질 nature, temper. ¶ ~이 좋은 〔못된〕 사람 a good-natured 〔ill-natured〕 man.
성취 achievement, accomplishment. **~하다** achieve, accomplish.
세계 the world, the earth 《지구》.
세관 a customhouse, the customs.
세균 a bacterium, a germ.
세금 a tax. ¶ ~을 내다 pay a tax / ~을 징수하다 collect taxes.
세기 a century.
세다[1] 《계산하다》 count, number, calculate. ¶ 잘못 ~ miscount / 돈을 ~ count the money.
세다[2] 《강하다》 (be) strong, powerful.
세대 a generation. ¶ 젊은 ~ the younger generation.
세로 length 《길이》, height 《높이》.
세상 the world. ¶ ~을 모르다 know nothing 〔little〕 of the world.
세수하다 wash *oneself*.
세우다 《일으키다》 stand, raise, erect; 《설립하다》 establish, found.
세월 time, time and tide, years. ¶ ~이 감에 따라 as time passes by.
세주다 rent 《*a room, a house*》. ¶ 셋방 a room for rent / 방을 ~ rent a room.
세탁 wash, washing. **~하다** wash. ¶ ~기 a washing machine / ~소 a laundry.
세포 a cell.
센스 a sense. ¶ ~ 있는 sensible / ~가 없다 have no sense 《*of*》.
셋 three. ¶ ~째 the third.
셔츠 a shirt.
소 《황소》 bull, ox; 《암소》 cow.
소개 (an) introduction. **~하다** introduce. ¶ ~장 a letter of introduction.
소금 salt.
소나기 a shower.
소나무 a pine (tree).
소녀 a girl.
소년 a boy. ¶ ~ 시절에 in *one's* boyhood 〔childhood〕.
소득 (an) income.
소리 (a) sound; 《음성》 a voice; 《소음》 (a) noise. ¶ ~를 내다 make a sound 〔noise〕 / ~를 지르다 cry; shout; yell out.
소망 wish, desire.
소매 a sleeve.

소문 (a) rumor.
소방 fire service, 《미》 fire fighting. ¶ ~관 a firefighter, a fire officer / ~차 a fire engine / ~서 a fire station.
소비 consumption. **~하다** consume, spend. ¶ ~자 a consumer.
소설 a novel, a story. ¶ ~가 a novelist.
소식 news, information; tidings.
소원 *one's* wish 〔desire〕. ¶ ~을 이루다 have 〔get〕 *one's* wish.
소유 possession. **~하다** have, possess, own, hold. ¶ ~자 owner / ~권 the right of ownership.
소음 (a) noise. ¶ 도시의 ~ street noises.
소중하다 (be) important, valuable.
소파 《긴 의자》 a sofa.
소포 a parcel, a package.
소풍 a picnic. ¶ ~을 가다 go on a picnic.
소화 digestion. **~하다** digest. ¶ ~가 잘 되다〔안 되다〕 digest well 〔poorly〕.
속달 special delivery. ¶ ~ 우편 special delivery mail.
속담 a proverb, a saying.
속도 (a) speed. ¶ ~를 내다 speed up / ~를 줄이다 slow down.
속삭이다 whisper, murmur.
속이다 deceive, cheat.
속하다 belong 《*to*》. ¶ 너는 어느 팀에 속해 있느냐 ? What team do you belong to ?
손 a hand.
손가락 a finger. ¶ 엄지~ the thumb / 집게〔가운뎃, 약, 새끼〕~ the index 〔middle, ring, little〕 finger.
손녀 a granddaughter.
손님 《내방객》 a caller, a visitor; 《초대한》 a guest; 《고객》 a customer.
손대다 touch.
손목 a wrist. ¶ ~을 잡다 take 《*a person*》 by the wrist.
손바닥 the palm (of the hand).
손수건 a handkerchief.
손자 a grandson.
손잡이 a handle; 《문의》 a knob.
손톱 fingernails. ¶ ~을 깎다 cut *one's* nails / ~깎이 a nail clipper.
손해 《손상》 damage, (an) injury; 《손실》 (a) loss.
솔직 frankness. **~하다** (be) frank. ¶ 솔직히 말하면 frankly speaking; to be frank with you.
솜 cotton.
솜씨 skill. ¶ ~ 있는 사람 a man of skill.
송아지 a calf.
송이 a bunch, a cluster. ¶ 포도 한 ~ a bunch of grapes.
솥 a kettle.
쇠 iron, a metal.
쇠고기 beef.
쇼핑 shopping. **~하다** shop. ¶ ~하러 가다 go shopping.
수 (a) number, a figure 《숫자》.
수건 a towel.
수고 trouble, labor, pains. **~하다** take trouble 《*about*》; make pains, work hard. ¶ ~를 끼치다 give 《*a person*》 trouble; trouble 《*a person*》 / ~했습니다. Thanks for your trouble.
수녀 a nun.
수단 a means, a way.
수도 《설비》 water supply; 《도수관》 a water pipe. ¶ 수돗물 tap 〔piped〕 water / ~를 틀다〔잠그다〕 turn on 〔off〕 the tap.
수도(首都) a capital.
수량 quantity, volume.
수레 a wagon.
수리 repair(s), mending. **~하다** fix, repair; mend. ¶ ~중이다 be under repair.
수면 sleep.
수비(守備) defense. **~하다** defend, guard. ¶ ~를 강화하다

strengthen the defense.
수상(首相) the prime minister, the premier.
수상하다 (be) doubtful.
수소 hydrogen.
수송 transportation, traffic. ~하다 transport, carry. ¶ ~ 기관 means of transport / 트럭으로 하는 ~ the transport by truck.
수수께끼 a riddle, a puzzle.
수술 an operation. **~하다** operate. ¶ 심장병으로 ~을 받다 have an operation for heart trouble.
수업 (school) lessons, school, a lesson, teaching. **~하다** teach, instruct. ¶ ~이 없다 We have no school.
수염 《콧수염》 a mustache; 《턱수염》 a beard.
수영 swimming. **~하다** swim. ¶ ~장 a swimming pool.
수요일 Wednesday 《약자 W., Wed.》.
수입(收入) an income, earnings. ¶ ~이 많다〔적다〕 have a large 〔small〕 income.
수입(輸入) import(ation). ~하다 import. ¶ ~ 가격 an import price / ~품 imported goods / 커피를 브라질에서 ~하다 import coffee from Brazil.
수증기 steam, vapor.
수집 collection. **~하다** collect, gather. ¶ 우표 ~ collecting stamps.
수출 export(ation). **~하다** export. ¶ ~을 늘리다 raise export 《*of*》 / ~ 가격 an export price.
수탉 《미》 a rooster, a cock.
수평선 horizon.
수표 《미》 a check, a cheque. ¶ ~를 발행하다 draw 〔issue〕 a check / ~를 현금으로 바꾸다 cash a check.
수풀 a forest, a wood.
수필 an essay.
수학 mathematics.
수화기 a receiver, an earphone.
수확 a harvest. **~하다** harvest, reap. ¶ ~이 많다〔적다〕 have a good 〔bad, poor〕 harvest.
숙모 an aunt.
숙부 an uncle.
숙제 homework.
순간 a moment, an instant, a second.
순경 a policeman.
순서 order, sequence.
순진하다 (be) pure, innocent. ¶ 순진한 사랑 pure love.
순하다 《성질이》 (be) obedient, gentle; 《맛이》 (be) mild, weak 《술이》.
술 《음료》 liquor, drink, wine. ¶ 독한 ~ strong drink / ~을 마시다 drink; take wine / ~에 취하다 get drunk / ~을 끊다 give up drinking.
숨 a breath.
숨기다 hide, conceal, keep 《*a matter*》 secret.
숨다 hide *oneself*.
숨쉬다 breathe, take breath.
숫자 a figure.
숯 charcoal.
쉬다 《휴식하다》 rest, take 〔have〕 a rest; 《음식이》 go bad, spoil; 《목소리가》 get 〔grow〕 husky. ¶ 잠시 ~ take a brief rest; take breath / 쉰 밥 spoiled rice / 쉰 목소리로 말하다 speak in a husky voice.
쉽다 《용이하다》 (be) easy, simple; 《…하기 쉽다》 (be) apt 〔liable〕 to, tend to. ¶ 쉬운 일 an easy job / 깨지기 ~ break easily / 읽기 ~ be easy to read / 감기 들기 ~ be apt 〔liable〕 to catch cold.
스냅 사진 a snap(shot). ¶ ~을 찍다 take a snapshot 《*of*》.
스모그 smog.
스무째 the twentieth.
스물 twenty.
스웨터 a sweater.

한영편

스위치 a switch.
스커트 a skirt.
스타디움 a stadium.
스타일 《옷의》 a style.
스테이크 a (beef)steak.
스튜디오 a studio.
스튜어디스 a stewardess.
스파게티 spaghetti.
스포츠 sports. ¶ 나는 ~를 좋아한다. I am fond of sports.
슬기 wisdom, good sense. ¶ 슬기로운 사람 a man of wisdom / ~롭다 have good sense.
슬프다 (be) sad, sorrowful. ¶ 슬픈 이야기 a sad story.
슬픔 sorrow, sadness, grief.
습격 an attack. **~하다** attack, make an attack. ¶ 불시에 ~하다 make a surprise attack.
습관 《버릇》 habit; 《관습》 (a) custom. ¶ 좋은 ~을 기르다 form a good habit.
습기 moisture, dampness.
승객 a passenger. ¶ 열차의 ~ a train passenger.
승낙 consent. **~하다** consent.
승리 victory, triumph. **~하다** win, win 〔gain〕 a victory.
시(市) a city.
시(詩) poetry 《총칭》; a poem.
시간 time.
시계 《손목시계》 a watch; 《괘종시계》 a clock. ¶ ~를 맞추다 set *one's* watch.
시골 the country, a rural district.
시끄럽다 (be) noisy.
시내 a stream, a brook, a creek.
시다 《맛이》 (be) sour. ¶ 신 사과 a sour apple / 시어지다 turn sour.
시대 《시기》 times, a period; 《연대》 an age, an era. ¶ ~에 앞서다 be ahead of the times.
시력 sight, eyesight, vision. ¶ ~이 좋다〔약하다〕 have good 〔poor〕 eyesight / ~ 검사 an eyesight test.
시멘트 cement.
시민 《개인》 a citizen; 《총칭》 the citizens. ¶ 서울 ~ the citizens of Seoul.
시속 speed per hour. ¶ ~ 100 마일 one hundred miles per hour.
시원하다 feel cool, (be) refreshing. ¶ 시원한 음료 a refreshing drink / 기분이 ~ feel refreshed / 오늘은 ~. It's cool today.
시월 October 《약자 Oct.》.
시인 a poet, a poetess 《여자》. ¶ 음유 ~ a minstrel.
시작 the start, the beginning. **~하다** begin, start. ¶ 사업을 시작하다 start business.
시장(市場) a market.
시장(市長) a mayor.
시키다 make 〔let, get〕 《*a person*》 do; 《주문하다》 order. ¶ K에게 일을 시키다 make K work / 비프스테이크를 ~ order a beefsteak.
시험 an examination, a test. ¶ ~을 치르다 take an examination / 입학 ~ an entrance examination.
식당 a dining room 〔hall〕; a restaurant. ¶ ~차 a dining car.
식목일 Arbor Day.
식물 a plant.
식사 a meal. **~하다** take 〔have〕 a meal, dine. ¶ ~중이다 be at table.
식욕 (an) appetite.
식탁 a (dining) table. ¶ ~보 a tablecloth.
식품 food, foodstuffs, groceries.
식히다 cool, let 《*a thing*》 cool. ¶ 머리를 ~ cool *one's* head.
신(神) God; 《주님》 the Lord; 《다신교의》 a god, a goddess 《여신》.
신경 a nerve.
신년 the new year.
신다 《신발》 put on, wear.
신랑 a bridegroom.
신문 a newspaper, a paper; 《총칭》 the press. ¶ ~ 판매대 a newsstand.

신부 a bride.
신비 mystery. ~하다 (be) mysterious. ¶ 자연의 ~ the mysteries of nature.
신사 a gentleman.
신선 freshness. ~하다 (be) fresh. ¶ ~하게 하다 make fresh; freshen.
신속 quickness, rapidity. ~하다 (be) rapid, quick. ¶ ~히 rapidly; quickly.
신용 《신임》 confidence, trust, faith; 《경제상의》 credit. ~하다 trust, put confidence in.
신청 (an) application. ~하다 apply 《*for*》. ¶ ~서 an 〔a written〕 application / ~인 an applicant.
신호 a signal. ~하다 signal, make a signal.
싣다 《적재》 load; 《게재》 put in. ¶ 배에 석탄을 ~ load a ship with coal / 신문에 광고를 ~ put an ad in a newspaper.
실 thread 《재봉용》.
실내 the inside of a room. ¶ ~의 indoor / ~에 머물러 있다 stay indoor.
실마리 a clue.
실망 disappointment, discouragement. ~하다 be disappointed 《*at, in, of*》.
실수 a mistake, a fault. ~하다 make a mistake. ¶ 그것은 나의 ~였다. It was my mistake.
실제 《사실》 the truth, a fact; 《현실》 reality. ¶ ~로 really; in fact.
실패 failure. ~하다 fail 《*in*》.
싫어하다 dislike, hate.
싫증 weariness, tiredness. ¶ ~이 나다 get tired of 《*his talk*》; be 〔grow〕 weary 《*of*》.
심각하다 (be) serious. ¶ 심각해지다 turn serious / 심각하게 생각하다 think deeply 〔seriously〕.
심다 plant 《*trees*》.
심부름 an errand.
심장 the heart.

십이월 December 《약자 Dec.》.
십일월 November 《약자 Nov.》.
십자 a cross. ¶ ~형의 crossshaped; crossed / ~가 a cross.
싸다[1] wrap (up) 《*in paper*》; 《짐을》 pack (up); 《덮다》 cover; envelop 《*in*》.
싸다[2] 《값이》 (be) cheap; low (priced).
싸우다 《투쟁하다》 fight, struggle 《*with, against*》; 《말다툼하다》 quarrel.
싸움 《전쟁》 a war; 《전투》 a battle; 《투쟁》 a fight.
싹 a bud.
쌀 rice.
쌍둥이 twins; 《둘 중 하나》 a twin.
쌓다 《포개다》 pile 〔heap〕 (up), lay 《*bricks*》.
썩다 《부패》 go bad, decay 《과일 등이》, spoil 《음식 등이》.
썰매 a sled, a sleigh.
쏘다 《발사함》 fire, shoot; 《벌레가》 bite, sting.
쏟다 《붓다》 pour 《*into, out*》, empty; 《집중하다》 devote 《*to*》.
쓰다[1] 《글씨를》 write; 《적다》 put down.
쓰다[2] 《사용》 use 《*as, for*》, make use of; 《고용》 engage, employ; 《소비》 use, spend 《*in, on*》.
쓰다[3] 《맛이》 (be) bitter. ¶ 쓴 약 a bitter medicine.
쓰러지다 《전도》 fall (down); 《죽다》 fall dead, die; 《도산 · 몰락》 be ruined, go bankrupt.
쓰레기 junk, waste.
쓸다 sweep.
쓸데없다 (be) needless, (be) useless, worthless.
쓸쓸하다 (be) lonely, lonesome.
씨 a seed.
…씨 《경칭》 Mr. 《남자》, Miss 《미혼 여성》, Mrs. 《기혼 여성》.
씨름 wrestling.
씻다 wash, wash away, wash off 〔out〕, rinse. ¶ 손을 ~ wash *one's* hands.

아기 a baby, an infant.
아나운서 an announcer.
아내 a wife.
아니 《대답》 no; 《부사》 not; 《놀람 · 의아함》 why, what. ¶ ~라고 대답하다 say no / 아니, 난 모른다. No, I don't know. / 아니, 이게 웬일이냐? Why, what happened?
아들 a son, a boy.
아래층 the downstairs.
아르바이트 a side job.
아름답다 (be) beautiful, pretty, lovely. ¶ 아름다운 소녀〔이야기〕 a beautiful girl 〔story〕.
아마 probably, maybe, perhaps.
아마추어 an amateur.
아무 《누구도, 누구라도》 anyone, anybody; 《아무도 …아니다》 no one, nobody, none. ¶ ~라도 할 수 있다. Anyone can do it. / ~도 오지 않았다. No one came.
아무것 anything, something; 《부정》 nothing.
아무데 anywhere, any place. ¶ ~나 가도 좋다. You may go anywhere.
아무때 any time, always 《항상》, whenever 《언제든지》. ¶ ~고 좋다. Any time will do.
아무래도 anyhow, anyway. ¶ ~ 그것은 해야 한다. I must do it anyhow.
아무리 however (much), no matter how.
아버지 a father.
아빠 papa, daddy, dad.
아시아 Asia. ¶ ~의 Asian / ~ 경기 대회 the Asian Games.
아아 《감탄》 Ah !, Oh !.
아이 a child, a boy, a girl.
아저씨 an uncle.
아주머니 《숙모》 an aunt, 《일반 부인》 a lady.
아직 (not) yet, still, as yet. ¶ 그는 ~ 살아 있다. He is still alive. / ~도 모자란다. This isn't enough yet.
아첨 flattery. **~하다** flatter.
아침 《때》 (a) morning; 《식사》 breakfast. ¶ ~에 in the morning / ~을 먹다 take breakfast.
아파트 an apartment house.
아프다 (be) painful; have 〔feel〕 a pain; ache. ¶ 이〔머리〕가 ~ have a toothache 〔headache〕.
아픔 a pain, an ache. ¶ ~을 참다 stand 〔bear〕 pain.
악(惡) badness, evil.
악기 a musical instrument.
악단 an orchestra; a band. ¶ 교향~ a symphony orchestra.
악마 a devil, an evil spirit.
악센트 an accent, a stress.
악수 a handshake. **~하다** shake hands 《*with*》.
악어 a crocodile, an alligator.
안 the inside, the interior. ¶ ~에 within, inside, in.
안개 (a) fog, (a) mist. ¶ 짙은 ~ a heavy 〔thick, dense〕 fog.
안경 (a pair of) glasses, spectacles. ¶ ~을 쓰다〔벗다〕 put on 〔take off〕 *one's* glasses.
안내 guidance. **~하다** guide, show 《*a person*》 over.
안녕 《작별 인사》 Good-by(e).
안다 embrace, hug. ¶ 우는 아기를 ~ hug a crying baby.
안심 relief, peace of mind. **~하다** feel easy 《*about*》, feel relieved. ¶ ~시키다 ease 《*a person's*》 mind; relieve 《*a person*》

from 《*worry*》.

안전 safety, security. **~하다** (be) safe, secure, be free from danger. ¶ ~한 장소 a safe place / ~ 벨트 a safety belt / ~ 제일 Safety First 《게시》.

안쪽 the inside, the inner part.

앉다 sit down, take a seat, be seated. ¶ 자 앉으십시오. Please sit down.

알다 know, 《알아채다》 be aware of; 《이해하다》 understand. ¶ 자기를 ~ know *oneself* / 내 말을 알겠느냐 ? Do you understand me ?

알려지다 be known to, become known to.

알맞다 (be) fit, proper, suitable, reasonable. ¶ 모임에 알맞은 장소 a fit place for the meeting / 알맞은 때에 at the proper time / 알맞은 가격 a reasonable price.

알아내다 find out, discover. ¶ 비밀을 ~ find out *one's* secret.

알약 a pill.

알아맞히다 guess right, make a good guess.

알코올 alcohol.

알파벳 the alphabet.

앓다 be ill 〔sick〕, suffer from 《*cold*》.

암기하다 learn by heart, memorize.

암석 (a) rock. ¶ ~이 많은 rocky.

암시 a hint, a suggestion. **~하다** hint 《*at*》, suggest. ¶ ~를 주다 give 《*a person*》 a hint.

압력 pressure, stress. ¶ ~을 넣다 give pressure 《*to*》.

앞 《전방 · 전면》 the front; 《미래》 the future; 《면전》 the presence of 《*a person*》; 《순서 · 행렬의》 the first, the head.

앞 날 (the) future, the days ahead 〔to come〕.

앞치마 an apron.

애인 a lover 《남자》, a love 《여자》, a sweetheart 《주로 여자》.

애정 love, affection. ¶ ~을 바치다 give *one's* love 《*to*》.

액자 a (picture) frame.

액체 (a) liquid; (a) fluid. ¶ ~ 연료 liquid fuel.

앨범 an album.

앵두 a cherry.

앵무새 a parrot.

야간 the night time. ¶ ~ 경기 a night game.

야구 baseball.

야망 (an) ambition. ¶ ~이 있는 ambitious / ~을 품다 be ambitious 《*of, for, to do*》; have an ambition 《 *for*》.

야생 growing in the wild. ¶ ~의 wild; savage / ~ 식물 〔동물〕 a wild plant 〔animal〕.

야영 a camp, camping. **~하다** camp (out); make camp.

야외 《들》 the field; 《옥외》 the open air. ¶ ~ 극장 an open-air 〔outdoor〕 theater.

야채 vegetables. ¶ ~를 가꾸다 grow 〔raise〕 vegetable / ~ 가게 a greengrocery.

약(藥) a medicine, a drug, a pill 《알약》. ¶ ~을 먹다 take medicine.

약(約) about, nearly. ¶ ~ 7미터 about 〔nearly〕 seven meters.

약간 some, a little. ¶ ~의 돈〔책〕 some money 〔books〕.

약국 a drugstore.

약속 a promise, an engagement, an appointment. **~하다** (make a) promise, make an appointment.

약점 a weakness, a weak point.

약하다 (be) weak, frail. ¶ 약해지다 grow 〔become〕 weak(er).

약혼 engagement. **~하다** engage *oneself* to. ¶ ~ 반지 an engagement ring.

얇다 (be) thin. ¶ 얇게 thinly.

양 a sheep, a lamb 《새끼》. ¶ ~고기 mutton / ~떼 a flock of sheep / ~털 wool.

…양 Miss 《*Brown*》.
양념 《향료》 flavor, spices; 《조미료》 seasoning. ¶ ~을 치다 season, flavor.
양말 socks, stockings 《긴 양말》.
양배추 a cabbage.
양산 a parasol.
양심 conscience.
양쪽 both, both sides.
양초 a candle.
양탄자 a carpet, a rug.
양파 an onion.
얕다 (be) shallow.
얕보다 look down on 〔upon〕, make light of 《*a person*》.
어깨 the shoulder.
어느 《의문》 which, what; 《그 중에 어느》 whichever, any; 《한》 one, a certain. ¶ ~ 길로 갈까 ? Which way shall we go? / ~ 것이든 좋은 것을 골라라. Take whichever you like. / ~ 날 아침 one morning.
어둠 darkness, (the) dark. ¶ ~ 속에(서) in the dark, in darkness.
어디 where, what place. ¶ 여기가 ~죠 ? Where are we now ?
어떤 what kind 〔sort〕 of.
어떻게 how. ¶ 요즈음 ~ 지내느냐? How are you?
어렵다 (be) hard, difficult.
어른 a man, an adult; a grown-up (person).
어리다 (be) young, childish.
어리석다 (be) foolish, silly, stupid, ridiculous. ¶ 어리석은 사람 a foolish person; a fool.
어린애 a child; 《복수》 children, a baby 《갓난애》; 《총칭》 little ones.
어린이 children. ¶ ~날 Children's Day.
어머니 a mother.
어버이 parents.
어부 a fisherman.
어울리다 become, match well. ¶ 이 모자는 너에게 잘 어울린다. This hat becomes you.
어제 yesterday. ¶ 어젯밤 last night.
어지럽다 (be) dizzy.
어항 a fish bowl.
억누르다 press 〔hold〕 down, force down; 《압박》 oppress.
억지로 by force, against *one's* will. ¶ ~ 먹이다 force 《*a person*》 to eat.
언니 an elder 〔older〕 sister.
언덕 a hill.
언론 speech. ¶ ~의 자유 freedom of speech.
언어 language.
언제 when, what time.
언제나 always, all the time.
언제든지 anytime, whenever.
언젠가 some time 〔day〕, one day.
얻다 get, obtain, gain.
얼굴 face. ¶ 예쁜 ~ a lovely face.
얼다 freeze, be frozen 《*over*》. ¶ 얼어 죽다 freeze to death.
얼룩 a stain, a blot. ¶ ~지다 become stained / ~을 빼다 remove a stain.
얼마 《값》 how much, what price; 《수량》 how many 《수》, how much 《양》.
얼음 ice. ¶ ~ 주머니 an ice bag / ~을 만들다 make ice.
엄격하다 (be) strict, stern. ¶ 엄격한 아버지 a stern father.
엄마 mama, mamma, mammy, mummy.
엄숙하다 (be) solemn.
엄지 《손의》 the thumb; 《발의》 the big toe.
업무 business. ¶ ~에 힘쓰다 work hard at *one's* business.
없다 《존재하지 않다》 There is no …; 《갖지 않다》 have no …, do not have; 《결여》 want, lack.
없애다 《제거》 take off, remove, get rid 《*of*》; 《낭비》 spend, waste. ¶ 나쁜 습관을 ~ get rid of a bad habit / 옷에 많은 돈을

~ spend a lot of money on clothes.
엎다 overturn, turn over.
엎지르다 spill. ¶ 식탁에 물을 ~ spill water on a table.
…에게 to, for. ¶ 아무~ 말을 걸다 speak to 《*a person*》 / 그~ 차를 사주다 buy a car for him / 이 책을 그~ 주겠다. I'll give this book to him.
…에서 《장소》 at, on, in 《*a place*》; 《…로부터》 from 《*a place*》. ¶ 한국~ in Korea / 서울역~ at Seoul Station.
에스컬레이터 an escalator.
엔지니어 an engineer.
엔진 an engine.
엘리베이터 an elevator.
여가 leisure, spare time.
여관 a hotel, an inn.
여기 here, this place. ¶ ~에 here; in 〔at〕 this place / ~서부터 from here / ~로 to this place.
여기저기 here and there.
여동생 a younger sister.
여드름 a pimple.
여러 many, several, various.
여러 가지 various, many kinds 《*of*》. ¶ ~ 의견 various opinions / ~ 동물들 many kinds of animals.
여론 public opinion. ¶ ~ 조사 a survey of public opinion.
여름 summer, summertime. ¶ ~ 방학 summer vacation 〔holidays〕.
여배우 an actress.
여백 a space, a blank. ¶ ~을 남기다〔채우다〕 leave 〔fill〕 a space.
여보세요 《남을 부를 때》 Hello, Excuse me; 《전화에서》 Hello.
여분 an excess, an extra, a spare.
여성 a woman, a female, womanhood. ¶ ~의 female.
여왕 a queen.
여우 a fox.
여자 a woman, a female, a girl. ¶ ~ 중학교 a girls' junior high school.
여행 travel(s), a journey, a tour, a trip. **~하다** travel, journey, make a trip. ¶ ~사 a travel agency / ~ 안내 guidance to travelers / 수학 ~ a school tour.
역 a (railroad) station.
역사 history. ¶ ~가 a historian / ~적인 사건〔사실〕 a historical event 〔fact〕 / ~에 기록되다 be recorded in history.
역시 too, also, as well.
역할 a part, a role. ¶ 중대한 ~을 하다 play an important part 〔role〕.
연 a kite. ¶ ~을 날리다 fly a kite.
연결 connection. **~하다** connect.
연구 study, research, make a study 《*of*》.
연극 a drama, a play. ¶ ~을 하다 play, act 《*a play*》.
연기 smoke. ¶ ~가 나는 smoking, smoky.
연기하다 put off, postpone. ¶ 파티는 1주일 동안 연기되었다. The party was put off for a week.
연락 《접촉》 (a) contact, touch. **~하다** get in touch 《*with*》. ¶ ~을 유지하다 keep in touch 《*with*》.
연료 fuel. ¶ ~비 cost of fuel.
연못 a pond.
연설 a speech, an address. **~하다** make a speech, address. ¶ ~자 a speaker / ~을 잘하다〔이서투르다〕 be a good 〔poor〕 speaker.
연속 continuation, a series 《*of*》. **~하다** continue.
연습 practice, (an) exercise, training. **~하다** practice, train, exercise. ¶ 피아노를 ~하다 practice the piano.
연애 love. **~하다** fall 〔be〕 in love. ¶ ~ 편지 a love letter.
연장하다 extend, prolong, lengthen. ¶ 도로를 ~ extend the road.

**연주하다** play, perform. ¶ 기타를 ~ play the guitar.
**연필** a pencil. ¶ ~깎이 a pencil sharpener / 색~ a colored pencil.
**열**[1] ten. ¶ ~(번)째 the tenth.
**열**[2] 《열기》 heat; 《체온》 temperature, fever《발열》.
**열다** 《닫힌 것을》 open; 《자물쇠를》 unlock; 《꾸러미 따위를》 unfold, undo; 《회의 등을》 hold, give. ¶ 문을 밀어서〔당겨서〕 ~ push 〔pull〕 the door open / 문을 열쇠로 ~ unlock the door / 소포를 ~ undo a parcel / 회의를 ~ hold a meeting.
**열매** (a) fruit. ¶ ~ 맺다 bear fruit.
**열쇠** a key. ¶ 사건의 ~ the key to the affair / ~ 구멍 a keyhole.
**열심** eagerness, earnestness. ¶ 그는 공부에 ~이다. He is earnest in his studies.
**염려** worry, concern, care. **~하다** worry 《*about*》, be concerned 《*about, for*》, care 《*about*》. ¶ 아버님 병이 ~된다. I am concerned about my father's illness.
**염소** a goat.
**엽서** a postal card, a postcard. ¶ 그림 ~ a picture postcard.
**영** a zero, nothing.
**영광** honor, glory.
**영국** England; (Great) Britain, the United Kingdom 《약자 U.K.》.
**영리하다** (be) clever, bright, smart.
**영수**(領收) receipt. **~하다** receive. ¶ ~증 a receipt.
**영어** English, the English language. ¶ ~ 문장 an English sentence / ~로 쓰다 write in English.
**영웅** a hero, a heroine 《여성》. ¶ ~적인 heroic.
**영원** eternity. **~하다** (be) eternal. ¶ ~한 진리 eternal truth.
**영토** a territory.
**영하** below zero. ¶ (기온이) ~ 5도로 내려가다 fall 〔drop〕 to 5 degrees below zero.
**영향** influence, (an) effect. ¶ ~을 미치다 influence; affect; have an effect 《*on*》.
**영혼** a spirit, a soul.
**영화** a movie, a (motion) picture; a film. ¶ ~ 배우 a movie actor 〔actress〕 / 만화 ~ an animation.
**옆** the side. ¶ 길 ~의 집 a house by the road / 어머니 ~에 앉다 sit beside *one's* mother.
**옆집** (the) next door. ¶ 오른쪽의 ~ next door on the right side / ~에 살다 live next door.
**예**[1] 《대답》 yes.
**예**[2] 《보기》 an example. ¶ 예를 들면 for example.
**예금** a deposit, a bank account. **~하다** deposit money. ¶ ~을 찾다 draw *one's* deposit 〔money〕 from the bank.
**예리하다** (be) sharp, keen.
**예방** prevention. **~하다** prevent 《*from*》. ¶ 큰 사고를 ~하다 prevent a serious accident.
**예보** a forecast. **~하다** forecast. ¶ 일기 ~ a weather forecast.
**예쁘다** (be) pretty, lovely, beautiful.
**예상** expectation, a forecast. **~하다** expect, forecast. ¶ 장래를 ~하다 forecast the future.
**예수** Jesus (Christ).
**예술** art, the arts; 《미술》 fine arts. ¶ ~가 an artist / ~ 작품 a work of art.
**예약** booking, reservation. **~하다** book in advance, reserve. ¶ ~석 a reserved seat; 《게시》 Reserved.
**예언** (a) prediction. **~하다** predict, foretell.
**예외** an exception. ¶ ~ 없이 without exception.

예절 etiquette, manners. ¶ ~바른 polite / 식사 ~ table manners / 그는 ~이 바르다. He has good manners.

옛날 old days. ¶ ~에 once upon a time / ~ 이야기 old tales.

오늘 today. ¶ ~ 밤 tonight / ~ 아침〔저녁〕 this morning 〔evening〕.

오늘날 nowadays, the present time, these days, today.

오다 come. ¶ 이리 오너라. Come here.

오두막 a hut, a cottage.

오락 amusement(s), (a) recreation. ¶ ~장 a place of amusement.

오랑캐꽃 a violet.

오래 long, 《오랫동안》 for a long time. ¶ ~ 전 long (time) ago / ~ 살다 live long / ~ 걸리다 take much time.

오르간 an organ. ¶ 파이프 ~ a pipe organ.

오르다 rise, go up, climb.

오른쪽 the right (side). ¶ ~으로 돌다 turn to the right.

오리 a duck. ¶ ~ 새끼 a duckling.

오븐 an oven.

오빠 a girl's older 〔elder〕 brother

오아시스 an oasis.

오염 pollution. **~하다** pollute. ¶ 대기〔수질〕 ~ air 〔water〕 pollution.

오월 May.

오이 a cucumber.

오전 the morning, before noon. ¶ ~ 8 시에 at eight in the morning.

오직 merely, only, solely.

오징어 a cuttlefish.

오토바이 an autocycle, a motorcycle, a motor bicycle.

오해 a misunderstanding. **~하다** misunderstand.

오후 afternoon, p.m. ¶ 오늘〔어제〕 ~ this 〔yesterday〕 afternoon

오히려 rather 〔better, sooner〕 《*than*》.

옥수수 Indian corn.

온도 (a) temperature. ¶ ~계 a thermometer / ~를 재다 take the temperature.

온실 a greenhouse.

온종일 all day (long), the whole day.

온천 a hot spring.

온화하다 (be) gentle, mild. ¶ 온화한 기후 a mild climate.

올라가다 rise, go up, mount, climb.

올리다 raise, lift (up). ¶ 손을 ~ raise 〔lift〕 *one's* hand / 값을 ~ raise the price.

올림픽 《경기 · 대회》 the Olympic Games, the Olympics.

올빼미 an owl.

옮기다 move, remove, transfer. ¶ 집을 시골로 ~ move into the country / 학교를 ~ transfer to another school.

옳다 《정당하다》 (be) right, rightful, just; 《틀림없다》 (be) correct, right. ¶ 옳은 일을 하다 do a right thing / 문제의 옳은 해답 the right answer to a problem.

옷 clothes, a dress. ¶ ~ 한 벌 a suit of clothes.

완성 completion. **~하다** complete, finish.

완전 perfection. **~하다** (be) perfect, complete.

왕 a king. ¶ ~국 a kingdom.

왜 why, for what reason, what … for. ¶ ~ 그렇게 생각하니? Why do you think so?

외교 diplomacy. ¶ ~ 관계를 수립하다 establish diplomatic relation.

외국 a foreign country 〔land〕. ¶ ~어 a foreign language / ~인 a foreigner / ~에 가다 go abroad.

한영편

외로이 all alone, lonely. ¶ ~지내다 lead a lonely life.
외모 an (outward) appearance.
외부 the outside. ¶ ~ 사람 an outsider.
외출 going out. **~하다** go out (of doors). ¶ ~중이다 be not at home, be out.
외치다 cry (out), shout. ¶ 남북 통일을 ~ cry out for the unification of Korea.
외투 an overcoat.
왼쪽 the left (side). ¶ ~에 앉다 sit on the left side 《*of*》.
요구 a demand, a request, a claim. **~하다** demand, request.
요금 a charge, a fee, a fare, a rate. ¶ 가스〔수도, 전기〕 ~ the gas 〔water, power〕 rate / ~을 치르다 pay a charge 〔rate〕.
요람 a cradle.
요리 《만들기》 cooking; 《음식》 a dish, food. **~하다** cook 《*food*》, prepare 《*a dish*》. ¶ ~사 a cook, a chef / 고기〔야채〕 ~ meat 〔vegetable〕 dish / 이 ~는 맛이 있다. This is a delicious dish.
요일 a day of the week, a weekday. ¶ 오늘은 무슨 ~이냐? What day of the week is it today?
요즈음 these days, nowadays, recent days.
욕망 a desire, an ambition. ¶ ~을 채우다〔억제하다〕 satisfy 〔control〕 *one's* desire.
욕실 a bathroom.
용 a dragon.
용감하다 (be) brave, courageous.
용기 courage, bravery. ¶ ~를 주다 encourage.
용돈 pocket money, an allowance.
용서 pardon, forgiveness. **~하다** pardon, forgive. ¶ ~하십시오. Please pardon me.
우거지다 grow thick 〔dense〕, be overgrown. ¶ 나무가 우거진 산 a thickly-wooded hill.
우두커니 absent-mindedly, idly.
우리 《동물의》 a cage.
우물 a well. ¶ ~물 well-water.
우산 an umbrella.
우선 first (of all), in the first place.
우송하다 mail, post.
우수하다 (be) good, excellent, superior. ¶ 우수한 성적으로 with excellent records.
우습다 (be) funny, amusing.
우승 victory. **~하다** win, win the victory. ¶ ~자 a winner.
우연 chance, accident. ¶ ~한 casual; accidental / ~히 by chance; accidentally.
우울 depression. ¶ ~하게 하다 depress / ~한 depressed / ~해지는 depressing.
우유 (cow's) milk. ¶ 상한 ~ sour milk.
우정 friendship.
우주 the universe, (outer) space. ¶ ~선 a space ship / ~ 여행 space travel / ~ 비행사 an astronaut.
우편 mail, post. ¶ ~으로 보내다 send by post 〔mail〕 / ~ 번호 a zip code (number) / ~ 요금 postage; postal charges / ~함 a mailbox.
우표 a stamp, a postage stamp. ¶ ~ 수집 stamp collection / ~ 수집가 a stamp collector.
운동 《물체 등의》 motion, movement; 《몸의》 exercise; 《경기》 sports, games. **~하다** move, be in motion; (take) exercise. ¶ ~의 법칙 laws of motion / ~삼아 걷다 walk for exercise.
운명 destiny, fate.
운반 transportation, carriage. **~하다** carry, transport.
운영 management. **~하다** manage, run. ¶ 호텔을 ~하다 run a hotel.
운전하다 drive 《*a car*》, run 《*a*

*train*》. ¶ 운전 기사 a driver / 운전 면허증 a driver's license.
**운하** canal, a waterway. ¶ 파나마 ~ the Panama Canal.
**울다** cry, weep. ¶ 기뻐서 ~ weep for joy.
**울리다** 《울게 하다》 make 《*a person*》 cry; 《소리나게 하다》 ring, sound.
**울타리** a fence, a hedge 《산울타리》.
**움직이다** move.
**웃다** laugh 《소리내어》, smile 《빙그레》. ¶ 웃으며 답하다 answer with a smile.
**웃옷** a jacket, a coat, an upper garment.
**웃음** laugh, laughter; 《미소》 a smile. ¶ ~을 띠다 wear a smile.
**웅장한** grand.
**원** a circle. ¶ ~을 그리다 draw a circle.
**원래** originally, primarily.
**원리** a principle, a theory.
**원수** an enemy.
**원숭이** a monkey, an ape 《보통 꼬리 없는》.
**원예** gardening.
**원인** a cause. ¶ ~과 결과 cause and effect / 실패의 ~ the cause of *one's* failure.
**원자력** atomic energy. ¶ ~ 발전소 an atomic power plant.
**원조(하다)** help, aid, support.
**원칙** a principle, a rule. ¶ ~적으로 as a rule.
**원하다** desire, wish, hope, want.
**월간의** monthly. ¶ ~ 잡지 a monthly (magazine).
**월급** a (monthly) salary, pay. ¶ ~이 오르다 get a raise in *one's* salary.
**월요일** Monday 《생략 Mon.》.
**웨이터** a waiter.
**웨이트리스** a waitress.
**위** the upper part, the above.
**위(胃)** the stomach.
**위급** an emergency.
**위기** a crisis.
**위독하다** be in a critical condition.
**위반** violation. **~하다** violate 《*law*》, break 《*a promise*》.
**위성** a satellite.
**위엄** dignity.
**위원회** a committee.
**위인** a great man. ¶ ~전 the lives of great men.
**위치** a position.
**위험** (a) danger, (a) risk. **~하다** (be) dangerous, risky. ¶ ~을 무릅쓰다 run a risk.
**위협** threat. **~하다** threaten.
**윙윙거리다** buzz. ¶ 벌들이 윙윙거리고 있다. The bees are buzzing.
**윙크** a wink. **~하다** wink 《*at*》.
**유감** regret. ¶ ~스럽다 be regretable / ~으로 생각하다 be sorry 《*for*》; regret.
**유년** childhood. ¶ ~기에 in *one's* childhood.
**유럽** Europe. ¶ ~의 European / ~ 사람 an European.
**유력한** powerful, strong.
**유령** a ghost. ¶ ~ 같은 ghostly; ghostlike.
**유리** glass.
**유머** humor.
**유명하다** (be) famous, well-known. ¶ 유명해지다 become famous.
**유아** a baby, an infant.
**유용하다** (be) useful, of use. ¶ 유용한 사람〔물건〕 a useful man 〔thing〕.
**유월** June 《생략 Jun.》.
**유익하다** (be) profitable. ¶ 유익하게 profitably; usefully.
**유지하다** keep, hold, maintain. ¶ 질서를 ~ keep 〔maintain〕 order.
**유치하다** (be) childish.
**유쾌하다** (be) pleasant, happy, cheerful. ¶ 유쾌한 여행 a pleasant trip.
**유학** study(ing) abroad.

유행 fashion. ~하다 be in fashion. ¶ ~에 뒤지다 be behind fashion.
육군 the army. ¶ ~에 입대하다 join 〔enter〕 the army.
육십 sixty. ¶ 제 ~ the sixtieth.
육지 land.
육체 the body, the flesh. ¶ ~적으로 physically.
윤곽 an outline.
융단 a carpet.
은 silver. ¶ ~그릇 silverware.
은퇴하다 retire from *one's* post. ¶ 은퇴하여 시골로 가다 retire into the country.
은행 a bank. ¶ ~에 예금하다 deposit money in the bank.
은혜 a benefit, a favor. ¶ ~를 베풀다 do 《*a person*》 a favor.
음력 the lunar calendar.
음료 a drink, something to drink. ¶ ~수 potable 〔drinking〕 water.
음반 a record, a disc 〔disk〕.
음성 a voice.
음식 food (and drink).
음악 music. ¶ ~가 a musician / ~회 a concert.
음주 drinking. ~하다 drink. ¶ ~운전 drunken driving / ~ 운전자 a drunken driver.
응급 emergency. ¶ ~ 치료 first aid / ~시에는 벨을 울려라 Ring the bell in an emergency.
응원 《경기의》 cheering. ¶ ~단장 a cheerleader.
의견 an opinion. ¶ 다른〔반대〕 ~ a different 〔an opposing〕 opinion / 내 ~으로는 in my opinion.
의과 the medical department 〔school〕. ¶ ~ 대학 a medical college.
의도 an intention, a purpose. ¶ ~적인 deliberate / ~ 적으로 deliberately.
의무 a duty.
의문 a question, a doubt.
의미 meaning. ~하다 mean.
의사 a doctor, a physician.
의심 doubt. ~하다 doubt, be doubtful 《*of*》.
의장 the chairman.
의존 dependence. ~하다 depend on, rely upon.
의지 will, a mind.
의회 《미》 Congress, 《영》 Parliament.
이 a tooth, 《복수》 teeth. ¶ ~를 닦다 brush 〔clean〕 *one's* teeth.
이것 this, 《복수》 these.
이곳 here, this place.
이기다 win, gain a victory.
이 달 this month.
이동 movement. ~하다 move.
이때 at this time 〔moment〕, then, now.
이래 since, since then.
이런 like this, of this kind.
이렇게 like this, so, in this way.
이루다 accomplish, achieve.
이륙 a takeoff, flying-off. ~하다 take off.
이르다 《시간 · 때 · 나이 따위가》 (be) early, young; 《도착하다》 arrive, reach; 《알리다》 tell, let 《*a person*》 know.
이름 a name.
이리 a wolf.
이마 the forehead.
이미 already.
이발 a haircut, hairdressing. ~하다 have *one's* hair cut. ¶ ~사 a barber; a hairdresser / ~소 a barbershop.
이불 a quilt, bedding. ¶ ~을 덮다 put on a quilt.
이사 moving, removal. ~하다 move 〔remove〕 《*from, to*》.
이상(以上) more than, above, beyond, over. ¶ 5년 ~ more than five years.
이상하다 (be) strange, odd. ¶ 이상한 습성 a strange habit.
이성(理性) reason, rational sense. ¶ ~을 잃다 lose *one's* senses.

이슬 dew.
이십 twenty. ¶ ~ 번째 twentieth / ~ 세기 the twentieth century.
이야기 a story, a tale, a speech.
이용 use. **~하다** make use of.
이웃 the neighborhood. ¶ ~ 사람 neighbor.
이월 February 《생략 Feb.》.
이유 a reason, a cause, why.
이익 (a) profit, gain.
이쪽 this way 〔side〕.
이층 the second floor 〔story〕.
이튿날 the next 〔following〕 day.
이해 understanding, comprehension. **~하다** understand, comprehend. ¶ 올바르게 ~하다 have a right understanding.
이후 after this, from now on.
익숙하다 (be) familiar, be well acquainted 《*with*》.
인간 a man, a human being.
인구 population. ¶ ~가 많다〔적다〕 have a large 〔small〕 population.
인기 popularity. ¶ ~ 있는 popular / ~ 배우 a star; a popular actor / ~를 얻다 win 〔gain〕 popularity.
인류 mankind, the human race.
인사 greeting. **~하다** greet, say hello. ¶ 아침〔작별〕 ~를 하다 say good morning 〔good-by(e)〕.
인상 an impression. ¶ ~적 impressive / 서울의 첫 ~ the first impression of Seoul.
인생 life. ¶ ~관 a view of life.
인쇄 printing. **~하다** print.
인정(人情) kindness, tenderness, humaneness.
인정(認定) recognition. **~하다** recognize, admit.
인종 a (human) race.
인치 an inch 《약자 in.》.
인터넷 the Internet.
인형 a doll.
일 《사건》 a matter, a thing, an affair; 《사고》 an accident; 《노동》 work, labor; 《직업 · 사무》 a job, duties, business. **~하다** work, labor.
일간 신문 a daily newspaper.
일광 sunlight, sunshine.
일기 a diary. ¶ ~를 쓰다 keep *one's* diary.
일등 the first class 〔place〕. ¶ ~상 the first prize.
일몰 sunset.
일부 a part.
일상 everyday, daily, usually. ¶ ~ 생활 daily 〔everyday〕 life.
일생 a lifetime, *one's* life.
일어나다 《기상하다》 get up, rise, get out of bed; 《발생하다》 happen, occur. ¶ 아침 일찍 ~ get up early in the morning / 매일 일어나는 일 daily happenings.
일어서다 stand up, rise. ¶ 자리에서 ~ rise from *one's* seat.
일요일 Sunday.
일월 January 《약자 Jan.》.
일으키다 《세우다》 raise 〔set〕 up, help 〔pick〕 《*a person*》 up; 《야기하다》 cause; bring about, raise. ¶ 아무를 일으켜 세우다 make 《*a person*》 stand / 사고를 일으키다 cause an accident / 의혹을 ~ raise doubts.
일자리 a job, a position, work. ¶ ~를 잃다 lose *one's* job / ~를 주다 give work / ~를 찾다 look for a job.
일주 a round. **~하다** go 〔walk, travel〕 round 〔around〕. ¶ 세계를 ~ 여행하다 make 〔take〕 a trip round the world.
일출 sunrise.
일층 《건물》 first floor.
일행 a party, a company. ¶ ~에 끼다 join a party.
일화(逸話) an episode.
읽다 read.
잃다 lose, miss.
임금 wages, pay.
임명 appointment. **~하다** appoint 《*a person to*》.

임무 a duty, a task.
입 the mouth.
입구 an entrance.
입다 put on, wear.
입맛 (a) appetite.
입술 a lip.
입학 entrance (into a school). **~하다** enter a school, be admitted to a school. ¶ ~시험 an entrance examination.
입원 admission into a hospital, hospitalization. **~하다** be sent to hospital, be hospitalized. ¶ 그녀는 ~중이다. She is in the hospital.
입장 《처지》 a position, a situation; 《견지》 a standpoint, a point of view.
있다 《존재하다》 be, there is 〔are〕, exist; 《소유》 have, possess, own. ¶ 여기 열쇠가 ~. Here is a key. / 나는 아들이 둘 ~. I have two sons.
잉크 ink.
잊다 forget. ¶ 잊을 수 없는 unforgettable.
잎 a leaf, 《복수》 leaves. ¶ ~이 없는 leafless; naked.

# ㅈ

자 a (measuring) rule, a ruler, a measure. ¶ 줄~ a tape measure / ~로 재다 measure with a rule.
자갈 pebbles, gravel.
자국 a mark, traces.
자기 (one)self. ¶ ~ 스스로 for *oneself* 《제힘으로》; by *oneself* 《혼자서》 / ~ 자신을 알다 know *oneself* / ~ 자신을 소개하다 introduce *oneself*.
자꾸 very often, frequently.
자다 sleep, fall asleep. ¶ 늦잠을 ~ sleep late; oversleep / 깊이 잠들다 sleep soundly.
자동차 a (motor)car, an automobile. ¶ 화물 ~ a lorry / ~를 운전하다 drive a car / ~에 타다 〔에서 내리다〕 get in(to) 〔out of〕 a car / ~로 가다 go by car.
자라다 grow (up), be brought up.
자랑 pride, boast. **~하다** be proud 《*of*》, boast 《*of*》. ¶ ~삼아 proudly / ~스러운 업적 a proud achievement.
자루 《부대》 a sack, a bag; 《손잡이》 a handle.
자리 a seat. ¶ ~에 앉다 sit down.
자매 sisters.
자명종 an alarm clock.
자물쇠 a lock.
자본 capital, a fund.
자비 mercy.
자살하다 kill *oneself*, commit suicide.
자세 a pose; 《태도》 an attitude. ¶ 편안한 ~로 앉다 sit in a relaxed pose.
자손 a descendant.
자연 nature. ¶ ~ 보호 protection of natural environment / ~ 과학 natural science / ~스런 감정 a natural feeling.
자유 freedom, liberty. ¶ ~롭게 되다 become free / ~인 a freeman.
자음 a consonant.
자전거 a bicycle, a bike. ¶ ~타기 cycling.
자존심 pride, self-respect.
자주 often, frequently.
작가 a writer, an author.
작곡 (musical) composition. **~하다** compose. ¶ ~가 a composer.

작년 last year.
작다 (be) small, little, tiny.
작문 composition, writing.
작별 farewell, parting. **~하다** bid farewell, say good-bye 《*to*》.
작품 a work.
잔 a cup, a glass.
잔디 lawn, grass. ¶ ~깎는 기계 a mower.
잔인하다 (be) cruel, brutal. ¶ 잔인한 짓 a cruel thing.
잔치 a banquet, a feast. ¶ 혼인 ~ a wedding feast.
잘 well. ¶ 피아노를 ~ 치다 play the piano well.
잘다 (be) fine, small, minute. ¶ 잔 모래 fine sand.
잘못 a fault, a mistake, an error. **~하다** do wrong, make a mistake.
잠 sleep. ¶ ~이 들다 fall asleep / ~에서 깨다 awake from *one's* sleep.
잠그다 《문 따위를》 lock (up); 《고동을》 turn off. ¶ 문〔방〕을 ~ lock a door 〔room〕 / 수도를 ~ turn off the water.
잠깐 (for) a moment 〔while〕, a little while. ¶ ~ 기다리세요. Wait a few moments, please.
잡다 catch, seize, take. ¶ 도둑을 ~ catch a thief.
잡담 a chat. **~하다** chat. ¶ …와 ~하다 have a chat with.
잡음 a noise.
잡지 a magazine. ¶ 월간 ~ a monthly magazine.
잡초 weeds.
장갑 gloves. ¶ ~ 한 켤레 a pair of gloves / ~을 끼다〔벗다〕 put on 〔take off〕 *one's* gloves.
장관 a minister.
장교 an officer. ¶ 육군 〔해군〕 ~ a military 〔naval〕 officer.
장군 a general.
장난 a game, play. **~하다** play, toy 《*with*》.
장난감 a toy, a plaything.
장님 a blind man, 《총칭》 the blind.
장대 a pole.
장래 (the) future, the time to come. ¶ 밝은 ~ a bright future / ~가 유망한 청년 a promising young man.
장례 a funeral (service).
장면 a scene.
장미 a rose.
장사 business, trade. **~하다** do business. ¶ ~꾼 a trader, a merchant; a dealer.
장소 a place, a spot.
장식 decoration. **~하다** decorate.
장애물 an obstacle.
장점 a merit, a strong 〔good〕 point.
장학금 a scholarship.
장화 boots.
재 ash. ¶ ~떨이 an ashtray.
재난 a misfortune, a disaster.
재능 talent, ability; 《솜씨》 skill. ¶ ~이 많은〔없는〕 사람 a man of many talents 〔no talent〕.
재다 《길이 · 용량 따위를》 take measure of, measure, weigh 《무게》.
재료 material(s). ¶ 건축 ~ building materials.
재목 wood, 《미》 lumber, 《영》 timber.
재미 fun, interest; amusement. ¶ ~있는 이야기 an interesting story.
재배하다 cultivate, grow, raise. ¶ 야채를 ~하다 raise vegetables.
재봉 sewing. **~하다** sew. ¶ ~틀 a sewing machine.
재산 property, a fortune.
재수 luck, fortune. ¶ ~가 있다〔없다〕 be lucky 〔unlucky〕; be fortunate〔unfortunate〕.
재채기 a sneeze.
재치 wit.
재판 justice, a trial. **~하다** judge,

한영편

try. ¶ ~관 a judge.
잼 jam.
저 that, the. ¶ ~ 사람〔집〕 that person 〔house〕.
저기 that place, over there.
저녁 evening. ¶ 이른〔늦은〕 ~에 early 〔late〕 in the evening / ~밥 supper.
저런 such, like that.
저물다 get 〔grow〕 dark.
저울 a balance, scales.
저자 an author, a writer.
저장 storage, storing. **~하다** store, keep 《*things*》 in storage.
저쪽 there.
저축 saving. **~하다** save, store up.
저택 a mansion, a residence.
저항 resistance, opposition. **~하다** resist, oppose.
적 an enemy, 《총칭》 the enemy.
적다 《기록하다》 write 〔put〕 down, record; 《수 · 양이》 (be) few 《수》, little 《양》. ¶ 영어로 ~ write in English / 적은 수입 a small income / 적지 않은 not a few 〔little〕.
적당하다 (be) suitable, proper, fit. ¶ 적당히 properly; suitably.
적십자 a red cross. ¶ ~사 the Red Cross.
적용 application. **~하다** apply 《*to*》.
전(全) all, whole, total. ¶ ~세계 the whole world / ~국 the whole country.
전구 an electric bulb; a bulb.
전기(傳記) a biography.
전기(電氣) electricity. ¶ ~ 난로 an electric heater.
전람회 an exhibition, a show.
전력(電力) electric power 〔energy〕.
전문가 a specialist 《*in*》; a professional.
전보 a telegram, a telegraph.
전부 the whole, all.
전설 a legend, a tradition.
전시 exhibition, display. **~하다** exhibit, put on display.
전쟁 a war. **~하다** make war. ¶ ~ 중이다 be at war 《*with*》 / ~에 이기다〔지다〕 win 〔lose〕 a war.
전진 an advance. ¶ **~하다** advance, go forward.
전철(電鐵) an electric railroad.
전체 the whole.
전투 a battle, a fight.
전하다 tell, report.
전혀 entirely, completely.
전화 a (tele)phone. ¶ 휴대 ~ a cellular phone, a cell phone / ~를 걸다 make a phone call / ~로 이야기하다 talk over the phone.
절[1] a bow. **~하다** bow, make a bow.
절[2] 《사찰》 a Buddhist temple.
절망 despair. **~하다** despair 《*of*》.
절벽 a cliff.
절약 saving. **~하다** save.
젊다 (be) young, youthful.
젊은이 a young man.
점 a point, a mark; 《반점》 a dot.
점령 occupation. **~하다** occupy.
점수 《성적의》 marks; 《경기의》 a score, a point.
점심 lunch. ¶ ~을 먹다 have〔take〕 lunch.
점원 a (shop) clerk, a shopgirl.
점차 gradually, by degrees.
접다 fold (up).
접시 a plate 《평평한》, a dish 《움푹한》.
접촉(하다) contact, touch.
젓가락 (a pair of) chopsticks.
젓다 《배를》 row 《*a boat*》, pull the oar; 《휘젓다》 stir.
정가 a fixed price. ¶ ~표 a price tag.
정각 the exact time. ¶ ~ 5시에 just at five; at five sharp.
정거 stopping. **~하다** (make a)

stop, halt. ¶ ~장 a railroad station.
정돈 (good) order, arrangement. ~하다 put in order, arrange.
정력 energy, vigor.
정렬하다 stand in line, line up.
정면 the front. ¶ ~에 in front 《*of*》.
정문 the front gate.
정보 (a piece of) information. ¶ ~를 얻다〔주다〕 obtain 〔give〕 information 《*of*》.
정복 conquest. ~하다 conquer.
정부 the government, the administration.
정상(正常) the normal state. ¶ ~이 아닌 abnormal / ~ 가격 a normal price.
정상(頂上) the top, the peak.
정숙 silence. ~하다 (be) still, silent.
정신 spirit, mind. ¶ ~적인 타격 a mental blow / ~병 a mental disease.
정열 passion.
정오 noon. ¶ ~에 at noon.
정원 a garden.
정의(正義) justice, right. ¶ ~사회를 구현하다 realize a society of justice.
정정 correction. ~하다 correct.
정직 honesty, frankness. ~하다 (be) honest, frank.
정책 a policy. ¶ 외교 ~ a foreign 〔diplomatic〕 policy.
정치 politics. ¶ ~적 능력 political ability.
정하다 decide, fix, determine. ¶ 날을 ~ fix a date / 결혼하기로 ~ decide to get married.
정확하다 (be) correct, exact. ¶ 정확히 exactly, correctly / 정확한 시간 correct 〔exact〕 time.
젖 milk. ¶ ~을 달라고 울다 cry for milk.
젖다 get wet. ¶ 젖은 옷 wet clothes.
제거하다 remove, get rid of. ¶ 원인을 ~ remove a cause.
제목 a subject, a title.
제방 《둑》 a bank.
제법 pretty, fairly, nicely.
제복 a uniform. ¶ 학교의 ~ a school uniform.
제비 a swallow.
제비꽃 a violet.
제안 a proposal, a suggestion. ~하다 propose, suggest.
제외 exception. ~하다 except.
제일 the first, the best, number one.
제출 presentation. ~하다 hand in, present.
제트기 a jet (plane).
제한 a limit. ~하다 limit. ¶ ~ 속도 the speed limit.
조각 a slice, a piece. ¶ 빵 한 ~ a slice of bread.
조개 a shellfish. ¶ ~ 껍질 a shell.
조건 a condition.
조국 *one's* fatherland, *one's* mother country.
조금 《시간》 (for) a moment, a while; 《수량》 a little 《양》, a few 《수》; 《정도》 a bit.
조사 (an) investigation; (an) examination. ~하다 investigate, examine, look into. ¶ ~ 보고 a report of investigation.
조상 a forefather, an ancestor.
조심 care, carefulness. ~하다 take care, be careful. ¶ 말을 ~하다 be careful in *one's* speech.
조용하다 (be) quiet, silent, still. ¶ 조용히 해라. Be quiet !
조종하다 manage, handle, operate. ¶ 기계를 ~ operate 〔handle〕 a machine.
조직하다 form, organize.
조카 a nephew. ¶ ~딸 a niece.
존경 respect. ~하다 respect. ¶ 아버지를 ~하다 respect *one's* father.
졸다 doze, nap.
졸업 graduation. ~하다 grad-

uate, finish school. ¶ 고등학교를 ~하다 graduate from high school.
좁다 (be) narrow. ¶ 좁은 문 a narrow gate.
종 a bell.
종교 a religion.
종류 a kind, a sort.
종사하다 engage in 《*business*》.
종업원 a worker, an employee.
종이 paper. ¶ ~ 한 장 a sheet of paper.
종일 all day (long).
좇다 《뒤를》 follow, run after.
좋다 (be) good, fine, nice. ¶ 건강에 ~ be good for health / 날씨가 ~. It is a fine day.
좋아하다 love, like, be fond 《*of*》. ¶ 음악을 ~ be fond of music.
좌석 a seat.
좌우 right and left.
좌측 the left (side). ¶ ~ 통행. Keep to the left.
죄 a crime, a sin. ¶ ~가 있는 guilty.
주(州) a state, a province.
주(週) a week.
주간 a weekly. ¶ ~ 잡지 a weekly (magazine).
주다 give. ¶ 주고 받다 give and take; exchange.
주로 mainly, chiefly, generally.
주말 the weekend.
주머니 a bag, a sack; a pocket 《호주머니》.
주먹 a fist.
주목 attention, notice. **~하다** give 〔pay〕 attention to, watch.
주문 an order. **~하다** order.
주방 a kitchen.
주부 the mistress, a housewife.
주사 an injection. **~하다** inject. ¶ ~기 an injector.
주소 an address.
주위 surroundings.
주유소 a gas station.
주의(注意) attention, care, notice. **~하다** pay attention to, take care 〔notice〕 of.
주인 《손님에 대한》 host 《남》; hostess 《여》; 《임자》 the owner.
주장하다 claim, insist.
주전자 a kettle.
주차 parking. **~하다** park 《*a car*》. ¶ ~ 금지. No parking. / ~장 a parking lot.
주택 a house, a residence, a dwelling.
죽다 die, pass away, be killed. ¶ 병으로 ~ die of a disease / 교통 사고로 ~ be killed in a traffic accident.
죽음 death. ¶ ~의 공포 the fear of death.
죽이다 kill, murder.
준비 preparation(s). **~하다** prepare, get ready 《*for*》. ¶ 식사를 ~하다 prepare a meal.
줄이다 reduce, lessen, decrease. ¶ 비용을 ~ reduce *one's* expenses.
줍다 pick up, gather.
중간 the middle, the midway.
중량 weight.
중심 the center.
중요 importance. **~하다** (be) important, significant. ¶ 매우 ~한 사람 a very important person 《VIP》 / ~한 역할을 하다 play an important role.
중하다 《병이》 (be) serious; 《죄·벌이》 (be) grave, heavy.
중학교 (a) middle school, (a) junior high school.
쥐 a rat, a mouse.
쥐다 take hold of, hold, grip.
즐거움 joy, delight, pleasure.
즐겁다 (be) pleasant, happy, glad, delightful. ¶ 즐겁게 살다 live happily / 즐거운 저녁 a pleasant evening.
즐기다 enjoy, take pleasure in.
즙 juice 《과일의》.
증가 (an) increase, growth. **~하다** increase, grow.
증거 evidence, proof.

증기 steam.
증명 proof, evidence. ~하다 prove, show, certify. ¶ ~서 a certificate.
증인 a witness.
지각하다 be late, be behind time. ¶ 학교에 ~ be late for school.
지갑 a purse, pocketbook, a wallet, a pouch.
지구(地球) the earth, the globe. ¶ ~의 global / ~는 둥글다. The earth is round.
지금《현재》the present (time),《지금 막》just (now);《지금 곧》soon, at once.
지나가다 pass (by); go past, pass through.
지난 last, old. ¶ ~ 가을 last fall / ~날 the past 〔old〕 days / ~번 last time.
지내다 《세월》spend *one's* time, get along.
지니다 have, hold, keep.
지다[1] 《패배》be defeated, be beaten, lose.
지다[2] 《해 · 달이》sink, set, go down;《잎 · 꽃이》fall, be gone.
지대 a zone, an area, a region. ¶ 안전 ~ a safety zone.
지도(地圖) a map. ¶ ~를 그리다 draw a map.
지도(指導) guidance. ~하다 guide, coach.
지리(학) geography.
지방(地方)《지역》a district, a region,《시골》the country.
지방(脂肪) fat, grease. ¶ ~이 많은 식품 fatty food.
지배인 a manager.
지배하다 control, rule, manage. ¶ …의 지배를 받다 be under the control of….
지불 payment. ~하다 pay.
지붕 a roof.
지속하다 continue, last.
지시 directions, instructions. ~하다 direct, instruct, indicate.
지식 knowledge.
지역 an area, a zone, a region.
지연 delay. ~되다 delay, be delayed.
지옥 a hell.
지우개 an eraser.
지우다 《글자를》erase.
지원하다 support. ¶ 적극적인 지원 active 〔positive〕 support.
지위 《신분》position, status;《계급》a rank.
지정 appointment. ~하다 appoint.
지중해 the Mediterranean (Sea).
지지하다 support, uphold.
지진 an earthquake.
지출 expenses. ~하다 pay, expend.
지치다 be 〔get〕 tired.
지키다 《수호》defend, protect, guard;《감시》watch;《이행》keep.
지팡이 a stick.
지평선 the horizon.
지폐 paper money, a bill.
지하 underground. ¶ ~철 the underground (railway)《영》, a subway《미》.
지혜 wisdom, intelligence.
지휘 command. ~하다 command, lead;《악단을》conduct. ¶ ~자 a leader; a commander; a conductor《음악의》.
직각 a right angle.
직면하다 be faced《*with*》, be confronted《*by*》.
직선 a straight line.
직업 a job, an occupation. ¶ ~적인 professional.
직접 direct, immediate.
진료소 a clinic.
진리 truth. ¶ ~의 탐구 a search for truth.
진보 progress, (an) advance. ~하다 (make) progress, advance. ¶ ~가 빠르다〔더디다〕 make rapid 〔slow〕 progress.
진실 truth, fact, reality. ~하다 (be) true, real. ¶ 역사적 ~ his-

torical truth.

진열 a display, a show. **~하다** display, show. ¶ ~장 a showcase.

진주 a pearl.

진찰 a medical examination. **~하다** examine. ¶ ~을 받다 see 〔consult〕 a doctor.

진하다 《색이》 (be) dark, deep; 《액체가》 (be) thick, strong. ¶ 진한 청색 deep blue / 진한 차 strong tea.

진흙 mud, clay.

질 quality. ¶ ~이 좋다〔나쁘다〕 be of good 〔bad〕 quality.

질문 a question. **~하다** (ask a) question. ¶ ~에 답하다 answer a question / ~을 해도 좋습니까? May I ask you a question ?

질서 order. ¶ ~를 지키다 keep 〔maintain〕 order.

질투 jealousy. **~하다** be jealous.

짐 a load, a burden; 《배 · 비행기 따위의》 a cargo. ¶ ~이 되다 be a burden 《*to a person*》.

짐작 guess, estimation. **~하다** guess, estimate. ¶ 네 ~이 맞다. Your guess is right.

집 a house, a home 《가정》. ¶ ~에 있다 stay 〔be〕 at home / ~을 짓다 build a house / ~으로 가다 go home.

집단 a group.

집회 a meeting, a gathering.

짓다 《집을》 build, construct; 《만들다》 make.

짖다 bark.

짚 a straw.

짜다 《피륙을》 weave; 《맛이》 be salty.

짝 one of a pair 〔couple〕.

짧다 (be) short, brief.

쫓아가다 follow, run after.

찍다 《사진을》 take 《*a photograph*》. ¶ 사진을 ~ take a picture.

찡그리다 frown.

찢다 tear, rip. ¶ 편지를 ~ tear a letter (to pieces).

# ㅊ

차(茶) tea. ¶ ~ 한 잔 a cup of tea / ~를 대접하다 serve 《*a person*》 tea.

차(車) a vehicle, a car, an auto(mobile). ¶ ~를 타다〔잡다〕 take a car 〔taxi〕 / ~로 가다 go by car / ~에 오르다 get into a car / ~에서 내리다 get out of a car / ~를 운전하다 drive a car.

차다[1] 《발로》 kick, give 《*a person*》 a kick. ¶ 공을 ~ kick a ball.

차다[2] 《가득》 be full 《*of*》, be filled 《*with*》. ¶ 홀은 사람들로 가득 찼다. People filled the hall. *or* The hall was filled with people.

차도 the roadway.

차라리 rather 《*than*》, had better. ¶ 치욕 속에서 사느니 ~ 죽겠다. I would rather die than live in disgrace.

차례 order, turn. ¶ ~로 in order; one by one; by 〔in〕 turn.

차이 (a) difference. ¶ 의견의 ~ a difference of opinion 《*over*》.

차지하다 occupy, hold, have, take (up). ¶ 많은 공간을 ~ occupy a lot of space.

차표 a railroad 〔bus, subway〕 ticket. ¶ 편도〔왕복〕 ~ a one-way 〔round-trip〕 ticket.

착륙 (a) landing. **~하다** land.

착수하다 start, begin, set to. ¶ 일을 ~ set to work.

착하다 (be) good, nice. ¶ 착한 사람 a good person.

찬성 approval. **~하다** approve ⟪*of*⟫. ¶ ~을 구하다 ask ⟪*a person's*⟫ approval.
찬송가 a hymn.
참가 participation, joining. **~하다** participate, join, take part ⟪*in*⟫.
참나무 an oak (tree).
참다 endure, bear. ¶ 고통을 ~ endure pain / 참을 수 있다〔없다〕 be bearable 〔unbearable〕.
참새 a sparrow.
참석 attendance, presence. **~하다** attend, be present at, take part in. ¶ 결혼식에 ~하다 attend ⟪*a person's*⟫ wedding.
참으로 really, truly, indeed.
참조 reference. **~하다** refer to, see.
창립(創立) foundation, establishment. **~하다** found, establish, set up.
창문 a window.
창백하다 (be) pale. ¶ 창백해지다 turn pale 〔white〕.
창조 creation. **~하다** create. ¶ ~적으로 creatively.
창피 shame, disgrace, dishonor. **~하다** be a shame, be shameful. ¶ ~해 하다 be 〔feel〕 ashamed ⟪*of*⟫ / ~를 당하다 be put to shame.
찾다 search 〔look〕 ⟪*for*⟫, seek ⟪*for, after*⟫. ¶ 일자리를 ~ look for a job.
찾아내다 find (out), locate ⟪*a person*⟫. ¶ 잃어버린 반지를 ~ find *one's* lost ring.
채용하다 employ, take into service. ¶ 그녀를 서기로 ~ employ her as a clerk.
책 a book. ¶ ~을 읽다 read a book. / ~벌레 a bookworm ⟪독서광⟫.
책상 a desk, a table.
책임 responsibility; ⟪의무⟫ duty. ¶ ~이 있는 지위 a responsible position / …에 대해 ~이 있다 be responsible for....
처럼 as, like, as... as, so... as. ¶ 여느 때~ as usual / 남~ 굴다 behave like a stranger / 눈~ 희다 be as white as snow.
처음 the beginning, (the) first. ¶ ~에는 at first / ~부터 from the beginning / ~으로 for the first time.
처지 a situation. ¶ 곤란한 ~ a difficult situation.
천 ⟪피륙⟫ cloth.
천(千) a thousand.
천국 paradise, heaven.
천막 a tent.
천사 an angel.
천연색 natural color.
천장 the ceiling.
천재 a genius. ¶ ~ 교육 genius education.
천천히 slowly, without haste 〔hurry〕. ¶ ~ 생각하다 take time to think.
철(鐵) iron, steel. ¶ ~문 an iron gate / 강철은 ~로 만들어진다. Steel is made from iron.
철도 a railway, a railroad.
철사 (a) wire. ¶ ~로 묶다 wire together.
철자 spelling. **~하다** spell.
철저하다 (be) thorough.
철학 philosophy. ¶ ~적인 philosophical.
첫째 the first (place), the top. ¶ ~를 차지하다 take 〔win〕 the first place; be at the top of ⟪*a class*⟫.
청년 a young man, a youth. ¶ 유망한 ~ a promising young man.
청바지 (blue) jeans. ¶ 그들은 모두 ~를 입고 나왔다. They came out, all in jeans.
청소 cleaning. **~하다** clean. ¶ 방을 ~하다 clean a room.
청소년 the younger generation.
청중 an audience.
청춘 youth. ¶ 꽃다운 ~ the bloom of youth.
체온 temperature, body heat.

¶ ~을 재다 take *one's* temperature.

체육관 a gym(nasium).

체제 a system, a structure.

체중 weight. ¶ ~이 늘다〔줄다〕 gain 〔lose〕 weight / 너의 ~은 얼마냐? What's your weight?

체포 (an) arrest. **~하다** arrest, make an arrest.

체험 experience. **~하다** experience, go through.

초(秒) a second.

초대 an invitation. **~하다** invite, ask. ¶ ~장 an invitation card / ~를 받다 receive an invitation / 저녁 식사에 ~하다 invite 〔ask〕 《*a person*》 to dinner.

초등학교 an elementary school, a primary school.

초록(색) green.

초원 a plain.

초점 a focus.

총 a gun, a rifle.

총계 the total amount, a total. ¶ ~ 250달러 a total of $250.

총알 a bullet.

최고 《가장 높은》 the highest, maximum; 《최상》 the best 〔finest〕. ¶ ~의 점수 the highest point / ~ 속도 a maximum speed / ~품 the best 〔finest〕 stuff.

최근 《시간상으로》 the latest date. ¶ ~의 뉴스 the latest news / ~에 recently, lately.

최대 the greatest 〔biggest〕. ¶ 세계 ~의 유조선 the biggest tanker in the world.

최소 the smallest, the minimum. ¶ ~의 비용으로 at a minimum of expense.

최신 the newest, the latest. ¶ ~형 the latest style.

최초 the first, the beginning.

최후 the last, the end. ¶ ~의 5분간 the last five minutes 《*in a crisis*》.

추가 an addition. **~하다** add.

추수 (a) harvest. **~하다** harvest. ¶ ~ 감사절 Thanksgiving Day.

추위 coldness, the cold.

추천하다 recommend, propose.

추측 a guess. **~하다** guess.

축구 football 《미식》, soccer.

축복 a blessing. **~하다** bless.

축제 a festival. ¶ ~일 a festival (day).

축하 congratulations. **~하다** congratulate.

출구 a way out, an exit.

출발 a start, departure. **~하다** start, leave.

출생 birth. **~하다** be born.

출석 attendance, presence. **~하다** attend, be present 《*at*》.

출입 coming and going. **~하다** go in and out. ¶ ~구 an entrance / 사람의 ~이 많다 Lots of people are coming and going.

출판 publication, publishing. **~하다** publish.

춤 a dance, dancing.

춥다 (be) cold, chilly.

충격 a shock.

충고 advice. **~하다** advise. ¶ ~자 an adviser / 그에게 한마디 ~하다 give him a piece of advice.

충분하다 (be) enough, sufficient. ¶ 충분한 돈 enough money / 그것이면 ~. That's enough.

충실하다 (be) faithful, honest.

취급하다 treat, deal 《*with*》, handle.

취미 a hobby, an interest.

취소하다 cancel. ¶ 주문을 ~ cancel an order.

층 《사회 계급》 a class; 《건물의》 a story, floor. ¶ 근로자 ~ the working class / 3~에 살고 있다 live on third floor.

층계 steps, stairs. ¶ ~를 오르다 go up the stairs.

치다 《때리다》 strike, beat, give a blow, hit.

치료 (a) medical treatment, cure.

~하다 cure, treat. ¶ 상처를 ~하다 treat an injury / ~를 받다 receive treatment.
치마 a skirt.
치약 toothpaste.
친구 a friend. ¶ 나의 미국 친구 my American friend.
친절 kindness. **~하다** (be) kind, helpful. ¶ 친절한 소녀 a kind girl / ~하게 굴다 act kindly; show kindness.
친척 a relative.
친하다 (be) close, friendly. ¶ 매우 친한 친구 a very close friend.
칠면조 a turkey.
칠월 July 《약자 Jul.》.
칠하다 paint. ¶ 벽에 페인트를 ~ paint a wall.
침대 a bed.
침몰 sinking. **~하다** sink, go down.
침묵 silence. **~하다** be silent.
침실 a bedroom.
침입 invasion. **~하다** invade, enter 《*into*》.
칫솔 a toothbrush.
칭찬 admiration, praise. **~하다** praise, admire. ¶ ~을 받다 win 〔receive〕 praise; be praised.
칭호 a title, a name.

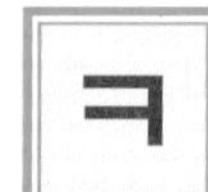

카세트 a cassette. ¶ ~ 녹음기 a cassette tape recorder.
카우보이 a cowboy.
칼 a knife, a sword 《무기용 검》. ¶ 이 ~은 잘 든다. This knife cuts well.
칼국수 knife-cut noodles.
칼라 a shirt collar, a collar.
칼로리 a calorie, a calory. ¶ ~가 많은 〔적은〕 식품 food of high 〔low〕 calorie content.
칼슘 calcium.
캐다 dig up 〔out〕. ¶ 감자를 ~ dig out 〔up〕 potatoes.
캠페인 a campaign.
캠프 a camp. ¶ ~파이어 a campfire.
캠핑 camping. ¶ ~가다 go camping.
커녕 far from, anything but. ¶ 그렇기는 ~ far from it / 즐겁기는 ~ 불쾌하다. It is anything but pleasant.
커브 a curve.
커튼 a curtain. ¶ ~을 올리다〔내리다〕 raise 〔lower〕 a curtain.
커피 coffee. ¶ ~를 한 잔 마시다 drink a cup of coffee.
컬러 (a) color. ¶ ~ 사진 a color photo.
컴퓨터 a computer.
컵 a cup, a glass.
켜다 《불을》 light, switch 〔turn〕 on; 《악기를》 play (on). ¶ 라디오를 ~ turn on the radio.
코 a nose. ¶ 드릉드릉 ~를 골다 snore loudly.
코끼리 an elephant.
코트 a coat, an overcoat.
콩 beans, peas 《완두》.
쾌락 pleasure, enjoyment.
쾌활하다 (be) cheerful, merry. ¶ 쾌활한 청년 a cheerful young man.
퀴즈 a quiz.
크기 size. ¶ ~가 다르다〔같다〕 differ 〔be equal〕 in size.
크다 (be) big, large; 《자라다》 grow big, grow up. ¶ 큰 사과 a big apple / 큰 목소리 a big voice / 큰 집 a large house / 나이에 비해 ~ be big for *one's* age / 그녀는 커서 피아니스트가 되었다. She grew up to be a

pianist.
크리스마스 Christmas (Day), Xmas. ¶ ~이브 Christmas Eve.
큰아버지 an uncle
큰어머니 an aunt.
큰일 《큰 사업》 a big 〔great〕 undertaking 〔business, plan〕; 《중대사》 a matter of grave concern, a serious matter.
클럽 a club.
키 height.
키스 a kiss. **~하다** kiss, give a kiss.
키우다 bring up, raise, rear.

타격 a hit, a blow. ¶ ~을 가하다 strike a blow 《*at*》; give a blow 《*to*》.
타결 a settlement, an agreement. ¶ ~을 보다 reach an agreement.
타다[1] 《탈것에》 take, get on 〔in〕, take 〔have〕 a ride in, ride in 〔on〕. ¶ 기차〔택시〕를 ~ take a train 〔taxi〕 / 자전거를 ~ ride a bicycle / 기차를 타고 가다 go 〔travel〕 by train.
타다[2] 《불에》 burn, be burnt; 《넣다 · 섞다》 put in, add, mix. ¶ 종이는 잘 탄다. Paper burns easily. / 커피에 설탕을 좀 ~ add a little sugar to *one's* coffee.
타이어 a tire.
탁월하다 (be) excellent.
탁자 a table, a desk.
탈 a mask.
탈출 (an) escape. **~하다** escape 《*from*》.
탐험 exploration. **~하다** explore.
탑 a tower, a pagoda.
태도 an attitude, a manner.
태양 the sun. ¶ ~의 표면 the sun's surface.
태평양 the Pacific (Ocean).
택시 a taxi.
택하다 choose, make choice, select. ¶ 둘 중에서 하나를 ~ choose one of the two.
탱크 a tank.
터널 a tunnel. ¶ ~에서 나오다 come out of a tunnel.
턱 the jaws, the chin.
턱수염 a beard.
테니스 tennis.
테스트 a test.
텔레비전 television 《약자 TV》; 《수상기》 a television set.
토끼 a rabbit, a hare 《산토끼》.
토론 a debate, a discussion. **~하다** debate, discuss.
토마토 a tomato.
토막 a piece, a bit 《*of*》.
토스트 toast.
토양 soil, earth.
토요일 Saturday 《약자 Sat.》.
토지 land; 《부동산》 an estate.
톱 a saw.
통(桶) a tub, a barrel.
통고 a notice, warning. **~하다** notify 《*a person of*》, give 《*a person*》 notice 《*of*》 ¶ ~서 a (written) notice.
통과 passage, passing. **~하다** pass 〔go〕 through.
통로 a path, a passage, a way, a road.
통신 communication, correspondence. **~하다** communicate, correspond. ¶ ~ 교육 education by correspondence.
통일 unification. **~하다** unify, unite. ¶ 남북 ~ unification of North and South (Korea) / 나라를 ~하다 unify a nation.

한영편

**통제** control, regulation. **~하다** control, regulate. ¶ 통제 구역 a control zone.
**통증** a pain, an ache.
**통지** (a) notice. **~하다** inform 《*a person*》 of, give 《*a person*》 notice, let 《*a person*》 know.
**통치** rule. **~하다** rule over, govern. ¶ ~자 the ruler.
**통학** attending school. **~하다** go to 〔attend〕 school.
**통행** passing, traffic 《교통》. **~하다** pass 《*through*》, go 《*along*》.
**통화**(通話) a (telephone) call. **~하다** talk over the telephone.
**투수** a pitcher.
**투표** 《표결》 vote; 《투표하기》 voting; 《표》 a vote. **~하다** vote.
**튀다** spring, bound; 《물이》 splash.
**튤립** a tulip.
**트랙** a track. ¶ ~ 경기 track events.
**특별** being special. **~하다** (be) special. ¶ 특별한 것 a special thing.
**특히** especially, specially, in particular.
**튼튼하다** (be) strong, healthy.
**틀다** turn. ¶ 수도를 ~ turn on the water / 라디오를 ~ turn on the radio.
**틀리다** be wrong, make a mistake. ¶ 너의 대답은 틀렸다. Your answer is wrong.
**틀림** an error, a mistake.
**틈** an opening, a gap, a crack; 《공간》 room, space; 《여가》 spare time. ¶ 벽의 갈라진 ~ a crack in the wall / 책 읽을 ~이 없다 have no time to read / 내 차에는 네가 탈 ~이 없다. There is no room for you in my car.
**팀** a team. ¶ ~ 동료 a teammate.

# ㅍ

**파괴** destruction. **~하다** destroy, break (down). ¶ 가정의 행복을 ~하다 destroy the happiness of families.
**파다** dig 《*a hole*》.
**파도** waves.
**파랑** blue.
**파리** a fly.
**파묻다** bury.
**파인애플** a pineapple.
**판단** a judgment. **~하다** judge. ¶ 인생의 값어치를 금전으로 판단해서는 안 된다. Life should not be judged in dollars and cents.
**판매원** a salesperson.
**판사** a judge.
**판자** a board, a plank.
**팔** an arm.
**팔꿈치** an elbow.
**팔다** sell. ¶ 파는 사람 a seller / 비싸게 〔싸게〕 ~ sell at a high 〔low〕 price / 잘 팔리다〔팔리지 않다〕 sell 〔do not sell〕 well.
**팔월** August 《약자 Aug.》.
**패배** (a) defeat. **~하다** be defeated 〔beaten〕. ¶ ~를 맛보다 taste defeat / 적을 ~시키다 defeat the enemy.
**퍼뜨리다** spread. ¶ 헛소문을 ~ spread a false rumor.
**퍼붓다** pour on.
**퍼센트** percent 《기호 %》.
**페이지** a page, a leaf. ¶ 홈~ a home page / ~를 넘기다 turn the pages 《*of a book*》.
**페인트** paint. ¶ ~를 칠하다 paint 《*a room white*》.
**펴다** 《펼치다》 spread 《*it*》 out; 《책을》 open 《*a book*》; 《몸을》 stretch 《*one's back*》.
**편지** a letter. **~하다** write 〔send〕 a letter. ¶ ~를 받다 receive a

letter / 18일자 ~ a letter dated the 18th.

편하다 《편안하다》 (be) comfortable. ¶ 발이 편한 구두 comfortable shoes to wear / 편히 살다 live in comfort; lead a comfortable life.

평균 an average. ¶ ~이상〔이하〕이다 be above 〔below〕 the average / ~을 내다 find 〔take〕 an average.

평등 equality. **~하다** (be) equal, even. ¶ ~한 권리 an equal right / 사람을 ~하게 대하다 treat persons equally.

평범하다 (be) common, ordinary. ¶ 평범한 사람 an ordinary man.

평야 a plain, an open field.

평일 a weekday.

평평하다 (be) flat, even.

평화 peace. ¶ ~롭게 살다 live in peace; lead a peaceful life.

포(砲) a gun, a cannon.

포기하다 give up, abandon.

포도 a grape, grapes.

포옹하다 embrace, hug.

포장 packing. **~하다** wrap, pack.

포함하다 include, hold, have. ¶ 가격에는 상자 값이 포함되어 있지 않다. The price does not include the case. / 세금 포함 가격 5달러 Price $5, tax included.

폭 width, breadth. ¶ ~을 넓히다 widen / ~이 5피트이다 be five feet wide.

폭력 violence, force. ¶ ~ 행위 an act of violence.

폭로하다 bring 《*a matter*》 to light, disclose, expose.

폭발 explosion; 《화산의》 eruption. **~하다** explode; erupt.

폭탄 a bomb (shell).

폭포 a waterfall, falls.

폭풍 a storm.

표 《차표 · 입장권 따위》 a ticket; 《목록 · 일람표 따위》 a table, a list; 《투표의》 a vote; 《부호》 a sign, a mark.

표면 the surface, the face.

표정 (a) (facial) expression, *one's* look 《안색》.

표준 a standard. ¶ ~ 가격 a standard price.

표지 a (book) cover. ¶ 책에 ~를 씌우다 cover a book.

표현 (an) expression. **~하다** express. ¶ ~의 자유 freedom of expression / 울음은 슬픔의 ~이다. Crying is an expression of grief.

푸르다 (be) blue, green 《초록》. ¶ 푸른 하늘 the blue sky / 푸른 들판 green field.

풀 《식물의》 grass; 《붙이는》 paste, glue. ¶ ~이 돋은 땅 grass-grown land / ~을 베다 cut the grass / ~이 잘 먹은 옷 well-starched clothes.

풀다 《문제 따위를》 solve; 《맨 것 따위를》 untie, loosen. ¶ 문제를 ~ solve a problem / 끈을 ~ untie a string.

품위 grace, elegance, dignity 《위엄》. ¶ ~가 있다 have grace.

품질 quality. ¶ ~이 좋다〔나쁘다〕 be good 〔bad〕 in quality.

풍년 a fruitful year, a year of good harvest.

풍부 abundant, rich 《*in*》. ¶ 경험이 풍부하다 have much experience 《*in*》.

풍선 a balloon. ¶ ~을 띄우다 fly a balloon.

풍속 customs.

풍작 a good 〔rich〕 harvest, a heavy crop.

프라이 a fry. **~하다** fry. ¶ ~팬 a frying pan / 계란~ fried eggs.

플라스틱 plastic(s). ¶ ~ 제품 plastic goods.

플래시 a flash. ¶ ~를 터뜨리다 light a flash bulb.

피 blood. ¶ ~는 물보다 진하다. Blood is thicker than water.

피곤 tiredness, weariness. **~하다** (be) tired, weary. ¶ 나는 매우 ~

하다. I feel very tired.

피난 refuge. **~하다** take refuge《*in, from*》. ¶ ~처 a place of refuge / ~민 refugees / ~살이 refugee life.

피다《꽃이》 bloom, blossom. ¶ 봄에 피는 화초 plants blooming in spring.

피로하다 (be) tired, weary. ¶ 피로를 풀다 rest *oneself*; take a rest.

피리 a flute《옆으로 부는》, a pipe《세로로 부는》. ¶ ~를 불다 play (on) the flute〔pipe〕.

피부 the skin.

피아노 a piano. ¶ ~를 치다 play (on) the piano.

피우다《불을》 make a fire;《담배·향을》 smoke. ¶ 난로에 불을 ~ make a fire in the stove / 담배를 ~ smoke a cigarette.

피하다 avoid, keep〔get〕away from, flee from. ¶ 전란을 ~ flee from the war.

피해 damage, injury. ¶ ~를 입다 suffer damage〔injury〕/ ~를 주다 damage, injure.

핀 a pin, a hairpin《머리의》. ¶ ~을 꽂다 pin《*up, on, to*》.

필기 taking notes. **~하다** take notes《*of*》, write〔note〕down.

필름 film.

필수품 necessaries. ¶ 생활 ~ daily necessaries.

필요 necessity, need. **~하다** be necessary《*to*》, be in need《*of*》. ¶ ~한 경우에는 in case of need / 그에겐 휴식이 ~하다. He needs rest.

핑계 an excuse. ¶ ~를 대다 make an excuse.

하급 a low(er) class〔grade〕. ¶ ~생 a lower class student.

하나 one. ¶ ~씩 one by one / 사과 하나 주세요. Give me an apple.

하녀 a maid (servant).

하늘 the sky. ¶ 푸른〔맑은〕~ the blue〔clear〕sky.

하다《행하다》 do, act;《시도하다》 try, attempt. ¶ 일을 ~ do *one's* work / 수선을 ~ do repairs / 최선을 다~ try *one's* best / 네가 좋아하는 것을 해라. Do what you like.

하루 a〔one〕day. ¶ ~ 종일 all day (long); the whole day. / 하루~ (병이) 나아지다 get better day by day.

하마터면 nearly, almost, narrowly. ¶ 그녀는 ~ 기차를 놓칠 뻔했다. She nearly missed the train.

하소연 an appeal. **~하다** appeal, make an appeal.

하수(下水) foul water, drainage.

하숙 lodging; boarding. **~하다** lodge, board.

하여튼 anyhow, anyway.

해야 한다 must, have to.

하자마자 as soon as, no sooner ... than. ¶ 그는 나를 보자마자 도망갔다. As soon as he saw me, he ran away.

하지 않을 수 없다 cannot help《*doing*》, cannot but《*do*》. ¶ 나는 그것을 보고 웃지 않을 수 없었다. I could not help laughing at the sight.

하품 yawning, a yawn.

학과(學科)《과목》 a (school) subject.

학교 a school. ¶ ~에 들어가다 enter a school / ~에 다니다 go to school.

학급 a class.
학기 a (school) term, a semester.
학년 a school year.
학문 learning, study.
학비 school expense. ¶ ~를 벌다 work for *one's* education; earn *one's* school expense (by working).
학생 a student.
학습 learning, study. **~하다** learn, study.
학자 a scholar.
한가하다 (be) free, not busy.
한가운데 the middle, the center. ¶ 방 ~에 눕다 lie in the middle of a room.
한계 a limit, bounds.
한국 (the Republic of) Korea 《생략 R.O.K.》. ¶ ~어 Korean / ~인 a Korean / ~ 국민 the Korean
한글 the Korean alphabet, Hangeul.
한동안 for sometime, for a while.
한문 Chinese writing. ¶ ~자 a Chinese character.
한밤중 midnight, the middle of the night.
한번 once, one time ¶ ~ 더 해 봐라 Try once more.
한벌 a suit, a set. ¶ 가구 ~ a set of furniture / 겨울 옷 ~ a suit of winter clothes.
한숨 a (deep) sigh.
한쌍 a pair, a couple. ¶ 좋은 ~을 이루다 make a good pair.
한장 a sheet. ¶ 종이 ~ a sheet of paper.
한줌 a handful 《*of rice*》.
한층 more, still more.
한 켤레 a pair. ¶ 구두 ~ a pair of shoes.
한편 《한쪽》 one side; 《그 밖에》 besides; 《반면》 on the other hand.
한평생 *one's* whole life.
할머니 a grandmother.
할 수 있다 can, be able to. ¶ 나는 영어를 말~. I can speak English.
할아버지 a grandfather.
핥다 lick.
함께 together, with.
함대 a fleet. ¶ 미국 해군의 제7 ~ the 7th fleet of the U.S. navy.
합격하다 pass 〔succeed in〕 an examination. ¶ 그는 입학 시험에 합격하였다. He passed the entrance examination.
합계 a total, the sum total. **~하다** sum 〔add〕 up, total. ¶ 비용의 ~는 20달러이다. The total of expenses is $20.
합의 agreement. **~하다** agree.
합창 chorus. **~하다** sing together 〔in chorus〕.
합하다 add 〔put, join〕 together, unite.
항공 우편 air mail.
항구 a harbor, a port.
항상 always, at all times.
항해 a voyage. **~하다** sail, make a voyage 《*to*》.
해[1] 《태양》 the sun. ¶ 햇빛 sunshine, sunlight.
해[2] 《일년》 a year.
해(害) 《해로움》 harm, damage. ¶ ~를 입다 suffer damage.
해결 a solution. **~하다** solve.
해군 the navy. ¶ ~ 기지 a naval base.
해답 an answer. **~하다** answer.
해돋이 sunrise.
해롭다 (be) injurious, harmful, bad. ¶ 건강에 해로운 bad for the health.
해마다 every year, annually.
해바라기 a sunflower.
해변 the beach, the seashore, the coast, the seaside.
해설 (an) explanation. **~하다** explain.
해수욕장 a swimming beach.
해양 the ocean, the sea(s).
해외 《외국》 foreign countries. ¶ ~의 overseas; foreign / ~ 시장 overseas markets / ~ 무역 over-

seas trade / ~로 가다 go overseas.

해치다 hurt, injure, damage. ¶ 건강을 ~ injure *one's* health / 감정을 ~ hurt 《*a person's*》 feeling.

핸들 a handle 《연장의》, a wheel 《자동차의》, a handle bar 《자전거의》.

행동 (an) action, conduct. **~하다** act, behave, conduct. ¶ ~ 규범 the rules of conduct.

행렬 a parade.

행복 happiness. **~하다** (be) happy. ¶ 인생의 ~ happiness of life / ~하게 살다 live happily.

행사 an event. ¶ 다채로운 ~ a colorful event.

행운 good luck.

행위 an act, a deed.

행진 a march, a parade. **~하다** march, parade. ¶ ~곡 a march / 결혼 ~곡 a wedding march.

향기 (a) perfume, fragrance. ¶ 좋은 ~ a pleasant perfume.

허가 permission. **~하다** permit. ¶ ~를 구하다 ask for permission / ~를 얻다 get permission.

허락 《승인》 consent; 《허가》 permission. **~하다** consent to, permit, allow.

허리 the waist.

허리띠 a belt, a (waist) band.

허비 (a) waste. **~하다** waste. ¶ TV를 보면서 시간을 ~하지 마라. Don't waste your time watching television.

허수아비 a scarecrow.

허약 weakness, feebleness. **~하다** (be) weak, feeble. ¶ ~ 체질로 태어나다 be born weak.

허위 (a) falsehood, an untruth, a lie. ¶ ~ 보고 a false report.

헤매다 go about, wander.

헤어지다 part from 〔with〕.

헬리콥터 a helicopter.

혀 a tongue.

현관 the front door, the entrance.

현금 cash.

현대 the present age 〔day〕, modern times, today. ¶ ~ 교육 modern education.

현명 wisdom. **~하다** (be) wise.

현미경 a microscope.

현실 reality. ¶ ~의 actual, real / ~적으로 really, actually / ~이 되다 become reality.

현재 the present (time); 《부사적으로》 now, at present. ¶ ~까지 up to now.

혈압 blood pressure. ¶ ~을 재다 measure *one's* blood pressure.

혈액 blood. ¶ ~형 a blood type / ~ 은행 a blood bank.

혐오 hatred, dislike. **~하다** hate, dislike.

협력 cooperation. **~하다** cooperate, work together.

협박 a threat. **~하다** threaten. ¶ 그는 나를 죽이겠다고 ~했다. He threatened me with death.

형 an older 〔elder〕 brother.

형제 brothers, sisters 《자매》.

호감 good feeling, a favorable impression. ¶ ~을 주다 make a good impression / ~을 사다 win 《*a person's*》 favor.

호기심 curiosity. ¶ ~이 많은〔강한〕 curious / ~을 일으키다 arouse *one's* curiosity.

호랑이 a tiger.

호박 a pumpkin.

호소 an appeal. **~하다** appeal to.

호수 a lake.

호의 goodwill, favor. ¶ 그는 나를 ~적으로 대했다. He treated me with favor.

호주머니 a pocket.

호텔 a hotel.

호흡 breath. **~하다** breathe.

혼란 confusion, disorder. **~하다** (be) confused. ¶ ~시키다 confuse / ~상태에 있다 be in confusion 〔disorder〕.

혼자 alone, by *oneself* 《단독》, for *oneself* 《혼자 힘으로》. ¶ 그는 ~

한영편

왔다. He came alone. / 네 ~힘으로 해라. Do it yourself.
혼잡하다 (be) confused, crowded.
홈런 《야구》 a home run. ¶ ~을 치다 hit a home run.
홍수 a flood. ¶ ~가 나다 have a flood; be flooded.
화가 a painter, an artist.
화나다 get angry. ¶ 화나게 하다 irritate.
화단 a flower bed, a flower garden.
화려하다 (be) splendid, colorful. ¶ 화려한 궁전 a splendid palace / 화려한 색상의 옷 a colorful dress.
화물 goods, freight, cargo.
화병 a (flower) vase.
화산 a volcano.
화살 an arrow.
화상 a burn. ¶ ~을 입다 get 〔be〕 burnt.
화성 Mars.
화약 (gun) powder.
화요일 Tuesday 《약자 Tue(s).》.
화장 make-up. **~하다** make up 《*one's face*》, put on make-up. ¶ ~품 cosmetics / ~실 a dressing room; 《변소》 a rest room, a toilet.
화재(火災) a fire.
화제 a topic. ¶ 오늘의 ~ the topics of the day.
화학 chemistry. ¶ ~자 a chemist.
확신 a firm belief. **~하다** believe firmly, be convinced 《*of*》, be sure 《*of*》. ¶ 나는 그의 성공을 ~한다. I'm sure of his success.
확실하다 (be) sure, certain. ¶ 확실한 사실 a certain fact / 확실한 방법 a sure 〔safe〕 method.
환경 environment, surroundings. ¶ ~ 보호 the protection of environment / ~ 오염 environmental pollution.
환영 a welcome, a reception. **~하다** welcome, give a welcome to 《*a person*》. ¶ ~사 an address of welcome / ~회 a welcome meeting 〔party〕 / 따뜻한 ~을 받다 receive a warm welcome.
환자 a patient.
환하다 《밝다》 (be) bright, light; 《탁 트이다》 (be) open, clear. ¶ 환한 방 a well-lighted room / 환히 트인 길 an open road.
환호 a cheer. **~하다** cheer, give cheers.
활 a bow. ¶ ~에 살을 메기다 fix 〔put〕 an arrow to the bow.
활기 activity, life, vigor. ¶ ~있는 active, lively, full of life / ~를 띠다 become active.
활동 activity, action. **~하다** (be) active, play an active part 《*in*》. ¶ ~적인 생활 an active life.
황무지 waste 〔wild〕 land.
황소 a bull.
활자 a printing type.
황홀하다 (be) charming, delight.
회견 an interview 《*with*》. **~하다** meet, interview.
회담 talks, (a) talk, (a) conversation. **~하다** have a talk 《*with*》. ¶ ~이 진행 중이다 Talk are now underway.
회답 an answer, a reply. **~하다.** reply 《*to*》, give a reply, answer.
회보 a newsletter.
회복 recovery. **~하다** recover, get well. ¶ 빨리 ~하시길 빕니다. I hope you will get well soon.
회사 a company 《약자 Co.》, a firm. ¶ ~에 근무하다 serve in a company.
회상 memory, recollection. **~하다** recollect, recall 《*a fact*》 to *one's* mind.
회색(의) gray. ¶ ~ 코트 a gray coat.
회원 a member 《*of a society*》, membership 《총칭》. ¶ ~이 되다 become a member.
회의 a meeting, a conference. **~하다** confer 《*with*》. ¶ ~를 열다

한영편

hold [have] a meeting.
회전 turning, (a) rotation. **~하다** turn [go] round, rotate.
회화 conversation, a talk. ¶ ~ 책 a conversation book / 영어 ~에 익숙하다 be good at English conversation.
횡단 crossing. **~하다** cross, go across. ¶ ~ 보도 a street crossing, a crosswalk.
효과 (an) effect. ¶ ~적인 effective / ~적으로 effectively.
후보자 a candidate. ¶ 대통령 ~ a candidate for President.
후원 support, backing. **~하다** support, give support 《*to*》, back (up).
후자 the latter. ¶ 전자와 ~ the former and the latter.
후회 regret. **~하다** regret, be sorry 《*for*》.
훈련 training, drill, practice. **~하다** train, drill.
훌륭하다 (be) fine, nice, excellent.
훔치다 《남의 것을》 steal 《*a thing from*》; 《닦다》 wipe 《*the floor*》.
훨씬 by far, far more, greatly. ¶ ~ 낫다 be far better.
휘파람 a whistle. ¶ ~을 불다 (give a) whistle.
휴가 holidays, a vacation. ¶ ~를 얻다 take a 《*week's*》 holiday.
휴식 (a) rest. **~하다** (take a) rest. ¶ ~ 시간 a break.
휴일 a holiday, a day off.
휴지 waste paper, toilet paper 《화장지》. ¶ ~통 a wastepaper basket.
흉내 imitation. ¶ ~를 내다 imitate.
흉년 a bad year, a year of poor harvest.
흐르다 flow, stream.
흐리다 《날이》 (be) cloudy.
흑인 a colored man, a black, a Negro; 《집합적》 black people.
흑판 a blackboard.
흔히 commonly, usually.
흘리다 spill 《*soup*》.
흙 earth, soil.
흥겹다 (be) gay, merry, joyful.
흥미 (an) interest.
흥분 excitement. **~하다** be [get] excited. ¶ ~ 상태 an excited condition / ~을 가라앉히다 calm down *one's* excitement.
흩어지다 scatter 《*about*》, be scattered.
희곡 a drama, a play. ¶ ~ 작가 a dramatist.
희귀하다 (be) rare. ¶ 희귀한 새 a rare bird.
희극 a comedy. ¶ ~ 배우 a comedian / ~ 영화 a comic film.
희다 (be) white.
희망 (a) hope. (a) wish. **~하다** hope 《*to do, for*》, wish. ¶ ~에 살다 live in hope / ~을 잃지 마라. Don't give up [lose] hope.
희미하다 (be) faint, dim. ¶ 희미하게 빛나다 shine dimly.
희생 (a) sacrifice. **~하다** sacrifice, make a victim of 《*a person*》.
힌트 a hint. ¶ ~를 주다 give [drop] a hint.
힘 power, strength, energy. ¶ ~을 내다 put forth *one's* strength.

한영편

# 불규칙 동사표

▶ 볼드체의 단어는 *표가 2개 붙은 필수 단어 750개 내에 포함되어 있는 불규칙 동사 및 조동사임

| 현 재 | 과 거 | 과거분사 | 현재분사 |
|---|---|---|---|
| **am** (be) ~이다 | **was** | **been** | **being** |
| **are** (be) ~이다 | **were** | **been** | **being** |
| arise 생겨나다 | arose | arisen | arising |
| awake 깨우다 | awoke, awaked | awoke, awaked | awaking |
| bear 견디다, 낳다 | bore | borne, born | bearing |
| beat 치다 | beat | beaten, beat | beating |
| **become** ~으로 되다 | **became** | **become** | **becoming** |
| **begin** 시작하다 | **began** | **begun** | **beginning** |
| bend 구부리다 | bent | bent | bending |
| bet 내기를 하다 | bet, betted | bet, betted | betting |
| bind 묶다 | bound | bound | binding |
| bite 물다 | bit | bitten, bit | biting |
| bleed 피를 흘리다 | bled | bled | bleeding |
| bless 축복하다 | blessed, blest | blessed, blest | blessing |
| blow 불다 | blew | blown | blowing |
| **break** 깨뜨리다 | **broke** | **broken** | **breaking** |
| breed 낳다 | bred | bred | breeding |
| **bring** 가져오다 | **brought** | **brought** | **bringing** |
| broadcast 방송하다 | broadcast, broadcasted | broadcast broadcasted | broadcasting |
| **build** 세우다 | **built** | **built** | **building** |
| burn 타다 | burned, burnt | burned, burnt | burning |
| burst 폭발하다 | burst | burst | bursting |
| **buy** 사다 | **bought** | **bought** | **buying** |
| **can** ~할 수 있다 | **could** | — | — |
| **catch** 잡다 | **caught** | **caught** | **catching** |
| choose 선택하다 | chose | chosen | choosing |
| cling 달라붙다 | clung | clung | clinging |
| **come** 오다 | **came** | **come** | **coming** |
| cost 돈이 들다 | cost | cost | costing |

| 현 재 | 과 거 | 과거분사 | 현재분사 |
|---|---|---|---|
| creep 기다 | crept | crept | creeping |
| **cut** 자르다 | **cut** | **cut** | **cutting** |
| deal 다루다 | dealt | dealt | dealing |
| dig 파다 | dug | dug | digging |
| **do, does** 하다 | **did** | **done** | **doing** |
| **draw** 끌다 | **drew** | **drawn** | **drawing** |
| dream 꿈꾸다 | dreamed, dreamt | dreamed, dreamt | dreaming |
| **drink** 마시다 | **drank** | **drunk, drunken** | **drinking** |
| **drive** 운전하다 | **drove** | **driven** | **driving** |
| **eat** 먹다 | **ate** | **eaten** | **eating** |
| **fall** 떨어지다 | **fell** | **fallen** | **falling** |
| feed 음식을 주다 | fed | fed | feeding |
| feel 느끼다 | felt | felt | feeling |
| fight 싸우다 | fought | fought | fighting |
| **find** 발견하다 | **found** | **found** | **finding** |
| **fly** 날다 | **flew** | **flown** | **flying** |
| forbid 금하다 | forbade, forbad | forbidden | forbidding |
| **forget** 잊다 | **forgot** | **forgot, forgotten** | **forgetting** |
| forgive 용서하다 | forgave | forgiven | forgiving |
| freeze 얼다 | froze | frozen | freezing |
| **get** 얻다 | **got** | **got, gotten** | **getting** |
| **give** 주다 | **gave** | **given** | **giving** |
| **go** 가다 | **went** | **gone** | **going** |
| grind 빻다 | ground | ground | grinding |
| **grow** 자라다 | **grew** | **grown** | **growing** |
| hang 매달다 | hung, hanged | hung, hanged | hanging |
| **have, has** 가지고 있다 | **had** | **had** | **having** |
| **hear** 듣다 | **heard** | **heard** | **hearing** |
| heave 들어올리다 | heaved, hove | heaved, hove | heaving |
| hide 감추다 | hid | hidden, hid | hiding |
| hit 치다 | hit | hit | hitting |
| hold 쥐다 | held | held | holding |
| hurt 상하게 하다 | hurt | hurt | hurting |
| **is (be)** ~이다 | **was** | **been** | **being** |
| **keep** 유지하다 | **kept** | **kept** | **keeping** |
| kneel 무릎을 꿇다 | knelt, kneeled | knelt, kneeled | kneeling |

| 현 재 | 과 거 | 과거분사 | 현재분사 |
|---|---|---|---|
| knit 짜다 | knitted, knit | knitted, knit | knitting |
| **know** 알다 | **knew** | **known** | **knowing** |
| lay 놓다 | laid | laid | laying |
| lead 이끌다 | led | led | leading |
| lean 기대다 | leaned, leant | leaned, leant | leaning |
| leap 뛰다 | leapt, leaped | leapt, leaped | leaping |
| **learn** 배우다 | **learned, learnt** | **learned, learnt** | **learning** |
| **leave** 떠나다 | **left** | **left** | **leaving** |
| **lend** 빌려 주다 | **lent** | **lent** | **lending** |
| **let** ~시키다 | **let** | **let** | **letting** |
| lie 가로 눕다 | lay | lain | lying |
| **light** 불붙이다 | **lighted, lit** | **lighted, lit** | **lighting** |
| **lose** 잃다 | **lost** | **lost** | **losing** |
| **make** 만들다 | **made** | **made** | **making** |
| **may** ~해도 좋다 | **might** | — | — |
| mean 의미하다 | meant | meant | meaning |
| **meet** 만나다 | **met** | **met** | **meeting** |
| mistake 실수하다 | mistook | mistaken | mistaking |
| misunderstand 오해하다 | misunderstood | misunderstood | misunder-standing |
| mow 베다 | mowed | mowed, mown | mowing |
| **must** ~해야 한다 | **(must)** | — | — |
| overcome 이기다 | overcame | overcome | overcoming |
| overhear 우연히 듣다 | overheard | overheard | overhearing |
| overtake 따라잡다 | overtook | overtaken | overtaking |
| pay 지불하다 | paid | paid | paying |
| prove 증명하다 | proved | proved, proven | proving |
| **put** 두다 | **put** | **put** | **putting** |
| quit 그만두다 | quit, quitted | quit, quitted | quitting |
| **read** 읽다 | **read** | **read** | **reading** |
| rewrite 고쳐 쓰다 | rewrote | rewritten | rewriting |
| rid 없애다 | rid, ridded | rid, ridded | ridding |
| **ride** 타다 | **rode** | **ridden** | **riding** |
| ring 울리다 | rang | rung | ringing |
| **rise** 오르다 | **rose** | **risen** | **rising** |
| **run** 달리다 | **ran** | **run** | **running** |

| 현 재 | 과 거 | 과거분사 | 현재분사 |
|---|---|---|---|
| **say** 말하다 | **said** | **said** | **saying** |
| **see** 보다 | **saw** | **seen** | **seeing** |
| seek 찾다 | sought | sought | seeking |
| **sell** 팔다 | **sold** | **sold** | **selling** |
| **send** 보내다 | **sent** | **sent** | **sending** |
| set 놓다 | set | set | setting |
| sew 꿰매다 | sewed | sewed, sewn | sewing |
| shake 흔들다 | shook | shaken | shaking |
| **shall** ~일 것이다 | **should** | — | — |
| shave 깎다 | shaved | shaved, shaven | shaving |
| shear 자르다 | sheared | sheared, shorn | shearing |
| shed 흘리다 | shed | shed | shedding |
| shine 빛나다 | shone | shone | shining |
| shoot 발사하다 | shot | shot | shooting |
| **show** 보이다 | **showed** | **shown, showed** | **showing** |
| shut 닫다 | shut | shut | shutting |
| **sing** 노래하다 | **sang** | **sung** | **singing** |
| sink 가라앉다 | sank, sunk | sunk, sunken | sinking |
| **sit** 앉다 | **sat** | **sat** | **sitting** |
| **sleep** 잠자다 | **slept** | **slept** | **sleeping** |
| slide 미끄러지다 | slid | slid, slidden | sliding |
| smell 냄새 맡다 | smelled,smelt | smelled, smelt | smelling |
| sow 씨를 뿌리다 | sowed | sown, sowed | sowing |
| **speak** 말하다 | **spoke** | **spoken** | **speaking** |
| speed 급히 가다 | sped, speeded | sped, speeded | speeding |
| spell 철자하다 | spelled, spelt | spelled, spelt | spelling |
| **spend** 소비하다 | **spent** | **spent** | **spending** |
| spill 엎지르다 | spilled | spilled, spilt | spilling |
| spin 잣다 | spun, span | spun | spinning |
| split 쪼개다 | split | split | splitting |
| spoil 망쳐놓다 | spoiled | spoiled, spoilt | spoiling |
| spread 펴다 | spread | spread | spreading |
| **spring** 뛰다 | **sprang, sprung** | **sprung** | **springing** |
| **stand** 서다 | **stood** | **stood** | **standing** |
| steal 훔치다 | stole | stolen | stealing |
| stick 찌르다 | stuck | stuck | sticking |

| 현 재 | 과 거 | 과거분사 | 현재분사 |
|---|---|---|---|
| sting 쏘다 | stung | stung | stinging |
| stride 성큼성큼 걷다 | strode | stridden | striding |
| strike 치다 | struck | struck, stricken | striking |
| strive 노력하다 | strove | striven | striving |
| swear 맹세하다 | swore | sworn | swearing |
| sweat 땀을 흘리다 | sweat, sweated | sweat, sweated | sweating |
| sweep 쓸다 | swept | swept | sweeping |
| swell 부풀다 | swelled | swelled, swollen | swelling |
| **swim** 헤엄치다 | **swam** | **swum** | **swimming** |
| swing 흔들리다 | swung | swung | swinging |
| **take** 잡다 | **took** | **taken** | **taking** |
| **teach** 가르치다 | **taught** | **taught** | **teaching** |
| tear 찢다 | tore | torn | tearing |
| **tell** 말하다 | **told** | **told** | **telling** |
| **think** 생각하다 | **thought** | **thought** | **thinking** |
| **throw** 던지다 | **threw** | **thrown** | **throwing** |
| thrust 밀치다 | thrust | thrust | thrusting |
| tread 밟다 | trod | trodden, trod | treading |
| undergo 경험하다 | underwent | undergone | undergoing |
| **understand** 이해하다 | **understood** | **understood** | **understand-ing** |
| undertake 맡다 | undertook | undertaken | undertaking |
| undo 원상태로 돌리다 | undid | undone | undoing |
| upset 뒤엎다 | upset | upset | upsetting |
| wake 깨다 | waked, woke | waked, woken | waking |
| wear 입고 있다 | wore | worn | wearing |
| weave 짜다 | wove | woven, wove | weaving |
| weep 울다 | wept | wept | weeping |
| **will** ~일 것이다 | **would** | — | — |
| win 이기다 | won | won | winning |
| wind 감다 | wound | wound | winding |
| wrap 싸다 | wrapped, wrapt | wrapped, wrapt | wrapping |
| **write** 쓰다 | **wrote** | **written** | **writing** |

# 세계의 국기

## NORTH AMERICA

Antigua & Barbuda
앤티가바부다

Bahama
바하마

Barbados
바베이도스

Belize
벨리즈

Canada
캐나다

Costa Rica
코스타리카

Cuba
쿠바

Dominica
도미니카

Dominican Republic
도미니카 공화국

Elsalvador
엘살바도르

Grenada
그레나다

Guatemala
과테말라

Haiti
아이티

Honduras
온두라스

Jamaica
자메이카

Mexico
멕시코

Nicaragua
니카라과

Panama
파나마

St. Kitts & Nevis
세인트키츠네비스

ST. Lucia
세인트루시아

Trinidad & Tobago
트리니다드토바고

USA
미국

Argentina
아르헨티나

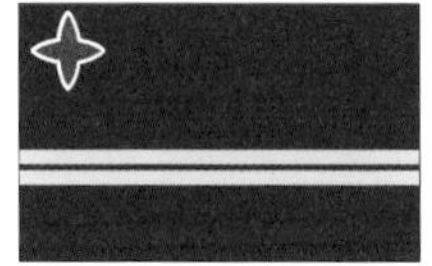
Aruba
아루바

Bolivia
볼리비아

Brazil
브라질

Chile
칠레

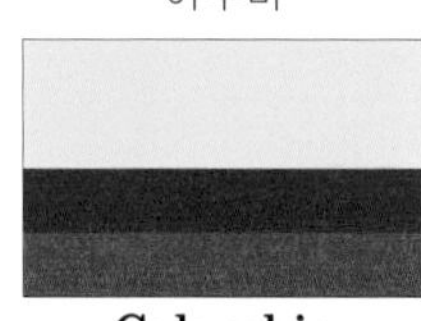
Colombia
콜롬비아

Ecuador
에콰도르

Falkland
포클랜드

Guyana
가이아나

Paraguay
파라과이

Peru
페루

Suriname
수리남

Uruguay
우루과이

Venezuela
베네수엘라

Albania
알바니아

Austria
오스트리아

Belarus
벨로루시

Belgium
벨기에

Croatia
크로아티아

Czech
체코

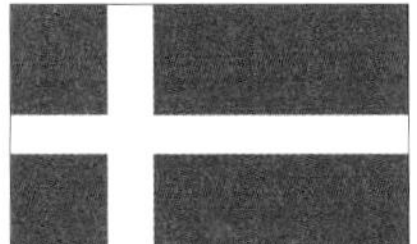
Denmark
덴마크

Estonia
에스토니아

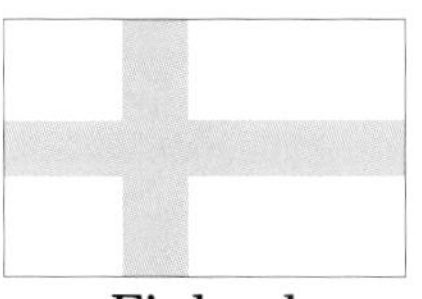
Finland
핀란드

France
프랑스

Germany
독일

Greece
그리스

Hungary
헝가리

Iceland
아이슬란드

Ireland
아일랜드

Italy
이탈리아

Latvia
라트비아

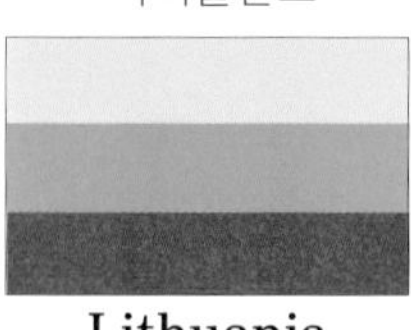
Lithuania
리투아니아

Luxembourg
룩셈부르크

Macedonia
마케도니아

Malta
몰타

Monaco
모나코

Montenegro
몬테네그로

Netherlands
네덜란드

Norway
노르웨이

Poland
폴란드

Portugal
포르투갈

Romania
루마니아

San Marino
산마리노

Serbia
세르비아

Slovenia
슬로베니아

Spain
스페인

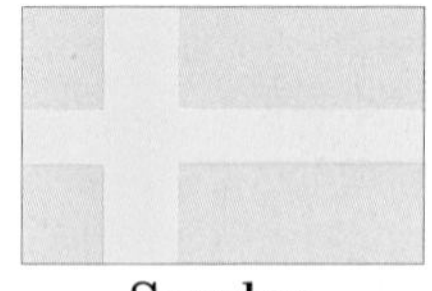
Sweden
스웨덴

Switzerland
스위스

Ukraine
우크라이나

United Kingdom
영국

Vatican City
바티칸

Yugoslavia
유고슬라비아

Afghanistan
아프가니스탄

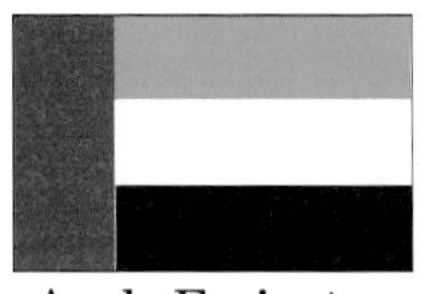
Arab Emirates
아랍에미리트

Armenia
아르메니아

Azerbaijan
아제르바이잔

Bahrain
바레인

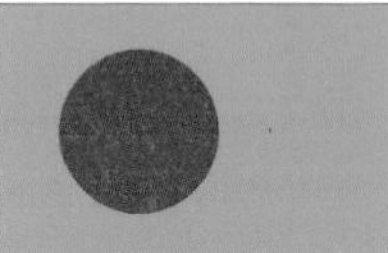
Bangladesh
방글라데시

Bhutan
부탄

Brunei
브루나이

Cambodia
캄보디아

China
중국

Cyprus
사이프러스

Georgia
그루지야

India
인도

Indonesia
인도네시아

Iran
이란

Iraq
이라크

Israel
이스라엘

Japan
일본

Jordan
요르단

Kazakhstan
카자흐스탄

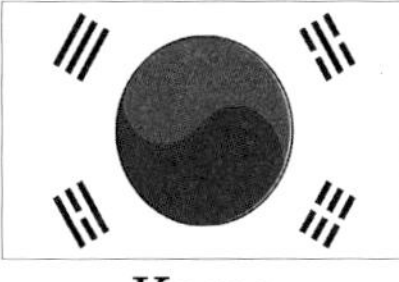
Korea
한국

Kuwait
쿠웨이트

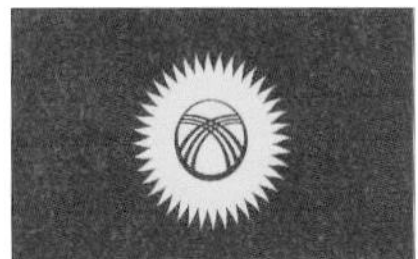
Kyrgyzstan
키르기스스탄

Laos
라오스

Lebanon
레바논

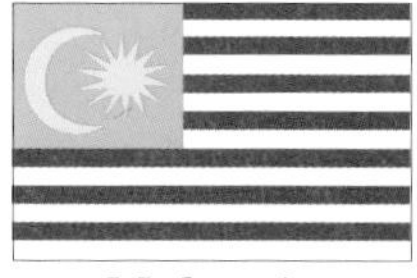
Malaysia
말레이시아

Maldives
몰디브

Mongolia
몽골

Myanmar
미얀마

Nepal
네팔

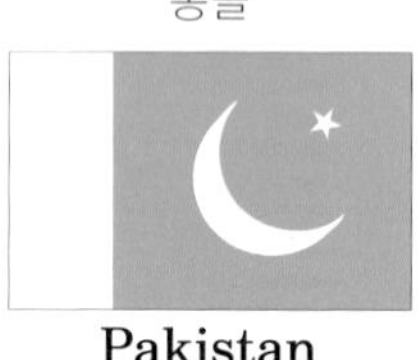

Oman
오만

Pakistan
파키스탄

Philippines
필리핀

Qatar
카타르

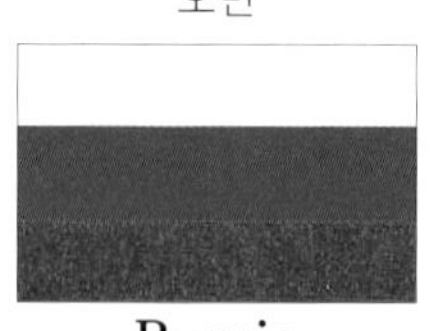

Russia
러시아

Saudi Arabia
사우디아라비아

Singapore
싱가포르

Sri Lanka
스리랑카

Syria
시리아

Taiwan
타이완

Tajikistan
타지키스탄

Thailand
타이

Turkey
터키

Uzbekistan
우즈베키스탄

Vietnam
베트남

Yemen
예멘

## Africa

Algeria
알제리아

Angola
앙골라

Benin
베냉

Botswana
보츠와나

Burkina faso
부르키나파소

Burundi
부룬디

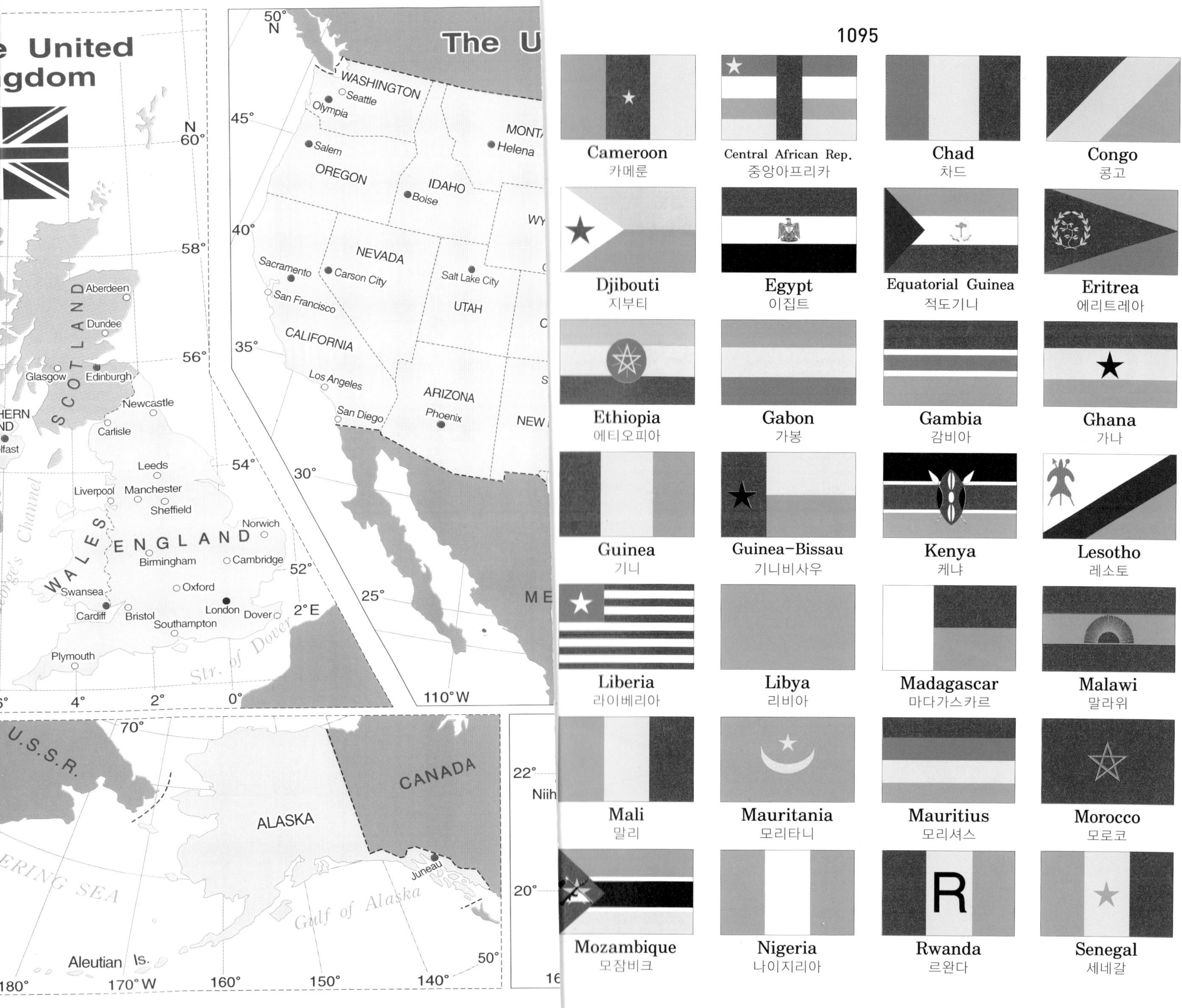
The United
Kingdom
SCOTLAND
ENGLAND
WALES
Aberdeen
Dundee
Glasgow
Edinburgh
Newcastle
Carlisle
Belfast
Leeds
Liverpool
Manchester
Sheffield
Norwich
Birmingham
Cambridge
Swansea
Oxford
Cardiff
Bristol
London
Dover
Southampton
Plymouth
Str. of Dover
George's Channel
The U
WASHINGTON
Seattle
Olympia
OREGON
Salem
IDAHO
Boise
Helena
NEVADA
Carson City
Sacramento
San Francisco
UTAH
Salt Lake City
CALIFORNIA
Los Angeles
San Diego
ARIZONA
Phoenix
U.S.S.R.
ALASKA
CANADA
Juneau
BERING SEA
Gulf of Alaska
Aleutian Is.
Cameroon
카메룬
Central African Rep.
중앙아프리카
Chad
차드
Congo
콩고
Djibouti
지부티
Egypt
이집트
Equatorial Guinea
적도기니
Eritrea
에리트레아
Ethiopia
에티오피아
Gabon
가봉
Gambia
감비아
Ghana
가나
Guinea
기니
Guinea-Bissau
기니비사우
Kenya
케냐
Lesotho
레소토
Liberia
라이베리아
Libya
리비아
Madagascar
마다가스카르
Malawi
말라위
Mali
말리
Mauritania
모리타니
Mauritius
모리셔스
Morocco
모로코
Mozambique
모잠비크
Nigeria
나이지리아
Rwanda
르완다
Senegal
세네갈

Seychelles
세이셸

Sierra Leone
시에라리온

Somalia
소말리아

South Africa
남아프리카

Sudan
수단

Swaziland
스와질란드

Tanzania
탄자니아

Togo
토고

Tunisia
튀니지

Uganda
우간다

Zambia
잠비아

Zimbabwe
짐바브웨

## Oceania

Australia
오스트레일리아

Fiji
피지

Kiribati
키리바시

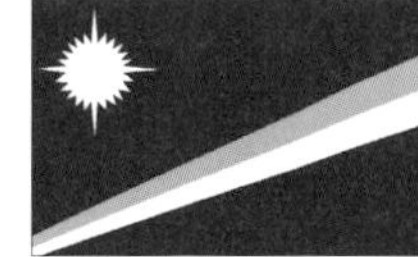
Marshall Islands
마셜제도

Micronesia
미크로네시아

Nauru
나우르

New Zealand
뉴질랜드

Palau
팔라우

Papua New Guinea
파푸아뉴기니

Samoa
사모아

Solomon Islands
솔로몬제도

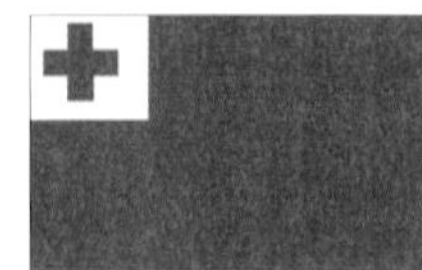
Tonga
통가

Tubalu
투발루

Vanuatu
바누아투

*Essence*
ENGLISH-KOREAN
DICTIONARY
FOR BEGINNERS

**엣센스 영어**

2010년 2월 5일 초
2025년 1월 10일 제15

편 자 민
발행인 김

발행처 사전전문 **민 중**
10881 경기도 파주시
(파주출판문화
전화 (영업) 031) 955-6500~
Fax (영업) 031) 955-6525
E-mail editmin@minju
홈페이지 http: // www.mi
등록 1979. 7. 23. 제2-


ISBN 978-89-
정가 32,